© Jon Arnold Images/hemis.fr

Le Routard

Tokyo, Kyoto et environs
+ Osaka et Hiroshima

Cofondateurs : Philippe GLOAGUEN et Michel DUVAL

Directeur de collection et auteur
Philippe GLOAGUEN

Rédacteurs en chef adjoints
Amanda KERAVEL
et Benoît LUCCHINI

Directrice de la coordination
Florence CHARMETANT

Directrice administrative
Bénédicte GLOAGUEN

Directeur du développement
Gavin's CLEMENTE-RUIZ

Conseiller à la rédaction
Pierre JOSSE

Direction éditoriale
Hélène FIRQUET

Rédaction
Isabelle AL SUBAIHI
Emmanuelle BAUQUIS
Mathilde de BOISGROLLIER
Thierry BROUARD
Marie BURIN des ROZIERS
Véronique de CHARDON
Fiona DEBRABANDER
Anne-Caroline DUMAS
Éléonore FRIESS
Géraldine LEMAUF-BEAUVOIS
Olivier PAGE
Alain PALLIER
Anne POINSOT
André PONCELET
Alizée TROTIN

Responsable voyages
Carole BORDES

2019

hachette

TABLE DES MATIÈRES

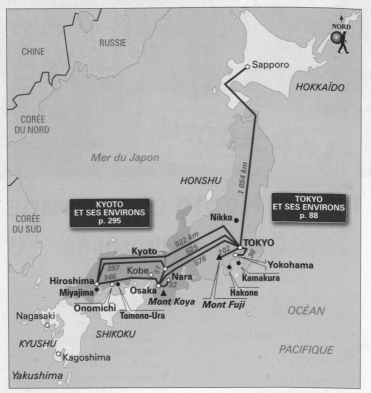

NORD

CHINE

RUSSIE

Sapporo

HOKKAÏDO

CORÉE
DU NORD

Mer du Japon

HONSHU

1 054 km

CORÉE
DU SUD

KYOTO
ET SES ENVIRONS
p. 295

TOKYO
ET SES ENVIRONS
p. 88

Nikko

Kyoto

922 km
525
576

TOKYO

102
36

Yokohama

Kobe
397
346
51

Nara
32

Kamakura

Hiroshima

Osaka

Hakone

Miyajima

Mont Koya

Mont Fuji

OCÉAN

Nagasaki

Onomichi

Tomono-Ura

SHIKOKU

KYUSHU

Kagoshima

PACIFIQUE

Yakushima

PRÉAMBULE

COMMENT Y ALLER ? 36

JAPON UTILE 50

Important : dernière minute

Sauf rares exceptions, le *Routard* bénéficie d'une parution annuelle à date fixe. Entre deux dates, des événements fortuits (formalités, taux de change, catastrophes naturelles, conditions d'accès aux sites, fermetures inopinées, etc.) peuvent modifier vos projets de voyage. Pour éviter les déconvenues, nous vous recommandons de consulter la rubrique « Guide » par pays de notre site • routard.com • et plus particulièrement les dernières *Actus voyageurs.*

Le festival Jidai matsuri, à Tokyo

© Jon Arnold Images/hemis.fr

Pictogrammes du Routard

Établissements

- 🏠 Hôtel, auberge, chambre d'hôtes
- ⚊ Camping
- 🍴 Restaurant
- ☂ Terrasse
- 🍕 Pizzeria
- 🥪 Boulangerie, sandwicherie
- 🧁 Pâtisserie
- 🍦 Glacier
- ☕ Café, salon de thé
- 🍷 Café, bar
- ♪ Bar musical
- 💃 Club, boîte de nuit
- 🎭 Salle de spectacle
- 🛍 Boutique, magasin, marché

Infos pratiques

- ℹ Office de tourisme
- ✉ Poste
- @ Accès Internet
- ✚ Hôpital, urgences
- ♿ Adapté aux personnes handicapées

Sites

- 🎣 Présente un intérêt touristique
- 🏖 Plage
- 🤿 Site de plongée
- 🧍 Recommandé pour les enfants
- ◎ Inscrit au Patrimoine mondial de l'Unesco

Transports

- ✈ Aéroport
- 🚂 Gare ferroviaire
- 🚌 Gare routière, arrêt de bus
- Ⓜ Station de métro
- 🆃 Station de tramway
- 🅿 Parking
- 🚕 Taxi
- 🚐 Taxi collectif
- 🛥 Bateau
- ⛴ Bateau fluvial
- 🚴 Piste cyclable, parcours à vélo

LA RÉDACTION DU ROUTARD

(sans oublier nos 50 enquêteurs, aussi sur le terrain)

© R. Délalande et E. Dessons

Thierry, Anne-Caroline, Éléonore, Olivier, Alizée, Pierre, Benoît, Alain, Fiona, Emmanuelle, Gavin's, André, Véronique, Bénédicte, Jean-Sébastien, Mathilde, Amanda, Isabelle, Géraldine, Marie, Carole, Philippe, Florence, Anne.

La saga du *Routard* : en 1971, deux étudiants, Philippe et Michel, avaient une furieuse envie de découvrir le monde. De retour du Népal germe l'idée d'un guide différent qui regrouperait tuyaux malins et itinéraires sympas, destiné aux jeunes fauchés en quête de liberté. 1973. Après 19 refus d'éditeurs et la faillite de leur première maison d'édition, l'aventure commence vraiment avec Hachette. Aujourd'hui, le *Routard*, c'est plus d'une cinquantaine d'enquêteurs impliqués et sincères. Ils parcourent le monde toute l'année dans l'anonymat et s'acharnent à restituer leurs coups de cœur avec passion.

Merci à tous les Routards qui partagent nos convictions : liberté et indépendance d'esprit ; découverte et partage ; sincérité, tolérance et respect des autres.

NOS SPÉCIALISTES JAPON

Florence Charmetant : très tôt, le voyage est devenu une nécessité, quelle que soit la destination. Le voyage pour les personnes, les rencontres, les liens, les lieux, les cultures, les langues, les valeurs, les goûts, les parfums, les différences… Trente années ont passé, son appétit demeure et son envie de transmettre, à vous lecteurs du *Routard,* tout autant.

Isabelle Al Subaihi : une émigration outre-Manche à l'âge de 4 mois, forcément, ça laisse des traces : un goût prononcé pour l'exotisme ! Depuis, elle cherche à transmettre sa passion du voyage. Ce qu'elle aime partager : un bon plat, des éclats de rire, l'émotion d'un paysage qui bouleverse. Et surtout une vision décalée grâce à des rencontres surprenantes.

Thierry Bessou : ses origines agricoles auraient pu l'amener à cultiver la terre, finalement il la sillonne. Pourtant, il a peur de prendre l'avion ! En équilibre précaire sur un éléphant, les doigts gelés au pied d'un glacier, de marchés en musées, ses antennes restent déployées. C'est dans la Ville rose qu'il écrit, inspiré par mille lieux foulés, mille regards croisés.

UN GRAND MERCI À NOS AMI(E)S SUR PLACE ET EN FRANCE

Pour cette nouvelle édition, nous remercions particulièrement :

- Toute l'équipe de l'**office de tourisme du Japon** à Paris, et **Ikuko Nagao**.
- **Amicie d'Avout** pour sa fidélité depuis le début.
- **Angéline Fujioka** et **Yu Shingu** de l'**office de tourisme d'Hiroshima** pour leur soutien dans cette aventure.
- **Tadashi Sugihara,** guide-interprète en français à Kyoto, • *japonsanssushi.com* •
- **David Michaud,** photographe, auteur (Le Chêne/Hachette) installé à Yokohama, et créateur des sites • *lejapon.fr* • et • *japon365.com* •
- Le réseau **Slow Food** de Tokyo, et en particulier **Toshiya Sasaki,** président de Slow Food Suginami-Tokyo, **Noriko Sasaki, Reiko Ohashi** et **Kakegawa Masayuki** pour leurs conseils gastronomiques avisés.
- **Jean-Philippe Audren, Stéphane Péan** et **Bertrand Larcher.**

Les Bretons gourmets et gourmands de Tokyo pour leurs excellentes suggestions :

- **Jérôme Daniel,** épicurien notoire, meilleur luthier à l'est de la mer du Japon et qui nous a fait connaître une merveille : le sashimi de langouste…
- **Christophe Sabouret,** historien, ancien membre de l'École française d'Extrême-Orient.
- **Antigone** et **Jean-Luc Schilling,** qui ont su nous convaincre d'éditer ce guide.
- **Hervé Schwindenhammer** et son épouse pour leurs excellents tuyaux et informations.
- **Angélina Verdier,** qui a quitté la Ville rose pour rejoindre sa 2e patrie, pour ses tuyaux avertis sur la vie nocturne tokyoïte.
- Pour leur aide, **Maiko Sakurai** à Kyoto, **Noriko Koizumi** et **Minako Hayashi** à Nara, **Minami** et **Ken Masujima,** et enfin **Virginie Rey** pour son enthousiasme indéfectible.
- À Osaka, **Yuri Sasaki** et l'office de tourisme de la ville pour leur logistique précieuse ; **Angelo Di Genova,** passionnant conteur d'histoires et dénicheur de coins secrets, • *osakasafari.com* •
- À Hiroshima, l'office de tourisme et tout particulièrement les adorables et efficaces **Reiko Araragi, Tomomi Yuasa** et **Yasumi Shirai** pour leur bonne humeur et leur aide ; **Makie,** au français impeccable, pour son éclairage indispensable sur la ville ; **Judith** pour ses tuyaux de premier ordre.
- **Alexandra Catel,** Tokyoïte d'adoption, pour sa disponibilité et ses bons plans.
- Toute notre reconnaissance à **Flor de Sakura** (Florence Charmetant), qui a été notre « fée des voyages », motivante, motivée et organisée…

Et la gentillesse, la serviabilité naturelles des Japonais(es) lorsque nous errions, comme des âmes en peine, dans toutes ces villes avec des rues sans nom…

 Tout au long de ce guide, découvrez toutes les photos de la destination sur • *routard.com* • Attention au coût de connexion à l'étranger, assurez-vous d'être en wifi !
© HACHETTE LIVRE (Hachette Tourisme), 2018
Le *Routard* est imprimé sur un papier issu de forêts gérées.

8

Site inscrit au Patrimoine mondial de l'Unesco

NORD

CHINE

RUSSIE

CORÉE
DU NORD

MER
DU JAPON

CORÉE
DU SUD

Wajima
Toyama
Kanazawa
Takayama
Fukui
Tottori   Tsuruga   Gifu
Izumo   Maizuru
Matsue   KYOTO
HIROSHIMA   Kôbe   Nagoya
p. 413   Kurashiki   Nara
Tsuwano   **Onomichi**   Tsu
Hagi   **OSAKA**   Ise
Miyajima   **Tomono-Ura**   **p. 387**   **Osaka**
Shimonoseki   ▲ Mont Kôya
Fukuoka   Kita-   Tokushima
Yobuko   Kyushu
Hirado   Kochi   Shirahama   Shingû
Saga   Beppu   Kumano
Ôita
Nagasaki   Kumamoto   **KYOTO**
▲ Mont Aso   **ET SES ENVIRONS**
p. 295
Miyazaki
Kagoshima
Chiran   Sakurajima

Osumi shotô   Tanega
shima

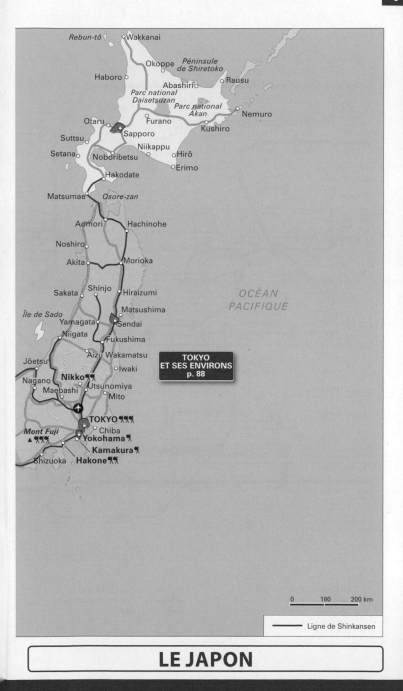

Rebun-tô — Wakkanai
Okoppe — *Péninsule de Shiretoko*
Haboro — Abashiri — Rausu
Parc national Daisetsuzan
Parc national Akan — Nemuro
Otaru — Furano — Kushiro
Sapporo
Suttsu — Niikappu
Setana — Noboribetsu — Hirô
Hakodate — Erimo
Matsumae — *Osore-zan*
Aomori — Hachinohe
Noshiro
Akita — Morioka
Sakata — Shinjo — Hiraizumi
Île de Sado — Matsushima
Yamagata — Sendai
Niigata — Fukushima
Jôetsu — Aizu Wakamatsu
Nagano — **Nikko** — Iwaki
Maebashi — Utsunomiya — Mito

OCÉAN
PACIFIQUE

TOKYO
ET SES ENVIRONS
p. 88

TOKYO
Chiba
Mont Fuji — **Yokohama**
Kamakura
Shizuoka — **Hakone**

0   100   200 km

——— Ligne de Shinkansen

LE JAPON

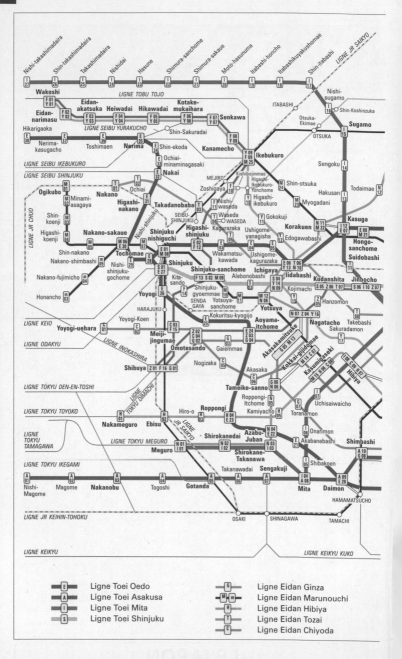

Ligne Toei Oedo
Ligne Toei Asakusa
Ligne Toei Mita
Ligne Toei Shinjuku

Ligne Eidan Ginza
Ligne Eidan Marunouchi
Ligne Eidan Hibiya
Ligne Eidan Tozai
Ligne Eidan Chiyoda

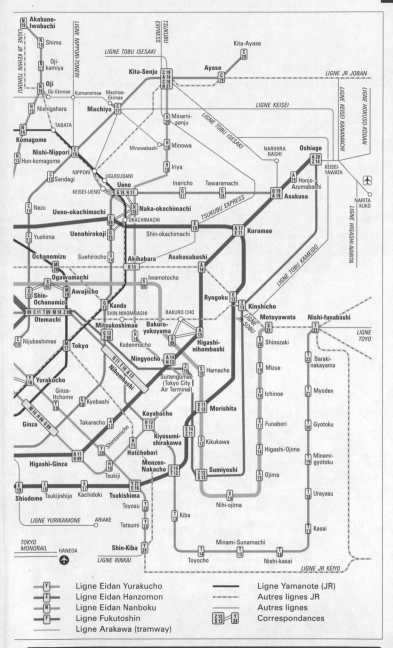

TOKYO – PLAN DU MÉTRO

© Alamy/hemis.fr

Le temple Senso-ji dans le quartier d'Asakusa, à Tokyo

« Si tu es pressé, fais un détour. »
Proverbe japonais

Trop loin, trop cher, trop inaccessible : longtemps, le Japon a été assimilé à une sorte de planète Mars, et pourtant, c'est une étoile fascinante qu'il faut prendre le temps d'apprivoiser. Avec un taux de change devenu favorable aux Européens, l'archipel nippon est désormais plus accessible. Un pays, c'est comme un individu : il y a le physique et le caractère, l'extérieur et l'intérieur, la chair et l'esprit. Lequel sera donc votre Japon ?

Les mégapoles d'abord : **Tokyo,** la plus grande ville du monde, un univers urbain électrique, trépidant, étincelant, qui cache une grande humanité, contrairement aux préjugés. **Kyoto,** l'ancienne capitale impériale, ville des arts et des geishas, du thé et de l'ikebana. **Osaka,** la créative, et **Hiroshima,** qui, au-delà de sa tragédie, apporte à travers l'art et l'accueil ce que l'humanité engendre aussi de meilleur. **Nara,** le berceau artistique et religieux, cité spirituelle des moines, de l'aristocratie et du bouddhisme, mais aussi **Nikko,** si haut perchée dans ses montagnes, **Kamakura** – la douce et discrète – au bord de la mer, **Hakone,** la porte du mont Fuji, symbole majestueux et incontournable du Japon, à voir au printemps au moment où les cerisiers fleurissent. Les villes portuaires d'**Onomichi** et **Tomono-Ura,** qui ont su garder un caractère traditionnel sur les rives de la magnifique mer Intérieure. Il n'y a pas un Japon, mais *des* Japon, et ce n'est pas en un seul voyage que l'on comprendra ce pays.

Pour les accros des **nouvelles technologies,** le Japon répond à toutes les attentes. Les amoureux de la nature ne seront pas déçus non plus. L'intérieur, naturel, secret, presque sauvage et encore préservé de la modernité, s'offre à eux. Et que dire des **sources thermales,** les fameux *onsen* ? C'est une expérience formidable. Se baigner dans l'eau chaude naturelle (et sulfureuse) d'un *onsen* en plein air, la nuit sous les étoiles, est un grand moment qui en dit beaucoup sur l'art de vivre japonais.

Voyager au **pays du Soleil-Levant,** c'est aussi découvrir la **cuisine japonaise,** délicieuse, raffinée et esthétique. On apprivoise peu à peu cet univers inconnu, où la tradition se conjugue avec la modernité, où la sérénité et le respect côtoient l'animation et l'agitation, où l'ordre et la propreté sont de mise…

De ce voyage, on ne revient pas tout à fait le même. Sans aucun doute enrichi par le contact avec une autre civilisation et une autre façon de vivre, de penser et d'agir. **Un pays dont le parfum n'existe pas en Europe.**

Le temple Kiyomizu-dera à Kyoto

NOS COUPS DE CŒUR

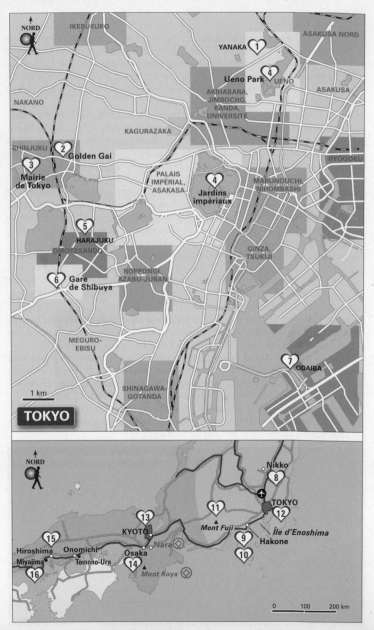

NORD

IKEBUKURO
ASAKUSA NORD
YANAKA 1
Ueno Park 4 UENO
UENO
ASAKUSA
AKIHABARA,
JIMBOCHO,
KANDA,
NAKANO
UNIVERSITÉ
KAGURAZAKA
RYOGOKU
SHINJUKU 2 Golden Gai
3 Mairie de Tokyo
PALAIS IMPÉRIAL, ASAKASA
MARUNOUCHI, NIHOMBASHI
4 Jardins impériaux
5 HARAJUKU
OMOTESANDO
GINZA, TSUKIJI
6 Gare de Shibuya
ROPPONGI, AZABU-JUBAN
MEGURO-EBISU
7 ODAIBA
SHINAGAWA-GOTANDA

1 km

TOKYO

NORD

Nikko
8
TOKYO
11
12
Mont Fuji
13
Île d'Enoshima
KYOTO
9 Hakone
Nara
10
15
Osaka
Hiroshima Onomichi
14
Miyajima Tomono-Ura
Mont Koya
16

0   100   200 km

© Guiziou Franck/hemis.fr

Marcher dans les ruelles du quartier du vieux Yanaka, à Tokyo, et savourer un temps qui ne s'écoule plus…

Yanaka, c'est l'antidote à l'overdose de modernité triomphante de la plus grande ville du monde. Un quartier horizontal, un record de demeures en bois, entrecoupé de temples, de minicimetières de voisinage, de paisibles jardins, de vieux cafés… Chaussez vos baskets et partez à la découverte de cette oasis urbaine, remarquable vestige du Tokyo de jadis. *p. 142*

Bon à savoir : tout le quartier se découvre à pied fort aisément.

2 Boire un verre dans l'un des bars minuscules à l'éclairage tamisé de *Golden Gai,* à Shinjuku.

Un lieu pour échapper à la fureur des *pachinko* (machines à sous) et aux lumières du quartier de Kabuki, tout proche. Dans ce quartier de bureaux où les gratte-ciel saturent le paysage et où les néons montent au ciel s'abrite un des plus étonnants lieux qu'on connaisse : *Golden Gai,* soit 5 étroites ruelles bordées par quelque 200 bars lilliputiens contenant au maximum 8 personnes (patron et comptoir compris !). Ne manquez pas de venir vous imprégner de ce vestige de l'après-guerre et de la période de reconstruction. Totalement anachronique. *p. 223*
Bon à savoir : mort dans la journée, c'est à partir de 19h30-20h que Golden Gai s'anime.

© ASK Images/Alamy/Hemis

3 Admirer le panorama fabuleux (et gratuit) du haut de la mairie de Tokyo, chef-d'œuvre de Tange Kenzo, dont la forme rappelle Notre-Dame de Paris…

Des tours jumelles reliées entre elles par une façade moins haute, avec une immense agora devant. Les chiffres sont ahurissants : 243 m de haut et 48 étages, le bâtiment coûta, dit-on, un milliard de dollars, et abrite quelque 20 000 employés… Le must, c'est bien sûr l'observatoire (le seul gratuit pour la vue sur Tokyo !), au 45e étage. Panorama, vous vous en doutez, exceptionnel ! Par temps clair, on aperçoit le mont Fuji. *p. 225*
Bon à savoir : dans la journée, on vous conseille la tour sud et le soir, la tour nord.

© Jon Arnold Images/hemis.fr

© José Fuste Raga/Age Fotostock

4 **Découvrir le charme, la tranquillité, le romantisme des grands parcs de la capitale dès qu'on sature de modernité et de technologie.**

Tokyo abrite de grands parcs, véritables poumons verts de la ville. Havres de calme et de tranquillité, on s'y promène au milieu des étangs, des ruisseaux, des cascades, des ponts traditionnels… Le temps d'une balade bucolique, on se croit à mille lieues de la mégalopole infernale, qui se révèle, finalement, pas uniquement verticale. *p. 110, 132, 158, 227*

© Lucas Vallecillos/Age Fotostock

5 **Aller, le dimanche, à Harajuku, assister au défilé des *cosplays*, ces ados déguisées dans les tenues les plus délirantes.**

Les *cosplays* sont ces jeunes filles qui, le temps d'un week-end, se travestissent en « gothik », en Lolita, en Barbarella ou autre héroïne de manga… Tout cela pour le simple plaisir de changer leur apparence durant quelques heures. Le dimanche, Harajuku est leur royaume et devient un incroyable théâtre des looks les plus fous. Étonnant. *p. 210*

Bon à savoir : la rue Takeshita-dori est leur lieu de prédilection le dimanche matin.

© Sean Pavone/Alamy/Hemis

⑥ Affronter la foule la moins stressée qu'on connaisse au passage piéton le plus dément du monde, devant la gare de Shibuya.

Le quartier de Shibuya, genre de Times Square puissance 10, est fier de posséder le plus gros carrefour piéton au monde ! À deux pas de la sortie de la gare, en moins de 3 mn, des centaines de personnes (des milliers aux heures de pointe) auront changé de trottoir. Il existe même, en plus, 2 passages piétons en diagonale marqués au sol. Ballet ahurissant de grosses vagues déferlantes qui ne créent même pas de mascaret ! *p. 204*

Bon à savoir : pour avoir une saisissante vision en plongée, montez donc à l'étage du Starbucks.

⑦ Prendre le métro aérien pour le quartier d'Odaiba et découvrir le Tokyo du futur depuis l'impressionnant Rainbow Bridge.

Odaiba est un ovni, un quartier totalement artificiel édifié sur des terres gagnées sur la mer, laboratoire des architectures et des modes de vie de demain. La façon la plus géniale de s'y rendre est de prendre la ligne privée Yurikamome. Le métro, entièrement automatique, monte, descend, sinue, louvoie, virevolte au-dessus des eaux sur le Rainbow Bridge, ouvrant de surprenants panoramas sur la baie et offrant un panel exhaustif des bâtiments les plus futuristes de Tokyo. *p. 235*

Bon à savoir : la ligne de métro Yurikamome se prend à Shimbashi ; se mettre dans le 1ᵉʳ wagon, on se croirait dans un manège.

© Gurziou Franck/hemis.fr

© José Fuste Raga/Age fotostock

8 Visiter Nikko et sa région, à partir de début novembre, pour les couleurs des forêts.

Après avoir traversé la grande plaine du Kanto, urbanisée et densément peuplée, l'arrivée à Nikko est un plaisir pour l'esprit et les sens. À 600-700 m d'altitude, étalée le long d'une rivière de montagne, la ville constitue le point de départ pour découvrir une région montagneuse, au relief accidenté et couverte de forêts. À l'automne, lorsque le soleil éclaire les feuillages roux et doré, on n'a alors qu'un désir, monter, monter toujours plus haut. *p. 251*

© Christian Kober/Alamy/Hemis

♡ **Contempler le *Fujiya Hotel* de Hakone, l'hôtel préféré des empereurs
  japonais depuis plus d'un siècle !**

Dans un sublime site de volcans et de forêts que borde un lac, la petite ville de
Hakone offre le calme, des sources d'eau chaude réputées, mais aussi le retour à la
nature avec un point de départ pour l'ascension du mont Fuji. Construit en 1878,
dans le style japonais traditionnel, le *Fujiya Hotel* est resté dans son jus, ce qui
lui donne un aspect désuet qu'on adore. On s'attend à y croiser Nehru, Chaplin,
Einstein ou les empereurs qui fréquentèrent les lieux… *p. 273*

*Bon à savoir : Hakone est l'une des destinations touristiques les plus fréquentées du
Japon ; à seulement 1h10 de train de Tokyo, les citadins s'y précipitent le week-end et
pour leurs vacances. Allez-y en semaine !*

⑩ Se baigner dans les *onsen* (sources d'eau chaude naturelle) de Hakone : un grand moment de l'art de vivre nippon.

Les Scandinaves ont les saunas, les Orientaux ont les hammams, et les Japonais ont les *onsen*, ces grands bassins collectifs aux eaux chaudes provenant du sous-sol de la terre et des volcans. Dans un *onsen,* on ne se lave pas et on ne nage pas, mais on se délasse, immergé nu, dans une eau naturelle sulfureuse. Se baigner en plein air, la nuit, sous les étoiles… l'extase ! Qui n'a pas connu le plaisir de l'*onsen* ne connaît pas le Japon ! *p. 283*

Bon à savoir : on recense quelque 3 000 onsen *au Japon ; certains sont gratuits : voir le site en anglais • www2.gol.com/users/jolsen/onsen/index.html •*

© Lucas Vallecillos/Age fotostock

© Aflo/hemis.fr

⑪ **Entreprendre l'ascension du mont Fuji, en été, pour admirer de près cette montagne sacrée et emblématique, au sommet enneigé.**

À 3 776 m d'altitude, perpétuellement enneigé, le mont Fuji est le point culminant de l'archipel. Pour les Japonais, cette montagne sacrée suscite autant l'admiration que l'effroi. Son sommet serait habité par des *kami* (divinités) qui règnent sur le monde visible et invisible. Son ascension, possible uniquement au cours des 2 mois d'été et qui nécessite de 5 à 8h de marche, selon la piste choisie, attire les pèlerins shinto, ainsi que de nombreux touristes. *p. 292*

Bon à savoir : on conseille de partir l'après-midi, de dormir en route dans un refuge, et de poursuivre la marche vers le sommet le lendemain matin, pour admirer le lever du soleil.

12 Déguster des fruits de mer dans les petits restos de l'île d'Enoshima, près de Kamakura.

À environ 50 km au sud de Tokyo, entourée de collines boisées, la ville de Kamakura descend en pente douce jusqu'à la mer. Reliée à la terre par un isthme sablonneux et étroit, l'île d'Enoshima mesure environ 4 km de circonférence. Là, une kyrielle de restos et petits éventaires proposent des produits de la mer. La pêche est très fraîche, les prix sages, les saveurs exquises, alors ne pas hésiter une seconde à s'y attabler ! *p. 272*

Bon à savoir : au départ de Tokyo, on peut se rendre à Kamakura (en train ou en bus) pour la journée, mais si l'on veut découvrir le coin sans se presser, une nuit sur place s'impose.

© Getty Images/Moment
Open/Aaron Shumaker

13 Dormir à la japonaise dans un *ryokan,* une auberge traditionnelle, au milieu de la verdure, en pleine ville...

Un *ryokan* est une auberge traditionnelle, souvent une petite maison basse dans un quartier tranquille. On y est accueilli par le propriétaire, qui vit sur place, et l'on y dort à la japonaise sur un futon posé sur un tatami. Sans doute le plus authentique et le meilleur rapport qualité-prix pour se loger au Japon, et le meilleur moyen d'être en contact avec les Japonais. *p. 70*

Bon à savoir : il existe près de 65 000 ryokan au Japon regroupés au sein d'une association dont le site • ryokan.or.jp • fournit tous les détails.

© Rabouan Jean-B____ste/hemis.fr

© Jon Arnold Images/hemis.fr

14 **À Osaka, photographier les enseignes les plus folles, marques de fabrique de cette ville libre et créative qui a su inventer ses propres codes.**

Entre la jungle des gratte-ciel, les quartiers préservés, les rues d'un autre âge et les interminables passages commerçants, Osaka pourrait ressembler aux autres mégapoles du pays… mais elle a inventé les enseignes 3D ! Dans certains secteurs, celles-ci s'accrochent partout, kitsch, loufoques, géantes, (très) colorées et bons points de repère tout à la fois : un vrai choc visuel ! *p. 403*
Bon à savoir : dans le quartier de Shinsekai, on trouve des enseignes collectors !

(15) Recevoir un coup au cœur à Hiroshima en replongeant dans l'histoire tragique de la ville et de l'humanité.

Le parc de la Paix fut d'abord celui de la guerre : Hiroshima rayée de la carte le 6 août 1945. L'épicentre de l'explosion se trouve juste de l'autre côté de la rivière. Aujourd'hui, les nombreux monuments commémoratifs du parc et le perturbant musée rappellent la tragédie tout en militant pour un avenir sans arme nucléaire. La ville elle-même, avec ses jardins, rivières et promenades, est un hymne à la renaissance. *p. 427*

© Zylberyng Didier/hemis.fr

(16) Fouler l'île sacrée de Miyajima, précédée d'un torii rouge vermillon semblant flotter sur l'eau à marée haute : un des plus beaux sites du Japon.

La visite du sanctuaire d'Itsukushima à sec ou immergé justifie à elle seule une excursion sur l'île. Mais il serait dommage de ne pas entreprendre l'ascension du mont Misen. En chemin, on traverse le superbe parc de Momijidani planté d'érables, emblème de l'île, et somptueux à l'automne. Le mont culmine à un vertigineux 535 m d'altitude, suffisant en tout cas pour embrasser un panorama grandiose sur la mer Intérieure. *p. 432*

Bon à savoir : les plus sportifs atteindront le sommet en 2h-2h30 de marche depuis le ferry, les autres prendront le téléphérique avant de finir à pied en une petite demi-heure.

© Aflo/hemis.fr

AIRFRANCE ✈ SKYTEAM

FRANCE IS IN THE AIR

AU DÉPART DE PARIS

TOKYO

JUSQU'À

3 VOLS
PAR JOUR

ITINÉRAIRES CONSEILLÉS

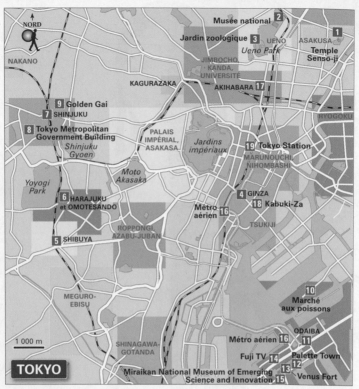

Musée national **2**

1

Jardin zoologique **3** UENO ASAKUSA
Ueno Park Temple
Senso-ji

NAKANO
JIMBOCHO,
KANDA,
UNIVERSITÉ
KAGURAZAKA
AKIHABARA **17**

RYOGOKU

9 Golden Gai
7 SHINJUKU
8 Tokyo Metropolitan PALAIS *Jardins* **19** Tokyo Station
Government Building IMPÉRIAL, *impériaux*
Shinjuku ASAKASA MARUNOUCHI,
Gyoen NIHOMBASHI

*Moto
Akasaka*

*Yoyogi
Park* **4** GINZA
6 HARAJUKU **18** Kabuki-Za
et OMOTESANDO Métro
aérien **16**
ROPPONGI, TSUKIJI
AZABU-JUBAN
5 SHIBUYA

MEGURO-
EBISU **10**
Marché
aux poissons

1 000 m ODAIBA
11
SHINAGAWA- Métro aérien **16**
GOTANDA Palette Town
TOKYO Fuji TV **14** **12**
Miraikan National Museum of Emerging **13** Venus Fort
Science and Innovation **15**

NORD

10 jours à Tokyo et Kyoto

Se promener dans le quartier d'Asakusa, l'un des quartiers les plus attachants de la ville, pour visiter le **Senso-ji (1),** le temple le plus célèbre de la ville, et ses magasins tradition- nels. À pied ou en métro, rejoindre le **parc d'Ueno,** où se trouve le **Musée national de Tokyo (2)** et le **jardin zoologique (3),** pour rendre visite au célèbre couple de pandas Riri et Shinshin. Puis faire une petite digression shopping à **Ginza (4),** mêlant luxe et sportswear à l'occidentale, à **Shibuya (5),** laboratoire des modes et tendances les plus folles, à **Harajuku (6)** pour l'ambiance et à **Omotesando (6),** l'un des plus grands quar- tiers de la mode, avec ses boutiques de créateurs, mais aussi d'autres, plus populaires. Se balader à **Shinjuku (7),** le quartier des gratte-ciel, le plus grand arrondissement de la ville, et grimper au sommet du **Tokyo Metropolitan Government Building (8)** – gra- tuit – pour avoir une vision d'ensemble de la ville, et éventuellement apercevoir le mont Fuji. Aller boire un verre dans le **Golden Gai (9),** étonnant vestige de l'après-guerre, où des bars lilliputiens se partagent 5 ruelles étroites à deux pas des gratte-ciel. Déambu- ler entre les petits restaurants et les vendeurs de poissons au **Jo Gai Market (10),** ce marché se situe près de l'ancien plus grand marché de poissons du monde qui a déménagé en octobre dernier. Poursuivre par **Odaiba (11)**, quartier totalement artificiel, façonné par l'homme, sur des terres gagnées à la mer, d'où l'on a une vue magnifique sur la **baie de Tokyo.** Visiter **Palette Town (12), Venus Fort (13), Fuji TV (14)** et **Miraikan – National Museum of Emerging Science and Innovation (15).** Prendre le **métro aérien (16)**, entièrement automatique, en vous installant de préférence dans le wagon de tête, pour bénéficier de la vue, comme si vous étiez dans un manège. Se balader en fin de journée dans le quartier d'**Akihabara (17)** l'électronique. Assister à une soirée au **Kabuki-Za** de Ginza **(18)**, pour voir au moins un acte d'une pièce.

Prendre le *Shinkansen* à la **Tokyo Station (19)** pour rejoindre Kyoto, la ville aux 1 000 temples. Visiter le temple de **Kiyomizu-dera (20)**, monté sur pilotis. Puis le temple d'argent, **Ginkaku-ji (21)**, et son jardin lunaire. Le pavillon d'Or, **Kinkaku-ji (22)**, et les temples **Ryôan-ji (23)** et **Daitoku-ji (24)**, pour leurs superbes jardins. Se balader dans le quartier de **Gion (25)**, en espérant croiser une *maiko* dans cet ancien quartier des plaisirs, et sur le **chemin de la Philosophie (26)**, superbe en avril quand les cerisiers sont en fleur. Puis un petit tour à **Pontocho (27)** pour ses restaurants. Incontournables, les visites du **château Nijo (28)** et du **palais impérial (29).** Aller dans le quartier d'**Arashiyama** visiter le temple de **Tenryu-ji (30)** et se laisser envoûter par l'extraordinaire bambouseraie, ensuite filer à **Saiho-ji (31)**, puis la **villa Katsura (32)**, villa impériale, dont les jardins sont une référence pour les paysagistes du monde entier. Enfin, l'impressionnant temple **Fushimi-Inari (33)**, principal sanctuaire shinto.

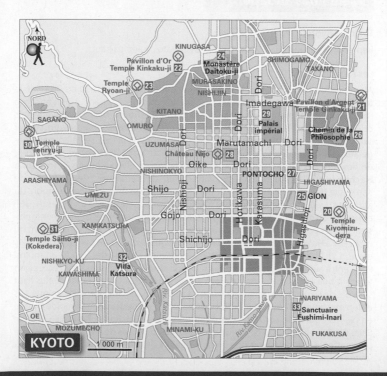

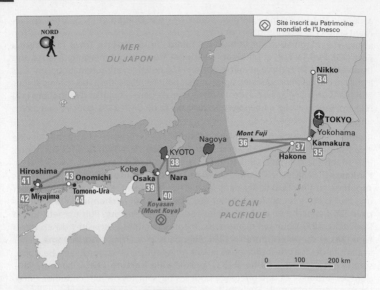

3 semaines au Japon

Tokyo et Kyoto

Reprendre l'itinéraire de **10 jours** à Tokyo et Kyoto ; voir plus haut.

Les jours suivants

Au départ de Tokyo, prendre le train pour rejoindre Nikko en 1h30 ou 2h selon le train. Le **parc national de Nikko (34)** est un site naturel exceptionnel, plus encore à l'automne. Ne pas manquer la visite du sanctuaire **Toshogu,** le plus grand et le plus célèbre de la ville. Mais aussi le sanctuaire **Futurasan** et le **mausolée Taiyuin.** Le jour suivant, prendre un train pour **Kamakura (35),** pour voir la mer, se balader et manger du poisson sur l'**île d'Enoshima.** Mais aussi pour visiter les temples : **Engaku-ji,** un des temples zen les plus importants de la région ; le sanctuaire **Tsurugaoka Hachimangu,** le plus beau sanctuaire shinto de Kamakura ; le **Daibutsu** de Kamakura (le grand bouddha), la 2e plus grande statue de Bouddha au Japon, du XIIIe s. Les 2 jours suivants, prendre le train ou le bus pour le **mont Fuji** (Fuji-san ; **36**), environ 1h50 de trajet. Entreprendre l'ascension, pour les adeptes uniquement ; plusieurs pistes possibles, de 5 à 8h de marche. Dormir sur place. Aller directement du mont Fuji à **Hakone (37)** en bus ; de la gare *Kawaguchiko* (versant nord du mont Fuji), environ 2h15 de trajet. Le site mérite également de s'y attarder 2 jours au moins. Pour, entre autres, voir les **fumerolles d'Owakudani,** magnifiques ; on y accède en téléphérique et en funiculaire. Le **mont Kami,** vieux volcan en sommeil et plus haut sommet de la région de Hakone (1 438 m). Le **lac Ashi,** lac de cratère volcanique. Les différentes **vues sur le mont Fuji. Hakone Open Air Museum,** splendide musée en plein air qui étale sur 70 ha des sculptures de Maillol, Rodin, Bourdelle, Niki de Saint Phalle… Enfin, clou de la visite, les **sources chaudes de Hakone** *(onsen)* : ne pas quitter le site sans avoir pris un bain dans ces eaux naturelles sulfureuses aux vertus thérapeutiques.

Prendre un train de Tokyo à Kyoto (environ 2h20 à 2h50). Au départ de Kyoto, prendre un train pour Nara (38) : la ville possède une ribambelle de temples et de précieux trésors à ne pas louper. Sur 2 jours : le temple Todai-ji, un des plus importants du Japon, les temples Kōfuku-ji, Gangō-ji, Yakushi-ji et le sanctuaire shinto Kasuga Taisha. Et au sud-ouest de la ville, les temples Toshodai-ji et Horyu-ji. Sans oublier le parc en plein centre-ville et ses daims en liberté. De Nara, filer directement en train vers Osaka (39) pour 2 jours bien remplis. Grimper à la tour Abeno Harukas, la plus haute de l'ouest du Japon, pour mieux appréhender la ville et se faire quelques frayeurs. Ne pas manquer d'aller s'encanailler dans le quartier kitsch de Shinsekai, à ses pieds, ou plus au nord, le long de la rivière Dotonbori. Le quartier d'Umeda et sa jungle de gratte-ciel méritent aussi le détour. On boit volontiers un verre à l'Umeda Sky Building perché à 170 m de hauteur. Ceux qui ont du temps ne manqueront pas le musée d'Ethnologie dans le parc de la Commémoration planté de la délirante tour du Soleil. Puis, en train, relier Koyasan (40), 2e montagne sacrée du Japon. Passer une nuit dans l'un des nombreux temples-hôtels pour vivre une expérience singulière, et visiter le temple Kongobu-ji, la grande pagode Danjo Garan et le cimetière Okunoin.

Puis revenir sur Osaka avant de continuer vers Hiroshima (41 ; 1h30 de train *Shinkansen*) pour 2 jours de visite. On commence par le parc de la Paix et ses multiples monuments commémoratifs, sans oublier ce qui symbolise la renaissance de la ville : le très beau jardin Shukkeien et ses musées d'art. Il est ensuite facile de rayonner dans la région : Miyajima (42), d'abord, incontournable. On y consacre la journée, même si l'idéal est de dormir sur place. Cette île sacrée, classée au Patrimoine mondial de l'Unesco, séduit pour son sanctuaire et son torii posé sur le sable, et le mont Misen, que l'on atteint grâce à un téléphérique (et un peu de marche). Retour sur Hiroshima et poursuite pour 1 journée d'excursion vers les charmantes villes d'Onomichi (43) et de Tomono-Ura (44), qui bordent la mer Intérieure. Paysages époustouflants. Possibilité de rejoindre Osaka depuis Onomichi.

Cèdres du Japon, près de Kyoto

©Aflo/hemis.fr

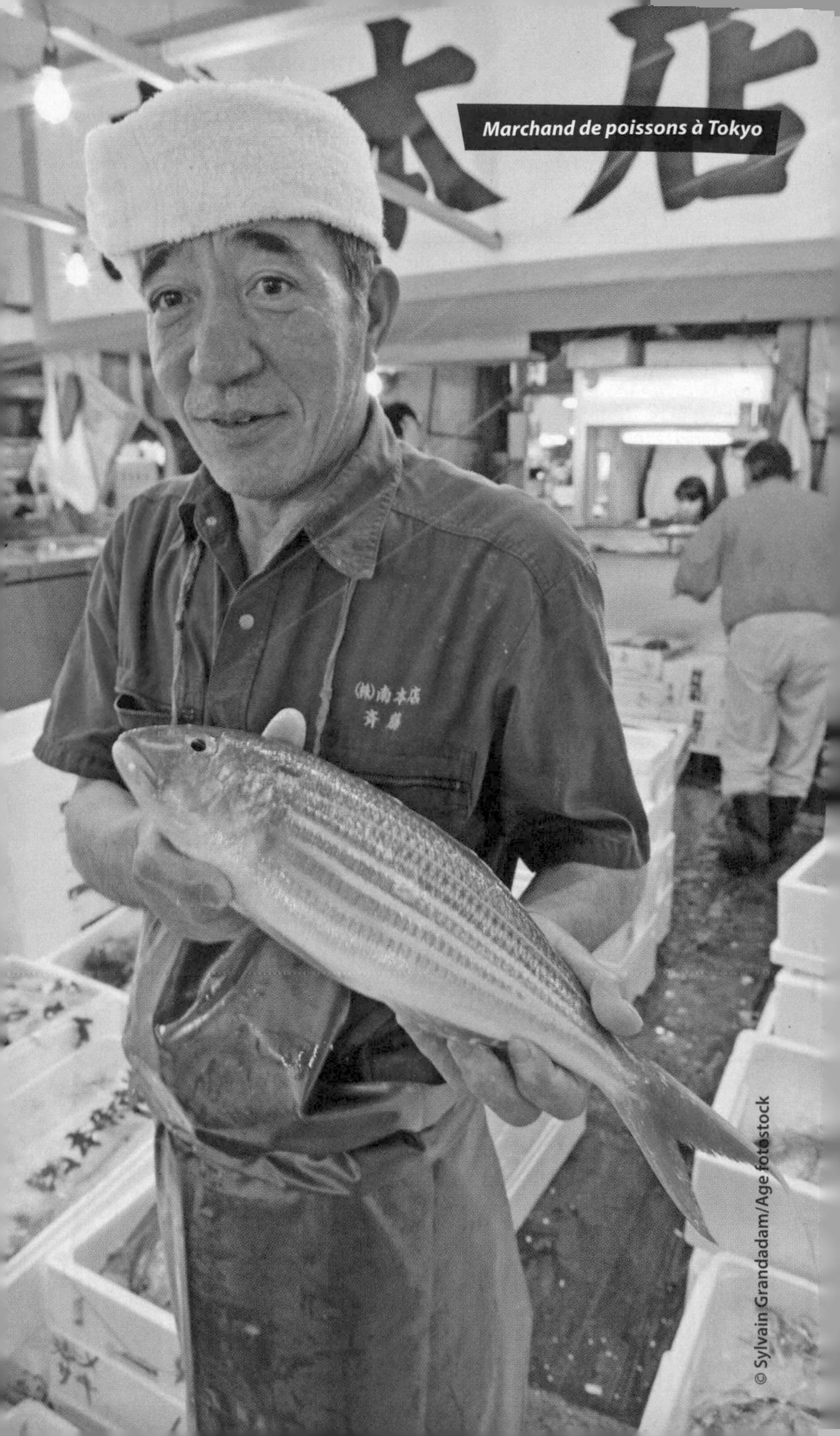

Marchand de poissons à Tokyo

LU SUR routard.com

Les cerisiers en fleur du Japon
(tiré du reportage de Carine Keyvan)

Aux yeux de tous, la floraison des *sakuras* constitue la meilleure saison pour planifier un voyage au Japon. Cet événement rythme la vie japonaise. On l'appelle le *hanami,* quand fin mars-début avril, les Japonais convergent pour pique-niquer en admirant les cerisiers *(sakuras)* en fleur. **D'Okinawa à Hokkaido,** on surveille fébrilement la météo qui annonce la floraison des arbres et le lancement de la saison. Aux 1ers signes du printemps, on installe des nappes dans les parcs pour festoyer sous les bourgeons qui éclosent en de fines fleurs roses. Si un pétale tombe dans un verre, trinquez de plus belle, ce n'est que le signe de la chance à venir !

Cette coutume a été instaurée **au VIIIe s,** alors que le *hanami* correspondait à l'époque de la plantation du riz. Les paysans déposaient des offrandes aux pieds des arbres et buvaient du saké, priant pour que les riches récoltes soient au rendez-vous. Un siècle plus tard, la **cour impériale de Kyoto** reprenait cette tradition, en ajoutant aux sakés les plus fins des mets raffinés, qu'elle dégustait en déclamant des poèmes. Les samouraïs, et enfin le peuple, adoptèrent ce rituel. Cette fête populaire est devenue une **tradition nationale** à partir du XVIIe s. Aujourd'hui encore, l'époque des cerisiers en fleur reste synonyme de renouveau : elle correspond au début de l'année fiscale et universitaire.

La floraison ne dure que quelques jours, mais c'est un moment magique. Le *sakura,* qui ne donne pas de fruit, est un symbole de beauté éphémère, une métaphore de la vie. Chaque ville possède sa promenade sous les cerisiers.

Zoom sur Tokyo et Kyoto :

– **Tokyo :** les parcs de Shinjuku, Asukayama et Ueno, très appréciés, mais aussi les cerisiers de Botukei sur les bords de la rivière Sumida près d'Asakusa, et les berges de Meguro. Le jardin botanique de Koishikawa permet d'admirer diverses variétés de cerisiers. Dans la capitale, le must du romantique est sans aucun doute Chidorigafuchi, près du palais impérial, où l'on peut louer des barques pour naviguer sur les douves en admirant les cerisiers ;

– **Kyoto :** Maruyama, le plus vieux parc de la ville, dont l'imposant cerisier pleureur est illuminé la nuit, le chemin des Philosophes sur le bord du canal entre le pavillon d'Argent et le temple Nanzenji, le sanctuaire Heian, dont l'étang est bordé de cerisiers pleureurs. Toujours à Kyoto : Arashiyama, où les cerisiers semblent s'étaler sans fin, la rivière Kamogawa, qui traverse la ville, le temple Daigo-ji, où Toyotomi Hideyoshi organisa un gigantesque *hanami* resté dans l'histoire, le sanctuaire de Hirano doté de nombreuses variétés de cerisiers et d'illuminations nocturnes, ou le canal Okazaki, près du sanctuaire Heian, pour ses promenades en bateau sous les cerisiers.

LES QUESTIONS QU'ON SE POSE AVANT LE DÉPART

➤ Quels sont les documents nécessaires ?

Le passeport suffit. Pour de courts séjours (moins de 3 mois), aucun visa n'est nécessaire pour les Français, les Belges et les Canadiens. Moins de 6 mois pour les Suisses.

➤ Quelle est la meilleure saison pour s'y rendre ?

Le printemps pour la beauté de la nature, la douceur du climat et la floraison des cerisiers. L'automne car il fait moins chaud qu'en été et que les arbres se parent d'ocre et de pourpre.

➤ Quel budget prévoir ?

Pour s'en sortir avec un budget raisonnable, il faudra choisir des hébergements de la catégorie « Très bon marché ». Dans une auberge de jeunesse, un lit en dortoir coûte de 2 000 à 5 500 ¥ (17-46 €) par personne ; une chambre pour 2 dans un *ryokan,* à partir de 10 000 ¥ (83 €). Le midi, on peut déjeuner facilement pour pas cher (environ 1 000-1 500 ¥, soit 8,30-12,50 €, voire moins). En revanche, le soir, les menus coûtent parfois plus du double. Pour se déplacer, les prix des transports sont équivalents à ceux que l'on connaît chez nous.

➤ Comment se déplacer ?

Dans les grandes villes, le métro ou les bus sont des moyens de transport pratiques, fiables et peu onéreux. Le réseau ferroviaire japonais est très moderne, rapide, et les trains sont à l'heure, mais si on compte les utiliser souvent, il peut être judicieux d'acheter son *Japan Rail Pass* dans son pays d'origine. À Kyoto, s'il fait beau, le vélo est un moyen de déplacement sympa, pratique et bon marché.

➤ Y a-t-il des problèmes de sécurité ?

Non, c'est sans aucun doute un des pays les plus sûrs du monde.

➤ Quel est le décalage horaire ?

Quand il est midi en Europe occidentale, il est 19h (heure d'été) ou 20h (heure d'hiver) au Japon. Le décalage horaire est de plus 7h en été et plus 8h en hiver.
Quand il est 7h du matin au Canada (Montréal), il est 20h (heure d'été) ou 21h (heure d'hiver) au Japon, le décalage étant de plus 13h en été et plus 14h en hiver.

➤ Quel est le temps de vol ?

Au départ de Paris, il faut compter 11h15 de vol.

➤ Côté santé, quelles précautions ?

Aucun vaccin n'est exigé, quel que soit le pays d'où l'on vient. Mais il est toujours prudent d'être à jour de tous ses vaccins classiques de voyage avant de partir ! Si vous voyagez en période de mousson, les risques d'encéphalite japonaise sont plus importants. Bien que le virus atteigne peu les grandes villes comme Tokyo ou Kyoto, mieux vaut s'en prémunir. Il existe un vaccin, l'Ixiaro®, plutôt bien toléré.

➤ Peut-on s'y rendre avec des enfants en bas âge ?

Oui. On peut dormir dans des chambres familiales et bénéficier de réductions (sites, musées, transports). Repérez nos meilleurs sites grâce au symbole 🏃.

➢ Quel est le taux de change ? Comment payer sur place ?

La monnaie japonaise est le yen (¥). En 2018, *1 euro valait en moyenne 120 yens.* Vous pouvez changer de l'argent avant le départ ou sur place (taux à peu près identiques). Sachez que dès que l'on quitte Tokyo ou Kyoto, beaucoup de petits restaurants ou boutiques n'acceptent pas les cartes de paiement, mais uniquement le cash.

➢ Quelles langues parle-t-on ?

Le japonais, bien entendu. On parle plus ou moins l'anglais dans la plupart des lieux touristiques (hôtels, sites, musées, gares). Les rares panneaux des avenues et des rues principales sont doublés en anglais.

➢ Les Japonais sont-ils accueillants envers les voyageurs ?

Les Japonais sont le contraire de ce que l'on imagine souvent. Ils ont un sens de l'accueil et du service qui pourrait servir de modèle à bien des pays.

➢ Doit-on laisser un pourboire ?

La coutume du pourboire n'existe pas au Japon. Pire, un Japonais sera très mal à l'aise, voire vexé, si vous lui offrez un pourboire, et cela lui donnera l'impression qu'il fait l'aumône.

➢ Est-il vrai qu'il est difficile de s'orienter et de trouver les adresses ?

Dans les villes, il y a peu de noms de rue. Les adresses se composent d'une série de numéros, mais ces derniers sont rarement indiqués. Cependant, on arrive toujours à se débrouiller grâce à la gentillesse et à l'amabilité des gens, prêts à vous venir en aide.

➢ Y a-t-il des risques de radioactivité au Japon depuis 2011 ?

Non, sauf dans un rayon de 25 km autour de Fukushima, mais cette zone est totalement interdite. Aucun danger majeur dans le reste du pays.

COMMENT Y ALLER ?

EN AVION

▲ AIR FRANCE

Rens et résas au ☎ 36-54 (0,35 €/mn + prix d'un appel ; tlj 6h30-22h), sur ● airfrance.fr ●, dans les agences Air France (fermées dim) et dans ttes les agences de voyages.

➤ *Paris-Tokyo :* au départ de Roissy, 19 vols directs/sem (desservant les aéroports de Narita et Haneda).

➤ *Paris-Osaka :* au départ de Roissy, 7 vols directs/sem.

Air France propose à tous des tarifs attractifs toute l'année. Pour consulter les meilleures offres du moment, allez directement sur la page « Nos meilleurs tarifs » sur ● *airfrance.fr* ●

Flying Blue, le programme de fidélité gratuit d'Air France-KLM, permet de gagner des *miles* en voyageant sur les vols Air France, KLM, Hop! et les compagnies membres de *Skyteam,* mais aussi auprès des nombreux partenaires non aériens *Flying Blue...* Les *miles* peuvent ensuite être échangés contre des billets d'avion ou des services (surclassement, bagage supplémentaire, accès salon...) ainsi qu'auprès des partenaires. Pour en savoir plus, rendez-vous sur ● *flyingblue.com* ●

▲ ALL NIPPON AIRWAYS (ANA)

– *Paris : 31, rue Saint-Augustin, 75002. Résas et infos au ☎ 0805-54-64-67 (lun-ven 9h30-17h30) ou sur ● ana.fr ● Résas (anglais-japonais 24h/24, tlj) : ☎ 0800-90-91-64.*

➤ Assure 1 vol/j. pour Tokyo (aéroport d'Haneda) depuis Roissy-CDG. Également des vols au départ de Lyon, Nice, Marseille, Toulouse, Nantes et Bordeaux, vers Tokyo, Osaka et Nagoya (en partenariat). Sont aussi desservies (via Tokyo) 45 villes au Japon, dont Osaka, Sapporo, Sendai, Hiroshima, Nagoya, Fukuoka, Komatsu et Okinawa. Également un vol direct Bruxelles-Tokyo.

▲ JAPAN AIRLINES (JAL)

– *Paris : 4, rue Ventadour, 75001. Résas et infos au ☎ 0810-747-700 (prix d'un appel local). ● fr.jal.com/fr ● Tlj 9h-18h30 (17h30 w-e).*

➤ Assure depuis Roissy-CDG 1 vol direct/j. pour Tokyo à destination de Tokyo Haneda (idéal pour les passagers en correspondance). JAL propose des vols en partage de code avec Air France au départ de Lyon, Nice, Marseille et Toulouse. Propose également plus d'une centaine de lignes domestiques au Japon et un *Pass Japan Explorer* qui permet d'effectuer de 2 à 5 vols à prix réduits sur une durée de 2 mois. Info : en tapant sur Internet « *Which side is the Mt Fuji ?* », on tombe sur un site de Japan Airlines qui vous indique, selon l'aéroport de départ et celui d'arrivée, le meilleur côté de l'avion pour voir le mont Fuji et également l'heure approximative de passage à sa hauteur !

▲ CATHAY PACIFIC

– *Aéroport de Roissy-CDG : porte 3, terminal 2A. ☎ 0805-54-29-41. ● cathaypacific.com/fr ● Tlj 8h-20h.*

➤ Cathay Pacific propose 11 vols directs/sem Paris-Hong Kong. De Hong Kong, nombreux vols vers 6 villes du Japon : Tokyo (vers les 2 aéroports Haneda et Narita), Osaka, Nagoya, Fukuoka, Okinawa et Sapporo. Possibilité de combiner, sans frais, la ville d'arrivée et celle de départ. Selon le billet, possibilité de *Stop-over* à Hong Kong sans supplément.

Conservez dans votre bagage cabine vos médicaments, vos divers chargeurs et appareils, ainsi que vos objets de valeur (clés et bijoux). Et on ne sait jamais, ajoutez-y de quoi vous changer si vos bagages n'arrivaient pas à bon port avec vous.

LES ORGANISMES DE VOYAGES

– Ne pas croire que les vols à tarif réduit sont tous au même prix pour une même destination à une même époque : loin de là. On a déjà vu, dans un même avion partagé par 2 organismes, des passagers qui avaient payé 40 % plus cher que les autres. De plus, une agence bon marché ne l'est pas forcément toute l'année (elle peut n'être compétitive qu'à certaines dates bien précises). Donc, contactez tous les organismes et jugez par vous-même.

– Les organismes cités sont classés par ordre alphabétique, pour éviter les jalousies et les grincements de dents.

En France

▲ ALTIPLANO VOYAGE

☎ 04-57-09-80-00 ou 04-57-09-80-02. ● altiplano-voyage.com ●
– Annecy (Metz-Tessy) : Park Nord, Les Pléiades nº 35, 74370. Lun-ven 9h-13h, 14h-18h.
Avec Altiplano Voyage, agence spécialiste des voyages sur mesure en Asie, découvrez ce pays aux confins de l'Orient. Entre traditions ancestrales et modernité exaltée, sérénité et vitesse, nature et gratte-ciel, profitez d'une expérience inédite, unique et inoubliable. Les spécialistes Japon chez Altiplano partagent avec vous leurs conseils et astuces pour créer un voyage à votre image et avec le degré d'autonomie souhaité (en liberté ou avec guide et visites).

▲ ASIA

● asia.fr ●
– Paris : 1, rue Dante, 75005. ☎ 01-44-41-50-10. Ⓜ Maubert-Mutualité. Lun-ven 9h-18h30 ; sam 10h-13h, 14h-17h. Agences également à Lyon, Marseille, Nice et Toulouse.
Asia est leader des voyages sur l'Asie et propose des voyages personnalisés en individuel ou en petits groupes sur l'ensemble de l'Asie Mineure au Pacifique, de la Jordanie à la Nouvelle-Zélande en passant par l'Asie centrale, l'Inde, la Mongolie, la Chine, l'Asie du Sud-Est et l'Australie. Dans chaque pays, Asia met son expertise à la disposition de ses clients pour réaliser le voyage de leurs envies. Connaissance du terrain et du patrimoine culturel, respect de l'environnement et authenticité, c'est au plus près des populations, et toujours dans l'esprit des lieux, qu'Asia fait partager ses créations maison au Japon. Asia a sélectionné des adresses paradisiaques et de luxueux spas pour des séjours bien-être.

▲ CERCLE DES VACANCES

– Paris : 4, rue Gomboust (angle 31, av. de l'Opéra), 75001. ☎ 01-40-15-15-18. ● cercledesvacances. com ● Ⓜ Pyramides ou Opéra. Lun-ven 9h-20h, sam 10h-18h30.
Le vrai voyage sur mesure, à destination de l'Asie, dont le Japon. Cercle des Vacances propose un large choix de voyages adaptés à chaque client : circuits avec guide et chauffeur, voyages en groupe, croisière, combinés de plusieurs pays, voyages de noces... Les experts du Cercle des Vacances partagent leurs conseils et leurs petits secrets pour faire de chaque voyage une expérience inoubliable. Cercle des Vacances offre également un service Liste de mariage gratuit. Le petit plus qui fait la différence : des cours de cuisine.

▲ CLUB FAUNE VOYAGES

– Paris : 14 rue de Siam, 75116. ☎ 01-42-88-31-32. ● club-faune. com ● Lun-ven 9h-19h.
Club Faune Voyages, spécialiste du voyage sur mesure depuis 1985, vous propose une découverte unique du Japon, de Tokyo à Kyoto, entre modernité et culture ancestrale.
Accompagnés et conseillés par un de ses experts passionnés, vous construirez ensemble le « voyage de vos envies » et découvrirez les adresses les plus secrètes au cours d'itinéraires à la carte : tournois de Sumo, cérémonie du thé, tête-à-tête avec un moine shintoïste, calligraphie accompagnée d'un artiste local, découverte du quartier de Gion peuplé de *maikos,* qui deviendront geishas, rencontre avec les forgerons maîtres dans l'art de fabriquer

INVENTEUR DE VOYAGES
EN ASIE ET DANS LE PACIFIQUE

Avec Asia, voyagez selon vos envies, dans des conditions exceptionnelles et au rythme qui vous convient !

les *katanas*, flâneries au cœur du marché de Nishiki où vous goûterez aux mets locaux, visite de la cité ancestrale de Nara ou du pavillon d'Or, nuit dans un *ryokan*...
Votre conseiller vous recevra dans « l'Espace Voyage » de l'agence : salon cosy avec projection sur grand écran des sites incontournables et d'une sélection d'hébergements de prestige, le tout pour satisfaire vos attentes et créer un voyage sur mesure authentique !

▲ COMPTOIR DES VOYAGES
● comptoir.fr ●
– *Paris :* 2-18, rue Saint-Victor, 75005. ☎ 01-53-10-30-15. Lun-ven 9h30-18h30, sam 10h-18h30. Ⓜ *Maubert-Mutualité.*
– *Bordeaux :* 26, cours du Chapeau-Rouge, 33800. ☎ 05-35-54-31-40. Lun-sam 9h30-18h30.
– *Lille :* 76, rue Nationale, 59160. ☎ 03-28-34-68-20. Lun-sam 9h30-18h30. Ⓜ *Rihour.*
– *Lyon :* 10, quai Tilsitt, 69002. ☎ 04-72-44-13-40. Lun-sam 9h30-18h30. Ⓜ *Bellecour.*
– *Marseille :* 12, rue Breteuil, 13001. ☎ 04-84-25-21-80. Lun-sam 9h30-18h30. Ⓜ *Estrangin.*
– *Toulouse :* 43, rue Peyrolières, 31000. ☎ 05-62-30-15-00. Lun-sam 9h30-18h30. Ⓜ *Esquirol.*
Comptoir des Voyages s'impose comme une référence incontournable dans le voyage sur mesure, avec 80 destinations couvrant les 5 continents. Ses voyages s'adressent à tous ceux qui souhaitent vivre un pays de façon simple en s'y sentant accueillis. Les conseillers privilégient des hébergements typiques, des moyens de transport locaux et des expériences authentiques pour favoriser l'immersion dans la vie locale. Comptoir vous offre aussi la possibilité de rencontrer des francophones habitant dans le monde entier, des greeters, qui vous donneront, le temps d'un café, les clés de leur ville ou de leur pays. Comptoir des Voyages propose aussi une large gamme de services : échanges par visioconférence, devis web et carnet de voyage personnalisés, assistance téléphonique 24h/24 pendant votre voyage.

▲ DESTINATION JAPON
– *Paris :* 11, rue Villedo, 75001. ☎ 01-42-96-09-32. ● destinationjapon.fr ● Ⓜ *Pyramides ou Palais-Royal.* Lun-sam 9h-19h (18h sam).
Depuis plus de 13 ans, Destination Japon, voyagiste spécialiste du Japon, propose des voyages accompagnés sur mesure (demandez un devis personnalisé) ou des prestations à la carte, comme la réservation de vols, d'hôtels, l'achat du *JR pass,* ainsi que des activités (cérémonie du thé, combat de sumo). Destination Japon et ses conseillers sont à votre disposition afin de concrétiser vos envies de voyage au pays du Soleil-Levant.

▲ NOMADE AVENTURE
☎ 0825-701-702 (0,15 €/mn + prix d'appel). ● nomade-aventure.com ●
– *Paris :* 40, rue de la Montagne-Sainte-Geneviève, 75005. ☎ 01-46-33-71-71. Ⓜ *Maubert-Mutualité.* Lun-sam 9h30-18h30.
– *Lyon :* 10, quai Tilsitt, 69002. ☎ 04-72-44-13-50. Lun-sam 9h30-18h30.
– *Marseille :* 12, rue Breteuil, 13001. ☎ 04-84-25-21-86. Lun-sam 9h30-18h30.
– *Toulouse :* 43, rue Peyrolières, 31000. ☎ 05-62-30-10-77. Lun-sam 9h30-18h30.
Nomade Aventure propose des circuits inédits partout dans le monde, à réaliser en famille, entre amis, avec ou sans guide. Également la possibilité d'organiser, hors de groupes constitués, un séjour libre en toute autonomie et sur mesure. Spécialiste de l'aventure avec plus de 600 itinéraires (de niveau tranquille, dynamique, sportif ou sportif +) faits d'échanges et de rencontres avec les habitants, Nomade Aventure donne la priorité aux expériences authentiques à pied, à VTT, à cheval, à dos de chameau, en bateau ou en 4x4.

▲ NOSTAL'ASIE
– *Paris :* 19, rue Damesme, 75013. ☎ 01-43-13-29-29. ● ann.fr ● Ⓜ *Tolbiac.* Sur rdv lun-ven 10h-13h, 15h-18h.
Parce qu'il n'est pas toujours aisé de partir seul, Nostal'Asie, un tour-opérateur indépendant, propose de véritables voyages sur mesure en Asie,

TOKYO

VOTRE VOYAGE SUR-MESURE :
AUTOTOUR - CIRCUIT - SÉJOUR - VOYAGE DE NOCES

notamment au Japon, des lieux les plus connus jusqu'aux contrées les plus reculées, en individuel ou en groupe déjà constitué. 2 formules au choix : *Les Estampes,* avec billets d'avion, logements, transferts entre les étapes, ou *Les Aquarelles,* avec, en plus, un guide et une voiture privés à chaque étape.

▲ ROOTS TRAVEL
– *Paris :* 17, rue de l'Arsenal, 75004. ☎ 01-42-74-07-07. ● *rootstravel. com* ● Ⓜ *Bastille. Lun-ven 10h-13h, 14h-18h ; sam sur rdv.*

Dans le respect des traditions et de la culture japonaises, Roots Travel propose des séjours combinant le charme des campagnes et l'effervescence des principales villes nippones, la découverte de lieux incontournables et d'endroits plus secrets, insolites.

Pour des séjours d'exception, Roots offre un large choix d'hébergements traditionnels, tours et activités à chaque étape de votre itinéraire en garantissant les meilleurs tarifs.

▲ ROUTE DES VOYAGES
● *route-voyages.com* ● *Agences ouv lun-ven 9h-19h (18h ven). Rdv conseillé.*
– *Paris :* 10, rue Choron, 75009. ☎ 01-55-31-98-80. Ⓜ *Notre-Dame-de-Lorette.*
– *Angers :* 6, rue Corneille, 49000. ☎ 02-41-43-26-65.
– *Annecy :* 4 bis, av. d'Aléry, 74000. ☎ 04-50-45-60-20.
– *Bordeaux :* 19, rue des Frères-Bonie, 33000. ☎ 05-56-90-11-20.
– *Lyon :* 59, rue Franklin, 69002. ☎ 04-78-42-53-58.
– *Toulouse :* 9, rue Saint-Antoine-du-T, 31000. ☎ 05-62-27-00-68.

23 ans d'expérience de voyage sur mesure sur les 5 continents ! 15 pays en Europe complètent à présent leur offre. Cette équipe de voyageurs passionnés a développé un vrai savoir-faire du voyage personnalisé : écoute, conseils, voyages de repérage réguliers et des correspondants sur place soigneusement sélectionnés avec qui ils travaillent en direct. Leur engagement à promouvoir un tourisme responsable se traduit par des possibilités de séjours solidaires à insérer dans les itinéraires de découverte individuelle. L'équipe a également créé un programme de compensation solidaire qui permet de financer des projets de développement locaux.

▲ TERRE VOYAGES
– *Paris :* 28, bd de la Bastille, 75012. ☎ 01-44-32-12-85. ● *terre-voyages. com* ● Ⓜ *Bastille. Lun-ven 9h-18h30, sam 10h-18h.*

Les créateurs de voyages de Terre Voyages sont des experts des pays proposés, passionnés de leur destination. Ils sauront écouter vos attentes pour créer une offre de voyages sur mesure qui réponde à vos envies de découverte et vous proposeront une approche authentique des cultures et des peuples dans le respect de leur environnement naturel et au juste prix. Pour tous les voyageurs qui attendent d'une échappée lointaine non pas une simple visite mais une véritable connaissance et un apprentissage responsable des différentes cultures en totale immersion, Terre Voyages est le spécialiste qu'il faut.

▲ TERRES JAPONAISES
● *terres-japonaises.com* ●

Contactez Terres Japonaises, une agence locale de confiance, pour organiser votre voyage sur mesure au Japon. Leurs conseillers, fins connaisseurs du terrain et de la réalité du pays, vous accompagnent dans la préparation de votre voyage, en couple, en famille ou en groupe d'amis. Vous avez ainsi accès à un service personnalisé en bénéficiant d'un prix accessible. Membre de Bynativ, la communauté des agences de voyages locales, Terres Japonaises propose un maximum de garanties et de services : règlement de votre voyage en ligne et ce de façon sécurisée, possibilité de souscrire à une assurance de voyage et de bénéficier de garanties solides en cas d'imprévu. De quoi voyager de façon authentique et en toute tranquillité !

▲ VOYAGEURS AU JAPON
– *Paris :* la Cité des Voyageurs, 55, rue Sainte-Anne, 75002. ☎ 01-42-86-16-00. ● *voyageursdumonde.fr* ● Ⓜ *Opéra*

CLUB FAUNE
V⊘YAGES

N 48° 51' 44,63" | E 2° 16' 28,78"

VOS PLUS BEAUX VOYAGES
RESTENT À IMAGINER...

SPÉCIALISTE DES VOYAGES SUR-MESURE DEPUIS 1985

14 rue de Siam - 75116 Paris | 01 42 88 31 32
tourisme@club-faune.com | www.club-faune.com

ou Pyramides. Lun-sam 9h30-19h.
Avec une librairie spécialisée sur les voyages.
– *Également des agences à Bordeaux, Grenoble, Lille, Lyon, Marseille, Montpellier, Nantes, Nice, Rennes, Rouen, Strasbourg et Toulouse ; ainsi qu'à Bruxelles et à Genève.*
Parce que chaque voyageur est différent, que chacun a ses rêves et ses idées pour les réaliser, Voyageurs du Monde conçoit, depuis plus de 30 ans, des projets sur mesure. Les séjours proposés sur 120 destinations sont élaborés par leurs 180 conseillers voyageurs. Spécialistes par pays et même par régions, ils vous aideront à personnaliser les voyages présentés à travers une trentaine de brochures d'un nouveau type et sur le site internet, où vous pourrez également découvrir les hébergements exclusifs et consulter votre espace personnalisé. Au cours de votre séjour, vous bénéficiez des services personnalisés Voyageurs du Monde, dont la possibilité de modifier à tout moment votre voyage, l'assistance d'un concierge local, la mise en place de rencontres et de visites privées, et l'accès à votre carnet de voyage via une application iPhone et Android. Voyageurs du Monde est membre de l'association ATR (Agir pour un tourisme responsable) et bénéficie de la certification Tourisme responsable AFAQ AFNOR.

Voir aussi au sein de chaque ville les agences locales que nous avons sélectionnées.

Comment aller à Roissy et à Orly ?

Toutes les infos sur notre site ● *routard. com* ● à l'adresse suivante : ● *bit.ly/ aeroports-routard* ●

En Belgique

▲ CONNECTIONS
Rens et résas au ☎ 070-233-313. ● *connections.be* ●
Fort d'une expérience de plus de 20 ans dans le domaine du voyage, Connections dispose d'un réseau de 32 *travel shops,* dont un à Brussels

Airport. Connections propose des vols dans le monde entier à des tarifs avantageux, et des voyages destinés à des voyageurs désireux de découvrir la planète de façon autonome. Connections propose aussi une gamme complète de produits : vols, hébergements, locations de voitures, autotours, vacances sportives, excursions...

▲ CONTINENTS INSOLITES
– *Bruxelles : rue César-Franck, 44 A, 1050.* ☎ *02-218-24-84.* ● *continentsinsolites.com* ● *Lun-ven 10h-18h, sam sur rdv 10h-13h.*
Continents Insolites, organisateur de voyages lointains sans intermédiaire, propose une gamme étendue de formules de voyages détaillées sur leur site internet.
– *Voyages découverte sur mesure :* à partir de 2 personnes. Un grand choix d'hébergements soigneusement sélectionnés, du petit hôtel simple à l'établissement luxueux et de charme.
– *Circuits découverte en minigroupes :* de la grande expédition au circuit accessible à tous. Des circuits à dates fixes dans plus de 60 pays en petits groupes francophones de 7 à 12 personnes. Avant chaque départ, une réunion est organisée. Voyages encadrés par des guides francophones, spécialistes des régions visitées.

▲ PAMPA EXPLOR
– *Bruxelles : av. du Parc, 10, 1060.* ☎ *02-340-09-09.* ● *pampa.be* ● *Lun 13h-19h, mar-ven 10h-19h, sam sur rdv 10h-18h.*
Spécialiste des voyages « à la carte », Pampa Explor propose plus de 70 % de la planète bleue, selon les goûts, attentes, centres d'intérêt et budgets de chacun. Pampa Explor privilégie des découvertes authentiques et originales, pour ceux qui apprécient la jungle et les Pataugas ou pour ceux qui préfèrent les voyages de luxe. En individuel ou en petits groupes, mais toujours « sur mesure ».

▲ VOYAGEURS DU MONDE
– *Bruxelles : chaussée de Charleroi, 23, 1060.* ☎ *02-543-95-50.* ● *voyageurs dumonde.com* ●

COMPTOIR DES VOYAGES

© Emanuela Colao-IMA 075100064

LE JAPON SUR MESURE

Initiez-vous à l'art délicat de l'*ikebana* ou de l'origami, passez en cuisine pour préparer *sushi, teriyaki* et *obanzai*. Laissez-vous guider dans Tokyo, Osaka, Hiroshima ou Kyoto par un de ses habitants. Discutez avec nos Greeters pour connaître les codes culturels japonais et ne pas faire de faux pas. Passez la nuit dans un *ryokan*, un *minshuku* ou… un temple !

L'IMMERSION, LA PLUS BELLE FAÇON DE VOYAGER

EXPÉRIENCES
D'autres usages,
d'autres quotidiens à vivre,
partager, expérimenter

HOSPITALITÉ
Nos adresses intimistes
et des hôtes attentionnés
pour se sentir chez soi, ailleurs.

GREETERS
Le pays à travers les yeux
d'un local le temps
d'une rencontre sur place.

LUCIOLE
L'appli mobile avec GPS,
100% hors connexion,
pour ne rien manquer.

www.comptoir.fr - 01 86 95 65 28

Le spécialiste du voyage sur mesure. Voir texte dans la partie « En France ».

En Suisse

▲ ALTIPLANO VOYAGE
– *Genève : pl. du Temple, 3, 1227 Carouge.* ☎ *022-342-49-49.* ● *agence@altiplano-voyage.ch* ● *altiplano-voyage.ch* ● *Sur rdv lun-mar et jeu-ven.*
Rencontrez votre experte de l'Asie en plein centre de Carouge.

▲ ASIA
– *Genève : c/o Fert et Cie Voyages, rue Barton, 7, case postale C2364, 1211.* ☎ *022-839-43-92.*
Voir texte dans la partie « En France ».

▲ L'ÈRE DU VOYAGE
– *Nyon : Grand-Rue, 21, 1260.* ☎ *022-365-15-65.* ● *ereduvoyage.ch* ● *Mar-ven 8h-12h30, 13h30-18h ; sam sur rdv en dehors de ces horaires.*
Agence fondée par 4 professionnelles qui ont la passion du voyage. Elles pourront vous conseiller et vous faire part de leur expérience en Asie, en Afrique australe et au Moyen-Orient. Des itinéraires originaux, testés par l'équipe de l'agence : voyages sur mesure pour découvrir un pays en toute liberté en voiture privée avec ou sans chauffeur, guide local et logements de charme, petites escapades pour un week-end prolongé et voyages en famille.

▲ HORIZONS NOUVEAUX
– *Verbier : rue de Médran, 6, CP 196, 1936.* ☎ *027-761-71-71.* ● *horizons nouveaux.com* ● *Lun-ven 9h-17h, sam sur rdv.*
Horizons Nouveaux est le tour-opérateur suisse spécialisé dans les régions qui vont de l'Asie centrale à l'Asie du Sud en passant par les pays himalayens, tels que l'Inde, le Sri Lanka, le Népal, le Tibet, la Birmanie, le Cambodge, le Laos, Java ou encore Bali. Horizons Nouveaux organise principalement des voyages à la carte, des voyages culturels à thème, des trekkings souvent inédits et des expéditions.

▲ JERRYCAN VOYAGES
– *Genève : rue Sautter, 11, 1205.* ☎ *022-346-92-82.* ● *jerrycan-voyages. ch* ● *Lun-ven 9h-12h30, 13h30-18h.*
Tour-opérateur de la Suisse francophone spécialisé sur l'Afrique, l'Asie et l'Amérique latine. 3 belles brochures proposent des circuits individuels et sur mesure. L'équipe connaît bien son sujet et peut construire un voyage à la carte.

▲ STA TRAVEL
Rens et résas au ☎ *058-450-49-49.* ● *statravel.ch* ●
– *Fribourg : rue de Lausanne, 24, 1700.* ☎ *058-450-49-80.*
– *Genève : rue Pierre-Fatio, 19, 1204.* ☎ *058-450-48-00.*
– *Genève : rue Vignier, 3, 1205.* ☎ *058-450-48-30.*
– *Lausanne : bd de Grancy, 20, 1006.* ☎ *058-450-48-50.*
– *Lausanne : à l'université, Anthropole, 1015.* ☎ *058-450-49-20.*
Agences spécialisées notamment dans les voyages pour jeunes et étudiants. 150 bureaux STA et plus de 700 agents du même groupe, répartis dans le monde entier, sont là pour donner un coup de main *(Travel Help)*. STA propose des tarifs avantageux : vols secs *(Blue Ticket)*, hôtels, écoles de langue, *work & travel*, circuits d'aventure, voitures de location, etc. Délivre la carte internationale d'étudiant et la carte Jeune.

Au Québec

▲ CLUB AVENTURE VOYAGES
– *Montréal : 759, av. Mont-Royal, H2J 1W8.* ☎ *(514) 527-0999.* ● *cluba venture.com* ●
Depuis 1975, Club Aventure développe une façon de voyager qui lui est propre : petits groupes, contact avec les populations, utilisation des ressources humaines locales, visite des grands monuments, mais aussi et surtout ouverture de routes parallèles. Ces circuits ont reçu la griffe du temps et de l'expérience ; ils sont devenus les « circuits griffés » du Club Aventure.

▲ EXPLORATEUR VOYAGES
– *Montréal : 328, rue Ontario-Est, H2X 1H6. Rens au* ☎ *(514) 847-1177 ou sur* ● *explorateurvoyages.com* ●

Lun-mer 9h-18h, jeu-ven 9h-20h, sam 10h-15h.

Cette agence de voyages montréalaise propose une intéressante production maison, axée sur les voyages d'aventure en petits groupes (5 à 13 personnes max) ou en individuels. Ses itinéraires originaux, entre autres en Asie, se veulent toujours respectueux des peuples et des écosystèmes, guidés par un accompagnateur de l'agence. Intéressant pour se familiariser avec ces différents circuits : les soirées Explorateur (gratuites), avec présentation audiovisuelle.

DESTINATION
JAPON

JAPON UTILE

ABC du Japon

- ❏ *Capitale :* Tokyo.
- ❏ *Superficie :* 378 000 km^2 (en comptant les 5 000 km^2 des Kouriles du Sud, territoire russe depuis 1945).
- ❏ *Population (2018) :* 127 millions d'hab.
- ❏ *Densité de population :* 338 hab./km^2.
- ❏ *Population urbaine :* 80 %. Tokyo, la capitale, est l'aire urbaine la plus peuplée du monde, avec plus de 38 millions d'habitants, en comptant toute l'agglomération.
- ❏ *Monnaie :* le yen (JPY) ; 1 € = 120 ¥ (courant 2018).
- ❏ *Langue :* le japonais.
- ❏ *Empereur :* Akihito (depuis 1989).
- ❏ *Premier ministre :* Shinzo Abe (depuis décembre 2012).
- ❏ *Nature de l'État :* monarchie constitutionnelle. L'empereur est le « symbole de l'État et de l'unité du peuple [japonais] ».
- ❏ *Régime :* démocratie parlementaire.
- ❏ *Principales religions :* bouddhisme (95 millions de personnes), shinto (85 millions), christianisme (1,5 million), autres (1 million). Le nombre supérieur de « croyants » par rapport à la population s'explique par le fait que shinto et bouddhisme ne sont pas exclusifs et que ce ne sont pas des croyances qui exigent la fréquentation assidue et régulière des lieux de culte.
- ❏ *Revenu moyen (2018) :* environ 39 000 € par personne et par an.
- ❏ *Indice de développement humain (espérance de vie, éducation, niveau de vie) :* 0,90. Rang mondial : 17e.

AVANT LE DÉPART

Adresses utiles

En France

🛈 *Office national du tourisme japonais (JNTO) :* 4, rue de Ventadour, 75001 Paris. ☎ 01-42-96-20-29. ● tourisme-japon.fr ● Ⓜ Pyramides. Lun-ven 9h30-13h (brochures et doc en libre-service jusqu'à 17h30). Au 6e étage, ce bureau d'informations parisien est à l'image du Japon : sérieux, aimable et très professionnel. On y parle le français et aussi l'anglais. Informations sur tous les types de voyages au Japon, et en particulier sur les voyages à petit budget, brochures sur les régions et les villes du pays, documentation détaillée très bien faite (hébergement, transports, excursions, fêtes et manifestations, culture et traditions).

■ *Maison de la culture du Japon à Paris :* 101 bis, quai Branly, 75015 Paris. ☎ 01-44-37-95-95 (résas ; mar-sam 12h-19h30). ● contact@mcjp.fr ● mcjp.fr ● Ⓜ Bir-Hakeim. Tlj sauf dim-lun et j. fériés 12h-20h (fermeture de la caisse 19h30). Proche de la tour Eiffel, ce bâtiment moderne abrite une librairie, une bibliothèque (mar-sam

12h-18h – 20h jeu), une médiathèque (espace audiovisuel) et des salles d'expo, de conférences, de concerts et de spectacle.

■ *Espace Japon :* 12, rue de Nancy, 75010. ☎ 01-47-00-77-47. ● espace japon.com ● Ⓜ Jacques-Bonsergent. *Mar-ven 13h-19h, sam 13h-18h.* Cet espace culturel franco-japonais bouillonne d'activités. Cours intensifs de japonais, expositions, conférences, ateliers de calligraphie, d'origami (pliage de papier), d'ikebana (art floral), cours de cuisine... Également une belle bibliothèque vous permettant, moyennant une cotisation annuelle, d'emprunter un large choix d'ouvrages en français et en japonais.

■ *Ambassade du Japon :* 7, av. Hoche, 75008 Paris. ☎ 01-48-88-62-00 (accueil par tél 9h30-13h, 14h30-18h). ● consul@ps.mofa.go.jp ● fr.emb-japan.go.jp ● Ⓜ Courcelles ou Charles-de-Gaulle-Étoile. *Lun-ven 9h30-13h, 14h30-17h (demande de visas 9h30-12h30).* Fermé w-e, j. fériés français et japonais et tt début janv.

■ *Consulat du Japon à Strasbourg :* tour Europe, 20, pl. des Halles, 67000. ☎ 03-88-52-85-00. ● strasbourg. fr.emb-japan.go.jp ● *Lun-ven 9h-12h, 14h-17h.* Fermé w-e, j. fériés français et japonais et tt début janv.

■ *Consulat du Japon à Marseille :* 70, av. de Hambourg, 13008. ☎ 04-91-16-81-81. ● consulatjapon.marseille@ my.mofa.go.jp ● marseille.fr.emb-japan. go.jp ● *Lun-ven 9h-12h, 13h45-16h30.* Fermé w-e, j. fériés français et japonais et tt début janv.

■ *Bureau consulaire du Japon à Lyon :* 131, bd Stalingrad, 69100 Villeurbanne. Le premium 7ᵉ étage. ☎ 04-37-47-55-00. ● lyon.fr.emb-japan.go.jp ● *Lun-ven 9h-12h, 13h45-16h30.* Fermé w-e, j. fériés français et japonais et tt début janv.

En Belgique

Aucun visa n'est nécessaire pour les citoyens belges, pour un séjour de 3 mois maximum.

■ *Ambassade du Japon :* rue Van Maerlant, 1, Bruxelles 1040. ☎ 02-513-2340. Service consulaire : ☎ 02-500-0580. ● be.emb-japan.go.jp ● *Lun-ven 9h15-12h, 13h30-16h.* Fermé w-e, j. fériés belges et japonais et tt début janv.

En Suisse

Aucun visa n'est nécessaire pour les citoyens suisses, pour un séjour de 6 mois maximum.

■ *Ambassade du Japon :* Japanische Botschaft in der Schweiz, Engestrasse 53, 3000 Berne 9. ☎ 031-300-22-22. ● ch.emb-japan.go.jp ● *Lun-ven 9h-11h30, 14h-16h30.* Fermé w-e et j. fériés suisses et japonais.

■ *Consulat du Japon :* 82, rue de Lausanne, 1202 Genève. ☎ 022-716-99-00. ● geneve.ch.emb-japan.go.jp ● *Lun-ven 9h-12h, 14h-17h.* Fermé w-e et j. fériés suisses et japonais.

Au Canada

Aucun visa n'est nécessaire pour les citoyens canadiens, pour un séjour de 3 mois maximum.

■ *Ambassade du Japon :* 255 Sussex Dr, Ottawa, Ontario K1N 9E6. ☎ (613) 241-8541. ● ca.emb-japan.go.jp ● *Lun-ven 9h-12h15, 13h30-16h45.* Fermé w-e et j. fériés canadiens et japonais.

■ *Consulat général du Japon à Montréal :* 1, pl. Ville-Marie, bureau 3333, Montréal, Québec H3B 3N2. ☎ (514) 866-3429. ● montreal.ca.emb-japan. go.jp ● Dépôt des demandes de visas lun-ven 9h-12h, 13h30-16h30. *Fermé w-e et j. fériés canadiens et japonais.*

Formalités

Un conseil : pensez à scanner passeport, visa, carte bancaire et *vouchers* d'hôtel. Ensuite, adressez-les-vous par e-mail en pièces jointes. Idem pour vos billets d'avion électroniques. En cas de perte ou de vol, rien de plus facile pour les récupérer dans un cybercafé. Les démarches administratives seront bien plus rapides. Merci tonton *Routard* !

– Pour les citoyens français, suisses, belges et canadiens, le visa n'est pas nécessaire si vous séjournez au Japon moins de 3 mois (6 mois pour les Suisses).

– À l'arrivée au Japon, à l'Immigration, on prendra vos empreintes digitales et une photo de vous (de face). C'est très rapide. Enfin, petit entretien (éventuel, pas systématique), puis on vous rend votre passeport.

– Les **mineurs** doivent être munis de leur propre pièce d'identité (carte d'identité ou passeport). Pour l'autorisation de sortie de territoire lorsque les enfants ne sont pas accompagnés par un de leurs parents, chaque pays a mis en place sa propre régulation. Ainsi, pour les **mineurs français,** une loi entrée en vigueur en janvier 2017 a **rétabli l'autorisation de sortie du territoire.** Pour voyager à l'étranger, ils doivent donc être munis d'une pièce d'identité (carte d'identité ou passeport), d'un formulaire signé par l'un des parents titulaire de l'autorité parentale, et de la photocopie de la pièce d'identité du parent signataire. Renseignements auprès des services de votre commune et sur ● *service-public.fr*.

– Attention, à partir de janvier 2019, toute personne quittant le territoire nippon, par avion ou par bateau, est redevable de la taxe « *Sayonara* » de 1 000 ¥ (env 8 €). Seuls les enfants de moins de 2 ans et les personnes en transit moins de 24h en seront exemptés.

Avoir un passeport européen, ça peut être utile !

L'Union européenne a organisé une assistance consulaire mutuelle pour les ressortissants de l'UE en cas de problème en voyage.

Vous pouvez y faire appel lorsque la France (c'est rare) ou la Belgique (c'est plus fréquent) ne dispose pas d'une représentation dans le pays où vous vous trouvez. Concrètement, cette assistance vous permet de demander de l'aide à l'ambassade ou au consulat (pas à un consulat honoraire) de n'importe quel État membre de l'UE. Leurs services vous indiqueront s'ils peuvent directement vous aider ou vous préciseront ce qu'il faut faire.

Leur assistance est bien entendu limitée aux situations d'urgence : décès, accidents ayant entraîné des blessures ou des lésions, maladie grave, rapatriement pour raison médicale, arrestation ou détention. **En cas de perte ou de vol de votre passeport,** ils pourront également vous procurer un **document provisoire de voyage.**

Cette entraide consulaire entre les États membres de l'UE ne peut, bien entendu, vous garantir un accueil dans votre langue. En général, une langue européenne courante sera pratiquée.

Assurances voyages

■ **Assurance Routard par AVI International :** 40, rue Washington, 75008 Paris. ☎ 01-44-63-51-00. ● *avi-international.com* ● *George-V.* Enrichie année après année par les retours des lecteurs, *Routard Assurance* est devenue une assurance voyage incontournable. Tout est compris : frais médicaux, assistance rapatriement, bagages, responsabilité civile... Vous avez besoin d'un médecin, d'un conseil médical ou d'une prise en charge dans un hôpital ? Appelez simplement le plateau *AVI Assistance* disponible 24h/24, leur réseau est l'un des plus complets actuellement. Vous avez eu des frais de santé en voyage ? Envoyez les factures à votre retour, *AVI* vous rembourse sous 1 semaine. Avant votre départ, n'hésitez pas à les appeler pour des conseils personnalisés. Ce que l'on a aimé : pas d'avance à faire, ils s'occupent de tout. Un seul réflexe avant de partir : téléchargez l'appli mobile pour garder le contact avec l'assistance 24h/24 et disposer de l'un des meilleurs réseaux médicaux à travers le monde.

■ *AVA – Assurance Voyages et Assistance :* 25, rue de Maubeuge, 75009 Paris. ☎ 01-53-20-44-20. ● *ava. fr* ● *Cadet.* Un autre courtier fiable

pour ceux qui souhaitent s'assurer en cas de décès-invalidité-accident lors d'un voyage à l'étranger, mais surtout pour bénéficier d'une assistance rapatriement, perte de bagages et annulation. Attention : franchises pour leurs contrats d'assurance voyage.

■ *Pixel Assur : 18, rue des* *Plantes, BP 35, 78601 Maisons-Laffitte.* ☎ *01-39-62-28-63.* ● *pixel-assur. com* ● *RER A : Maisons-Laffitte.* Assurance de matériel photo et vidéo tous risques (casse, vol, immersion) dans le monde entier. Devis en ligne basé sur le prix d'achat de votre matériel. Avantage : garantie à l'année.

Douanes

En France, la franchise douanière est de 430 € pour les voyageurs de plus de 15 ans utilisant un mode de transport aérien et de 150 € pour les moins de 15 ans. Elle n'est pas cumulable d'une personne à l'autre. Si la valeur des objets que vous rapportez est supérieure à cette somme, vous êtes censé payer la taxe sur la valeur ajoutée (TVA) et des droits de douane. Pour plus de renseignements, consultez le site ● *douane.gouv.fr* ●

Il est possible de rapporter du Japon (sans payer de taxes) : 200 cigarettes par personne (ou 100 cigarillos ou 50 cigares, ou 250 g de tabac à fumer), 1 litre d'alcool (plus de 22°) ou 2 litres (moins de 22°), 4 bouteilles de vin, 16 litres de bière et 30 cl de parfum.

Les personnes de moins de 20 ans ne peuvent passer à la douane ni tabac ni boissons alcoolisées.

Tous les animaux, produits d'origine animale et plantes sont soumis à une inspection de quarantaine dans les aéroports et les ports du Japon.

Vaccinations

Les voyageurs étrangers n'ont besoin d'aucun certificat de vaccination, de quelque pays qu'ils viennent. Mais attention ! Il est toujours prudent d'être à jour de tous ses vaccins avant de partir, quel que soit le voyage, d'autant qu'au Japon les vaccinations coûtent très cher !

Il existe un vaccin pour l'encéphalite japonaise, l'Ixiaro®, plutôt bien toléré et recommandé aux expatriés, voyageurs fréquents et touristes. Il y a 2 injections à faire à 28 jours d'intervalle. Disponible en centres de vaccinations internationales ou en pharmacies (sur prescription). Seul bémol, le prix public de chaque dose est d'environ 60-90 € ! Quelques conseils : sur les parties découvertes du corps, vous pouvez appliquer des répulsifs antimoustiques assez efficaces du type DEET à 30-50 % *(Insect Ecran)*. Sinon, dormir sous une moustiquaire imprégnée peut aussi s'avérer très efficace !

Pour les centres de vaccinations partout en France, dans les DOM-TOM, en Belgique et en Suisse, consulter le site internet ● *astrium.com/espace-voyageurs/ centres-de-vaccinations-internationales.html* ●

Carte internationale d'étudiant (carte ISIC)

Elle prouve le statut d'étudiant dans le monde entier et permet de bénéficier de tous les avantages, services et réductions dans les domaines du transport, de l'hébergement, de la culture, des loisirs, du shopping...

La carte ISIC permet aussi d'accéder à des avantages exclusifs (billets d'avion spécial étudiants, hôtels et auberges de jeunesse, assurances, cartes SIM internationales, location de voiture...).

Renseignements et inscriptions

– *En France :* ● *isic.fr* ● 13 € pour 1 année scolaire.
– *En Belgique :* ● *isic.be* ●
– *En Suisse :* ● *isic.ch* ●
– *Au Canada :* ● *isiccanada.com* ●

Carte d'adhésion internationale aux auberges de jeunesse (carte FUAJ)

Cette carte vous ouvre les portes des 4 000 auberges de jeunesse du réseau *HI-Hostelling International* en France et dans le monde. Vous pouvez ainsi parcourir 90 pays à des prix avantageux et bénéficier de tarifs préférentiels avec les partenaires des auberges de jeunesse *HI*. Enfin, vous intégrez une communauté mondiale de voyageurs partageant les mêmes valeurs : plaisir de la rencontre, respect des différences et échange dans un esprit convivial. Il n'y a pas de limite d'âge pour séjourner en auberge de jeunesse. Il faut simplement être adhérent.

Renseignements et inscriptions

– *En France :* ● *hifrance.org* ●
– *En Belgique :* ● *lesaubergesdejeunesse.be* ●
– *En Suisse :* ● *youthhostel.ch* ●
– *Au Canada :* ● *hihostels.ca* ●
Si vous prévoyez un séjour itinérant, vous pouvez réserver plusieurs auberges en une seule fois en France et dans le monde : ● *hihostels.com* ●

ARGENT, BANQUES, CHANGE

La monnaie japonaise est le yen (¥). En 2018, *1 euro valait en moyenne 120 yens,* mais le taux de change peut varier sensiblement selon la situation économique.
Il existe des pièces de 1 ¥, 5 ¥, 10 ¥, 50 ¥, 100 ¥ et 500 ¥. Les billets sont de 1 000 ¥, 2 000 ¥, 5 000 ¥ et 10 000 ¥.
Vous pouvez changer l'argent avant le départ ou sur place (taux à peu près identiques). Mais l'idéal est d'avoir suffisamment de cash pour éviter les déconvenues. En effet, dès que l'on quitte Tokyo, beaucoup de petits restaurants ou boutiques n'acceptent pas les cartes de paiement, mais uniquement le cash.

– *Distributeurs automatiques d'argent :* on peut retirer des espèces dans les distributeurs automatiques *ATM*. Les magasins de la chaîne *7-Eleven* (qui n'acceptent en général pas les cartes *MasterCard, Cirrus* et *Maestro*) ont souvent des *ATM*. Pratique : ils sont ouverts jour et nuit. Sinon, on trouve des *ATM* partout, jusque dans les stations de métro et

LE BANQUIER QUI VOUS AIME !

Si vous retirez de l'argent à un distributeur (ATM), l'écran vous accueille parfois avec 2 personnages tout sourires. Mais qu'un problème survienne ou que l'opération n'aboutisse pas, et nos 2 héros arboreront une mine triste et désolée.

dans les bureaux de poste marqués du sigle « ATM ». Seul problème, parfois il y a incompatibilité avec les cartes *Visa* étrangères ! Les grandes postes centrales sont ouvertes tous les jours, les autres le sont en semaine uniquement (9h-17h). Mieux vaut donc retirer de l'argent avant le week-end. Ou encore auprès des banques *Shinsei, HSBC* et *Citibank*. Si le distributeur propose un affichage en anglais, c'est qu'il accepte les cartes *Visa* internationales, *American Express* et parfois

PROFITEZ DE 5€ DE REMISE SUR VOS YENS JAPONAIS EN COMMANDANT SUR TRAVELEX.FR

Code Promo: JPYROUTARD*

Travelex worldwide money

MasterCard. Évitez de multiplier les retraits pour échapper aux frais bancaires (commission + pourcentage) sur chaque transaction.

– **Banques japonaises :** on peut y changer de l'argent si l'on ne veut pas utiliser sa carte bancaire dans les *ATM.* Pour le change de devises, avoir son passeport. Horaires : en semaine de 9h à 15h ; fermé les samedi et dimanche. Certaines banques, les grandes gares et certains hôtels disposent de **guichets de change automatique** (comme des *ATM*).

Pour changer des devises, le mieux, ce sont les magasins *Takashiyama* (à Tokyo et Kyoto), procédure moins laborieuse que dans les banques.

Carte prépayée Travelex

La carte prépayée *Cash PassportTM* (qui remplace les chèques de voyage) fonctionne comme une carte bancaire. Muni d'une pièce d'identité, il suffit de se rendre en agence de change et de charger le budget voyage désiré en dollars sur la carte. Elle peut aussi être commandée en ligne sur ● *travelex.fr* ● avant d'être collectée en agence sur présentation des documents d'identité. L'utilisateur peut ensuite la recharger à tout moment depuis le site ● *travelex.fr* ● partout dans le monde.

Une fois à l'étranger, elle est utilisable chez 32 millions de commerçants et distributeurs de billets. Pratique pour régler une note de resto ou d'hôtel, sans frais bancaires ni commission. Sûre, la carte n'est pas liée au compte bancaire de l'utilisateur et elle est protégée par une puce et un code PIN personnel. Assistance internationale d'urgence 24h/24 en cas de perte ou de vol. La carte est alors remplacée gratuitement sous 24h avec des fonds d'urgence.

On peut également choisir de changer des euros avant le départ. Travelex propose aussi ce service : on achète les devises sans commission, directement en ligne. Il suffit d'aller sur le site ● *travelex.fr* ●, de commander et de payer en ligne, puis de passer récupérer l'argent liquide dans l'une des agences Travelex, présentes dans la plupart des aéroports et gares en France. L'idéal, au Japon, est d'avoir un maximum de cash pour éviter les déconvenues. En effet, dès que l'on quitte Tokyo, beaucoup de petits restaurants et boutiques n'acceptent pas les cartes de paiement.

Cartes de paiement

> **Petite mesure de précaution :** si vous retirez de l'argent dans un distributeur, utilisez de préférence les distributeurs attenants à une agence bancaire. En cas de pépin avec votre carte (carte avalée, erreurs de code secret...), vous aurez un interlocuteur dans l'agence pendant les heures ouvrables.

Quand vous partez à l'étranger, pensez à téléphoner à votre banque pour relever le plafond de retrait aux distributeurs et pour les paiements par carte, quitte à le faire rebaisser à votre retour. Il est également vivement conseillé d'avertir votre banque sur votre destination et la durée de votre voyage, pour éviter que votre carte soit bloquée dès le 1er retrait pour suspicion de fraude. C'est de plus en plus fréquent. Avant de partir, notez donc bien le numéro d'opposition propre à votre banque (il figure souvent au dos des tickets de retrait, sur votre contrat ou à côté des distributeurs de billets), ainsi que le numéro à 16 chiffres de votre carte. Bien entendu, conservez ces informations en lieu sûr et séparément de votre carte.

Par ailleurs, l'assistance médicale se limite aux 90 premiers jours du voyage et l'assistance véhicule aux cartes haut de gamme (renseignez-vous auprès de votre banque). Et surtout, n'oubliez pas aussi de **vérifier la date d'expiration de votre carte bancaire** avant votre départ !

En cas de perte, de vol, ou de fraude, quelle que soit la carte que vous possédez, chaque banque gère elle-même le processus d'opposition et le numéro de téléphone correspondant.

– **Carte Visa :** *numéro d'urgence* (Europ Assistance) *au* ☎ *(00-33) 1-41-85-85-85 (24h/24).* ● *visa.fr* ●
– **Carte MasterCard :** *numéro d'urgence au* ☎ *(00-33) 1-45-16-* 65-65. ● *mastercardfrance.com* ●
– **Carte American Express :** *numéro d'urgence au* ☎ *(00-33) 1-47-77-72-00 (numéro accessible tlj 24h/24).* ● *americanexpress.fr* ●

Il existe un serveur interbancaire d'opposition qui, en cas de perte ou de vol, vous met en contact avec le centre d'opposition de votre banque. *En France :* ☎ *0892-705-705 (prix d'un appel + 0,35 €/mn) ; depuis l'étranger :* ☎ *+ 33-442-605-303.*

Besoin urgent d'argent liquide

Vous pouvez être dépanné en quelques minutes grâce au système **Western Union Money Transfer.** L'argent vous est transféré en moins de 1h. La commission, assez élevée, est payée par l'expéditeur. Possibilité d'effectuer un transfert auprès d'un des bureaux *Western Union* ou, plus rapide, en ligne, 24h/24, par carte de paiement (*Visa* ou *MasterCard*).

Même principe avec d'autres organismes de transfert d'argent liquide comme **MoneyGram, PayTop** ou **Azimo.** Transfert en ligne sécurisé, en moins de 1h.

Dans tous les cas, se munir d'une pièce d'identité. Toutefois, en cas de perte ou de vol de papiers, certains organismes permettent de convenir d'une question/réponse-type pour pouvoir récupérer votre argent. Chacun de ces organismes possèdent aussi des applications disponibles sur téléphone portable. Au Japon, se présenter dans une agence *Western Union* avec son passeport. Adresses sur le site ● *westernunion.co.jp* ● *(site en anglais).* ☎ *00-34-800-400-733 (depuis le Japon) ou 00-61-2-9226-9554 (depuis l'étranger) ; service en anglais 24h/24, sinon tlj 9h-22h.*
– Autre solution, envoyer de l'argent par la **Banque Postale :** le bénéficiaire, muni de sa pièce d'identité, peut retirer les fonds dans n'importe quel bureau de poste du réseau local. Le transfert s'effectue avec un mandat ordinaire international (jusqu'à 3 500 €) et la transaction prend 4-5 jours en Europe (8-10 jours vers l'international). Plus cher mais plus rapide, le mandat express international permet d'envoyer de l'argent (montant variable selon la destination – 34 au total) sous 2 jours maximum, 24h lorsque la démarche est faite en ligne. *Infos :* ● *labanquepostale.fr* ●

ACHATS

Le choix des souvenirs et objets à rapporter du Japon est étendu et sera proportionnel à votre budget, même si l'on trouve de tout à présent dans les *Hyaku-en shops* ou « magasins à 100 yens » *(100 yens shops)*... De manière générale, on privilégiera les curiosités issues de la tradition japonaise aux nouveautés informatiques ou technologiques, que l'on trouvera pour moins cher ailleurs.
– Peu encombrant, l'**éventail japonais** devrait ravir tout le monde.
– Raffinés et confortables, le **yukata** (en coton) et le **kimono** (en soie) sont très prisés.
– Les **poupées japonaises,** à l'effigie de femmes élégantes en costume traditionnel ou de guerriers charismatiques, sont proposées dans des caissons vitrés.
– Pour les gourmets, et facilement transportables, les **sembei,** sortes de biscuits salés en pâte de riz, idéal pour l'apéro. De même les boîtes de gâteaux et friandises au thé matcha (thé vert).
– **Les furoshiki :** magnifiques étoffes aux motifs divers servant essentiellement à transporter des objets, et utilisées surtout comme emballages cadeaux originaux. À ne pas confondre avec les **tenugui,** larges bandes de tissu utilisées en guise de serviettes.

– Avec les **instruments de calligraphie,** n'oubliez pas le papier japonais, plus connu sous le nom de **washi,** très beau et très doux au toucher.

– Bien qu'il ne se conserve pas longtemps, le **saké** se mariera bien avec les sushis... Les incontournables **baguettes,** avec leur reposoir, aux designs très variés. Et vous pourrez aussi vous commander une **clé USB en forme de sushi** !

– À l'instar des autres boissons, les **thés** sont nombreux et variés ; les **ustensiles** qui servent à la cérémonie du thé (bols compris) sont souvent onéreux parce que uniques. On peut néanmoins se procurer de la série qui imite bien, ou presque...

– La même remarque vaut pour les **laques** et les **estampes** : les plus estimés affichent des prix astronomiques ; les prix abordables sont réservés à des produits d'apparence toujours irréprochable.

– Pour les amoureux de *Kill Bill,* ou tout simplement pour les fines lames, le Japon est célèbre dans le monde entier pour ses sabres, les fameux **katana,** là aussi déclinés sous toutes les formes et à tous les prix.

– Les boutiques de papeterie offrent des **carnets, papiers, crayons, tampons, sceaux** et autres outils pour customiser vos écrits.

– **Matériel électronique et de haute technologie :** des hypermarchés spécialisés vendent tous les produits made in Japan (appareils photo, caméras, téléphones portables, TV, radios, chaînes hi-fi, iPod, iPad, matériel informatique, robotique... et même lunettes de w-c avec télécommande). Ces grands magasins high-tech s'appellent *Bic Camera, Yodobashi Camera,* ou *Yamada Denki.* Autre adresse intéressante et bon marché : le *Laox Duty Free Main Store,* dans le quartier d'Akihabara (voir ce quartier à Tokyo).

BUDGET

Le Japon est un pays où le coût de la vie est relativement élevé, du moins autant que chez nous. Pour dormir, on privilégiera les auberges de jeunesse, les pensions *minshuku,* les *ryokan* qui sont les options les plus économiques. Il y a aussi les capsules-hôtels pour ceux qui ne sont pas claustrophobes. Voir la rubrique « Hébergement » plus loin.

En matière de restauration, on peut se caler avec un budget raisonnable. De nombreux restos (même de la catégorie « Chic ») proposent des menus à prix très abordables le midi. Mais attention, le soir, l'addition peut doubler, et même tripler... Voir aussi « Voyager au Japon avec un petit budget » plus loin.

Pour les transports, il existe parfois des forfaits et des *passes,* valables un ou plusieurs jours, en général très vite amortis. Voir la rubrique « Transports » plus loin.

Hébergement

Voilà notre fourchette de prix sur la base d'une chambre pour 2 personnes, de style occidental (avec des lits) ou japonais (tatami et futons ; souvent un poil plus chère). Certains établissements incluent le petit déjeuner dans le prix de la chambre, d'autres non. C'est très variable, nous le mentionnons pour chacune des adresses.

– **Très bon marché :** moins de 6 000 ¥ (50 €). Lit en dortoir pour une personne, généralement en auberge de jeunesse.

– **Bon marché :** 6 000-10 000 ¥ (50-83 €).

– **Prix moyens :** 10 000-15 000 ¥ (83-125 €).

– **Chic :** 15 000-25 000 ¥ (125-208 €).

– **Plus chic :** 25 000-35 000 ¥ (208-292 €).

– **Très chic :** plus de 35 000 ¥ (292 €).

Restaurants

Fourchette de prix d'un repas sans la boisson. Attention, la TVA de 8 % est rarement incluse. Ajoutée à la fin sur l'addition, elle peut créer des surprises !

– *Bon marché :* moins de 1 500 ¥ (12,50 €).
– *Prix moyens :* 1 500-3 500 ¥ (12,50-29 €).
– *Chic :* 3 500-6 500 ¥ (29-54 €).
– *Plus chic :* 6 500-15 000 ¥ (54-125 €).
– *Très chic :* plus de 15 000 ¥ (125 €).

Quelques prix courants

– *Eau minérale* (50 cl) : 100-130 ¥ (0,80-1 €) dans un distributeur.
– *Tasse de café ou de thé :* 300-550 ¥ (2,50-4,60 €).
– *Une bière :* minimum 550 ¥ (4,60 €).
– *Restaurant de sushis sur tapis roulant :* compter minimum 200 ¥ (1,70 €) l'assiette.
– *Gyudon* (bol de riz accompagné de viande de bœuf) : env 450-1 000 ¥ (3,80-8,30 €).
– *Un karaoké* (1h, par personne, après 18h) : env 700-800 ¥ (5,80-6,70 €), catégorie simple.
– *Un billet pour le théâtre kabuki* (pour une place moyenne) : env 5 000 ¥ (42 €) ; pour un seul acte, plus adapté aux étrangers, compter 1 000 ¥ (8,30 €).
– *Un kimono* (yukata) : env 4 000 ¥ (33 €) pour les 1ers prix en coton.

Voyager au Japon avec un petit budget

– *Haute saison touristique au Japon :* attention, les prix grimpent pendant cette saison. Elle correspond aux périodes suivantes : fin de l'année et vacances du Nouvel An, soit du 27 décembre au 4 janvier ; la semaine de la *Golden Week,* du 29 avril au 5 mai, période de congés au Japon, due à la conjugaison de plusieurs jours fériés (notamment *Sakura,* les cerisiers en fleur) ; et la saison du festival du Bon, soit la semaine autour du 15 août. À Kyoto, il y a 2 périodes d'affluence touristique : de mars à mai et de septembre à novembre, au moment où la nature dispense ses beautés. Sachez que les hôtels sont vite pleins, les transports aussi.
– *Pour les vols internationaux :* profitez des promotions offertes par les compagnies, les agences et Internet. Possibilité aussi d'acheter un billet aller à prix cassés Paris-Bangkok, puis de prendre un vol Bangkok-Tokyo. À étudier de près, cela peut être intéressant.
– *Pour les transports :* se procurer la carte de transport *Japan Rail Pass* du réseau *JR,* très pratique et plus économique. Il existe aussi des cartes *(passes)* régionales. Voir la rubrique « Transports » plus loin. Ces cartes sont très intéressantes si l'on se déplace beaucoup et chaque jour.
– *La Welcome Card :* cette carte donne droit à des réductions aux voyageurs étrangers dans les musées, magasins, restaurants et hôtels, ainsi que pour les transports et les excursions. On l'obtient gratuitement dans les bureaux d'infos touristiques. Intéressante si l'on fait de nombreuses visites chaque jour, sinon ce n'est pas la peine.
– *Pour se loger :* voir « Hébergement » plus haut.
– *Cybercafés :* les *media-cafés* sont des cybercafés uniques au monde. On peut surfer sur Internet, lire ses messages électroniques, regarder des DVD ou la télévision, lire des mangas, manger, se doucher, se reposer dans des cabines confortables équipées de fauteuils à bascule, de divan ou de sofa (si l'on est deux). On paie une somme à la réception correspondant au temps désiré et aux services demandés. Les prix commencent à 250-300 ¥ (2,10-2,50 €) la demi-heure. On peut aussi y faire la sieste ou passer la nuit (de jeunes Japonais y habitent même !). Ces *media-cafés* sont nombreux dans les grandes villes.
– *Pour manger :* il existe de nombreux établissements de restauration rapide servant de la cuisine japonaise (différents des fast-foods habituels). Les *izakaya,* petits bistrots-restos populaires, proposent également des prix attractifs. Une autre solution économique est de pousser la porte des restos qui servent des

ramen (nouilles de blé). On passe commande et on paie au distributeur automatique avant de se faire installer. On trouve aussi des petits éventaires de rue, à des prix encore plus sages. Une recommandation : les restaurants *Kaiten-sushi*, où les sushis sont servis sur des tapis roulants ; bon et très économique. Les chaînes de restaurants *100 ¥ Sushis* et *Yoshinoya* ont des prix très bas pour une qualité tout à fait correcte. Très populaires, on en trouve un peu partout au Japon.

– **Les convenience stores :** ouverts 24h/24, on en trouve partout. Les plus connus de ces « magasins-épiceries-bazars » sont *7-Eleven*, *Lawson* et *Family Mart*. On y vend tout le nécessaire pour la vie quotidienne, à petits prix. Papeterie, pharmacie, hygiène, journaux, quincaillerie domestique, ustensiles, petit électroménager, tabac, boissons, plats à emporter...

– **Entrées gratuites :** voir le site de l'office de tourisme national du Japon, ● *tourisme-japon.fr* ●, qui donne la liste des entrées gratuites à Tokyo, dans ses environs et à Kyoto.

– **Onsen gratuits :** ce sont des sources d'eau chaude naturelle, très nombreuses au Japon. Certaines sont gratuites : voir le site en anglais ● *www2.gol.com/users/jolsen/onsen/index.html* ●

– **Les achats et les courses :** dans les magasins populaires *Hyaku-en shop*, où tout est à prix unique, soit 100 ¥ (0,80 €) l'article. On y vend de tout : vêtements, cadeaux, souvenirs, objets, petits plats à emporter... Pour l'électronique, direction le quartier d'Akihabara à Tokyo, où les prix sont imbattables.

– **Pour les vêtements :** la chaîne de magasins *Uniqlo* offre des prix intéressants.

CLIMAT

Dominé par l'alternance des vents – un courant chaud qui vient du sud et un courant froid qui descend du nord –, le climat est doux au printemps, chaud et humide en été, pluvieux à l'automne, froid et sec en hiver. Mais attention, il varie beaucoup selon la latitude, à quoi s'ajoutent des contrastes d'altitude car le pays est montagneux (voir la rubrique « Géographie » dans le chapitre « Hommes, culture, environnement »).

Fin juin-début juillet, en remontant de l'équateur, le courant chaud, *kuroshio*, provoque d'importantes chutes de pluie de mousson *(baiu)*. L'été (juillet et août) peut devenir très chaud et humide. À la fin de l'été, en redescendant, ce courant chaud entraîne des précipitations qui peuvent être diluviennes pendant la 2de saison des pluies. L'automne est la saison des typhons *(taifū)*, qui sont, rassurez-vous, peu nombreux et annoncés à l'avance par la météo. En hiver, en descendant de la Sibérie, le courant froid, *oyashio*, abaisse les températures sur les côtes du Nord-Est et provoque de fortes chutes de neige sur le versant occidental qui donne sur la mer ; en montant, le courant chaud attiédit les côtes du Sud-Ouest. Ainsi, le « Japon de l'Endroit » face au Pacifique, et le « Japon de l'Envers », côté continent, bénéficient de climats très différents. Par conséquent, on peut avoir 30 °C à Nemuro (Hokkaïdo), dans le Nord, et au même moment 15 °C à Nagasaki (Kyushu), dans le Sud ! Ou encore Niigata (sur le versant occidental de Honshu) peut être enseveli sous 4 m de neige, et Tokyo (face au Pacifique) connaître un hiver sec et ensoleillé...

Les prévisions météorologiques s'appellent « *tenkiyohô* ». On les trouve partout : journaux, télévision, radio, panneaux d'affichage. Elles sont accessibles en français sur Internet : ● *palacity.net/meteo/meteo-japon.htm* ●

– **Quand y aller ?** L'été étant très chaud sur la côte, les 2 saisons idéales sont le printemps (fin mars-début avril) pour les couleurs (éclosion des fleurs de cerisiers) – fin avril-début mai, c'est la *Golden Week* : il y a beaucoup de monde – et l'automne, saison agréable pour sa douce température et les couleurs des arbres.

DANGERS ET ENQUIQUINEMENTS

On se demande si cette rubrique appliquée au Japon a un sens ! Le Japon est sans doute le pays le plus sûr du monde, le plus organisé, celui où les dangers semblent ne pas exister du fait de l'homme mais bien du fait de la nature ou des modifications apportées à celle-ci par l'homme...

GAFFE AUX FLICS !

Dans les quartiers chauds de Tokyo, des flics déguisés en femmes se baladent à la recherche des voyous et voleurs. Perruques et jupettes font partie de l'uniforme. Arts martiaux pratiqués. Le plus difficile consiste à courir... en talons aiguilles.

Pays situé dans une zone sismique active, le Japon connaît de temps en temps des séismes, et parfois des tsunamis (津波, mot d'origine japonaise). Le système gouvernemental de contrôle et de surveillance est si développé que tout le monde est tenu au courant des risques dès les 1res secousses. Malgré cela, la nature peut se déchaîner plus fortement que l'homme ne le suppose... en témoignent les événements catastrophiques de l'année 2011. Le pays est aussi touché par les typhons d'automne (septembre-octobre), qui atteignent le littoral du Sud. Là aussi, les systèmes de surveillance météorologique font vite et bien leur travail de prévention et d'information.

Il est interdit de fumer en plein air, l'espace étant dit « public » : même dans la rue, des espaces « *smoking corner* » sont réservés aux invétérés de la clope. Veillez à bien respecter ces consignes.

À Kyoto, il faut être très prudent vis-à-vis des vélos, qui circulent sur les trottoirs et ont, semble-t-il, tous les droits. Ils ne prennent en tout cas aucune précaution à l'égard des piétons.

ÉLECTRICITÉ

Le courant électrique au Japon est de 100 volts en courant alternatif. Il existe 2 fréquences possibles : 50 hertz dans l'est du Japon et 60 hertz dans l'ouest. Dans les grands hôtels des villes importantes, les chambres sont équipées de prises de 110 et 220 volts, ne fonctionnant qu'avec des prises à 2 fiches plates. Prévoir un adaptateur pour brancher vos chargeurs de batterie, ou en demander à l'hôtel.

LES PYLÔNES ÉLECTRIQUES ? LE FOUTOIR

Dans un pays si moderne, on est toujours surpris par le réseau aérien des connexions électriques. Ce n'est qu'enchevêtrement inouï de transformateurs et de fils dans tous les sens et de tous les formats. La raison ? Les tremblements de terre empêchent l'enfouissement dans le sol. C'est aussi une façon de rétablir le courant rapidement en cas de désastre naturel.

FÊTES ET JOURS FÉRIÉS

« Fête » se dit *matsuri,* et « jour férié » *kyûjitsu.* Les innombrables *matsuri* constituent un des temps forts de la vie en société. La petite île de Sadogashima, par exemple, en compterait plus de 365 chaque année ! Ces fêtes ne sont pas nécessairement joyeuses. *Matsuri* vient du verbe *matsuru,* qui signifie « respecter en invoquant les dieux »... et ces derniers sont légion dans l'archipel... Au cours de ces fêtes, les Japonais cherchent à apaiser les *kami* (dieux) pour s'assurer, par exemple, une bonne récolte à la saison prochaine. Les *matsuri* continuent donc de marquer des temps forts dans l'agriculture (surtout la culture du riz). Les *kami*, nombreux, peuvent ensuite préserver de la « souillure » (fêtes des Morts en juillet et en août). Enfin, les *matsuri* contribuent surtout à rapprocher les hommes, les groupes, les communautés... et à consommer des boissons, à faire la fête, quoi !

Fêtes, festivals

Janvier

– 1er janvier : jour du Nouvel An.
– 1er-3 janvier : repas traditionnels constitués des mets préparés à l'avance, visites au sanctuaire shinto et au temple bouddhique.
– 6 janvier : *Dezomeshiki,* parade du Nouvel an des pompiers de la ville de Tokyo.
– Mi-janvier (pendant 15 jours) : *Sumo*. 1er tournoi à Tokyo.
– 2e dimanche : veille du jour des Adultes. Célébration d'une cérémonie autour d'un brasier d'herbes sur le mont Wakakusayama à Nara.

Février

– Début février (pendant 7 jours) : festival de la Neige de Sapporo. Nombreuses sculptures de glace et de neige.
– 3 ou 4 février : *Setsubun,* fête du Lancer de haricots dans les principaux temples du pays.
– 2 ou 4 février : festival des Lanternes du sanctuaire de Kasuga à Nara.

Mars

– 1er-14 mars : *Omizutori,* fête du Puisage de l'eau sacrée au temple Tôdai-ji de Nara, l'apogée se situant la nuit du 12.
– 3 mars : *Hina matsuri,* fête des Poupées célébrée dans tout le pays. Concerne plus particulièrement les petites filles ; dans chaque maison, on dresse un autel avec des poupées miniatures symbolisant l'empereur, l'impératrice et la cour.
– 13 mars : *Kasuga matsuri.* Danses traditionnelles au sanctuaire Kasuga à Nara.
– Mi-mars (pendant 15 jours) : *Sumo*. 2e tournoi à Osaka.
– Du 25 mars (au sud) au 15 avril (au nord) environ : c'est la fête des Cerisiers en fleur, *Sakura.* Pour les dates précises dans les villes où vous vous rendrez, renseignez-vous avant sur ● jnto.go.jp/salura/eng/index.php ●

Avril

– 1er-30 avril : *Miyako odori,* danse des Cerisiers à Kyoto. Des *maiko,* futures geishas en apprentissage, exécutent des danses traditionnelles.
– 8 avril : *Hana matsuri,* fête des Fleurs. Commémoration de la naissance du Bouddha dans tous les temples.

Mai

– 15 mai : *Aoi matsuri,* fête des Roses trémières. Reconstitution historique de la période Heian à Kyoto.
– Mi-mai (pendant 15 jours) : *Sumo*. 3e tournoi à Tokyo.
– Mi-mai : *Kanda matsuri.* Parade de *mikoshi,* sanctuaires portatifs, à travers le quartier de Kanda à Tokyo.
– 3e dimanche de mai : *Mifune matsuri.* Parade de bateaux anciens sur la rivière Oi à Kyoto.
– 3es vendredi, samedi et dimanche de mai : *Sanja matsuri,* festival du sanctuaire d'Asakusa à Tokyo. Parade de 3 grands *mikoshi* et d'une centaine de plus petits.

Juin

– Mi-juin : *Sannô matsuri,* au sanctuaire de Hie de Tokyo. Procession de *mikoshi* à travers le quartier d'Asakusa.

Juillet

– 7 juillet : *Tanabata,* fête des Étoiles, dans tout le Japon.
– 13-15 juillet (ou au mois d'août dans plusieurs régions) : *Bon,* fête des Morts. On célèbre des rites en mémoire des défunts, des danses folkloriques destinées à apaiser leurs âmes *(Bon-odori)* leur sont dédiées.
– 16-17 juillet : *Gion matsuri.* Festival de Kyoto le plus important. Défilé de chars richement décorés à travers les rues principales de la ville, remontant au IXe s.
– Dernier samedi de juillet : feux d'artifice sur les berges de la rivière Sumida à Tokyo.
– 24-25 juillet : *Tenjin matsuri* du sanctuaire de Temmangu à Osaka. Descente de la rivière Dojima par des bateaux transportant des *mikoshi.*

Août

– 16 août : *Daimonji.* Fin du *Bon* (fête des Morts) marqué de l'illumination de feux sur les collines environnantes à Kyoto.

Septembre

– Mi-septembre (pendant 15 jours) : *Sumo.* 5e tournoi à Tokyo.

Octobre

– 17 octobre : festival d'Automne au sanctuaire Toshogu. Parade de palanquins escortés de gardes en armure.
– 22 octobre : *Jidai matsuri* (festival des Âges) à Kyoto.

Novembre

– Mi-novembre (pendant 15 jours) : *Sumo.* 6e tournoi à Fukuoka.
– 15 novembre : *Shichi-go-san* (« 7-5-3 »). Présentation des enfants âgés de 3, 5 et 7 ans au sanctuaire shinto pour remercier les dieux de veiller sur eux.

Décembre

– 1er décembre : festival de la Cérémonie du thé au sanctuaire Kumano à Kyoto.
– 14 décembre : *Gishi-sai.* Festival commémorant la mort des 47 rônins au temple Sengaku-ji à Shinagawa.
– 15-18 décembre : *On-matsuri.* Présentation de personnages du temps passé au sanctuaire Kasuga.

Jours fériés

Quelques règles à connaître : lorsqu'un jour férié tombe un dimanche, le jour suivant devient férié ; un jour entre 2 jours fériés (sauf le dimanche et dans le cas ci-avant) devient férié ; le 25 décembre n'est pas férié.
– 1er janvier : Jour de l'an – *Ganjitsu.*
– 2e lundi de janvier : jour de l'accession de la majorité – *Seijin no hi.*
– 11 février : anniversaire de la naissance de la Nation – *Kenkoku kinenbi.*
– 21 mars : équinoxe de printemps – *Shûbun no hi.*
– 29 avril : Jour de Shôwa (fête de la Verdure) – *Shôwa no hi.*
– 3 mai : anniversaire de la Constitution – *Kenpô no hi.*
– 4 mai : Jour de la nature – *Midori no hi.*
– 5 mai : fête des Enfants – *Kodomo no hi.*
– 3e lundi de juillet : Jour de la mer – *Umi no hi.*
– 3e lundi de septembre : Jour des personnes âgées – *Keirô no hi.*
– 23 septembre : équinoxe d'automne – *Shûbun no hi.*
– 2e lundi d'octobre : journée du Sport – *Taiiku no hi.*
– 3 novembre : Jour de la culture – *Bunka no hi.*
– 23 novembre : fête du Travail – *Kinrô kansha no hi.*
– 23 décembre : anniversaire de l'empereur – *Tennô tanjôbi.*

HÉBERGEMENT

Si l'hôtellerie est globalement chère dans tout le pays, plusieurs formules d'hébergement bon marché se développent. En premier lieu le réseau des auberges de jeunesse, ouvert à tous sans restriction. Mais il y a aussi les *ryokan,* auberges traditionnelles comparables à nos chambres d'hôtes. Dans les grandes villes, on trouve également des *business hotels* à prix relativement sages.

SACRÉ TOTO !

En matière de sophistication, Toto, le célèbre fabricant japonais de lieux d'aisance, n'en finit pas de surprendre. Partout, vous verrez des toilettes avec siège chauffant, séchoir à air, jet nettoyant pour les fesses, un autre pour l'intimité féminine. Nouveautés : certaines toilettes effectuent analyse de selles, d'urine, et prennent la tension. Bientôt, elles feront le café !

– **Taxes et service :** une taxe de 8 % et un service de 10 à 15 % sont parfois ajoutés au prix des chambres. À l'hôtel et dans les *ryokan,* une taxe de séjour de 100 ¥ par personne et par nuit est perçue en plus du prix de la chambre si celui-ci est entre 10 000 et 15 000 ¥, et de 200 ¥ pour les chambres dont le prix par personne est supérieur à 15 000 ¥.
– **Réservations :** il est conseillé de réserver à l'avance soit par Internet, soit en passant par les centraux de réservation ou par les offices locaux de tourisme. Dans une ville comme Kyoto, en haute saison (de mars à mai et de septembre à novembre), les hôtels et les *ryokan* peuvent afficher complet, surtout dans les adresses de charme prisées par les voisins chinois.

🏠 **Office national de tourisme du Japon :** ● *tourisme-japon.fr* ● *jnto. go.jp* ● Nombreux liens internet à la rubrique hébergement, mais ils ne permettent pas de réserver.

Les auberges de jeunesse

● *hihostels.com/fr/destinations* ● *hostelworld.com* ●
Le Japon compte environ 400 AJ, réparties à travers le pays. C'est probablement la formule d'hébergement la plus économique.
Il existe 2 types d'AJ : celles appartenant à des groupes publics (municipalités, régions, préfectures) et les auberges privées regroupées sous le label *Japan Youth Hostels.* Les unes et les autres peuvent être affiliées au réseau de la Fédération internationale des auberges de jeunesse *(Hostelling International).* Les membres de ce réseau bénéficient de réductions. Les AJ du Japon ne fixent pas de limite d'âge à leurs hôtes. Rien qu'à Kyoto on dénombre une bonne quinzaine d'auberges privées pratiquant des prix très abordables. Autre atout de ces AJ privées : elles proposent des hébergements en dortoirs (lits superposés, dans des box en bois fermés par un rideau ou sur tatamis) et des chambres pour 1 à 4 personnes bien moins chers que dans les hôtels ou *ryokan.* Souvent un bon rapport qualité-prix à ne pas négliger. Les salles de bains sont communes, et certaines disposent d'*onsen* (source d'eau chaude naturelle) ou de *sento* (bain public).
Elles proposent aussi de nombreux services selon leur taille et leur sens de l'accueil : cuisine à dispo, petit déj, repas, coin cafétéria (ou thé), laverie (pas toujours), location de vélos, informations sur la ville ou la région. Également intéressants, les réseaux d'auberges ● *kshouse.jp* ● *j-hoppers.com* ● et ● *hanahostel. com* ●, qui proposent des lits en dortoirs mixtes et pour filles.
Compter 2 000-5 500 ¥ (17-46 €) le lit en dortoir, et à partir de 7 000 ¥ (58 €) la chambre double.

Logement dans les temples *(shukubo)*

C'est une des originalités du Japon. Il est possible de séjourner dans des temples bouddhiques, sans pratiquer leur religion. Ce type d'hébergement suppose toutefois de la part du visiteur un minimum d'intérêt pour le bouddhisme japonais et sa philosophie. Il est important aussi de connaître à l'avance les us et coutumes des moines qui y vivent et d'accepter les conditions de séjour (horaires, mode de vie). Tous les temples bouddhiques n'hébergent pas de voyageurs, c'est le cas seulement pour un certain nombre répartis dans le pays. Grandes ou petites, les hôtelleries des temples sont très propres et très bien organisés.

Les offices de tourisme des villes et les bureaux d'information des préfectures publient des listes détaillées avec toutes les infos et les tarifs. Habituellement, le voyageur dort seul ou en couple dans des chambres aménagées dans le style traditionnel : tatamis au sol, matelas futon, tables basses, portes coulissantes. Il arrive aussi que des groupes soient admis dans des dortoirs collectifs. Dans tous les cas, les salles de bains (avec bassin collectif d'eau chaude naturelle) se trouvent hors de la chambre ou du dortoir.

Loger dans un temple suppose que l'on y prenne aussi les repas. Ce n'est pas une obligation mais une option, certains temples étant isolés. La cuisine des moines est végétarienne (savoureuse et diététique), car une des règles de leur vie implique de ne pas manger de viande – le contraire serait une entorse au respect de la vie (de celle des animaux). Le repas du midi est rarement proposé, mais le dîner très souvent, ainsi que le petit déjeuner (végétarien lui aussi). Les prix incluent ces options. Si l'on souhaite assister et participer à la prière du matin (vers 6h ou 6h30), il suffit de le signaler au moine hôtelier la veille. Séjourner dans un temple reste une expérience riche en enseignements.

On trouve quelques temples bouddhiques à Kyoto, qui disposent d'une hôtellerie. Mais l'une des plus grosses concentrations au Japon se trouve au mont Koya (Koyasan), où une cinquantaine de temples proposent l'hébergement (dîner et petit déjeuner inclus). Expérience à ne pas manquer. Réservation à l'avance requise, soit auprès de l'hôtellerie du temple, soit par une agence de voyages.

Sur ce mode particulier d'hébergement, se reporter au chapitre sur le mont Koya (Koyasan), la montagne sacrée non loin d'Osaka.

Les *capseru oteru* (capsules-hôtels)

Généralement situés au cœur des villes, près des gares, des grandes stations de métro ou dans les aéroports, ce sont des hôtels plutôt bon marché. Les étrangers peuvent y dormir mais faut-il encore apprécier ce type d'hébergement : on ne dort pas dans une chambre, mais allongé dans une sorte de casier en plastique mesurant un peu plus de 2 m de long sur 1 m de large (pas plus), auquel on accède à quatre pattes. Pour atteindre les capsules élevées, on utilise des échelles.

Empilées les unes sur les autres comme des alvéoles dans une ruche, ces capsules dégagent une impression étrange qui se situe entre le four à micro-ondes, la niche pour chien et la couchette d'un vaisseau spatial. On exagère, bien sûr !

En réalité, les capsules-hôtels répondent à un besoin très pratique : ils permettent aux salariés japonais ayant manqué leur dernier métro de passer une nuit dans leur quartier d'affaires sans avoir à regagner leur domicile en lointaine banlieue. Les chaussures, les valises et les sacs restent dans des casiers fermés à clé. On ne garde sur soi que ses petites affaires : trousse de toilette, papiers, lunettes, montre. Les salles de bains sont collectives et très propres.

Le capsule-hôtel ne convient pas à un long séjour pour un voyageur, c'est juste une formule de dépannage, qui sort de l'ordinaire. Ou à tester une fois, pour le fun !

Les *minshuku*

Ces petites pensions de famille sont l'équivalent de nos chambres chez l'habitant et constituent une formule économique pour partager la vie des familles japonaises. Ce ne sont pas nécessairement des maisons traditionnelles, mais la façade moderne peut cacher un intérieur de style japonais. Cela reste néanmoins comparable aux *ryokan,* mais avec plus de simplicité dans la décoration et le confort. Les salles de bains y sont souvent collectives, et la chambre double, sans le petit déjeuner ni le dîner (facultatifs et à la demande seulement), y est un peu moins chère.

Les *ryokan*

Un *ryokan* est une auberge traditionnelle, souvent une petite maison basse dans un quartier tranquille. Sans doute le meilleur rapport qualité-prix pour se loger, et qui permet d'être en contact avec les Japonais. Même en plein cœur de Tokyo et Kyoto, les *ryokan* conservent leur place au sein de l'urbanisme moderne, répondant à un désir de dormir chez l'habitant plutôt que dans des hôtels, impersonnels et plus chers. On y est accueilli par le propriétaire, qui vit sur place. La tradition nippone veut que les *ryokan* soient tenus par des femmes appelées *okami,* qui personnifient l'esprit d'hospitalité existant dans tous les *ryokan.* Il s'agit d'un statut que la société nippone reconnaît pleinement et que le gouvernement encourage. Habituellement, les propriétaires parlent quelques mots d'anglais, et ils acceptent les cartes internationales de paiement.

Les chambres du *ryokan* témoignent du mode de vie traditionnel. Le plancher est recouvert d'un tatami en paille de riz. Les portes sont coulissantes *(shoji)* avec treillis de bois et papier de riz (rarement du verre). Dans le *ryokan,* on marche en sandales ou en chaussons, mais jamais avec les chaussures, que l'on dépose à l'entrée de la maison.

Puis on laisse les chaussons à l'entrée de la chambre, pour fouler le tatami pieds nus ou en chaussettes. Le mobilier se compose d'une table basse et de quelques petits meubles de rangement. On y trouve aussi parfois un petit frigo et toujours la clim, très utile durant l'été (sauf en montagne). La décoration varie selon la catégorie du *ryokan,* de simple à sophistiqué, voire luxueux. Pour dormir, il faut sortir le matelas (futon) et la couette, rangés dans un placard, puis on les déroule sur le tatami. Certains oreillers sont confectionnés à partir de grains de riz, ce qui assure une fraîcheur à la tête quand il fait chaud. Le matin, l'hôte doit ranger le futon dans le placard ou le replier dans un coin de la chambre.

Un *yukata* est fourni (kimono). On le porte pour se rendre à la salle de bains commune. Dans la majorité des *ryokan,* les sanitaires sont à l'extérieur de la chambre, sur le palier ou à un autre étage, avec les toilettes séparées de la salle de bains. Dans chaque salle de bains, il y a 2 parties : celle où l'hôte se lave sous la douche assis sur un petit tabouret en plastique, et celle où, après s'être bien rincé, il se plonge dans un

grand bassin intérieur ou extérieur (parfois semi-couvert) pour se détendre et se relaxer. Mais jamais pour s'y laver ! Les hommes et les femmes peuvent dormir dans la même chambre, mais les salles de bains sont séparées. Dans les stations thermales, la plupart des *ryokan* sont construits autour d'une source chaude *(onsen).*

Un autre plaisir du *ryokan* consiste à y prendre, vers 18h30, le dîner, que l'on a réservé à l'avance. Celui-ci est en option et s'ajoute au prix de la chambre. Les repas peuvent être servis dans la chambre ou dans une salle à manger pour les hôtes. Dans les plus chic, ce sont des hôtesses en kimono qui servent. Dans les plus modestes, les hôtes mangent dans la salle à manger de la maison où se prennent aussi les autres repas. Le petit déjeuner, lui, est souvent compris dans le prix de la chambre, le dîner en supplément.

– Il existe près de 65 000 *ryokan* au Japon, regroupés au sein d'une association dont le site fournit tous les détails : ● *ryokan.or.jp* ●

– L'office national du tourisme du Japon délivre le petit guide *Japanese Inn Group Hospitable and Economical,* avec la liste complète des *ryokan* affiliés à cette chaîne (avec photos, fiche descriptive et plan d'accès). ● *japaneseinngroup.com* ●

Les *business hotels*

Ce sont des immeubles modernes, proposant de petites chambres propres, correctement équipées (souvent de style occidental) et en principe de bon rapport qualité-prix. Les *business hotels* s'adressent aux hommes d'affaires, mais aussi aux touristes disposant d'un budget moyen, bref à tous ceux qui ne veulent pas dépenser trop. Plus petits et plus économiques que les grands hôtels, ils se trouvent au cœur des grandes villes et constituent une alternative intéressante pour les voyageurs. Ils sont parfois aménagés d'une cuisine où l'on peut se préparer le petit déjeuner.

Habituellement, les chambres sont pour une seule personne, mais certains proposent un 2e lit (lit jumeau).

Les *love hotels*

Situés dans les villes, près des grandes gares ou des quartiers animés (et « chauds »), les *love hotels* sont, comme leur nom l'indique, des « hôtels d'amour ». Ils répondent au besoin des jeunes (ou moins jeunes) Japonais qui n'ont pas chez eux l'intimité nécessaire pour leurs ébats amoureux. On les remarque à leur

EROTISME JAPONAIS

Les mâles japonais ont parfois des fantasmes de « niche ». Sans entrer dans les détails – la place nous manque –, on les dit plus sensibles à la courbure d'une nuque qu'à l'émotion provoquée par un décolleté.

façade extravagante, à leur enseigne évocatrice et à leur décoration intérieure originale. Normalement, ils sont réservés aux couples japonais ; les étrangers y sont refusés, mais rarement à Tokyo. Les chambres sont louées à la nuit ou à l'heure, et elles proposent souvent un bon niveau de confort. À la réception, on ne voit pas le réceptionniste qui encaisse les billets discrètement, en retrait derrière un comptoir, masqué par un rideau. On vous signale quand même ces hôtels hors catégorie, car ils font partie, qu'on le veuille ou non, de la vie moderne du Japon. En moyenne et selon le confort, compter environ 10 000 ¥ (83 €) la chambre par nuit.

Partez *WWOOFer* : un bon moyen pour loger pas cher

WWOOF (de l'anglais *World-wide opportunities on organic farms*) est une organisation qui dans le monde entier met en relation des fermiers et des bénévoles. Le principe : en échange du gîte et du couvert, on travaille dans la ferme quelques heures par jour. C'est un très bon moyen pour faire des rencontres, pour apprendre les techniques de l'agriculture biologique et pour mieux connaître le pays en vivant dans une famille pendant quelques jours, quelques semaines, voire quelques mois pour les plus aventureux ! Un vrai bon plan routard, pour s'immerger dans la culture d'un pays. Il suffit de payer l'adhésion pour 1 an au *WWOOF* local (env 5 500 ¥, soit 46 €, pour le Japon), il n'y a rien d'autre à débourser... Tout se fait par Internet (version en anglais) : l'adhésion, la recherche d'une ferme dans la liste du site et enfin la prise de contact avec les fermiers pour décider des dates et des détails du séjour. ● *wwoofjapan.com* ●

Au Japon, cette organisation regroupe des centaines de petites fermes dans tout le pays. Parler quelques mots de japonais est évidemment un plus, et le séjour n'en sera que plus enrichissant, même si la plupart des hôtes parlent un peu l'anglais.

Ce mode de voyage s'adresse plutôt à des gens qui partent pour au moins 3 semaines. Attention, sur place, on travaille dur ! Les hôtes vous recevront très bien, mais ils attendront en retour une participation active aux travaux de la ferme (environ 6h par jour), ainsi qu'au fonctionnement de la maison.

Également les sites ● *couchsurfing.com* ●, qui permet d'être hébergé gratuitement et de rencontrer des locaux, et ● *workaway.info* ● , qui, en plus du logement, permet parfois d'être nourri en échange de quelques heures de travail par jour.

LANGUE

La caractéristique principale de la langue employée par les Japonais réside dans le nombre élevé de mots de sens différents mais de prononciation identique. Ainsi *gengo,* qui désigne la « langue » ou l'« idiome », renvoie également à « langue originale » mais aussi à l'adjectif « solide ». Cela tient au caractère restreint de la structure syllabique propre à la phonétique du japonais originel, laquelle n'accepte que des syllabes du type « voyelle » ou « consonne + voyelle » (+ *n*). De sorte que le japonais a opéré une réduction de la phonétique du chinois – laquelle est riche –, lorsqu'il a emprunté à ce dernier les mots pour désigner et les idéogrammes *(kanji)* pour noter un ensemble de faits de civilisation.

Le japonais moderne comprend les 5 voyelles : *a, i, u, e, o* (*u* se prononçant « ou », et *e* « é »), ainsi que les combinaisons de ces voyelles et des semi-voyelles *y* et *w* ; et des consonnes sourdes (*k, s, t, p, h*), sonores (*g, z, r, d, b*) et nasales (*g, n, m*).

Des mots techniques d'origine étrangère

Le japonais originel, se prêtant mal à la dérivation de nouveaux mots techniques, s'est constitué un répertoire d'éléments d'origine chinoise. Les Japonais n'ont cessé d'y puiser au long des siècles pour créer les mots nécessaires, au fur et à mesure de l'évolution des connaissances dans tous les domaines. Ce répertoire est composé d'environ 6 400 éléments, représentés chacun par un *kanji*, un idéogramme. Après l'ouverture du monde occidental dans la 2de moitié du XIXe s, la création de mots nouveaux s'est sensiblement accélérée.

LE FRANPONAIS

Ce terme désigne l'utilisation des mots français par les Japonais, dans des domaines où nous avons bonne réputation. Ainsi, on trouve Comme des Garçons *(mode),* La Belle Touffe *(restaurant !),* L'Amor Éternel *(bijouterie),* Famille de Chie *(pâtisserie !),* Duce et Collabo *(2 restos voisins dans le même immeuble !),* Culotte *(resto) ou* Bonne Famme *(musique). Beaucoup du vocabulaire de l'amour vient du français, comme « rendez-vous », etc. Parfois, l'orthographe est approximative ou la signification... inexplicable. Ainsi,* Partouze *est une marque de mouchoirs et* Gérard *une marque de camembert !*

Les 3 lectures « on », « kun » et « nanori »

Dès le VIe s, dans la région de Yamato, les plaines et monts autour de Nara, l'introduction des *kanji* et de leurs prononciations a commencé au Japon et s'est prolongée après, pendant plusieurs siècles, à travers différents chemins. À l'arrivée du chinois, le pays n'était vierge ni de langues ni de patronymes. Il en a résulté 3 types de lectures différents pour un même *kanji*, qui coexistent encore aujourd'hui. Le type *on* – *on-yomi* (lecture « *on* ») – correspond à la lecture chinoise de l'idéo-gramme ; le type *kun* – *kun-yomi* (lecture « *kun* ») – correspond à la lecture japo-naise du *kanji* ; et le type *nanori* – *nanori-yomi* (lecture des « noms ») – est utilisé pour la lecture des noms de personnes et de lieux.

L'invention des kana, les « *rômaji* »

En parallèle de la lecture directe du chinois (resté longtemps la langue de l'admi-nistration et de la vie intellectuelle), les Japonais ont mis rapidement au point un système de signes phonétiques syllabiques, grâce auquel la langue est devenue plus intelligible. C'est le système des kana, inventé par Kukai (774-835), dérivés du procédé utilisé en Chine pour transcrire les langues étrangères. On distingue les *hiragana* et les *katakana*.

Les 1ers kana, ou caractères chinois « empruntés » (par rapport à *mana*, « signes réels »), servent d'abord pour les noms propres japonais dans les 1ers documents écrits rédigés en chinois. Dans la 1re moitié du VIIIe s, la 1re anthologie de poésie japonaise – *Le Recueil des dix mille feuilles* – affecte ensuite ces signes à différen-tes syllabes de la langue japonaise, donnant naissance aux *man-yô-gana*, ou kana du *man-yô-shû*. Dans le cadre des improvisations poétiques que pratique l'aristo-cratie, les « signes empruntés » sont tracés de façon si cursive que s'est perdu le lien avec les caractères chinois dont ils proviennent. Le *Kokin waka-shû, Recueil de poèmes anciens et modernes*, compilé en l'an 905, officialise ces signes, que l'on appelle aujourd'hui *hiragana*, littéralement « les kana simples ». Ils servent à noter la plupart des mots et affixes grammaticaux, les mots japonais (dont beau-coup peuvent aussi s'écrire en *kanji*), et aussi à donner la lecture d'idéogrammes. Existant déjà en Chine, l'annotation des textes chinois à laquelle était destiné l'ensem-ble des signes abrégés, qui portent le nom de *katakana*, « signes abrégés », provient tout d'abord des grands monastères. Elle a été ensuite systématisée sur place.

Enfin, contrairement aux *hiragana*, à l'élégante simplicité, les *katakana* ne seront pas élevés au rang d'un art calligraphique. Ils servent à transcrire les « mots d'ori-gine étrangère » non chinoise – les *gairaigo* –, les onomatopées, très nombreuses et très expressives dans la langue japonaise, et les mots que l'on veut mettre en relief (comme pour l'italique dans l'alphabet latin).

Le japonais moderne comprend 47 *hiragana* et 47 *katakana*.

Dernière méthode de transcription du japonais : les « *rômaji* », qui servent à trans-crire le japonais en « lettres romaines ou latines ». Il en existe plusieurs, mais la méthode Hepburn dite « modifiée » ou « révisée » – celle qui est utilisée dans ces pages – est la plus répandue à l'étranger.

Signalons enfin que certains kana, *hiragana* ou *katakana* également, peuvent être modifiés par les 2 signes diacritiques (*dakuten* et *handakuten*) des syllabaires japonais. *Very last but not least :* toutes les voyelles du japonais sont doublées de leur équi-valent en voyelles longues (transcrites avec un « macron », ici avec un accent cir-conflexe), principalement pour la lecture de termes non indigènes mais du lexique sino-japonais, comme Kyoto.

Une langue « agglutinante »

Très différente de la grammaire française, la grammaire japonaise s'apparente aux langues comme le turc ou le basque. Elle est dite « agglutinante » ou « à tête finale ». Le prédicat ou verbe se place à la fin de la phrase, l'objet est placé devant le verbe, l'adjectif se met devant le substantif, et la morphologie est principalement « suffixante ». Il n'y a ni article, ni genre, ni nombre ; les verbes ne se conjuguent pas selon les personnes (je, tu, il...) ; des particules invariables (il y en a 11) indi-quent la fonction du mot dans la phrase.

La langue écrite contemporaine est issue du style hybride maniant le lexique chinois et la syntaxe japonaise, à la formation duquel ont contribué les *katakana*.

Langue de Tokyo, « parlers » et niveaux de langage

Quelque 130 millions de personnes parlent le japonais dans le monde (dont 5 millions d'étrangers), ce qui place l'idiome nippon à la 10e place des langues les plus parlées après le chinois, l'anglais, l'espagnol, l'arabe et le russe. La langue japonaise a la réputation d'être ardue en raison de l'existence d'un système de langage à plusieurs niveaux (on en compterait une dizaine !). Que les candidats à son apprentissage se

ON NE DIT JAMAIS « NON » !

Le Japonais redoute la confrontation, le conflit avec son prochain. Il évitera très souvent de dire « non » (iie), bien trop violent et brutal. Comprendre un Japonais, c'est d'abord bien observer son comportement, ses gestes, qui en disent beaucoup. Au lieu de répondre par la négative, il grimacera ou simulera un rictus en disant : « C'est difficile... »

rassurent ! Le « parler » *(hôgen)* de Kanto, laquelle région concentre la majorité de la population du pays, est devenu la « langue commune » *(hyôjun-go)*. Le système de « politesse » *(sonkei)* et d'« humilité » *(kenson)* japonais ne fait qu'ajouter à la « manière » occidentale qui ne s'exprime que vis-à-vis de son interlocuteur (choix du tutoiement ou du vouvoiement en français, par exemple), l'objet de la conversation, c'est-à-dire la personne ou le groupe social dont on parle (le *wadai*), et la situation de communication, autrement dit la personne ou le groupe social à qui l'on parle, ou écrit (le *dentatsu*). Et *kami*, « divinité », qui se prononce aussi comme le *kanji*, « haut », dériverait de *kuma*, « ours », dont l'une des pattes est l'un des 3 « joyaux » *(medama)* de l'empereur, et serait de l'aïnou, « langue » des 1ers habitants du pays...

Japonais de base

Le *a* se prononce « a » ; le *i*, « i » ; le *u*, « ou » ; le *e*, « é » ; le *o*, « o » ; le *c*, « tch » ; le *r*, « l » ; aspirez les *h* ; le *s* est sourd ; et allongez les lettres marquées de l'accent circonflexe. Le point d'interrogation n'existe pas en japonais, il est exprimé par la particule « ka » en fin de phrase. Le *u* ne se prononce pas à la fin du mot *desu*. Exemple « *ikura desu ka* » se prononcerait « ikoura des(u) ka » (voir ci-dessous). Pour vous aider à communiquer, n'oubliez pas notre **Guide de conversation du routard en japonais.** Et si vous préférez vous contenter d'une communication à base d'images, notre très pratique **G Palémo...** Fous rires garantis !

Quelques éléments de base

Oui / non	*haï / iie*
Merci	*(dômo) arigatô (gozaimasu)*
Bonjour	*ohayô* (matin) / *konnichiwa* (après-midi)
Bonsoir	*konbanwa*
Au revoir	*sayônara*
Cela	*Kore*
C'est combien ?	*ikura desu ka*
S'il vous plaît	*onegaishimasu*
Excusez-moi	*Sumimasen*
C'est par où ?	*... (wa) doko desu ka*
C'est quand ?	*... (wa) itsu desu ka*
Je voudrais (avoir / acheter cela /quelque chose)...	*(kore)... o kudasai*
Je voudrais (faire / téléphoner)	*(... / denwa)... o shitai desu*
Allô	*moshi moshi*
(au téléphone) Passez-moi M. / Mme...	*...-san o onegai shimasu*
Vous allez bien ?	*o-genki desu ka*

Je (homme / femme)	watashi / atashi
Aussi	Mô
Encore (/ à la prochaine !)	mata (/ mata ne !)
L'hôtel	Hoteru
Les toilettes	Otearai
Le restaurant	Resutoran
L'eau	o-mizu
Une bière (d'abord !)	(toriaezu) bîru !
La station	Eki
L'aéroport	Kûkô
Le temple bouddhiste / shinto	(o)tera / jinja
Le musée (le musée d'art)	Hakubutsukan (bijutsukan)
La boutique	Mise
La pharmacie	Kusuriya
L'hôpital	Byouin
Quel âge avez-vous ?	nansai desu ka
J'ai... ans	... sai desu
Je suis français / canadien	furansu-jin / canada-jin desu
Adulte / enfant	otona / kodomo
Homme / femme	otoko / onna

Les nombres

Un	ichi		Huit	hachi
Deux	ni		Neuf	kyû
Trois	san		Dix	jû
Quatre	shi ou yon		Cent	hyaku
Cinq	go		Mille	sen
Six	roku		(Dix) mille	(ichi)man
Sept	shichi ou nana			

Glossaire

– **Aibo :** petit robot-chien inventé par Sony, qui aboie quand on lui parle et remue la queue.
– **Bonsaï :** arbre miniature.
– **Bushido :** la « Voie du Guerrier », suivie par les bushi (caste des guerriers) et les samouraïs.
– **Daimyo :** seigneur à la tête d'un clan, à l'époque féodale.
– **Dori :** rue principale.
– **Enryo :** les bonnes manières

BANZAÏ !

Ce mot d'origine chinoise signifie « 10 000 ans », c'est-à-dire « Que notre empereur puisse vivre 10 000 ans ». C'était le cri de guerre des kamikazes. Aujourd'hui, Groland, sur Canal+, en a fait son slogan, dans une connotation nettement moins belliqueuse.

japonaises, basées sur la discrétion, la modestie et un grand respect de l'autre.
– **Futon :** matelas à même le sol accompagné d'une couette et d'un oreiller. Une majorité de Japonais l'utilisent encore aujourd'hui, gain de place dans leur appartement (on le range dans un placard le jour), ainsi que dans les ryokan.
– **Gaijin :** étranger.
– **Geisha :** littéralement « femme qui excelle dans le métier des arts », artiste qui consacre sa vie aux arts traditionnels japonais (habillement, musique, chant, danse, conversation, jeux...). Elle les présente à une clientèle haut de gamme, jouant le rôle de dame de compagnie, contre une (importante) rémunération. Hélas, trop souvent associée à une sorte de prostitution sophistiquée... Dans ce métier, accorder des faveurs sexuelles n'est absolument pas systématique ou allant de soi !
– **Giri :** c'est une valeur morale japonaise qui suppose l'obligation de rendre à l'autre ce qu'il vous a accordé (cadeau, faveur, confiance, ou plus). Une sorte

d'obligation qui peut durer des années. On peut avoir un *giri* vis-à-vis d'un parent, d'un professeur, d'un ami, d'une personne aimée ou non. Dans le mariage japonais, les jeunes mariés sont obligés ainsi de tenir une longue et très précise comptabilité des cadeaux !

– **Go :** sorte de jeux d'échecs japonais où le gagnant occupe le maximum d'espace sur l'échiquier.

– **Haïku :** poème court inventé par le poète errant Basho. Un haïku est composé d'un verset de 17 syllabes, divisé en 3 lignes (5, 7 et 5 syllabes chacune).

– **Ikebana :** art floral japonais, codifié depuis le VIIe s, obéissant à des règles et des gestes très précis.

– **J-pop :** la culture et surtout la musique « *japanese pop* », qui connaît un vif succès au Japon, sans toutefois sortir des limites de l'Asie, voire de l'archipel.

– **Kabuki :** théâtre traditionnel.

– **Kampaï ! :** à votre santé !

– **Karaoké :** littéralement « orchestre vide ». Ce mot a fait le tour du monde. On s'installe dans une petite salle pour boire et chanter en suivant les paroles de chansons qui s'affichent sur un écran, tandis que la musique est diffusée, par le biais d'un CD numérique ou d'un podcast.

– **Kawaii :** signifie « mignon ». Il y a de l'affection enfantine dans ce terme emprunté à l'univers rose bonbon des petits. Un des symboles du *kawaï* est le chat Hello Kitty, mascotte des jeunes.

– **Kimono :** pyjama-tunique de soie ou de coton porté traditionnellement par les hommes comme par les femmes.

– **Manga :** littéralement « images dérisoires ». Ces B.D. nées au Japon ont conquis le monde. Les thèmes sont très variés : les histoires peuvent être enfantines, naïves, d'autres sont plus salées. Certains mangas sont même violents ou érotiques.

– **Matsuri :** festival ou fête religieuse, avec souvent une procession haute en couleur.

– **Minshuku :** chambre chez l'habitant, qui correspond à notre chambre d'hôtes. Moins cher que le *ryokan*.

– **Onsen :** source d'eau chaude exploitée généralement pour des thermes ou des bains publics.

– **Otaku :** se dit de quelqu'un consacrant une partie importante de sa vie aux mangas, jeux vidéo ou dessins animés (ou les trois)… Passion exclusive qui ne les coupe pas nécessairement de la société, au contraire des **Hikkomori,** totalement reclus chez eux !

– **Pachinko :** sorte de flipper nippon qui se présente sous forme de console électronique verticale où défilent des milliers de billes métalliques. Le jeu consiste à amasser le plus de billes possible. On trouve des salles de *pachinko* partout dans les villes. Une passion « étourdissante » !

– **Purikura :** photomaton où le client peut personnaliser ses photos en prenant des poses, en ajoutant des couleurs, des motifs, des inscriptions. Les jeunes en raffolent. Ils s'en servent ensuite comme autocollants.

– **Ramen :** soupe de nouilles.

– **Rônin :** grand maître des samouraïs.

– **Ryokan :** auberge traditionnelle japonaise.

– **Sahamisen :** instrument de musique à 3 cordes et long manche évoquant le luth, l'oud ou vaguement le banjo.

– **Shakai no me :** c'est « le regard des autres » sur vous. Toujours savoir que l'on vous observe. Toujours veiller à ne pas choquer les autres, même si l'on est fantaisiste, extravagant, anticonformiste ou tout simplement extraverti.

– **Shibuya girls (ou cosplay) :** on peut les voir dans les quartier de Shibuya, d'Harajuku et d'Akihabara à Tokyo. Ce sont ces jeunes adolescentes, souvent lycéennes, qui abandonnent leur uniforme après les cours pour s'exhiber en tenue de poupées excentriques, ou d'héroïnes les plus folles, de feuilletons de manga. Tout cela pour le simple plaisir de changer leur apparence pendant quelques

heures. Cet anticonformisme très apprécié des jeunes et des adultes reste quand même très sage (pas de drogue ou de violence), même s'il existe quelques rares cas de prostitution.
– *Shinkansen :* le train à grande vitesse.
– *Shogun :* chef militaire pendant la période Edo (avant 1868).
– *Shukubo :* hébergement dans les temples.
– *Sumo :* sport national pratiqué par les *sumotori* (l'un des préférés du président Chirac).
– *Tatami :* mince matelas (souvent en paille de riz).
– *Yakusa :* membre professionnel d'un des grands gangs de la pègre japonaise.
– *Yukata :* robe de chambre mise à la disposition des hôtes dans les *ryokan*.

LIVRES DE ROUTE

Romans japonais

– *Kafka sur le rivage* (2002), de Haruki Murakami (éd. 10/18, 2011). À la fois acerbe et merveilleux, ce récit présente 2 personnages errants. L'un fuit une malédiction œdipienne, tandis que l'autre, sexagénaire amnésique, part à la recherche d'un chat disparu. Haruki Murakami mêle habilement le réel au surnaturel. Une sorte de tragédie classique à la sauce japonaise.
– *Je suis un chat* (1978), de Natsume Sôseki (éd. Gallimard, coll. « Connaissance de l'Orient », Poche n° 8, 1986). Parmi les romans les plus célèbres du Japon. La folie des hommes, du début du XXe s, observée et racontée par un chat sur le ton de l'humour.
– *La Tombe des lucioles* (1967), de Akiyuki Nosaka (coll. « Nouvelles Poche »). Sous les bombardements de 1945 à Kobe, un frère et une sœur essaient tant bien que mal de survivre tout en tentant de retrouver leur enfance déchue. La tragique semi-autobiographie de Nosaka est encore aujourd'hui un classique de la littérature japonaise. Le cinéaste Isao Takahata l'adaptera en film d'animation en 1988.
– *1Q84* (2011-2012), de Haruki Murakami (éd. 10/18). La célèbre trilogie de Murakami est un brassage des genres : thriller, fantastique et romance. Au cœur des tribulations tokyoïtes, 2 personnages vont et viennent entre 2 réalités. Aomamé, prof de sport, est également tueuse à gage, spécialisée dans l'élimination des auteurs de violence conjugale. Tengo, professeur de mathématiques, devient un nègre au service d'une ado de 17 ans pour assouvir son rêve d'écrivain. Ce qui les lie ? Une promesse vieille de 19 ans.
– *La Pierre et le Sabre* (1935), de Eiji Yoshikawa (éd. J'ai lu). Ce 1er tome relate l'apprentissage du jeune Takezô, devenu le samouraï Miyamoto Musashi, dans le Japon du XVIIe s. Sa quête dans le perfectionnement de l'art du combat le mènera à créer son propre style. Réelle figure de l'Histoire japonaise, Miyamoto Musashi est aujourd'hui un personnage notoire du folklore nippon.
– *Je veux devenir moine zen* (2005), de Kiyohiro Miura (éd. Philippe Picquier, coll. « Picquier Poche » n° 245). Un enfant suit son père japonais à ses séances de *zazen* et décide de devenir moine zen. On suit le parcours véridique de ce père, et de toute sa famille, à qui l'enfant est « arraché » par le temple. Poignant.
– *Le Sabre des Takeda* (2008), de Yasushi Inoué (éd. Philippe Picquier, coll. « Picquier Poche »). Voilà une narration épique et intimiste de l'art de la guerre au XVIe s. Parmi les seigneurs qui s'entretuent pour conquérir leurs territoires, Yamamoto Kansuke sème la terreur. D'une laideur repoussante, boiteux et presque borgne, il connaît l'art du combat japonais comme personne. Publié en 1953 et extrait du traité stratégique *L'Art de la guerre de Sun-Tsé,* ce roman sera porté à l'écran par Akira Kurosawa.
– *Battle Royale* (1999), de Koshûn Takami (éd. Calmann-Lévy). Dans un pays d'Extrême-Orient fictif, une classe est choisie chaque année par le gouvernement

pour suivre un programme, qui consiste à être le dernier survivant, exterminant le reste de ses camarades. Ce jeu barbare permet au gouvernement d'asservir son contrôle sur la population et de récupérer des statistiques. Fortement controversé, ce roman est l'un des plus grands best-sellers japonais. Il a été adapté en mangas et film, et a inspiré Suzanne Collins pour sa trilogie *Hunger Games*.

– *Mémoires d'un yakuza* (2007), de Junichi Saga (éd. Philippe Picquier, coll. « Picquier Poche » n° 295). Les confessions d'un célèbre yakuza, Ljichi Eiji, à son médecin sur la manière dont il est devenu l'un des plus grands dirigeants du crime organisé au Japon. Un récit haletant qui emmène dans les profondeurs d'une confrérie et de ses traditions.

– *Il y a 1 an Hiroshima* (1946), de Hisashi Tohara (éd. Arlea, 2012). Ce n'est qu'après sa mort, près de 60 ans après la tragédie, que la femme d'Hisashi Tohara trouve son manuscrit dans lequel, tout jeune, il a ressenti le besoin de retracer la journée qu'il a vécu ce 6 août, mais jamais de la raconter. Au-delà du témoignage poignant de cet adolescent, c'est aussi l'histoire d'un silence, celui des survivants.

– *Pluie noire* (1972), de Masuji Ibuse (éd. Gallimard). Là encore une histoire de survivants, mais qui refusent de se taire et qui, au contraire, veulent témoigner pour ne plus être discriminés. Parce que des rumeurs courent sur le fait que Yasuko aurait subi la pluie noire (radioactive) après l'explosion, la jeune fille ne parvient pas à se marier. Son oncle recopie le journal qu'ils avaient chacun tenu à l'époque pour démontrer qu'elle n'est pas malade et qu'elle a un avenir.

– *Le Poids des secrets* (1999-2004), de Aki Shimazaki (éd. Actes Sud). L'auteure japonaise installée au Canada évoque l'histoire d'une famille et celle du Japon à partir des années 1920, chaque fois à travers des prismes différents. Ses 5 tomes courts traitent notamment du traumatisme, des travailleurs forcés coréens, des relations parents-enfants et du non-dit.

Romans étrangers sur le Japon

– *Stupeur et Tremblements* (2001), d'Amélie Nothomb (Le Livre de Poche n° 15071). Dans son 8e roman, Amélie Nothomb nous fait entrer dans l'univers hiérarchisé d'une grosse entreprise nippone et y décortique progressivement les codes : respect de la pyramide patronale, soumission des femmes, négation de l'individualité... Une analyse incisive et caricaturale des conditions de travail au pays du Soleil-Levant ! Ne fait pas passer le courant de sympathie avec le Japon, car c'est un livre inspiré d'une expérience personnelle négative de l'auteur. Adapté au cinéma par Alain Corneau, avec Sylvie Testud.

– *Geisha* (2006), d'Arthur Golden et Annie Hamel (Le Livre de Poche n° 14794). Roman écrit sous la forme de mémoires, retraçant le destin d'une petite fille pauvre vendue par son père et qui parvient au sommet de l'art des geishas avant la Seconde Guerre mondiale. Adapté au cinéma.

– *Tokyo Sanpo* (2009), de Florent Chavouet (éd. Philippe Picquier). Un récit déroutant, comprenant plus de 150 dessins griffonnés par la main de l'auteur. Florent Chavouet, perdu dans l'immensité de Tokyo, est confronté à un véritable choc des cultures. L'architecture excentrique, le quotidien des Tokyoïtes, tout lui semble surréaliste. Il traite les petites absurdités de son quotidien, pour finalement arriver à un récit de voyage que l'on vit avec lui. À mettre entre toutes les mains !

– *Kyoto limited* (2010), d'Olivier Adam et Arnaud Auzouy (éd. du Seuil, coll. « Points »). Le retour à Kyoto est synonyme de bonheur pour Simon. Ici, rien ne change. Il erre dans cette ville magique, émerveillé et nostalgique, entre les ruelles et les temples bouddhistes.

– *Le Clan des Otori* (2002-2007), de Lian Hearn (éd. Gallimard, « Folio »). Une fois achevé le 5e tome de la saga, on n'a qu'une envie, relire le 1er tome ! *Le Clan des Otori* est un condensé de luttes sanglantes entre seigneurs, d'alliances et de mésalliances, de valeurs morales, de prophéties, d'amour et de magie dans un Japon médiéval... Jusqu'où le jeune héros Takeo ira-t-il pour défendre son clan ?

Quelle est la frontière entre honneur et trahison ? Les sentiments qu'il éprouve pour Kaede l'éloigneront-ils de son devoir ? Publiée d'abord pour la jeunesse, la série, par son style et la force de ses personnages, a vite séduit les adultes et est devenue un best-seller en France et dans le monde.

– *Hiroshima, mon amour* (1960), de Marguerite Duras (éd. Gallimard, « Folio », 1972). Script du film réalisé par Alain Resnais, qui évoque la rencontre aussi intense que furtive entre une actrice venue à Hiroshima tourner un film et un habitant d'Hiroshima. Marguerite Duras voulait montrer l'impossibilité de parler de la tragédie. Quand les silences sont aussi importants que les maux.

– *Hiroshima* (1946), de John Hersey (éd. Tallandier, 2011). Un travail d'enquête mené par un journaliste américain qui s'est rendu à Hiroshima en février 1946, en dépit des censures américaine et japonaise. Il raconte la journée du 6 août à travers 6 personnages, les radiations et leurs effets. Des témoignages de 1re importance pour qu'enfin le monde sache... et s'interroge. Ce livre fait toujours référence.

Essais sur le Japon

– *D'Edo à Tokyo : mémoires et modernités* (1988), de Philippe Pons (éd. Gallimard, coll. « Bibliothèque des sciences humaines », 1998). Cette étude retrace l'histoire de la modernisation du Japon, du milieu du XIXe s à nos jours. Elle souligne la persistance de l'ancien Japon populaire dans les gestes et les détails les plus quotidiens de la vie.

– *Les Japonais* (2008), de Karyn Poupée (éd. Tallandier, coll. « Texto », 2012). Journaliste, correspondante permanente au Japon pour l'Agence France Presse, Karyn Poupée décortique la vie quotidienne des Japonais et décode les ressorts socioculturels et historiques du fonctionnement de la société nippone. Tableau nuancé du Japon et de ses habitants : consommatrices insatiables, créateurs d'humanoïdes, génies de l'électronique, capitaines d'industrie philanthropes, inventeurs de mangas, hommes politiques nationalistes ou yakuzas... un univers japonais restitué dans toute sa diversité, sa subtilité et sa poésie. En juin 2009, Karyn Poupée s'est vu décerner le prix Shibusawa-Claudel récompensant son œuvre, un travail conséquent de recherches en français sur le Japon.

– *Chronique japonaise* (1989), de Nicolas Bouvier (coll. « Petite Bibliothèque Payot/Voyageurs », n° 1053, 2015). Une référence parmi les livres de voyage. Bouvier, le scientifique du quotidien, rapporte des témoignages touchants de ses séjours au Japon (1956 et 1964). Des tranches de vie qui n'ont pas pris une ride...

– *L'Art japonais* (1997), de Christine Shimizu (éd. Flammarion, coll. « Tout l'art », 2008). Fruit de recherches approfondies, cet ouvrage richement illustré présente l'art au Japon sous toutes ses formes (architecture, sculpture, peinture) et met en relation les différentes œuvres avec leur contexte historique.

– *Japon Express, de Tokyo à Kyoto* (2018), de Raymond Depardon (éd. Points). Photographe, cinéaste et écrivain, Raymond Depardon propose un recueil de 100 photos illustrant son regard sur la société japonaise.

Voir également la rubrique « Littérature japonaise » dans le chapitre « Hommes, culture, environnement ».

POSTE

La poste (en partie privatisée) fonctionne très bien.

Outre le courrier habituel, on peut y retirer de l'argent à des distributeurs automatiques acceptant la plupart des cartes internationales de paiement.

– *Horaires d'ouverture :* en semaine, de 9 h à 17 h – 19 h pour les « bureaux de districts », 21h pour les « bureaux centraux » qui eux, restent même ouverts le week-end.

– *Poste internationale :* un timbre de carte postale coûte environ 70 ¥ (0,60 €) ; pour une lettre jusqu'à 25 g, compter 110 ¥ (environ 0,90 €), et jusqu'à 50 g, 190 ¥ (1,60 €).

POURBOIRES

La coutume du pourboire n'existe pas au Japon. Pire, un Japonais sera très mal à l'aise, voire vexé, si vous lui offrez un pourboire, et cela lui donnera l'impression qu'il fait l'aumône. Le service est inclus dans l'addition, dans les bars comme dans les restaurants.

SANTÉ

L'Organisation mondiale de la santé (OMS) considère que le Japon possède un niveau sanitaire équivalent à celui de l'Europe de l'Ouest. En dépit de l'accident de la centrale de Fukushima, l'OMS juge le risque sur la santé minime. Toutefois, l'inquiétude, sans doute renforcée par l'opacité et le manque d'informations face aux risques radioactifs, ne s'amenuise pas. Comme la situation des réacteurs nucléaires est problématique et délicate, et qu'elle le restera

UNE PILULE DURE À AVALER

Si la contraception orale fut autorisée dès 1967 en France, les Japonaises durent patienter jusqu'en 1999. En revanche, le Viagra obtient son homologation en 6 mois à peine. Cette discrimination évidente entre les sexes fait que le Japon détient le record mondial de production de préservatifs, et, pourtant, on déplore... l'avortement à grande échelle.

probablement sur le long terme, les autorités conseillent à la population de ne pas s'approcher à moins de 20 ou 30 km de la centrale. Mais résider ou voyager dans le reste du pays ne comporte actuellement aucun risque pour la santé. De manière générale, restez vigilant, les autorités japonaises peuvent adapter leurs recommandations aux nouvelles données concernant les contaminations radioactives.

Les grands fléaux infectieux ont été depuis longtemps éliminés. On notera à ce sujet que l'encéphalite japonaise ne porte plus cet adjectif que pour des raisons historiques (alors qu'elle continue à sévir dans tous les pays d'Asie du Sud et d'Extrême-Orient). Une raison à cela : les Japonais sont tous vaccinés ! La dengue est rare, alors qu'elle est de plus en plus fréquente dans toute l'Asie méridionale. Pas de rage. Fréquence basse de l'hépatite B, du VIH et des MST. Il n'existe aucune transmission de l'hépatite A et de la fièvre typhoïde.

Il n'y a donc aucune vaccination particulière pour un séjour au Japon : être à jour des vaccinations du calendrier vaccinal français suffit.

La médecine curative est aussi de qualité, mais très onéreuse et à régler immédiatement (assurance impérative). À Tokyo, une dizaine de médecins seulement parlent le français ; à Kyoto, aucun. L'anglais est un peu plus fréquemment parlé, mais n'imaginez pas trouver un médecin anglophone au cabinet du coin de la rue.

– Les produits et matériels utiles aux voyageurs, assez difficiles à trouver, peuvent être achetés par correspondance sur le site ● boutiquesantevoyage.com ●

Infos complètes sur ttes les destinations, boutique web, paiement sécurisé, expéditions Colissimo Expert ou Chronopost. ☎ 01-45-86-41-91 (lun-ven 14h-19h).

SITES INTERNET

● *routard.com* ● Le site de voyage n° 1, avec plus de 800 000 membres et plusieurs millions d'internautes chaque mois. Pour s'inspirer et s'organiser, près de 300 guides destinations actualisés, avec les infos pratiques, les incontournables et les dernières actus, ainsi que les reportages terrain et idées week-end de la rédaction. Partagez vos expériences avec la communauté de voyageurs : forums de discussion avec avis et bons plans, carnets de route et photos de voyage.

Enfin, vous trouverez tout pour vos vols, hébergements, voitures et activités, sans oublier notre sélection de bons plans, pour réserver votre voyage au meilleur prix.

● *gotokyo.org* ● Site officiel (version en français) de l'office de tourisme de Tokyo. Ce site mis à jour régulièrement propose de nombreuses informations pratiques sur Tokyo. On peut notamment télécharger des plans de chaque quartier de la ville.

● *tourisme-japon.fr* ● Portail généraliste en français. Complet, très bien fait.

● *facebook.com/decouvrirlejapon* ● La page officielle version facebook de l'office national de tourisme japonais.

● *japaneseinngroup.com* ● Le site de la *Japanese Inn Group Hospitable and Economical,* qui présente la liste complète des *ryokan* affiliés à cette chaîne (avec photos, fiche descriptive et plan d'accès).

● *jyh.or.jp* ● Le site des auberges de jeunesse du Japon, dépendant pour la plupart du réseau *Hostelling International.* Possibilité de réserver en ligne.

● *japaneseguesthouses.com* ● Un site sur les pensions et les *ryokan* à prix moyens et plus chic. Le plus intéressant est la liste et la carte des *onsen* au Japon. Très utile pour les meilleurs *onsen* (petit rappel : ce sont de grands bassins construits sur des sources d'eau chaude naturelle et dans lesquels on se baigne).

● *ryokan.or.jp* ● Un site recensant des *ryokan* de catégorie chic et luxe dans tout le Japon.

● *jnto.go.jp/sakura/eng/index.php* ● Site en anglais pour connaître toutes les dates, dans tout le Japon, pour les cerisiers en fleur.

● *lejapon.fr* ● *japon365.com* ● Sites en français créés et animés par le photographe David Michaud, installé au Japon depuis longtemps, pays qu'il explore à longueur d'année. David a publié aussi 6 beaux livres sur le Japon, notamment, aux éditions du Chêne (Hachette).

● *le-japon.com* ● Créé par une Japonaise, ce site complet présente, en français, ce qu'il faut savoir du Japon, de son histoire et de ses traditions en évitant les clichés !

● *japan-guide.com* ● Quelques infos pratiques en ligne pour celles et ceux qui se poseraient encore des questions.

● *japonsanssushi.com* ● Un site intéressant pour la région de Kyoto, écrit par Tadashi Sugihara, un jeune guide interprète francophone et passionnant.

● *nezumi.dumousseau.free.fr/japon* ● Un site personnel avec de nombreuses photos d'un internaute qui a une bonne connaissance et une grande affection pour l'archipel. En français.

● *forumjapon.com* ● Le Web de ceux qui s'intéressent au Japon, curieux, routards, expatriés. Avec photos et archives des discussions. En français.

● *secret-japan.com* ● Un autre site forum ouvert à tous les publics.

● *france-japon.net* ● Toute l'actualité politique et culturelle du Japon, ainsi qu'un forum de discussion.

● *clickjapan.org* ● Portail complet qui classe par thèmes de nombreux sujets, des arts à la géographie, de l'architecture aux nouvelles technologies. Également un petit lexique pratique. En français.

● *fugujapon.com* ● Site en français réalisé par une équipe franco-japonaise, avec plein d'infos utiles pour ceux notamment qui envisagent un long séjour au Japon.

● *journaldujapon.com* ● Un webzine en français consacré aux loisirs et à la culture japonais : littérature, mangas, musique, cinéma. Quelques articles d'actualité.

● *kanpai.fr* ● Site en français initialement tourné vers la culture populaire, qui aborde aujourd'hui des sujets de société et donne des informations pratiques avant le voyage.

TÉLÉPHONE

On trouve des téléphones publics partout au Japon. Les téléphones vert et gris acceptent des pièces de 10 ¥ et de 100 ¥ ainsi que des cartes prépayées. Les téléphones à carte IC n'acceptent que des cartes prépayées IC. Un appel local vous coûtera 10 ¥ la minute. Si on utilise des pièces de 100 ¥, l'appareil ne rend pas la monnaie.

On peut téléphoner à l'étranger depuis les téléphones gris ou les téléphones à carte IC, qui portent la mention « *International & Domestic Card/Coin Telephone* ». Possibilité de passer des appels locaux et internationaux avec des cartes prépayées émises par plusieurs compagnies, comme la carte *Moshi Moshi*, et cela depuis n'importe quel téléphone public. Ces cartes prépayées sont vendues dans les supermarchés, les *convenience stores (Family Mart, 7-Eleven)* et les kiosques des gares.

– *Europe* ➝ *Japon :* composer le 00 + 81 + indicatif de la ville sans le zéro initial + numéro du correspondant.

– *Japon* ➝ *Europe :* composer le 00 + 33 (pour la France) ou 32 (pour la Belgique) ou 41 (pour la Suisse) + les 9 derniers chiffres du numéro de l'abonné (sans le 0 initial). Une alternative : on peut également se rendre dans un cybercafé et utiliser les logiciels d'appel comme *Skype*.

Le téléphone portable en voyage

On peut utiliser son propre téléphone portable au Japon avec l'option « International ». Renseignez-vous auprès de votre opérateur sur les conditions d'utilisation de votre portable au Japon ainsi que sur les tarifs.

– *Activer l'option « international » :* elle est en général activée par défaut. Sinon, pensez à contacter votre opérateur pour souscrire à l'option (gratuite). Attention toutefois à le faire au moins 48h avant le départ.

– *Le « roaming » ou itinérance :* c'est un système d'accords internationaux entre opérateurs. Concrètement, cela signifie que lorsque vous arrivez dans un pays, le nouveau réseau local s'affiche automatiquement. Vous recevez rapidement un SMS de votre opérateur qui propose un *pack voyageurs* plus ou moins avantageux, incluant un forfait limité de consommations téléphoniques et de connexion internet.

– *Forfaits étranger inclus :* certains opérateurs proposent des forfaits où *35 jours de roaming par an sont offerts* dans le monde entier. On peut donc cumuler plusieurs voyages à l'étranger sans se soucier de la facture au retour. Attention, si SMS, MMS et appels sont souvent illimités, la connexion internet est, elle, limitée. D'autres opérateurs offrent carrément le *roaming toute l'année vers certaines destinations.* Renseignez-vous auprès de votre opérateur.

– *Tarifs :* ils sont propres à chaque opérateur et varient en fonction des pays (le globe est découpé en plusieurs zones tarifaires). *N'oubliez pas qu'à l'international vous êtes facturé aussi bien pour les appels sortants que pour les appels entrants. Idem pour les textos.* Donc quand quelqu'un vous appelle à l'étranger, vous payez aussi. Soyez bref !

– *À savoir :* un téléphone tri-bande ou quadri-bande est nécessaire au Japon, où seuls les mobiles 3G ou 4G fonctionnent. Pour être sûr que votre appareil est compatible avec votre destination, renseignez-vous auprès de votre opérateur.

Bons plans pour utiliser son téléphone sur place

– *Acheter une carte SIM prépayée sur place :* une option très avantageuse au Japon. Il suffit d'acheter à l'arrivée une carte SIM locale prépayée chez l'un des nombreux opérateurs (*KDDI, NTT DoCoMo* et *Vodaphone*), dans les boutiques de téléphonie mobile des principales villes du pays ou à l'aéroport. On vous attribue alors un numéro de téléphone local et un petit crédit de communication. Attention, on ne peut plus vous joindre sur votre numéro habituel mais uniquement sur ce nouveau numéro. Avant de payer, essayez cette carte SIM dans votre téléphone – préalablement débloqué – afin de vérifier si celui-ci est compatible. Pour un court séjour, on peut *acheter un téléphone à carte prépayée,* sans abonnement, avec l'opérateur *AU*. Carte minimum 1 000 ¥ (8,30 €), mais de manière plus courante 3 000 ¥ (25 €), valable 2 mois. Un téléphone bon marché coûte environ 7 000 ¥ (58 €). Les cartes peuvent s'acheter, entre autres, dans les gares.

– Autre solution très pratique, la **possibilité de louer un téléphone** portable japonais *(Cell Phone Rental)* pour la durée de votre séjour à l'arrivée à l'aéroport, auprès des compagnies *SoftBank, KDDI, DoCoMo* et *Mobile Center* (il y en a d'autres, celles-ci sont les plus connues). Prix intéressants et raisonnables. On paie la location du matériel, et les communications (domestiques ou internationales) en plus. Paiement possible par carte bancaire. On peut prendre le téléphone dans un aéroport et le rendre dans un autre. La facture finale est envoyée sur votre adresse e-mail et votre compte est débité automatiquement. À l'arrivée à Narita, les comptoirs sont situés aux terminaux 1 et 2 ; à Haneda, aux niveaux 2F et 3F *(tlj 6h30-23h).* Infos sur les sites ● *narita-airport.jp/en/service/svc_19* ● *haneda-airport.jp/inter/en/premises/service/internet.html* ●

La connexion internet en voyage

– **Se connecter au wifi** est le seul moyen d'avoir accès au Web gratuitement. Attention, si vous ne disposez pas d'un forfait avec *roaming* offert, ne vous connectez pas aux réseaux 3G ou 4G, au risque de faire grimper votre facture. Le plus sage consiste à **désactiver la connexion** « données à l'étranger » (dans « Réseau cellulaire »). On peut aussi mettre le portable **en mode « Avion »** et activer ensuite le wifi. Attention, le mode « Avion » empêche, en revanche, de recevoir appels et messages. La plupart des hôtels (parfois les restos et bars) disposent d'un réseau gratuit. Autre option, une **carte SIM Data** pour le Japon (durée 15 ou 30 jours), qui permet de rester connecté à Internet (mais elle ne permet pas d'être appelé ni de passer des appels téléphoniques. 2 formats de cartes : *Micro* et *Nano.* Il faut évidemment avoir un téléphone préalablement débloqué et récent, et se renseigner auprès de son opérateur de la compatibilité avec son appareil.
– Une fois connecté grâce au wifi, vous avez accès à tous les services de la **téléphonie par Internet. WhatsApp, Messenger** (la messagerie de *Facebook*), **Viber, Skype,** permettront d'appeler, d'envoyer des messages, des photos et des vidéos aux quatre coins de la planète, sans frais. Il suffit de télécharger – gratuitement – l'une de ces applis sur son smartphone. Elle détecte automatiquement dans votre liste de contacts ceux qui utilisent la même appli.
– **Internet à bon marché au Japon :** il existe une appli gratuite, **Japan connected Free Wifi,** qui permet de se connecter aux *hotspots* disponibles. Autre solution, la connexion en poche pour smartphones et tablettes pour les relier à la 4G avec **Pocket Wifi,** à partir de 3 000 ¥ pour 1 ou 2 jours, prix très dégressifs (5 700 ¥ pour 10 jours). À réserver avant le départ sur ● *japan-wireless.com* ● Le boîtier vous est envoyé à votre 1er hôtel à la date de votre arrivée. Ou à acheter sur place à l'aéroport. Simple et efficace avec 99 % de zones couvertes sur le territoire. À la fin du séjour, il suffit de le déposer dans une boîte postale à l'aide d'une enveloppe préaffranchie. Drôlement pratique pour s'orienter en dehors de l'hôtel. On trouve également des wifi accessibles, sans code, dans les gares de Tokyo et de Kyoto, les aéroports et les centres commerciaux.

Urgence : en cas de perte ou de vol de votre téléphone portable

Suspendre aussitôt sa ligne permet d'éviter de douloureuses surprises au retour du voyage ! Voici les numéros des 4 opérateurs français, accessibles depuis la France et l'étranger :

– **Free :** *depuis la France :* ☎ *3244 ; depuis l'étranger :* ☎ *+ 33-1-78-56-95-60.*
– **Orange :** *depuis la France :* ☎ *0800-100-740 ; depuis l'étranger :* ☎ *+ 33-969-39-39-00.*

– **SFR :** *depuis la France :* ☎ *1023 ; depuis l'étranger :* 🔋 *+ 33-6-1000-1023.*
– **Bouygues Télécom :** *depuis la France comme depuis l'étranger :* ☎ *+ 33-800-29-1000.*

Vous pouvez aussi demander la suspension de votre ligne depuis le site internet de votre opérateur.

TRANSPORTS

Le train

C'est le moyen le plus pratique (et économique) pour voyager à l'intérieur du Japon. Le pays possède d'ailleurs l'un des réseaux ferroviaires les plus développés au monde.

Les trains fonctionnent très bien, ils sont à l'heure, et les fréquences nombreuses permettent de se déplacer rapidement et facilement d'une ville à l'autre. À l'arrivée dans les gares (grandes ou petites), des bus, des funiculaires (en montagne) ou des crémaillères attendent les voyageurs. On

UN TRAIN DE RETARD OU D'AVANCE

La Metropolitan Intercity Railway Company *a présenté des excuses officielles pour 20 s d'avance sur le départ du Tsukusa Express le mardi 14 novembre 2017. La moyenne des retards du* Shinkansen *depuis son entrée en service en 1964 s'élève à 30 s ! La SNCF a encore beaucoup à apprendre de nos amis nippons quand on pense que 1 train sur 5 arrivait en retard en 2017...*

passe de l'un à l'autre sans difficulté. Les billets s'achètent à des distributeurs automatiques ou bien à des guichets à bande verte *(Midori-no-madoguchi)* situés à côté de ces derniers. En cas de doute, s'adresser à un employé, particulièrement aimable, qui renseigne souvent en anglais et avec un sens du service étonnant.

– *Les trains du réseau JR (Japan Railway) :* ce réseau comprend 6 compagnies ferroviaires qui couvrent la totalité du pays. Les trains desservent les principales îles du Japon, de Hokkaïdo, dans le Nord, à Kyushu, dans le Sud. Ils sont ponctuels et confortables. En outre, les connexions entre les lignes sont faciles.

– *Nombreuses lignes privées :* elles marchent aussi bien que le réseau public, quasiment au même prix. Pour Nikko, la ligne *Tobu.* Pour Hakone, la ligne *Odakyu Electric Railway.* Autour d'Osaka, les compagnies privées assurent les liaisons : *Kintetsu Railways* pour Nara, *Keihan Railways* pour Kyoto, *Hankyu Electric* pour Kobe, *Nankai Electric Railways* pour l'aéroport international du Kansai.

– *Train Shinkansen (train à grande vitesse japonais) :* propose des liaisons très rapides et nombreuses (des dizaines par jour) entre les principales villes du Japon. Un trajet Tokyo-Kyoto (513 km) dure 2h20-2h50 ; billet : environ 14 000 ¥ (117 €). Un trajet Tokyo-Osaka (556 km) dure 2h48 ; billet : environ 14 500 ¥ (121 €). Le *Shinkansen,* qui a fêté en 2015 ses 50 ans d'exploitation, est élégant et effilé, comme un long poisson de mer dont la locomotive évoque une sorte d'anguille ultramoderne. Grand confort, service impeccable.

CIVILITÉ ET CONFORT

Quand on prend le Shinkansen, *le TGV japonais, le contrôleur ou l'hôtesse qui entre dans le wagon salue les passagers en s'inclinant. Leurs uniformes impeccables, qui ressemblent à ceux du personnel des compagnies aériennes, contiennent une minuscule puce électronique pour éviter les vols. Au terminus de la ligne, on fait pivoter de 180° les sièges du train qui repart, afin qu'ils soient toujours orientés dans le sens de la marche.*

Les places doivent être réservées, mais dans chaque train, 3 wagons restent disponibles sans réservation pour les voyageurs de dernière minute. Il faut alors se présenter tôt et faire la queue, mais sans garantie aux heures de pointe ! L'un des grands projets ferroviaires est de remplacer d'ici à 2025 le *Shinkansen* par un train à lévitation électromagnétique ! (Voir la rubrique « Économie » dans le chapitre « Hommes, culture, environnement ».) Attention à ne pas les confondre avec d'autres trains, copies conformes des *Shinkansen* mais qui sont des omnibus et s'arrêtent partout ! Bien vérifier les horaires et s'y tenir, car ces trains mettent parfois plus du double de temps...

– *Informations, horaires, tarifs des trains :* ● *hyperdia.com/en* ● Site en anglais. Très bien fait et pratique.
– *JR Hokkaïdo :* ● *jrhokkaido.co.jp/global* ●
– *JR East :* ● *jreast.co.jp/e/* ●
– *JR Central :* ● *english.jr-central.co.jp* ●
– *JR West :* ● *westjr.co.jp/global/en/* ●
– *JR Kyushu :* ● *jrkyushu.co.jp/english/* ●

Le Japan Rail Pass

Ce forfait vendu par la compagnie *JR* est intéressant pour les voyageurs qui souhaitent se déplacer dans le pays, entre Tokyo et Kyoto, et au-delà jusque dans le Sud du Japon (Kagoshima) et dans le Nord (Wakkanai). Sinon, il n'est pas forcément rentabilisé (à vous de calculer selon votre itinéraire). Ce forfait *doit être acheté avant le voyage, dans le pays de départ.* Là, on vous remet un voucher à échanger contre le véritable *pass* dans une gare *JR* au Japon, où un guichet spécial est souvent ouvert pour ce retrait. Il permet aux étrangers d'effectuer des trajets illimités *sur les lignes du réseau JR* (trains, métros) *et à bord des bus et bateaux* (ferries, uniquement pour Hiroshima) affiliés au réseau *JR.* Attention, le *pass* ne vous dispense pas de réserver votre place dans le train ! *Ce forfait n'est pas valable sur le train super express Nozomi et Mizuho.* Autre avantage, on bénéficie de réductions dans les hôtels du groupe *JR.* Il suffit de présenter sa carte *Japan Rail Pass* à l'accueil en arrivant.
– *Tarifs :* en classe économique (ordinaire), 7 jours 28 610 ¥ (238 €) ; 14 jours 45 640 ¥ (380 €) ; 21 jours 58 420 ¥ (487 €) ; réduc 6-11 ans.
– *Informations :* ☎ 01-42-61-60-83. ● *japan-rail-pass.fr* ● Site en français.

Les autres Japan Rail Pass régionaux

Il existe des forfaits *(passes)* avantageux par régions, réservés aux touristes, à acheter dans le pays de départ. Pour la région de Kyoto-Osaka-Nara, se procurer le *Kansai Area Pass* : 1 jour 17 € (env 2 260 ¥) ; 2 jours 32 € (env 4 260 ¥) ; 3 jours 40 € (env 5 320 ¥) ; 4 jours 47 € (env 6 260 ¥). Réductions pour les 6-11 ans. On peut ainsi se déplacer librement sur les lignes ferroviaires entre Osaka, Kobe, Nara, Kyoto et Wakayama, et profiter de nombreuses réductions sur les visites touristiques.
On peut également acheter le *JR Hokkaïdo Pass* (à partir de 14 880 ¥ – 124 €), le *JR East Pass* (23 400 ¥ – 195 €), le *West Rail Pass* (17 160 ¥ – 143 €), le *JR-Kyushu Pass* (13 560 ¥ – 113 €). Il existe également un *pass JR Seishun 18 Kippu* (11 850 ¥ – 99 €), disponible uniquement du 1er mars au 10 avril, du 20 juillet au 10 septembre et du 10 décembre au 10 janvier. Il permet de voyager de manière illimitée sur les trains *JR* locaux et express, pendant 5 jours non consécutifs pendant ces périodes.

Le métro

Dans les villes importantes, utilisez le métro. Il est ultramoderne et fonctionne très bien. Évitez toutefois les heures de pointe, car la foule très dense remplit les wagons, où l'on s'entasse à la « japonaise ». Les passagers sont assis côte à côte sur des sièges le long des fenêtres. Les billets se prennent aux distributeurs automatiques, et les prix varient selon la distance et le nombre de stations. En cas

LA VIE EN ROSE... OU BLEU !

Afin d'égayer le trajet des Tokyoïtes sur la ligne de métro Yamanote et d'éviter quelques plongeons suicidaires sur les rails, la compagnie East Japan Railways *a fait installer des lampes antistress, qui diffusent des lumières bleutées dans les stations. Cet éclairage allégerait psychologiquement le spleen du voyageur. Vous voyez, ça vous fait déjà sourire !*

d'erreur, il y a des *Fare adjustment* à la sortie, une machine qui vous indique la différence à payer et qui vous fournit un nouveau billet.

– *Se repérer dans le métro :* dans les stations de métro, les plans du réseau sont affichés en japonais, avec le nom des stations souvent écrit en anglais. Dans le wagon, le nom des stations est annoncé également en anglais. Pas si compliqué que ça ! À chaque station (ou presque), le voyageur trouve un petit guichet d'information. Au pire, on demande sa route à un Japonais. Quand les Japonais parlent quelques mots d'anglais (ou de français, encore mieux), il arrive souvent qu'ils viennent spontanément vers vous pour vous aider.

– *Tarifs :* à Tokyo, un billet vaut au minimum 170 ¥ (1,40 €) de 1 à 6 km, 200 ¥ (1,70 €) de 7 à 11 km... Tarifs variables selon les compagnies. Nous vous conseillons vivement d'acheter la carte *Suica,* voir les infos dans le chapitre sur Tokyo (« Transports. Le métro et les chemins de fer privés. Métro, mode d'emploi »). Elle est désormais valable dans la plupart des transports urbains des autres villes du Japon. Pratique !

– *Plans du métro :* on trouve des plans de métro des principales villes du Japon sur le site de l'office national de tourisme du Japon : ● *tokyometro.jp* ● Versions en anglais et en français. ● *kotsu.metro.tokyo.jp/eng/* ● Site de la compagnie *Toei,* avec version anglaise.

Le bus

Un moyen de transport très pratique dans certaines villes (mais pas les plus grandes). À Tokyo, mieux vaut prendre le métro et le train.

Les réseaux de bus fonctionnent très bien. Efficacité, organisation, modernité et sens du service. Pour s'orienter, les compagnies de bus urbains diffusent des plans des lignes très bien faits, avec de nombreux détails. Impossible de se tromper même si apparemment le réseau semble complexe. Les billets s'achètent dans le bus, où l'on paie avec du liquide. Sinon, de nombreux bus urbains acceptent la carte *Suica* (voir « Le métro » ci-dessus).

– *Liaisons en bus entre les villes du Japon :* bien plus long que le train, mais très bon service. Un trajet Tokyo (gare de Shinjuku-JR)-Kyoto dure 7h et coûte env 5 000 ¥ (42 €).

La voiture

Ce n'est pas la solution la plus facile. La conduite au Japon se fait à gauche. Les indications dans les rues et sur les routes sont affichées en japonais avec des traductions en caractères romains. Sur les grands axes, idem ; mais sur les routes secondaires, les panneaux sont exclusivement en japonais. De plus, les étrangers qui souhaitent conduire au Japon ne peuvent pas utiliser le permis international délivré dans leur pays. Il faut qu'ils se munissent obligatoirement d'une traduction en japonais. Une fois au Japon, ils pourront conduire avec la traduction accompagnée du permis original.

Bref, à moins d'avoir un ami japonais disposant d'une voiture, la conduite au Japon pour un visiteur de passage n'est ni recommandée ni économique. Si l'on y tient vraiment, on peut aussi se renseigner dans les bureaux de la *JAF (Japan Automobile Federation).* ● *jaf.or.jp/e/translation/with.htm* ●

Le taxi

Les taxis japonais sont les plus propres et leurs chauffeurs les plus polis du monde. Le chauffeur arbore une casquette et des gants blancs. Les sièges sont recouverts de napperons blancs. La portière arrière s'ouvre toute seule, du côté gauche. Même s'ils ne parlent pas toujours l'anglais, on parvient à s'expliquer en leur montrant la carte de visite en japonais de l'hôtel, ou en leur indiquant sur le plan de la ville (en japonais) le lieu précis où l'on se rend.

Si le voyant rouge situé dans le coin inférieur gauche du pare-brise est allumé, cela signifie que le taxi est libre et la porte arrière du taxi s'ouvre automatiquement. La facture (reçu, *ryōshūsho*) est délivrée par un boîtier électronique. La prise en charge varie, selon les périodes de l'année, de 400 à 700 ¥ env (3 à 6 €) ; le compteur augmente ensuite à partir de 2 km. Particulièrement intéressant donc pour les petits trajets. Ne jamais donner de pourboire, c'est une injure, ce ne sont pas des mendiants.

L'avion

Une autre option pour voyager au Japon. 2 grandes compagnies : *Japan Airlines* et *ANA (All Nippon Airways)*. *Japan Airlines* propose un *Pass Japan Explorer* – qui permet d'effectuer de 2 à 6 vols à prix réduits – utilisable sur une durée de 2 mois. Les 2 plus grands aéroports du Japon sont ceux de Tokyo-Narita et du Kansai, près d'Osaka, construit sur la mer (vue magnifique en arrivant).
D'Europe, liaisons directes vers Osaka (aéroport international du Kansai) grâce à des vols réguliers et quotidiens, permettant d'accéder rapidement à Kyoto, sans passer par Tokyo.
– **Japan Airlines :** ● *fr.jal.co.jp/frl/fr/* ● Site avec une version française.
– **ANA (All Nippon Airways) :** ● *ana.co.jp/fr/fr/* ● En français.
– Pour les liaisons entre les aéroports (Tokyo, Osaka) et les centres de ces grandes villes, voir le site de l'office de tourisme du Japon : ● *tourisme-japon.fr* ● Puis cliquez sur les onglets « Organisez votre voyage », « Transports » et « Transports aériens ».

URGENCES

– **Police :** ☎ 110.
– **Pompiers, secours d'urgence :** ☎ 119.
Si vous appelez d'un téléphone public vert, décrochez le combiné et appuyez sur le bouton rouge, puis composez le numéro. Avec les téléphones publics gris ou à cartes *IC*, décrochez le combiné et composez le numéro.
– **Autre numéro d'urgence :** *service de conseils aux étrangers de la police métropolitaine,* ☎ 03-3503-848.

TOKYO
ET SES ENVIRONS

TOKYO 東京   env 13 000 000 d'hab.   IND. TÉL. : 03

- Plan du métro *p. 10-11* • Plan d'ensemble *p. 90-91*

On arrive à Tokyo la tête bourrée d'images fortes, de clichés, de préjugés, avec quand même un poil d'appréhension. Images tenaces de la plus haute technologie et de la modernité, bien entendu. Et on n'est pas déçu, en arrivant de Narita 成田. La 1re impression, c'est d'abord la traversée d'interminables banlieues, une jungle d'autoroutes, de voies ferrées et de gratte-ciel, un trafic intense... Voyage initiatique qui durera au moins 1h jusqu'à destination. Au 1er abord, de ce tourbillon d'images, de lumières assassines, de publicités géantes agressives, de ce chaos architectural ne surgiront guère les différents visages de la ville, ses multiples contradictions, ses heureuses surprises. Bien sûr, on a en tête aussi les chiffres : près de 13 millions d'habitants (plus de 37 millions pour le grand Tokyo). C'est quand, enfin, vous serez arrivé à bon port que votre idée de la ville va évoluer, s'humaniser. Dans le carré de grands hôtels qui vous accueillent à **Shinagawa** 品川, **Shinjuku** 新宿 ou **Ikebukuro** 池袋, ce sont les séquoias qui cachent les pommiers et les cerisiers des quartiers environnants. La ville ne se révèle pas que verticale. Après quelques jours de trek urbain, on la trouverait même plutôt horizontale, avec de grands parcs, véritables poumons verts de la ville. En moins de 100 m, on peut d'ailleurs changer totalement de siècle, d'ambiance... Et l'on découvre des modes de vie pas si fous que ça, des quartiers paisibles, des atmosphères villageoises... Si, si... Aucune uniformité là-dedans.

À l'évidence, Tokyo est une ville qui s'est construite de façon totalement anarchique. Les immeubles partent dans tous les sens, dans toutes les hauteurs, dans tous les styles : extraordinaire laboratoire de l'architecture moderne, la plus folle, la plus libre. Pas seulement les gratte-ciel, mais aussi les maisons individuelles, bureaux, bars, restaurants, boutiques... On ne se lasse jamais de ce tourbillon de sensations contradictoires. Tel immeuble d'avant-garde surplombera bizarrement une demeure en bois dont l'irréductible propriétaire refuse obstinément le chèque à nombreux zéros du promoteur. À 100 m du carrefour piéton le plus dense du monde, emblématique de l'image de Shibuya 渋谷, le glamour et scintillant quartier des jeunes et des branchés, on trouve de vieux et minuscules cafés dans d'obscures ruelles oubliées par des urbanistes trop pressés.

L'angoisse et l'appréhension vont alors fondre doucement au fil de vos pérégrinations, grâce à la gentillesse, à l'amabilité, à la civilité des habitants de Tokyo... Et ce miracle, de constater qu'un plaisir réel et grandissant vous accompagnera, ponctué de petits et grands moments de sociabilité et de chaleur humaine. Dans les *izakaya* (tavernes traditionnelles), par exemple, ou lors de rencontres dans de merveilleux parcs. Purs moments de bonheur aussi lorsqu'on tombe sur une fête ou un festival de quartier, ou mieux sur un *matsuri,* ces grands événements religieux et culturels qui ponctuent mois après mois la vie des Tokyoïtes.

Tokyo est une ville à l'énergie extraordinaire. Certes fatigante, dans ses temps de transport et la recherche de lieux dans des rues sans nom, mais tout cela est compensé par l'absence réelle de tensions entre les gens et, surtout, par l'attention qu'ils vous portent dès que vous semblez perdu. Cette association entre modernité suprême et humanité dans le mode de vie restera l'un de vos plus beaux souvenirs. Outre cette magie de la ville, cette fascination de constater que progrès et modernité ne s'opposent pas à confort et qualité de vie, on découvre avec ravissement que ce sera une expérience intéressante et qu'elle vous accompagnera longtemps après votre retour. Chaque quartier possède ainsi sa vie propre, ses odeurs, ses couleurs, son rythme particulier. Sans oublier que le sentiment rassurant qu'on parcourt une des villes les plus sûres du monde permet d'en jouir vraiment, sans retenue.

Tokyo, on a aimé, beaucoup aimé. Mais n'a-t-on pas tort, par ces mots enthousiastes, de surdéterminer votre jugement ? Cher lecteur, à vous de trancher désormais !

UN PEU D'HISTOIRE

Au regard de l'histoire du Japon, Tokyo possède une existence relativement récente. D'abord petit village de pêcheurs, appelé Edo, qui ne fait parler de lui qu'en 1457, lorsque fut construit un petit château par un seigneur local. Il est vrai que la baie de Tokyo, vaste et bien protégée, se devait quand même de séduire un jour les hommes vu sa situation privilégiée. C'est en 1590 qu'on peut dater le véritable acte fondateur de Tokyo, lorsque Ieyasu, le 1er shogun Tokugawa, vient édifier une forteresse pour asseoir son pouvoir. À partir de ce camp de base, il va intelligemment conquérir le Japon. Il commence par stabiliser ses alliés en leur distribuant des terres autour. Son coup de génie est aussi d'inviter les seigneurs qui pourraient menacer son pouvoir à venir construire à Edo de luxueuses maisons de ville et à contribuer financièrement à l'édification des pagodes. Tout l'argent dépensé, c'était déjà ça en moins pour développer ou entretenir des hommes en armes. En outre, il leur impose de résider une année sur deux à Edo et, suprême astuce, de laisser leur famille en ville, tandis qu'ils regagneraient leurs fiefs. Cette « prise d'otages » garantissait au shogun qu'on ne comploterait guère contre lui. En 10 ans à peine, Ieyasu règne sur le Japon.

TOKYO

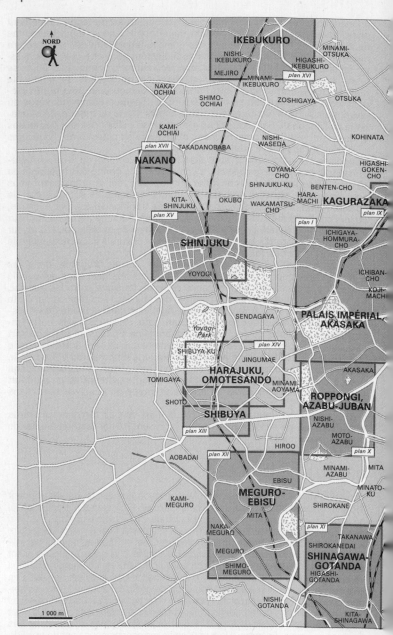

NORD

IKEBUKURO

NISHI-
IKEBUKURO
MEJIRO
MINAMI-
IKEBUKURO

MINAMI-
OTSUKA
HIGASHI-
IKEBUKURO
plan XVI
OTSUKA

NAKA-
OCHIAI
SHIMO-
OCHIAI
ZOSHIGAYA

KAMI-
OCHIAI
TAKADANOBABA
NISHI-
WASEDA
KOHINATA

plan XVII

NAKANO

HIGASHI-
GOKEN-
CHO

TOYAMA-
CHO
SHINJUKU-KU
BENTEN-CHO
HARA-
MACHI

KAGURAZAKA

KITA-
SHINJUKU
OKUBO
WAKAMATSU-
CHO
plan XV
plan I
plan IX

SHINJUKU

ICHIGAYA-
HOMMURA-
CHO

YOYOGI

ICHIBAN-
CHO
KOJI-
MACHI

SENDAGAYA

PALAIS IMPÉRIAL,
AKASAKA

Yoyogi-
Park

SHIBUYA-KU

JINGUMAE
plan XIV

AKASAKA

HARAJUKU,
OMOTESANDO
MINAMI-
AOYAMA

TOMIGAYA

ROPPONGI,
AZABU-JUBAN

SHOTO

SHIBUYA

NISHI-
AZABU
MOTO-
AZABU
plan X

plan XIII

AOBADAI
plan XII

HIROO

MINAMI-
AZABU
MITA

MINATO-
KU

EBISU

KAMI-
MEGURO

MEGURO-
EBISU

SHIROKANE

NAKA-
MEGURO
MITA
plan XI

TAKANAWA
SHIROKANEDAI

MEGURO

SHINAGAWA-
GOTANDA

SHIMO-
MEGURO

HIGASHI-
GOTANDA

NISHI-
GOTANDA

KITA-
SHINAGAWA

1 000 m

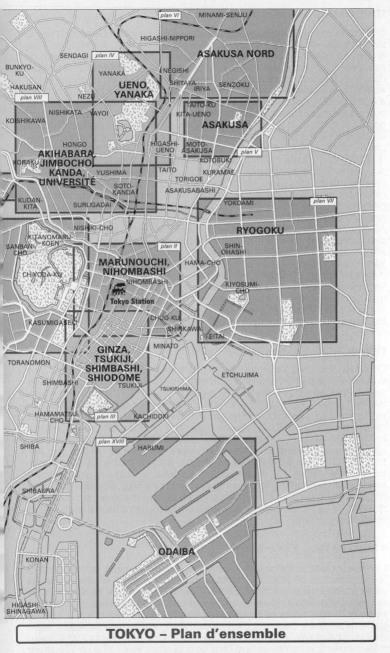

TOKYO – Plan d'ensemble

TOKYO

Un développement fulgurant

Si Kyoto reste la ville impériale, Edo se développe considérablement. D'abord, sur sa colline, *Yamanote* 山の手, le quartier des seigneurs et des notables. Puis, en bas, à *Shitamachi* 下町 (littéralement, la « ville d'en bas »), le *downtown* du petit peuple laborieux, des artisans et des commerçants obligés de s'installer dans d'anciens marais. Vie culturelle intense, théâtre kabuki et création de *Yoshiwara* 吉原, le quartier de plaisirs le plus important du monde à l'époque (au nord d'Asakusa 浅草), accompagnent le développement économique. C'est dans ce bouillonnement populaire, propice à l'instauration d'un état d'esprit frondeur et gouailleur, que naquit le vrai Tokyoïte. D'ailleurs, on retrouve aujourd'hui cette dualité entre *Ginza* 銀座 et autres quartiers du même type (magasins de luxe, grands hôtels, gratte-ciel et réalisations de prestige) et les quartiers de *Nezu* 根津, *Yanaka* 谷中, *Ueno* 上野, *Hongo* 本郷, *Asakusa* 浅草, *Kagurazaka* 神楽坂... qui sont restés populaires et continuent à perpétuer le véritable esprit de Tokyo. Et les shoguns Tokugawa vont régner ainsi plus de 250 ans. Quelques intermèdes cependant, comme le gigantesque incendie de 1657, qui détruit plus de la moitié de la ville et cause des dizaines de milliers de victimes. Mais Edo, tel le phénix, renaît vite de ses cendres.

Au début du XVIIIe s, la ville comprenait plus d'un million d'habitants, beaucoup plus que Londres et Paris à la même époque, ce qui en faisait la plus grande ville du monde. Les célèbres estampes de Hiroshige dépeignent une ville prospère, livrée aux plaisirs, riche d'une vie festive et culturelle. C'est le triomphe du théâtre kabuki, des grandes foires, des fêtes, festivals, etc. En 1842 cependant, les théâtres sont exilés à Asakusa. La proximité du temple de Senso-ji et tous ses festivals religieux hauts en couleur, et paradoxalement celle du quartier chaud de Yoshiwara, font d'Asakusa le nouveau centre des plaisirs d'Edo. Aujourd'hui, Asakusa a d'ailleurs gardé quelque chose de ce brillant passé de fête.

Hélas, tout a une fin !

Cependant, cet isolationnisme prospère devait bien s'achever un jour. Le monde évolue rapidement à côté du Japon, et les demandes d'ouverture de la part des puissances étrangères se font de plus en plus pressantes. En 1853, le commodore Mattew Perry et ses 4 navires de guerre forcent le blocus nippon et exigent l'ouverture du pays au commerce international. Refus de l'empereur, mais devant le rapport de force militaire, acceptation du shogun, qui, du coup, se déconsidère aux yeux du peuple. En 1859, arrivée du 1er consul américain. L'année suivante, une ultime réaction xénophobe secoue la ville contre les étrangers, mais elle ne fait pas long feu. En 1862, l'obligation de séjour des seigneurs une année sur deux à Edo est supprimée, et la ville se vide de ses daimyo. En 1868, le shogunat est finalement renversé par une coalition soutenant le jeune empereur Meiji, alors âgé de 15 ans. Les proshogun perdent à Ueno une ultime bataille. De nombreux notables et résidents de Yamanote quittent alors la ville, et le nombre d'habitants de celle-ci chute drastiquement.

1868-1912... l'ère Meiji

L'empereur quitte définitivement Kyoto et vient s'installer à Edo, qui devient ainsi Tokyo (la capitale de l'Est). Le château d'Edo sert de base à la construction du palais impérial. La ville change alors socialement. La césure Yamanote (quartier haut) et Shitamachi (quartier bas) devient de moins en moins évidente. Les couches les plus riches de Shitamachi partent vers des quartiers plus sélects, tandis qu'arrivent à Tokyo des dizaines de milliers de nouveaux habitants, main-d'œuvre obligatoire de l'industrialisation triomphante. À la fin du XIXe s, Tokyo avait déjà retrouvé son niveau pré-Meiji de population et, en 1912, la ville atteint les 2 millions d'habitants.

Les profondes réformes politiques et économiques de l'ère Meiji façonnent, bien sûr, un nouveau visage à la ville. 1re ligne de chemin de fer : Tokyo-Yokohama, en 1872. Puis développement de Ginza avec la construction de centaines d'immeubles et l'arrivée des entreprises de presse et des grands magasins. Création de la *Banque du Japon* en 1882, industrialisation du pays, prolifération des usines. En 1889, édiction de la nouvelle constitution. Dans les années 1890, transformation du quartier de Marunouchi en quartier des affaires. Ce dernier se couvre alors d'édifices de style victorien, la toute-puissance de l'Angleterre industrielle servant bien entendu de modèle suprême. Construction à Asakusa du 1er gratte-ciel de 12 étages et du 1er ascenseur de la ville. Ouverture en 1903 du 1er cinéma...

À midi pile, le 1er septembre 1923...

Alors qu'on vient tout juste d'inaugurer l'*Imperial Hotel,* dont l'architecte n'est autre que le célèbre Frank Lloyd Wright, signe du renouveau architectural de la ville, Tokyo est frappé par un très violent séisme (de magnitude 7,2). Près de 140 000 personnes y laissent la vie et plus de 60 % de la ville est détruite. Plus que le séisme lui-même, ce sont les incendies qui provoquent des dégâts. C'est une catastrophe architecturale, le riche patrimoine de maisons en bois de Shitamachi disparaît quasiment. Cependant, une fois de plus, l'énergie de la ville reprend le dessus et dès 1930 la reconstruction est achevée. L'*Imperial Hotel* survivra au tremblement de terre, ce qui renforcera encore la notoriété de Wright !

Tokyo à nouveau rayé de la carte !

Après une période expansionniste (conquête de la Mandchourie, d'une partie de la Chine, des Philippines, de l'Indochine et de la Birmanie, après l'attaque de Pearl Harbor, le 7 décembre 1941), le Japon va connaître devant l'offensive américaine un inéluctable reflux militaire, et à partir de 1945 le bombardement massif de Tokyo. En particulier, la nuit du 9 au 10 mars 1945, lorsqu'un raid massif de bombes incendiaires fait près de 100 000 victimes et détruit plus d'un tiers de la ville. C'est encore Shitamachi qui trinque le plus, et notamment le célèbre temple de Senso-ji.

PARFOIS, IL FAUT SAVOIR DÉSOBÉIR !

Le nombre de victimes des bombardements de 1945 aurait pu être beaucoup moins élevé si la population avait été, paradoxalement, moins disciplinée. En effet, les habitants ne pouvaient quitter leur demeure et leur quartier qu'avec l'autorisation expresse des autorités. Ne l'ayant pas reçue officiellement, beaucoup d'habitants restèrent donc chez eux, au lieu de chercher rapidement un refuge. D'où le nombre élevé de victimes.

Une fois de plus, Tokyo paie le prix fort des égarements militaristes de ses élites. À la fin de la guerre, 800 000 maisons ont disparu. Sur 8 km, le centre se révèle quasiment détruit. Après la défaite, un nouveau programme de reconstruction est entrepris. Mais, comme pour les catastrophes antérieures, sans véritable plan d'ensemble. Les habitants retrouvent souvent les fondations de leurs maisons et se mettent à reconstruire avec leur acharnement légendaire. C'est ainsi que Tokyo, après les grands incendies, les guerres et les bombardements, abandonne le bois pour la brique, puis la brique pour le béton sans bouleverser réellement l'urbanisme de la ville. Et, à notre avis, ce fut une heureuse chose qui préserva le plan des quartiers, leur particularisme, et évita une dispersion trop brutale de la population. Cela permit à de nombreux quartiers de présenter un visage certes plus moderne, mais aussi de garder une certaine identité pour le plus grand plaisir des visiteurs, futurs amoureux de Tokyo...

TOKYO

Où les intérêts des États-Unis contribuent opportunément au redressement économique

La reconstruction se fait d'autant plus rapidement que, avec la guerre froide et le conflit avec la Corée, les États-Unis ont, tout à coup, un besoin exprès du Japon comme plate-forme stratégique et base arrière pour leurs missions militaires. Du coup, ils utilisent astucieusement l'incroyable capacité de travail des Japonais et accélèrent ainsi le redressement économique du pays. Tokyo, en particulier, bénéficie des commandes américaines dans d'importants secteurs économiques : électronique, photo, machines de précision. Au début des années 1960, le Japon atteint ainsi le niveau de production le plus élevé d'Asie. Les Jeux olympiques de 1964, par les grands travaux qu'ils nécessitent, parachèvent le redressement de Tokyo et redonnent une nouvelle physionomie à la ville. Puis mise en service du train à grande vitesse *Shinkansen* Tokyo-Osaka.

Dans les années 1970, sur le plan politique, 2 événements, aux 2 bouts de l'éventail politique, marquent l'époque à Tokyo. En 1970, dramatique suicide de l'écrivain Mishima après un coup d'État d'extrême droite avorté. En 1971, début de la lutte des paysans de la région de Chiba-Narita contre l'expropriation de leurs terres, suite à l'extension de l'aéroport international. Ils furent rejoints dans leur combat par la *Zengakuren,* organisation des étudiants d'extrême gauche. Il en résulta d'incroyables batailles rangées (façon samouraïs) avec la police, qu'on aurait pu vraiment croire mises en scène par Akira Kurosawa. Cette lutte exemplaire, qui s'appuya sur une unité insolite des paysans et des étudiants, retarda de 4 ans l'ouverture de l'aéroport de Narita.

Oh, la belle bulle !

Dans les années 1980, le Japon devenant la 2e puissance économique du monde, Tokyo devient aussi une des villes les plus riches. La spéculation immobilière y atteint un niveau invraisemblable. À tel point que le mètre carré à Ginza vaut à l'époque la somme incroyable d'un million de francs nouveaux (oui, près de 150 000 € le mètre carré !). D'ailleurs, en ces temps-là, sur les 12 Japonais les plus riches, 11 sont des fortunes immobilières. Conscient du danger d'une telle dynamique, le pouvoir crève la bulle économique et immobilière en 1990, ce qui provoque une récession de plus de 10 ans, dont le Japon est à peine sorti...

Aujourd'hui, Tokyo n'en finit pas de se transformer, de changer de visage... Construction, reconstruction... mais à un rythme plus raisonnable et en laissant encore heureusement des coins qui respirent. Une vitalité, une énergie dévorante la pousse sans cesse.

Une mégapole à visage humain

Tokyo, une ville qui surprend à chaque instant, fatigante mais jamais décourageante, et paradoxalement fort peu stressante. Enfin, vous ne pourrez jamais vous vanter « d'avoir fait » Tokyo, comme on dit au retour de chaque voyage... C'est plutôt Tokyo qui vous aura défait ! Il vous restera encore tant à faire lors d'une prochaine visite ! Et au retour, alors que c'est probablement l'une des villes les moins romantiques du monde, elle vous laissera un réservoir de chouettes souvenirs, de rencontres, d'images chaleureuses, de moments de total plaisir, loin des métaphores de chaos urbain et autres images apocalyptiques façon *Blade Runner...*

QUARTIER PAR QUARTIER, QUELQUES ÉLÉMENTS GÉOGRAPHIQUES, SOCIOLOGIQUES ET CULTURELS

– Tokyo « central » est divisé en 23 *ku* (arrondissements). Sa superficie est de 2 188 km² (pour donner un ordre de grandeur, Paris : 105 km² !).

Population : 8,45 millions d'habitants (le grand Tokyo 13 millions et l'agglomération de Tokyo dépasse même les 30 millions). Paris, à côté... un village de 2,25 millions d'habitants.

– Le « périph' » tokyoïte est un chemin de fer circulaire qui s'appelle le *JR Yamanote.* Ça prend environ 1h pour en faire le tour. Il cerne quasiment tous les quartiers traités dans ce guide, sauf quelques-uns, se situant essentiellement à l'est de la ville (c'est alors la rivière Sumida qui fait office de « frontière » naturelle).

– Nous avons sélectionné une douzaine de quartiers qui possèdent tous une personnalité bien différente. Bien que le point d'ancrage à Tokyo soit bien souvent déterminé par les facilités de logement et le budget dont on dispose, voici une petite typologie des quartiers qui peut vous aider dans votre choix... D'abord, au Nord-Est, quelques quartiers qu'on aime beaucoup. Leur seul inconvénient, c'est leur éloignement par rapport aux quartiers animés comme *Harajuku* et *Shibuya,* ou par rapport aux quartiers chauds tel *Shinjuku* (et dans une certaine mesure *Roppongi*). En effet, le métro s'arrêtant de bonne heure (entre minuit et minuit et demi), si l'on souhaite prolonger la soirée dans l'un de ces quartiers, le taxi de retour coûte cher... Cela dit, reste la solution du *love hôtel,* du « capsule » ou du café Internet ouvert toute la nuit...

– *Asakusa* 浅草 *:* c'est un vieux quartier historique vivant et populaire, abritant le temple le plus vénéré de Tokyo. Très touristique en journée. Un lieu de résidence agréable, d'autant qu'il offre une concentration importante d'auberges de jeunesse bon marché et de *ryokan* de charme.

– *Ueno-Yanaka* 上野谷中 *:* c'est le bol de chlorophylle, la campagne à Tokyo. Merveilleux musées. Quelques belles adresses pour dormir pas cher pour les plus bucoliques de nos lecteurs (mais pensez à réserver, elles sont particulièrement recherchées).

– *Ginza* 銀座 *:* le quartier des magasins de luxe, un mélange de Champs-Élysées et de Park Avenue, mais atmosphère plutôt décontractée. Un quartier qu'on visite en famille avec des « vitrines comme à Noël » qui font briller les yeux. En revanche, très peu d'alternative bon marché en termes de logement.

– *Marunouchi* 丸の内 *et Nihonbashi* 日本橋 *:* c'est le quartier des affaires et de la finance, l'équivalent en plus moderne de la City de Londres, avec de luxueux sièges sociaux et des immeubles de bureaux de grand standing. Si l'on admire la hardiesse architecturale des ultimes gratte-ciel construits dans le quartier (qui abritent de grands hôtels dans les étages élevés), en revanche, le prix des nuits décourageront les routards d'y séjourner. De toute façon, avec le palais impérial tout proche, ce sont plutôt des quartiers à visiter de jour.

– *Shimbashi* 新橋 *-Shiodome* 汐留 *:* un des nouveaux quartiers d'affaires au sud de la ville. De grandes réussites architecturales, mais moins de personnalité et encore moins de supplément d'âme... Abrite cependant un des plus beaux jardins de la ville.

– *Shinagawa* 品川 *:* le « pôle sud » de la boucle du *JR Yamanote.* Un maximum de grands hôtels à touristes. C'est juste un des riches réservoirs de chambres pour les agences du monde entier. Pas de caractère ni d'intérêt en soi... Cependant pas loin de Shibuya-Shinjuku : si on loupe le dernier métro, ça ne revient pas trop cher en taxi.

– *Ebisu* 恵比寿 *-Meguro* 目黒 *:* le bouche-à-oreille ne marche pas fort pour eux. Pas d'identité vraiment affirmée. Quartiers résidentiels plaisants pour les seuls Tokyoïtes et, du côté de Hiro-o, pour les expats... Mais quand même d'intéressants petits musées... Et puis au nord du quartier, avec Daikanyama (à la frontière avec Shibuya), se tient l'un des miniquartiers offrant le maximum d'élégantes boutiques (et pleines d'une réjouissante créativité).

– *Roppongi* 六本木 *:* on ne présente plus ce qui fut pendant longtemps le lieu de débauche nocturne le plus populaire de Tokyo. La faute aux GI's américains qui y avaient jadis une base. Sur le point d'être détrôné par Shinjuku, désormais le quartier le plus *hot,* Roppongi la « pécheresse » a bien réagi en construisant récemment les centres commerciaux et les ensembles résidentiels les plus mégalos de la ville. Là aussi, on y va en masse pour admirer le talent des architectes et la démesure des réalisations, mais on reste néanmoins de passage.

– *Shibuya* 渋谷 *:* ce quartier est un des cœurs battants de Tokyo. Il expose, rassemble, concentre les modes les plus folles de la jeunesse la plus branchée... la plus déjantée parfois, dans son souci de provoquer gentiment des parents qui savent que, tôt ou tard, tout rentrera dans l'ordre. C'est à Shibuya que les adeptes de mangas et de *cosplays* viennent faire leurs courses. On y trouve aussi la jeunesse qui aime sortir en boîte, fréquenter les clubs les plus réputés de la capitale. Mais attention, les *fritters,* ces jeunes chômeurs désabusés en rupture de ban (mais pas encore totalement désespérés), débarquent tout doucement. Preuve que le rêve japonais prend quelque peu l'eau. Les patrons des cafés Internet, eux, se frottent les mains. Ils connaissent un taux d'occupation maximum, avec cette nouvelle clientèle qui y dort comme à l'hôtel !

– *Harajuku* 原宿 *:* au nord de Shibuya, moins électrique mais avec toutefois la rue Takeshita-dori, artère préférée des adeptes d'uniformes et de panoplies, le royaume des *cosplayers* et des lolitas gothiques (ou romantiques), ces adolescents qui changent d'identité momentanément en adoptant les tenues vestimentaires les plus délirantes...

– *Omotesando* 表参道 *:* sa luxueuse avenue ne décevra aucun de nos lecteurs en termes de fièvre consommatrice... Alignement de superbes boutiques de mode, de design et de haute couture, d'édifices construits par de grands architectes. Un quartier plus jeune et moins classique que Ginza.

– *Shinjuku* 新宿 *:* grand quartier d'affaires au sud de la gare, et quartier des plaisirs au nord. Ce dernier s'appelle **Kabukicho.** C'est l'épicentre de la vie nocturne. Ribambelle de bars à hôtesses, de salons de massages, de clubs érotiques, de salle de jeux, paradis des *salary men* en goguette qui tentent d'oublier dans le saké leur semaine de labeur intense. L'immense quartier chaud de Tokyo relègue d'ailleurs Soho et Pigalle au rang d'aimables kermesses de village à peine olé olé ! Ici, les enseignes lumineuses montent au ciel et des milliards de néons multicolores étincellent toute la nuit. Kabukicho est le quartier qui ne dort jamais. Avantage, quelques *business hotels* permettent aux budgets serrés de rentrer à pied.

– *Ikebukuro* 池袋 *:* c'est le « Shinagawa » du nord de Tokyo, mais avec une vie sociale et de quartier autrement plus riche. La proximité de Shinjuku en fait un camp de base recherché. Il propose aussi les grands magasins les plus monstrueux de la capitale. Si on en sort les bras trop chargés, pas de problème : à deux pas, quelques hôtels sans prétention et de petites pensions, auberges de jeunesse pas chères s'offrent de stocker les achats.

– *Odaiba* お台場 *:* un ovni dans Tokyo. Quartier édifié sur des terres gagnées sur la mer. À voir absolument comme laboratoire du futur urbain. Une chose est certaine, vous n'y dormirez pas.

ORIENTATION OU COMMENT S'EN SORTIR

Non seulement Tokyo est une ville sans noms de rue, mais vous trouverez nombre de Japonais pour avouer que c'est tout autant un vrai casse-tête pour eux. Pas de panique cependant, on finit par s'y familiariser, et les choses ne sont pas si difficiles que ça. Avant de partir, téléchargez sur votre smartphone l'appli « *Navitime for Japan Travel* », qui vous permettra de vous y retrouver encore plus facilement.

Un exemple

Tenez, prenons un exemple et décortiquons l'adresse suivante : *11F, Tokyo Kotsu Kaikan Bldg, 2-10-1 Yurakucho, Chiyoda-ku.* Ⓜ *Yurakucho.* Au début, facile, c'est au 10ᵉ étage de l'édifice *Tokyo Kotsu Kaikan.* N'oubliez pas que dans le système anglo-saxon, le rez-de-chaussée est le *1F (first floor)* ! « Bon, oncle Paul, après ? » Après, on a *2-10-1 Yurakucho, Chiyoda-ku,* c'est-à-dire la hiérarchie du quartier *(2),* du bloc d'immeubles *(10)* et, enfin, de l'immeuble *(1). Chiyoda-ku,* l'arrondissement, ne nous est guère utile. C'est le quartier (ou le district) qui ici nous intéresse, à savoir *Yurakucho*. Certains quartiers se révèlent si vastes qu'ils sont subdivisés en miniquartiers appelés *chome* (Ginza, par exemple, a été divisé en 8 *chome*). Dans notre cas, une chance, *Yurakucho* est coupé en seulement 2 *chome* (Yurakucho 1 et 2, opportunément de part et d'autre de la station de métro du même nom). Nous constatons donc que notre *Yurakucho 2* se trouve à l'est du métro et que, nouveau coup de chance, le bloc n° 10 sera rapidement repéré sur le plan. L'expérience sur le terrain nous a cependant démontré que le numéro de l'immeuble (ici le 1) n'apparaît pas d'une grande utilité. En général pour une raison toute simple : l'absence, le plus souvent, de tout numéro sur l'immeuble. En outre, pour compliquer les choses, les numéros d'immeubles ne se suivent pas nécessairement, ils sont attribués en fonction de la date de construction (or, comme on démolit et qu'on reconstruit à tout-va, vous voyez la complication !). En revanche, le « 2-10 » devrait normalement apparaître sur des plaques de fer à la verticale, soit sur les coins du bloc d'immeubles, soit sur les poteaux électriques qui cernent le bloc. Le malheur, c'est que, là aussi, ces indications indispensables manquent bien souvent. Pas de panique, il y a heureusement un peu partout ces *koban* (minipostes de police) où les policiers (qui connaissent leur quartier par cœur) seront ravis de sortir leur « plan-cadastre » et de vous aiguiller sur la bonne voie.

Si vous cafouillez, entrez dans un magasin du bloc « convoité » et demandez une carte de visite. Vous verrez tout de suite le numéro du bloc et, au verso de la carte, un miniplan du quartier qui pourra vous aider au moins à repérer l'endroit où vous vous trouvez.

Une seule solution, vieille comme le 1ᵉʳ routard des mers : une boussole, une miniboussole de poche qui, enfin, vous indiquera... le nord salvateur. Allez, vous êtes armé désormais... Enfin, en dernier ressort, votre ultime planche de salut, c'est la serviabilité de beaucoup de Japonais qui se mettront en quatre, voire en huit pour vous... quitte à vous accompagner sur plusieurs centaines de mètres.

Arriver – Quitter

– *Attention,* à partir de janvier 2019, toute personne quittant le territoire nippon, par avion ou par bateau, est redevable de la taxe « *Sayonara* » de 1 000 ¥. Seuls les enfants de moins de 2 ans et les personnes en transit moins de 24h en seront exemptés.

Aéroport de Narita 成田空港

✈ *Aéroport de Narita :* ☎ 04-7634-8000 *(touche 4 pour les infos en anglais).* ● narita-airport.jp/en ●

🛈 *Informations touristiques :* office national de tourisme japonais (ITCJ) au terminal 2 (le principal), hall des arrivées. ☎ 04-7634-5877 et 6251. Tlj 8h-20h. Autre bureau d'infos touristiques dans le terminal 1, hall des arrivées. ☎ 04-7630-3383. Tlj 8h-20h.

■ *Japan Airlines (JAL) :* au terminal 2. ● fr.jal.com ●

■ *ANA (All Nippon Airways) :* au terminal 1 (South Wing). ● anaskyweb.com/fr/f/ ●

■ *Air France (KLM) :* au terminal 1 (North Wing). ● airfrance.fr ●

■ *Bureau JR PASS :* au 2ᵉ sous-sol des arrivées internationales (dans la station JR). ☎ 50-2016-1600. Tlj 8h15-19h (20h aux terminaux 2 et 3). Pour récupérer son *Japan Railway Pass.*

■ Nombreux bureaux de change, accès Internet.

– *Métro à Narita :* ● tokyometro.jp/en/ride/from_airport/ ●

Se rendre de l'aéroport de Narita à l'aéroport de Haneda

➢ *De/pour l'aéroport de Haneda (vols intérieurs et 1 vol/j. Paris-Tokyo Haneda) :* navette de bus limousine entre les 2 aéroports. Durée : 1h15. Billet : 3 100 ¥. Autre solution : le train express direct (ligne Keisei). Durée : 1h30. Billet : 1 800 ¥.

Se rendre de l'aéroport de Narita à Tokyo

➢ *De/pour le centre de Tokyo :*
– *en bus ou en train :* navette de bus

gratuite 5h-22h30 entre les termi-naux 1 et 2. Durée : 7-10 mn. Le ter-minal 1 (arrivées des bus au niveau 4, départ au 1er niveau) et le terminal 2 (arrivées des bus au niveau 3, départs au 1er niveau) ont chacun leurs gares ferroviaire et routière. De là partent et arrivent les trains et les bus pour le centre de Tokyo ;

– *en taxi :* déconseillé, c'est très cher. Tarifs : 20 000-30 000 ¥ la course. Les taxis arrivent au terminal 1 niveau 4, et au terminal 2 niveau 3 ; les départs, pour les 2 terminaux, se font au niveau 1 ;

– *en bus limousine :* hall des arrivées 7h-23h. ☎ 3-3665-7220. ● *limousi nebus.co.jp/en* ● Billet : 2 800-3 300 ¥ selon destination. Pour les horaires, fréquences (pas si fréquentes ! env ttes les 1h20), etc., voir leur site, en anglais. Ces bus relient les quartiers de Tokyo les plus fréquentés : Akihabara, Asakusa, Shinagawa, Ginza, Ikebu-kuro, Shiba, Shibuya, Shinjuku, Tachi-kawa, Tokyo Station, Ebisu, Roppongi, Nihonbashi... Trajet : 1h10-1h20 selon destination.

➤ *De/pour la gare Keisei d'Ueno (Tokyo) :* le train *Keisei Skyliner* part du terminal 1 de Narita, s'arrête au ter-minal 2, puis à la gare de Nippori avant d'atteindre son terminus : la gare Kei-sei d'Ueno – laquelle se trouve à 2 mn à pied de la gare *JR* d'Ueno (lignes *JR* Hibiya et *JR* Ginza). Trajet entre Narita (terminal 1) et Ueno : 40 mn. Fréquence : 2-3 trains/h, 7h25-22h30. Billet : 2 470 ¥ l'aller (3 470 ¥ pour le *pass* permettant d'emprunter en plus le métro pendant 24h ; également un *pass* pour 48h et 72h). Pour Shinjuku, compter 56 mn en tout, avec corres-pondance à Nippori (2 670 ¥) ; Shibuya (63 mn, même prix) ; Ikebukuro (48 mn, 2 640 ¥) ; Asakusa (direct, 51 mn, 1 290 ¥) ; Roppongi (correspondance à Ueno, 66 mn, 2 670 ¥) et Tokyo (corres-pondance à Nippori, 47 mn, 2 630 ¥). Pour plus de détails sur les horaires et les fréquences du *Skyliner,* voir leur site, en anglais : ● *keisei.co.jp/keisei/ tetudou/skyliner/us/* ●

Option plus lente : on peut aussi prendre le train *Keisei Main Line,* semi-express. Durée : 1h15. Billet : env 1 050 ¥.

➤ *De/pour Tokyo :* prendre le train *JR Narita Express.* Voir leur site, en anglais : ● *jreast.co.jp/e/nex/* ● Départs ttes les 30 mn, 7h45-21h45. Selon train et quartiers de Tokyo, compter 3 050-3 200 ¥ (A/R 4 000 ¥ ; réduc enfants) et 1h-1h20 de trajet. Train direct pour la *gare de Tokyo (Tokyo Station ; plan II),* Shinagawa, *Shibuya, Shinjuku* et *Ikebukuro.* Il existe aussi un train *JR* « rapide », mais qui met plus de temps : 1h30. Billet : env 1 300 ¥. Autre solution, le bus-navette : durée 1h20. Billet : 3 000 ¥.

➤ *De/pour la gare de Yokohama :* train *JR Narita Express* (1-2 trains/h). Durée : 1h30. Billet : env 4 300 ¥.

➤ *De/pour le Tokyo City Air Ter-minal (TCAT) :* bus limousine, ttes les 10-20 mn. Durée : 55 mn. Billet : env 3 000 ¥.

➤ *De/pour le Yokohama City Air Terminal (YCAT) :* bus limousine. Durée : 1h30. Billet : 3 600 ¥.

➤ *De/pour les grands hôtels de Tokyo :* bus limousine. Durée : 1 à 2h selon distance et circulation. Billet : 2 700-3 000 ¥.

– *À noter également* que la ligne A rouge Asakusa dessert du centre de Tokyo les aéroports de Narita (en direct) et de Haneda (avec un chan-gement à la station Sengakuji, puis prendre la ligne Keikyu Kuko).

Se rendre de l'aéroport de Narita à Kyoto

➤ *En bus :* avec la compagnie *Chiba Kotsu.* Points de départ n° 5 au ter-minal 1 et n° 12 au terminal 2. Billet à Kyoto, arrivée à la gare centrale (Kyoto Station).

➤ *En train :* se rendre d'abord à la Tokyo Station *(plan II)* avec le *Narita Express (JR)* puis prendre le train *Tokaido (JR Tokai). Shinkansen* très fréquents, ttes les 15 mn à certaines heures. Trajet : 2h15-3h. Pratique : certains trains (dans les 2 sens) font un arrêt à Shinagawa.

➤ *En avion :* liaisons tlj depuis Narita. Mieux vaut prendre le train *Shinkansen.*

Autres destinations

➤ *De/pour Osaka :* en bus, points de départ n° 5 au terminal 1 et n° 12 au terminal 2. À Osaka, arrivée à la gare de Namba. En avion, liaisons tlj depuis Narita.

➤ *Autres liaisons aériennes :* Nagoya, Hiroshima, Nagasaki, Fukuoka, Sapporo...

Aéroport de Haneda 羽田 空港

✈ *Aéroport de Haneda :* au sud de Tokyo. ☎ 6428-0888 (infos vols). ● haneda-airport.jp/en ● Il comporte 2 terminaux (T1 et T2) : un pour les vols domestiques et un pour les vols internationaux. Entre les terminaux, navette gratuite régulière de bus.

ℹ *Informations touristiques :* Tourist Information Counters à chaque étage. ☎ 6428-0888 (call center ; tlj 24h/24). On y vend les billets de train JR. Infos touristiques et réservation d'hôtels.

➤ *De/pour l'aéroport de Narita :* bus limousine. Durée : 1h15. Billet : 3 100 ¥. Également un train direct Airport Limited Express. Durée : env 1h40. Billet : 1 800 ¥.

➤ *De/pour le centre de Tokyo :* bus limousine. Durée : 50 mn depuis la gare de Shinjuku, mais il existe plusieurs points de départ en ville. Billet : env 1 230 ¥. En taxi : env 6 000-10 000 ¥ la course.

➤ *De/pour le centre de Tokyo (Tokyo Station ; plan II) :* prendre le train Airport Limited Express (ligne Keikyu) jusqu'à la station Shinagawa ; compter 25 mn et 410 ¥. À Shinagawa, prendre le train JR jusqu'à Tokyo Station (11 mn). Autre possibilité : prendre le Tokyo Monorail (● tokyo-monorail.co.jp/english ●) jusqu'à la gare de Hamamatsucho (compter 13 mn) puis la ligne de métro JR Yamanote vers les quartiers du centre et la gare de Tokyo (6 mn).

En train 電車

– *Pour tous les horaires des trains,* un site très pratique : ● hyperdia.com ●
➤ *De/pour Kyoto :* prendre le Shinkansen (le TGV japonais) au départ de Tokyo Station (plan II). Trajet : 2h20-2h50 (513 km). Billet : env 14 000 ¥.

➤ *De/pour Osaka :* plusieurs trains à grande vitesse Shinkansen relient tlj Tokyo Station à la gare de Shin-Osaka. Trajet : 2h40-3h (556 km). Billet : env 15 000 ¥.

➤ *De/pour Yokohama* (à 30 km), *Kamakura* (à 50 km), *Hakone* (à 85 km), *le mont Fuji* (à 110 km) *et Nikko* (à 125 km) *:* voir les rubriques « Arriver – Quitter » pour chacune des villes concernées.

TOKYO

Adresses utiles

Informations touristiques

ℹ *Tokyo Tourist Information Center* 東京観光情報センター *(plan XV, A2-3) :* 2-8-1 Nishi-Shinjuku, Shinjuku-ku. ☎ 5321-3077. ● gotokyo.org ● tourism.metro.tokyo.jp ● Ⓜ Tochomae. Au rdc, bâtiment 1, du Tokyo Metropolitan Government Bldg (la mairie). Tlj 9h30-18h30. Fermé 2 ou 3 j. autour du Nouvel An. Excellent matériel touristique et staff compétent. Ordinateur pour consulter l'info en ligne.

ℹ @ *Office de tourisme de la Japan National Tourist Organization-Tourist Information Center (JNTO)* 東京観光情報センター都方本部 *(plan II, A2) :* Shin Tokyo Bldg, 1st Floor, 3-3-1 Marunouchi, Chiyoda-ku. ☎ 3201-3331. ● tourisme-japon.fr ● jnto.go.jp ●

Ⓜ Yuraku-cho (sorties D3 ou D5) et Tokyo Station 東京駅, ligne Keiyo (sortie 6). Tlj 9h-17h. Fermé 29 déc-1er janv. Accueil professionnel. Plans, brochures et bons conseils.

ℹ *Office de tourisme de Keisei-Ueno* 東京観光情報センター京成上野支所 *(plan IV, B3) :* Gate 60 Ueno-koen, Taito-ku. ☎ 3836-3471. Ⓜ Ueno 上野. Bureau sur la ligne Keisei. En face de l'accès aux quais de la gare de Keisei-Ueno. Tlj 9h30-18h30. Toutes les infos indispensables, mais pas de réservations.

ℹ *Shanti Travel :* 1-6-3 Nagono, Nishi-ku, Nagoya, Aichi, 451-0042. ☎ +33-970-40-76-17. ● shantitravel.com ● Ouv tte l'année. Spécialiste des voyages sur mesure en Asie, Shanti Travel est une agence dynamique composée d'une équipe d'experts en voyages, polyglottes et à l'écoute. Forts d'une connaissance pointue du terrain, ils proposent des expériences inédites et hors des sentiers battus. Au Japon, l'agence est représentée localement par des ambassadeurs *Shanti Travel* francophones qui accueillent les voyageurs et sont disponibles durant leur séjour.

Hébergement

■ *Sakura House* サクラハウス *(plan XV, B1, 5)* : 2F, K1 Bldg, 7-2-6 Nishi-Shinjuku, Shinjuku-ku. ☎ 5330-5250. ● *sakura-house.com/fr* ● Ⓜ *Shinjuku, ligne JR Yamanote. Tlj 8h50-20h.* Une précieuse référence pour louer un studio ou un appartement à Tokyo, séjour courte ou longue durée (plus de 1 000 propositions). Gère également 3 hôtels et une AJ, qu'on recommande chaleureusement pour leur situation et leur remarquable rapport qualité-prix.

■ *Japan Youth Hostel Association* 日本ユースホステル協会 *(hors plan XIV par A1)* : c/o National Youth Center, 3-1 Yoyogikamizono-cho, Shibuya-ku. *Contact uniquement par e-mail ou via le site :* ● *info@jyh.or.jp* ● *jyh.or.jp* ● Ⓜ *Shibuya. Tlj sauf dim et j. fériés 10h (11h sam)-17h. Fermé 2e et 4e sam du mois.* Cette organisation fédère les auberges de jeunesse du Japon.

Centres culturels français

■ *Institut français du Japon – Tokyo (hors plan IX par B2, 6)* : 15 Ichigaya-Funagawa-machi, Shinjuku-ku. ☎ 5206-2500. ● *institutfrancais.jp* ● Ⓜ *Iidabashi, JR ligne Sobu, sortie ouest, lignes Yurakucho, Tozai, Namboku et Oedo (sorties B3 ou B2a). Lun 12h-19h30 (accueil), mar-ven 9h30-19h30, sam 9h30-19h, dim 9h30-18h.* Beau bâtiment horizontal sur jardin réalisé en 1951 par l'architecte Junzo Sakakura, disciple de Le Corbusier. Médiathèque avec près de 15 000 titres. Intéressantes expos, projections de films, conférences et concerts. Sympathique brasserie pour déjeuner *(tlj sauf lun et j. fériés 11h45-14h30, 18h-21h30)* et petit café.

■ *Maison franco-japonaise* 日仏会館 *(plan XII, B2, 162)* : 3-9-25 Ebisu, Shibuya-ku. ☎ 5421-7641 et 7643 (bibliothèque). ● *mfj.gr.jp* ● Ⓜ *Ebisu, ligne JR Yamanote (sortie Ebisu Garden Place). Bibliothèque mar-sam 13h-18h.* Créée par Paul Claudel quand il était ambassadeur de France au Japon. Organise de nombreuses conférences, colloques scientifiques, séminaires divers de haute qualité. Ouvert au public et gratuit. Parfois des concerts. Bibliothèque de plus de 50 000 ouvrages, la plus importante d'Asie orientale. Bon resto, *L'Espace* (voir la rubrique « Où manger ? » du chapitre « Le quartier d'Ebisu »).

Ambassades

■ *Consulat de France* 在日フランス大使館 *(hors plan XII par B1)* : 4-11-44 Minami-Azabu, Minato-ku. ☎ 5798-6000 et 6094 (section consulaire). ● *ambafrance-jp.org* ● Ⓜ *Hiro-o, ligne Hibiya (sortie 1, vers Tengeji-bashi). Lun-ven 9h-12h ; et sur rdv 14h-17h (sauf ven).* Attention, une bonne quinzaine de j. fériés dans l'année (voir leur site). Même adresse, mêmes coordonnées pour l'ambassade.

■ *Ambassade de Belgique* ベルギー大使館 *(plan I, B2, 7)* : Nibancho, 5-4 Chiyoda-ku. ☎ 3262-0191. ● *diplomatie.belgium.be/japan* ● Ⓜ *Kojmachi, ligne Yurakucho (sortie 5). Lun-mer 9h30-12h30, 13h30-17h ; jeu-ven 9h30-12h30 ; sur rdv l'ap-m.*

■ *Ambassade de Suisse* スイス大使館 *(hors plan X par A2)* : 5-9-12 Minami-Azabu, Minato-ku. ☎ 5449-8400. ● *eda.admin.ch/tokyo* ● *Lun-ven 9h-12h.* Une quinzaine de j. fériés (voir leur site).

■ *Ambassade du Canada* カナダ大使館 *(hors plan X par A1)* : 7-3-38 Akasaka, Minato-ku. ☎ 5412-6200. ● *canadainternational.gc.ca/japan-japon* ● Ⓜ *Aoyama (sorties A3 ou A4), puis suivre Aoyama-dori, même trottoir que la poste. Lun-ven 9h30-12h.*

Urgences

■ *Police* 警察 : ☎ 110. Ligne spéciale pour les étrangers (en anglais) : ☎ 3501-0110.

■ *Urgences médicales :* informations médicales en anglais, ☎ 5285-8181 (tlj 9h-20h).
■ *Objets perdus* 遺失物取扱所 : ☎ 7055-0142 (police). Bureaux des objets perdus dans les aéroports et dans les gares *JR* d'Ueno et de Tokyo Station.
– *En cas de tremblement de terre :* voir le manuel de survie et les instructions sur le site ● *tokyo-icc.jp/guide_eng/kinkyu/05.html* ●

Transports

Le métro et les chemins de fer privés

L'un des réseaux les plus denses du monde. Au premier abord effrayant, mais finalement extrêmement pratique et prodiguant une signalétique d'une clarté exceptionnelle. Le métro de Tokyo cumule les superlatifs : l'un des plus pratiques, des plus propres et des plus confortables. Des toilettes en accès libre à chaque station et tenues de façon nickel, des consignes à bagages dans les grandes correspondances, etc. Aux guichets, le personnel aimable et serviable parle souvent un anglais bien suffisant pour informer. La seule différence avec certains métros du monde, c'est que parfois le même ticket ne permet pas une correspondance automatique avec certaines autres lignes (à quelques rares exceptions près, entre lignes *JR* par exemple) ; vous pouvez avoir à vous munir d'un nouveau ticket. Ne pas manquer de se procurer un plan en français avec la traduction en japonais, car dans pas mal de stations, les plans ne sont qu'en japonais.

Métro 地下鉄, *mode d'emploi*

– *Informations :* ● *tokyometro.jp* ● (version en français). Pour les itinéraires, les horaires de train et de métro : ● *hyperdia.com/en* ● Voir aussi la rubrique « Transports. Le métro » dans le chapitre « Japon utile ».
– Le métro est ouvert de 5h30 à 0h15 environ. Chaque ligne se distingue par une couleur et une lettre (*G* pour *Ginza Line*). En plus de leur nom, les stations sont identifiées par la lettre de la ligne suivie d'un numéro. Même au long de correspondances interminables, quasi impossible d'en perdre le fil, pancartes toujours bien placées. Sur le *JR* (*Yamanote Line* : vert clair) et la plupart des autres lignes, la station suivante est toujours annoncée sur un écran lumineux en japonais et en caractères latins. Info renforcée par le haut-parleur de la rame, en japonais et en anglais. Le côté d'ouverture des portes est également précisé ! Au bonheur de l'usager...
– *Achats des billets :* le prix varie selon la distance parcourue. Regardez sur le plan général à quel prix se monte votre destination. Si vous ne trouvez personne pour vous renseigner, pas de problème, prenez un ticket au prix minimum (170 ¥, de 1 à 6 km) et vous paierez la différence à la sortie, sans pénalités (200 ¥ de 7 à 11 km, 240 ¥ de 12 à 19 km). Attention, dans les grandes stations, choisissez bien les machines correspondant aux différentes lignes qui y passent. Cela dit, c'est assez clair. Sur les machines, pressez le bouton correspondant à la somme de votre destination (faire *adjustment fare* : jaune) et introduisez votre argent (pièces ou billet). Les machines rendent la monnaie et un bouton permet d'annuler l'opération. Ne pas perdre son ticket, il faudra le réutiliser pour la sortie.
– Pour éviter d'avoir à acheter à chaque fois un nouveau billet, nous conseillons vivement l'achat de la *carte verte Suica,* éditée par la société qui gère le réseau *JR*. C'est la formule la plus intéressante et la plus pratique pour se déplacer en métro. Il s'agit d'une carte à puce prépayée, valable sur les lignes *JR* et sur la grande majorité des lignes du métro. Elle coûte au minimum 2 000 ¥, dont 500 ¥ de caution que vous récupérez lorsque vous restituez la carte à la fin de votre séjour, et offre 5 ¥ de réduction sur le prix des trajets. On peut se la procurer à l'aéroport, dans les gares et dans les grandes stations de métro. Ensuite, vous la rechargez (1 000, 2 000, 3 000 ou 5 000 ¥) selon vos besoins. À la fin du séjour, en plus de la caution, on vous rend le crédit qu'il reste sur votre carte, avec toutefois

une retenue de 200 ¥. Il suffit de plaquer la carte à l'entrée et la sortie des portillons électroniques, et la somme du trajet est automatiquement débitée à la sortie. Si votre crédit n'est pas suffisant, pas de panique, des machines disposées avant chaque sortie permettent de la recharger. La carte *Suica* permet aussi d'effectuer des achats partout où vous verrez le logo de *Suica* : dans les distributeurs de boissons ou dans d'autres lieux.

Il existe une autre carte à puce prépayée, la **carte Pasmo**, éditée par la société qui gère le métro de Tokyo. Elle fonctionne de la même façon (mêmes principes, mêmes avantages, mêmes tarifs, mêmes machines pour recharger). Seule différence, pour récupérer la caution à votre départ, il faut s'adresser à un guichet *JR* pour la carte *Suica*, à un guichet du métro pour la carte *Pasmo*. On peut désormais utiliser ces 2 cartes dans la plupart des transports urbains des autres villes du Japon !

– Possibilité d'acheter un **forfait à la journée** : le minimum est le *pass 24h Tokyo Metro* à 600 ¥ (300 ¥ enfant). Il couvre 9 lignes de métro dans Tokyo. Le 2^d *pass* à 900 ¥ (450 ¥ enfant) comprend en plus les 4 lignes de *Toei Metro*.

Le **Tokyo Subway Ticket** valable **pour 24, 48 ou 72h** (800-1 500 ¥ ; 750 ¥ 6-11 ans) inclut les 9 lignes de métro dans Tokyo et les 4 lignes de *Toei Metro*.

Plus intéressant est le **Tokyo Tour Ticket** (une journée, 13 lignes de métro, trains *JR* au centre-ville, tramway et bus de Tokyo). Il coûte 1 590 ¥ (800 ¥ enfant). Intéressant mais, en moyenne, on voyage souvent pour moins que ça à l'intérieur du *JR Yamanote*. À vous de calculer. Petite précision : le *Japan Rail Pass* est valable sur le *JR Yamanote*.

– Ne pas être découragé par la longueur des **correspondances**, qui peuvent atteindre parfois plus de 800 m (couloirs interminables et escaliers). Quelquefois, vous serez même obligé de sortir à l'air libre pour quelques centaines de mètres avant de retrouver la ligne convoitée. D'une façon générale, la signalétique reste excellente. Des pancartes poussent souvent la gentillesse jusqu'à vous indiquer la distance qu'il vous reste à parcourir. Certaines voitures sont réservées aux femmes pendant les *rush hours* en semaine ; signalées en cadre rose sur la voiture.

– **Les sorties de métro :** les petites stations intermédiaires ne posent pas de problème (1 ou 2 sorties : est ou ouest, nord ou sud), mais d'autres affichent de nombreuses sorties (jusqu'à près de 50 pour Shinjuku !). Là encore, les ingénieurs qui ont pensé la signalétique du métro ne vous ont pas laissé tomber. Sur le quai, plusieurs panneaux sur fond jaune indiquent les sites extérieurs (grands hôtels et grands magasins, importantes avenues, parcs, musées, etc.), puis chacun d'entre eux se voit nanti d'un numéro de sortie (par exemple : A1 ou A7, B1 ou B3 ou C4...). Il ne vous reste plus qu'à suivre ces pancartes jaunes jusqu'à leur destination ultime. Les rares fois où l'usager se perd un peu, c'est lorsque la sortie débouche sur une galerie commerciale (souvent en étage). À ce moment-là, la signalétique du métro s'arrête logiquement et vous êtes livré au labyrinthe commercial...

– Toutes les lignes du métro et du *JR* sont omnibus. Seules les lignes privées proposent un système omnibus et express. Renseignez-vous bien avant si vous devez monter dans un omnibus *(Kahueki Teisha)* ou un express *(Kyuko Densha)*, généralement indiqué par un signal rouge à l'avant.

Dans le métro : des lignes de couleur pour se repérer

– *JR Yamanote* (en vert dans le métro) = pointillés gris et blanc sur les cartes.
– Autres lignes *JR* : *Sobu* (jaune), *Chuo* (orange), *Keihin Tohoku* (bleu) et *Saikyo* (turquoise).
– Il y a 9 lignes de métro : *Ginza* (G = orange), *Chiyoda* (C = vert foncé), *Marunouchi* (M = rouge), *Hanzomon* (Z = violet), *Hibiya* (H = gris), *Tozai* (T = turquoise), *Nanboku* (N = vert clair), *Yurakucho* (¥ = jaune) et *Yurakucho* « nouvelle ligne » (¥ = rouge brun).
– 4 lignes dépendent du gouvernement métropolitain : *Mita* (I = bleu), *Asakusa* (A = rose orangé), *Oedo* (E = rose foncé) et *Shinjuku* (S = vert).
Au nord, la seule ligne de tram de Tokyo, sur une douzaine de kilomètres : la ligne *Arakawa*.

Quant aux lignes privées, si vous vous en tenez aux visites traditionnelles, vous n'aurez guère l'occasion de les utiliser, sauf la ligne *Yurikamome* (Shimbashi-Toyosu) qui va à Odeiba. À signaler : 2 fois plus chère que le métro (mais absolument incontournable, ceci expliquant cela).

Les bus バス

– **Bus urbains :** ils se situent en général à la sortie des grandes stations, terminaux de métro, près des taxis. Vous n'aurez guère l'occasion de les utiliser vu la densité et le quadrillage quasi parfait du métro. En outre, destinations et indications presque exclusivement en japonais. Quelques hôtels et *ryokan* indiquent cependant les bus passant près de chez eux quand c'est pratique et facile à prendre depuis le terminal. L'achat du ticket se fait en montant dans le bus. Dans d'autres cas, dans les bus de grande banlieue, on prend seulement un ticket avec un numéro. Le prix du ticket s'affiche régulièrement sur un tableau lumineux au-dessus du chauffeur. Vous paierez à l'arrivée en fonction de l'endroit où vous êtes monté ! Plus simple, on peut utiliser sa carte **Suica** (voir ci-dessus « Le métro et les chemins de fer privés. Métro, mode d'emploi »).

Les taxis タクシー

– Très nombreux, paraît-il plus de 50 000 !
– Larges, confortables, très propres (chauffeur en gants blancs et tissu blanc immaculé à dentelle sur les repose-tête).
– *Signal rouge* = taxi libre. *Signal vert* = taxi occupé.
– *Une surprise :* porte automatique (que vous rentriez ou sortiez).
– *Tarif de prise en charge :* il varie, selon les périodes de l'année, de 400 à 700 ¥ environ ; le compteur augmente ensuite à partir de 2 km et c'est 300 ¥ au kilomètre (plus un supplément de nuit de 23h à 5h). Le taxi se révèle donc très intéressant pour les petites courses (moins de 2 km). Vu les longues distances dans Tokyo et les temps d'arrêt dans les embouteillages, il se révèle plus judicieux de prendre le métro jusqu'à la station la plus proche de votre point de chute, puis de prendre le taxi. Votre course s'élèvera rarement au-delà de la prise en charge. Une course moyenne s'établit à 1 000-2 000 ¥, ce qui reste toujours valable (surtout à plusieurs).
– Si vous indiquez un lieu très populaire, beaucoup de chances que le taxi vous y mène directement sans problème. En revanche, si c'est un petit hôtel ou un resto peu ou pas connu, il sera nécessaire de lui montrer un plan. De manière générale, si vous ne parlez pas le japonais, faites écrire sur un papier nom, adresse et, si possible, métro, monument ou grand magasin connu à proximité. Le mieux est d'avoir la carte de visite de l'hôtel ou du resto (avec le plan au dos).
– Dans le réseau inextricable de ruelles où le taxi ne peut pénétrer, type Harajuku ou Kagurazaka, le taxi vous laissera au plus près. Faites-lui confiance et demandez votre chemin sitôt sorti.
– Ne tentez pas d'appeler un taxi en sens inverse, ils n'ont très souvent pas le droit de tourner !
– La nuit et le week-end, il est plus difficile d'avoir un taxi. À Ginza, ça tient du miracle...

Le bateau-bus 水上バス

Certaines lignes de bateau-bus non seulement se révèlent hyper pratiques, mais sont également l'occasion de découvrir Tokyo sous un angle encore plus séduisant et insolite.
– **Renseignements :** ☎ 01-2097-7311 (9h30-17h30). ● suijobus.co.jp ●
Voici les lignes les plus intéressantes :
– **au long de la rivière Sumidagawa :** avec la *Sumida River Line*, intéressera nos lecteurs souhaitant se rendre d'Asakusa au marché aux poissons

et au jardin de Hama-rikyu. Terminus quai Hinode et correspondance pour Odaiba. 11 départs/j. Asakusa-Hamarikyu : 980 ¥ (prix d'entrée au jardin Hamarikyu inclus). Asakusa-quai Hinode : 780 ¥ ;

– *Asakusa-parc marin d'Odaiba (Seaside Park) :* ligne directe ou avec changement au quai Hinode. 2/h en moyenne. Compter env 1h10. Prix : 1 260 ¥. Très joli design des bateaux et baies panoramiques ;

– *quai Hinode-parc marin d'Odaiba (Seaside Park) :* par Harumi. Ttes les 30 mn ou ttes les heures 11h-18h. Avec la *Odaiba Line,* compter 20 mn de trajet et 10-15 départs/j. Prix : 480 ¥ ;

– *quai Hinode-Tokyo Big Sight (Odaiba) :* par Palette Town. 7-8 départs/j. avec la *Tokyo Big Sight-Palette Town.* 30 mn de trajet (410 ¥). Seulement 2 bateaux directs pour *Tokyo Big Sight* (sauf lun-mar, non fériés).

À bicyclette 自転車

Beaucoup de Japonais circulent à vélo, généralement dans les limites de leur propre quartier. Il faut dire que la plupart des trottoirs (souvent larges) comportent une bande cyclable. Ne soyez pas étonné d'entendre une sonnette. Ça ne sera jamais agressif, juste un petit rappel aimable de partager le trottoir.

À pied 徒歩

Tout à fait possible et même fort recommandé pour certains quartiers. On part d'une station de métro, on repart d'une autre. C'est même le meilleur moyen pour se rendre compte de la façon dont les Japonais vivent et résistent tranquillement et intelligemment à la modernité. Même une rue sans trop de charme acquiert de l'humanité et des couleurs quand tout le monde empile des pots de fleurs ou plante des arbres dans la moindre anfractuosité. Une façon de découvrir aussi les chaleureuses *izakaya* de quartier et, surtout, d'apprécier l'extrême amabilité des gens lorsqu'on semble un peu perdu ! On prend alors le temps de sourire à tous ces télescopages insolites de la modernité et de la tradition, à ces cartes postales urbaines qui vous étonneront et que vous ne trouverez jamais dans les tourniquets des kiosques. À pied, on passe sans transition, en quelques dizaines de mètres, de la mégalopole infernale et du mode de vie le plus déjanté à... un rythme villageois qu'on ne pouvait guère soupçonner. Et on sourit de ce vieux pépé en train de sarcler ses radis sur un petit lopin de terre, au pied d'un monstrueux gratte-ciel. On aime tout à fait cet habitat chaotique, cette anarchie urbaine dans un pays qu'on croyait trop policé. Une maison en bois dégradée, mais encore fièrement debout, peut harmonieusement côtoyer la dernière villa d'avant-garde d'un architecte génial... le tout sous un amas de fils électriques, d'hideux transformateurs et de lugubres corneilles noires, au milieu d'une forêt anarchique de poteaux électriques. Associations improbables qui combattent justement l'uniformité et donnent ce charme aux vieux villages tokyoïtes... Et puis il n'y a qu'à pied que vous découvrirez aussi les meilleurs fabricants de tofu ou de *soba* fraîches, les derniers authentiques artisans, les ultimes... Bref, vous ferez ainsi le plein de souvenirs qui résisteront bien mieux à l'oubli que la plus belle vue depuis la Tokyo ou la Mori Tower...

Argent, banques, change

– *Change des devises (euros) :* les grandes banques de la ville ouvrent généralement de 10h à 20h. *Travelex* est ouvert de 10h à 18h. On peut également changer dans les hôtels, mais comme d'habitude, le taux de change y est moins intéressant.

– *Retrait d'argent liquide :* possibilité de retirer des yens en espèces aux distributeurs automatiques des magasins-épiceries de la chaîne 7-*Eleven* (pratiquement dans tous les points de vente). Très pratique donc. On peut aussi essayer dans les magasins des chaînes *Family Mart* et *Lawson.* Avantage, on en trouve un peu partout dans Tokyo et ils sont ouverts jour et nuit. Les bureaux de poste possèdent également des distributeurs automatiques de billets *(ATM)* et assurent ce genre de service (9h-17h, sauf le week-end). Les banques japonaises possèdent des distributeurs mais n'acceptent pas toujours les retraits d'argent avec des cartes de paiement étrangères.

Épiceries ouvertes 24h/24

– Les **supérettes 7-Eleven, Lawson** et **Family Mart** disposent d'un énorme réseau de magasins-épiceries ouverts jour et nuit. Ce sont les *konbini (convenience stores).* On en trouve partout dans Tokyo. Rien de plus commode et de plus pratique que ces magasins qui vendent de tout : de l'épicerie, des boissons, des magazines, des cigarettes, de la pharmacie, et tous les petits objets domestiques nécessaires à la vie quotidienne. Mais le plus intéressant, ce sont les distributeurs automatiques de billets qui acceptent les cartes de paiement *(Visa, Diners Club, American Express...* et parfois la *MasterCard)* et qui permettent de retirer des yens à n'importe quelle heure du jour et de la nuit.
– Il existe aussi un peu partout des **100 yens shops,** qui vendent tous les produits à 100 ¥.

Musées, mode d'emploi

Il existe plus de 200 musées à Tokyo, dit-on, généralement de fort bonne qualité. Fondations diverses et mécènes contribuent pour beaucoup à leur développement. C'est ainsi que nombre de musées de quartier présentent d'intéressantes (voire riches) collections, dans de séduisants cadres modernes, parfois même au sein d'architectures d'avant-garde. En tout cas, soyez certain qu'il existera toujours un musée correspondant à vos goûts et désirs.
Pour profiter au mieux de ce riche patrimoine, il existe un **Tokyo Museum Grutt Pass** qui permet de visiter sans plus payer (quelques rares cas avec réduction) pas moins de... 78 musées, zoos et jardins botaniques, parmi les plus importants bien entendu, et qui offre 2 jours de libre accès pour toutes les lignes de métro. Le tout pour la modique somme de 2 000 ¥ ! Quand on pense que le prix moyen des musées est de 600 ¥ et que certains prix atteignent parfois 1 500 ¥, le *pass* est donc remboursé au bout de 4 visites. Il permet, en outre, d'éviter les longues files d'attente aux guichets et fournit, pour chaque établissement, horaires et moyens de s'y rendre.
Quelques rares musées ou attractions culturelles se branchent sur le *Grutt Pass* en offrant le ticket d'entrée à 200-300 ¥ maximum.
Enfin, bon à savoir : quand le jour de fermeture hebdomadaire (en général le lundi) tombe sur un jour férié, ce jour est alors ouvert au public et le musée ferme le lendemain.
– **Grutt Pass :** en vente dans les musées adhérents et à l'office de tourisme de la mairie de Tokyo *(voir « Adresses utiles » plus haut ; infos :* ☎ *3443-0051).* Valable 2 mois à partir de la date de la 1ʳᵉ utilisation.

Service des guides touristiques bénévoles

Vraiment original : des passionnés de Tokyo se mettent bénévolement au service des touristes pour leur faire visiter leur capitale et pour leur parler d'elle. Les balades durent de 2 à 3h. Environ une dizaine, toutes différentes (possibilité de balades en français). On ne paie que les frais et éventuellement le repas du guide. Ce prix, déterminé à l'avance suivant la durée de la balade et le mode de transport, varie grosso modo entre 700 et 3 700 ¥. Groupe de 1 à 5 personnes. Réservation jusqu'à 3 jours avant. En semaine seulement (sauf jours fériés), départ à 10h ou 13h de l'office de tourisme de la mairie de Shinjuku *(plan XV, A2-3).* Renseignements et inscriptions sur ● *gotokyo.org/fr/tourists/guideservice/guideservice* ●

TOKYO

Santé

Voici une liste de centres médicaux de qualité. Sinon, l'ambassade de France possède une liste des médecins parlant l'anglais et le français à Tokyo.

BAL MASQUÉ

On est surpris par le nombre de Japonais(es) portant un masque. Enrhumés, ils ne veulent pas transmettre leurs microbes aux autres. Il existe d'autres raisons : ils sont très sensibles au rhume des foins, donc le masque les protège des pollens. Parfois, le masque cache le visage des femmes qui n'ont pas eu le temps de se maquiller. Assez peu de Japonais pensent à lui pour attaquer les banques.

■ **Numéro d'urgence de la mairie de Tokyo** 東京部保健医療情報センター : ☎ 5285-8181 (9h-20h). On vous trouvera un médecin parlant l'anglais.
■ **Tokyo Clinic** トウキョウクリニック : 2F, 3-4-30 Shiba-koen, Minato-ku. ☎ 3436-3028. ● tmsc.jp ● Ⓜ Akabanebashi, ligne Oedo. Tlj 8h30-17h30 ; sam 8h30-12h (pour prendre rdv). Consultations 9h-16h30 ; sam 9h-12h. Située près de la Tokyo Tower.
■ **Keio University Hospital** 慶應義塾大学病院 (hors plan I par A2) : 35 Shinanomachi, Shinjuku-ku. ☎ 3353-1211. ● hosp.keio.ac.jp/english ● Ⓜ Shianomachi, ligne JR Sobu. Urgences de bonne qualité.
■ **Japanese Red Cross** 日本赤十字社 (hors plan X par A2) : Nihon Sekijujisha Iryo Center, 4-1-22 Hiroo, Shibuya-ku. ☎ 3400-1311. ● jrc.or.jp/english/ ● Urgences de bonne qualité.

■ **NTT Medical Center** 関東病院 : 5-9-22 Higashi-Gotanda, Shinagawa-ku. ☎ 3448-6112 et 3448-6111. ● ntt-east.co.jp/kmc/en ● Accueil tlj sauf sam-dim et j. fériés 8h30-11h, 13h-15h. Hôpital ultramoderne pratiquant toutes les spécialités.
■ **Nago Dental Clinic** なご歯科病院 : 6-5-9 Shirokane, Minato-ku. ☎ 3442-7557. ● nago-dental.com ● Non loin de l'ambassade de France. Lun-ven sauf ven ap-m 9h30-13h, 14h30-19h. Le docteur Kazuyuki Nago parle le français. Il est réputé pour sa compétence et sa gentillesse.
■ **PHARMA-C** : 1-5-2 Sendagaya, Shibuya-ku. ☎ 6447-1580. ● pharma-c@ifc-holdings.com ● Tlj sauf sam-dim et j. féries. Livraison à domicile des médicaments commandés par e-mail.

TOKYO QUARTIER PAR QUARTIER

LE QUARTIER DU PALAIS IMPÉRIAL 皇居

● Quartier du palais impérial, Akasaka (plan I) *p. 108-109*

Au cœur de la capitale, il y a ce « centre vide » (comme disait Roland Barthes dans *L'Empire des signes*) : le palais impérial (où résident l'empereur et sa famille) et ses jardins entourés de larges douves. On peut en faire le tour à pied en marchant ou en courant, ce que font de nombreux joggers à la nuit tombée. C'est dans ce site que le shogun Tokugawa bâtit en 1590 le 1er château de Tokyo. Sur ses vestiges, l'empereur fit construire son palais et s'y installa quand Tokyo remplaça Kyoto comme capitale, au début de l'ère Meiji. Démoli par les bombardements de la Seconde Guerre mondiale, reconstruit à l'identique, le palais occupe la partie ouest des jardins impériaux, interdite au public sauf à 2 occasions : le jour de l'anniversaire de l'empereur (le 23 décembre) et au Nouvel An. Le 23 décembre et le 2 janvier, les visiteurs peuvent ainsi acclamer les membres de la famille royale qui apparaissent au balcon du palais. Le reste des jardins est ouvert toute l'année.

Où dormir autour du palais impérial ?

De très bon marché à bon marché (de moins de 6 000 à 10 000 ¥ / 50-83 €)

🛏 *Sakura Hotel Jimbocho* サクラホテル (plan I, D1, **20**) : 2-21-4 Kanda-Jimbocho, Chiyoda-ku. ☎ 3261-3939. ● sakura-hotel.co.jp/jimbocho ● Ⓜ Jimbocho 神保町 (sortie A1, puis 5 mn à pied). Réception 24h/24. Lit en dortoir 3 300 ¥ ; doubles 8 500-8 700 ¥ ; petit déj en sus. Il s'agit d'un des hôtels économiques, à taille humaine, de la chaîne *Sakura,* qui pense aux petits budgets. Les chambres simples sont petites mais claires et impeccables. De style sobre, les doubles offrent un grand lit ou 2 lits superposés. Dans les dortoirs, les hommes et les femmes sont séparés. Clim partout et sanitaires (douche et w-c) à partager. Laverie à disposition. En bref, une très bonne adresse et un remarquable rapport qualité-prix pour Tokyo ! Sympathique *Sakura Café.* Vous pouvez même aller faire une promenade le soir autour des jardins du palais impérial.

🛏 *Kaizu Hostel* (plan I, B3, **21**) : 6-13-5 Akasaka, Minato-ku. ☎ 5797-7711. ● kaisu.jp ● Ⓜ Akasaka 浅草, ligne Chiyoda (à 5 mn à pied). Lits en dortoir 4 100-5 400 ¥ ; 1 double seulement 12 700 ¥, petit déj compris. Petite auberge de jeunesse récente qui offre 4 dortoirs de 6 à 14 lits (un est réservé aux filles), aménagés sur le principe de box en bois. Près de la réception, salle commune très chaleureuse, à l'atmosphère zen, où l'on prend les petits déj, un sandwich ou un petit plat le midi, un thé l'après-midi. Une adresse qui accueille de jeunes voyageurs venus du monde entier.

De prix moyens à chic (de 10 000 à 25 000 ¥ / 125-208 €)

🛏 *Tokyo Green Palace* 東京グリーンパレス (plan I, B1-2, **22**) : 2 Niban-cho, Chiyoda-ku. ☎ 5210-4600. ● tokyogp.com ● Ⓜ Kojimachi 麹町, ligne Yurakucho (sortie 5, puis 1 mn à pied), ou Ⓜ Ichigaya 市ヶ谷, lignes Chuo, Shinjuku, Yurakucho et Namboku, puis moins de 10 mn à pied. Doubles 15 000-24 000 ¥. Réduc en réservant sur le site. Hôtel offrant des chambres au confort moderne et à la déco sobre et plutôt réussie, même si elles ne sont pas très spacieuses. Literie excellente (lits longs de 195 cm sur 120 cm de large). Accueil pro. Pratique, juste à côté de l'hôtel, un *7-Eleven* et un *Family Mart* ouverts 24h/24. Un bon rapport qualité-prix.

Où manger à l'ouest du quartier impérial ?

De bon marché à prix moyens (de moins de 1 500 à 3 500 ¥ / 12,50-29 €)

|●| *Chinese Cafe Eight* 中国茶房 8 (plan I, B3, **100**) : 1F, Floral Plaza Bldg, 3-8-8 Akasaka, Minato-ku. ☎ 6234-9788. Ⓜ Akasakamitsuke 赤坂見附, à 1 mn à pied du métro. Dans une rue parallèle à Sotobori. Ouv 24h/24. Grande salle plaisante en sous-sol (se reconnaît à son entrée rouge). Beaucoup de monde le soir. Un des meilleurs rapports qualité-prix de Tokyo pour la cuisine chinoise, et un énorme

TOKYO

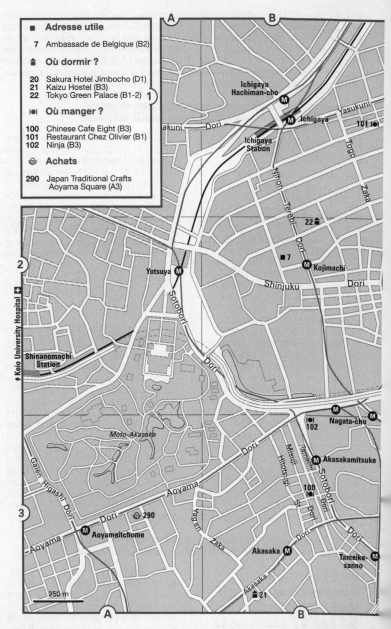

■ **Adresse utile**

7 Ambassade de Belgique (B2)

🛏 **Où dormir ?**

20 Sakura Hotel Jimbocho (D1)
21 Kaizu Hostel (B3)
22 Tokyo Green Palace (B1-2)

🍴 **Où manger ?**

100 Chinese Cafe Eight (B3)
101 Restaurant Chez Olivier (B1)
102 Ninja (B3)

❀ **Achats**

290 Japan Traditional Crafts
Aoyama Square (A3)

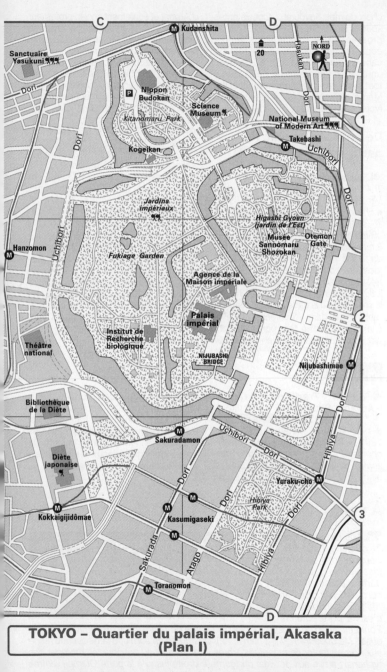

TOKYO – Quartier du palais impérial, Akasaka (Plan I)

choix de mets savoureux. Consistantes soupes parfumées, petits plats façon grosses tapas, crevettes *(shrimps)* copieusement servies, casserole de canard, *dim sum* de 15h à 23h avec un choix d'une trentaine de *jiaozi*. Le tout dans une atmosphère rugissante. Même maison à Ebisu et à Roppongi (voir à ces chapitres).

De chic à plus chic (à partir de 3 500 ¥ / 29 €)

🍴 ***Restaurant Chez Olivier*** シェ オリビエ *(plan I, B1, 101) : 4-1-10 Kudan Minami, Chiyoda-ku.* ☎ *6268-9933.* ● *chezolivier.co.jp* ● Ⓜ *Ichigaya* 市ヶ谷 *(sortie A3, puis 5 mn à pied). Station JR Ichigaya* 市ヶ谷, *ligne JR Sobu, puis 8 mn à pied. Tlj sauf dim et le 1er lun du mois 11h30-14h30, 18h-23h30 (dernière commande à 13h30 et 21h). Résa conseillée pour le dîner. Menus 2 800-7 500 ¥ le midi et 4 300-13 500 ¥ le soir ; sinon à la carte.* Très bon restaurant français dans le quartier d'Ichigaya, à la cuisine créative, tenu par un chef originaire de Bordeaux, ancien de *La Tour* d'Argent et également ancien professeur au *Cordon Bleu* au Japon. Il a ouvert ce bistrot chic avec sa femme japonaise. La particularité est qu'il n'utilise que des produits bio en cuisine et qu'il suit rigoureusement le marché et les saisons. Au déjeuner, il vous concocte dans ses menus une cuisine vraiment délicieuse. Bien évidemment, on parle ici le français, l'anglais et le japonais.

🍴 ***Ninja*** 忍者 *(plan I, B3, 102) : 1F, Akasaka Tokyu Plaza, 2-14-3 Nagatacho, Chiyoda-ku.* ☎ *5157-3936.* ● *nin jaakasaka.com* ● Ⓜ *Nagatacho* 永田町 *ou Akasakamitsuke* 赤坂見附. *À 50 m de la sortie du métro Nagatacho, côté Soto-Bori ; façade noire. Tlj 17h-2h (23h dim). Dernière commande à 22h30 (21h45 dim). Minimum charge 4 000 ¥/ pers.* Entièrement dédié aux ninjas, les guerrières tortues cultes. On pénètre dès l'entrée dans leur monde mystérieux : couloirs et atmosphère sombres, et ninjas qui s'efforcent de vous faire croire à l'histoire. Certes, un truc qui plaira aux enfants. Cuisine correcte et bon accueil. Et si les enfants sont sages, petits tours de magie en « *close up* » rien que pour eux !

Achats

🌐 ***Japan Traditional Crafts – Aoyama Square*** 伝統工芸青山スクエア *(plan I, A3, 290) : Akasaka Oji Bldg, 8-1-22 Akasaka, Minato-ku.* ☎ *5785-1301.* ● *kougeihin.jp* ● Ⓜ *Aoyamaitchome* 青山一丁目, *lignes Ginza, Hanzomon et Oedo (sortie 3, puis 5 mn à pied). Tlj 11h-19h.* Grande salle où l'on trouve l'essentiel des produits d'artisanat d'art japonais (tissus, porcelaine, papier, argenterie, etc.). La qualité est au rendez-vous et les prix corrects. Des artisans viennent y exercer leur art. De belles idées de cadeaux. À visiter aussi pour le plaisir de la découverte.

À voir

🎥 ***Les jardins impériaux*** 皇居庭園 *(plan I, C-D1-2) :* il y a plusieurs façons d'aborder les jardins ouv au public. À l'ouest, la porte Hanzomon 半蔵門, et au nord-est, la porte Hirakawa 平川門. Mais la plus intéressante, c'est la porte Otemon 大手門.

LA MAISON IMPÉRIALE

Cette dynastie est sans conteste la famille régnante la plus ancienne au monde. En effet, elle date de l'an 660 av. J.-C. !

Pour beaucoup de visiteurs, accès par la gare de Tokyo, ligne JR Yamanote (sortie ouest, Marunouchi 丸の内 *; plan II, A2). Dès qu'on en sort, une large avenue mène aux douves (noter comment les arbres sont arrimés au sol pour les protéger des typhons) ; arrivé aux douves, on tourne à droite jusqu'à la porte Otemon, entrée* *des jardins de l'Est (ou Higashi* 東*). Si vous êtes sur les lignes Mita, Chiyoda, Tozai, Marunouchi et Hanzomon, votre point de chute sera la station Otemachi* 大手町. *Jardins ouv tlj sauf lun et ven 9h-16h (15h45 nov-fév). Fermé 28 déc-3 janv. On remet au visiteur un jeton qu'il doit rendre à la sortie. Prévoir un pique-nique en cas de petit creux ! L'office de tourisme organise des visites guidées gratuites des jardins, w-e et mer à 13h (durée : 2h) ; rdv au Tourist Information Center (JNTO) dans le quartier de Marunouchi (plan II, A2) ; voir la rubrique « Adresses utiles » du quartier de Marunouchi plus loin. Pour des infos sur la famille impériale :* ● *kunaicho. go.jp* ● *(version en anglais). Intéressant si vous y êtes la dernière semaine de mars, l'*Inui Dori *(porte sud-est) est exceptionnellement ouverte pour admirer les 75 cerisiers en fleur sur une allée de 600 m.*

– *Higashi Gyoen* 東御苑 *(jardin de l'Est) : à 5 mn à pied de la station Otemachi* 大手町 *(lignes Mita, Chiyoda, Tozai, Marunouchi et Hanzomon). Proche aussi de la station Takebashi* 竹橋 *(ligne Tozai). C'est la seule partie des jardins ouverte au public. Il abrite un jardin consacré aux iris, très fréquenté au printemps.*

– *Le musée Sannomaru Shozokan des Collections impériales* 三の丸尚蔵館 *: mêmes horaires que les jardins. Dans une grande salle, expos temporaires par thèmes. Toujours de merveilleux objets d'art, bijoux, sabres d'apparat, estampes, paravents appartenant à la famille impériale.*

– *Les vestiges de l'ancien château d'Edo :* dans la partie nord-est des jardins, noter les murs cyclopéens, énormes blocs ajustés avec précision, comme le faisaient les Incas. Intéressant panneau d'explications sur la restauration des portes (en anglais). Puis au passage, *Obansho,* l'un des 3 derniers postes de garde encore debout. Ce dernier ne comportait que des samouraïs de haut rang. Arrivé au *Fujmi-Yagura,* un bel édifice qui servait de défense et d'entrepôt. Il y en

LE DISQUE DE LA DISCORDE

Août 1945, après les 2 bombes atomiques, le Japon se préparait à capituler. L'empereur Hirohito enregistra sur un disque son discours annonçant au peuple japonais sa volonté de mettre fin à la guerre. Des soldats nippons, rebelles à cette idée, envahirent le palais impérial la veille de la capitulation et cherchèrent à s'emparer du disque pour le détruire. Le complot échoua, mais il s'en fallut de peu pour qu'il réussisse...

avait 19 comme celui-ci, il n'en reste que trois. C'est du haut de cette petite colline que les shoguns venaient admirer le mont Fuji et les feux d'artifice en ville.

– Un peu plus loin, le fameux site *Matsu-no-ô-roka,* corridor où eut lieu la célèbre attaque des 47 rônins (voir « Le temple de Sengaku-ji » dans « Le quartier de Shinagawa-Gotanda » et la rubrique « Personnages » dans le chapitre « Hommes, culture, environnement »). Puis le cellier *Ishimuro,* qui servait à stocker au frais les marchandises du palais (on a parlé aussi d'un passage secret !). Le long du chemin, de belles essences et une riche collection de bambous. Les *Phyllostachys pubescens* présentent vraiment un tronc original. Aperçu de la base du donjon *Tenshudar.* Construit en 1607, haut de 5 étages. Victime des événements de 1657, il ne fut jamais reconstruit. Accès aux *jardins Kitanomaru* par la porte Kitahanebashimon. À propos, au cœur du jardin *Higashi,* ne pas manquer de faire une pause des plus agréable à la maison de thé *Ninomaru.* Les jardins *Kitanomaru* abritent le musée des Sciences, le musée national d'Art moderne et le *Nippon Budokan,* stade de 15 000 places datant des J.O. de 1964 et utilisé aujourd'hui pour les concerts de rock.

🏯🏯🏯 *Yasukuni Jinja (ou Yasukuni Shrine)* 靖国神社 *(plan I, C1) : 3-1-1 Kudan-kita, Chiyoda-ku.* ☎ *3261-8326.* ● ● *yasukuni.or.jp/english* ● Ⓜ *Ichigaya* 市ヶ谷*, ligne Namboku (10 mn à pied), ou Kudanshita* 九段下*, ligne Toe Shinjuku (5 mn à pied). Nov-fév, tlj 6h-17h ; mars-avr et sept-oct, tlj 6h-18h ; mai-août, tlj 6h-19h. GRATUIT.* C'est un temple shintoïste récent, car il fut établi en 1869, soit lors de la 2e année de l'ère Meiji. Le temple est dédié aux soldats morts pour la patrie depuis la restauration Meiji. Il honore ainsi plus de 2 millions de Japonais (2 466 000

TOKYO

exactement) tombés lors des guerres impériales. Le problème, c'est qu'on y ajouta 14 grands criminels de guerre de la Seconde Guerre mondiale, condamnés à mort et pendus à la suite du procès de Nuremberg version asiatique. Parmi eux, Matsui Iwane, le général responsable du massacre de Nankin en Chine (entre 100 000 et 200 000 morts, excusez du peu !), et le Premier ministre de l'époque, Tojo. Cet amalgame choque profondément les pays qui furent victimes des exactions de l'armée japonaise d'occupation (Corée et Chine, principalement). Mais ce qui scandalisa le plus, ce fut la visite annuelle systématique au sanctuaire de l'ancien Premier ministre Koizumi Junichiro, ainsi que celle de Shinzo Abe en 2013. Pour le plus grand plaisir, bien entendu, de la droite ultra-nationaliste japonaise. Évidemment, c'est vécu comme une véritable provocation.

– **Yushukan War Museum** 遊就館 : tlj sauf fin juin et fin déc 9h-16h30 (21h pdt le Mitama Festival, 13-16 juil). Entrée : 800 ¥ ; réduc. Il s'agit du musée d'Histoire militaire situé dans l'enceinte du temple Yakusuni. Construit en 1882, il est consacré à la mémoire des morts durant les guerres historiques du Japon (à l'intérieur ou à l'extérieur du pays). Sur chaque guerre, chaque invasion, une très curieuse explication de texte, à coup d'arguments surprenants. Du genre « Pearl Harbor, finalement, donna un coup de fouet à l'économie américaine au moment où elle commençait à péricliter » ! Les lecteurs se feront d'ailleurs eux-mêmes une opinion sur la bonne foi de ce type d'arguments ! Cela dit, ça ne doit nullement vous empêcher de visiter ce musée, qui reste très intéressant par ses documents, témoignages, photos, armes, etc. (même du point de vue unilatéral japonais !). Vous y verrez 2 avions « Mitsubishi Zéro Fighter » utilisés pour les attaques de kamikazes, des lettres de pilotes avant d'aller vers la mort...

– Une fois par an (en principe le 1er ven du mois d'avr), un **tournoi de sumo** est organisé dans l'enceinte du temple (10h-15h). Attention, la date peut changer, se renseigner à l'office de tourisme. En plein air et gratuit ! Ambiance populaire et bon enfant. C'est l'occasion d'approcher les lutteurs en se plaçant près de la sortie de leur vestiaire.

– Pour ceux qui souhaitent faire le tour intégral des jardins impériaux, rendez-vous à la **porte Hanzomon.** L'un des endroits favoris pour profiter des cerisiers en fleur. Au sud, par le jardin, on parvient à l'emblématique **pont Nijubashi,** édifié avec les pierres de l'ancien château. Il est envahi 2 fois par an lors de l'ouverture exceptionnelle des jardins impériaux.

UN CHASSEUR SACHANT CHASSER

Les chasseurs Mitsubishi épouvantaient les Américains pendant la dernière guerre. Voilà pourquoi MacArthur interdit la fabrication d'avions militaires aux Japonais. Ils se sont alors mis à fabriquer des voitures. La remilitarisation se fit progressivement... et discrètement. Il fallut attendre 1971 pour que Mitsubishi produise un nouveau chasseur.

🎎🎎🎎 **Le musée national des Arts modernes de Tokyo (National Museum of Modern Art)** 東京国立近代美術館 (plan I, D1) : 3-1 Kitanomaru-koen, Chiyoda-ku. ☎ 5777-8600. ● momat.go.jp/english ● Ⓜ Takebashi 竹橋, ligne Tozai (sortie 1A-1B). Tlj sauf lun et fin déc 10h-17h (20h ven-sam) ; dernière entrée 30 mn avt. Entrée : env 450 ¥ ; réduc ; gratuit 1er dim du mois et 18 mai (Journée internationale des musées).

C'est le musée tokyoïte qui permet d'admirer et de comprendre tout l'art japonais du début du XXe s à la période contemporaine. De-ci de-là, quelques œuvres d'artistes occidentaux en contrepoint. Nous conseillons de commencer par les étages supérieurs. Voici une sélection de nos coups de cœur, mais cela peut toutefois changer, puisque les œuvres tournent environ 5 fois par an, afin de pouvoir présenter, tout au long de l'année, toutes les collections du musée.

4e niveau

– Arts des ères Meiji (1868-1912) et Taisho (1912-1926), avec Nakamura T. et son paysage dans l'île d'Oshima (on n'est pas loin de Braque et de sa période

« L'Estaque »). S'intercale là, subtilement, *Anna Malher* d'Oscar Kokoschka. Puis un portrait très maîtrisé de *Yoshiko* par Kono M. Grand paravent de Kaburaki K. et *Terre enchantée* (1924) de Tomuka T. (style rappelant l'art chinois).

– *Artistes dans la cité moderne :* le séisme de 1923 bouleversa profondément la vie artistique, qui connut de 1926 à 1945 une importante influence du surréalisme et de l'art prolétarien. À laquelle il convient d'ajouter l'apport européen et américain des artistes exilés (Fujita à Paris, Kuniyoshi ¥. et Nada H. à New York). On retrouve ces influences dans *Travaux* d'Okamoto T., dans *Mer* de Koga H. et, surtout, avec *Constructions* (1925) de Murayama (qui rappelle assez Marcel Duchamp). Beaux classiques : le *Rythme Spirale* de Robert Delaunay, puis Paul Klee. Il y a du Dalí chez Kitawaki N. Intéressant *Scavengers* de Shimizu T. (qui travailla à Paris). Fascinante scène de café dans *Afternoon* de Saburi M. (l'ennui au bistrot ou... le territoire du songe). Certaine sensualité cubiste dans *Femmes au port* de Kuroda M. Enfin, vous aimerez beaucoup *Réverbères et Pub* de Saeki ¥.

– *Tokyo moderne (années 1930) :* beaucoup de gravures, affiches, sérigraphies. Surtout, les affiches de Sugiara H. (1930). Jolies gravures de Koizumi K., dont les paysages urbains très graphiques ne manquent pas de poésie. Salle à gauche : l'art dans la période Meiji et Taisho avec *Liberté invitant les artistes,* un beau Douanier Rousseau égaré là, puis *Saison sur tendre verdure* (1911) d'Ota K., qui peint à la façon de Pissarro. Et il y a du Renoir chez Yamashita S. dans *Près de la fenêtre.* Terasahi K. nous ravit avec ses paysages.

3e niveau

– Suite de la section *Maturité dans le style japonais* (1926-1945) et rude bataille entre artistes conservateurs (Yasuda ¥., Kikabayashi...) et modernistes. Chez les modernes, remarquons *Nu dans tissu blanc* de Koide N. Influence très perceptible du *Guernica* de Picasso dans *Chevaux* (1939) de Yoshioka K., qui s'oppose nettement au très classique paravent de Kawabatar. Superbe travail avec de simples planches contact d'Ito ¥. et remarquables lithos d'Ikeda M.

– *L'art pendant et après la guerre de 1939-1945 :* situation éminemment peu supportable pour les artistes modernistes obligés de travailler dans un climat étouffant. Aimitsu, Matsumoto S. et Aso S. se distinguèrent par leur réalisme et leur marginalité difficiles à vivre. *Pont dans la ville* de Matsumoto S. et *État de loi martiale* d'Ishii S. en sont de parfaits exemples. Notez dans la tradition militante et savourez *Un jour dans l'océan Pacifique* de Yokoyama T. (au style fort enlevé), tandis que Onosato T. (1960) lorgne plutôt vers Vasarely. Quant à Kayama M., il perpétue la bonne vieille tradition dans son superbe *Paysage de neige.* Quelques autres chantres de la modernité : Shiraga K., Motonaga S. et Yoshihara avec *Blanc sur noir* (1965).

2e niveau, l'art contemporain (années 1970 and so on...)

Habile mélange d'artistes japonais et étrangers. On utilise désormais de nouveaux matériaux : minéraux divers, acryliques, images photographiques, travail sur les lettres... Au passage, *Olson* de Richard Serra, intéressants nus graphiques de Yamagihara ¥. (1991), *Sphinx-Portrait of Muriel Delcher* de Francis Bacon, un joli petit Picasso tardif (1972), puis W. De Kooning. Impossible de tout citer, mais indiquons pour la période la plus récente : *Garden 1* de Maruyama N., *Jardinage dans Manhattan* d'Oiwa O.S., et les insolites *Paysages pétroliers,* en photos façon peinture, de Noguchi R.

– Dépendant du musée, on peut encore visiter le ***Kogeikan*** 工芸館**,** *musée des Arts and Craft (plan I, C1),* à environ 300 m. Installé dans l'ancien quartier général de la garde impériale, il présente le meilleur des arts nippons dans le travail du bois, du fer, du verre...

Si vous avez encore du temps...

🏃 👫 ***Science Museum*** 科学博物館 *(plan I, D1) :* 2-1 *Kitanomaru-koen, Chiyoda-ku.* ☎ 3212-8544. ● *jsauf.or.jp* ● Ⓜ *Kudanshita* 九段下, *lignes Tozai,*

Shinjuku, Hanzomon (sortie 2) et Takebashi (sortie A1). Tlj sauf mer et fin déc 9h30-16h50 (dernier billet à 16h). Entrée : 720 ¥ ; réduc.

À ne pas le confondre avec le musée national de la Nature et des Sciences 国立科学博物館, beaucoup plus grand et complet, dans le parc d'Ueno. Ici, nous sommes dans une sorte de palais de la Découverte, également musée à l'ancienne (fondé en 1964), un poil vieillot mais intéressant pour tous ses jeux pédagogiques interactifs.

– *2e niveau* : riche collection de cycles, vélos et antiques draisiennes. Jeux pour les enfants (avec vélo bien sûr). Section technique : sphère qu'on peut toucher pour constater comment les électrons se déplacent. Plein d'autres expériences amusantes.

– *3e niveau* : insolite « écorché de voiture » (c'est-à-dire coupée en deux) pour en découvrir les entrailles. Présentation de toutes les énergies. Étonnante salle des aurores boréales.

– *4e niveau* : les ordinateurs, suivis d'une intéressante section robotique. Une « hôtesse-robot » répond aux questions des visiteurs. Salle où sont présentés tous les matériaux de construction. Les mômes plébiscitent le simulateur de séismes ou d'inondations.

– *5e niveau* : section ADN avec force démonstrations. Impressionnante salle des machines où l'on explique des principes basiques comme l'engrenage, la force démultipliée qui permet de soulever une voiture, etc. Là encore, gros succès auprès des enfants de la grosse boule d'acier évoluant dans un labyrinthe. Salle des rayons laser, illusions d'optique... et bien d'autres choses.

% *La Diète japonaise (Kokkai)* 国会 *(plan I, C3)* **:** *1-7 Nagata-cho, Chiyoda-ku.* Ⓜ *Kokkaigi-jidômae* 国会議事堂前, *ligne Marunouchi (sortie 2). Ne se visite pas. On peut voir l'extérieur.* C'est le Parlement japonais, inscrit dans la constitution de 1947 et placé dans le système de la monarchie constitutionnelle. Il abrite la chambre des Représentants (480 sièges) et celle des Conseillers (242 sièges). Exemple typique de l'architecture post-Première Guerre mondiale, ce

QUE DE PARTIS PRIS !

Le Parti communiste japonais est représenté au Parlement (9 députés), ainsi que le Parti du futur du Japon, fondé par une femme en 2012, après la catastrophe de Fukushima. Il demande l'arrêt du nucléaire à l'horizon 2022 et moins d'impôts. Il existe de petites formations comme le Parti féministe ou un Parti pour les sports et la paix. Et aussi un Parti pour la réalisation par la joie (Kofuku Jitsugen-to).

monument construit en 1918 fut achevé en 1936. Tourné résolument vers le palais impérial en signe de soumission à l'empereur, il s'agit d'une lourde structure de béton et granit, avec des réminiscences Art déco, ce qui fut violemment critiqué par les nationalistes de l'époque qui souhaitaient un art plus « asiatique ». Son imposante tour (66 m) fut longtemps la plus haute du Japon. La résidence du Premier ministre se trouve de l'autre côté de l'avenue.

LES QUARTIERS DE MARUNOUCHI 丸の内 ET DE NIHONBASHI 日本橋

● Marunouchi, Nihonbashi (plan II) *p. 117*

Centre géographique de Tokyo, ces 2 quartiers sont voisins et se visitent dans la foulée. Contraste intéressant d'ailleurs entre le « vide » du Tokyo

impérial et ces quartiers très récents, vitrines des plus grandes marques et des architectures les plus imposantes. Porte d'entrée dans les 2 cas : la gigantesque gare de Tokyo... Outre les jardins impériaux à l'ouest, ces quartiers offrent plusieurs musées de grand intérêt : surtout le discret mais riche musée Idemitsu. Enfin, on y trouve l'un des édifices contemporains les plus audacieux : le *Tokyo International Forum.*

LE QUARTIER DE MARUNOUCHI 丸の内

Adresses utiles

🚌 **Sky Bus Tokyo** スカイバス **et Sky Hop Bus** スカイホップバス *(plan II, A2)* : Mitsubishi Bldg, 2-5-2 Marunouchi, Chiyoda-ku. ☎ 3215-0008 *(tlj 9h30-18h).* ● *skybus.jp* ● Ⓜ *Tokyo Station* 東京駅 *(sortie Marunouchi sud, puis 3 mn à pied). Tlj sauf 1er janv 9h-18h. Compter 1 600-2 500 ¥ ; réduc. Pass 24h 3 500 ¥. Plusieurs itinéraires proposés.* Cela permet d'avoir un aperçu rapide du centre de Tokyo. Le bus passe par le quartier moderniste d'Odaiba et la tour Tokyo Skytree dans le quartier d'Asakusa. Intéressant pour ceux qui restent peu de temps. Le point de rendez-vous est devant le bureau de Marunouchi.
– Si vous êtes fatigué, il y a un *petit bus gratuit,* qui se prend au même endroit et permet de faire le tour du quartier et d'admirer les buildings en économisant un peu ses pieds...

🛈 @ *Tourist Information Center* **(JNTO)** 丸の内カフェ *(plan II, A2)* : 1F, Shin Tokyo Bldg, 3-3-1 Marunouchi. ☎ 3201-3331. ● *jnto.go.jp/eng/* ● Ⓜ *Yurakucho* 有楽町 *(sorties D3 ou D5) et Tokyo Station* 東京駅, *ligne Keiyo (sortie 6). À l'intérieur de la tour Shin Tokyo, au rdc, près du* Starbucks Coffee. *Tlj 9h-17h. Fermé 29 déc-1er janv.* Toutes sortes de docs et plans de Tokyo. Accès Internet gratuit pour 30 mn contre la présentation de votre passeport. On peut aussi se faire prendre en photo en kimono et faire calligraphier son nom.

Où manger ?

De prix moyens à chic (de 1 500 à 6 500 ¥ / 12,50-54 €)

🍴 *Café La Boutique de Joël Robuchon* ルカフェドゥジョエル ロブション *(plan II, A2, 103)* : 1F, Marunouchi Brick Sq, 2-6-1 Marunouchi. ☎ 3217-2877. *Tlj 11h-21h.* Le self le plus chic de Tokyo à des prix très démocratiques. Bravo Joël ! Qui dit mieux ? On y sert sandwichs, crêpes, mais aussi soupes, snacks, quiches, tartes salées et pâtisseries sucrées.

Très belle salle design et glamour, fréquentée par les employés de bureau, et quelques tables dehors quand il fait beau. Emplacement idéal, plats excellents et mijotés, prix amicaux ! Tout près de *Robuchon,* à 100 m sur le même trottoir, bar-resto *1894,* situé au 2-6-2 Marunouchi *(ouv tlj),* au rez-de-chaussée du musée Mitsubishi Ichigokan. On ne peut pas rater ce grand monument en brique de style européen. On peut aussi y manger et boire à prix raisonnables, dans un décor de club anglais reconstitué.

Où sortir, danser et écouter de la musique ?

🍸 ♪ 🕺 *Xex* ゼックス *(plan II, B1, 220)* : 2-4-3 Nihonbashi-Muromachi. ☎ 3548-0065. ● *xexgroup.jp/en/ tokyo* ● Ⓜ *Mitsukoshimae* 三越前.

Situé dans la tour Yuito *(4F), presque en face de la* Sumitomo-Mitsui Bank, *non loin du* Mandarin Hotel, *au cœur du quartier de la finance et des affaires*

TOKYO

TOKYO

de Tokyo. Bar ouv tlj 17h30-2h (5h ven-sam) ; discothèque à partir de 21h-22h. Entrée env 3 000 ¥ (1 ou 2 boissons incluses). S'il y a un lieu pour rencontrer les urbains branchés tokyoïtes et argentés (moyenne d'âge 30-50 ans), c'est ici. Dans la journée, la très grande salle accueille un resto qui se trans-forme en bar musical le soir. Les meil-leurs DJs y viennent (en principe seu-lement mar-ven). Georgi, le dynamique manager, organise des événements et des défilés de mode (Fashion Show).

Achats

⊛ **Sadaharu Aoki** 青木定治 (plan II, A2, 291) : Shinkokusai Bldg, 3-4-1 Marunouchi, Chiyoda-ku. ☎ 5293-2800. ● sadaharuaoki.com ● Ⓜ Yura-kucho 有楽町 et Hibiya 日比谷. Tlj 11h-20h. Pâtisserie haut de gamme qui propose à la vente de savoureux gâteaux, tous étant de véritables compositions artistiques, présentés comme des bijoux. Attention, pas donné donné (aucun gâteau à moins de 750 ¥), mais un vrai bonheur pour les yeux, c'est déjà ça ! Même boutique à Paris. À côté, un autre prestigieux petit voisin : **La Maison du Chocolat.** Autre boutique à Roppongi (9-7-4 Akasaka, Minato-ku ; Ⓜ Roppongi 六本木, ligne Oedo).

À voir

🚶 **Tokyo Station** 東京駅 (plan II, A2) : cette gare constitue un énorme nœud ferro-viaire au centre névralgique de la mégalopole. Construite en brique rouge en 1914 sur le modèle de la gare d'Amsterdam, quasiment détruite lors des bombarde-ments de 1945, elle fut reconstruite à l'identique, puis considérablement agrandie dans les années 1960 pour accueillir le train à grande vitesse Shinkansen. Elle peut recevoir aujourd'hui plus d'un million de passagers quotidiens. Question métros et sorties, probablement parmi les plus longues correspondances que l'on connaisse. Quel contraste entre cette gare rétro et la forêt de buildings qui l'entoure aujourd'hui !

🚶🚶 **Le quartier de Marunouchi** 丸の内 : à l'ouest de la gare de Tokyo. Quartier en perpétuelle mutation qui se fait, se défait, se refait. N'a-t-on pas liquidé sans vergogne, dans les années 1960 et malgré de nombreuses protestations, l'Imperial Hotel (où avait logé Albert Londres), pourtant œuvre du grand architecte Frank Lloyd Wright, pour le reconstruire dans une version d'un banal modernisme ? Les gratte-ciel poussent comme champignons de rosée, de plus en plus haut, de plus en plus luxueux... Au rez-de-chaussée s'installent les marques mondiales les plus prestigieuses : Tiffany, Baccarat, Royal Copenhague, Armani, La Maison du Choco-lat (hmm !) et la pâtisserie Sadaharu Aoki (merveilleux gâteaux, mais chers, chers...). Sur Naka-dori et Sotobori-dori, les avenues les plus emblématiques, s'élèvent les 2 Marunouchi Buildings (plan II, A2), juste en face de la sortie ouest de la gare. Ils encadrent l'avenue menant au palais impérial. Dans le **Marunouchi Building** 丸の内ビルディング, 2 espaces dédiés au design d'avant-garde : la Beams House, avec ses lignes modernistes (clin d'œil à feu l'Imperial Hotel de F. L. Wright) et le

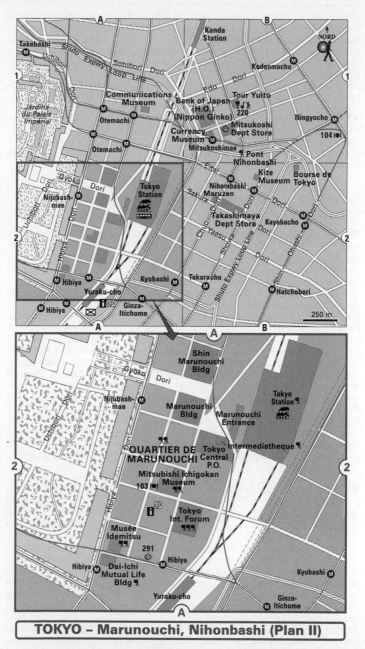

TOKYO

TOKYO – Marunouchi, Nihonbashi (Plan II)

Bloomberg I.-C. Le Marunouchi Building fut le 1er bâtiment aussi proche du palais impérial à être autorisé à le dominer. Juste à l'opposé de la rue se trouve son petit frère, le **Shin Marunouchi Building** 新丸の内ビルディング, ultramoderne, avec, au 6e étage, la *Marunouchi House*, qui abrite des restaurants de toutes nationalités. Ils livrent depuis leurs terrasses une vue magnifique sur la gare de Tokyo et le quartier. L'*avenue Marunouchi Naka-dori* 丸の内仲通り, longue de 1,2 km, est bordée de nombreux magasins et commerces chic. Elle fait aussi office de lieu d'expositions temporaires, souvent pour des sculptures imposantes qui supportent d'être à l'extérieur.

🎥🎥🎥 *Tokyo International Forum* 東京国際フォーラム *(plan II, A2) : 3-5-1 Marunouchi, Chiyoda-ku.* ● *t-i-forum.co.jp/en* ● Ⓜ *Yurakucho* 有楽町*, lignes JR et Yurakucho (sortie A4) ; sinon accès par le couloir souterrain de la station de métro Yurakucho. Tlj 7h-23h30.* Un de nos grands coups de cœur dans le genre. Édifié en 1990 en 2 parties : l'une très classique avec 6 immeubles rectangulaires destinés aux conférences, réceptions, concerts, etc. ; l'autre, immense volume vitré en forme d'amande ou de feuille (ou encore de navire). Amples espaces intérieurs découpés par des passerelles aériennes et voûte en forme de carène de navire. Impression fascinante la nuit.

🎥🎥 *Le musée Idemitsu* 出光美術館 *(plan II, A2) : 9F, Tegeiki Bldg, 3-1-1 Marunouchi, Chiyoda-ku.* ☎ *5777-8600.* ● *idemitsu.com/museum* ● Ⓜ *Yurakucho* 有楽町*, lignes JR, Hibiya* 日比谷*, Chiyoda* 千代田 *et Toei Mita* 都営三田 *(sorties A8 ou B3), ou Yurakucho, ligne Yurakucho (sortie D3). À côté du théâtre impérial. Tlj sauf lun 10h-17h (19h ven, dernière entrée 30 mn avt). Entrée : 1 000 ¥ ; réduc.*
Collections réunies par Sazo Idemitsu (1885-1981), un magnat du pétrole (transports de pétrole et de gaz, flotte de tankers, raffineries, pétrochimie, lubrifiants, distribution) dont la passion secrète n'était pas l'or noir mais les poteries anciennes, les céramiques, les estampes et les dessins, notamment du grand artiste moine Sengaï. Une demi-douzaine d'expositions thématiques par an (superbes aquarelles, rouleaux, paravents, estampes). Plus – originalité ! – toujours une série de toiles prestigieuses prêtées par des musées. Reconstitution de la pièce traditionnelle pour le thé. Pour les spécialistes (ou amateurs éclairés) de poteries anciennes, une salle abrite un riche fonds permanent de débris de céramiques de toutes époques trouvés aux quatre coins du monde (certains datant de plus de 3 000 ans av. J.-C.). Porcelaines chinoises du XIVe s, découvertes dans les ruines de Fustat (Le Caire, Égypte), beaux céladons trouvés à Java, en Thaïlande. Pour les amateurs, plusieurs dizaines de tiroirs remplis de ces tessons, sous les vitrines, à tirer à sa guise. En prime, le thé gratuit et de profonds fauteuils face à une grande baie vitrée d'où la vue, accessible à tous, donne sur le palais impérial, les douves et les jardins boisés qui l'entourent.

🎥🎥 *Le musée Mitsubishi Ichigokan* 三菱一号館美術館 *(plan II, A2) : 2-6-2 Marunouchi, Chiyoda-ku.* ☎ *5777-8600.* ● *mimt.jp/english* ● Ⓜ *Tokyo* 東京駅*, ligne JR (sortie sud, puis 5 mn de marche). Tlj sauf lun 10h-18h (21h ven, 2e mer du mois et sem de fin d'expo) ; dernière entrée 30 mn avt la fermeture. Entrée (prix variable selon les expos) : env 1 500 ¥.*
Curieuse apparition de style européen dans un urbanisme de verre et d'acier ! Il s'agit d'un bâtiment victorien de 1894 qui abrita d'abord une banque. Ce fut le 1er grand édifice de style occidental de Tokyo, dessiné par *Josiah Conder,* un architecte anglais, symbole de l'ouverture du Japon vers l'Ouest. Détruit pendant la Seconde Guerre mondiale, il a été reconstruit à l'identique de l'ancien, avec des briques rouges. La décoration encore visible dans le café du rez-de-chaussée reconstitue bien cette ambiance rétro.
Il reçoit 3 ou 4 expositions temporaires par an (programme sur le site). À l'intérieur, le musée a été très bien agencé, la visite en est donc très agréable ; après, tout dépend de l'intérêt que vous portez à l'expo en cours ! Au rez-de-chaussée, expo permanente très intéressante sur l'évolution architecturale du quartier de

Marunouchi. Admirer le superbe *Café 1894,* installé dans la salle principale de la banque *(ouv 11h-23h).* Colonnes sculptées, anciens comptoirs et guichets en cuivre jaune, boiseries, lampes Art nouveau... Possibilité de se restaurer. Boutique.
– À l'extérieur du musée, admirez ce building achevé en 2009, le **Marunouchi Park Building** 丸の内パークビルディング, et le jardin intérieur entre les 2 bâtiments, avec ses colonnes végétales. Superbe et très réussi !

🍴 *Intermediatheque* (IMT ; *plan II, A2) :* 2-3F, JP Tower/KITTE, 2-7-2 Marunouchi, Chiyoda-ku. Ⓜ Tokyo 東京 *(ligne JR).* ☎ 03-5777-8600. ● *intermediatheque.jp/en* ● *Tlj 11h-18h (20h ven-sam) ; dernière entrée 30 mn avt.* GRATUIT. Au cœur de la capitale, installé dans l'élégant bâtiment historique de l'ancienne poste centrale de Tokyo, l'*Intermediatheque* est un musée universitaire interdisciplinaire qui explore les croisements entre Art et Science, à partir des collections colossales de l'Université de Tokyo. Résolument expérimental, cet établissement unique au monde a été conçu d'un seul tenant. Sous la direction du professeur *Yo-shiaki Nishino,* ce sont les chercheurs de l'Université qui ont signé le design « rétro-futuriste » du musée (récompensé par de nombreux prix). Ils organisent aussi les expositions et en assurent la scénographie. L'exposition permanente, constamment renouvelée, déjoue les classifications de la muséographie traditionnelle pour créer un libre dialogue interdisciplinaire, tandis que les expositions temporaires explorent des thématiques aussi variées que la photographie spatiale, la naissance de la médecine moderne, le pop art ou l'archéologie andine. Des « concerts de gramophone », des projections de films récemment exhumés et des débats sont régulièrement organisés. La boutique propose les riches publications du musée, ainsi que de nombreux produits originaux susceptibles de faire de beaux cadeaux. Bien que ses grandes baies vitrées n'offrent qu'une vue banale et urbaine de la gare centrale de Tokyo, la visite de ce lieu onirique est une échappée dans le temps.

🍴 *L'immeuble de la Dai-Ichi Mutual Life* 第一生命保険相互会社ビル *(plan II, A2) :* 1-13-1 Yurakucho, Chiyoda-ku. ● *dai-ichi-life.co.jp/english/* ● Ⓜ Hibiya 日比谷, *ligne Hibiya (sortie B1). Lun-ven 8h30-20h.* GRATUIT. Solide édifice de béton aux lignes sévères, construit en 1938, l'un des très rares qui aient résisté aux bombardements de 1945. D'ailleurs, ce fut la raison pour laquelle le général MacArthur y installa, au 6ᵉ étage, son quartier général afin de diriger la démilitarisation et la démocratisation au Japon (de 1945 à 1951). On entre sans problème dans ce bâtiment administratif qui expose quelques tableaux contemporains au rez-de-chaussée et dans sa petite galerie d'art *(tlj 12h-17h).*

LE QUARTIER DE NIHONBASHI 日本橋

Côté est de la gare de Tokyo (sortie centrale Yaesu) s'étend le quartier de la haute finance, de la Bourse, des banques, des sièges sociaux des plus grandes sociétés japonaises. C'est le véritable centre du pouvoir économique et financier. Son histoire est illustrée par le *Kidai Shoran,* un rouleau de 17 m peint en 1805, exposé à la station Mitsukoshimae, sortie reliant le magasin *Mitsukoshi.* À tout daimyo (seigneur) tout honneur, commençons par le pont Nihonbashi, le nombril de Tokyo, son point zéro (celui à partir duquel on a calculé toutes les distances dans le pays).

Où manger ?

De prix moyens à chic (de 1 500 à 6 500 ¥ / 12,50-54 €)

🍴 *Chez André du Sacré-Cœur* カフェ シエ アンドレドゥ サクレクール

(plan II, B1, 104) : 1-8-5 Nihonbashi-Ningyocho, Chuo-ku. ☎ 6228-1053. Ⓜ Ningyocho 人形町 *(sortie A2). Tlj sauf dim et j. fériés 11h-14h30, 17h-20h30 (dernière commande à 20h). Salon de thé 11h-20h30. Prix moyens.* Laurence Masukawa, qui vit au Japon

depuis plus de 20 ans, a ouvert ce bistrot à l'identique de celui que son père avait à Montmartre pendant des années. Jetez un coup d'œil sur les portraits de ses ancêtres aveyronnais. On se croirait dans un décor de film style *Amélie Poulain*. L'atmosphère y est typique d'un bistrot français (zinc, longues banquettes en skaï, couleur lie-de-vin) et très appréciée de la clientèle japonaise. Quant à Laurence, elle est presque plus japonaise que française dans sa façon de recevoir ! Son mari, japonais, est aux fourneaux et concocte une bonne cuisine de bistrot (quiche lorraine, croque-monsieur, steak-frites, poulet rôti, etc.).

●| *Tamahide* 玉ひで *(plan II, B1, 104)* : 1-17-10 Nihonbashi-Ningyocho, Chuo-ku. ☎ 3668-7651. Ⓜ Ningyocho 人形町 et Ningyocho 人形町 *(sortie A2)*. Tlj 11h30-13h30, 17h30-22h *(16h-19h30 sam)*. *Autour de 6 500 ¥ le soir (voire un peu plus)*. À la frontière du quartier de Kanda, l'un des restos les plus anciens de la ville. Fondé par Tetsuemon Yamada en 1760 (tueur officiel de gallinacés pour le shogun) et depuis 8 générations dans la même famille ! D'ailleurs, le poulet est toujours le roi du resto. C'est le *Tamahide* qui fut à l'origine de la création du *oyako-donburi*, ce plat succulent composé de poulet et d'œufs brouillés sur un lit de riz parfumé. Goûter aussi au poulet au sésame sauce *pinzu*. Comme boisson, nous recommandons l'*umeshu*, un alcool de prune léger. Cadre traditionnel japonais où évoluent les serveuses en élégant kimono et dont chaque geste est un rituel (on enlève ses chaussures). Tout est doux et feutré. Attention, il y a parfois la queue jusque sur le trottoir !

Achats

⊛ ***Mitsukoshi*** 三越 *(plan II, B1)* : 1-4-1 Nihonbashi-Muromachi, Chuo-ku. ☎ 3241-3311. Ⓜ Mitsukoshimae 三越前, ligne Tokyu Den-En-Toshi *(sorties A2-3-5-7 ou 8)*. Tlj 10h-19h30. Un des plus anciens grands magasins de Tokyo, sorti intact des bombardements de 1945. Mirage ou miracle ? C'est une merveille à ne pas rater. Construit en 1908 sur le modèle de Harrods à Londres, modifié et agrandi plusieurs fois. En 1914, installation du 1er escalator de la ville. L'actuel bâtiment date de 1935. 2 lions (copiés sur ceux de Trafalgar Square) gardent l'entrée, rugissant, populaire point de rendez-vous pour les clients. Rencontre insolite et colorée à l'intérieur avec Magokoro, l'imposante déesse de la Sincérité (haute de 3 étages). À l'arrière de la déesse, sur une sorte de balcon surélevé fermé par des rideaux, admirables orgues Wurlitzer, vestige de l'époque où les clients faisaient leurs courses en musique ! Le fondateur du magasin (Mitsui) fit fortune en démocratisant la présentation et la vente des kimonos. Ici, tout n'est que raffinement. Ne pas manquer le *roof top garden*...

À voir

🏃 *Le pont Nihonbashi* 日本橋 *(plan II, A-B1)* : de la gare de Tokyo (Tokyo Station), prendre au nord Sotobori-dori vers la Banque centrale du Japon et la station de métro Mitsukoshimae. Faire environ 400 m, et on arrive à une superposition d'une voie d'eau (canal), d'un vieux pont (le pont Nihonbashi) et, au-dessus, d'une autoroute urbaine. C'est un rescapé du vieux Tokyo. À l'origine, c'était un pont en bois en dos d'âne (reproduit à l'Edo Tokyo Museum). Il marquait l'aboutissement des vieilles routes historiques nippones, le Tokaïdo (qui reliait Tokyo à Kyoto) et le Nakasendo. Pendant l'ère Edo, il était connu comme Edobashi ou « pont Edo ». Ce respectable pont fut représenté dans les aquarelles de Hiroshige. Durant l'ère Meiji (après 1867), le vieux pont de bois fut remplacé par un pont en pierre construit en 1911 dans un style classique avec son parapet à balustres et ses vénérables réverbères. Signe des temps et de l'absence totale d'état d'âme des urbanistes, une double autoroute le couvre totalement. Une vision pas nécessairement très poétique ni romantique, mais plutôt insolite... Des voix s'élèvent pour enterrer cette hideuse autoroute urbaine qui masque un pont historique !

Petit itinéraire nihonbashien...

➤ Depuis le pont Nihonbashi, suivre vers le sud la Chuo-dori. Avant d'arriver sur Sakura-dori, vous trouverez sur votre gauche le grand magasin *Takashimaya* 高島屋 (*plan II, B2* ; ne manquez pas le rayon épicerie au sous-sol). En face, à l'angle de Sakura-dori et de Chuo-dori, dans l'élégant *Oazo Building,* se trouve la grande et superbe librairie *Maruzen* 丸善 (*plan II, B2*). Près de 200 000 bouquins sur plusieurs étages.

➤ Arrivé sur Eitai-dori, prendre à droite pour un insolite petit *musée du Cerf-volant* 凧の博物館 (*Kite Museum* ; *plan II, B2* ; 1-12-10 Nihonbashi ; ☎ 3271-2465 ; ● *tako.gr.jp/english/Tokyo_Kite_Museum.html* ● M *Nihonbashi* 日本橋, sortie C5, lignes Tozai, Ginza, Toei, Asakusa, puis 1 mn à pied, ou Tokyo Central (sortie Yaesu Central), Japan Railways, puis 10 mn à pied ; au niveau 5, en passant par le resto Taimeken ; tlj sauf dim et j. fériés 11h-17h). Toutes les formes de cerfs-volants (plus de 500), de toutes les couleurs, sur des thèmes tirés des légendes japonaises.

➤ Continuer à droite jusqu'à la *Bourse de Tokyo (Stock Exchange)* 東京証券取引所 : 2-1 Nihonbashi-Kabutocho. ☎ 3665-1881 et 3377-7254 (infos visites). M *Kayabacho* 茅場町, lignes Hibiya et Tozai (sortie 11). Lun-ven sauf j. fériés et 31 déc-3 janv 9h-16h30 (Self Guided Tour, dernière admission à 16h). GRATUIT. Trading hours : 9h-11h30, 12h30-15h. Visites guidées 13h-15h (env 30 mn, y compris une petite vidéo d'explications). Les visiteurs peuvent également jouer comme en vrai au stock trading simulation game, sur un marché virtuel (une quarantaine de places ; durée 30 mn ; fond virtuel : 10 millions de yens ; 10h-11h, 14h-15h30 ; GRATUIT).

➤ Le grand magasin *Mitsukoshi* 三越 (*plan II, B1* ; voir plus haut la rubrique « Achats ») fut le 1er grand magasin créé en 1908 sur le modèle de *Harrods* à Londres. Il appartenait à la famille Mitsui, qui eut une action pionnière dans le développement économique du quartier de Nihonbashi. C'est une reconstruction de 1935.

➤ La *Banque du Japon* 日本銀行 (l'ancienne partie ; *plan II, B1* ; 2-1-1 Nihonbashi, Hongo-ku Chô) date de 1896 et représente l'un des rares témoignages de l'architecture occidentale de la période Meiji. On ne sait pas pourquoi ce monument n'a pas été détruit lors de bombardements américains de 1945 : hasard ou volonté d'épargner le temple de la finance nippone ?

➤ De l'autre côté de la rue, un bâtiment annexe abrite le *musée de la Monnaie (Currency Museum)* 貨幣博物館 (*plan II, B1*) : ☎ 3277-3037. ● *imes.boj.or.jp/cm/english* ● Tlj sauf lun 9h30-16h30 (dernière entrée à 16h). GRATUIT. Visite guidée mar-ven à 13h30 (seulement en japonais). La saga de l'argent au Japon depuis 800 ans, des 1res monnaies chinoises jusqu'à la création du yen. Quelques insolites monnaies étrangères.

Et si vous avez un peu de temps...

➤ *Le quartier de Ningyôchô* 人形町 : poursuivez jusqu'à la station Ningyôchô (ligne Hibiya, sortie A2) et baladez-vous dans ce quartier resté très authentique au cœur de la ville de Tokyo. De très anciennes boutiques artisanales sur Amazakeyokocho-dori (la rue de *Chez André du Sacré-Cœur* ; voir plus haut « Où manger ? ») : notamment ce fabricant de boîtes laquées, ou encore ce facteur d'instruments de musique et en face la boutique de kimonos anciens ; mais aussi les pâtisseries, dont celle qui fabrique ce gâteau traditionnel appelé *kawarasenbei,*

TOKYO

et une boucherie qui vend de délicieuses brochettes. De charmantes ruelles avec des maisons en bois. Et plus encore l'atmosphère tranquille de cette vie de quartier qui contraste terriblement avec le quartier voisin de Marunouchi.

GINZA 銀座 (LE QUARTIER DU LUXE ET DES GRANDS MAGASINS)

> ● Ginza, Tsukiji, Shimbashi, Shiodome (plan III) *p. 123*

Détruit en 1872 par un incendie, Ginza se reconstruisit en dur (en brique essentiellement) suivant un plan à damier à l'européenne. La brique ne résista cependant pas au séisme de 1923, mais on continua à y construire en dur, en béton cette fois-ci, tout en conservant sa vocation de commerce de luxe. C'est à Ginza qu'apparurent les 1ers trottoirs, les 1ers réverbères à gaz et les tramways tirés par des chevaux.
Quartier cher, brillant, où l'on va plutôt faire du lèche-vitrines, rêver devant celles des grandes marques et admirer le look des pimpantes acheteuses. Au plus fort de la bulle immobilière, à la fin des années 1980, le mètre carré atteignit... près de 150 000 € ! On y trouve les meilleurs restos de tempura... à des prix au diapason du quartier. Pourtant, tranche de vie à ne pas manquer, d'autant plus que l'avenue principale de Ginza est piétonne le samedi et le dimanche après-midi. On y compte plus de 10 000 boutiques et magasins (il y a intérêt à commencer de bonne heure !). C'est aussi une superbe balade dans l'architecture contemporaine. Nombre de grandes marques ont fait appel à de prestigieux architectes. L'élégance, l'innovation, parfois l'audace des lignes de leurs magasins sont souvent à la hauteur du prestige de la marque (Hermès, Chanel, Dior, Prada et tant d'autres).
Haut lieu de la vie nocturne de grand standing ; le soir, certaines rues adjacentes du centre de Ginza se remplissent de déesses en robe longue couleur pastel ou en kimono... Ombres évanescentes s'échappant des taxis, le portable rivé à l'oreille et filant dans les halls de grands hôtels ou de restos réputés. C'est l'heure où les nuits des *business men* leur coûteront beaucoup plus cher que leurs jours...
Même si votre budget ne vous permet pas de suivre ce train de vie, un après-midi à Ginza reste de toute façon une étape obligatoire du trip tokyoïte, ne serait-ce que pour admirer les dernières hardiesses architecturales et les magnifiques décors de design intérieur (comme le Sony Building), et pour vous apercevoir que tel resto réputé huppé coûte 2 à 3 fois moins cher au déjeuner que le soir...
Curieusement, ce quartier chic n'apparaît d'ailleurs pas si coincé que ça. Il reste un lieu de promenade populaire pour nombre de familles de la classe moyenne. Et le week-end, il présente vraiment un caractère bon enfant. Cette balade du dimanche porte même un nom. C'est le *gin-bura* (littéralement le « vagabondage à Ginza »). Bon magasinage (comme disent nos amis québécois) !

Où manger ?

De bon marché à prix moyens (de moins de 1 500 à 3 500 ¥ / 12,50-29 €)

|●| *Tempura Tendon Tenya* てんや (plan III, B1, **106**) : 1F, Kusano Bldg,

3-9-4 Ginza, Chuo-ku. ☎ 5565-6903. Ⓜ Ginza 銀座 (sortie A13) et Ginza-Itchome 銀座一丁目 (sortie 11). Tlj 11h-23h. Bon marché. Un restaurant fast-food très clean appartenant à une chaîne spécialisée dans les tempura (fritures de poisson et fruits de mer avec riz et condiments à part) et les *tendon* (fritures posées sur un bol

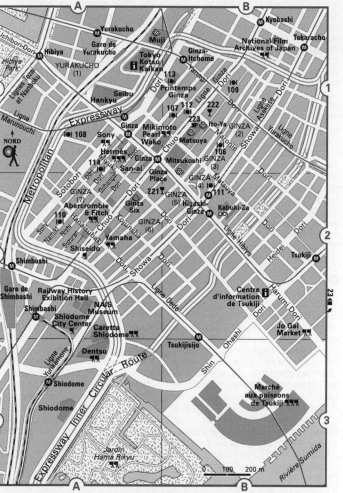

TOKYO

TOKYO – Ginza, Tsukiji, Shimbashi, Shiodome (Plan III)

■	Adresse utile	107	Spajiro Ginza (B1)	☕	Où boire un thé ?
🛈	Centre d'information de Tsukiji (B2)	108	Uomaru Honten-Sakamaru (A1)		223 Ginza Miyuki-Kan Cafe (B1)
🛌	Où dormir ?	109	Miyazaki Kurokiya (B1)		
23	Ginza Capital Hotel et Henu Na Hotel (hors plan par B2)	110	Akita Dining-Namahage (A2)	🍷	Où boire un verre ?
		111	Isomura (B2)		221 300 Bar (A-B2)
🍴	Où manger ?	112	Sakyo Higashiyama (B1)		222 La Terrazza Dom Perignon Lounge (B1)
106	Tempura Tendon Tenya et Ginza Yoshizawa (B1)	113	Brasserie Paul Bocuse (B1)		
		114	Ten-Ichi (A1)		

de riz). Ce genre de resto pas cher dans Ginza, fréquenté surtout par les employés du coin, est une aubaine pour le routard.

|●| *Spajiro Ginza* すばじろう銀座 (plan III, B1, **107**) : 4-1-3 Ginza, Chuo-ku. ☎ 3561-7778. Ⓜ Ginza 銀座 (sorties A13, B2 ou C8) et Ginza-Itchome 銀座一丁目 (sortie 5). À gauche de Kollabo (resto coréen) ; ouf, c'est écrit en grand « Spajiro ». Tlj 11h-23h. Resto de quartier faisant partie d'une petite chaîne, fréquenté par les employés et les OL (*Office Lady*). Spaghettis italiens au départ, mais revus, corrigés, arrangés et préparés à la japonaise et de différentes manières. On choisit la quantité souhaitée, selon son appétit, mais le prix ne change pas (sauf pour la version *extra large*). C'est bon, copieux et économique.

|●| *Uomaru Honten-Sakamaru* 魚〇本店 (plan III, A1, **108**) : 2-1-11 International Arcade, Chiyoda. ☎ 5510-1278. Ⓜ Ginza 銀座 (sortie C2), Hibiya 日比谷 et Yurakucho 有楽町. Tlj 24h/24. *Prix moyens.* Suivre la Miyuki-dori jusqu'au tunnel de la voie ferrée. C'est le 1er resto sous la voûte, sur la droite, reconnaissable au capharnaüm devant (ampoules qui clignotent, joyeux désordre de vieilles caisses de poisson, machines obsolètes...). Cadre intérieur façon taverne de pêcheur, rugueuses tables en bois, décor marin bien patiné. Sashimi servi généreusement, frais et d'un bon rapport qualité-prix, si on choisit le grand sashimi, car le petit est riquiqui (et du coup cher pour ce qu'il propose !). Sinon, grand choix de poissons et fruits de mer : poulpe au raifort, marmite de riz aux oursins...

|●| *Miyazaki Kurokiya* みやざき黒木屋 (plan III, B1, **109**) : 1-8-8 Ginza, Chuo-ku. ☎ 3535-8383. Ⓜ Ginza 銀座 (sortie A13) et Ginza-Itchome 銀座一丁目 (sortie 7). Tlj 16h (15h w-e)-minuit (3h ven). Cover charge ; *prix moyens.* Une *izakaya* au cadre patiné et chaleureux qui fait le plein à la sortie des bureaux. La cuisine ouverte sur la salle offre parfois le spectacle fugace d'une flamme rebelle qui tente de s'échapper des fourneaux en surchauffe. Plein de petites portions à commander selon sa faim et à arroser d'un saké. Service sympa.

De prix moyens à chic (de 1 500 à 6 500 ¥ et plus / 12,50-54 €)

|●| *Akita Dining-Namahage* 秋田ダイニング なまはげ (plan III, A2, **110**) : 8-5-6 Ginza, Chuo-ku. ☎ 3571-3799. Ⓜ Ginza 銀座 (sorties B7 ou B9). Au 9e étage d'un immeuble moderne (pas d'enseigne en anglais). Tlj sauf j. fériés 17h-23h30 (4h ven). *Résa conseillée.* Cadre chaleureux façon *izakaya*. Petite porte basse traditionnelle, salles intimes avec tables basses et coussins ou fosse pour les jambes. Un des lieux préférés des *salary men* en goguette. Cuisine traditionnelle bien présentée, fraîche et variée. Spécialité : le poulet *hinai jidori*, le *basashi* (viande de cheval en sashimi) et le *shotturi hot pot* (à la sauce de poisson *hatahata* au sel de mer, maturée 3 ans)... Le petit plus : à 19h30 et 22h (2h ven), irruption surprenante de sorciers avec d'impressionnants masques, lançant de lourdes imprécations. C'est une coutume dans la région d'Akita (nord-ouest de Honshu), la veille du Nouvel An, qui vise à vérifier que les gens mènent une vie bien conforme. Ces masques (de fait, genre de régulateurs de la vie sociale) les interrogent sur le travail, l'éducation des enfants, etc., tout en les terrorisant un peu pour les maintenir dans le droit chemin. De la même manière, ils interpellent les clients (mais ne craignez rien, intermède assez rapide). Pour conclure, un bon rapport qualité-prix-détente.

|●| *Isomura* 磯むら (plan III, B2, **111**) : B1F, Central Bldg, 4-10-3 Ginza, Chuo-ku. ☎ 3546-6964. Ⓜ Higashi-Ginza 東銀座 (sorties A2 ou A8) et Ginza 銀座 (sorties A11 ou A13). Au sous-sol (). Tlj 11h30-15h, 17h-22h. *Résa conseillée. Rejoint la catégorie « Chic » le soir.* Belle déco pour ce resto typique. Plusieurs élégants petits salons vous assurent une certaine intimité, mais on peut aussi prendre son repas sur le comptoir qui entoure la cuisine pour voir les cuisiniers au travail. La spécialité est le *kushiage* (plusieurs variétés de viandes mélangées avec des légumes et du fromage). Les plats sont servis avec une soupe *miso*, du riz et des pickles.

De chic à très chic (de 3 500 à plus de 15 000 ¥ / 29-125 €)

|●| *Sakyo Higashiyama* 左京東山 *(plan III, B1, 112)* : 3-7-2 Ginza, Chuo-ku. ☎ 3535-3577. Ⓜ *Ginza* 銀座 (sortie A13) et *Ginza-Itchome* 銀座一丁目 (sortie 8). *Dans le building Oak Ginza, au sous-sol ; entrée discrète (pas d'enseigne en anglais ; accès par l'escalier qui descend sur la droite). Tlj sauf dim 11h30-15h, 17h30-23h (dernière commande à 21h). Prix moyens le midi ; dîner env 7 500-15 000 ¥.* Un des plus authentiques ambassadeurs de la cuisine de Kyoto. Certes, dans le style du décor, mais en plus, même l'eau utilisée pour la cuisson vient de là-bas ! On voit les jarres d'eau précieuse dans la salle à manger. Mets raffinés s'équilibrant bien entre eux, avec une progression dans les goûts. Menu type : un petit *medley* de salades et œufs de saumon, soupe *miso* parfumée, *ginnan* (fève verte) et un genre d'anchois avec pickles et riz. Les légumes viennent aussi de Kyoto. Une curiosité : pas mal de tables à l'aspect rustique ont été fabriquées avec du bois récupéré de bateaux naufragés.

|●| *Ginza Yoshizawa* 銀座吉澤 *(plan III, B1, 106)* : 3-9-19 Ginza, Chuo-ku. ☎ 3542-2981. Ⓜ *Ginza* 銀座 (sortie A13) et *Ginza-Itchome* 銀座一丁目 (sortie 11). *En face du Lawson ; au rdc il y a une boucherie. Lun-ven 11h-14h, 17h-22h ; sam 11h-15h et seulement en déc 17h-22h. Fermé dim. Prix moyens le midi ; le soir, repas 10 000-20 000 ¥.* L'extérieur de l'immeuble est en verre fumé noir avec du marbre noir. On enlève ses chaussures, puis une dame en kimono nous conduit à la salle à manger, rituel nippon bien raffiné et poli. On vient ici pour déguster les *sukiyaki* à base de viande japonaise. Traditionnel, typique et chic.

|●| *Brasserie Paul Bocuse* ブラッスリーポール ボキューズ *(plan III, B1, 113)* : Marronnier Gate Bldg, 2-2-14 Ginza, Chuo-ku. ☎ 5159-0321. Ⓜ *Ginza-Itchome* 銀座一丁目 (sortie 4). *Tlj 11h-15h (dernière commande à 14h), 17h30-23h (dernière commande à 21h) ; sam-dim service non-stop. Lunch 2 500 ¥ ; dîner 5 000 ¥.* Du 6e au 9e étage, le magasin *Tokyo Hands* occupe l'espace. En arrivant au 10e étage, on se rend vite compte qu'on est en France, chez M. Paul plus précisément. Chance supplémentaire, c'est l'un de ses 4 restos parmi les plus abordables de Tokyo. Pour vous mettre en confiance, vos yeux tombent d'abord sur les cuisines. Autre surprise, le resto surplombe Ginza et ses magnifiques néons le soir. Bois sombre dominant et décor bronze donnent la touche élégante et sobre tout à la fois. Pour le reste, la culture culinaire française est ici fort bien représentée. On y retrouve toute sa saveur. Carte des vins un peu chère.

|●| *Ten-Ichi* 天一 *(plan III, A1, 114)* : 6-6-5 Ginza. ☎ 3571-1949. Ⓜ *Ginza* 銀座 (sorties B7 ou B9). *Panneau extérieur très visible. Tlj 11h30-22h. Menus 9 200-17 300 ¥ (servis jusqu'à 16h), 14 000-20 600 ¥ le soir.* C'est le resto principal d'une chaîne réputée de tempura. Cadre sobre et élégant tout à la fois. Avant vous, Jacques Chirac, Bill Clinton, Kissinger, Gerhard Schröder, Sinatra... honorèrent les lieux de leur présence. Fondé en 1930, il possède donc un long passé de sélection rigoureuse des légumes, viandes et poissons les plus frais. Devant la clientèle, le tour de main de l'officiant pour conserver goût et naturel aux produits n'est plus à vanter. Crevettes et bouquets (*shiba-ebi* et *kuruma-ebi*) du jour, provenant des meilleurs spots de pêche des îles du Sud en mer du Japon.

Où boire un thé ?

|☕| *Ginza Miyuki-Kan Cafe* 銀座みゆき館 *(plan III, B1, 223)* : 4-6-18 Ginza, Chuo-ku. ☎ 3564-3288. Ⓜ *Ginza* 銀座 (sortie A13) et *Ginza-Itchome* 銀座一丁目 (sortie 9). *Niveau 2F. Tlj 11h-23h (22h30 dim et j. fériés) ; lunch 11h-14h.* Un salon de thé niché dans un immeuble dont la façade en alu agrémentée

TOKYO

TOKYO

de balcons décorés d'enseignes colorées retient l'attention. On s'installe dans l'un des boudoirs à la déco étudiée et hétéroclite. Un lieu raffiné et intime dont on profite sur fond de musique jazzy.

Où boire un verre ?

🍸 *300 Bar* (plan III, A-B2, *221*) : 1-2-14 Ginza. ☎ 3593-8300. Ⓜ *Ginza* 銀座 (sorties A1 ou A5). Lun-jeu 12h-2h, ven-sam 12h-4h, dim et j. fériés 12h-23h. En sous-sol, un genre de taverne où l'on boit et mange debout, autour d'un comptoir et de hautes tables. Ambiance jeune, conviviale et pleine de vie. Le principe est simple : on achète des tickets à échanger contre une boisson ou de petites assiettes (pizzas, *chicken nuggets,* hamburgers, etc.). Mais la spécialité de la maison, ce sont les cocktails et les mojitos bio (même l'ambassadeur de Cuba est venu les goûter) ! Musique de qualité. Parfois des DJs en fin de semaine (entrée gratuite). Une adresse inattendue dans ce quartier.

🍸 *La Terrazza Dom Perignon Lounge* ラ テラッジャ ラウンジ (plan III, B1, *222*) : 2-7-12 Ginza, Chuo-ku. ☎ 6362-0555. Ⓜ *Ginza* 銀座 (sortie A13) et Ginza-Itchome 銀座一丁目 (sortie 9). Ouv seulement du printemps (début avr) à la fin de l'été, dans la journée à partir de 12h, mais mieux vaut y aller le soir 17h30-20h (ven-sam 21h-22h40). Entrée : 1 500 ¥ les soirs de concerts. À côté de la tour Ito-Ya, dans le building Bulgari, chic et choc, magnifique architecture au cœur de Ginza. La tour abrite un magasin luxueux, des bureaux, un restaurant, un bar (10e étage) et un bar-*lounge* chic et glamour au 11e étage. Agrémenté d'une terrasse bordée d'un jardin à l'italienne, c'est le lieu idéal pour faire une pause. On sirote un verre sur ce « perchoir » qui domine l'animation de la rue, dans de confortables fauteuils ou sur de larges banquettes basses. Parfois un groupe de jazz.

Achats

🛍 *Muji* 無印良品 (plan III, A-B1) : 3-8-3 Marunouchi, Chiyoda-ku ; presque à l'angle avec Sotobori. ☎ 5208-8241. Ⓜ *Yurakucho* 有楽町 (sortie A9). Tlj 10h-21h. Ceux qui connaissent les magasins parisiens *Muji* ne reconnaîtront pas grand-chose. Sur 3 étages, tout l'univers *Muji* basé sur le design et des prix abordables. *Muji* signifie « sans marque ». Tout est sobre et bien dessiné. Objets pour le voyage, la maison (literie, cuisine...), fringues, jouets.

🛍 *Matsuya* 松屋 (plan III, B1) : 3-6-1 Ginza. ☎ 3567-1211. Ⓜ *Ginza* 銀座 (sortie A13) et Ginza-Itchome 銀座一丁目 (sortie 9). Tlj 10h-20h. Réputé pour ses boutiques d'avant-garde. Il abrite notamment *Yamamoto, Comme des Garçons* et *Issey Miyake.* Ce dernier présente une boutique au concept assez original : style totalement minimaliste, rayonnages transparents mettant efficacement les produits en valeur et permettant un choix rapide. Ne manquez pas la visite du rayon alimentation au sous-sol.

🛍 *Ito-Ya* 伊東屋 (plan III, B1) : 2-7-15 Ginza, Chuo-ku. ☎ 3561-8311. Ⓜ *Ginza* 銀座 (sortie A13). Tlj 10h-20h (19h dim et j. fériés). Une immense papeterie sur 9 étages, repérable par un énorme trombone à l'entrée. Papiers japonais sublimes, introuvables chez nous. Le dernier étage propose des expos à thème d'objets de calligraphie qui changent régulièrement. Dans la rue derrière, l'annexe nº 2 propose des articles beaux-arts (peintures, papiers, etc.).

🛍 *Mitsukoshi* 三越 (plan III, B1-2) : 4-6-16 Ginza. Ⓜ *Ginza* 銀座 (sortie A11). ☎ 3562-1111. Tlj 10h30-20h (11h-23h pour les restos). L'un des grands magasins de Tokyo les plus connus, où l'on vient surtout pour le fameux rayon alimentation au sous-sol. Il offre un grand nombre de produits japonais – curieux, savoureux, pleins de fraîcheur et de couleurs. D'incroyables gâteaux que vous n'avez jamais vus de votre vie !

🐾 Et, bien entendu, les incontournables *Wako, Hankyu, Matsuzakaya* et tant d'autres...

🐾 *Le Ginza Six* シックス銀座 *(plan III, A2)* : 10-1 Ginza, Chuo-ku 6-chome. Ⓜ Ginza 銀座 *(sortie A11)*. Tlj 10h30-20h30. Le nouveau temple du luxe est le 1er du genre à Tokyo, un *mall* immense dédié au luxe. À l'origine de ce projet, Bernard Arnault et le groupe LVMH ! Construit à l'emplacement de l'ancien magasin *Matsuzakaya* par l'architecte Yoshio Taniguchi, celui-là même qui a fait l'extension du MoMA à New York ; quant à l'intérieur, c'est Gwenael Nicolas, habitué de l'aménagement des boutiques du groupe LVMH. En chiffres, 47 000 m², 241 boutiques, dont un grand nombre de luxe *(Dior, Céline, Kenzo, Yves Saint Laurent, Van Cleef & Arpels...)*, et une dizaine faisant partie du groupe LVMH, mais aussi quelques marques moins dispendieuses *(Petit Bateau, Adidas, Converse...)*. On y trouve aussi un théâtre au sous-sol, l'indispensable épicerie fine, un étage dédié à la beauté, et les avant-derniers étages aux restaurants et bars. Enfin, le clou, au dernier étage, une terrasse-jardin de 4 000 m² qui domine toute la ville !

À voir

– *Pour s'y rendre :* les principales stations de métro sont Ginza, Higashi-Ginza et Ginza Itchome. Les distances sont relativement courtes.
Tout s'ordonne autour du carrefour *Chuo-dori* 中央通り (appelé aussi Ginza-dori) – *Harumi-dori* 晴海通り *(plan III, A-B1)*. Sur l'un des coins du carrefour s'élève la plus célèbre icône du commerce tokyoïte : le *Wako* 和光. L'un des plus anciens grands magasins de Ginza reconstruit après le séisme de 1923 et spécialisé au départ dans la joaillerie et l'horlogerie (ancêtre de la marque Seiko). Son horloge en façade datant de 1898 est un populaire point de ralliement. Comme l'est le lion qui garde l'entrée du grand magasin *Mitsukoshi* juste en face. À l'autre coin, l'immeuble en rotonde tout en verre, le *Sanai,* est aussi une façade emblématique de Ginza. À Ginza, pas de grand monument public ni beaucoup de musées. Voici néanmoins nos grands coups de cœur architecturaux.

🎥 *Shiseido The Ginza* 資生堂 *(plan III, A2)* : 8-8-3 Ginza. Shiseido est la 1re marque japonaise de cosmétiques et de produits de beauté. Cet immeuble glamour a été conçu par le célèbre architecte Ricardo Bofill. Le Catalan a abandonné les colonnades et les chapiteaux antiques traditionnels pour une façade simplement composée de panneaux rouges, d'une sobriété assez inhabituelle. Noter qu'il a quand même repris, dans la partie supérieure, la technique médiévale consistant à grossir vers le haut la largeur des baies, pour assurer un équilibre parfait des ouvertures et de l'ensemble.

🎥🎥 *Yamaha* ヤマハ *(plan III, A2)* : 7-9-14 Ginza. L'immeuble Yamaha Ginza des années 1950 a subi une reconstruction complète, pour rouvrir en février 2010. Belle réussite architecturale de l'agence *Nikken Sekkei,* auteur de la tour de la *Banque de Chine* à Shanghai, avec sa façade en damier de verre qui change de tons entre le jour et la nuit. L'intérieur est intéressant aussi : 15 étages dédiés à la musique (dont 3 en sous-sol)

PETIT HARMONIUM, GRANDE AMBITION

En 1887, Torakusu Yamaha construisit son 1er harmonium. En 1900, il produisit des pianos made in Japan. Orgues électroniques et instruments à vent complétèrent la gamme. Le groupe devint si florissant qu'il racheta dans les années 2000 de prestigieuses maisons européennes comme Steinberg et Bösendorfer.

TOKYO

raviront les amateurs et les professionnels. Un thème est attribué à chaque étage : une école de musique, un showroom de pianos, une salle d'exposition d'instruments à vent, une exposition qui met en avant la longue histoire de la conception des instruments musicaux du traditionnel à l'innovation, des partitions, des CD et DVD, des instruments de musique numériques, des tambours... et, en bonus, une salle de concerts de plus de 300 places... dont l'acoustique est extraordinaire !

🎥🎥 *Abercrombie & Fitch* (plan III, A2) : 6-9-10 Ginza. La célèbre marque américaine a ouvert son magasin tokyoïte en plein Ginza, sur Chuo-dori comme il se doit ! L'architecture de l'immeuble est une belle réussite. Construit par Selldorf Architects, un cabinet new-yorkais, l'immeuble très étroit présente une façade d'acier et de verre moderne, réchauffée par la texture des persiennes en bois. À l'intérieur, tout est sombre et musical. Voir les 2 ascenseurs en verre et l'escalier d'incendie, en verre également. Les vêtements de la marque ne sont pas d'une grande originalité ; ils appartiennent plutôt à la catégorie de la « branchitude américanisée », mais si vous cherchez du basique, cher et à la mode, vous êtes au bon endroit ! Sans oublier, pour ceux que ça branche, le *bimbo-boy* à l'entrée avec qui on peut se faire prendre en photo !

🎥🎥🎥 *L'immeuble Hermès* エルメスビル (plan III, A1) : 8F, 5-4-1 Ginza, Chuo-ku. ☎ 3569-3300. Lun-sam 11h-20h (19h dim). GRATUIT. Une des plus séduisantes réalisations de Renzo Piano. Surnommé la « cathédrale de verre ». Des milliers de carreaux de verre qui s'illuminent la nuit (et capables de résister aux séismes). Une féerie. Au dernier étage (8F), une galerie d'art. À deux pas, intéressant édifice *Dior* également.

🎥🎥 👫 *Sony* ソニービル (plan III, A1) : au Ginza Place, 5-8-1. Du 4ᵉ au 6ᵉ niveaux de l'immeuble, partagé entre autres avec Nissan. Tlj 11h-19h. En attendant la fin des travaux de l'immeuble Sony dans le même quartier, un showroom a été aménagé dans cet étonnant building à la façade blanche, ciselée comme un origami. Les mômes adorent tester les ultimes PlayStation, VAIO, Cybert-Shot, AIBO robot hound, Handycam... et les grandes personnes rêvent des technologies annonçant le XXIIᵉ s... Attention, si vous craquez pour un beau joujou, sachez que seuls les articles du 6ᵉ étage sont vendus avec une garantie internationale. Au 3ᵉ étage de l'immeuble, café sympa.

SONY, GÉANT MONDIAL

Le nom Sony vient de sonus, *qui signifie « son » en latin. Né dans une famille de producteurs de saké depuis 14 générations, Akio Morita (1921-1999) fonda Sony en 1946. En 1950, il sortit le 1ᵉʳ magnétophone du Japon, et en 1960, la 1ʳᵉ télévision transistor du monde. Depuis, le groupe est devenu nº 1 mondial grâce à ses innovations : Trinitron, Betamax, Walkman (1979), gadgets high-tech. Sony s'est diversifié dans la musique (disques, CD), le cinéma (rachat des studios Columbia en 1989), la télévision et les jeux vidéo (PlayStation).*

– Dans le genre, ne pas manquer aussi l'*Apple Store* アップル直営店 (3-5-12 Ginza).

🎥🎥 *Mikimoto Pearl* ミキモト真珠 (plan III, A-B1) : 2-4-12 Ginza, Chuo-ku. ☎ 3535-4611. À côté du grand magasin Wako. Créé en 1893 par un amoureux des perles naturelles. Plus tard, il développa la perle de culture et en devint le grand spécialiste. Une des façades les plus originales qui soient avec son festival de fenêtres déparaillées, dansant dans tous les sens.

🎥🎥 *Y's For Men* Yさん男性用 (plan III, B1) : 3-6-1 Ginza. Le magasin de vêtements de Yohji Yamamoto (voir la rubrique « Personnages » dans « Hommes,

culture, environnement » en fin de guide), offrant un cadre et un décor d'une aus-
térité quasi cistercienne. Tout en formes rondes, dans les gris mat, éclairages
faiblement dosés... Pourtant, mon tout fonctionne très bien !
– À deux pas, la façade de verre noir de **Chanel** シャネル *(3-5-3 Ginza)* vaut le
coup d'œil également. Elle abrite le prestigieux resto *Beige* de Ducasse.

🎥🎥 *Les Archives nationales du Cinéma japonais (National Film Archives of
Japan)* 国立フィルムセンター *(plan III, B1) : 3-7-6 Kyobashi, Chuo-ku.* ☎ 5777-
8600. ● *nfaj.go.jp/english/* ● Ⓜ *Kyobashi* 京橋, *ligne Ginza (sortie 1, puis 1 mn de
marche). Tlj sauf lun 11h-18h30 (20h ven). Entrée : 520 ¥ ; réduc.* Passionnant petit
musée du cinéma et de la nostalgie. Collection d'antiques caméras et projecteurs,
illustrée de photos et vidéos de films anciens en noir et blanc. Affiches originales
des années 1920 et 1930, galerie de photos de vieux cinoches de quartier et
programmes délavés. Quelques pièces, comme un bout de pellicule originale du
film La Rue de la République (1895) et une carte de vœux de Louis Lumière à un
producteur du cinéma japonais. Photos d'artistes de grande qualité et une affiche
d'origine de *Rashômon* (le chef-d'œuvre de Kurosawa). Dommage, quasiment
aucune traduction en anglais, mais, magie du cinéma aidant, objets et images
expriment tant de choses...

Culture

∞| *Le théâtre Kabuki-Za* 歌舞伎座 *(plan III, B2) : 4-12-15 Ginza, Chuo-ku.*
☎ *3545-6800 (10h-18h) et 5565-6000.* ● *kabuki-za.co.jp* ● Ⓜ *Higashi-Ginza* 東銀
座 *(sortie A3). Prix des places : 3 000-22 000 ¥. Pour les touristes, tarif à partir de
1 000 ¥ pour voir un seul acte (env 30 mn), également un écran avec sous-titres en
anglais (500 ¥ et 1 000 ¥ pour la caution).*
Apparition culturelle surprenante dans le quartier du luxe ! Irruption soudaine du
passé nippon dans le secteur étincelant de richesse des tours de verre design.
Voici une architecture néojaponaise ancienne, tout en bois, en courbes et en ailes
de pigeon, au cœur du Tokyo vertical. Détruit lors de la Seconde Guerre mondiale,
ce vieux théâtre fut reconstruit à l'identique. Après de longs travaux de restauration, il a rouvert en 2013. C'est le lieu idéal pour assister à un spectacle de kabuki.
– Rappel : les spectacles de kabuki peuvent durer jusqu'à 5h d'affilée ! Dans
certains théâtres, possibilité de louer des écouteurs de traduction en anglais.

AU SUD DE GINZA

3 quartiers : *Tsukiji* 築地 et les 2 quartiers distincts de **Shimbashi** 新橋 et de **Shiodome** 汐留. C'est Tokugawa Ieyasu qui, au XVIIᵉ s, assécha les marécages au
sud de Ginza pour agrandir la ville. Tsukiji signifie d'ailleurs « terre récupérée ».
À l'ouest, Shiodome fut aussi un territoire gagné sur des marais salants (Shiodome
signifiant « endroit où la marée s'arrête »). C'est là que le gouvernement Meiji
construisit la 1ʳᵉ gare de la ligne Tokyo-Yokohama.

LE QUARTIER DE TSUKIJI (marché aux poissons) 築地

Adresse utile

ℹ️ *Centre d'information de Tsukiji* 築地インフォルメションセンタ
ー *(plan III, B2) : 3F, Tsukiji KY Bldg,
4-7-5 Chuo-ku.* ☎ *3541-6521. Tlj sauf* *dim et j. fériés 8h30-15h.* On y trouve
notamment un plan détaillé du marché
de Tsukiji avec la liste des commerces,
échoppes et restaurants.

TOKYO

Où dormir ?

Prix moyens (de 10 000 à 25 000 ¥ / 83-208 €)

🏠 *Ginza Capital Hotel* 銀座キャピタル
ホテル *(hors plan III par B2, 23) :* hôtel principal au 2-1-4 Tsukiji, et annexe au 3-1-5 Tsukiji, Chuo-ku. ☎ 3543-8211.
● ginza-capital.co.jp ● *Pour l'annexe,* 🚇 *Tsukiji* 築地, *ligne Hibiya (sorties 3 ou 4, puis 1 mn de marche). Pour l'hôtel principal, descendre à la station Shinto-michio (sorties 1 ou 4). Doubles 13 600-23 000 ¥ ; petit déj en sus.* L'hôtel possède pas moins de 550 chambres réparties dans le bâtiment principal et l'annexe, celle-ci un peu plus chère mais aux pièces plus spacieuses. Déco assez simple et sans grand charme mais chambres bien équipées. L'avantage de ces hôtels (le principal et l'annexe) est surtout leur situation géographique, et finalement leur prix, car dans ce quartier les hôtels sont vite très, très chers (et celui-ci se révèle un des meilleurs rapports qualité-prix du coin !).

🏠 Juste à côté, ne manquez pas d'aller jeter un œil au *Henn Na Hotel,* un établissement en partie robotisé avec de vraies et de fausses réceptionnistes. Amusant ou effrayant, c'est selon !

À voir

🎣🎣🎣 *Le marché aux poissons de Tsukiji* 築地市場 *(plan III, B3) : infos au* ☎ 3547-8013. ● tsukiji-market.or.jp ● 🚇 *Tsukiji* 築地, *ligne Hibiya (sorties 1 ou 2), ou Tsukijishijo* 築地市場, *ligne Oedo (sortie A1). Ouv aux visiteurs tlj sauf dim et j. fériés 10h-11h. Attention, le marché a déménagé dans le quartier de Toyosu dans un bâtiment tout beau, tout neuf ! Maintes fois repoussé, le déménagement a eu lieu en octobre 2018. Le marché aux poissons de Tsukiji a donc rejoint ses nouveaux quartiers. Encore faut-il que les pêcheurs suivent... et qu'il n'y ait aucun nouveau rebondissement.*

Le célèbre marché aux poissons de Tsukiji a fermé ses portes en octobre dernier. Enfin, pas tout à fait : il ne s'agit que de la partie intérieure, celle réservée aux grossistes. Le marché extérieur (voir ci-après) est toujours là. Fondé en 1935, c'est une véritable institution, le plus vieux des 11 marchés aux poissons du Japon, et l'un des plus grands du monde. Depuis plusieurs années, il était donc question de le déplacer dans

POISSON MORTEL

Le fugu (ou poisson-globe) est particulièrement fin à déguster. En revanche, certains de ses organes contiennent une toxine plus dangereuse que le cyanure. Aucun antidote. Plusieurs gourmands (ou kamikazes ?) meurent chaque année. Pour pouvoir le travailler, les cuisiniers suivent une formation de 2 ans, sanctionnée par un diplôme d'État.

le quartier de Toyosu au sud-ouest de la ville, pour plusieurs raisons. D'abord, parce qu'après plus de 80 ans il s'était devenu trop vieux pour faire face aux nouvelles exigences commerciales (pas de place pour faire circuler les camions, impossible de contrôler les températures, problèmes sanitaires, etc.). Mais la rumeur selon laquelle il s'agirait en réalité de faire de la place aux Jeux olympiques de 2020 n'est peut-être pas infondée. Cependant, peu pratique d'accès, le nouveau projet ne fait pas l'unanimité et a été fortement contesté depuis le début. Il serait 40 % plus grand que l'ancien pour un budget colossal de 4 milliards d'euros. L'endroit n'est pas dénué de risques : non seulement plus vulnérable aux tremblements de terre et tsunamis, il a aussi subi une contamination des sols (benzène, arsenic et mercure), même si la ville a beaucoup investi dans la décontamination. Résultat, après moult discussions, c'est le statu quo. Pour combien de temps encore ? Nul ne le sait. Il est clair que depuis le déménagement du marché de Tsukiji, ce n'est pas seulement un bâtiment qui a fermé ses portes, c'est toute une partie de l'histoire de Tokyo qui s'achève.

🎎 *Le marché extérieur (Jo Gai Market)* 場外市場 *(plan III, B2-3) : circonscrit par Shin Ohashi-dori, Harumi-dori et l'ex-marché aux poissons. Un peu moins d'activité le dim.* Longue série de gargotes, vendeurs de matériel de cuisine et de vaisselle, détaillants divers. Puis arrivée au marché proprement dit, quelques ruelles perpendiculaires où alternent petits restos à sushis et vendeurs de

IL ÉTAIT UNE FOIS LE SUSHI

Il y a bien longtemps (2 400 ans, quand même !), le poisson cru était placé entre des couches de riz vinaigré pour empêcher sa dégradation. D'ailleurs, on jetait ensuite le riz pour ne consommer que le poisson. Il fallut attendre le VIIᵉ s pour arrêter ce gaspillage et consommer le tout. Le sushi était né.

tout : couteaux, ustensiles de cuisine, fruits de mer, petits poissons séchés, wasabi frais, algues, champignons, graines et fruits secs. Une belle agitation accentuée par le racolage sévère des restos. Éviter juste ceux qui vous racolent trop, ceux dont les devantures affichent leurs plats de façon trop voyante. Se fier à son intuition... C'est ici que vous pourrez manger en sashimi un petit poisson, l'*aji*. On va le chercher dans l'aquarium, puis le découpeur, adroitement, extrait les filets sur les côtes du poisson, ne laissant que la nageoire de queue et la tête, puis dépose la bête encore frétillante sur 2 petites potences... devant vous ! Sur Shin Ohashi-dori, toute une kyrielle de petits comptoirs pas chers du tout.

🎎 *Le jardin Hama Rikyu* 浜離宮恩賜庭園 *(plan III, A-B3) : 1-1 Hama Rikyu Teien, Chuo-ku.* Ⓜ *Shiodome* 汐留, *ligne Oedo (sortie 8), ou Tsukijishijo* 築地市場 *et Shimbashi* 新橋*. Tlj 9h-17h (dernière entrée à 16h30). Entrée : 300 ¥. Visite guidée en anglais gratuite lun à 13h30 et sam à 11h.* Un des jardins les plus typiques de l'ère Edo. Baigné sur son côté est par les eaux de la baie de Tokyo, il constitue un des poumons de verdure de la capitale. Littéralement, le nom signifie « jardin détaché du palais ». Il appartient à l'une des branches des Tokugawa. Lorsque le shogun décida de s'y installer, en 1709, il planta des pins – dont l'un subsiste encore à l'entrée. Jardin public depuis la Seconde Guerre mondiale, c'est un enchantement au printemps avec ses immenses massifs de fleurs jaunes, contrastant avec la barre des gratte-ciel modernes de Shiodome. Une partie du jardin est même préservée comme zone naturelle. Le niveau des eaux de l'étang Shioiri-noike varie selon le flux et le reflux des marées. Il est le dernier étang qui subit l'influence de la marée. Reproduction d'un pavillon où l'empereur Meiji reçut en 1879 le général Ulysses Grant, ancien président des États-Unis.

➤ *Balades en bateau dans le port de Tokyo et sur la rivière Sumida :* du jardin Hama Rikyu, possibilité d'attraper le bateau-bus qui se balade sur la rivière Sumida (jusqu'à Asakusa). À la redescente, il s'arrête au jardin et plus loin à l'embarcadère du quai Hinode 日の出. Pour prendre ce bateau, il faut payer l'entrée au jardin Hama Rikyu. Une demi-heure de balade très sympa. Du même embarcadère, liaisons en bateau jusqu'au parc marin d'Odaiba (Odaiba Kaihin Koen).
– *Croisière de Tokyo* 水上バス *: ouv 9h30-17h30.* ☎ *2097-7311.* ● *suijobus.co.jp* ● *De l'embarcadère de Hinode (Hinode Pier) à Asakusa, 15 bateaux/j. 10h-17h55 (18h40 juil-août). Départs env ttes les 30 mn. Durée : env 40 mn. Billet : 780 ¥. Pour Odaiba Seaside Park, 11 départs 11h25-18h. Durée : 20 mn. Billet : 480 ¥.*

SHIMBASHI 新橋 *ET SHIODOME* 汐留

Depuis les années 2000, Shiodome *(plan III, A2-3)* est devenu une énorme zone de développement urbain et un quartier d'affaires très recherché au sud de la capitale. Quant à Shimbashi, il fut l'un des quartiers de geishas les plus renommés durant l'ère Meiji. Il n'en reste cependant rien aujourd'hui. Bien sûr, ces territoires sont en plein développement et rongent progressivement ces dernières enclaves d'habitat traditionnel horizontal. De Shimbashi, vous n'aurez guère l'occasion de connaître autre chose que la très importante station de correspondance métro-*JR*... C'est aussi d'ici que l'on prend la ligne Yurikamome pour aller dans le quartier d'Odaiba, qui vous fait voyager au-dessus de la mer et vous permet d'avoir une vue d'ensemble exceptionnelle sur Tokyo, son port et sa baie ! Shiodome-Shimbashi crurent peut-être pouvoir rivaliser avec Roppongi, Shinjuku et Shibuya pour la vie nocturne et la gastronomie, mais la greffe ne prit pas vraiment. Restent pour les fans d'architecture contemporaine quelques gratte-ciel dignes d'intérêt, un passionnant musée de la Publicité et la reconstitution d'Old Shimbashi, la 1re gare de Tokyo...

À voir

Le siège social de Dentsu 電通 *(plan III, A3) : 1-5-3 Higashi-Shimbashi, Minato-ku.* Ⓜ *Shimbashi* 新橋*, lignes JR Yamanote (sortie Shiodome), Ginza et Asakusa (sorties 3 ou 4), ou Shiodome* 汐留*, lignes Oedo et Yurikamome (sorties 3 ou 4). Fermé dim.* Siège de la 1re agence de publicité du monde. Son plus proche concurrent au Japon atteint la moitié de son chiffre d'affaires ! C'est dire la taille de ce géant ! Dentsu est partout, et c'est aussi le 2e actionnaire de l'agence française Publicis après Élisabeth Badinter. Voici donc un remarquable building de 48 étages (213 m de haut) construit en 2002. Sa forme en lame de couteau est une idée de Jean Nouvel, qui signe ici sa 1re tour. L'architecte dut s'adapter à la forme exiguë du terrain. La tour Dentsu fait penser, dans sa conception, au fameux « fer à repasser » sur la 23e rue à New York. Possibilité de grimper tout en haut (pas moins de 70 ascenseurs !). On ne vous décrit pas la vue ! À côté, voir en contraste l'Old Shimbashi, une reconstitution de la 1re gare tokyoïte de 1872.

Caretta Shiodome カレッタ汐留 *(plan III, A2-3) : 1-8-2 Higashi-Shimbashi.* ● *caretta.jp* ● Juste à côté du Dentsu, cette haute tour de 200 m évoque par son style futuriste une falaise de granit, servant de socle pour une tour de bureau. Des petites cascades jaillissent ainsi de terrasse en terrasse. À l'intérieur, remarquable structuration des volumes, tout en harmonieuses formes concaves ou convexes. En tout, on y trouve une vingtaine de restos de cuisine japonaise ou occidentale, répartis selon les niveaux. Aux 1F1, 2F1 et 3F1, la *Canyon Terrace* est un espace évoquant un grand canyon, pour se détendre et boire un verre. Aux 46F1 et 47F1, les restaurants *(Sky Restaurants)* sont accessibles en ascenseur unique au départ du B2F.

Shiodome City Center 汐留シティセンター *(plan III, A2) : 1-5-2 Higashi-Shimbashi.* Audacieux building de 215 m de haut avec une surface de verre en courbe. Sa couleur vert émeraude le fait particulièrement étinceler au soleil. Dans le genre pas mal, voir aussi plus loin la **Nippon Television Tower** 日本テレビタワー *(1-6-1 Higashi-Shimbashi).*

LE PARC D'UENO 上野公園

● Ueno, Yanaka *(plan IV) p. 135* ● Zoom Yanaka *p. 137*

Fascinant parc d'Ueno, adoré des Tokyoïtes. On le doit au 1er shogun au XVIIe s, qui y construisit plusieurs temples pour contrer les mauvais esprits venant du nord-ouest. Les shoguns qui lui succédèrent eurent la bonne idée de suivre cette ligne. C'est dans le parc d'Ueno qu'eut lieu l'ultime bataille en 1868 entre les troupes des okugawa et l'armée de l'empereur. En 1873, le parc fut déclaré d'utilité publique. Il connaît aujourd'hui son summum de popularité au moment des cerisiers en fleur. Il concentre non seulement nombre de temples et sanctuaires, mais aussi une somme de musées exceptionnels dans un environnement idéal.

Quand on se balade au sud du parc, sur les berges du lac Shinobazu, couvert de lotus et de nénuphars géants, s'il n'y avait ces quelques immeubles incongrus griffant l'horizon, on pourrait se croire à mille lieues de Tokyo. Encore plus si l'on vient de visiter le musée de Shitamachi...

Enfin, c'est la porte d'entrée du quartier de Yanaka, remarquable vestige du Tokyo de jadis, une des balades les plus romantiques qui soient.

LES CERISIERS EN FLEUR

Fin mars-début avril, la floraison des cerisiers (sakura) est un événement national. Elle symbolise la fragilité de la vie et la beauté éphémère. À cette époque, les familles ou les amis se réunissent pour pique-niquer dans les parcs en fleurs. On retrouve cette fleur sur les pièces de 100 yens.

TOKYO

Adresse utile

🛈 *Office de tourisme de Keisei-Ueno* 東京観光情報センター京成上野支所 *(plan IV, B3)* : *Gate 60 Ueno-koen, Taito-ku.* ☎ *3836-3471.* Ⓜ *Ueno* 上野. Se reporter à la rubrique « Adresses utiles. Informations touristiques » en intro du chapitre « Tokyo ».

Où manger ?

Bon marché (moins de 1 500 ¥ / 12,50 €)

I●I *Petits restos (plan IV, B3, 116)* : 6-13 Ueno-koen, Taito-ku. Ⓜ Ueno 上野 *(JR)*, sortie Shinobazu. De l'autre côté de la rue, en face de la sortie de la gare. Tlj 11h-23h. Plusieurs gargotes populaires datant de l'après-guerre. Dans les années 1940-1950, le marché noir s'effectuant essentiellement autour des gares, de petits restos vinrent se greffer sur « l'activité commerciale fiévreuse » de l'époque, cachés sous les ponts, dans le recoin des piles de tabliers et sous les arcades des voies. Trop proches du trépidant métro, dans un environnement pauvre et populaire, ces zones libres n'ont jusqu'à présent pas intéressé les vautours de l'immobilier. Profitez donc de ces endroits du vieux Tokyo, surtout la nuit quand tout le quartier prend de vives teintes expressionnistes. Les terrasses s'emparent de la rue et vibrent aux exclamations d'une clientèle joyeuse et bruyante.

De prix moyens à chic (de 3 500 à 6 500 ¥ / 29-54 €)

I●I *Izuei Umekawa-Tei* 伊豆栄梅川亭 *(plan IV, A2, 117)* : 4-34 Ueno-koen, Taito-ku. ☎ 5685-2011. Ⓜ Ueno 上野 *(JR)*. Dans le parc d'Ueno, non loin du temple et du lac. En sem 11h-15h, 17h-22h (dernière commande à 14h30 et 21h30) ; w-e en continu. Plus de 25 menus et formules (2 160-8 640 ¥). À moins de 10 mn du métro, dans un environnement bucolique (le parc d'Ueno) que vous devinez superbe, un restaurant très agréable spécialisé dans l'anguille *(unagi)*. Essayez aux beaux jours d'avoir une place en terrasse derrière, avec le petit ruisseau qui glougloute. À l'intérieur, cadre et tables traditionnelles à la japonaise. Petites salles privées sur réservation. En fait, les 1ers menus sont à des prix raisonnables, la fourchette est très variée.

I●I *Innsyoutei* 韻松亭 *(plan IV, B3, 118)* : 4-59 Ueno-koen, Taito-ku. ☎ 3821-8126. Ⓜ Ueno 上野 *(JR)*. Depuis

TOKYO

l'entrée principale du parc d'Ueno, se diriger vers le zoo, passer la statue de Saigo Takamori, c'est 250 m plus loin sur la gauche. Lun-sam 11h-15h, 17h-23h (dernière commande à 21h30) ; dim 11h-15h, 17h-22h (dernière commande à 20h30). Rejoint la catégorie « Plus chic » le soir (menus 6 800-12 000 ¥). CB refusées. L'autre resto du parc, ouvert en 1875. Cuisine raffinée servie dans le cadre traditionnel d'une demeure japonaise. Tables basses (coussins ou fosse pour les jambes) et quelques-unes à l'occidentale. Pas excessivement copieux, mais super produits et présentation sophistiquée. Juste sur sa gauche, entrée du *Hanazano Inari Shrine*, un joli ensemble de petits temples en bois.

|●| *Shinsuke* シンスケ *(plan IV, A3, 119)* : *3-31-5 Yushima, Bunkyo-ku.* ☎ *3832-0469.* Ⓜ *Yushima* 湯島 *(sortie 3) et Okachimachi* 御徒町, *ligne JR Yamanote. Proche de la station de métro, dans le vieux quartier de Shitamachi (Ueno). Tlj sauf dim, j. fériés et vac scol 17h-21h (20h sam).* Dans la même famille depuis 11 générations, encore une izakaya secrète (entrée à peine visible). Patrons accueillants et parlant l'anglais. Un long comptoir, quelques tables et banquettes. Atmosphère ronronnante. Découvrez ici une haute cuisine traditionnelle, basée sur d'exquises recettes familiales et à partir de produits d'une fraîcheur absolue. Les menus changent à chaque saison. Clientèle d'habitués fidèles, tout étonnés de voir débarquer des gourmets étrangers. Porc fondant, légumes panés craquants (arrosés de *Ryôzeki,*

l'un des meilleurs sakés). Attention, n'allez cependant pas imaginer que c'est bon marché, la qualité, ça se paie !

Plus chic
(à partir de 6 500 ¥ / 54 €)

|●| *Echikatsu* 江知勝 *(plan IV, A3, 120)* : *2-31-23 Yushima, Bunkyo-ku.* ☎ *3811-5293.* Ⓜ *Yushima* 湯島, *ligne Chiyoda (sortie 3). À env 3 mn à pied ; longer Kasuga-dori vers l'ouest ; sur la gauche, on entre dans le resto par un joli portail ancien et un petit jardin. Tlj sauf dim, j. fériés et sam en août 17h-21h30 (dernier service à 21h). Résa conseillée. Menu env 12 000 ¥.* Ce resto est une vieille institution du quartier, ouvert depuis 1872. Dans une très belle maison coincée entre 2 immeubles modernes (l'un d'eux est marqué « *Ichimaru* »). Architecture typiquement japonaise, ancienne, en bois, avec un ravissant petit jardin japonais à l'abri de l'avenue. À l'intérieur, 17 salles séparées les unes des autres par des jeux de cloisons amovibles ou non. On mange à la japonaise, chaussures retirées à l'entrée, tables basses et coussins. La spécialité est le *sukiyaki* ; c'est le plat national, appelé aussi fondue japonaise. Le *sukiyaki-nabe* (la marmite) est placé au centre de la table avec une sauce au fond ; chacun y trempe des morceaux de viande bouillis (bœuf, porc, poulet...) et de légumes, puis les assaisonne en les trempant ensuite dans un jaune d'œuf battu (ramequin individuel) ; c'est très bon et copieux. Cuisine raffinée, accueil prévenant.

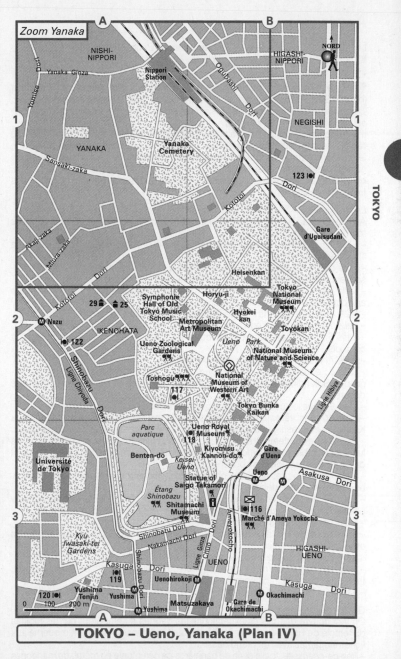

TOKYO – Ueno, Yanaka (Plan IV)

À voir

Les sites sont dispersés dans le grand parc d'Ueno. Pour y aller : **Ⓜ** *Ueno* 上野, *lignes JR Yamanote (sortie Park Exit), Hibiya et Ginza (sortie Shinobazu), puis 5-10 mn à pied.*

✸✸✸ *Le Musée national de Tokyo (Tokyo National Museum)* 東京国立博物館 *(plan IV, B2) :* 13-9 Ueno-koen. ☎ 5777-8600. ● tnm.jp ● *Depuis la station Ueno* 上野*, privilégier la sortie Park Exit. Tlj sauf lun 9h30-17h (21h ven-sam, 18h l'été dim et j. fériés). Entrée : 620 ¥ ; réduc.*

Il regroupe plusieurs bâtiments présentant l'ensemble des collections. Prévoir du temps, de gros fauteuils confortables un peu partout pour se reposer. Au centre, le musée principal, le *Honkan,* de style dit « impérial ». Sur sa droite, le *Toyokan* offrant toutes les facettes de l'art oriental. En retrait sur sa gauche, le *Heiseikan,* qui présente l'archéologie japonaise. Enfin, sur sa gauche devant, la galerie des trésors de l'*Horyu-ji.*

Le Honkan 本館
Au rez-de-chaussée, les céramiques, tissus, armes, sculptures. Objets exposés tournant souvent.
– *Salle 1 :* poteries, cloches et ornements de bronze, *Kokuzo bosatsu* de la 1re période bouddhiste.
– *Salle du Trésor national Hosegawa Tohaku :* magnifique paravent « Pine Grove » souvent exposé (très demandé par les amoureux du musée).
– *Salle des estampes :* beaucoup de rouleaux, exemples typiques de la culture aristocratique. Peinture zen (à l'encre noire).
– *Salle 4 :* tous les objets indispensables à la cérémonie du thé !
– *Salle 5 :* consacrée à l'équipement des samouraïs, superbes armures, sabres.
– *Salle 6 :* suite des armures, casques élaborés, étriers ouvragés, flèches et carquois.
– *Salle 7 :* les paravents et portes coulissantes.
– *Salle 8 :* expo de vêtements du quotidien et objets domestiques chez les seigneurs. Splendides laques noires et dorées, peintures et calligraphies, éventails décorés.
– *Salle 9 :* tous les costumes et masques du théâtre nô.
– *Salle 10 :* les vêtements au temps d'Edo, estampes de Hokusai, Utawaga Kuniyoshi et Hiroshige. Kimonos en rapport avec cette époque. Vitrines de bijoux.
– *Salle 11 :* département sculptures ; objets présentés dans de beaux jeux de lumière. Notable, le *Bishamonten* en bois polychrome de la période Heian (IXe s) et de nombreux bouddhas en bois.
– *Salle 12 :* sculptures en pierre, objets rituels, clochettes de moines, petits gongs, bouddha en bronze debout.
– *Salle 13 :* large panel de faïences, porcelaines et céramiques. Belle porcelaine peinte d'Imari (de Kyushu). Objets en laque, parfois incrustés de nacre.
– *Salle 14 :* céramique décorative.
– *Salle 15 :* expo sur la culture ainu. Style très sobre. Objets domestiques ou liés aux pratiques animistes.
– *Salle 16 :* thématique sur la vie sociale et la ville.
– *Salle 18 :* l'art moderne (après Edo), rouleaux d'étude, les 1res peintures à l'huile, travail des peintres traditionnels.
– *Salle 19 :* The Path of Bouddha.

Galerie des trésors de l'Horyu-ji 宝物館
On y découvre des pièces exceptionnelles offertes à l'empereur par les moines du temple de Horyu-ji à Nara. Abrités aujourd'hui dans un bâtiment moderne aux lignes élégantes avec un grand bassin.
– *Rez-de-chaussée :* belle série de bannières de cérémonie en métal, de mandorles (auréoles) de statues Asuka (du VIIe s), plaques en bronze repoussé. Dans les vitrines

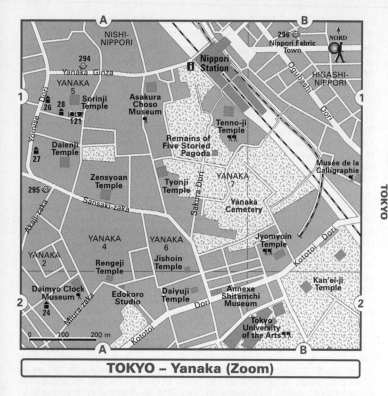

TOKYO – Yanaka (Zoom)

centrales, riche collection de petits bronzes. Derrière le grand paravent, 4 petits personnages, dont la maman Maya qui donna naissance au Bouddha par le bras.
– Salle des masques *Gigaku* (cérémonie bouddhiste) aux faciès particulièrement originaux.
– *1er étage :* expo permanente. Belle cruche avec tête de dragon et corps ciselé. Petits objets religieux, brûle-encens. Ravissants miroirs ornementés en bronze du XVIIIe s.

Le Heiseikan 平成館
Consacré à l'archéologie japonaise. Étranges figures de terre cuite (qui semblent porter des lunettes de ski). Ce sont des figurines *Jomon* (5000 av. J.-C.), parmi les 1res représentations féminines au Japon. Poteries funéraires, belles cloches, miroirs de bronze « Sue », poterie d'influence coréenne du Ve s, vases sur pied ornementés, bijoux et ornements funéraires en terre cuite... Armures du Ve s. Intéressante section de personnages d'art funéraire, belle céramique de Nara, vases à sutra (où l'on plaçait les textes sacrés).

Le Toyokan 東洋館 *(collections d'art asiatique)*
Chine, Inde, Asie du Sud-Est. Une dizaine de salles réparties sur 5 niveaux. Bâtiment inauguré en 1968. Belle série de sculptures chinoises en craie grise. Bouddha du Shanxi (552 apr. J.-C.) et intéressante « Adoration du bol » (Afghanistan) des IIIe-IVe s. Noter ce bouddha du Pakistan où l'on perçoit une nette influence grecque. Au 1er étage, passionnantes expos temporaires.
➤ En quittant la galerie du *Horyu-ji* vers le pavillon *Honkan,* on longe la « Porte noire », qui était la porte d'entrée de la résidence d'Inshu Ikida, un grand seigneur.

Puis le **Hyokei Kan** 表慶館, de style néoclassique (1909) avec entrée en rotonde. Il est aujourd'hui utilisé à de rares occasions.

🍴🍴 🚶 **Le musée national de la Nature et des Sciences (National Museum of Nature and Science)** 国立科学博物館 (plan IV, B2) **:** 7-20 Ueno-koen, Taito-ku. ☎ 5777-8600. ● kahaku.go.jp/english ● Depuis la station Ueno 上野, privilégier la sortie Park Exit. Tlj sauf lun et fêtes de fin d'année 9h-17h (20h ven-sam) ; dernière entrée 30 mn avt. Entrée : 620 ¥ ; réduc. Observation astronomique les 1er et 3e ven du mois à 19h30 avr-août, 18h30 sept-mars. Entrée : 310 ¥ ; gratuit moins de 18 ans et plus de 65 ans.

Divisé en 2 parties : une aile hypermoderne (Global Gallery), festival d'escaliers mécaniques menant à de somptueuses salles consacrées à des sujets universels ; et une autre partie (Japan Gallery), plus ancienne, racontant l'histoire des îles japonaises et dédiée aux sciences naturelles, est davantage destinée au public japonais (pas de traduction).

Global Gallery
– *1F (rez-de-chaussée)* : **la biodiversité sur terre et dans la mer.** Galerie du monde sous-marin, puis diversité de la vie terrestre avec de super vidéos sur écrans géants. Très intéressante section sur les origines de la biodiversité. Présentation moderne des animaux naturalisés. Même chose pour l'expo des insectes.
– *2F* : **le progrès des sciences et de la technologie** (créativité, design). Jeux techniques pour les enfants. Magnétisme, électricité, mécanique. Modernisation du Japon pendant l'ère Edo. La 1re automobile, les 1ers ordinateurs, les 1ers satellites. Le 1er satellite japonais Ohsumi fut mis en orbite en 1970.
– *B1F (1er sous-sol)* : notre coup de cœur, **l'histoire mystérieuse des dinosaures.** Superbe présentation, et d'une pédagogie confondante. Remarquable jeu de lumières et vidéos interactives. Mentions particulières aux impressionnants Stégosaurus et Tyrannosaurus.
– *B2F (2e sous-sol)* : **l'évolution de la vie depuis son apparition sur terre jusqu'à l'être humain,** géologie, formation de la planète et des roches. Extraordinaires collections de fossiles, remarquablement mis en valeur. Grande salle des squelettes d'animaux, notamment un cerf géant et l'Indricotherium transouralicum (le mammouth, quoi !). Puis galerie de l'évolution de l'homme. Histoire des peuplements humains. Remarquable section sur l'Afrique et l'Océanie.
– *B3F (3e sous-sol)* : **l'exploration des lois de la nature, de l'univers** (système solaire, étoiles, astres, galaxies) **et de la matière.** Jeu de la météorite à travers l'espace, pour apprendre le système des étoiles. Les mômes adorent (dommage, peu de traductions en anglais).

Japan Gallery (galerie des îles du Japon)
– *1F Hall South* : **les techniques d'observation de la nature.** Observations astronomiques, calendriers anciens japonais, globes célestes, télescopes. Intéressante section sur les séismes.
– *2F South (sud)* : **les organismes des îles japonaises** (Organisms of the Japanese Islands). Migration et évolution des espèces de plantes et animaux, avec le phénomène d'adaptation au climat.
– *2F North (nord)* : **le peuple japonais et la nature** (Japanese People and Nature). Où l'on découvre le voyage accompli par les Japonais depuis les origines.

LES INSOLITES DU MUSÉE

Ce remarquable musée expose (Japan Gallery, 1F) une réplique du 1er globe terrestre japonais, en papier mâché, réalisé en 1697. Dans la Global Gallery (2F), ne pas rater le Kaitai Shinsho, *le 1er livre européen de médecine traduit en japonais et publié en 1771. Enfin, hommage aux pandas Fei Fei et Huan Huan du zoo d'Ueno (Global Gallery, 3F), qui avaient la particularité d'avoir 7 doigts à chaque patte...*

– 3F North & South : l'histoire des îles japonaises (History of The Japanese Islands). Musée des sciences, très classique, un peu vieillot (mais non dénué de charme). Expo sur les îles japonaises, rapports entre le peuple et la nature. Section insectes (impressionnants scarabées), mollusques, crustacés (araignée de mer géante). Vie sous la mer par paliers. Belle collection de météorites tombées au Japon. Puis encore une riche collection de fossiles, ammonites géantes, etc.

◎ ⚞ *Le musée national de l'Art occidental (National Museum of Western Art)* 国立西洋美術館 *(plan IV, B2) : 7-7 Ueno-koen, Taito-ku.* ☎ 5777-8600. ● nmwa.go.jp/en ● *Tlj sauf lun et fêtes de fin d'année 9h30-17h30 (20h ven-sam) ; dernière entrée 30 mn avt. Fermé 28 déc-1er janv. Entrée : 500 ¥ ; gratuit moins de 18 ans, plus de 65 ans et ven-sam après 17h pour la collection permanente.*
Ce grand bâtiment, construit en 1959 par Le Corbusier (en signe de réconciliation diplomatique franco-japonaise après la Seconde Guerre mondiale), a été classé fin 2007 Patrimoine national du Japon. Il propose une très riche collection d'œuvres allant de Bassano à Rodin et aux plus beaux impressionnistes (plus de Gauguin bretons ici qu'à Pont-Aven !). Les collections de ce musée n'auraient jamais vu le jour sans l'intuition de Kojiro Matsukata (1865-1950), 1er président de la compagnie maritime *Kawasaki Heavy Industries.* Son histoire n'est pas banale. Ce grand amateur japonais d'art étudia aux États-Unis et à la Sorbonne, il voyagea en Europe au début du XXe s. Fortuné, il acheta des œuvres d'art par centaines. Matsukata entreposa une partie (400 œuvres tout de même !) de ses collections à Paris avant la Seconde Guerre mondiale. Elles furent confiées à Léonce Bénédite, directeur du musée Rodin. Pendant la guerre, allié à l'Allemagne, le Japon est considéré comme ennemi de la France. Confisquées, les œuvres du riche armateur japonais deviennent alors propriété du gouvernement français, selon le traité de San Francisco signé en 1951. Finalement, 8 ans plus tard, la France décide de rendre la collection Matsukata au Japon. Celle-ci est restituée en 1959, et constitue la base du musée national de l'Art occidental.
– À l'entrée, une des œuvres majeures de Rodin, la *Porte de l'Enfer.*
– Rez-de-chaussée : d'autres Rodin, dont le célèbre *Baiser.*
– 1er étage : superbe *Dernier Jugement* de Bassano, puis Vasari, Véronèse, le Tintoret. Dans la peinture flamande, une jolie *Vierge* attribuée à A. Isenbrant (beaux drapés et trompe-l'œil), *Paysage d'hiver* de Bruegel le Jeune, et *Paysage boisé* de Jan Bruegel (superbe travail technique sur les arbres), *Deux enfants dorment* de Rubens. Remarquable expression de la lumière dans la *Nature morte aux livres et manuscrits* d'Edwart Collier. Suit une riche série de portraits, Largillière, Lancret et la très sous-estimée Marie-Gabrielle Capet, qui peint tout en grâce et volupté discrète (superbe rendu sur la chevelure). En face, Le Guerchin avec la *Fuite de Loth* attribuée à Jacob Jordaens, Van Dyck, *Marie-Madeleine* de Philippe de Champaigne, *Saint Thomas* de Georges de La Tour. Et puis tant d'autres : Ribera, Van Ostade, Hubert Robert, Tiepolo, Nattier...
– École française : L'*Éducation de la Vierge* de Delacroix, *La Siesta, Mémoire de l'Espagne* de Gustave Doré (assez méconnu comme peintre). Noter la judicieuse distribution de la lumière. Puis les *Parisiennes en costume d'Algérienne* de Renoir. Encore Cézanne, puis Signac, qui signe un joli *Port de Saint-Tropez...* Bonnard livre *Travailleurs,* un sujet inhabituel chez lui. De Gauguin, *Paysage de Bretagne* avec une touche à la Van Gogh (ce ne sont pas encore les aplats de couleurs). Puis Sisley, Pissarro et une ravissante *Plage à Trouville.* Nombreux Monet, dont les célèbres *Nénuphars,* Maurice Denis, Fantin-Latour, Gustave Moreau. De Gauguin encore, *Deux Bretonnes à la mer.*
En conclusion, un important ensemble d'œuvres majeures, moins connues des Européens, certes, mais à ne point manquer !

⚞⚞⚞ *Le sanctuaire Toshogu* 東照宮 *(plan IV, A2) : à l'ouest du parc.* ☎ 3821-3455. *Tlj 9h-17h30 (16h30 sept-mars). Entrée : 500 ¥ ; réduc. On ne peut le voir que depuis l'extérieur (ce qui fait un peu cher l'entrée !).*

TOKYO

Vous avez devant vous un temple exceptionnel, classé Trésor national. Restauré, il explose littéralement en éclatantes couleurs. Construit en 1627 en l'honneur du 1er shogun Tokugawa Ieyasu (sa sépulture n'est pas ici mais à Nikko), le fondateur de la dynastie des Tokugawa, qui régnèrent sur le Japon pendant 250 ans, jusqu'au 1868.

Ce temple est un miraculé, un vrai rescapé de l'histoire. Il a tout traversé quasiment intact : guerres, incendies, séismes. Porte d'entrée en granit du XVIIe s. Longue allée bordée de lanternes offertes par les daimyo (seigneurs) au shogun. À gauche, jardin des pivoines (floraison de janvier à mai). Ces fleurs sont très appréciées et vénérées au Japon (comme en Chine) car elles sont un symbole de richesse et d'honneur en raison de la forme de la fleur et de sa couleur rouge. Arri-

LA FLAMME D'HIROSHIMA

À l'entrée du temple Toshogu, la flamme d'Hiroshima et de Nagasaki brûle encore. Un rescapé, Tatsuo Yamamoto, recueillit lors du bombardement atomique de 1945 la flamme de la maison de son oncle qui brûlait et réussit à la conserver. En 1988, on la « fusionna » avec une flamme obtenue par frottement de tuiles de Nagasaki (à la façon de silex, toute une symbolique !). C'est elle qui brûle ici aujourd'hui.

vée à la porte chinoise. Devant s'élèvent d'énormes lanternes de bronze aux toits tarabiscotés pour entretenir le feu. Noter le trèfle, emblème des Tokugawa. Sur la droite, le monument commémoratif d'Hiroshima.

Il s'agit de l'un des rares temples de style chinois à Tokyo. Sur le portail du mur d'enceinte (le *Karamon*), les sculptures (notamment les dragons) sont de Hidari-Jingoro, l'un des plus grands sculpteurs japonais. Il était gaucher (en japonais *hidari*). Ses œuvres sont si belles qu'on dit qu'elles s'échappaient la nuit (ou si appréciées que sûrement on les volait). Au *Toshogu* de Nikko, il y a un chat réalisé par lui (mais plus une seule souris autour !).

Avant de sortir, on retrouve sur les flancs du portail chinois du mur d'enceinte (côté intérieur) les mêmes fascinants dragons de Hidari.

🎥 *Kiyomizu Kannon-do* 清水観音堂 *(plan IV, B3) : accès libre.* Une réplique en miniature du célèbre temple éponyme de Kyoto (XVIIe s). Sa déesse est réputée favoriser les maternités, et quand ça marche, les jeunes mamans reviennent lui offrir une petite poupée.

🎥🎥 *Le musée de Shitamachi* 下町風俗資料館 *(plan IV, A-B3) : 2-1 Ueno-koen, Taito-ku.* ☎ *3823-7451. Depuis la station Ueno* 上野, *privilégier la sortie Shinobazu. Tlj sauf lun 9h30-16h30 (dernière entrée à 16h). Fermé fin déc. Entrée : 300 ¥ ; réduc.*

Au sud du parc d'Ueno, sur les berges de l'étang de Shinobazu, ne pas rater ce délicieux petit musée qui retrace de façon intime et poétique la vie d'une rue du temps d'Edo. Le mot « shitamachi » signifie littéralement « ville basse » (*downtown*). À l'époque Edo, les quartiers au nord-est du château (palais impérial) formaient en effet un quartier d'artisans et de marchands : Shitamachi.

Ce musée présente les petits métiers, les coutumes des artisans et des marchands. Des intérieurs traditionnels ont été reconstitués. On remarquera la populaire « armoire escalier ». Visite de la boutique de la marchande de bonbons et du mini-atelier du forgeron. Dans le jeu des lumières bien mesurées, on s'y croit vraiment. Au 1er étage, témoignages divers du séisme de 1923, souvenirs divers, cartes postales anciennes, vieux objets, plans, livres, affiches, dessins, belles photos en noir et blanc... Tout un vieux quartier revit. Début janvier, célébration de la danse du Lion et démonstration d'Ukujo (peinture sur bois).

🎥🎥 En sortant du musée de Shitamachi, en profiter pour goûter aux douces berges de l'**étang Shinobazu** 不忍池. Divisé en 3 parties. Sur une presqu'île, le temple de *Benten* du XVIIᵉ s. Le croiriez-vous, chaque année, des milliers d'oiseaux migrateurs en font une de leurs étapes... Éclosion des lotus d'août à septembre.

🔏 Au sud du parc d'Ueno se dresse une statue de *Saigo Takamori* (un petit homme replet avec son chien ; *plan IV, B3*). Ce samouraï (1827-1877) originaire de Kagoshima (Kyushu) aida à mettre fin au règne du shogun et installa l'empereur à Tokyo. En 1877, déçu de l'évolution trop moderniste de la société japonaise, inquiet de voir bafoué et aboli le rôle des samouraïs, il se révolta et mena une dernière bataille contre les troupes impériales. Il fut vaincu en raison de la vétusté de ses armes. Battu, il se fit hara-kiri. Décapité, sa tête fut envoyée à Edo (Tokyo) comme

LE DERNIER SAMOURAÏ

Partisan de l'empereur, le samouraï Takamori changea de point de vue et devint son pire ennemi. Il se replia à Kagoshima dans son fief, constitua une armée de 40 000 hommes et mena le dernier combat des samouraïs contre le pouvoir impérial. Cette guerre civile oubliée fit 15 000 morts et plus de 25 000 blessés. Par sa fin tragique, Saigo Takamori est devenu une légende. Son histoire a inspiré le film Le Dernier Samouraï avec Tom Cruise incarnant un soldat américain qui se rallie à lui.

preuve de la victoire des impériaux sur les rebelles. Pour la petite histoire, Saigo Takamori était obèse et devait toujours se faire transporter en palanquin !

Si vous avez encore le temps...

🔏🔏 ***The University Art Museum (Tokyo University of The Arts)*** 東京芸術大学大学美術館 (*zoom Yanaka, A-B2*) : *12-8 Ueno-koen, Taito-ku.* ☎ *5525-2200.* ● *geidai. ac.jp* ● Ⓜ *Ueno* 上野*, ligne JR Yamanote (sortie Park Exit), puis 10 mn à pied. Tlj sauf lun. Horaires et prix d'entrée selon expo.* C'est d'abord une séduisante architecture contemporaine. Propose de remarquables expositions temporaires thématiques.

🔏 ***Ueno Royal Museum*** 上野の森美術館 (*plan IV, B3*) : *1-2 Ueno-koen, Taito-ku.* ☎ *3833-4191. En période d'activité, tlj 10h-17h (dernière entrée à 16h30). Prix d'entrée selon expo.* Pas de collection permanente, seulement quelques expos d'art moderne. *Coffee shop.*

🔏🔏 🧍 **Le jardin zoologique d'Ueno (Ueno Zoological Gardens)** 上野動物園 (*plan IV, A2*) : *9-83 Ueno-koen, Taito-ku.* ☎ *3828-5171.* ● *tokyo-zoo. net* ● *Tlj sauf lun 9h30-17h (dernière admission à 16h). Fermé 29 déc-1ᵉʳ janv. Entrée : 600 ¥ ; réduc ; gratuit moins de 12 ans, le 20 mars (anniversaire de l'ouverture du zoo), le 4 mai (Jour de la nature) et le 1ᵉʳ oct (Jour des habitants de Tokyo).*

À l'ouest du parc, voici le plus vieux zoo du Japon (1882). Très populaire, et il peut y avoir foule le week-end. On y trouve de nombreuses espèces rarement

PANDA COCHON

Le panda était autrefois carnivore. À la période glaciaire, beaucoup d'animaux disparurent, et il dut se mettre à grignoter du bambou, très peu énergétique. Le panda passe aujourd'hui un temps fou à se nourrir. Quand il rentre à la maison, le soir, il est crevé et n'a que trop rarement le courage d'honorer sa compagne. Pour ne rien améliorer, la femelle panda n'est fertile qu'un ou deux jours par an. Un zoo chinois semble avoir trouvé la solution : le panda mâle a droit à 15 mn de film porno pour pandas chaque jour !

visibles ailleurs. Entre autres, des éléphants d'Asie, des macaques japonais, des rhinocéros, des gorilles, et même le tigre de Sumatra et l'alligator de Floride. Sur 15 ha, pas moins de 2 600 animaux (464 espèces différentes). En prime, une belle pagode de 5 étages datant de 1631 (détruite par le feu et reconstruite)... Le 28 octobre 1972, le zoo accueillit 2 pandas géants offerts par la Chine en signe de réconciliation diplomatique entre les 2 pays. Kankan et Ranran firent la une des médias. Le 1er jour de leur présentation, les 2 pandas reçurent la visite de 56 000 Nippons. Hélas, le couple refusa de se reproduire. Un autre couple fut alors accueilli en 2011 : Riri et Shinshin, plus jeunes (âgés de 6 ans, ce qui équivaut à 20 ans chez les humains). En 2012, suite à leur accouplement, un bébé panda naît, mais il meurt quelques jours plus tard victime d'une pneumonie. En mars 2013, les 2 pandas s'accouplent à nouveau, un événement que les Japonais ont suivi de près !

À propos, pour les amateurs de zoo, celui de *Tama* (à l'ouest de Tokyo) possède encore plus d'attraits. Situé dans 53 ha de campagne où l'on peut voir les lions de près à bord d'un bus, comme dans les safaris.

🍴🍴 *Le marché d'Ameya Yokocho* アメヤ横丁 (appelé aussi Ameyoko ; plan IV, B3) : Ueno 4-chome, Taito-ku. ☎ 3832-5053. ● ameyoko.net ● Ⓜ Ueno 上野, ligne JR Yamanote (sortie Shinobazu). Au sud de la gare d'Ueno, vers la station Okachimachi, très grand marché-rue, l'un des plus animés et colorés de Tokyo. Il se développa naturellement à l'issue de la dernière guerre autour de la gare d'Ueno, centre de tous les trafics du marché noir. Il n'y a que là, à l'époque, qu'on pouvait trouver du sucre (à des prix exorbitants). La guerre de Corée fut également l'occasion de vendre les surplus de l'armée américaine. Puis le marché s'institutionnalisa, des magasins s'ouvrirent sous les ponts, dans les arcades des voies de chemin de fer. En plus des fruits, légumes, algues, thés *yuzu, wasabi...* on y trouve vraiment de tout : épices les plus rares, nourriture séchée, vêtements, jeans et tee-shirts pas chers, en passant par toutes les variétés de quincaillerie et bimbeloterie imaginables... Idéal pour acheter les ustensiles pour cuisiner japonais au retour. En décembre, une foule de gens vient y acheter de quoi préparer les fêtes de fin d'année.

LES QUARTIERS DE YANAKA 谷中
ET DE NEZU 根津

● Zoom Yanaka *p. 137*

Au nord de Tokyo, miraculeusement rescapé du séisme de 1923 et des bombardements de 1945, Yanaka est une sorte d'oasis urbaine en lisière de la mégalopole. C'est l'antidote à l'overdose de modernité triomphante. Un quartier horizontal, un record de demeures en bois, entrecoupé de temples et autres sanctuaires et de minicimetières de voisinage. Chaussez vos baskets et partez à la découverte de paisibles jardins, de temples, de magasins aux vitrines désuètes, de vieux cafés, où s'insère même harmonieusement une galerie d'art (installée dans d'anciens bains publics) devenue phare de l'art contemporain. Quelques musées intimes apporteront une chaleureuse touche culturelle supplémentaire à cette balade. Enfin, à Yanaka et à Nezu (son discret petit voisin), nous avons dégoté pour nos lecteurs les plus nostalgiques et les plus romantiques quelques adresses hors du temps.

Où dormir ?

Prix moyens (de 10 000 à 15 000 ¥ / 83-125 €)

🛏 *Sawanoya Ryokan* 旅館澤の屋 *(zoom Yanaka, A2, 24)* : 2-3-11 Yanaka, Taito-ku. ☎ 3822-2251. ● sawanoya. com ● Ⓜ *Nezu* 根津*, ligne Chiyoda (sortie 1, puis 8 mn à pied). Doubles 10 600-11 670 ¥ ; petit déj en sus.* Petite auberge traditionnelle fort bien située au cœur de Yanaka, offrant une authentique atmosphère familiale. Tout est prévu pour le confort des clients, sans toucher au côté intime et chaleureux des lieux. Chambres de style japonais (tatami, futons) avec AC et, bien sûr, le traditionnel *yukata* (youkaïdi !). Hormis pour 2 chambres, les sanitaires sont en commun sur le palier, avec vue sur le petit jardin. Café ou thé offert. Laverie. Location de vélos. Une adresse remarquable.

🛏 *Ryokan Katsutaro* 旅館勝太郎 *(plan IV, A2, 25)* : 4-16-8 Ikenohata, Taito-ku. ☎ 3821-9808. ● katsutaro.com ● Ⓜ *Nezu* 根津*, ligne Chiyoda (sortie 2, puis 5 mn à pied). Résa conseillée (7 chambres seulement). Doubles sans ou avec sdb 6 200-15 620 ¥ ; pas de petit déj.* Petit hôtel tranquille dans une maison de bois de 2 étages dans un quartier à l'ambiance villageoise. Chambres sobres et impeccables, de style japonais. Les moins chères ont les sanitaires sur le palier, mais clim pour tout le monde. Petit salon pour se préparer un café ou un thé, laverie. Ensemble fort bien tenu. Accueil familial.

🛏 *Annex Katsutaro* アネックス勝太郎旅館 *(zoom Yanaka, A1, 26)* : 3-8-4 Yanaka, Taito-ku. ☎ 3828-2500. ● katsutaro.com ● Ⓜ *Sendagi* 千駄木*, ligne Chiyoda (sortie 2 Dokanyama, puis 2 mn à pied), ou Nippori* 日暮里*, lignes JR Yamanote et Keisei (sortie ouest, puis 7 mn à pied). Doubles 12 000-18 000 ¥ ; petit déj en sus.* Comme son nom l'indique, c'est l'annexe du *Ryokan Katsutaro*. Dans cet agréable quartier calme et résidentiel, maison en béton de 3 étages assez banale, mais le cadre intérieur est chaleureux. Une quinzaine de chambres de style japonais impeccables et confortables, avec tatamis,

futons, salle de bains, AC, frigo, *yukata*, laverie, etc. Location de vélos.

🛏 *Hotel Livemax* ホテルリブマックス *(zoom Yanaka, A1, 27)* : 3-2-12 Yanaka, Taito-ku. ☎ 3823-1313. ● hotel-livemax.com ● Ⓜ *Sendagi* 千駄木*, ligne Chiyoda (sortie 2 Dokanyama, puis 2-3 mn à pied), ou Nippori* 日暮里*, lignes JR Yamanote et Keisei (sortie ouest, puis 10 mn à pied). Doubles env 12 500-14 500 ¥ ; pas de petit déj.* Hôtel de chaîne, au cadre un poil vieillissant et offrant des chambres généralement petites et sans éclat. Confort correct cependant : clim, TV, frigo, parfois une kitchenette (avec seulement microondes). Laverie. Staff ne parlant pas (ou peu) l'anglais. Néanmoins, le quartier est très sympa, à deux pas de la vénérable rue commerçante. En dépannage.

De prix moyens à chic (de 10 000 à 25 000 ¥ / 83-208 €)

🛏 *Hanare – Marukoshi so* はなれ 丸越荘 *(zoom Yanaka, A1, 28)* : 3-10-25 Yanaka, Taito-ku. ☎ 5834-7301. ● hanare.hagiso.jp ● Ⓜ *Sendagi* 千駄木*, ligne Chiyoda (sortie 2 Dokanyama, puis 3 mn à pied), ou Nippori* 日暮里*, lignes JR Yamanote et Keisei (sortie ouest, puis 7 mn à pied). Réception au Hagiso Cafe, situé à 100 m. Doubles env 10 000-12 000 ¥.* Une adresse à l'atmosphère japonaise, logée dans une ruelle tranquille. Il s'agit d'une ancienne maison âgée d'un demi-siècle, à la façade noire, restaurée dans les règles de l'art. Elle compte 5 chambres avec tatami, futons et sanitaires communs, lumineuses, d'une clarté presque immaculée. C'est sobre et charmant.

🛏 *Yamanaka Ryokan* 山中旅館 *(plan IV, A2, 29)* : 4-23-1 Ikenohata, Taito-ku. ☎ 3821-4751. ● kogetu.co.jp ● Ⓜ *Nezu* 根津*, ligne Chiyoda (sortie 1, puis 5 mn à pied). À la sortie du métro, suivre Kototoi-dori* 言問通り*, puis prendre la 3e rue à droite ; le ryokan se trouve un peu plus loin sur la droite (se reconnaît avec son entrée en bambou). Chambres simples avec dîner et petit*

*déj 17 500-21 500 ¥ (4 000 ¥/pers sup-
plémentaire).* Petit *ryokan* traditionnel,
dans ce quartier tranquille au nord-
ouest du parc d'Ueno. Chambres japonaises, avec tatamis que l'on installe le
soir, vraiment simples mais impeccablement tenues. Petite table basse pour le

thé et frigo dans la chambre. On y parle
peu l'anglais, voire pas du tout, mais on
se débrouille. Excellent resto de cuisine
chinoise sur place, pour les hôtes, au
joli cadre intime (c'est là où se prennent
les petits déj). Leur site internet est
consacré au resto, rien sur le *ryokan*.

Où manger ? Où boire un thé ?

De prix moyens à chic (de 1 500 à 6 500 ¥ / 12,50-54 €)

|●| 🍵 ***Hagiso Cafe*** 萩荘 カフェ *(zoom
Yanaka, A1, 121)* : *3-10-25 Yanaka,
Taito-ku.* ☎ *5832-9808.* Ⓜ *Sendagi* 千駄
木 *(sortie 2 Dokanyama) ou Nippori (West
Exit). Tlj 8h-10h30, 12h-21h (dernière
commande 30 mn avt). Prix moyens.*
Située en face d'un petit square paisible,
voilà une adresse séduisante aux multiples facettes. Les propriétaires, anciens
étudiants à l'université des beaux-arts de
Tokyo, ont aménagé une galerie d'art-
salon de thé et resto où l'on a plaisir à
se poser, à toute heure de la journée :
sandwichs, snack, tapas, gâteaux pour
caler un creux dans l'après-midi, plats
cuisinés pour le dîner. Cadre moderne,
sobre et chaleureux. Une adresse idéale
pour sentir l'âme du quartier.
|●| ***Hantei*** はん亭 *(plan IV, A2, 122)* :
2-12-15 Nezu, Bunkyo-ku. ☎ *3828-
1440.* Ⓜ *Nezu* 根津 *(sortie 2, puis 3 mn
de marche). Tlj sauf lun 11h30-15h (dernière commande à 14h), 17h-23h (dernière commande à 22h). Rejoint la catégorie « Chic » le soir.* Au cœur du petit
quartier d'Ikenohata, une maison en
bois sur 2 étages, à l'architecture rare
et très élégante. Atmosphère feutrée,
service impeccable. Quelques tables
dans un long couloir, mais surtout des
salons à la japonaise. Ici, la grande
spécialité, ce sont les *kushiages*,

légumes sélectionnés avec soin (racine
de gingembre, châtaignes, etc.), crevettes et poisson servis façon tempura.
On y adjoint un *ochazuke* (algues délicatement découpées avec riz, sur lesquelles on verse du thé chaud) et on
finit par une glace au thé vert. Mon tout
assez original, délicieux et bien moins
cher que les tempura classiques.

À l'est de Yanaka

Chic (de 3 500 à 6 500 ¥ / 29-54 €)

|●| ***Sasanoyuki*** 笹乃雪 *(plan IV, B1,
123)* : *2-15-10 Negishi, Taito-ku.*
☎ *3873-1145.* Ⓜ *Uguisudani* 鶯
谷, *ligne JR (sortie nord). Sortir de la
gare à gauche, puis rejoindre le grand
boulevard, passer sous le pont auto-
routier, puis sous celui pour piétons,
c'est là, à gauche. Tlj sauf lun 11h30-
20h. Menus à partir de 5 000 ¥ le soir.*
Une des adresses les plus anciennes,
réputées pour le tofu. Appelée « cuisine
des moines ». D'ailleurs, dès l'entrée, le
décor austère et l'atmosphère quelque
peu monastique donnent le ton. Pas de
doute, nous sommes dans une vénérable maison. Tables basses, coussins
et grande baie donnant sur une mini-
cascade. Pour les tout-fous de tofu,
6 plats différents et, bien sûr, une glace
au tofu. Pour les autres, possibilité de
petit sashimi-salade, soupe, yakitori...

À voir. Achats

Petit itinéraire romantique et poétique...

L'occasion d'une balade dans le temps, au rythme dolent de ce quartier rescapé
(et bénéficiaire) de l'histoire. Accès par les stations Nippori et Sendagi. Tout se

fait facilement à pied. C'est le quartier qui compte le plus de temples, pagodes et oratoires grâce au grand incendie de 1657. En effet, ayant échappé aux flammes qui détruisirent une grande partie d'Edo, Yanaka récupéra ainsi la reconstruction des temples disparus. Le quartier échappa également au séisme de 1923 et aux bombardements terriblement destructeurs de 1945. Si vous avez le temps, comme les dévots japonais, vous pouvez effectuer le pèlerinage de 7 temples particuliers, qui n'apporte que chance et bonheur aux pèlerins dans quasi tous les domaines. Mais il vaut bien mieux partir à leur rencontre au long des ruelles, au hasard, le nez au vent...

➤ Si vous descendez à la station Nippori, prendre la sortie *East Exit*, puis tourner à droite vers l'est, et demander la ***Nippori Fabric Town*** *(zoom Yanaka, B1, 296)*. Une rue entièrement dédiée aux boutiques de tissu, avec des créations modernes ou traditionnelles. La chaîne ***Tomato*** (le *Toto Soldes* du coin !) est réputée pour pratiquer des prix plus avantageux et possède plusieurs magasins dans la rue. Revenez sur vos pas et prenez vers l'ouest *(West Exit)* à la station du métro. Dirigez-vous vers la petite rue ***Yanaka Ginza*** 谷中銀座 *(zoom Yanaka, A1, 294)*. Un large escalier, un portique, et vous arrivez à cette rue piétonne, bordée de 70 vénérables boutiques proposant traditionnel tofu, friandises, thés, *geta* (les galoches de bois qui claquent), *ningyo* (poupées en bois) et quelques fringues plus contemporaines... Parvenu au bout de Yanaka Ginza, tournez à gauche jusqu'à ***Sansaki-zaka*** 三崎坂 (la rue partant du métro Sendagi) et remontez-la.
Un peu plus loin, à l'angle de la rue principale et d'une ruelle, un petit bâtiment d'un étage abrite la boutique ***Isetatsu*** いせ辰 *(zoom Yanaka, A1, 295 ; 2-18-9 Yanaka ;* ☎ *3823-1453 ; tlj 10h-18h)*, vieille maison fondée en 1864. On peut y acheter les *chiyogami*, papiers de couleur ou ornés d'un décor traditionnel à partir d'une gravure sur bois, ou des *washi*. Van Gogh lui-même les utilisait pour son travail. Dans ce quadrilatère, pour ceux qui souhaitent s'immerger un peu plus, au moins 5 temples attendent leur visite. Pour les amoureux de cimetières, celui de Yanaka est le plus romantique. Point de ralliement populaire à l'époque des cerisiers en fleur. On y trouve la tombe du dernier shogun, Yoshinobu Tokugawa, et celle de l'écrivain Sôseki Natsume.

➤ Reprendre la rue principale. Plus loin, proche du temple Daiyuji, ***Shitamachi Museum Annex*** 下町博物館 *(2-10-6 Uneo-Sakuragi, Taito-ku ;* ☎ *3823-4408 ; tlj sauf lun 9h30-16h30 ; fermé 29 déc-3 janv ; GRATUIT)*. Belle et ancienne maison en bois d'un marchand de saké. On y vendait de l'alcool jusqu'en 1986. Demeure très typique de l'ère Meiji, même si les archives disent que l'endroit était une maison de saké depuis l'ère Edo. Boutique au rez-de-chaussée. D'ici, on n'est plus qu'à 10 mn à pied du parc d'Ueno.
Le nord du musée vous replonge dans les méandres des ruelles campagnardes. Au passage, sur la gauche, l'étonnante ***galerie-atelier d'Allan West (Edokoro Studio)*** 絵所 *(4-4-10 Yanaka ; lun-sam 13h-17h, dim horaires aléatoires)*. Allan West est un sympathique Américain japonisé. Il vit depuis les années 1980 à Tokyo, où il est tombé amoureux de l'art asiatique. Il travaille à l'ancienne, réalise des objets d'art, des paravents, des peintures, des calligraphies.
En continuant tout droit, ça vous mène vers le musée des Horloges *(Daimyo Clock Museum ; voir plus loin)* et le métro Nezu.

🎎 *Le temple Tenno-ji* 天王寺 *(zoom Yanaka, A1)* : *7-14-8 Yanaka, Taito-ku. Au sud de la gare de Nippori (3 mn de marche).* Pendant la période Edo, le temple était envahi par la foule des fidèles rêvant de gagner à la loterie. On y trouve, depuis 1690, un bouddha assis ressemblant à celui de Kamakura.

🎎 *Le temple de Jyomyoin* 浄名院 *(zoom Yanaka, B1)* : *2-6-4 Ueno-Sakuragi, Taito-ku. À 5 mn à pied de Taito City Loopline (East-West Route). Tlj 9h-17h. GRATUIT.* Célèbre pour ses 84 000 *jizo*, statuettes en pierre offertes par les fidèles souhaitant voir se réaliser leurs vœux. Les *jizo* sont les déités nippones protectrices des enfants en bas âge, c'est la raison pour laquelle ces sculptures portent

TOKYO

souvent une bavette rouge et un bonnet sur la tête. Ce sont aussi les petits dieux vénérés par les grands voyageurs. On vient prier ici pour guérir de certaines maladies respiratoires.

🍴 *Le musée de la Calligraphie* 書道博物館 *(zoom Yanaka, B1)* : 2-10-4 Negishi, Taito-ku. ☎ 3872-2645. Ⓜ Uguisudani 鶯谷, ligne JR Yamanote (North Exit). Tlj sauf lun 9h30-16h30 (dernière entrée à 16h). Fermé 29 déc-3 janv. Entrée : 500 ¥ ; réduc. Audioguide en anglais (200 ¥). Pour amoureux de la calligraphie essentiellement, car musée et présentation terriblement austères (et peu d'explications en anglais). Les collections proviennent d'un amateur fortuné : Fusetsu Nakamura. Expo de textes calligraphiés, dont certains remontent au IIIᵉ s (plus de 1 300 ans d'âge). Quelques pierres lithographiques et stèles funéraires vieilles de 2 000 ans également.

🍴 *Le musée des Horloges (Daimyo Clock Museum)* 大名時計博物館 *(zoom Yanaka, A2)* : 2-1-27 Yanaka, Taito-ku. ☎ 3821-6913. Ⓜ Nezu 根津, ligne Chiyoda, puis 10 mn à pied (15 mn depuis celle de JR Nippori). Tlj sauf dim 10h-16h. Fermé fin déc-début janv et juil-sept. Entrée : 300 ¥ ; réduc. Pittoresque expo d'horloges et de pendules que seuls les seigneurs pouvaient s'offrir à l'époque. Pour nos lecteurs ayant perdu la notion du temps et qui lisent le japonais...

🍴 *Asakura Choso Museum* 朝倉彫塑館 *(zoom Yanaka, A1)* : 7-18-10 Yanaka, Taito-ku. ☎ 3821-4549. Ⓜ Nippori 日暮里 (West Exit). Tlj sauf lun et jeu 9h30-16h30 (dernière entrée à 16h). Entrée : 500 ¥ ; réduc. Aménagé dans une maison traditionnelle, ce musée rénové renferme l'univers de son ancien propriétaire, l'esthète, sculpteur et collectionneur Fumio Asakura (1883-1964). Nombreuses sculptures en bronze représentant des animaux (félins) et des humains. Joli jardin. Pour la visite, vérifiez que vous n'avez pas de trous à vos chaussettes !

LE QUARTIER D'ASAKUSA 浅草

● Asakusa (plan V) *p. 148-149* ● Asakusa Nord (plan VI) *p. 153*

« Asaxa » ! L'annonce vocale et tonique dans le métro ne dit pas Asakusa mais quelque chose comme Asaxa ! Ce nom signifie « herbes légères ». Voici l'un des quartiers les plus attachants de Tokyo, le cœur de l'ancienne *Shitamachi* (la ville basse). Il abrite le temple le plus célèbre de la ville, le *Senso-ji*. Bien avant Shibuya et Roppongi, jusqu'à la Seconde Guerre mondiale, c'était le quartier où l'on aimait sortir. Selon le journaliste Robert Guillain, qui passa plus de la moitié de sa vie au Japon, « à l'opposé du Tokyo moderne et occidental, on arrivait ici dans le Japon oriental et traditionnel, pas pressé, pas riche et aimé du petit peuple ». Les provinciaux y venaient pour faire leurs courses, manger, boire et s'amuser... C'était le quartier de Tokyo où l'on célébrait le plus de *matsuri* (fêtes). Le 1ᵉʳ cinéma de Tokyo, le 1ᵉʳ music-hall et le 1ᵉʳ strip-tease virent le jour à Asakusa. Pour les mâles, la virée à Asakusa se terminait souvent à Yoshiwara, tout proche, naguère le plus grand quartier de courtisanes du Japon.

Asakusa souffrit terriblement du tremblement de terre de 1923 et autant des bombardements de 1944-1945. Après 1945, bien sûr, le centre de gravité de la ville s'est déplacé vers le sud et à l'ouest (Shinjuku, Roppongi, Shibuya) et le quartier a perdu sa prépondérance. Dans les années 1960, les jeunes trouvaient Asakusa démodé.

Aujourd'hui, depuis la construction de la tour futuriste Skytree Tower (2012), incroyable flèche d'acier dressée sur la rive gauche de la rivière Sumida, Asakusa ajoute à son vieux temple un nouveau symbole ultramoderne et vertigineux. Le résultat de ce mélange d'ancien et de nouveau a réactivé l'image d'Asakusa : maisons basses, vieilles boutiques, avenues larges et rues étroites, kyrielle de boutiques traditionnelles exhalant le parfum du vieux Tokyo et aussi immeubles en béton et en verre (mais jamais très hauts), et surtout, au loin, la silhouette de cette incroyable tour.

Malgré les vicissitudes du temps, Asakusa n'a pas vendu son âme au diable, conservant son atmosphère populaire, commerçante et indéfinissable, une espèce de noblesse que lui confère sa légitimité historique. C'est en tout cas un quartier bien agréable pour résider, et capable d'offrir d'intéressantes adresses d'auberges bon marché. Enfin, fidèle à sa vieille tradition festive, le 3e week-end de mai s'y déroule un formidable *matsuri* attirant des centaines de milliers de personnes.

Adresses utiles

TOKYO

🛈 **Centre d'information touristique d'Asakusa (Asakusa Culture Tourist Information Center)** 浅草文化観光セ ンター *(plan V, C2)* : *2-18-9 Kaminarimon, Taito-ku.* ☎ *3842-5566.* ● *jnto. go.jp* ● *Au bord de l'avenue, en face de la porte Kaminarimon. Tlj 9h-20h.* On remarque d'abord l'architecture admirable (architecte Kengo Kuma) de cet immeuble qui représente 8 « maisons » superposées, en bois et en verre. Personnel serviable et accueillant (c'est redondant car au Japon c'est partout ainsi !). Sur place, grande maquette d'Asakusa. On y parle l'anglais, parfois le français. Les samedi et dimanche à 11h et 13h15, propose des visites guidées gratuites du temple (en anglais ; durée 1h).

■ **Location de bicyclettes** *(plan V, D2)* : *au parking* **Sumida Park Bicycle** 隅田公園自転車駐輪場, *en contrebas du pont Azuma (Azuma-bashi), près de Tokyo Water Cruise* 東京都観光汽船 *et d'Asakusa Station* 浅草駅 *(métro JR).* ☎ *3841-4031. Tlj 6h-20h. Compter 300 ¥ pour 24h.* Passeport et carte de visite de votre hôtel nécessaires, pas de caution demandée. Le casque n'est pas fourni. Ce sont des vélos classiques. Une bonne option pour découvrir Asakusa, qui est un quartier horizontal, avec peu de circulation.

Où dormir ?

Très bon marché (moins de 6 000 ¥ / 50 €)

🛏 **Asakusa Riverside Capsule Hotel** カプセルホテル浅草リバーサイド *(plan V, C3, 30)* : *2-20-4, Kaminarimon, Taito-ku.* ☎ *3844-5117.* Ⓜ *Asakusa* 浅草, *ligne Ginza (sortie 4 et 1 mn de marche), ligne Toei Asakusa (sortie 3 et 2 mn de marche) et ligne Tobu (3 mn également). Dans une rue étroite entre l'av. Edo-dori et la rivière Sumida. Réception 24h/24. Lit 3 000 ¥ ; pas de petit déj.* Un hôtel-capsule à taille humaine, très bien tenu et bien situé. Pour ceux qui n'ont jamais testé ce genre d'hébergement, c'est l'occasion d'essayer. Un étage est réservé aux femmes. Il faut libérer les capsules à 10h. Le bâtiment abrite aussi un hôtel classique avec des chambres. Belle vue du dernier étage.

De très bon marché à bon marché (de moins de 6 000 à 10 000 ¥ / 50-83 €)

🛏 **Khaosan Tokyo Kabuki** カオサン 東京歌舞伎 *(plan V, C2, 31)* : *1-17-2 Asakusa.* ☎ *5830-3673.* ● *khaosan-tokyo.com* ● Ⓜ *Asakusa* 浅草, *ligne Toei Asakusa (sortie A2b) et ligne Ginza (sortie 1). À 5 mn à pied. Lits en dortoir 2 800-3 800 ¥ ; doubles 8 000-11 000 ¥.* Emplacement idéal, non loin du métro et du temple Senso-ji, cet hôtel économique pour jeunes voyageurs, genre

TOKYO

NORD

- **Adresse utile**
  - **ℹ** Centre d'information touristique d'Asakusa (C2)

- **🛏 Où dormir ?**
  - **30** Asakusa Riverside Capsule Hotel (C3)
- **31** Khaosan Tokyo Kabuki (C2)
- **32** Backpackers Hostel K's House (hors plan par C3)
- **33** Bunka Hostel (B2)
- **34** K's House Tokyo Oasis (C1)
- **35** Hostel Chapter Two (C3)
- **36** Sakura Hostel (C1)
- **39** Stayto Hotel (A2)
- **40** Asakusa Ryokan Toukaiso (B2)
- **41** Hôtel Kaminarimon (C2)

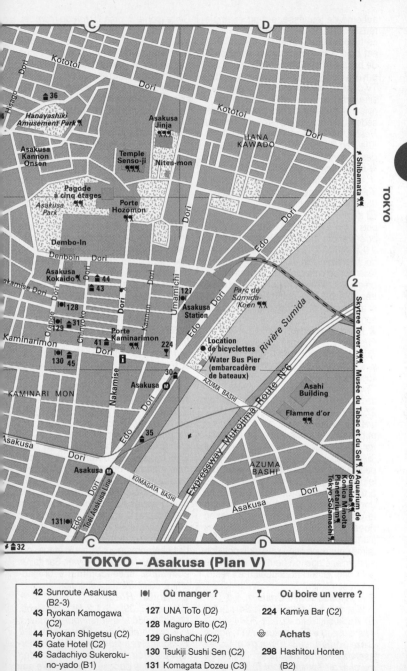

TOKYO

TOKYO – Asakusa (Plan V)

42	Sunroute Asakusa (B2-3)	|●|	Où manger ?	☕	Où boire un verre ?
43	Ryokan Kamogawa (C2)	127	UNA ToTo (D2)	224	Kamiya Bar (C2)
44	Ryokan Shigetsu (C2)	128	Maguro Bito (C2)		
45	Gate Hotel (C2)	129	GinshaChi (C2)	✿	Achats
46	Sadachiyo Sukeroku-no-yado (B1)	130	Tsukiji Sushi Sen (C2)	298	Hashitou Honten (B2)
		131	Komagata Dozeu (C3)		

auberge de jeunesse, est un exemple réussi de la nouvelle génération pour ce type d'hébergement à Tokyo. Tout est bien arrangé : dortoirs avec salle de bains (4 lits superposés), chambres privées de style japonais ou occidental, TV câblée, sanitaires communs, cuisine à disposition. De l'autre côté de la rivière Sumida, le groupe *Khaosan* possède aussi le *Khaosan Tokyo Samurai Hostel*, le *Khaosan Tokyo Smile* et le *Khaosan Bar*, bref tout ce qu'il faut pour des routards.

≜ Backpackers Hostel K's House ケイズハウス *(hors plan V par C3, 32)* : 3-20-10 Kuramae, Taito-ku. ☎ 5833-0555. ● kshouse.jp/tokyo-e/index.html ● Ⓜ Kuramae 蔵前, lignes Oedo *(sortie A6, puis 2 mn à pied)* et Asakusa *(sortie A2 puis prendre à droite)*. Dortoirs (4-8 lits) 2 000-3 500 ¥, sanitaires communs ; doubles avec sdb 4 000-8 000 ¥. Hostel récent et confortable. Même genre que le précédent. AC partout, cuisine équipée, très agréable salle commune (avec café et thé à volonté). Petits casiers (apporter son cadenas).

≜ Bunka Hostel ブンカホステル *(plan V, B2, 33)* : 1-13-5 Asakusa, Taito-ku. ☎ 5806-3444. ● bunkhostel. jp ● Ⓜ Asakusa 浅草, lignes Toei Asakusa *(sortie A2b)* et Ginza *(sortie 1)*, et Tawaramachi 田原町, ligne Ginza *(sortie 3)*, puis 5 mn à pied. Lits en dortoir 2 500-7 000 ¥ ; pas de double mais une family room ; petit déj en sus. Une auberge de jeunesse récente, à l'architecture moderne et à la déco lookée (béton ciré, bois blond, imitation parpaings peints en blanc). On entre par le resto que l'on aperçoit depuis la rue à travers une grande baie vitrée. Les dortoirs de 8 à 32 lits, aménagés sur le principe de cellules en bois (avec rideau), se répartissent sur 5 étages (l'un est réservé aux filles). Clim, sanitaires communs et cuisine à disposition au dernier étage (on peut se préparer le petit déj). Excellent accueil. Fait resto, le soir seulement.

≜ K's House Tokyo Oasis ケイズハウス東京オアシス *(plan V, C1, 34)* : 2-14-10 Asakusa, Taito-ku. ☎ 3844-4447. ● kshouse.jp ● Ⓜ Asakusa 浅草, lignes Ginza *(sortie 1, puis 10 mn de marche)*, Asakusa *(sortie A4, puis 10 mn de marche)* ou Tawaramachi 田原町, ligne Ginza *(sortie 3, puis 10 mn de marche)*. Lits en dortoir 3 000-3 700 ¥ ; doubles avec sdb 7 000-10 500 ¥. Une auberge de jeunesse très bien située et tenue avec soin. AC partout, douche et w-c dans les chambres ainsi que dans certains dortoirs. Cuisine à disposition, frigo dans certaines chambres, laverie, coin salon, informations sur le quartier...

≜ Hostel Chapter Two ホステルチャップターツー *(plan V, C3, 35)* : 2-1-6 Kaminarimon. ☎ 6802-7552. ● hostel-chaptertwo.com ● Ⓜ Asakusa 浅草, ligne Toei Asakusa *(sorties A4 ou A2b)*, ligne Ginza *(sortie 4)*, puis 2-3 mn à pied. Lit en dortoir 3 600 ¥ ; double 9 000 ¥ ; familiales (4-5 pers) ; pas de petit déj. Située dans une petite rue entre le pont Azuma et le pont Komagata, l'auberge propose la gamme complète d'hébergements. Certaines chambres possèdent une vue sur la rivière, parfois un balcon. Et cerise sur le *mochi*, une petite terrasse, ainsi qu'un *rooftop* donnant sur la Tokyo Skytree Tower et la rivière.

≜ Sakura Hostel サクラホステル *(plan V, C1, 36)* : 2-24-2 Asakusa, Taito-ku. ☎ 3847-8111. ● sakura-hotel.co.jp/asakusa ● Ⓜ Asakusa 浅草, lignes Ginza *(sortie 1, puis 10 mn de marche)*, Asakusa *(sortie A4, puis 10 mn de marche)* ou Tawaramachi 田原町, ligne Ginza *(sortie 3, puis 10 mn de marche)*. Réception 24h/24. En dortoir, 3 000 ¥ ; double 9 300 ¥ ; chambres 4-8 pers ; petit déj en plus. Une bâtisse en béton, à la façade rose, dans un quartier calme (à deux pas du temple Senso-ji) et juste derrière l'*Amusement Park*. L'une des plus grandes AJ de Tokyo. Propre et confortable. Dortoirs de 6 à 8 lits avec clim, casier avec cadenas... Les murs en béton brut donnent un certain style. Les chambres pour 2, au 6e étage, ont une vue sur la Skytree Tower. Sanitaires communs, salle commune chaleureuse, cuisine équipée, snack.

≜ Stayto Hotel ステイトホテル *(plan V, A2, 39)* : 6-1-2 Higashi-Ueno. ☎ 5828-0551. ● hotelinquiry@stayto. jp ● oakhotel.co.jp ● Ⓜ Inaricho 稲成町, ligne Ginza *(sorties 1 ou 3)*. En sortant du métro, prendre Asakusa-dori dans le sens opposé à Ueno, faire env

200 m, l'hôtel se trouve sur la gauche derrière le Matsuya Bldg (un grand bâtiment blanc et gris à 10 m de la rue Matsugaya) ; c'est l'immeuble en brique au fond de l'impasse. Lits en dortoir 2 000-3 500 ¥ ; doubles 8 000-12 000 ¥ ; pas de petit déj. Hôtel moderne plutôt bien placé. 80 chambres de bon confort, très bien entretenues. Certaines doubles sont de style occidental, les autres sont équipées de tatamis et futons. Salle de bains dans tous les dortoirs et toutes les chambres. Cuisine à disposition, lave-linge. Accueil en anglais. Un rapport qualité-prix vraiment intéressant !

🛏 *Asakusa Ryokan Toukaiso* 浅草旅館東海荘 (plan V, B2, **40**) : 2-16-12 Nishiasakusa, Taito-ku. ☎ 3844-5618. ● toukaisou.com ● Ⓜ Asakusa 浅草 (sortie 8) ou Tawaramachi, ligne Ginza (sortie 3, puis 8 mn de pied. Lit en dortoir env 2 800 ¥ ; double 7 200 ¥ ; pas de petit déj. Petit hôtel de quartier dont la façade en brique donne un certain charme. Simple, propre et surtout bien situé, au calme dans un quartier résidentiel. Très bon accueil. Ambiance mixte : à la fois auberge de jeunesse et *ryokan*. Dortoirs de 3 ou 4 lits et chambres doubles, certaines avec lits superposés, parmi les moins chères qu'on connaisse. AC partout. Les sanitaires sont dans les chambres ou sur le palier (pour les dortoirs). Micro-ondes et frigo à disposition, à côté de la réception, histoire de pouvoir se préparer un petit déj.

De prix moyens à chic (de 10 000 à 25 000 ¥ / 83-208 €)

🛏 *Hôtel Kaminarimon* 雷門ホテル (plan V, C2, **41**) : 1-18-2 Asakusa, Taito-ku. ☎ 3844-1873. ● kaminarimon.co.jp ● Ⓜ Asakusa 浅草, lignes Ginza (sortie 1) et Asakusa (sortie A4), puis 3 mn de pied. Doubles sans ou avec sdb 13 000-24 000 ¥. On ne peut guère rêver hôtel plus central à Asakusa, juste à côté de la porte éponyme et donnant sur la rue la plus touristique du quartier ! En journée, vous ne vous sentirez pas tout seul... Mais il s'agit d'une petite structure de charme, style

ryokan, qui offre de jolies chambres à la japonaise de 1 à 3 personnes. Propreté immaculée. Jacuzzi.

🛏 *Sunroute Asakusa* サンルート浅草 (plan V, B2-3, **42**) : 1-8-5 Kaminarimon, Taito-ku. ☎ 3847-1511. ● sunroute-asakusa.co.jp ● Ⓜ Tawaramachi 田原町, ligne Ginza (sortie 3). ♿ À 3 mn à pied ; remonter Kokusai-dori, l'hôtel se trouve dans le 3ᵉ pâté de maisons sur la droite. Doubles 15 660-23 760 ¥ ; petit déj en sus. Hôtel appartenant à une chaîne japonaise. Près de 120 chambres sur une dizaine d'étages, au confort moderne. Déco formatée et passe-partout. Du fonctionnel avant tout (on se sent tout de même un peu à l'étroit dans les moins chères, et le hall est un peu froid). A l'avantage d'être à deux pas du Honganji Temple !

Chic (de 15 000 à 25 000 ¥ / 125-208 €)

🛏 *Ryokan Kamogawa* 加茂川 (plan V, C2, **43**) : 1-30-10 Asakusa, Taito-ku. ☎ 3843-2681. ● f-kamogawa.jp ● Ⓜ Asakusa 浅草, lignes Ginza (sortie 1) et Asakusa (sortie A4). À 5 mn à pied. Doubles 15 500-25 000 ¥ ; petit déj en sus. Petit hôtel situé au cœur de ce quartier touristique. Néanmoins, ce bout de rue reste relativement à l'écart de l'animation qui règne autour du temple. Intérieur très japonais, chambres plaisantes avec tatamis, futons, table basse, mais sanitaires communs. La différence entre les standard et les *deluxe* ne saute pas aux yeux.

🛏 *Ryokan Shigetsu* 旅館浅草指月 (plan V, C2, **44**) : 1-31-11 Asakusa, Taito-ku. ☎ 3843-2345. ● shigetsu.com ● Ⓜ Asakusa 浅草, lignes Ginza (sortie 1) et Toei Asakusa A18 (sortie A4). À 5 mn à pied. Doubles 17 000-20 000 ¥ ; petit déj un peu cher. Emplacement remarquable dans une petite rue proche des temples, mais néanmoins à l'écart de l'animation touristique. Ce *ryokan* abrite d'élégantes chambres de style japonais (une seule de style européen). On s'y sent bien. Les chambres standard sont toutefois un peu petites. Bain commun donnant sur la pagode à 5 étages. Accueil avec quelques mots d'anglais.

TOKYO

De chic à plus chic (de 25 000 à 35 000 ¥ / 208-292 €)

🛏 *Gate Hotel* ザ ゲートホテル *(plan V, C2, 45)* : *2-16-11 Kaminarimon.* ☎ *5826-3877 et 3876 (resto).* ● *gate-hotel.jp* ● Ⓜ *Asakusa* 浅草, *lignes Ginza (sortie 2) et Toei Asakusa (sortie A4), puis 4 mn de marche. Réception au niveau 13F. Doubles env 19 500-35 000 ¥ ; petit déj en sus.* Il s'agit d'un hôtel moderne à deux pas de la porte Kaminarimon. À ce prix-là, les chambres sont forcément impeccables, très confortables, la literie excellente. Le grand atout de l'hôtel, c'est la vue imprenable sur le quartier et la Skytree Tower depuis le bar-restaurant (prix musclés), la terrasse et certaines chambres (les plus chères, forcément). Si votre budget vous le permet...

🛏 ▮◉▮ *Sadachiyo Sukeroku-no-yado* 助六の宿貞千代 *(plan V, B1, 46)* : *2-20-1 Asakusa, Taito-ku.* ☎ *3842-6431.* ● *sadachiyo.co.jp* ● Ⓜ *Tawaramachi* 田原町, *lignes Ginza (sortie 3) et Asakusa (sortie A4) ; puis 10 mn de marche. Doubles env 20 000-29 000 ¥ ; petit déj en sus. Repas env 5 500-12 000 ¥ selon période.* Hôtel dans la pure tradition japonaise, avec une jolie façade en bois sculpté et une charmante Japonaise en kimono à l'accueil. Intérieur cosy, coquet, raffiné et charmant. Une vingtaine de chambres de 2 types avec tatamis (suivant la grandeur). Il y a même des chambres familiales avec 10 ou 12 tatamis (pour 5 ou 6 personnes). Élégant, mobilier ancien, murs décorés de peintures de la période Edo. 2 bains communs, l'un en cyprès, l'autre en marbre noir... Un vrai dépaysement, tout est raffinement. Une excellente adresse.

Au nord d'Asakusa

Entre le coin des temples d'Asakusa et la gare de Minami-Senju s'étend un quartier populaire n'ayant guère autre chose à proposer que son authenticité. Habitat modeste, d'antiques cafés où se pressent les retraités pour papoter ou dire du mal du PLD, magasins de fringues d'occasion... L'autre Tokyo !

D'anciens hôtels pour travailleurs célibataires se sont opportunément transformés en hôtels pour routards. Une bonne alternative pour les budgets serrés si tout est complet ailleurs. Pour les adresses qui suivent, depuis la station Minami-Senju (ligne Hibiya) : à la sortie de la gare (sortie 3 ou *South Exit*), prendre à gauche l'escalier qui mène au pont piéton qui surplombe les voies. Traverser, on arrive sur Yosino-dori.

Très bon marché (moins de 6 000 ¥ / 50 €)

🛏 *New Koyo* ニュー紅陽 *(plan VI, B2, 47)* : *2-26-13 Nihonzutsumi, Taito-ku.* ☎ *3873-0343.* ● *newkoyo. jp* ● Ⓜ *Minami-Senju* 南千住, *lignes Hibiya (sortie 3) et Minowa. On arrive sur Yoshino-dori, qu'il faut descendre avt de tourner à droite dans Meiji-dori, puis à env 100 m, à gauche. Une dizaine de très petites singles 2 900 ¥ ; double 5 200 ¥ ; pas de petit déj.* Exemple typique d'hôtel pour ouvriers reconverti en hôtel routard. L'un des moins chers de Tokyo ! Dans le coin, habitat largement horizontal et environnement tranquille où tout le monde se connaît. Environ 80 chambres de style japonais ou européen auxquelles on accède par des portes en fer qui font un peu cellule de prison ! Malgré tout, l'endroit reste sympa. TV partout, clim, sanitaires communs. Coin laverie et cuisine équipée *(payant)*. Location de bicyclettes. Pour le petit déj, on vous recommande le *Kokoro Café* 心カフェ *(ouv 8h30-15h)*, sur Meiji-dori, près du *7-Eleven*. Bon et pas cher, avec des nappes en vichy sur les tables.

Bon marché (de 6 000 à 10 000 ¥ / 50-83 €)

🛏 *Palace Japan* パレスジャパン *(plan VI, B2, 48)* : *2-31-6, Kiyokawa, Taito-ku.* ☎ *6458-1540.* ● *palace-japan.com* ● Ⓜ *Minami-Senju* 南千住, *ligne Hibiya (sortie 3). Sur Yoshino-dori, à env 100 m après l'intersection avec Meiji-dori. Bus depuis Ueno Station (Yaesu Bus Terminal, s'arrête à côté de l'hôtel). Lit en dortoir 3 600 ¥ ; double (lits superposés)*

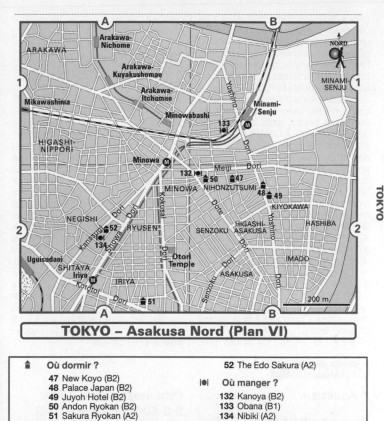

TOKYO – Asakusa Nord (Plan VI)

🛏	**Où dormir ?**		**52** The Edo Sakura (A2)
	47 New Koyo (B2)		
	48 Palace Japan (B2)	🍴	**Où manger ?**
	49 Juyoh Hotel (B2)		**132** Kanoya (B2)
	50 Andon Ryokan (B2)		**133** Obana (B1)
	51 Sakura Ryokan (A2)		**134** Nibiki (A2)

TOKYO

6 800 ¥ ; pas de petit déj. L'établissement n'a rien d'un palace mais il conviendra parfaitement aux budgets serrés. Une soixantaine de chambres réparties en dortoirs de 4 à 6 personnes, singles et doubles, mon tout d'une propreté méticuleuse. Chambres petites, bien sûr, mais bon confort global (clim, excellente literie, frigo). Cuisine équipée et une kitchenette par étage, laverie. Sanitaires communs nickel. Un étage est réservé aux femmes. Accueil attentionné. Dans le genre, une de nos meilleures adresses.

🛏 *Juyoh Hotel* ホテル寿陽 *(plan VI, B2, 49)* : 2-15-3 Kiyokawa, Taito-ku. ☎ 3875-5362. ● juyoh.co.jp ● Ⓜ Minami-Senju 南千住, ligne Hibiya (sortie 3). Single env 3 500 ¥ ; double 6 400 ¥ ; pas de petit déj. Là aussi, encore largement un hôtel

pour employés. Aucun charme, mais une soixantaine de chambres de style japonais ou *twin room* plus classiques, dans l'ensemble bien tenues. Singles minuscules. Sanitaires communs, clim, coin cuisine et lave-linge, mais TV dans la chambre !

De bon marché à prix moyens (de 6 000 à 15 000 ¥ / 50-125 €)

🛏 *Andon Ryokan* 行燈旅館 *(plan VI, B2, 50)* : 2-34-10 Nihonzutsumi, Taito-ku. ☎ 3873-8611. ● andon.co.jp ● Ⓜ Minowa 三ノ輪, ligne Hibiya (sorties 1A ou 3A). Doubles 8 000-10 000 ¥ ; petit déj en sus. Sanitaires communs. Voici un *ryokan* vraiment atypique et

TOKYO

un vrai coup de cœur. Il a réussi à se constituer une clientèle un peu intello, un peu bohème, grâce à la qualité du cadre et de l'accueil (l'un des hôtels favoris des équipes de cinéma à petit budget, des artistes...). De nuit, lorsqu'on s'approche de l'hôtel, il apparaît comme une sorte de lanterne japonaise traditionnelle, celle qui accueillait les voyageurs perdus dans la campagne du temps d'Edo. À l'intérieur, le décor est un subtil et harmonieux mélange de design, de meubles et de beaux objets anciens. À chaque saison, le décor change. Jacuzzi commun. Terrasse sur le toit et vue sur la Skytree Tower. Vraiment chouette atmosphère et accueil hors pair (bons tuyaux sur le coin).

🏠 *Sakura Ryokan* 桜旅館 *(plan VI, A2, 51)* : 2-6-2 Iriya, Taito-ku. ☎ 3876-8118. ● *sakura-ryokan.com* ● Ⓜ *Iriya* 入谷, ligne Hibiya (sortie 2). Aller vers la Kappabashi-dori, c'est au 4e feu à gauche. Doubles sans ou avec sdb 7 000-12 000 ¥ ; petit déj en sus. Un peu excentré par rapport à Asakusa, mais si peu. Chambres à la japonaise (tatami, futon, yukata) ou à l'européenne, au choix. Certaines plus

grandes que la moyenne. Tenu par un couple de retraités.

Chic (de 15 000 à 25 000 ¥ / 125-208 €)

🏠 *The Edo Sakura* 江戸桜 *(plan VI, A2, 52)* : 3-2-13 Shitaya, Taito-ku. ☎ 5808-1730. ● *tokyoedosakura. com* ● Ⓜ *Iriya* 入谷, ligne Hibiya (sortie 4). À la sortie du métro, suivre la Showa-dori en direction de Minowa, puis 2e à gauche et 1re à droite. Doubles avec sdb 15 000-21 000 ¥ ; petit déj en sus. Un hôtel récent et plaisant qui propose une trentaine de chambres, très confortables (frigo, coffre, clim). Les unes avec des lits (un peu moins chères), les autres à la japonaise (futons et tatami). Les salles de bains ne sont pas bien grandes (c'est le lot de la plupart des hôtels à Tokyo !). À l'entrée, salle commune où l'on peut se poser en journée, salle pour la cérémonie matinale du thé, petits jardins japonais derrière des vitres (pour la déco !). Il y a un petit charme qui opère. Un rapport qualité-prix honnête.

Où manger ?

À Asakusa

Bon marché (moins de 1 500 ¥ / 12,50 €)

🍴 *UNA ToTo* 宇奈とと *(plan V, D2, 127)* : 1-5-2 Hanakawado, Taito-ku. ☎ 3842-6969. Ⓜ *Asakusa* 浅草, lignes Ginza (sortie 1) et Asakusa (sortie A4). Depuis la station Asakusa, remonter Umamichi-dori vers le nord, sur le côté droit ; UNA ToTo se trouve à côté du Starbucks Coffee. Tlj 11h-22h. Petite cantine appartenant à une chaîne spécialisée dans l'anguille (unagi). Un comptoir en bois ouvre sur la rue. Dans la salle, des serveurs aux fronts ceints d'un foulard noir. Pour les amateurs d'anguille grillée au charbon de bois, c'est ici qu'il faut venir. D'autres bonnes déclinaisons comme l'usaku (anguille aux concombres vinaigrés), l'umameshi, l'unatamadon, l'unatorodon...

Prix moyens (de 1 500 à 3 500 ¥ / 12,50-29 €)

🍴 *Maguro Bito* まぐろ人 *(plan V, C2, 128)* : 1-21-8 Asakusa, Taito-ku. ☎ 5828-5838. Ⓜ *Asakusa* 浅草, lignes Ginza (sortie 1) et Asakusa (sortie A4). En venant d'Orange-dori, c'est la 6e boutique à droite dans une galerie couverte. Tlj 11h30-22h. Cadre agréable. On y sert des sushis sur le traditionnel tapis roulant, mais c'est un peu plus chic et cher que les fast-foods de sushis habituels. La qualité est au bout des baguettes.

🍴 *GinshaChi* 銀鯱 *(plan V, C2, 129)* : 1-17-5 Asakusa, Taito-ku. ☎ 3841-2775. Ⓜ *Asakusa* 浅草, lignes Ginza (sortie 1) et Asakusa (sortie A4). Tlj 11h30-23h (22h dim). Resto au cadre boisé et plaisant. Au rez-de-chaussée, on a le choix entre un long comptoir derrière lequel s'affairent les cuisiniers, ou des tables installées dans des petits box en bambous qui réservent plus d'intimité. À l'étage, tatami et tables basses (on se déchausse). Bonne cuisine orientée sushis et poisson grillé. Rapport qualité-prix particulièrement intéressant le midi.

|●| Tsukiji Sushi Sen 築地すし鮮 *(plan V, C2, 130)* : *2-16-9 Asakusa.* ☎ *5830-1020.* Ⓜ *Asakusa* 浅草, *lignes Ginza (sortie 1) et Asakusa (sortie A4). Près de la porte Kaminarimon, à gauche du* Starbuck Coffee *; 4 lampions suspendus à l'extérieur. Ouv 24h/24.* Il s'agit là aussi d'une chaîne de restos. Traditionnels sushis et makis. Assez cher, mais tout est frais et savoureux. Le grand comptoir en bois accueille les employés et les habitués.

Chic (de 3 500 à 6 500 ¥ / 29-54 €)

|●| Komagata Dozeu 駒形どぜう *(plan V, C3, 131)* : *1-7-12 Komagata, Taito-ku.* ☎ *3842-4001.* Ⓜ *Asakusa* 浅草 *(sortie A1). Tlj 11h-21h. Dans le haut de la fourchette.* Cadre chaleureux de maison japonaise, serveuses en *yukata,* tatami, coussins et tables basses (on enlève ses chaussures). Découvrez la grande spécialité : le *dozu jiru,* une délicieuse fondue de loches (de la famille des anguilles), cuites au charbon de bois dans une petite marmite individuelle. Accompagné d'une omelette à nouveau aux loches, de riz et poireaux émincés, de petits oignons frais et d'une soupe. Bien entendu, possibilité de commander à la carte d'autres bons plats maison : le *dozu nabe,* le *yanagawa,* le sashimi de carpe... Un sympathique et délicieux petit rituel culinaire. Une institution locale.

Dans le quartier de Minowa 三ノ輪 *(Asakusa Nord)*

Prix moyens (1 500-3 500 ¥ / 12,50-29 €)

|●| Kanoya かのや *(plan VI, B2, 132)* : *2-39-6 Minowa, Taito-ku.* ☎ *3872-8727.* Ⓜ *Minowa* 三ノ輪 *(sorties 1A ou 3A). Au croisement de Meiji-dori et*

de Dote-dori. Tlj 11h30-14h30, 17h-21h30. Petite adresse qui intéressera ceux qui résident dans le coin du *New Koyo* et de l'*Andon Ryokan.* Clientèle essentiellement locale. Atmosphère douillette pour une cuisine du patron simple et bonne. Quelques plats réguliers : le *kanoya udon* (tempura de légumes), le *tempura udon* avec crevettes, le porc et oignons, le *shrimp zozui...*

Chic (de 3 500 à 6 500 ¥ / 29-54 €)

|●| Obana 尾花 *(plan VI, B1, 133)* : *5-33-1, Minamisenju, Arakawa.* ☎ *3801-4670.* Ⓜ *Minami-senju* 南千住 *(sortie 3 ou South Exit). Un peu excentré : à la sortie de la gare, prendre à gauche ; 100 m plus loin, traverser le boulevard puis suivre la ruelle qui part juste en face et qui longe la voie ferrée ; c'est à 100 m. Mar-ven 11h30-13h30, 16h-19h30 ; sam-dim et j. fériés 11h30-19h30 (dernière commande à 19h). Fermé lun. Jusqu'à 1h d'attente (surtout le dim midi, pas de résas). Compter min 5 000 ¥. CB refusées.* Quasi toujours plein. Et pour cause, on y sert la meilleure anguille *(unagi)* à 10 km à la ronde, hyper connu des gens du coin... Vivantes jusqu'à la commande, plusieurs préparations : *unajyu* (grillée), *usaku* (grillée, en sauce vinaigrette), *shirayaki* (au soja et wasabi, à peine cuite, délicieux !) ou *umaki* (à l'intérieur d'une omelette). Goûter aussi au sashimi de carpe *(koi arai)* et à la soupe au foie. Le service peut être un peu long parfois, la découpe des anguilles demandant du temps et du doigté (plusieurs années d'apprentissage). Pour éviter la queue, mieux vaut arriver à l'ouverture. Grande et belle demeure traditionnelle sur cour. Tables basses (on enlève ses chaussures). Résolument pour les fans de gastronomie hors piste !

Dans le quartier de Negishi (Asakusa Nord)

Chic (de 3 500 à 6 500 ¥ / 29-54 €)

|●| Nibiki にびき *(plan VI, A2, 134)* : *3-3-7 Shitaya, Taito-ku.* ☎ *3872-6250.*

TOKYO

Ⓜ *Iriya* 入谷 *(sortie 4). Au bord de Kanasuji-dori ; façade avec enseigne en plastique et un fugu stylisé gravé dans le bois d'un tronc au-dessus de la porte. Tlj 18h-21h30.* Une adresse un peu secrète pour l'un des meilleurs fugus (poisson-globe) de la ville. Chaleureuse salle à manger typiquement japonaise, au point qu'on a vraiment l'impression de dîner dans l'appartement de la patronne (absolument charmante). Le patron est un ancien lutteur de sumo.

Où boire un verre ?

🍷 *Kamiya Bar* 神谷バー *(plan V, C2, 224) : 1-1-1 Asakusa.* ☎ *3841-5400.* ● *kamiya-bar.com* ● *À l'intersection des bd Kaminarimon et Edo-dori. Ouv 11h30-22h.* Ce bar est l'un des plus vieux troquets d'Asakusa, grand rendez-vous des familles. Au rez-de-chaussée, un comptoir ouvre sur la rue pour les consommateurs, et à l'intérieur une salle patinée par le temps, où la déco n'a pas changé depuis des lustres. Fondé à la fin du XIXᵉ s, *Kamiya* est une institution tokyoïte qui a traversé les turpitudes de l'histoire. La spécialité de la maison, c'est le *Denki Bran (Electric Brandy)*, une sorte de mélange japonais de vin, de gin et de cognac.

Achats

◈ *Kappabashi-dori* 合羽橋通り *(plan V, A-B1-2-3) : Nishi-Asakusa.* Ⓜ *Tawaramachi* 田原町, *ligne Ginza (sortie 1). Magasins ouv tlj sauf dim 10h-18h30.* À l'ouest d'Asakusa s'étend cette rue exclusivement consacrée aux matériels et ustensiles de cuisine. C'est ici que les restaurateurs viennent se fournir, mais c'est bien évidemment ouvert aux particuliers. Choix énorme (230 boutiques !). Ne pas manquer notamment *Dengama* 田窯 *(croisement Kappabashi et Asakusa-dori ; ouv 10h-19h),* choix immense ! On y trouve de tout. C'est là que vous achèterez votre *mihon,* ce fameux plat factice en résine colorée que l'on voit dans toutes les vitrines des restos. Vous renouvellerez aussi vos couteaux à sashimi. Les tarifs sont ceux des grossistes ; profitez-en ! Autres spécialités, autour du métro Tawaramachi, les objets religieux bouddhistes et shintoïstes.

◈ *Hashitou Honten* はし藤本店 *(plan V, B2, 298) : 2-6-2 Nishi-Asakusa.* ☎ *3844-8403.* Ⓜ *Tawaramachi* 田原町, *ligne Ginza (sortie 1). Tlj sauf dim et j. fériés 9h-17h.* Une boutique dédiée aux baguettes ! À voir pour la mise en scène, même si on n'a pas l'intention d'acheter des baguettes. Mais il y en a pour tous les goûts, à tous les prix, certaines sont vraiment très belles !

À voir

🌂🌂 *La porte de Kaminarimon* 雷門 *(plan V, C2) : 2-3-1 Asakusa, Taito-ku.* Ⓜ *Asakusa* 浅草, *lignes Asakusa et Ginza (sorties 1, 3, 6 ou A4).* Cette porte du dieu du Tonnerre protège l'accès du célèbre temple Senso-ji. La carte postale la plus représentative du quartier et la photo la plus prisée des visiteurs. Reconnaissable à son énorme lanterne qui figurait déjà sur une des estampes de Hiroshige dans sa série « Cent vues d'Edo ». C'est probablement le seul paysage urbain de cette série qu'on pourrait retrouver aujourd'hui à peu près intact. De part et d'autre de cette grande porte, les dieux du Tonnerre et du Vent. C'est devant cette porte que circulent les « néorickshaws », ces p'tits jeunes musclés et bavards qui se proposent de promener les touristes en *jinrikisha* (cyclopousse). Attention, assez cher !

🌂 *L'allée Nakamise-dori* 仲見世通り *(plan V, C2-3) :* longue allée bordée de boutiques de souvenirs, artisanat, jouets, kimonos, poupées, colifichets divers, friandises. Brillamment éclairée le soir par des dizaines de lanternes en papier, sa vision de nuit est un enchantement, surtout sous la pluie. C'est plein de paillettes et de couleurs, et les prix sont tout à fait abordables. On y vend des écailles de tortue Edo, des poupées en costume Edo, des stores et des meubles, des lanternes et de l'argenterie, des autels bouddhiques *(butsudan),* des objets en forme de chat *(neko),* des tissus et des articles du quotidien, sans oublier les friandises : gelée de pâte de patate douce *(imo yokan),* bonbons *Kintaro* (une vieille tradition de la confiserie locale), gâteaux en forme de poupée fourrés à la pâte de haricots *(ningyo-yaki).* À l'origine, ce sont les gens entretenant le temple qui avaient seuls le droit de louer des emplacements pour commercer.

🎭🎭 *La porte Hozomon* 宝蔵門 *(plan V, C2) :* l'ultime porte protégeant le Senso-ji avec ses 2 dieux grimaçants. Elle conserve en son sein quelques rares sutras chinois du XIVe s. Sur l'arrière de la porte, noter ces 2 énormes sandales correspondant, dit-on, à la taille que les fidèles attribuent au Bouddha.

🎭🎭🎭 *Le temple Senso-ji* 浅草寺 *(plan V, C1) :* tlj 6h-17h. *Accès libre.* À l'origine, au VIIe s, 2 pêcheurs retrouvent dans leur filet une petite statuette en or de la déesse Kannon. Le chef du village offrit alors sa maison pour en faire un sanctuaire et l'honorer. Puis, à mesure que le pèlerinage prenait de l'importance, on construisit des édifices de plus en plus prestigieux. Le dernier temple connu datait de 1692. Il fut totalement détruit par les bombardements de 1945 et reconstruit

LES 1ERS CARNIVORES NIPPONS

Asakusa était naguère le quartier du sukiyaki, le ragoût de viande. C'est dans ce quartier qu'au XIXe s, au début de l'ère Meiji (ouverture au monde), les Japonais d'avant-garde se mirent à manger de la viande au détriment des principes bouddhiques. Une façon de s'occidentaliser... Ils l'appelèrent sakuraniku : la viande de cerisier...

dans le style. Difficile de voir quelque chose à l'intérieur, c'est surtout l'atmosphère qui baigne les lieux qui est intéressante.

Ce temple continue d'être un lieu de vénération et de recueillement rituels pour nombre de Tokyoïtes. Les grandes lanternes furent offertes par le syndicat des geishas. Quant aux Japonais lambda, ils viennent plonger leurs mains dans les vapeurs d'encens, ensuite ils touchent la partie de leur corps atteinte (ou risquant la maladie). C'est censé les protéger.

Sur les côtés du temple, les « boîtes à oracles » pour connaître son avenir. À gauche du Senso-ji, un jardin traversé par une rivière à carpes.

🎭🎭🎭 *Le sanctuaire Asakusa Jinja* 浅草神社 *(plan V, C1) :* sur le côté droit du Senso-ji. Tlj 6h (6h30 oct-mars)-17h. Ce petit temple shintoïste datant de 1649 fut élevé par le 3e shogun Tokugawa Iemitsu en l'honneur des 2 pêcheurs et du chef de village qui découvrirent la statuette. Il sortit miraculeusement intact des bombardements. À propos, si vous êtes là vers les 16-19 mai, ne manquez pas le *Sanga Matsuri,* peut-être la fête la plus spectaculaire de Tokyo, lorsque les *mikoshi* (oratoires portables) sont promenés dans les rues d'Asakusa, soutenus par les habitants en tenue traditionnelle. Certains *mikoshi* très lourds nécessitent parfois plus de 50 personnes pour les transporter !

🎭🎭 *La pagode à 5 étages* 五重塔 *(plan V, C1-2) :* sur la droite du Senso-ji. C'est également une reconstruction d'après-guerre (1953). Avec ses 54 m, c'est l'une des plus hautes du pays (l'autre est à Kyoto).

🎭 *Asakusa Kokaido (Asakusa Public Hall)* 浅草公会堂 *(plan V, C2) :* 1-38-6 Asakusa, Taito-ku. ☎ 3844-7491. ● asakusa-koukaidou.net ● On y donne des représentations de kabuki. Au-dehors, sur le pavement du trottoir de la rue Orange-dori, de nombreux autographes et empreintes de mains sont gravés sur les céramiques du carrelage. Ce lieu s'appelle *Stars Plaza,* une place connue par tous les amateurs de spectacle.

TOKYO

🏃 *La tombe d'Hokusai, au temple Seikyouji* 清鏡寺 *(plan V, A3) : 4-6-9 Moto-Asakusa, Taito-ku.* Ⓜ *Inaricho* 稲荷町*, ligne Ginza.* Né à Edo de parents inconnus, Katsushika Hokusai (1760-1849) est l'un des plus grands illustrateurs d'estampes ukiyo-e du Japon. Il a été inhumé dans la cour du temple Seikyouji, où l'on peut voir sa tombe et sa statue. Son nom, Hokusai, signifie « Studio du Nord », en hommage à l'étoile Polaire bouddhique. Curieusement, il changea une vingtaine de fois de pseudonyme au cours de sa vie. Mode de vie très instable aussi, puis-qu'il déménagea, dit-on, plus de 90 fois ! À l'âge de 74 ans, il réalise les *Fugaku Hyakkei* (« Cent vues du mont Fuji »), qui établissent sa gloire. Il revient à Edo en 1836. La ville est ravagée par la famine. Sa maison brûle. De nombreuses estampes disparaissent. À sa mort, maître Hokusai fut tellement pleuré par ses élèves et ses disciples que beaucoup d'entre eux inclurent le nom de Hoku dans leur signature.

TOKYO

Le nouveau quartier Tokyo Skytree Town トウキョウスカイツリータワー (rive gauche de la rivière Sumida)

Avec la construction en mai 2012 de la *Tokyo Skytree Tower,* les quartiers de *Oshiage* et de *Narihira* ont changé de physionomie. Une immense tour pointue et futuriste s'élance désormais vers le ciel. Ce nouveau quartier s'appelle « la ville de la tour Skytree » ! On y trouve la tour, mais aussi un grand complexe commercial *(Tokyo Solamachi),* l'*aquarium de Sumida* et le *Konica Minolta Planetarium « Tenku ».*

🏃🏃 *Le parc de Sumida-Koen* 墨田公園 *(plan V, D1-2) : au bord de la rivière Sumida, sur la rive gauche, à 5 mn à pied de la gare d'Asakusa* 浅草 *; lignes Tobu Skytree, Toei Asakusa (A18) et Ginza (G19). Entre les ponts Azuma et Kototoi, sur les 2 rives de la Sumida. Ouv 24h/24, tte l'année. Accès libre.* C'est au printemps, quand les cerisiers sont en fleur, qu'il faut se promener dans ce grand jardin de la rive gauche. Étendu sur 1 km de long, il fut ouvert au public par le shogun Yoshimune Tokugawa afin que le peuple puisse y admirer les cerisiers justement ! À l'époque de Hanami (la floraison des cerisiers, en avril), le parc de Sumida est rempli d'une foule admirative et contemplative devant la beauté des arbres. En été, un grand feu d'artifice y est organisé, le dernier samedi de juillet.

🏃🏃🏃 *Tokyo Skytree Tower* トウキョウタワースカイツリー *(hors plan V par D3) : 1-1-2 Oshiage, Sumida-ku.* ☎ *05-7055-0634.* ● *tokyo-skytree.jp/en* ● Ⓜ *Asakusa, ligne Tobu Skytree Station, puis 15 mn à pied.* Ⓜ *Kinshicho* 錦糸町 *(ligne Tokyo Metro Han-zomon) et Sengakuji* 泉岳寺 *(Toei Asakusa), descendre à la station Oshiage* 押し上げ*, située près de la tour. Tlj 8h-22h (dernier accès à 21h). Billets d'entrée à la tour : 2 060 ¥ pour le Tembo Deck (niveaux 340-345 et 350) ; ajouter 1 030 ¥ pour l'accès à la Tembo Galleria (niveaux 445 et 450) ; réduc pour les moins de 18 ans et les enfants. Les billets du jour sont en vente aux comptoirs du*

UNE IDÉE VIBRANTE

La Skytree Tower figure dans le Guin-ness des Records comme la plus haute tour de télécommunications au monde, mais le vrai record est ailleurs. Cons-truite pour résister aux tremblements de terre, elle renferme dans sa struc-ture triangulaire d'acier une énorme colonne de béton (des centaines de tonnes) suspendue comme un pendule. Celle-ci oscille en cas de séisme et amortit toutes les ondes de choc. Une invention géniale qui s'est inspirée d'un très ancien savoir-faire. En effet, dans les pagodes, les moines-architectes nippons suspendaient des colonnes oscillantes (en bois et fer) contre les secousses sismiques.

niveau 4F ; il y a souvent la queue. On peut réserver son billet (supplément de 500 ¥) sur le site. En cas de vents forts, la tour est fermée aux visiteurs.

Cette tour en forme d'aiguille élancée dans le ciel a été construite entre 2009 et 2012 par un consortium dirigé par la compagnie de transports Tobu. Avec ses 634 m, elle est la plus haute tour de télécommunications du Japon et du monde. Pas de bureaux, pas d'habitations, mais des visiteurs par milliers chaque jour. Une merveille de haute technologie et d'architecture futuriste !

Depuis le niveau 4F, des ascenseurs ultrarapides et silencieux montent jusqu'au *Tembo Deck* 展望デッキ (niveaux 340-345 et 350). De cet observatoire, on jouit d'une vue époustouflante sur la mégalopole. On y trouve le *Skytree Café*, le *Sky Restaurant (tlj 11h-23h – dernière commande à 20h30 ; résa obligatoire)* et quelques boutiques. Les visiteurs peuvent marcher sur une très épaisse vitre *(Glass Floor ; niveau 340)* à travers laquelle on aperçoit la ville 340 m plus bas... Attention au vertige pour ceux qui y sont sujets ! À côté, une reproduction d'un ancien paravent *(Edo Hitomezu Byobu ; niveau 350)* montrant Tokyo vue du ciel à l'époque Edo. Faites la comparaison entre les vues ! Plus haut encore, la *Tembo Galleria* (niveaux 445 et 450) offre une vue panoramique plus incroyable encore. On passe du niveau 445 au 450 en marchant sur une rampe spéciale de forme spiralée bordée de baies vitrées. Occupé par l'antenne des télécoms, le sommet de la tour ne se visite pas. Celle-ci n'a pas été facile à fixer car le jour où les ouvriers devaient la poser, la terre s'est mise à trembler (le fameux séisme du 11 mars 2011). Ils ont quand même réussi à accomplir leur tâche ardue... Rien n'arrête les Japonais ! De l'audace, de la ténacité et du génie !

🍴 *Tokyo Solamachi* 東京ソラマチ店 *(hors plan V par D3) :* au pied de la Skytree Tower. ● tokyo-solamachi.jp/english/ ● *Tlj 10h-21h ou 11h-23h (pour certains magasins).* Un complexe commercial de style « ville basse » qui renferme plus de 300 boutiques et un *food court* où sont réunis plus d'une douzaine de restaurants fast-foods (japonais et occidentaux).

🍴 *Le musée du Tabac et du Sel (Tobacco and Salt Museum)* タバコと塩の博物館 *(hors plan V par D3) :* 1-16-3 Yokokawa. ☎ 3622-8801. ● jti.co.jp/Culture/museum ● Ⓜ *Oshiage* 押し上げ, *lignes Hanzouman, Keikyu, Toei Asakusa, Tobu Skytree (sortie 2B), puis 12 mn à pied.* Ⓜ *Honjo Azumabashi* 本庄吾妻橋, *lignes Toei Asakusa et Keikyu (sortie A2), puis 10 mn à pied.* Ⓜ *Tokyo Skytree* 東京スカイツリー, *ligne Tobu Skytree (sortie 1), puis 8 mn à pied. Tlj sauf lun 10h-18h (dernière entrée à 17h30). Fermé j. fériés et 29 déc-3 janv. Entrée : 100 ¥ ; réduc.* Installé dans un superbe édifice contemporain. Tabac et sel associés, car ils furent longtemps monopole d'État. Histoire, culture, industrialisation du tabac fort bien illustrées. Riche collection de pipes. Dans la section sel, énorme bloc d'une tonne provenant de Pologne, sculptures en sel, etc. Cela dit, pour revenir au tabac, malgré l'intérêt du musée, fumer n'étant plus dans l'air du temps...

🍴👨‍👧 *L'aquarium de Sumida* すみだ水族館 *(hors plan V par D3) :* 1-2 Oshiage 1-chome Sumida Ward. Aux 5ᵉ (entrée) et 6ᵉ étages du complexe Tokyo Sora machi, situé au pied de la tour Tokyo Skytree. ☎ 05-5619-1821. ● sumida-aquarium.com/en ● Ⓜ *Tokyo Skytree* 東京スカイツリー, ligne Tobu Skytree, et Oshiage Station 押上駅, lignes Tobu Skytree, Tokyo Metro Hanzomon, Keisei Oshiage et Toei Asakusa. Tlj 9h-21h. Entrée : 2 050 ¥ ; réduc.* Très moderne, très bien fait grâce à l'architecte-designer Takashi Amano, qui a tenté quelque chose de nouveau ici. Gigantesque aquarium sur le thème des « îles de Tokyo », celles-ci étant situées au sud de la mégalopole. Il recrée les eaux et les fonds sous-marins des îles d'Osagawara, un site classé au Patrimoine mondial de la nature. On y découvre aussi un grand bassin de 350 000 litres d'eau où s'ébattent des pingouins et des otaries.

🍴👨‍👧 *Konica Minolta Planetarium* コニカミノルタ　プラネタリウム *(hors plan V par D3) :* 1-1-2 Oshiage, Sumida-ku, situé aussi au pied de la Tokyo Skytree, dans la partie est (Skytree East Bldg), côté Oshiage. ☎ 05-5610-3043. ● planetarium.

konicaminolta.jp/manten/foreigner ● *Séances 11h-21h. Entrée : 1 500 ¥ ; réduc.* Dôme de 18 m de circonférence. On s'y promène sous les étoiles en profitant des explications scientifiques. Une des attractions du lieu consiste à s'asseoir dans un fauteuil en tissu aéré, et à ressentir à la fois lumières, sons et odeurs... Les enfants adorent !

Pour ceux qui ont un peu plus de temps...

🚶🧍 *Le parc d'attractions d'Hanayashiki* 花やしき遊園地 *(plan V, C1):* 2-28-1 *Asakusa, Taito-ku.* ☎ 3842-8780. ● *hanayashiki.net/en* ● *Tlj sauf mar 10h-18h. Fermé déc. Entrée : 1 000 ¥ ; réduc.* Un des ancêtres des parcs d'attractions de Tokyo datant de la fin du XIXe s. Montagnes russes (construites en 1953, restaurées et entretenues comme il faut) beaucoup moins spectaculaires que dans maints autres parcs parce qu'il n'existe aucune possibilité d'extension. Tant mieux, on aime le caractère intime, un peu vieillot et plein de nostalgie des lieux. L'une des montagnes russes, d'ailleurs, se révèle être la plus ancienne du pays (aucune crainte, c'est du solide !).

🚶🧍 *Le musée des Percussions* 太鼓館 *(plan V, B2) :* 4F, Nishi-Asakusa Bldg, 2-1-1 Nishi-Asakusa, Taito-ku. ☎ 3844-2141. ● *miyamoto-unosuke.co.jp* ● Ⓜ *Tawaramachi* 田原町, *ligne Ginza. Se trouve à l'intérieur du magasin* Miayamoto Unosuke Shoten. *Mer-dim 10h-17h. Entrée : 500 ¥ ; réduc enfants.* Fabricant d'instruments de musique depuis 1861. Riche collection de percussions venant du monde entier. Bien sûr, les tambours japonais ont la part belle : tambour en argile, « tambour grenouille », *ganggu, indacko,* etc. Tambours africains (notamment du Bénin). Plus contemporains, les tambours du Bronx. Et pas de frustration chez les enfants, ils sont autorisés à taper sur certains d'entre eux.

🚶🧍 *La Flamme d'or du siège social d'Asahi* アサヒスーパードライホール *(plan V, D3):* 1F-2F, Asahi Super Dry Hall, Azumabashi, Sumida-ku. Ⓜ *Asakusa* 浅草, *lignes Asakusa et Ginza (sorties 5 ou 6).* De l'autre côté de la rivière Sumida, personne ne peut louper cette « Flamme d'or » de plus de 40 m de long (œuvre de Philippe Starck) posée sur un énorme bloc noir. Pour nous, ça évoquerait assez une grosse carotte un peu pâlotte. Nombre de Tokyoïtes donnent, de leur côté, diverses autres interprétations (parfois même un peu scato !). Peu importe, si le but recherché était d'attirer l'attention et de devenir une sorte d'image de marque incontournable dans le paysage urbain, c'est gagné ! L'édifice abrite un *beer hall.*

Balades en bateau sur la rivière Sumida

Infos et horaires au *Asakusa Culture Tourist Information Center* (voir plus haut la rubrique « Adresses utiles »).
Départs des bateaux (*Waterbus Himiko* et *Hotaluna*) sur le quai en contrebas du pont Azuma (Azuma-bashi), sur le côté gauche en regardant la rivière depuis Asakusa. Navettes avec la compagnie *Suijobus* (● *suijobus.co.jp* ● ; *nombreux départs/j. 9h50-19h20 ; tarifs : env 780 ¥/pers l'aller simple ; durée : 35-40 mn).* Cette belle promenade fluviale part d'Asakusa et va jusqu'au débarcadère de Hinode (Hinode Pier), au sud de la baie de Tokyo, dans le quartier de Shimbashi (près du marché aux poissons de Tsukiji). Les mêmes bateaux desservent aussi l'embarcadère d'Hamarikyu (quartier de Shimbashi) pour 980 ¥. Pour le retour de Hinode et d'Hamarikyu vers Asakusa, durées et tarifs identiques. Croisières vers Odaiba également (ligne directe). *Tarif : 1 560 ¥ ; réduc. Trajet : 50 mn.*

Pour ceux qui ont encore plus de temps, petite extension vers Shibamata

🚶🧍 Situé au nord-est d'Asakusa, le quartier de *Shibamata* 柴又 *(hors plan V par D1)* vaut vraiment un petit détour. En effet, il fait partie de ces quartiers, pour la plupart disparus, qui ont conservé tout le charme et l'atmosphère du vieux Tokyo. De nombreuses maisons anciennes sont alignées dans la rue principale qui mène du métro au temple. *Pour y aller, prendre la Keisei Line et changer à la station Keisei Takasago, puis prendre la Kanamachi Line et descendre à la station Shibamata.*

➤ À la sortie du métro, vous tomberez tout d'abord sur la statue en bronze de Tora-San ! Personnage principal (né dans le quartier) d'une série télé extrêmement populaire au Japon. Ce fut donc pendant 26 ans le lieu de tournage de cette série. La rue principale, charmante, qui mène au temple, a conservé la plupart de ses maisons anciennes. Boutiques d'alimentation populaires. La spécialité culinaire du quartier, à laquelle il faut goûter, est le *Kusa Dango,* gâteau de riz composé de pâte de riz et d'herbes, garni d'une pâte de haricots rouges sucrés. Plusieurs restos de chaque côté proposent entre autres des anguilles, autre spécialité du quartier.

|●| On peut très bien déjeuner au **Yamatoya** 大和屋 (☎ 3657-6492 ; en venant du métro, c'est la 3e boutique à droite après la 1re rue perpendiculaire). Grand restaurant de tempura et poissons délicieux. On y parle l'anglais.

➤ Tout au bout de la rue, on arrive au **temple Taishakuten** 帝釈天. Très joli temple en bois dont l'entrée est gardée de chaque côté par des singes sculptés. Toujours en activité, il abrite une communauté bouddhiste. Les gens viennent ici pour expier leurs péchés. Jadis ils s'imaginaient qu'en venant ici des petites bêtes sortaient de leur corps et montaient vers les dieux pour expliquer ce qui se passait à l'intérieur ! Les pécheurs attendaient toute la nuit et repartaient au petit matin libérés ! Admirez le plafond peint à l'intérieur.

➤ Ensuite, poursuivre la balade sur la droite du temple pour aller visiter la **Yamamoto-Tei** 山本亭 (☎ 3657-8577 ; ● katsushika-kanko.com ● ; tlj 9h-17h, sauf le 3e mar du mois ; entrée : 100 ¥), très jolie maison traditionnelle, tout en bois, ayant appartenu à une riche famille de Tokyo dont le patriarche était le fondateur d'une usine de pièces pour appareils photo. Entourée d'un beau jardin zen dont l'accès est libre. À l'intérieur, meubles anciens, tapis, tables et hauts plafonds. Tout au fond, un petit salon très british, avec cheminée, canapé et fauteuil, et ses fenêtres à guillotine, mais aussi très joli sol en marqueterie. À côté, une toute petite salle où l'on prépare le thé. On peut grignoter des gâteaux en buvant du thé face au jardin, plutôt agréable. Au-dessus du salon qui mène vers le jardin, 3 vieilles horloges indiquent l'heure, à Tokyo (au milieu), Pékin (à gauche) et Vienne (à droite) ! Terminer la visite par une balade dans l'adorable jardin zen avec ses superbes nénuphars dans le bassin.

➤ En quittant le jardin par le fond, on accède presque directement au **Tora-San Museum** 寅さん美術館 : 6-22-19, Katsushika. ☎ 3657-3455. ● katsushika-kanko. com ● Tlj 9h-17h30 sauf le 3e mar du mois. Entrée : 500 ¥. Fondé en mémoire de la fameuse série télé *Otokowa Tsuraiyo,* qui signifie « C'est dur d'être un homme » et qui fut tournée dans le quartier entre 1969 et 1996. La série traite de manière humoristique et tendre de la vie et de l'ambiance dans un quartier populaire du bon vieux Japon ! L'acteur principal (dont la statue est à la sortie du métro) était une très grande vedette nationale. Kiyoshi Atsumi, Tora-San dans la série, est mort en 1996, après le tournage du 48e épisode. Ce musée lui est consacré. Dommage que tout soit en japonais, mais on peut quand même comprendre, car tout est traité de manière très ludique. Pour débuter, 6 miniscènes dans des minithéâtres en bois reconstituent la vie de Kiyoshi Atsumi. Ensuite, de nombreuses scènes et décors de la série sont reconstitués. Des pièces entières, comme la cuisine ou le bar. Quelques explications sur le choix des costumes et la manière de mettre en scène les comédiens. Également certains moments clés des tournages. Une reproduction miniature de la rue principale de Shibamata, avec les bruits et l'ambiance des années 1960 ! On constate que ça n'a pas beaucoup changé... rare à Tokyo.

➤ Pour terminer la balade à Shibamata, on peut se promener en barque sur la rivière Edo, ou à pied.

TOKYO

LE QUARTIER DE RYOGOKU 両国

● Ryogoku (plan VII) *p. 163*

Au nord-ouest de Tokyo, il n'y a qu'à traverser la rivière Sumida pour découvrir Ryogoku, qui s'étend sur sa rive gauche. C'est notamment le quartier des sumotoris. Il cache quelques beaux musées ethnographiques et historiques, comme le superbe musée Edo-Tokyo, un des plus visités de la capitale nippone. En prime, un magnifique jardin et des miniquartiers résidentiels où il fait vraiment bon vivre...

LA RIVIÈRE SUMIDA 隅田川

Elle traverse la capitale du nord au sud et se jette dans la baie de Tokyo. À l'origine, elle se nomme Arakawa, mais elle devient Sumida dans les 23,5 km de son cours inférieur. À l'époque Edo, elle était bordée de maisons de plaisirs (courtisanes) et de thé. Sur ses eaux voguaient barques de plaisance et navires de commerce. Dans les années 1960, elle fut surnommée

ON NE MÉGOTE PAS !

Au début des années 1970, la rivière Sumida était devenue une poubelle. Le gouvernement déclara « la guerre aux ordures » en 1972. Très vite, Tokyo devint la capitale la plus propre du monde. Peu de pollution. Aucun mégot au sol, aucune trace de chewing-gum. Encore un miracle ? Non, le civisme !

« le cours d'eau le plus sale du monde » ! Quand on l'observe aujourd'hui, on a du mal à le croire tellement cette rivière urbaine semble propre.

À voir

🎎🎎🎎 *Le musée Edo-Tokyo* 江戸東京博物館 *(plan VII, A1)* **:** *1-4-1 Yokoami, Sumida-ku.* ☎ *3626-9974.* ● *edo-tokyo-museum.or.jp* ● Ⓜ *Ryogoku* 両国*, lignes Sobu (sortie ouest) et Toei Oedo (sortie A4). Bien indiqué depuis la sortie du métro. Tlj sauf lun 9h30-17h30 (19h30 sam). Ouv lun pdt les grands tournois de sumo. Entrée : 600 ¥ ; réduc. Possibilité parfois de visite avec guide francophone. Ts les sam jusqu'au 30 mars 2019, un programme gratuit d'introduction à la culture traditionnelle japonaise est accessible à ts les visiteurs étrangers.*
On est d'abord un peu surpris, étonné, choqué, ravi, dubitatif (rayer la mention inutile) devant cette architecture étrange, peu gracieuse, voire assez lourde. En fait, c'est un rejeton typique de la grande bulle économique et immobilière. Elle dissimule cependant l'un des plus extraordinaires musées ethnographiques et historiques jamais visités ! En sortant, on connaîtra tout, enfin presque, de l'histoire de Tokyo. Et l'on comprend mieux son architecture dès qu'on parvient à l'intérieur de ce monstre sur pilotis. Elle se révèle capable de nous livrer d'incroyables volumes à hauteur des ambitions muséologiques du musée.
Commencer par le dernier étage, pour respecter la chronologie et bénéficier d'une surprenante vue d'ensemble.
– *Niveau 6 :* une reproduction grandeur nature du pont de Nihonbashi nous projette brutalement dans l'ancienne ère Meiji. Très grande maquette de la résidence de Matsudaira Tadamasa (1597-1645) détruite par le terrible incendie de 1657 (des illustrations de livres de l'époque permirent cette reconstitution). Il n'y eut plus

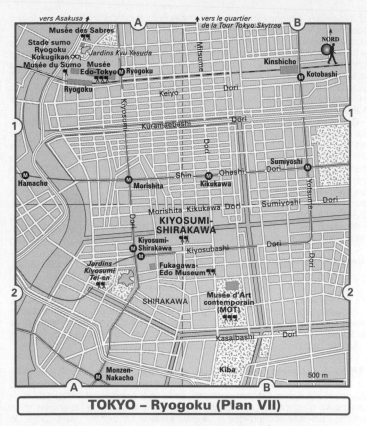

TOKYO – Ryogoku (Plan VII)

jamais à Tokyo de résidence aussi imposante. Magnifique palanquin de femme délicatement ornementé de fleurs. Noter, dans la galerie autour, ce séduisant rouleau illustré livrant les fastes d'une procession (1832). Dans une vitrine, un paravent historique présente un précieux panorama complet de la ville, avec une extrême richesse des détails et une grande vivacité des couleurs sur fond or. Reconstitution d'un quartier du milieu du XVIIe s correspondant au Nihonbashi d'aujourd'hui. Dans les vitrines, lettres du XVe s, tablettes de prière en pierre, monnaies, pierres gravées, cartes, ouvrages aux ravissantes illustrations, coquillages peints, boîtes de rangement laquées noir ornées du phénix et décor argent et or, écritoire, matériel de peintre...

– **Niveau 5 :** expo montrant l'ancien système en bois de distribution de l'eau, long manuscrit décrivant les rituels sociaux. Reconstitution d'une naissance dans une maison en bois. Une coutume imposait à la parturiente de rester assise 7 jours pour empêcher que le sang ne monte à la tête (beaucoup y laissaient la vie). Antique pompe à bras rappelant que les incendies étaient la plaie de Tokyo. En plus des inondations et des séismes, un dicton ne disait-il pas que... « les feux et les bagarres sont les fleurs d'Edo » ? Importante section sur l'imprimerie, et souvenirs des librairies florissantes d'Edo. Reconstitution d'une échoppe d'estampes, balance de changeur, monnaies anciennes. Carte révélant les circuits commerciaux, antiques enseignes, délicates gravures détaillant tous les types de marchands. Vie dans les villages et les îles. Outils agricoles, barque de pêcheurs... Jolie maquette du pont de Ryogoku.

– *Salle esthétique d'Edo :* naissance des ukiyo-e (estampes), calendrier polychrome et *nesiki-e* : gravures sur bois qui permirent la diffusion massive des estampes (de Hokusai et bien d'autres), véritables ambassadrices de la culture japonaise à l'étranger. Superbes robes brodées, diorama de l'atelier de Hokusai. Histoire du quartier des plaisirs (Yoshiwara) joliment illustrée. Beaux costumes du kabuki.

– *Grand diorama* sur la vie pendant l'ère Meiji (avec bruitage adéquat). Intéressantes photos décrivant des scènes de rue et de vie sociale. Vestige d'un mur de brique de Ginza. La 1re voiture de l'après-guerre, une *Subaru 360* (1955), les 1res télés et appareils électriques, la 1re cabine téléphonique... Une pièce importante : l'accord de reddition signé par le gouvernement japonais, MacArthur et le général Leclerc en 1945. Terribles témoignages du séisme de 1923 et des bombardements de 1945. Reconstitution réussie de boutiques d'époque, demeures traditionnelles, bâtiments commerciaux (le journal *Choya Shinbun-Sha* de 1880), théâtres (la façade du Kabuki)...

– *Niveau 7 :* magnifique panorama sur Tokyo ! En conclusion, un musée extraordinairement riche et passionnant !

🚶🚶 *Le musée Fukagawa-Edo* 深川江戸資料館 *(plan VII, A2) :* 1-3-28 Shirakawa, Koto-ku. ☎ 3630-8625. ● kcf.or.jp/fukagawa ● Ⓜ Kiyosumi-Shirakawa 清澄白河, lignes Oedo (sortie A3) et Tokyo Metro Hanzomon (sortie B2). Tlj sauf 2e et 4e lun du mois et fête du Nouvel an 9h30-17h (dernière entrée à 16h30). Entrée : 400 ¥. Explications en anglais. S'il vous reste un peu de temps, un complément intéressant du musée Edo-Tokyo. Reconstitution parfaite d'un quartier des bords de la Sumida avec ses rues, ses demeures de bois, ses entrepôts, ses boutiques et même un petit morceau de port de pêche. Atmosphère, atmosphère...

🚶🚶 *Kiyosumi-Shirakawa, un quartier miraculé* 清澄白河 *(plan VII, A-B2) :* après la visite du musée Edo-Tokyo, aller vers le sud, descendre à la station de métro Kiyosumi-Shirakawa. Se promener dans ce quartier populaire et horizontal est un vrai plaisir, d'autant qu'il est capable de livrer une atmosphère provinciale et un rythme « pré-bulle économique ». Ce quartier réunit l'ancien et l'avant-garde. On y trouve le jardin Kiyosumi Tei-en (« jardin très agréable »), le musée d'Art contemporain (MOT), et plusieurs galeries d'art installées dans d'anciens entrepôts. Se diriger vers le musée d'Art contemporain (que l'on peut gagner aisément à pied), partir à gauche en quittant le musée Fukagawa-Edo. Ravissante rue ombragée, bordée de petits commerces traditionnels et vénérables artisans. Rythme paisible et bon enfant, pas encore mis en danger malgré les ombres menaçantes de gratte-ciel se profilant à l'horizon.

🚶🚶🚶 *Le musée d'Art contemporain de Tokyo (MOT)* 東京都現代美術館 *(plan VII, B2) :* 4-4-1 Miyoshi, Koto-ku. ☎ 5245-4111. ● mot-art-museum.jp ● Ⓜ Kiba 木場, ligne Tozai (sortie 3, puis 15 mn de marche), ou Kiyosumi-Shirakawa 清澄白河 (sortie B2 par la ligne Hanzomon, et 9 mn à pied, ou sortie A3 par la ligne Toei Oedo, puis 13 mn à pied). Tlj sauf lun (ouv lun fériés, mais pas les lendemains) 10h-18h. **Fermé pour travaux ; devrait rouvrir ses portes au printemps 2019.** Entrée : 500 ¥ ; réduc. Expos temporaires à partir de 1 000 ¥. C'est d'abord une intéressante architecture moderne offrant de vastes et lumineux espaces pour présenter les artistes japonais et quelques Occidentaux de 1945 à nos jours. Excellente muséographie et sélection rigoureuse des œuvres évitant ainsi l'accumulation d'œuvres inégales (moins de 200 œuvres exposées par roulement). À l'ouest, mention à Andy Warhol et Roy Lichtenstein. Boutique bien fournie en livres d'art.

🍴 *Les jardins Kiyosumi Tei-en* 清澄庭園 *(plan VII, A2)* : *3-3-9 Kiyosumi, Koto-ku.* ☎ *3641-5892.* Ⓜ *Kiyosumi-Shirakawa* 清澄白河, *ligne Oedo. À quelques minutes du métro. Tlj 9h-17h (dernière entrée à 16h30). Entrée : 150 ¥.* L'un de nos jardins préférés, ignoré des touristes et d'une sérénité absolue. Ancien jardin d'une villa de seigneur. Opportunément situé près du musée Fukagawa-Edo. Petit lac cerné de belles essences et de grosses pierres plates provenant des quatre coins du pays. Adorable balade autour et explosion des azalées au printemps.

Pour ceux qui ont un peu de temps

🍴 *Le musée des Sabres (Sword Museum)* 刀剣博物館 *(plan VII, A1)* : *1-12-9 Yokoami, Sumida-ku.* ☎ *6284-1000.* ● *touken.or.jp* Ⓜ *Ryogoku* 両国, *lignes Oedo et JR Sobu. À l'angle nord-ouest des jardins Kyu Yasuda. Tlj sauf lun et vac du Jour de l'an 9h30-16h30 (dernière entrée). Entrée : 1 000 ¥ ; réduc.*
Fascinante découverte d'un pan essentiel de la culture japonaise (voir tous les films de samouraïs et *Kill Bill* de Tarantino). À l'origine, les épées sont droites (armes de poing). Venues de Chine et de Corée, elles furent remplacées au IXe s par des sabres à lame légèrement courbe, à un seul tranchant *(katana)*. Au XVIe s, l'avancée des techniques et du savoir-faire permet aux forgerons de fabriquer des sabres à la fois redoutables et magnifiques par leur esthétique.
Dès l'âge de 13 ans, les jeunes Japonais portent des sabres. Les lames sont partout. Les plus belles pièces et leurs accessoires (fourreaux) sont souvent très finement décorés. Un samouraï ne sortait jamais sans son sabre. C'est le sabre qui donnait la mort et c'est avec lui que le samouraï humilié et déshonoré se suicidait par seppuku (hara-kiri). Après s'être ouvert le ventre, il demandait à un comparse de lui trancher la tête d'un violent coup de sabre (ce que fit le célèbre écrivain Mishima dans les années 1970). Bien que leur port fut interdit au début de l'ère Meiji (cela concernait les samouraïs et les soldats), les officiers japonais continuèrent à porter avec fierté des sabres jusqu'à la Seconde Guerre mondiale.
Malgré la destruction massive de ces armes après 1945, les Japonais réagirent et défendirent leur patrimoine. D'où ce musée où l'on peut admirer le talent des fabricants des célèbres lames à travers le procédé de fabrication et l'exposition de pièces ouvragées uniques, remontant au Moyen Âge pour certaines.
Aujourd'hui, les sabres sont des armes sportives et pacifiques utilisées avec grande habileté et sang-froid dans les arts martiaux,

> ### PATRIMOINE SABRÉ
>
> *Considérés par l'occupant comme le symbole de l'esprit guerrier du Japon, beaucoup de sabres ont hélas été détruits par les troupes américaines après 1945. Des centaines de pièces anciennes furent amoncelées puis écrasées par les chars de l'armée américaine... De nombreux chefs-d'œuvre ont ainsi disparu.*

en particulier le kendo (mot qui signifie « voie du sabre »). C'est un des sports de combat les plus populaires du Japon.

Où assister à un combat de sumo ?

∞ *Stade sumo Ryogoku Kokugikan* 両国国技館 *(plan VII, A1)* : *1-3-28 Yokoami, Sumida-ku.* ☎ *3623-5111 (info en japonais en sem).* ● *buysumotic kets.com* ● *sumo.or.jp/en* ● Ⓜ *Ryogoku* 両国, *lignes Oedo et JR Sobu (sortie principale). La cérémonie d'ouverture commence à 8h30. Les billets sont vendus le jour même du tournoi. Sinon résa conseillée pour les places les plus chères. Résas au ☎ (03) 3622-1100, seulement 3 j. avt le match, ou achats des billets sur place 10h-16h (achat en avance) ou 8h-17h (le jour même). Sinon, en principe, il reste toujours des places en arrière (mais prévoir d'arriver à la caisse au moins 1h avt). À noter que les places peuvent aussi être achetées dans les supérettes* (kombini) *comme Lawson, Family Mart, 7-Eleven et Circle K-Sunkus. Entrée : 2 200-11 700 ¥ selon emplacement. On peut aussi assister aux cérémonies de départ à la retraite des grands sumotoris (achat des tickets sur le même site).*

On appelle « stade sumo » ce que les Japonais nomment le Hall du sport national de Ryogoku. D'une capacité de 11 000 places, il accueille les tournois (qu'on appelle *basho*) de sumo 3 fois par an à Tokyo : en janvier, mai et septembre, pendant 15 jours. Le reste du temps, les tournois se déroulent dans d'autres villes du Japon (Osaka, Nagoya et Fukuoka). En dehors des périodes de tournoi, possibilité d'assister à l'entraînement des sumotoris. Une seule règle : discrétion absolue. Toujours appeler la veille pour savoir si l'on peut venir le lendemain. En principe, ça commence à partir de 6h du matin et ça se termine vers 10h pour les plus jeunes. L'heure idéale est donc 8h-8h30. Il est conseillé de se renseigner à l'office de tourisme sur les écuries ouvertes et sur les jours et heures d'entraînement.

Sinon, pour l'atmosphère du quartier, se balader autour du stade. Il n'est pas rare de rencontrer des sumotoris qui sortent d'une base d'entraînement, font leurs courses ou partent se restaurer. Pour vous mettre encore plus dans l'ambiance, allez donc vous délecter d'un *chanko-nabe* (le plat favori des sumotoris) au **Tomoe-gata** 巴潟 *(2-17-6 Ryogoku ; ☎ 3632-5600 ; tlj, sauf lun juin-août, 11h30-14h, 17h-22h30 – dernière commande à 21h30).*

🏃 *Le musée du Sumo* 相撲博物館 *(plan VII, A1) :* ☎ *3622-0366. À l'intérieur du stade sumo Ryogoku Kokugikan. Lun-ven 10h-16h30 (dernière entrée 16h). GRATUIT. Attention : lors des tournois, le musée n'est ouv qu'aux détenteurs de billets.* Pour se consoler d'avoir loupé la grande saison des tournois, on se rabat sur ce petit musée. Malgré l'absence d'explications en anglais, les témoignages et les photos parlent d'eux-mêmes. Impressionnantes, les empreintes géantes des mains de sumotoris. Documents historiques sur l'histoire du sumo, lithos, bois gravés, peintures, estampes, rouleaux illustrés... Pour l'anec-

LES KILOS NE FONT PAS LES SUMOS

Les plus grands champions japonais de sumo sont des colosses qui mesurent en moyenne 1,84 m pour 154 kg. Le poids et la corpulence sont essentiels dans cette lutte qui consiste à déséquilibrer l'adversaire, mais ce n'est pas suffisant. Actuellement, 3 parmi les plus grands sumotoris sont originaires d'Hawaii et pèsent plus de 200 kg. Le record de corpulence fut atteint par Konishiki Yasokichi (né en 1963 à Hawaii) : 287 kg. Un monstre, mais le grand poids ne fait pas obligatoirement le grand champion !

dote, on découvre que les arbitres de sumo portent un poignard pour se suicider en cas d'erreur ! Bon rassurez-vous, dans la réalité, ils présentent en fait leur démission !

– *Quelques adresses d'écuries (Beya ou Heya) :* les sumotoris appartiennent tous à une écurie dirigée par un ancien champion appelé *toshiyori.* **Tatsunami Beya** 立浪部屋 *: 3-26-13 Ryogo-ku (pas loin de la sortie du métro).* Plus au sud, **Izutsu Beya** 井筒部屋 *: 2-2-7 Ryogo-ku (☎ 3634-9827).* **Azumazeki Beya** 東関部屋 *: 4-6-4 Higashi-Komataga (☎ 5876-5713).* **Kokonoe Beya** 九重部屋 *: 4-22-4 Ishibara.*

LES QUARTIERS D'AKIHABARA 秋葉原, DE JIMBOCHO 神保町, DE KANDA 神田, DE L'UNIVERSITÉ 大学 ET DE KAGURAZAKA 神楽坂

- Akihabara, Jimbocho, Kanda, université (plan VIII) *p. 168-169*
- Kagurazaka (plan IX) *p. 177*

TOKYO

Bordés au sud par les jardins impériaux, au nord par le parc d'Ueno et la gare de Tokyo, à l'est par la ligne JR Yamanote, à l'ouest par les quartiers de l'université et de Kagurazaka. Des quartiers modernes, hérissés d'immeubles de verre, de béton et d'acier, sans grands monuments, pas très homogènes, mais qui s'imbriquent assez bien. Certes, pas d'identité particulière non plus, mais des lieux vivants, animés, avec des zones ou rues commerciales de renom pour l'électronique, les livres, les instruments de musique. Les amateurs de mangas, de comics, de films

MAID IN TOKYO

On les compte par dizaines à Akihabara... Les maid cafés *sont la continuation réelle des mangas. Des cafés aux décors de poupées et aux couleurs acidulées, des gamines déguisées en soubrettes* (maid), *avec petite coiffe blanche dans les cheveux, accueillent les clients brisés par un rythme de vie infernal. On vient ici s'imprégner de la douceur des lieux et puiser dans le regard des serveuses l'affection dont on a tant besoin. On comble le manque affectif. Les garçons sont sûrs d'être chouchoutés et servis avec le sourire. Attention, ça reste bon enfant, pas de geste déplacé... et interdiction de prendre une seule photo.*

d'animation (dessins animés nippons), les jeunes ados adeptes du *cosplay* et de la J-pop, les fanatiques (on les appelle parfois les *otaku*) des jeux électroniques (Nintendo, PlayStation) et de *pachinko* se retrouvent, de jour comme de nuit, dans le quartier d'Akihabara, surnommé la « ville électrique » ! C'est leur quartier favori, le cœur électronique de la capitale, le quartier des geeks. Tout brille, vibre et étincelle dans une étourdissante ambiance commerciale enfiévrée, nippone et branchée.

Autour du métro Ochanomizu, plus au sud-ouest, on quitte Akihabara pour le quartier de Kanda, paysage urbain comme on les aime : entrelacements un peu anarchiques de ponts métalliques et de voies de chemin de fer au-dessus d'un canal, mon tout bordé du mélange hétérogène habituel d'immeubles et demeures de toutes tailles...

À quelques kilomètres à l'ouest de Kanda, le quartier de Kagurazaka est, quant à lui, l'anti-Akihabara : les rues et les ruelles bordées de maisons et d'immeubles bas présentent le visage d'un gentil village de province ayant échappé jusqu'à présent aux développeurs urbains... Il est très agréable de s'y balader.

Où dormir ?

De bon marché à prix moyens (de 6 000 à 15 000 ¥ / 50-125 €)

🏠 *Hotel Edoya* ホテル江戸屋 *(plan VIII, C2, 55)*: 3-20-3 Yushima, Bunkyo-ku. ☎ 3833-8751. ● *hote ledoya.com* ● Ⓜ *Yushima* 湯島, *ligne Chiyoda (sortie 5, puis 5 mn à pied ; à la sortie du métro, suivre le trottoir sur la droite, puis 3ᵉ rue à droite), ou Suehirocho* 末広町, *ligne Ginza (8 mn à pied). Doubles 9 000-11 600 ¥, petit

TOKYO

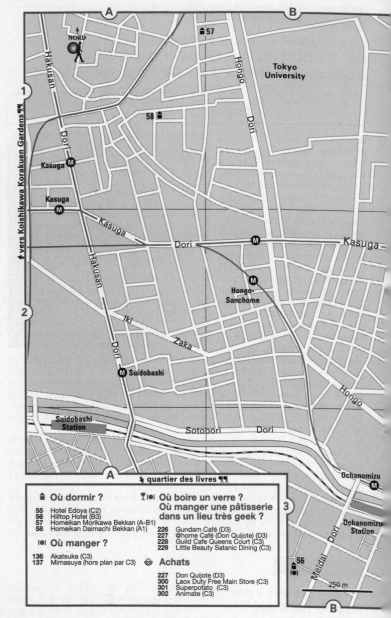

NORD

Hakusan Dori

vers Koishikawa Korakuen Gardens

Tokyo University

Hongo Dori

🏠 57

58 🏠

Kasuga Ⓜ

Kasuga Ⓜ

Kasuga Dori

Kasuga

Ⓜ

Ⓜ Hongo-Sanchome

Hakusan Dori

Iki

Zaka

Ⓜ Suidobashi

Hongo

Suidobashi Station

Sotobori Dori

Ochanomizu

Ⓜ

Ochanomizu Station

Meidai

quartier des livres

🏠 **Où dormir ?**

55	Hotel Edoya (C2)
56	Hilltop Hotel (B3)
57	Homeikan Morikawa Bekkan (A-B1)
58	Homeikan Daimachi Bekkan (A1)

🍴 **Où manger ?**

| 136 | Akatsuka (C3) |
| 137 | Mimasuya (hors plan par C3) |

🍷🍴 **Où boire un verre ?**
Où manger une pâtisserie dans un lieu très geek ?

226	Gundam Café (D3)
227	@home Café (Don Quijote) (D3)
228	Guild Cafe Queens Court (C3)
229	Little Beauty Satanic Dining (C3)

🛍 **Achats**

227	Don Quijote (D3)
300	Laox Duty Free Main Store (C3)
301	Superpotato (C3)
302	Animate (C3)

56
🍴

250 m

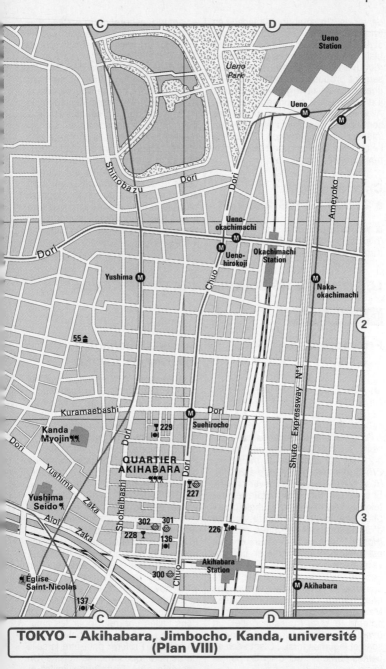

Ueno Station

Ueno Park

Shinobazu Dori

Dori

Dori

Ueno Ⓜ

Ⓜ

Ⓜ

Ameyoko

Dori

Ueno-okachimachi

Ⓜ Ⓜ

Okachimachi Station

Ⓜ Ueno-hirokoji

Chuo

Nakaokachimachi Ⓜ

Yushima Ⓜ

55 🏯

Shuto Expressway N°1

Kuramaebashi

Ⓜ Dori

Kanda Myojin ⛩

🍷 229 ⦿ Suehirocho

Dori

Yushima Zaka

QUARTIER AKIHABARA ⛩

🍷⚙ 227

Shohelbashi

Dori

Yushima Seido ⛩

Aioi

Zaka

302 ⚙ 301

228 🍷

136 ⦿

🍷⦿ 226

⚙ 300

Akihabara Station

Ⓜ Akihabara

⛪ Église Saint-Nicolas

137 ⦿

TOKYO – Akihabara, Jimbocho, Kanda, université (Plan VIII)

déj inclus. Un hôtel dont la façade en briques vernies dégage un certain style. À l'intérieur, l'atmosphère est plaisante avec des murs partiellement recouverts de bambous. L'établissement propose une quarantaine de chambres de style japonais (seules 4 d'entre elles disposent de lits). Avec leur petit salon, les supérieures sont spacieuses. Bains japonais (l'un intérieur, l'autre extérieur). Terrasse à l'étage. Resto. Un rapport qualité-prix très honnête.

Chic (de 15 000 à 25 000 ¥ / 125-208 €)

🛏️ |●| *Hilltop Hotel* 山の上ホテル (*plan VIII, B3, 56*): *1-1 Surugadai, Kanda, Chiyoda-ku.* ☎ 3293-2311.

● *yamanoue-hotel.co.jp* ● Ⓜ *Ochanomizu* 御茶ノ水, *lignes Marunouchi et JR Chuo, ou Shin-Ochanomizu* 新御茶ノ水, *ligne Chiyoda ; 5 mn à pied dans les 2 cas. Doubles 24 000-32 000 ¥.* Depuis 1954, il se tient sur une petite colline du quartier de Kanda. L'emplacement (Akihabara, la « ville électrique », n'est qu'à 20 mn à pied de là), la déco rétro mais charmante, le calme et la propreté des chambres sont autant de raisons pour choisir d'y dormir. D'ailleurs, c'est l'un des hôtels préférés des journalistes et écrivains de passage, pour son côté élégant et son atmosphère paisible et littéraire. Au choix, chambres à l'occidentale ou à la japonaise. Sur place, pas moins de 5 restos et 2 bars.

LES QUARTIERS D'AKIHABARA ET DE KANDA

Où manger ?

Prix moyens (de 1 500 à 3 500 ¥ / 12,50-29 €)

|●| *Akatsuka* 赤津加 (*plan VIII, C3, 136*): *1-10-2 Soto-Kanda, Chiyoda-ku.* ☎ 3251-2585. Ⓜ *Akihabara* 秋葉原, *ligne JR Yamanote. À l'angle d'une petite impasse. Lun-ven 17h-22h30 (dernière commande à 21h30) ; 2ᵉ et 4ᵉ sam du mois 17h-21h45 (dernière commande à 20h45). Résa conseillée. Petite cover charge.* Encore un clin d'œil typiquement tokyoïte ! Au milieu de la jungle phosphorescente et étincelante, proche d'un magasin de figurines mangas (*Hobby Shop*), cette demeure en bois est totalement incongrue en cet univers électrique. Depuis la fin de la Seconde Guerre mondiale, elle abrite une *izakaya* hors du temps. Oh, pas une grande cuisine sophistiquée ! Mais de bons petits plats populaires, comme le *karei* (poisson grillé), un *tempura moriawase* (crevettes, poissons et légumes frits)... C'est servi en petites portions pour caler les petites faims.

Au sud d'Akihabara (quartier de Kanda)

|●| *Mimasuya* みます屋 (*hors plan VIII par C3, 137*): *2-15-2 Tsukasa-machi, Kanda, Chiyoda-ku.* ☎ 3294-5433. Ⓜ *Kanda* 神田, *ligne Ginza, ou Awajicho* 淡路町, *ligne Marunouchi (sortie A4). Dans une rue parallèle à Sotobori-dori ; repérer le magasin AM/PM sur cette avenue, prendre la rue qui part juste en face de l'autre côté, puis tourner dans la 1ʳᵉ rue à droite. Tlj 11h30-13h30, 17h-22h30. Résa conseillée. Le soir, peut rejoindre la catégorie « Chic ».* Comme une luciole éclairée dans cette portion de rue. Pousser le rideau pour entrer dans cette authentique taverne populaire, là encore tirée directement d'un film d'Ozu. Cette *izakaya* secrète et discrète aurait ouvert en 1905 et n'aurait jamais cessé son activité depuis. 1ʳᵉ salle si petite que toutes les chaussures sont dans l'allée centrale (pour les amateurs de la *zashiki*, table basse, assis en tailleur). Préférer peut-être la salle de derrière, quasiment la cuisine. Un adorable côté foutraque, vieillot et

patiné. Service alerte, saké qui coule à flots... Excellente cuisine populaire et, surtout, les recettes maison comme ce pot-au-feu de cheval *(sakura nabe)*, l'anguille maison *(anago nitsuke)*, les champignons à l'étuvée *(kinoko ni)*. Grand choix de sakés. Une adresse authentique.

Où boire un verre ? Où manger une pâtisserie dans un lieu très geek ?

🍷 I○I *Gundam Café* ガンダムカフェ *(plan VIII, D3, 226)* : 1-1 Kanda Hanaoka, Chiyoda-cho. ☎ 3251-0078. Ⓜ *Akihabara* 秋葉原, *ligne JR Yamanote. Face à une esplanade devant l'entrée de la gare JR et une station de taxis, juste à côté de AKB48 Café & Shop. Tlj 10h-22h30 (dernière commande à 22h). Prix honnêtes.* Ce café à succès, destiné essentiellement aux geeks de la fameuse saga japonaise, ne désemplit pas, on fait parfois 30 mn de queue pour pouvoir y entrer ! Ensuite, tout ou presque est à l'effigie de la saga. Le *gunpla-yaki*, gâteau en forme de Gundam, fourré au parfum de votre choix (sucré ou salé), le thé glacé à la *Gundam Power*... Le clou, c'est d'aller faire un tour aux toilettes, où vous aurez la sensation de vivre quelques minutes à l'intérieur même de la saga ! Boutique de produits dérivés, juste à côté.

Où boire un verre dans un *maid café* ?

🍷 *@home Café* アットホームカフェ *(plan VIII, D3, 227)* : 4-3-3 Soto-Kanda, Chiyoda-ku. ● cafe-athome. com ● Ⓜ *Akihabara* 秋葉原, *ligne JR Yamanote ou Suehirocho* 末広町 *(sortie 3). Dans le magasin* Don Quijote Department Store, *au niveau 5F (face à l'escalator) ; situé au même étage que le rayon cosplay. Tlj 11h30 (10h30 w-e)-22h. Entrée : 700 ¥, boissons en supplément. Menus à prix moyens. Pour se faire photographier avec la serveuse : 600 ¥. Durée limitée à 1h.* Rien d'étonnant à Tokyo de trouver un étage consacré au *cosplay* dans un grand magasin. On est ici encore une fois dans le monde de l'illusion, de l'imaginaire, où le transfert d'identité permet de s'évader vers des mondes artificiels. Les garçons timides peuvent entrer en contact avec des jeunes filles déguisées en soubrettes *(maid)*, jouer aux cartes, se faire chouchouter, et même se prendre en photo... Au niveau 7F, les consoles les plus sophistiquées. Mais c'est au 6F qu'il faut s'attarder pour son rayon jeux, dans tous les tons rose bonbon et une atmosphère étourdissante. On peut y jouer de la batterie ou commencer une carrière de DJ, se lancer dans le *jubeat* (un truc de dingue avec les mains) ou la *Dance-Dance Revolution* (avec les pieds)... étonnant et irréel à la fois !

🍷 *Guild Cafe Queens Court* クイーンズコート女神の中庭 *(plan VIII, C3, 228)* : 4F, Zeniya Bldg, 1-8-3 Soto-Kanda. ☎ 6206-8286. ● queens court.tv ● Ⓜ *Akihabara* 秋葉原, *ligne JR Yamanote. Tlj 11h (16h lun)-23h (5h ven-sam). Compter 800-1 500 ¥ sans ou avec alcool (30 mn max) et 3 000 ¥ avec alcool (1h).* Dans cet immeuble de 6 étages, ce ne sont que des *maid cafés*. Attention, les adresses et les noms changent souvent. Le *Queens Court* est une sorte de bonbonnière tenue par un groupe de jeunes filles en tenue de serveuse rétro et chatoyante, avec leurs idoles de manga comme pendentif autour du cou. Retour en enfance. On vous explique que vous êtes dans un vaisseau spatial qui abrite la cour du palais des reines, et que tout va bien pour vous... blablabla. Ça remplace une bonne aspirine... On peut y boire un thé et même manger. Clientèle de tous les âges : jeunes et adultes attardés, bobos et salariés sortant du boulot, garçons esseulés désireux de se faire chouchouter par des mots gentils, mais attention : pas touche, jamais un geste déplacé vers les donzelles vêtues comme les servantes de la comtesse de Ségur...

TOKYO

**Ⅶ |●| _Little Beauty Satanic Dining_
(Little BSD)** 小悪魔の宴 (plan VIII,
C3, **229**) : 4F, Dai-Isamiya Bldg, 3-7-
12 Soto-Kanda. ☎ 3252-2733. ● _litt
lebsd.com_ ● Ⓜ Suehirocho 末広町,
ligne Ginza (sortie 3). Lun-jeu 18h-23h,
ven-sam 18h-5h, dim 17h-23h. Cover
charge : 550 ¥. _Prix moyens._ Dans le
même immeuble se trouvent aussi le
Honey Honey Maid Café (2F ; sem 17h-
23h, w-e 12h-23h) et le _New Type Maid
Café_ (3F ; mar-jeu et dim 18h-23h, ven-
sam 18h-5h). Ce Little BSD nous a bien

plu (rien que le nom !). D'abord, on y
trouve une bonne quinzaine de _wai-
tresses_ toutes plus enjouées les unes
que les autres. _Last but not least_, elles
acceptent de se laisser prendre en
photo (très rare dans les _maid cafés_ !).
C'est plus un _maid restaurant_ qu'un
maid café.
– Enfin, n'oubliez pas qu'il existe plus
de 50 _maid cafés_ à Akihabara et que
vous trouverez certainement celui qui
correspond le mieux à vos fantasmes
ou à vos envies !

Où acheter du matériel électronique, des jeux vidéo, des mangas, des figurines manga, des vêtements de mode et de _cosplay_ ?

⚜ **_Laox Duty Free Main Store_** ラオ
ックス (plan VIII, C3, **300**) : 1-2-9 Soto-
Kanda. ☎ 3253-7111. ● _laox.co.jp_ ●
Ⓜ Akihabara 秋葉原. Tlj 9h-20h. Un
grand magasin dont l'étage 1F est spécialisé dans le matériel électronique :
ordinateurs, consoles de jeux, appareils photo, caméras digitales, téléphones portables, matériel audiovisuel...
On y parle l'anglais. Les prix sont raisonnables. Les produits sont japonais
ou importés. Une bonne adresse pour
acheter du bon matériel à prix justes.
⚜ **_Superpotato_** スーパーポテト
(Game Center ; plan VIII, C3, **301**) :
1-11-2 Soto-Kanda. ☎ 5289-9933.
● _superpotatoakiba.jp_ ● Ⓜ Akihabara
秋葉原. En partant de Yushima Zaka,
c'est le 4e magasin sur le côté gauche ;
enseigne colorée sur fond jaune. Tlj
11h (10h w-e)-20h. Non, on n'y vend
pas de super patates, mais des jeux
vidéo rétro, datant de la 1re génération.
Tout se passe aux étages 3F, 4F et 5F :
voici le temple-musée des « jeunes
jeux déjà vieux ». On appelle cela le
« _retro-gaming_ ». Ces précurseurs de
la technologie ludique sont déjà bien
dépassés par le progrès. Au 3F, les jeux
de famille (Famicon des années 1970-
1980), des _family computers_... Au 4F,
étage du _software game_ : PlayStation
en majorité, Game Music, Gameboy
(Nintendo), et bien sûr Super Mario,
dont la sculpture en plastique jaune et
rouge marque l'entrée de la boutique.

Au 5F, d'autres jeux classiques d'invention nippone. Le rendez-vous des col-
lectionneurs fanatiques, des _otaku_,
pratiquants enfermés dans leur passion
exclusive, mais aussi tout simplement
des nostalgiques.
⚜ **_Rayon cosplay du magasin Don
Quijote_** (plan VIII, D3, **227**) : 4-3-3
Soto-Kanda. ☎ 5298-5411. ● _donki.
com_ ● Ⓜ Akihabara 秋葉原, ligne
JR Yamanote, ou Suehirocho 末広町,
ligne Ginza (sortie 3). Sur la devanture
Donki, reconnaissable à son logo, un
pingouin ! Tlj 9h-5h. La devise de cette
chaîne de magasins (150 au Japon) est
quelque chose comme _Service + discount + plaisir._ Au niveau 5F, le rayon
cosplay propose une large gamme
d'uniformes et tenues : soubrettes, OL
(_Office Ladies_), écolières naïves, lolitas
gothiques ou romantiques, personnages de manga et de B.D...
⚜ **_Animate_** アニメイト (plan VIII, C3,
302) : 1F, 2F et 4F, Akiba Bldg, 1-7-6
Akihabara. ☎ 5209-3330. Ⓜ Akihabara 秋葉原. Tlj 10h-21h. Incroyable
choix de mangas et de comics de tous
les genres, de tous les styles : pour
enfants (manga _kodomo_), pour garçons
adolescents (_shonen_), pour jeunes filles
romantiques et sentimentales (_shojo_),
pour jeunes femmes adultes (_josei_),
pour jeunes hommes adultes (_seinen_).
Il y en a aussi des violents qui sont
dans la catégorie _hentai_. On y trouve un
énorme rayon rose (_pink_) consacré aux

mangas érotiques et pornos *(ecchi)*. Pour ces derniers, un grand panneau affiche les meilleures ventes. Les clients lisent souvent debout. Ce phénomène s'appelle *tachiyomi*, c'est un sport national dans les librairies japonaises et dans les *konbini* (supérettes). Également de nombreuses figurines de mangas. Dans le même immeuble, le ***Good Smile Cafe*** グッドスマイ ルカフェ *(5F ; tlj 11h-21h30)* pour les adeptes de mangas. Résa obligatoire sur place en scannant un QR code qui indique l'heure à laquelle se présenter. En principe, on a le temps de faire un tour dans le quartier. Chaque menu est décliné sur un thème de comics, autour d'un personnage de manga. Temps limité à 1h30.

À voir

Akihabara, la ville électrique 秋葉原 *(plan VIII, C-D3) :* ● *akiba.or.jp* ● Ⓜ *Akihabara* 秋葉原, *lignes JR Yamanote (sortie Electric City) et Hibiya (sortie 3), ou Suehirocho* 末広町, *ligne Ginza (sorties 1 ou 2).* La capitale de l'électronique, un treillis de rues et d'avenues aux centaines d'enseignes électriques et tapageuses, néons assassins, mélanges tumultueux de sons, musiques assourdissantes... Autant de magasins d'électronique et de mangas. Bienvenue donc à Denki-Gai, la « ville électrique ». Les vendeurs déambulent en vantant leurs appareils électriques ou numériques (téléphones portables, ordinateurs, appareils photo...), leurs cartes à puce les plus fiables du monde... Depuis les années 2000, les grands magasins proposant également de l'électronique bon marché, Akihabara a été obligé de se diversifier, notamment dans le manga. Le *Laox,* l'un des magasins emblématiques du quartier, est difficile à manquer avec son énorme enseigne. Et lorsque, saoul de bruit et de fureur électrique, on souhaite se détendre, les *maid cafés* accueillent et dorlotent les visiteurs fatigués...

Kanda Myojin 神田明神 *(plan VIII, C3) : 2-16 Soto-Kanda.* Ⓜ *Akihabara* 秋葉原 *et Ochanomizu* 御茶ノ水. *GRATUIT.* À deux pas de la fureur électrique, un petit îlot de paix. Temple fondé en 730, un des plus anciens de la ville. Reconstruit en 1603 par le shogun Tokugawa. Durant l'ère Meiji, il fut officiellement considéré comme le gardien de Tokyo. Les années bissextiles, en mai, s'y tient l'un des plus importants *matsuri* de la ville. Connu pour favoriser les affaires et permettre de trouver une épouse (mais on ne sait pas si, avec la concurrence d'Internet, c'est toujours aussi populaire !).

Yushima Seido 湯島聖堂 *(plan VIII, C3) :* Ⓜ *Ochanomizu* お茶の水, *lignes Marunouchi (sortie 1), JR Chuo et Sobu. Tlj 9h30-17h (16h oct-mars).* Ancienne école Shohazaka fondée par Tsynayoshi Tokugawa. Reconstruite en 1935. Bel édifice de style ancien aux lignes élégantes.

Le quartier des instruments de musique *(plan VIII, C3) : Meidai-dori.* Ⓜ *Shin-Ochanomizu* 新お茶の水, *ligne Chiyoda (sortie 1).* Nombreux magasins spécialisés tout au long de la rue, ainsi que de petits studios d'enregistrement.

MÉTRO, BOULOT, CÂLIN !

Dernière invention pour déstresser : le Dōcō hōyō. Vous passez un doux moment sur un futon avec une jolie étudiante en chemise de nuit rose et qui va papoter avec vous 20 mn (temps minimum), avec possibilité de prolongation et de « suppléments » (par exemple 3 mn pour plonger dans ses yeux ou la tenir dans ses bras... sans geste déplacé !). Il arrive que des clients s'endorment, et parfois longtemps... autant de tranches de 20 mn à payer !

L'église orthodoxe Saint-Nicolas (Nikolai-do) ニコライ堂 *(plan VIII, C3) :* Ⓜ *Shin-Ochanomizu* 新御茶ノ水, *ligne Chiyoda (sortie B2, et 1 mn de marche). Tlj*

TOKYO

sauf j. fériés 13h-15h30 (16h avr-sept). Contribution : 300 ¥. La cathédrale ortho-doxe de Tokyo, de style néobyzantin, fut construite à l'occasion de la visite du tsar au Japon.

🚶🚶 **Le quartier des livres** *(hors plan VIII par A3) :* Ⓜ *Jimbocho* 神保町, *lignes Hanzomon et Mita (sortie A2).* Au moins 160 librairies ou stands de livres d'occa-sion, proposant plus de 10 millions d'ouvrages. Quelques magasins spécialisés : **Sanseido Books** 三省堂書店, 1-1 Kanda, Jimbocho, 8 étages de livres dont l'un consacré entièrement aux mangas, un autre aux ouvrages d'art. Chez **Isseido** 一誠堂書店, 2 étages offrant un bon choix de rouleaux superbement calligraphiés. Quant à **Bumpato,** 1-7 Kanda, spécialiste des arts graphiques, il fournit tous les artistes depuis 1887. Rayon spécial cartes postales.

LE QUARTIER DE L'UNIVERSITÉ

À l'ouest d'Akihabara, un quartier très recherché par les professeurs et les étu-diants pour résider. Bien entendu, afin d'être plus proches du lieu de travail ou d'étude, mais surtout pour le caractère villageois de certaines rues, en parti-culier sur la *colline de Hongo.* Certes, assez en marge pour des touristes, mais si agréable pour séjourner et goûter un peu au mode de vie japonais. Lacis de ruelles étroites, loin du gigantisme du centre, où l'on trouve encore pas mal d'anciennes demeures en bois. Atmosphère villageoise authentique, une belle somme de sou-venirs et de vie sociale à rapporter.

Où dormir ?

Prix moyens (de 10 000 à 15 000 ¥ / 83-125 €)

🏠 **Homeikan Morikawa Bekkan** 鳳明館森川別館 *(plan VIII, A-B1, 57) :* 6-23-5 Hongo, Bunkyo-ku. ☎ 3811-8171 et 3811-1187 (résas). ● *homei kan.com* ● Ⓜ *Todaimae* 東大前, *ligne Namboku (sortie 2), puis 10 mn à pied. Doubles 11 000-13 000 ¥ ; petit déj en sus.* Une jolie entrée ombragée et plantée d'arbustes mène à cette maison abritant 33 chambres à la japonaise (décoration traditionnelle et de caractère) assez spacieuses et confortables (clim). Sanitaires et bains communs (pour certaines chambres, nécessité de descendre d'un étage). Également une salle de bains fami-liale, il faut la demander. Bon petit déj. Laverie.

🏠 **Homeikan Daimachi Bekkan** 鳳明館台町別館 *(plan VIII, A1, 58) :* 5-12-9 Hongo, Bunkyo-ku. ☎ 3811-1186 et 87. ● *homeikan.com* ● Ⓜ *Hongo-Sanchome* 本郷三丁目, *lignes Oedo et Marunouchi, ou Kasuga* 春日, *ligne Mita (sorties A5 ou A6) ; puis env 10 mn à pied. Même propriétaire que le Homeikan Morikawa. Doubles 11 000-13 000 ¥ ; petit déj en sus. Possibilité de repas (prix moyens).* Charmante auberge nippone cachée dans un jardin exubérant avec une petite mare. Une adresse calme et authentique. Une trentaine de chambres impeccables avec tatamis. Bon confort (clim, TV, petit coffre). En revanche, demander une chambre loin des cuisines. De l'autre côté de la rue, la *Honkan,* une maison du même genre dès que c'est plein ici (avec 25 chambres).

À voir

🚶🚶 **Koishikawa Korakuen Gardens** 小石川後楽園 *(hors plan VIII par A2) :* 1-6-6 Koraku, Bunkyo-ku. ☎ 3811-3015. Ⓜ *Iidabashi* 飯田橋, *ligne Toei Oedo, puis 3 mn à pied, ou lignes Tozai, Yurakucho et Namboku. Également JR Chuo (station Iidabashi ou Suidobashi), puis 8 mn à pied. Tlj 9h-17h (dernière entrée à 16h30).*

Fermé 29 déc-1ᵉʳ janv. Entrée : 300 ¥. Visite guidée gratuite sam-dim et j. fériés à 11h et 14h. À l'ouest de l'université, un grand jardin ouvert au début de l'époque Edo (en 1626 pour être précis !). Son nom vient d'un poème qui recommandait au shogun de s'occuper d'abord des intérêts du peuple avant de penser à son plaisir... Il s'agit d'un parc d'inspiration chinoise et japonaise avec des étangs, des ruisseaux, des cascades, des ponts traditionnels. Considéré comme l'un des plus beaux parcs japonais. Un vrai havre de calme et de tranquillité... entouré d'immeubles.

LE QUARTIER DE KAGURAZAKA 神楽坂

Au nord-ouest des jardins du palais impérial, l'un des quartiers les plus provinciaux et animés de Tokyo, sans avoir (trop) perdu son âme. Peu de hauts buildings, beaucoup de demeures particulières et d'étroites ruelles se ramifiant sur l'une des plus authentiques rues commerçantes de la ville. Pas mal de maisons transformées en restos ou abritant des petits cafés à saké au charme discret. On y trouve encore une vieille population locale, des artisans et quelques geishas qui laissent parfois, en été, échapper de leurs fenêtres de fines notes de musique... Avant ou après le repas, c'est un délice que de parcourir à pied ce quartier miraculeusement préservé. Outre son charme et son caractère authentique, il offre également d'excellents restaurants dans tous les genres et à tous les prix. Le quartier est aussi connu pour sa petite communauté française.

Où dormir ?

Très bon marché (moins de 6 000 ¥ / 50 €)

🏠 *Tokyo Central Youth Hostel* 東京 セントラルユース ホステル *(plan IX, B2, 60)* : 18F, Central Plaza, 1-1 Kaguragashi, Shinjuku-ku. ☎ 3235-1107. ● *jyh.gr.jp/tcyh* ● Ⓜ *Iidabashi* 飯田橋, *lignes Oedo, JR Sobu (sortie B3), Tozai, Yurakucho et Namboku (sortie B2b). Énorme shopping mall avec une façade à grands verres carrés (devant l'entrée,* on passe par un large pont, avec rambardes en bois). Réception 6h-23h. Lit 4 050 ¥ ; petit déj en sus. Membre du réseau HI. Attention, cette AJ n'est pas pour les noctambules car couvre-feu à 23h (l'ascenseur – n° 1 – s'arrête aussi, ceci expliquant cela). Sinon, fort bien placée, pas loin des jardins impériaux et à côté du village de Kagurazaka. Dortoirs de 4, 8 ou 10 personnes et chambres de 6 à la japonaise. Propre, classique et, surtout, jolie vue sur la ville depuis les chambres.*

Où manger ?

Kagurazaka réunit un nombre élevé de restaurants de cuisine française, tenus par des expatriés, mais aussi (plus rarement) par des Japonais. Ces enseignes donnent un caractère « gaulois » à ce quartier nippon où la majorité des clients sont des Japonais friands de gastronomie française. Voilà pourquoi on vous conseille de passer une soirée dans ce quartier animé et chaleureux.
– Accès : Ⓜ *Iidabashi* 飯田橋, *lignes Oedo, JR Sobu (sortie B3), Tozai, Yurakucho et Namboku (sortie B2b).*

Prix moyens (de 1 500 à 3 500 ¥ / 12,50-29 €)

|◉| *Chichukai Uomaru* チチュウ カイウオマル *(plan IX, A2, 139)* : 1F, 3-2 Kagurazaka-dori. ☎ 5206-7178. *Dans la Waseda-dori, juste après l'immeuble Royal Host, sur la droite en montant ; l'enseigne bleu et blanc de ce resto illumine la rue ! Tlj 11h30-5h (dernière commande à 4h). Son nom signifie grosso modo*

TOKYO

TOKYO

« le bateau de pêche de la Méditerranée » ! Un petit resto populaire typiquement japonais et toujours très animé, genre vieux bistrot du port, où l'on mange sur de rustiques tables en bois. On adore cet endroit qui sert de savoureux plats de la mer, d'une grande fraîcheur et à prix sages. Mais si l'on est trop gourmand et que l'on choisit le meilleur de la carte, alors les prix grimpent dans la catégorie « Chic ».

|●| Chanko Kuroshio ちゃんこ黒潮 *(plan IX, A2,* **140***) : 3-6-3 Kagurazaka, Shinjuku-ku.* ☎ *3267-1816. Dans la rue sur la gauche du temple Bishamonten ; c'est le 1er resto sur la gauche. Tlj sauf dim 17h-23h (dernière commande à 22h). Carte en français.* Spécialisée dans la « cuisine de sumo », la maison est tenue par un ancien pratiquant de sumo devenu chef cuisinier. Cet homme jovial et modeste précise qu'il pratiquait pour le plaisir et qu'il n'a jamais été un grand champion. Aux murs, des photos de lui et de ses idoles. Le chef propose le *chanko nabe,* une savoureuse fondue de viande ou de poissons et légumes. Longtemps, on n'utilisa que du poulet, car on disait en rigolant que manger un animal sur 2 pattes aidait le sumo à tenir debout sur les siennes ! En entrée, un sashimi ultra-frais. Beaucoup de monde, mais si vous n'avez pas réservé, il y a souvent de la place au comptoir. Quelques tables hautes classiques et, surtout, des petites salles traditionnelles à la japonaise.

|●| Café-crêperie Le Bretagne ルブルターニュ *(plan IX, A1,* **141***) : 4-2 Kagurazaka, Shinjuku-ku.* ☎ *3235-3001. Tlj sauf lun (hors lun fériés) 11h30-22h30 (22h dim et j. fériés). Le soir, menu env 4 000 ¥.* Juste en face du temple Bishamonten, dans une vénérable ruelle du vieux Kagurazaka, une crêperie bretonne reconstituée avec un souci d'authenticité et de fraîcheur. Tables en bois pour boire son cidre frais et déguster de bonnes crêpes. On y trouve aussi la Lancelot (bière blanche) et de la bière de sarrasin... Un chaleureux petit morceau du pays du Soleil-Couchant au pays du Soleil-Levant.

De prix moyens à plus chic (de 1 500 à plus de 6 500 ¥ / 12,50-54 €)

|●| Tori Cha Ya 鳥茶屋 *(plan IX, A2,* **142***) : 3-6 Kagurazaka, Shinjuku-ku.* ☎ *3260-6661. Tlj 11h30-14h30 (15h w-e), 17h (16h w-e)-22h30 (22h dim). Le soir, menus env 6 500-8 900 ¥.* Dans une ruelle très étroite où l'entrée est si discrète qu'on risque de passer devant sans la voir (en face du resto *L'Escalier*). Vraie demeure japonaise, accueil aimable, serveuses en kimono et atmosphère feutrée. Pour les pressés, un comptoir au rez-de-chaussée ; sinon, à l'étage, les traditionnelles petites salles où l'on mange une non moins traditionnelle cuisine sur coussins et tables basses. Il offre le populaire et copieux *oya kodon* (l'omelette-riz-viande), avec pickles, *miso* et une boule de glace, ainsi que le non moins populaire *shabu-shabu* (lamelles de bœuf et légumes qu'on mitonne soi-même dans un court-bouillon).

|●| Le Clos Montmartre ルクロモンマルトル *(plan IX, B2,* **143***) : 2-12 Kagurazaka, Shinjuku-ku.* ☎ *5228-6478. Noter le petit moulin rouge au bord de la terrasse. Tlj sauf dim 11h30-14h, 18h-21h30. Le soir, menus 3 800-5 000 ¥.* Pour les nostalgiques du confit de canard, voici un sympathique bistrot à l'ancienne (vénérable comptoir, ardoise avec les plats du jour). Le soir, place aux grands classiques de la cuisine française. Sélection de petits vins soignée. Terrasse tranquille.

|●| ▼ Bar à Cidre Restaurant シードルバーレストラン *(plan IX, A1,* **144***) : 3-3-6 Kagurazaka.* ☎ *5229-3555. Mer-sam 17h30-23h, dim 11h30-22h. Fermé lun-mar. Menus 3 800-7 500 ¥.* Cadre chaleureux et élégant pour une cuisine nippo-armoricaine raffinée, à travers des recettes sophistiquées, saveurs inédites et produits de grande qualité... Propose une vingtaine de cidres (dont des japonais excellents). Service souriant hors pair. Une belle découverte !

|●| Tatsumiya たつみや *(plan IX, A1,* **145***) : 4-3 Kagurazaka, Shinjuku-ku.* ☎ *3260-7016. La 3e maison sur la gauche après le croisement avec la rue principale, juste à gauche du resto*

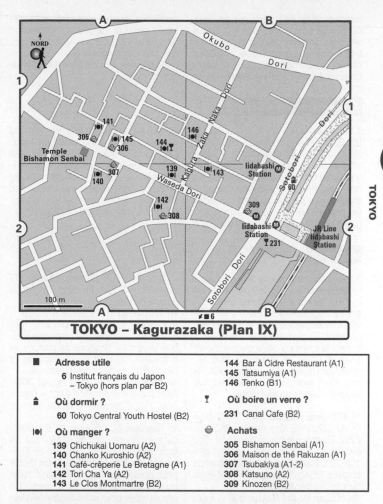

TOKYO – Kagurazaka (Plan IX)

■	**Adresse utile**	**144**	Bar à Cidre Restaurant (A1)
	6 Institut français du Japon – Tokyo (hors plan par B2)	**145**	Tatsumiya (A1)
		146	Tenko (B1)
⌂	**Où dormir ?**	Ⓨ	**Où boire un verre ?**
	60 Tokyo Central Youth Hostel (B2)	**231**	Canal Cafe (B2)
⦿	**Où manger ?**	✿	**Achats**
	139 Chichukai Uomaru (A2)	**305**	Bishamon Senbai (A1)
	140 Chanko Kuroshio (A2)	**306**	Maison de thé Rakuzan (A1)
	141 Café-crêperie Le Bretagne (A1)	**307**	Tsubakiya (A1-2)
	142 Tori Cha Ya (A2)	**308**	Katsuno (A2)
	143 Le Clos Montmartre (B2)	**309**	Kinozen (B2)

Lugdunum. *Tlj 12h-14h30, 17h30-20h30 (17h-20h dim et j. fériés) ; dernière commande 30 mn avt fermeture. Compter 3 500-4 000 ¥.* Vénérable adresse de quartier presque secrète, qui ne cherche pas le bling-bling ni la publicité. Porte coulissante, TV allumée, tables basses. Salle petite, modeste, démodée, mais accueil jovial. La patronne se contente de perpétuer la tradition culinaire de la maison : les anguilles *(unagi).* Sa grand-mère avait reçu la *popstar* John Lennon et sa femme japonaise Yoko Ono, qui

vinrent y manger en juin, quelques mois avant la mort du chanteur. On sert ici l'anguille de diverses façons : avec du riz et *kabayaki,* grillée avec sauce ou sans sauce... L'anguille reste un plat rare et cher.

⦿ **Tenko** 天孝 *(plan IX, B1, 146)* : 3-1 Kagurazaka, Shinjuku-ku. ☎ 3269-1414. *Tlj sauf dim et j. fériés 12h-23h (dernière commande à 23h). Le soir, résa obligatoire. Menus déj 12 000 ¥ ; dîner 18 000-20 000 ¥.* Dans une ruelle discrète, une entrée qui l'est plus encore, un des meilleurs restos de tempura du quartier, tenu par un vieux couple de cuistots et leur fils. Cette ancienne demeure de geishas au cadre très sobre ne compte que quelques places au comptoir et autour de la fosse. Le soir, c'est *omakase* (faites confiance au chef), les plats sont élaborés selon le marché et l'inspiration du moment. Délicieux amuse-bouches, fine pâte de beignets qui ne dénature pas les saveurs. Une belle expérience gastronomique.

Où boire un verre ?

♚ Canal Cafe カナルカフェ *(plan IX, B2, 231)* : 1-9 Kagurazaka, Shinjuku-ku. ☎ 3260-8068. Ⓜ *Kagurazaka. Tlj sauf 1er et 3e lun du mois 11h30-23h.* Juste à la sortie du métro Kagurazaka, on ne peut manquer ce grand bar-restaurant établi sur un ponton au bord du canal. On passe devant le *Canal Cafe Boutique* (sorte d'épicerie-salon de thé), puis sur la gauche on descend vers le canal où se trouve le resto divisé en 2 parties. La salle intérieure et le resto côté ponton *(Deck Side)*. Il s'agit d'un self-service. On emporte petits snacks, pizzas, plats, glaces et boissons, et on s'installe sur une sorte de long comptoir en plein air au bord de l'eau.

Achats

Kagurazaka se révèle le lieu idéal pour le lèche-vitrines. Sur des centaines de mètres, au coude-à-coude, des boutiques traditionnelles, parfois en activité depuis des dizaines d'années. Ici, ni monstrueux *malls* commerciaux à donner le tournis ni bousculade... beaucoup de choix, de tranquillité et d'intimité. Voici quelques coups de cœur ; la liste n'est, bien entendu, pas limitative et nous n'avons pu tout visiter...

🛍 **Bishamon Senbai** 毘沙門専売 *(plan IX, A1, 305)* : 4-2 Kagurazaka. ☎ 3269-2983. *Dans la rue principale, en face du temple de Bishamonten. Tlj sauf dim 10h-20h.* Marchand de friandises et de biscuits (fabriqués maison) à l'ancienne depuis des générations.
🛍 **Maison de thé Rakuzan** 楽山 *(plan IX, A1, 306)* : 4-3 Kagurazaka. ☎ 3260-3401. *Dans la rue principale, presque en face du temple Bishamon Senbai. Tlj sauf dim 10h-20h.* Produits de grande qualité et bons conseils.
🛍 **Tsubakiya** 椿屋 *(plan IX, A1-2, 307)* : 3-6 Kagurazaka. ☎ 5261-0019. *Tlj 10h-20h.* Dans un immeuble en brique marqué Miyasaka. Boutique de parfums et d'encens fort bien approvisionnée et pleine d'idées de cadeaux raffinés.
🛍 **Katsuno** かつの *(plan IX, A2, 308)* : *dans une ruelle parallèle à la rue principale. Pas d'horaires fixes.* Le meilleur fabricant de tofu du quartier.
🛍 **Kinozen** 紀の善 *(plan IX, B2, 309)* : *dans la Waseda-dori.* ☎ 3269-2920. *En face du* Flower Shop, *au pied du* Coffee Doutor. Une pâtisserie-salon de thé pour goûter au *macha pudding* (flanc au thé vert et haricots rouges). Ou emportez-le pour votre quatre-heures ! L'entrée du métro est à quelques mètres... Ce n'est qu'un au revoir !

LES QUARTIERS DE ROPPONGI 六本木 ET D'AZABU-JUBAN 麻布十番

● Roppongi, Azabu-Juban *(plan X) p. 181*

Roppongi signifiait jadis « Six Arbres ». Le nom fait référence aux 6 seigneurs qui possédaient cette terre et dont le nom contenait le mot « *gi* » (arbre).

Bombardé en 1945, le quartier abrita une base de l'armée américaine après la Seconde Guerre mondiale. Ces braves arbres ont bien du mal aujourd'hui à cacher la forêt des plaisirs nocturnes... tous ces cafés, bars, restaurants et boîtes drainant à longueur de nuit des dizaines de milliers de noctambules. C'est l'un des quartiers les moins japonais de Tokyo. Atmosphère typiquement occidentale, assez clinquante. Surtout depuis l'arrivée du *Roppongi Hills*, gigantesque ensemble immobilier dominé par la Mori Tower, ce labyrinthe incroyable où, même avec un plan, on a du mal à retrouver son chemin. Sans compter son rival, en face, le nouveau complexe de *Tokyo Midtown*... Cependant, Roppongi possède aussi l'antithèse de la futilité et du clinquant : en effet, on peut se concocter un magnifique parcours artistique et architectural avec le Mori Art Museum et l'époustouflant National Art Center (et bien d'autres petites perles !). Enfin, pour les amateurs de calme et de chlorophylle, le grand cimetière d'Aoyama est propice aux rêveries bucoliques. Azabu-Juban, quant à lui, offre un cadre tranquille de rues et ruelles traditionnelles, bordées de nombreux bars et restos. La nuit, atmosphère sereine, presque villageoise...

ROPPONGI 六本木

Où dormir ?

De chic à plus chic (de 15 000 à 35 000 ¥ / 125-292 €)

🏠 *Hotel Asia Center of Japan* ホテルアジア会館 *(plan X, A1, 62)* : 8-10-32 Akasaka, Minato-ku. ☎ 3402-6111. ● asiacenter.or.jp ● Ⓜ *Aoyama Itchome* 青山一丁目, *ligne Ginza (sortie 4, puis prendre Gaien-Higashi-dori, et c'est la 2ᵉ rue à gauche, un grand hôtel moderne sur la droite), ou Nogizaka* 乃木坂, *ligne Hibaya (sortie 3). Doubles 12 000-24 000 ¥, petit déj inclus. Réduc sur Internet.* Grand hôtel moderne dans les standards occidentaux, dans un quartier résidentiel calme à deux pas (10 mn à pied) du quartier

animé de Roppongi. Les chambres sont de bonne taille, avec salle de bains privée, clim, TV. Celles situées dans l'annexe sont un peu plus petites (un brin moins chères aussi). Fait aussi resto (cuisine occidentale).

🏠 *The b Roppongi* ザビー六本木 *(plan X, B1, 63)* : 3-9-8 Roppongi, Minato-ku. ☎ 5412-0451. ● roppongi. theb-hotels.com ● Ⓜ *Roppongi* 六本木, *ligne Toei Oedo (sortie 5, puis 1 mn à pied) ou ligne Hibiya (sortie 3, puis 3 mn à pied). Doubles 13 700-31 200 ¥, petit déj inclus. Promos sur Internet.* Fort bien situé, au cœur de la vie nocturne, un hôtel de style contemporain offrant 76 chambres lumineuses de grand confort et au design raffiné (clim, frigo, TV satellite...).

Où manger ?

Bon marché (jusqu'à 1 500 ¥ / 12,50 €)

🍴 *Precious Coffee Moment's (Ueshima Coffee Shop)* 上島珈琲店 *(plan X, A2, 148)* : à l'angle de TV Asahi-dori et de la voie express (en face du McDo). ☎ 5785-1218. Ⓜ *Roppongi* 六本木 *(sortie 3). En sem 7h30-21h,*

w-e 9h30-21h. Il porte bien son nom ce « moment précieux avec du café » (mais enseigne en japonais). Ce n'est pas une adresse originale mais elle est bien placée. Les *salary men* en costumes sombres et les OL *(Office Ladies)* tirées à quatre épingles y viennent à l'heure de la pause pour manger sur le pouce ou boire un verre. On commande au bar (sandwichs,

TOKYO

gâteaux), on charge le petit plateau et on paie. Simple, bon et économique, et intéressant pour l'ambiance « pause bureau », excellent reflet social du quartier.

|●| Chinese Cafe Eight 中国茶房 8 (plan X, A2, **149**) : 2F, Court Annex, 3-2-13 Nishi-Azabu, Minato-ku. ☎ 5414-5708. Ⓜ Roppongi 六本木 (sortie 3). Tlj 24h/24. L'un des restos les moins chers de Tokyo, au pied du très luxueux Grand Hyatt ! Grande salle au 1er étage. En journée, on y trouve facilement de la place, mais le soir ça peut être plein comme un œuf. Il faut dire que vous avez là l'un des meilleurs rapports qualité-prix de Tokyo pour la cuisine chinoise et un choix de mets savoureux.

Prix moyens (de 1 500 à 3 500 ¥ / 12,50-29 €)

|●| Gonpachi 権八 (plan X, A2, **150**) : 1-13-11 Nishi-Azabu, Minato-ku. ☎ 5771-0170. Ⓜ Roppongi 六本木 (sortie 2). Tlj 11h30-3h30. Dans la journée, aucun problème pour trouver une table, le soir c'est souvent plein. Menu intéressant le midi. Voilà un grand classique à Tokyo, capable d'accueillir plus de 350 personnes. Décor japonais traditionnel, tout en bois, avec une grande coursive, un comptoir, des box. Le Premier ministre y emmena dîner George Bush un soir, c'est dire ! Zizou est aussi passé par là. Pourtant les prix sont sages. On y déguste une authentique cuisine japonaise. La grande spécialité : les soba (nouilles froides), les meilleures étant le kamonan seiro (au canard) et le tororo seiro. Pour les petits appétits, des portions genre tapas : entre autres, le sunomono (crabe, thon, avocat et algue en gelée), le hokke (maquereau séché au soleil), l'assortiment de tempura ou la gombachi house salad (salade d'épinards aux petites sardines épicées). Jusqu'à fin avril, grande spécialité : le charcoal grilled Nagoya cochin (l'un des 3 meilleurs poulets au Japon).

|●| Pintokona ぴんとこな (plan X, A2, **151**) : Roppongi Hills, B2F, Metro Hat-Hollywood Plaza, 6-4-1 Roppongi, Minato-ku. ☎ 5771-1133. Ⓜ Roppongi 六本木 (sorties 1B ou 1C). À deux pas de la tour Mori ; en sous-sol, dans le centre commercial en rotonde. Tlj 11h-23h. Cadre zen en bois clair. Un resto de sushis, makis et sashimis vraiment délicieux. Assis le long du comptoir ou autour d'une table immense et creuse au milieu, avec fosse pour les jambes. Les assiettes défilent, on se sert, ça va vite. Certains sushis et makis sont vraiment originaux. S'il en manque, on commande directement au cuisinier qui se trouve devant soi. Ensuite, on paie en fonction du nombre d'assiettes consommées et de leurs couleurs.

De prix moyens à plus chic (de 1 500 à plus de 6 500 ¥ / 12,50-54 €)

|●| L'Atelier de Joël Robuchon トリエ エドゥ ジョエル ロブション (plan X, A2, **151**) : 2F, Roppongi Hills, 6-10-1 Roppongi, Minato-ku. ☎ 5772-7500. Ⓜ Roppongi 六本木 (sorties 1B ou 1C). Entrée près du Toho Cinema (50 m). Tlj 12h-14h, 18h-21h. Les formules déj, servies lun-ven, sont uniques pour leur rapport qualité-prix : 3 200-8 800 ¥ ; le soir, menus 5 200-17 800 ¥. C'est noir et rouge, les couleurs des alchimistes, chères à Joël Robuchon. N'est-il pas lui-même l'alchimiste de la cuisine française ? Très bien implanté à Tokyo. Il y a du très chic-très cher chez Robuchon Japon, mais aussi du vraiment bon à prix sages comme ici à Roppongi. Le chef a vécu en France. Cadre élégant, mobilier dans un style contemporain chaleureux, ambiance brasserie autour du comptoir et des hautes tables où l'on vient déguster les inventions « robuchiennes » à des prix démocratiques ! Boutique avec un amoncellement de bonnes choses qui font saliver et où l'on peut acheter aussi de savoureux sandwichs et gâteaux qu'on va déguster tranquillement en terrasse. Un restaurateur qui a tout compris !

|●| Inakaya 田舎家 (plan X, B1, **235**) : 3-14-7 Roppongi, Minato-ku. ☎ 3408-5040. Ⓜ Roppongi 六本木 (sorties 3 ou 5). À la sortie du métro, prendre à

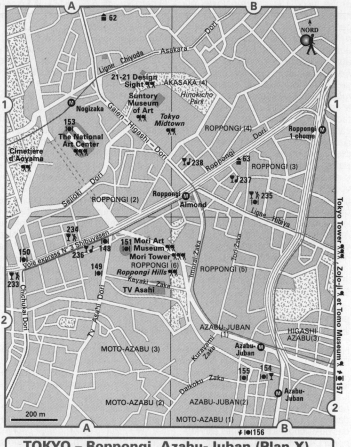

TOKYO – Roppongi, Azabu-Juban (Plan X)

🛏 **Où dormir ?**

62 Hotel Asia Center of Japan (A1)
63 The b Roppongi (B1)

🍴 **Où manger ?**

148 Precious Coffee Moment's (A2)
149 Chinese Cafe Eight (A2)
150 Gonpachi (A2)
151 Pintokona et L'Atelier de Joël Robuchon (A2)
153 Brasserie Paul Bocuse Le Musée (A1)
154 Eat More Greens (B2)
155 Café La Bohême (B2)
156 Yamada Chikara (hors plan par B2)
157 Bunbuku (hors plan par B2)
235 Inakaya (B1)

🍸🎵 **Où boire un verre ?**
🕺 **Où sortir ?**

233 Muse (A2)
234 A-Life (A2)
235 Line Club (B1)
236 Super Deluxe (A2)
237 Bar Dear (B1)
238 Abbey Road (B1)

droite jusqu'à la rue principale (qui mène à la Tokyo Tower), puis la 4e à gauche (Family Mart à l'angle de la rue). Tlj 17h-23h. Prix moyens. Cette austère et sombre façade de bois abrite un resto de robatayaki typique. Robatayaki est un type de cuisson sur grill. La tradition vient de la campagne, robata signifiant « près de l'âtre ». Vaut le détour ne serait-ce que pour le spectacle dans la salle. 2 grandes tables carrées et creuses au milieu. Les cuisiniers sont au centre des tables et vous proposent toutes sortes de légumes, poissons et viandes, qu'ils grillent sur d'immenses plaques en fonte, devant vous. Ils se passent les commandes les uns aux autres dans des cris intenses qui ressemblent à des cris de guerre, le spectacle est presque étourdissant. Attention, on n'a pas de carte sous les yeux et l'addition peut vite grimper.

🍴 *Brasserie Paul Bocuse Le Musée* ブラッスリー ポール ボキューズ ミュゼ (plan X, A1, **153**) : National Art Center (3e étage), 7-22-2 Roppongi, Minato-ku. ☎ 5770-8161. Ⓜ *Nogizaka* 乃木坂 (sortie 6, reliée au National Art Center) ou Roppongi 六本木, lignes Hibiya (sortie 4A) et Oedo (sortie 7). Tlj sauf mar : déj 11h-16h, dîner 16h-21h (22h ven) ; dernière commande 1h30 avt. Le midi, intéressants menus 2 200-3 800 ¥ (le blanc ou le rouge) ; le soir, 5 000 ¥ ; également à la carte. Cette brasserie de Paul Bocuse est située dans un cadre absolument exceptionnel, au design très original. Le restaurant se trouve à l'intérieur du très moderne Art Center, au sommet d'un énorme champignon, une salle toute ronde offrant à travers le bâtiment tout en verre une vue sur la ville, qui devient plus magique encore le soir avec les lumières qui se reflètent ! Dans l'assiette, l'exquise cuisine du célèbre chef, avec des menus adaptés aux expositions et aux saisons. Une cuisine de brasserie à l'image de celles déjà connues, à des prix vraiment démocratiques pour une ville comme Tokyo !

Où boire un verre ? Où sortir ?

Historiquement, Roppongi fut, après la Seconde Guerre mondiale, la destination nocturne par excellence. Comme le quartier abritait une base américaine, il s'y greffa naturellement un quartier nocturne propice à la détente des soldats. Le grand rendez-vous populaire des nuits longues et blanches est *Roppongi Crossing* (sortie 3 du métro, puis à droite), et plus précisément devant la pâtisserie *Almond*. À partir de là, longue litanie de bars, cafés, restos, boîtes, bars à hôtesses, *gentlemen's club*, striptease, karaokés divers. À noter que la vie nocturne à Roppongi avait un peu ralenti à cause de la concurrence de Shinjuku et de Shibuya, mais elle a été, depuis, puissamment redynamisée grâce au succès du *Roppongi Hills* et du *Tokyo Midtown*, les 2 gigantesques centres commerciaux... Étonnante perspective sur Gaien-Higashi-dori avec la Tokyo Tower au fond.

🍸🎷 *Muse* 西麻布ミューズ (plan X, A2, **233**) : 4-1-1 Nishi-Azabu, Roppongi, Minato-ku. ☎ 5467-1188. ● muse-web.com ● Ⓜ Roppongi 六本木, lignes Hibiya et Toei Oedo (sortie 5). Sortir à gauche, jusqu'au grand carrefour (avec le resto Gonpachi). C'est de l'autre côté du carrefour. Tlj sauf dim-lun 21h (22h ven-sam)-5h (4h40 ven-sam). Entrée : mar-jeu, bar-lounge gratuit ; w-e, club 3 500 ¥ (gratuit pour les filles), 2 boissons comprises. Parfois, soirées spéciales plus chères. Grosse boîte sur 3 niveaux, accueillant souvent plus de 1 000 personnes le week-end ! Dress code plutôt smart casual. Pas mal d'expats. Un peu tous les genres au niveau musical (pop, hip-hop, électro, R'n'B).

🍸🎷 *A-Life* エーライフ (plan X, A2, **234**) : 1-7-2 Nishi-Azabu, Minato-ku. ☎ 3408-1111. ● e-alife.net ● Ⓜ Roppongi 六本木, lignes Toei Oedo et Hibiya (sortie 2). Mar-sam 21h-5h. La boîte la plus en vogue dans le quartier pour la tranche d'âge des 20-30 ans. Musique commerciale sur 2 niveaux.

🍸🎷 *Line Club* ラインクラブ (plan X, B1, **235**) : 3-15-24 Roppongi, Gaien-Higashi. ☎ 3405-0633. ● lineclub.jp ●

Ⓜ *Roppongi* 六本木, *lignes Hibiya et Toei Oedo (sortie 5). À la sortie du métro, prendre l'avenue en direction de la Tokyo Tower, puis la 4ᵉ à gauche (Family Mart à l'angle de la rue). Jeusam 22h-9h. Gratuit pour les filles ven.* L'une des boîtes les plus populaires. Très branché hip-hop et bon taux d'alcoolémie. Excellents DJs.

Ⓨ ♪ ***Super Deluxe*** スーパーデラックス *(plan X, A2, 236) : B1F, 3-1-25 Nishi-Azabu, Minato-ku.* ☎ *5412-0515.* ● *super-deluxe.com* ● Ⓜ *Roppongi 六本木, lignes Hibiya et Toei Oedo (sortie 3). À 100 m de Roppongi Hills Cross Point ; continuer sur le trottoir qui longe la voie rapide, à 80 m env après la TV Asahi-dori au sous-sol de l'immeuble en brique (pas de panneau). Ouv 18h-2h ; j. de fermeture selon programmation. Entrée parfois payante : 1 000-4 000 ¥.* Un lieu électrique apprécié des artistes, stylistes et intellos.

Tout à la fois galerie, bar, club, resto, expos d'avant-garde... Programmation changeant souvent de genre. Abrite également une microbrasserie.

Ⓨ ♪ ***Bar Dear*** *(plan X, B1, 237) : 3-9-3 Roppongi, Minato-ku.* ☎ *3470-5553.* Ⓜ *Roppongi 六本木, lignes Hibiya et Toei Oedo (sortie 5). Remonter Roppongi-dori et prendre à droite juste avt l'hôtel The b Roppongi, puis 1ʳᵉ à gauche, c'est à 20 m. Situé au demisous-sol. Ouv à partir de 18h.* Bar et karaoké. Vente de cigares, chicha, et on peut commander à manger.

Ⓨ ♪ ***Abbey Road*** アビーロード *(plan X, B1, 238) : 4-11-5 Roppongi.* ☎ *3402-0017.* ● *abbeyroad.ne.jp* ● Ⓜ *Roppongi 六本木, lignes Hibiya et Toei Oedo (sorties 4A ou 7). Tlj 18h-23h30 (1ᵉʳ concert à 19h30). Entrée : 2 300-2 800 ¥. Pour les* Beatles addicts. Groupe qui reprend leur répertoire.

À voir

🏃🏃 ***Roppongi Hills*** 六本木ヒルズ *(plan X, A2) : 6-10-1 Roppongi, Minato-ku.* ☎ *3475-3100.* ● *roppongihills.com* ● Ⓜ *Roppongi 六本木, lignes Hibiya et Toei Oedo (sorties 1B, 1C ou 3). Tlj 11h-23h (21h pour les magasins).*

Quand, en plein éclatement de la bulle économique, Mori Minoru, l'un des plus gros promoteurs du Japon, déclara vouloir faire une énorme opération immobilière à Roppongi, bien des gens furent sceptiques sur l'avenir du projet. Pourtant, ce dernier, achevé en 2003, connut très rapidement le succès...

LES PIEDS DANS L'HUILE, LA TÊTE DANS LES NUAGES

La Mori Tower de Roppongi Hills est l'un des gratte-ciel commerciaux les plus technologiques de Tokyo. Les dernières inventions antisismiques ont été intégrées dans ce monumental complexe de 241 m de haut, pesant 290 000 t. Le bâtiment repose sur 356 vérins à huile, qui absorbent les secousses et les oscillations en cas de tremblement de terre. Les effets dévastateurs sont ainsi atténués.

Dominé par l'imposante Mori Tower, ce vaste complexe comprend un ensemble de tours de taille moyenne incorporant appartements, bureaux, TV Asahi, le *Grand Hyatt*, plus de 200 boutiques, cafés et restos, des jardins, des cinémas, et même l'un des plus intéressants musées d'art contemporain de Tokyo. Pour se repérer, se procurer le *Floor Guide* édité par le complexe, à récupérer au bas de la Mori Tower. Le rendez-vous le plus populaire est *Maman,* la surprenante araignée géante installée au pied de la tour, œuvre de l'artiste Louise Bourgeois, née française mais naturalisée américaine (née à Paris en 1911, elle est décédée à New York le 31 mai 2010).

🏃🏃🏃 ***Mori Tower*** 森タワー ***et Tokyo City View*** 東京シティビュー *(plan X, A2) : Roppongi Hills, Minato-ku.* ☎ *6406-6652 et 6406-6771.* ● *roppongihills.com* ● Ⓜ *Roppongi, lignes Hibiya et Toei Oedo (sorties 1B, 1C ou 3). Dim-jeu 10h-23h* *(dernier ticket à 22h30)*, ven-sam et veilles de j. fériés 10h-1h *(dernier ticket à minuit)*. Achat des billets au niveau 3F. Entrée : 1 800 ¥ ; réduc. Ce billet inclut *(parfois)* la visite du musée d'Art Mori (voir plus bas). La tour s'élève à 238 m (5 m de moins que la mairie) et compte 54 étages. Devant, un curieux cône translucide appelé *Metro Hat* amène les visiteurs en un mouvement de spirale vers l'entrée de la tour. Quand tout cela est éclairé, effet garanti la nuit ! Observatoire circulaire à 360° très spacieux au 52e étage (payant). Vu sa position centrale en ville, il offre l'un des panoramas de Tokyo les plus complets qui soient. Allez-y à la tombée du jour, quand la ville commence à s'illuminer : impressionnant ! On distingue quasiment tous les monuments publics et les tours rivales... Quand il fait très beau, on aperçoit le mont Fuji.

Le musée d'Art Mori (Mori Art Museum) 森美術館 *(plan X, A2) :* au 53F de la tour. ☎ 5777-8600. ● mori.art.museum ● Ⓜ *Roppongi* 六本木, lignes Hibiya et Toei Oedo *(sorties 1B, 1C ou 3)*. Tlj 10h-22h *(17h mar)* ; fermeture des guichets 30 mn avt. En principe, même billet que pour la Tokyo City View (billet parfois différent selon expo). 3 ou 4 expos temporaires dans l'année se donnent comme but de faire connaître les toutes dernières tendances en matière artistique et d'assurer la promotion des artistes japonais en devenir. Vu l'environnement ultra-commercial, on a du mal à imaginer un ambitieux musée d'art en un tel lieu. Eh bien, au contraire, on découvre des expos de haute qualité, privilégiant la confrontation des genres et des arts. Vidéos les plus pointues, photo, design, architecture... Attention, entre 2 expos, le musée peut rester fermé un certain temps.

La tour de Tokyo (Tokyo Tower) 東京タワー *(hors plan X par B2) :* 4-2-8 Shiba-koen, Minato-ku. ☎ 3433-5111. ● tokyotower.co.jp ● Ⓜ *Akabanebashi* 赤羽橋駅, ligne Oedo *(sortie Akabanebashi Gate, puis 5 mn à pied)*, ou Onarimon 御成門, ligne Mita *(sortie 1)*, ou Kamiyacho 神谷町, ligne Hibiya *(sortie 1)*. Tlj 9h-23h *(dernier ticket à 22h30 pour l'observatoire principal, à 150 m ; 22h15 pour l'observatoire spécial, à 250 m)*. Accès observatoire principal : 900 ¥ ; observatoire spécial 2 800 ¥ ; réduc enfants. Fast-foods et restos au 1er étage.

On la voit de loin avec sa structure métallique de couleur vermillon (la couleur de nombreux temples nippons), entre l'orange et le rouge. Conçue par l'architecte Tachu Naito (spécialiste de la construction parasismique), elle peut résister à des séismes 2 fois plus forts que celui de 1923 et supporter des vents de plus de 220 km/h. Inaugurée en décembre 1958, ce fut à la fois le symbole de la reconstruction du Japon de l'après-guerre et un événement dans le ciel de Tokyo, étant la plus haute tour de la capitale à cette époque.

Quelques chiffres : hauteur 333 m ; un peu plus haute que la tour Eiffel (dont elle s'inspire), mais c'était trop facile d'allonger l'antenne télé ! Elle est 2 fois plus légère (4 000 t) que la tour Eiffel, qui pèse 10 100 t. La Tokyo Tower permettait la retransmission et la diffusion des 24 plus importantes chaînes de télé japonaises, jusqu'à la construction en 2012 de la tour de la télécommunication

OPÉRATION RECYCLAGE

La tour de Tokyo a nécessité 4 000 t de poutrelles et tubulures en acier. Près d'un tiers environ de ce métal provient de 90 chars d'assaut de l'US Army endommagés lors de la guerre de Corée. L'art de la récup fait aussi partie du génie nippon !

Tokyo Skytree Tower, une géante de 634 m de haut, dans le quartier d'Asakusa. La tour de Tokyo est donc aujourd'hui dépassée en hauteur et en technologie mais elle continue sa fonction émettrice, au ralenti. Une particularité architecturale : les 4 pieds de la Tokyo Tower reposent sur une base très étroite, contrairement à la tour Eiffel qui a les pieds bien écartés. Pour la maintenir en état, ce sont près de 28 000 litres de peinture qui sont nécessaires à chaque fois pour la repeindre. Lors du tremblement de terre de mars 2011, l'antenne du sommet a été légèrement tordue.

Accès à l'observatoire principal (à 150 m), puis à l'observatoire spécial (à 250 m). Panorama exceptionnel à 360° et, par beau temps, le mont Fuji ne vous échappera pas. Sinon, la tour abrite nombre de restos, boutiques, animations, jeux pour les enfants et un aquarium de poissons tropicaux.

⁂ Le Centre national d'art de Tokyo (The National Art Center) 国立新美術館 *(plan X, A1) : 7-22-2 Roppongi, Minato-ku.* ☎ 5777-8600. ● nact.jp/fr ● Ⓜ *Nogizaka* 乃木坂, *ligne Chiyoda (sortie 6, directement reliée au centre), ou Roppongi, lignes Hibiya (sortie 4A) et Oedo (sortie 7). Tlj sauf mar 10h-18h (20h ven-sam). L'entrée aux expos est gratuite sauf expos spécifiques.* Le plus grand espace culturel de Tokyo (ouvert en 2005), chef-d'œuvre absolu de l'architecture contemporaine (Kisho Kurokawa). Audacieuse façade de verre ondulant comme un harmonieux mouvement de vague. L'ensemble mesure près de 5 ha ! Il abrite 10 salles d'expo, un auditorium, 3 salles de conférences, une bibliothèque, une librairie, un restaurant, des cafés. Environnement verdoyant et immense volume intérieur sans colonnes. La nuit, vision époustouflante. Grimper au dernier étage pour apprécier encore plus l'intelligence de cette architecture. Au centre, comme suspendue dans l'air, la brasserie de Bocuse (à propos, ne pas manquer son incroyable lunch ! voir plus haut « Où manger ? »). Espace entièrement consacré à la culture, avec de multiples expositions d'art moderne. Librairie riche en ouvrages sur l'art contemporain.

⁂ Tokyo Midtown 東京ミッドタウン *(plan X, A-B1) : 9-7-4 Akasaka, Minato-ku.* ☎ 3475-3100. ● tokyo-midtown.com/en ● Ⓜ *Roppongi* 六本木, *lignes Oedo et Hibiya (sortie 8 ou Tokyo Midtown), ou Nogizaka, ligne Chiyoda (sortie 2).* Le dernier-né des super-ensembles architecturaux, se posant ouvertement en concurrence avec le *Roppongi Hills.* Déjà, la Midtown Tower mesure 10 m de plus que la Mori Tower. Et toujours ici le même souci de marier la culture et le business. La tour principale abrite des bureaux et l'hôtel *Ritz-Carlton Tokyo.* Dans les bâtiments moins hauts agglutinés à ses pieds *(Plaza, Galleria, Midtown East & West)* se trouvent des appartements de luxe, des magasins, des restaurants, ainsi que le Suntory Museum of Art et le 21-21 Design Sight (voir plus bas). En outre, tant qu'à faire, Midtown prend également la tête en termes d'espaces verts avec le ravissant Hinokicho Park ! On y retrouve les plus grandes marques de luxe et nombre de restos, bars...

⁂ Suntory Museum of Art サントリー美術館 *(plan X, A1) : 9-7-4 Akasaka, Minato-ku.* ☎ 3479-8600. ● suntory.com/sma ● *Dans le centre Tokyo Midtown (voir ci-dessus) ; niveau 3F (10h-11h, accès par la galerie 1F). Tlj sauf mar 10h-18h (20h mer-sam, dernier ticket 30 mn avt). Prix selon expo : env 1 300 ¥ ; réduc.* Fondé en 1961, il a superbement intégré son nouveau nid, œuvre de l'architecte Kengo Kuma. Expos temporaires d'excellente qualité sur le thème « l'art et la vie », généralement japonisante. Ne pas manquer de tester la salle de cérémonie du thé.

⁂ 21-21 Design Sight ２１ー２１デザインサイト *(plan X, A1) : 9-7-6 Akasaka, Minato-ku.* ☎ 3475-2121. ● 2121designsight.jp ● Ⓜ *Roppongi* 六本木, *lignes Oedo et Hibiya (sortie 8 ou Tokyo Midtown), ou Nogizaka, ligne Chiyoda (sortie 2). Tlj sauf mar 10h-19h (dernière entrée 18h30). Entrée : 1 100 ¥ ; réduc. Également des expos parfois gratuites.*
Ouvert en 2007, le dernier-né des musées d'art moderne tokyoïtes. Œuvre commune de 2 monstres des arts : l'architecte Tadao Ando et le créateur de mode Issey Miyake. Le bâtiment très bas est couvert par de grandes plaques d'acier laminé descendant en douceur vers le jardin et les parterres de fleurs, dominé par une haute haie d'arbres. Une grande partie de l'ensemble est enterrée. Une certaine manière d'exprimer les 2 visages du Japon contemporain : une face traditionnelle, pleine de sérénité, une autre moderne, active, dynamique...
Le centre accueille uniquement des expositions temporaires consacrées au design, soit de l'art pur, soit des choses très fonctionnelles et utilitaires (mobilier, objets de mode)... Né en 1938 à Hiroshima et rescapé de la bombe, Issey Miyake

sait que la vie est éphémère et fragile, mais il a rejoint l'idée de Tadao Ando pour qui l'architecture doit être intemporelle et durable. Il a su plus que tout autre insuf-fler la vie dans ses œuvres. Il souhaite ici expliquer pédagogiquement le processus de la création.

Pourquoi un tel nom pour un musée ? 20-20 étant la vision parfaite en optique, 21-21 est le symbole du plus que parfait. Nouvelle également, la volonté de l'archi-tecte et du couturier de créer un musée horizontal et discret, voire intime. Le béton s'intègre parfaitement à l'acier, dans un ravissant jardin verdoyant.

À voir encore dans les environs pour ceux qui ont du temps

🚶 *Zojo-ji* 増上寺 *(hors plan X par B2) : dans le parc Shibakoen.* Édifié en 1598 par le shogun Tokugawa Ieyasu, fondateur de la lignée, ce fut longtemps le temple bouddhique le plus vénéré de Tokyo. Détruit plusieurs fois par le feu, reconstruit à chaque fois. Aujourd'hui, seul subsiste le grand portique d'entrée, le *San-Gadatsu-mon* (datant de 1612). Ce serait la structure en bois la plus ancienne de Tokyo. Dans les jardins, 2 immenses cèdres. L'un planté par le président des États-Unis, le général Ulysse Grant, en 1879, et l'autre par George Bush père en 1982. Au cimetière, on peut admirer les tombes de 6, parmi les 15, sho-guns Tokugawa. Le plus émouvant est la partie verte du cimetière, réservée aux enfants mort-nés et aux avortons *(Unborn Children Garden).* On y voit une ribam-belle de statuettes en pierre représentant Jizo, le dieu protecteur des enfants (et des voyageurs). Les parents des chérubins morts viennent habiller les *jizo* comme si c'étaient leurs propres bambins vivants : bonnets en laine (souvent rouge) sur la tête, écharpe autour du cou ou bavettes... Une très touchante tradition.

🚶🚶 *Le cimetière d'Aoyama* 青山墓地 *(plan X, A1) : 2-32-2 Aoyama, Minato-ku.* ☎ *3401-3652. Entrée libre.* Le plus grand cimetière de Tokyo, et le plus ancien (1872). Plus de 100 000 tombes cachées dans la verdure, au long d'allées ombragées. Ce « Père-Lachaise local » connaît, bien sûr, un regain d'affluence à l'époque des cerisiers en fleur... Une section s'appelle Gaijin Bochi : c'est le coin des étrangers. Parmi ceux-ci, on trouve des Anglais, des Américains, des Allemands, des Hollandais, missionnaires, diplomates, ingénieurs, artistes... Il y a notamment la tombe de Joseph Heco (1837-1897), le 1er Américain naturalisé japonais. On y trouve une douzaine de tombes de Français, parmi lesquels des missionnaires des Missions étrangères de Paris, dont Mgr Osuf, 1er archevêque de Tokyo (1829-1906). La tombe la plus célèbre du cimetière est celle du chien Hachiko, dont une sculpture se trouve à la sortie nord de la station de métro Shibuya (voir ce chapitre). Le toutou est enterré au pied de son maître Hidesa-buro Ueno.

🚶 *Le musée Tomo* 智美術館 *(hors plan X par B2) : 4-1-35 Toranomon, Minato-ku.* ☎ *5733-5131.* ● *musee-tomo.or.jp* ● Ⓜ *Kamiyacho* 神谷町, *ligne Hibiya (sor-tie 4B), ou Tameike-Sanno, ligne Namboku (sortie 13). Tlj sauf lun 11h-18h (dernier ticket 17h30). Entrée selon expo.* Musée intime pour des expos temporaires de beaux objets : rouleaux, manuscrits, boîtes laquées, sculptures anciennes, etc.

AU SUD-EST DE ROPPONGI : AZABU-JUBAN 麻布十番

Miniquartier résidentiel dont l'atmosphère et le style de vie très européen attirent beaucoup les expatriés. Il faut dire qu'il abrite nombre d'ambassades et que ceci explique probablement cela. Totalement détruit lors des bombardements de 1945, c'est aujourd'hui l'un des quartiers résidentiels les plus chers de Tokyo. Cela n'empêche pas une franche animation autour du métro Azabu-Juban. Le festival Aki Matsuri d'Azabu-Juban se déroule chaque année, en septembre, pendant le Festival d'Automne de Tokyo. Animé, coloré, il rassemble de nombreux adeptes.

Où manger ? Où boire un verre ?

Le cœur de ce petit quartier riche et animé est constitué par une place ombragée, située à 3 blocs seulement du grand boulevard Azabu-Juban et de la station de métro du même nom. Il s'agit du quartier 2 au sein du district Azabu-Juban. Demandez la rue Azabu-Juban-dori, axe commerçant où sont alignées des kyrielles de magasins et de restos.
– *Accès :* Ⓜ *Azabu-Juban* 麻布十番, *lignes Namboku et Oedo (sortie 4).*

De bon marché à prix moyens (de moins de 1 500 à 3 500 ¥ / 12,50-29 €)

ⒾⓄⓘ 🍸 *Eat More Greens* イートモア グリーンズ *(plan X, B2, 154) :* 2-2-5 Azabu-Juban. ☎ 3798-3191. *Depuis la station de métro, suivre Azabu Juban-dori, puis 1ʳᵉ à gauche, c'est à l'angle suivant sur la droite. Tlj 11h-23h ; tea time salad 14h-18h.* Lunch menu 1 280 ¥, thé 680-900 ¥. « Mangez plus de verdure », tel est le slogan de ce café-resto au cadre actuel, tendance industrielle. Excellente cuisine économique, avec des produits sains et naturels, et des jus de fruits savoureux (et même du jus d'épices, comme le gingembre...). Plats végétariens, mais pas uniquement. Grand choix de *donuts*. On mange au comptoir ou en salle, ou bien même en terrasse. Petite carte des vins.
ⒾⓄⓘ *Café La Bohême* カフェラ ボエム *(plan X, B2, 155) :* 1F-2F, Green Court, 2-3-7 Azabu-Juban. ☎ 6400-3060. *Tlj 11h30-5h.* Il donne sur la charmante place villageoise plantée d'arbres. Son style extérieur évoque une grande cafétéria chic, mais l'intérieur et la carte relèvent l'impression impersonnelle de resto de chaîne. Qualité et prix

s'unissent pour donner un bon résultat. Cuisine européenne fraîche et généreuse. Bonnes pizzas, pâtes, poulet rôti, etc.

Un peu plus au sud d'Azabu-Juban, à Minami-Azabu et Shiba

Prix moyens (de 1 500 à 3 500 ¥ / 12,50-29 €)

ⒾⓄⓘ *Bunbuku* 分福 *(hors plan X par B2, 157) :* 5-23-16, Shiba, Minato-Ku. ☎ 6453-7189. Ⓜ *Tamachi, ligne JR Yamanote. À env 1,5 km au sud de la tour de Tokyo. Ouv midi et soir en sem, seulement à partir de 15h le w-e.* Après quelques brasses dans cette agréable ruelle jalonnée d'*izakayas,* on plonge avec délice dans un ancien *sento* (bain public). Les tables occupent les bassins, les pourtours et la mezzanine. Et l'eau a, visiblement sans regret, été remplacée par la bière et le saké. On y sert bien sûr du poisson, mais le choix reste assez large pour contenter tout le monde, d'autant que la cuisine ne déçoit pas. Une adresse originale pour s'immerger à plus d'un titre dans la culture japonaise.

Très chic (plus de 15 000 ¥ / 125 €)

ⒾⓄⓘ *Yamada Chikara* 山田チカラ *(hors plan X par B2, 156) :* 1-15-2 Minami Azabu, Minato-ku. ☎ 5942-5817. Ⓜ *Azabu-Juban* 麻布十番, *ligne Meguro (sortie sud). Entrée très discrète (pas d'enseigne ; façade noir et blanc, porte en métal rouillé). Ouv 18h-minuit. Mai-sept, brunch dim. Sur résa seulement. Menu unique env*

TOKYO

17 000 ¥. Une petite salle (12 places, toutes au comptoir), une cuisine grande comme un placard à balais, mais un chef chevronné qui élabore une grande cuisine hors norme et inclassable, à des prix altiers mais pas hautains (la qualité se paie). Le menu change selon l'inspiration du chef, Yamada Chikara, formé chez Ferrán Adria, dont le restaurant *El Bulli* (en Catalogne) fut pendant un temps classé comme le meilleur resto du monde. Il propose une cuisine « moléculaire », inspirée et créative, avec laquelle il revisite le traditionnel *kaiseki*. Soupe d'œufs de tortue, foie gras en poudre (vrai !) qu'il réactive dans un bol comme un magicien pour en faire une soupe, *sukiyaki* aux truffes... Vins espagnols et français. Une vraie belle découverte.

LE QUARTIER DE SHINAGAWA 品川 – GOTANDA 五反田

TOKYO

● Shinagawa-Gotanda (plan XI) *p. 189*

Le quartier le plus au sud de Tokyo. À l'époque d'Edo, Shinagawa marquait la 1ʳᵉ étape du Tokaïdo, cette longue route médiévale qui partait de Nihonbashi (centre de Tokyo) et descendait au sud jusqu'à Kyoto en 53 étapes. La physionomie du quartier a bien changé depuis que le peintre Utagawa Hiroshige avait représenté ce Tokaïdo. Aujourd'hui, c'est un vaste quartier résidentiel, hérissé ici et là de tours modernes, et où l'on retrouve un certain nombre de grands hôtels. Bien placé sur la ligne JR Yamanote, entre les axes Shibuya-Shinjuku et Ginza-Ueno. Ne présente pas un intérêt touristique en soi, c'est avant tout un bon camp de base.

Où dormir ?

Bon marché (de 6 000 à 10 000 ¥ / 50-83 €)

🏠 *Ryokan Sansuiso* 旅館山水荘 *(plan XI, A2, 65)* : 2-9-5 Higashi-Gotanda, Shinagawa-ku. ☎ 3441-7475. ● san suiso.net ● Ⓜ Gotanda 五反田, lignes JR Yamanote et Tokyu-Ikegami 東急池上 *(sorties ouest ou est)* ou ligne Askusa *(sortie A1)*, puis env 5 mn de marche. *Depuis la sortie est, passer devant Remy Gotanda Shopping Plaza puis contourner la Proud Tower ; depuis les sorties ouest et A1, se diriger vers le canal, puis le longer sur la gauche sans le traverser. Doubles 9 200-10 000 ¥ ; pas de petit déj.* Cette maison particulière est de plus en plus seule dans ce quartier d'immeubles et de tours modernes. Cadre japonais traditionnel : portes coulissantes, cloisons légères comme des papillons, tatamis, futons... Une dizaine de chambres avec ou sans bains. On peut se préparer un café ou un thé. Accueil affable.

Chic (de 15 000 à 25 000 ¥ / 125-208 €)

🏠 *Keikyu Ex Inn Takanawa* 京急EX イン高輪 *(plan XI, B1-2, 66)* : 4-10-8 Takanawa, Minato-ku. ☎ 5423-3910. ● keikyu-exinn.co.jp ● Ⓜ Shinagawa 品川, ligne JR Yamanote *(sortie Takanawa)*, ou Takanawadai 高輪台, ligne Asakusa. *À 4 mn à pied du métro. Doubles 18 000-20 000 ¥ ; petit déj en sus.* Grand hôtel moderne et bien situé. Chambres fonctionnelles et confortables (clim, téléphone direct, sèche-cheveux, TV satellite...). Literie excellente. Vue sur le quartier.

TOKYO

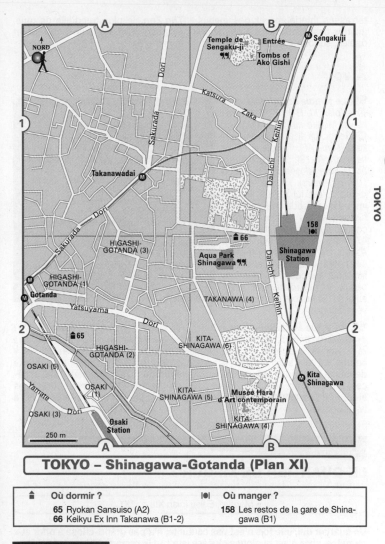

TOKYO – Shinagawa-Gotanda (Plan XI)

🛏	Où dormir ?	|◉|	Où manger ?
	65 Ryokan Sansuiso (A2)		158 Les restos de la gare de Shina-gawa (B1)
	66 Keikyu Ex Inn Takanawa (B1-2)		

Où manger ?

Prix moyens (de 1 500 à 3 500 ¥ / 12,50-29 €)

|◉| *Les restos de la gare de Shinagawa* (plan XI, B1, **158**) : *dans le building Atré situé à la sortie Konan (East Exit) de la gare de Shinagawa. Tlj 11h-minuit.* Tout un étage (niveau 4F) est dédié au style culinaire de New York. Plusieurs restos, à prix assez sages, sont réunis les uns à côté des autres dans une ambiance animée, avec des terrasses intérieures. On aime bien le *Tribeca* トライベッカ. Au bout de la galerie, le *Grand Central Oyster's Bar* グランド セントラル オ イスター バー présente d'agréables

terrasses intérieures et des menus (huîtres essentiellement) à prix abordables, surtout le midi. Dans un coin, **The Zen,** le plus tranquille de tous, propose un menu d'un bon rapport qualité-prix.

À voir

🎥🎥 *Le temple de Sengaku-ji* 泉岳寺 *(plan XI, B1) :* 2-11-1 Takanawa, Minato-ku. ☎ 3441-5560. Ⓜ Sengakuji 泉岳寺, ligne Asakusa (sortie A2). Temple et cimetière ouv 7h-18h (17h oct-mars) ; accès libre. Musée ouv 9h-16h30 (16h oct-mars). Entrée : 500 ¥ ; réduc. C'est ici qu'eut lieu un important épisode d'un des faits historiques du XVIIIᵉ s les plus connus du Japon : le suicide des 47 rônins fidèles à leur maître Asano. Un petit musée présente souvenirs, documents et armes liés à cet épisode historique. Les sépultures des rônins font l'objet aujourd'hui encore d'une grande vénération.

À EN PERDRE LA TÊTE

En 1701, un jeune noble nommé Asano T. se disputa très violemment avec son professeur Yoshinaka Kira. Pour avoir enfreint la loi, Asano T. fut condamné à se suicider. 47 samouraïs, devenus « orphelins » de leur seigneur et de ce fait rônins (sans maître), décidèrent de le venger. Ils coupèrent la tête de Yoshinaka Kira et la déposèrent sur la tombe de leur maître. Ils furent à leur tour condamnés à se suicider et furent enterrés près de leur seigneur. Cette fidélité bouleversa le Japon, et l'héroïsme des 47 rônins devint un véritable culte national.

🎥🎥 👫 *Aqua Park Shinagawa* エプソン品川アクアスタジアム *(plan XI, B2) :* 4-10-30 Takanawa. ☎ 5424-1111. ● *aqua-park.jp/aqua/en* ● Ⓜ Shinagawa 品川 *(sortie Takanawa). Tlj 10h (9h certains j. en été)-22h. Entrée : 2 200 ¥ adulte, 1 200 ¥ enfant (700 ¥ en dessous de 4 ans).* Un immense complexe de loisirs qui abrite notamment un aquarium de 10 000 animaux (350 espèces) : raie manta, requins... Spectacles de dauphins et diverses attractions autour de l'aquarium. Un beau complexe à la Disneyland, géré et organisé à la japonaise.

LE QUARTIER DE MEGURO 目黒

● Meguro, Ebisu (plan XII) p. 191

Un quartier qui, une fois n'est pas coutume, n'a pas grand-chose à offrir aux touristes, si ce n'est quelques musées (surtout le remarquable musée métropolitain d'Art Teien).

Où dormir ?

Plus chic (de 25 000 à 35 000 ¥ / 208-292 €)

🏠 ❙●❙ *Hôtel Claska* クラスカ *(hors plan XII par A3, 68) :* 1-3-18 Chuo-cho, Meguro-ku. ☎ 3719-8121. ● *claska. com* ● Ⓜ Gakugei-Daigaku 学芸大学, ligne Toyoko. Résa longtemps à l'avance (une dizaine de chambres). Doubles 29 700-34 500 ¥ ; petit déj en sus. Un hôtel qui affiche un design

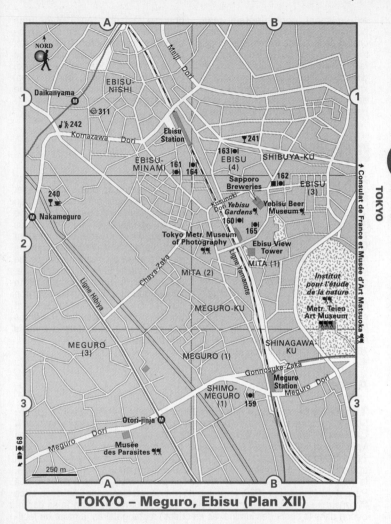

TOKYO – Meguro, Ebisu (Plan XII)

■ **Adresse utile**

162 Maison franco-japonaise (B2)

â **Où dormir ?**

68 Hôtel Claska (hors plan par A3)

|●| **Où manger ?**

159 Tonki (B3)
160 Hana Chibo (B2)
161 Chinese Cafe Eight (A1)
162 Café-brasserie L'Espace (B2)

163 Sorano (B1)
164 Teppan Ryôri Fu-ai-Sô (A-B1)
165 La Table de Robuchon (B2)

♈ 🍺 **Où boire un verre ?**
♪ 🎷 **Où sortir ?**

240 Soaks (A2)
241 Bar Martha (B1)
242 Unit (A1)

⚙ **Achats**

311 Le quartier de Daikanyama (A1)

extrêmement contemporain mais purement japonais ! Tatamis de luxe, chambres à la déco extrêmement épurée, de très bon goût. Parfait pour se faire plaisir pour 1 ou 2 nuits un peu différentes des *ryokan* dans un hôtel au luxe et au charme accessible. Au rez-de-chaussée de l'hôtel, un restaurant-bar avec une grande terrasse en teck pour se restaurer. Au 3e étage, une galerie d'art qui propose des expositions temporaires issues des travaux d'artistes contemporains. La terrasse sur le toit offre un point de vue sublime, avec en point de mire la tour de Tokyo, Shibuya, Shinjuku et la Mori Tower. Une très belle adresse, mais excentrée.

Où manger ?

Prix moyens (de 1 500 à 3 500 ¥ / 12,50-29 €)

I●I *Tonki* とんき *(plan XII, B3, 159)* : 1-1-2 Meguro. ☎ 3491-9928. Ⓜ *Meguro* 目黒, ligne JR Yamanote (sortie Central Gate). Partir sur la gauche, on aura tôt fait de repérer cette grande enseigne lumineuse « Pachenko & Slot Gaïa » : elle signale la rue de ce resto à l'angle ; le Tonki est situé à 30 m, côté droit (nom en japonais, lettres blanches sur tissu noir). Tlj sauf mar et 3e lun du mois 16h-22h45. Un grand comptoir en bois clair au rez-de-chaussée, un genre cafétéria proprette au 1er étage, derrière ce décor banal se cache l'un des meilleurs restos *tonkatsu-ya* de Tokyo, spécialisé dans les côtelettes de porc. Le plat vedette du chef est cette tendre et savoureuse tranche de porc enrobée d'une croûte panée légère et saisie dans l'huile de friture. Servie avec riz, pickles, *miso* et petite salade de chou. C'est tellement bon que les clients demandent souvent double portion. Quelques variantes comme le *hire katsu teishoku* ou le *rohsu katsu*.

À voir

🏃🏃🏃 *Le musée métropolitain d'Art Teien* 東京都庭園美術館 *(plan XII, B2-3)* : 5-21-9 Shiro Kanedai, Minato-ku. ☎ 3443-0201. ● teien-art-museum.ne.jp/en ● Ⓜ *Meguro* 目黒, ligne JR Yamanote (sortie est), ou Shirokanedai 白金台, lignes Namboku et Mita. Tlj sauf j. fériés et 2e et 4e mer du mois 10h-18h. Entrée : 1 000-2 000 ¥ selon expo. Abrité dans un minipalais de style Art déco qui appartient au prince Asaka Yasuhiko, oncle de l'empereur Hirohito (sa femme, la princesse Nobuko, était la 8e fille de l'empereur Meiji). Lors d'un voyage à Paris dans les années 1920, le prince se prit de passion pour l'Art déco et se fit construire cette bâtisse en 1933. René Lalique lui-même apporta sa contribution dans le choix des luminaires en cristal, rectangulaires, à motif de feuillages superbes, ainsi que dans le choix des portes en verre à motif de femmes, en pied et en relief. Siège, aujourd'hui, de prestigieuses expos temporaires. Petit *coffee shop*. Beaux jardins japonais *(accès : 200 ¥)*, mais pas totalement ouverts au public.

🏃🏃 *L'Institut pour l'étude de la nature* 自然教育園 *(plan XII, B2)* : 5-21-5 Shiro Kanedai, Minato-ku. ☎ 3441-7176. ● ins.kahaku.go.jp ● Ⓜ *Meguro* 目黒, ligne JR Yamanote (sortie est), ou Shirokanedai 白金台, lignes Namboku et Toei Mita (sortie 1). Tlj sauf lun et 28 déc-4 janv 9h-16h30 (17h mai-août) ; fermeture des guichets 30 mn avt. Entrée : 310 ¥ ; réduc. Cette petite réserve naturelle est rattachée au musée national des Sciences. À l'origine (vers 1400-1500), ce site était une partie du domaine d'un seigneur nommé Shirokane Choja, puis vers 1664 un autre daimyo (Matsudaira) en fit son jardin privatif au cœur d'Edo. Voici aujourd'hui un exceptionnel morceau de nature resté intact malgré l'urbanisation galopante : vestiges de bois, prairies, étangs et zones humides. Quelques cartes postales de paysages assez étonnants. Une présentation pédagogique permet de suivre l'évolution de la nature à travers les saisons. Boutique.

🕺🏛 **Le musée d'Art Matsuoka** 松岡美術館 *(hors plan XII par B2)* **:** *5-12-6 Shiro Kanedai, Minato-ku.* ☎ *5449-0251.* ● *matsuoka-museum.jp* ● Ⓜ *Shirokanedai* 白金台*, lignes Namboku et Mita (sortie 1). Tlj sauf lun 10h-17h (dernière entrée 16h30). Entrée : 800 ¥ ; réduc.*

Pour celles et ceux disposant de temps, un charmant petit musée installé dans une élégante demeure qui propose de superbes pièces archéologiques. Fondé par Seijiro Matsuoka (1894-1988) – un industriel collectionneur et mécène –, il fait partie des grands entrepreneurs-collectionneurs de Tokyo qui furent à l'origine de grands musées d'art, comme Sazo Idemitsu (musée Idemitsu) ou Isihibashi Sojiro (musée Bridgestone). Dans le hall, accueil sympathique de la *Grande Pénélope* de Bourdelle.

– *Salle 1 :* quelques belles antiquités égyptiennes.

– *Salle 2 :* les admirateurs du sculpteur Moore seront ravis, fort belles pièces.

– *Salle 3 :* superbes statues antiques, notamment un bouddha debout de la dynastie Sui (Chine, VIe s), mais surtout une remarquable frise de musiciennes en grès vert (Inde de l'Ouest, XIIIe s). Grande richesse des détails, suavité des postures. Voir aussi ces *Vishnou* et *Laksmi* en chlorite (XIIe s) magnifiquement ciselés, ainsi qu'un *Shiva et Parvati* en grès, très amoureux (XIe s). Enfin, un bouddha prêchant en schiste gris de très belle facture (style Gandhara, IIIe s apr. J.-C.).

– *1er étage, salle 4 :* superbe porcelaine de Chine (Yuan, XIVe s). De la même époque, « Oiseaux et poissons » provenant du Vietnam. Flasques et bols Ming (XVe s), coupes Song en céladon (XIe-XIIe s). Ravissantes théières coréennes de la dynastie Korgo (XIIIe s). Noter aussi cette insolite théière vietnamienne à 2 têtes de canard... Au fond, un agréable jardin.

🕺🏛 **Le musée des Parasites (Meguro Parasitological Museum)** 目黒寄生虫 館 *(plan XII, A3)* **:** *4-1-1 Shimo-Meguro, Meguro-ku.* ☎ *3716-1264.* ● *kiseichu. org/e-top* ● Ⓜ *Meguro* 目黒*, ligne JR Yamanote (sortie ouest, puis 15 mn à pied) ; également lignes Namboku, Toei Mita et Tokyo Meguro. Tlj sauf lun-mar et 29 déc-5 janv 10h-17h. GRATUIT.* Pour les fans de musées peu ordinaires, voici un musée insolite, rare, attractif, mais un peu horrible par moments... Fondé en 1953 par Kamegai Satoru, un médecin qui étudia les maux frappant ses concitoyens dans les très pauvres conditions sanitaires de l'après-guerre. Quelque 300 exemplaires de parasites sont présentés ici sur les 45 000 de sa collection. Au 1er étage, exposition d'un ver de plus de 8 m de long, découvert dans le corps d'un homme de 40 ans (brrr !). Parasites sous plastique comme souvenirs à la boutique du musée. Insolite, vous avez dit ?

À voir encore pour ceux qui ont du temps

🕺 À l'ouest de Meguro, prolonger jusqu'au quartier de **Naka Meguro.** C'est l'endroit préféré des familles tokyoïtes pour se balader, un peu à l'écart de l'agitation d'autres quartiers. Assez bucolique, le long de la rivière Meguro Gawwa, bordée de cerisiers. C'est donc encore plus beau de fin mars à fin avril. Petites ruelles tranquilles et quelques magasins différents de ceux que l'on trouve dans les quartiers très commerçants.

🍴🍺 **Soaks** ソークス 中目黒/ カフェ *(plan XII, A2, 240)* **:** *1-5-10 Kamimeguro, Meguro-ku.* ☎ *5794-3451.* ● *soaks.jp* ●

Ⓜ *Nakameguro* 学芸大学*, lignes Hibiya et Tokyu Toyoko. Tlj 10h30-23h.* Un adorable petit café, au bord de la rivière,

TOKYO

un brin écolo, où il est très agréable de prendre un thé ou un café, accompagné de délicieuses pâtisseries ! Ambiance intime et chaleureuse.

LE QUARTIER D'EBISU 恵比寿

● Meguro, Ebisu (plan XII) *p. 191*

Au nord de Meguro et au sud de Shibuya, entre ces 2 grands quartiers, voici Ebisu au nom charmant et poétique. Le nom Ebisu est une altération de Yebisu, son ancien toponyme. Plus concrètement, voici un quartier pas vraiment prioritaire comparé à bien d'autres, mais qui possède pourtant quelques atouts. En particulier, les amoureux de la photo ne peuvent manquer de visiter le superbe musée de la Photographie. Quant aux amateurs de bière, ils iront bien entendu tester leurs connaissances au musée Yebisu. Enfin, au nord-ouest d'Ebisu, vers Shibuya, le secteur de Daikanyama comblera les fanas de shopping. Nombreuses boutiques préférant présenter le travail de jeunes designers pleins de talent plutôt que la routine des marques incontournables. Une bonne cible pour les trentenaires assagis...

Où manger ?

De bon marché à prix moyens (de moins de 1 500 à 3 500 ¥ / 12,50-29 €)

|●| *Hana Chibo* 花千房 *(plan XII, B2, 160)* : Ebisu Garden Pl, 38F, Tower Bldg, 4-20-3 Ebisu, Shibuya-ku. ☎ 5424-1011. Ⓜ *Ebisu* 恵比寿, lignes JR Yamanote et Hibiya (sortie Ebisu Garden Place). Tlj 11h30-14h30, 17h-23h (en continu w-e). Bon marché le midi ; à la carte, prix moyens. Un des rares endroits de Tokyo à servir la spécialité d'okonomiyaki (genre de crêpe épaisse fourrée au porc, calamars, crevettes et bœuf, une recette du Kansaï !), avec une vue époustouflante depuis le 38e niveau d'une tour ! Cadre très banal pourtant, mais si vous parvenez à obtenir une place près de la grande baie, c'est le pompon. Le chef mijote aussi quelques plats savoureux comme le mochi (cake au riz), le chiboyaki (avec poulpe), le yakisoba (nouilles sautées dont on choisit le topping, etc.).

|●| *Chinese Cafe Eight* 中国茶房 8 *(plan XII, A1, 161)* : 1-16-12 Ebisu Minami, Shibuya-ku. ☎ 3713-2858. Ⓜ *Ebisu* 恵比寿, lignes JR Yamanote et Hibiya (West Exit). Depuis la place de la gare, prendre la 2e rue sur la gauche (elle monte un peu), puis la 5e à droite (pancarte « P24h » à l'angle). Tlj 24h/24. Bon marché le midi. Grande salle plaisante au 2e étage (niveau 3F), mais souvent bruyante. Le soir, ça peut être plein comme un œuf. Ce n'est pas de la grande cuisine, mais le rapport qualité-prix est intéressant, surtout le midi (boissons non alcoolisées et desserts à volonté). Soupes parfumées, dont la goûteuse hot and sour, plats chinois stir fried duck, crevettes, raviolis, dumpling... Autres adresses à Roppongi et Akasaka.

|●| *Café-brasserie L'Espace* カフェ ブラッスリーレスパス *(plan XII, B2, 162)* : 3-9-25 Ebisu, Shibuya-ku. ☎ 5420-0719. Ⓜ *Ebisu* 恵比寿, lignes JR Yamanote et Hibiya (sortie Ebisu Garden Place). Tlj sauf mar 11h30-15h (dernière commande à 14h), 18h-22h15 (dernière commande à 21h). Prix moyens. C'est le resto de la Maison

franco-japonaise. Une fraîche cuisine, de bonnes viandes et des plats traditionnels (pot-au-feu, confit de canard, ragoût de chevreuil). Clientèle francophone ou francophile.

De prix moyens à chic (de 3 500 à 6 500 ¥ / 29-54 €)

I●I *Sorano* 空野 *(plan XII, B1, 163)* : *4-7-2 Ebisu, Shibuya-ku.* ☎ *5798-7331.* Ⓜ *Ebisu* 恵比寿, *lignes JR Yamanote et Hibiya (East Exit). Tlj 11h30-15h (dernière commande à 14h30), 17h30-23h30 (dernière commande à 22h45), w-e le soir seulement 17h-23h (dernière commande à 22h15). Intéressant lunch à prix moyens le midi ; compter env 5 000 ¥ le soir.* Dans une ruelle qui compte plusieurs restos, celui-ci sort du lot pour son cadre japonais élégant, son atmosphère apaisante (musique souvent jazzy), son excellente cuisine à base de tofu et ses tempura à prix raisonnables (le menu du midi est un vrai bon plan !), sans oublier la belle sélection de saké. Autre point à ne pas négliger : sans être immense, le resto compte pas mal de tables, ce qui laisse plus de chance de trouver une place si vous n'avez pas réservé.

I●I *Teppan Ryôri Fu-ai-Sô* てっぱん料理不愛荘 *(plan XII, A-B1, 164)* : *3F, Ryuo II, 1-18-12 Ebisuminami, Shibuya-ku.* ☎ *3791-8989.* Ⓜ *JR Yamanote* 山手 *(West Exit). Dès la sortie, longer la gare sur la gauche jusqu'à une rue qui monte et suit la voie de chemin de fer (ornée d'une glissière en métal). Au bout de 100 m, en haut, c'est le 2e bâtiment à* gauche *(avec un snack au rdc). Tlj sauf dim 18h-0h30. Résa conseillée. Catégorie « Chic ».* Grimper l'escalier jusqu'au 2e étage (niveau 3F). Au fond, de la coursive, un porte-parapluies et une porte marron... Vous y êtes ! Eh oui, découvrez un véritable resto en appartement et, surtout, une merveilleuse cuisine d'une délirante fraîcheur. On conseille de manger au comptoir, face à l'immense plaque chauffante, pour observer la maestria du chef. Déguster le *kaisen moriawase,* thon, couteaux, calamars, huîtres, lotte sur fond d'algues, ou alors des viandes tendres et savoureuses. Une curieuse spécialité : l'*okonomi yaki* (légumes sautés, poitrine fumée, sauce spéciale...). Accueil affable.

I●I *La Table de Robuchon* ラターブルドゥジョエル ロブション *(plan XII, B2, 165)* : *Ebisu Garden Pl, 1-13-1 Mita, Meguro-ku.* ☎ *5424-1338.* Ⓜ *Ebisu* 恵比寿, *lignes JR Yamanote et Hibiya (sortie Ebisu Garden Place). Tlj 12h-15h30 (dernière commande à 14h), 18h-23h30 (dernière commande à 21h) ; salon de thé 14h30-17h. Menus déj à partir de 4 200 ¥ en sem ; le soir, compter min le double.* Vous rêviez de manger un jour chez Robuchon ? Vous pouvez le réaliser ici (à midi) sans attentat au porte-feuille ! C'est au rez-de-chaussée de cet incroyable pastiche de château du XVIIIe s. Cadre élégant et relax qu'apprécient employés de sortie pour un petit repas de fête pas trop cher et hommes d'affaires. Attention au *dress code* : pas de tee-shirt, ni jeans, ni baskets (cependant cravate pas obligatoire !)... Au sous-sol, la boutique de produits. Au 1er étage, le célèbre restaurant, mais là, on est dans la cour des grands et ce ne sont pas les mêmes prix !

Où boire un verre ? Où sortir ?

♟ *Bar Martha* バーマーサ *(plan XII, B1, 241)* : *1-22-23 Ebisu, Shibuya-ku.* ☎ *3441-5055.* Ⓜ *Ebisu* 恵比寿, *lignes JR Yamanote et Hibiya (East Exit). Tlj 19h-5h. Cover charge 800 ¥.* Depuis la rue, la façade très discrète (un simple mur imitation parpaings) ne laisse rien deviner de l'âme du lieu... Pourtant, voilà un bar à whisky qui vaut le détour pour le cadre, et qui rendra fou, assurément, les amateurs de vinyles ! Pensez-donc, des centaines de 33 tours sont scrupuleusement rangés sur une étagère qui recouvre un pan de mur entier, jusqu'au plafond ! Le magnifique comptoir en bois n'en jette pas mal aussi ! Grand choix de whisky (pas donnés), à déguster confortablement assis dans des fauteuils, sur fond de super musique jazzy (mais pas que).

TOKYO

♪ ⚐ *Unit* ユニット *(plan XII, A1, 242)* :
B1F, Za House Bldg, 1-34-17 Ebisu-Nishi, Shibuya-ku. ☎ 5459-8630.
● unit-tokyo.com ● Ⓜ *Daikanyama* 代官山, *ligne Tokyo Toyuko, puis 2 mn de marche ; sinon, 8 mn de marche depuis la station Ebisu* 恵比寿, *ligne JR Yamanote ou Hibiya. Ouv 23h30-5h, en principe au moins 5 j./sem. Min 20 ans (carte d'identité ou passeport demandé). Avec son espace immense* et son style yuppie *(Young Urban People)*, ce club est probablement aujourd'hui l'une des grandes boîtes de Tokyo. Un lieu incontournable de la nuit nippone comme le célèbre club *Womb*. 600 personnes peuvent tenir dans la grande salle principale ; ajoutons à cela les autres niveaux (café lounge au B1 et salon-DJ bar au B3), noirs de monde en fin de semaine.

Achats

⚐ *Le quartier de Daikanyama* 代官山 *(plan XII, A1, 311)* : Ⓜ *Daikanyama* 代官山, *ligne Tokyu-Toyoko. En arrivant par la station Ebisu, prendre Koma-zawa-dori vers l'ouest et enfoncez-vous tt de suite dans les rues sur la droite. Il faut fouiller un peu, les boutiques ne sont pas concentrées. Mais ce quartier plaira à nos lectrices(eurs) par son côté pas du tout démesuré (même parfois intime) et par l'absence de prédominance des grandes marques.* Beaucoup de magasins de vêtements et accessoires, bien sûr, mais aussi des petits créateurs(trices) qui produisent d'intéressantes choses dans leur coin. Également des boutiques proposant des objets décoratifs sophistiqués, des petits cadeaux malins, des gadgets de bon goût... Et vous trouverez même, signe des temps, d'authentiques pâtisseries exclusivement pour chiens... Si, si !

À voir

⚐ *Yebisu Gardens (Ebisu Garden Place)* 恵比寿ガーデン プレイス *(plan XII, B2)* : Ⓜ *Ebisu* 恵比寿, *lignes JR Yamanote et Hibiya (sortie Ebisu Garden Place). Depuis la gare, suivre la passerelle Yebisu Sky Walk.* Le nom est trompeur car il y a ici plus de béton et d'acier que d'herbes et d'arbres. Voici un produit typique de la bulle immobilière des années 1980... Sur l'emplacement de l'ancienne brasserie *Sapporo*, on a construit cet immense hall commercial de style très classique, qui n'a d'ailleurs jamais prétendu emporter le prix Pritzker (le Nobel de l'architecture). Large voûte couvrant une *plaza* en pente douce et s'appuyant sur les grands magasins, au fond de laquelle se découpe l'inattendu pastiche de château français du XVIIIe s (abritant le célèbre restaurant *Robuchon*). Paysage urbain qui n'aurait, certes, pas détonné à Shanghai, mais qui se révèle plutôt surprenant au Japon. Heureusement, il a le bon goût d'abriter, dans un de ses édifices, le remarquable musée de la Photographie. Sinon, vous y trouverez, bien sûr, de nombreux restos et boutiques (surtout animés le week-end) et, culture de la bière oblige, un musée de la Bière.

⚐⚐ *Le musée métropolitain de la Photographie* 東京都写真美術館 *(plan XII, B2)* : 1-13-3 Mita Meguro-ku. ☎ 3280-0099. ● topmuseum.jp ● Ⓜ *Ebisu* 恵比寿, *lignes JR Yamanote et Hibiya (sortie Ebisu Garden Place et suivre la passerelle Yebisu Sky Walk). Tlj sauf lun 10h-18h (20h jeu-ven). Entrée : env 1 000-1 500 ¥ selon expo.* Le musée de la photo le plus important du Japon, installé sur 3 niveaux. Fonds permanent de plus de 30 000 photos présentées par roulement de façon thématique, avec toujours une part belle accordée au noir et blanc et à l'argentique.

⚐ *Le musée de la Bière Yebisu* エビスビール記念館 *(plan XII, B2)* : B1F, 4-20-1 Ebisu Garden Pl. ☎ 5423-7255. ● sapporobeer.jp ● Ⓜ *Ebisu* 恵比寿, *lignes*

JR Yamanote et Hibiya (sortie Ebisu Garden Place et suivre la passerelle Yebisu Sky Walk). Tlj sauf lun 11h-19h (dernier Yebisu Tour à 17h10) ; visite guidée. GRATUIT (mais dégustation payante, 500 ¥ pour 1 bière). En sous-sol, dans une vaste rotonde, histoire de la brasserie *Sapporo,* une fameuse marque japonaise fondée en 1887. Les techniques de brassage de la bière étaient inspirées des méthodes allemandes. Noter l'élégant escalier en fer forgé qui menait aux cuves. Maquette de l'usine et antiques machines. Exposition d'anciennes affiches. Saga de la bière dans les autres pays. Fin de la visite dans le *Beer Lounge.*

LE QUARTIER DE SHIBUYA 渋谷

TOKYO

● Shibuya (plan XIII) *p. 198-199*

Un des quartiers les plus emblématiques de Tokyo. À la différence d'autres lieux qui s'assoupissent la journée et se réveillent le soir, Shibuya se révèle toujours animé. Envahi de façon permanente par une jeunesse frénétique, venant y consommer sans compter, s'amuser, parader dans les dernières tenues à la mode. Shibuya, laboratoire des modes et des tendances qui disparaissent souvent très vite... supplantées par des modes encore plus folles. Fief de la musique également. Shibuya, royaume de l'ado, des *cosplays* et des *center guys,* l'une des plus importantes tribus de la ville. Look de *cover boy* mâtiné de celui d'un chanteur de heavy metal, grosses lunettes noires, bottes et jean serré à fanfreluches... Accompagnés de leurs consœurs, les *mambas* aux tenues flashy, aux shorts ouvragés mini-mini limite provocation, cheveux blonds et visages tannés aux UV ou fond de teint...

In vivo, toutes les représentions qu'on pouvait se faire du Japon hypermoderne, marginal et insolite vu d'Europe. Shibuya, immense emporium, explosion de pubs géantes et de néons gueulards. Genre de Times Square puissance 10, fier de posséder le plus gros carrefour piéton au monde. Ce sont les Jeux olympiques de 1964 qui lancèrent de fait le quartier, ainsi que la concurrence féroce des 2 principales compagnies de chemin de fer (*Tokyu* et *Seibu*), qui implantèrent, dès la gare, chacune de son côté, de nombreux grands magasins. Shibuya, contrairement à Shinjuku, se révèle relativement concentré et permet de découvrir l'essentiel en 3-4h environ.

Où dormir ?

Prix moyens (de 10 000 à 15 000 ¥ / 83-125 €)

🏠 *Hôtel Fukudaya* ホテル福田屋 *(hors plan XIII par A3,* **70**) : 4-5-9 Aobadai, Meguro-ku. ☎ 3467-5833. ● *gol.com/ users/ryokan-fukudaya/* ● Ⓜ Shibuya 渋谷 (sortie sud), puis bus nᵒ 17 (direction Wakabayashi Orikaeshijo) ; à moins de 10 mn, arrêt au 2ᵉ stop (Aobadai yon-chome). En taxi, du métro, compter moins de 1 000 ¥. Résa conseillée. Doubles sans ou avec sdb 11 000-13 200 ¥. Dans un quartier résidentiel tranquille où flotte un petit air de province. Petit hôtel à la japonaise discret et propret. Réception anglophone et accueil affable. Au choix, chambres de style japonais ou occidental, avec ou

TOKYO

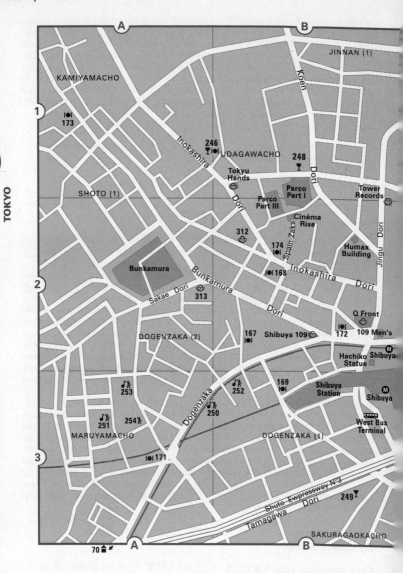

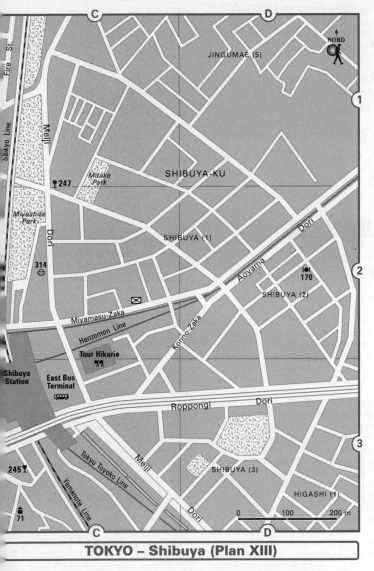

TOKYO – Shibuya (Plan XIII)

246 And People (A-B1)
247 Glorious Chain Café (C1-2)
248 Pub Hub Shibuya (B1)
249 Bello Visto (B3)

♪ 🏃 **Où sortir ?**
Où danser ?
250 Sound Museum Vision (A-B3)
251 Womb (A3)
252 Contact (B3)
253 Club Asia (A3)

254 Club Atom (A3)

⊕ **Achats**
312 Mandarake Shop Shibuya (B2)
313 Don Quijote (A2)
314 Bic Camera (C2)

sans bains privés. Bon confort (clim, *yukata* et *obi* fournis, TV, possibilité de faire le thé...). Pas beaucoup d'adresses comme celle-ci à Shibuya !

De chic à plus chic (de 15 000 à 35 000 ¥ / 125-292 €)

🏠 *Shibuya Granbell Hotel* 渋谷グランベルホテル *(plan XIII, C3, 71)* : 15-17 Sakuragaoka-cho. ☎ 5457-2681. ● granbellhotel.jp/en/shibuya ● Ⓜ *Shibuya* 渋谷 *(sortie ouest)*. De la gare *(West Exit)*, emprunter la passerelle qui passe sous *(et sur)* la voie rapide, puis descendre par les escaliers situés en face du Music Land Key ; poursuivre sur le même trottoir *(50 m)*, puis prendre la rue qui monte sur la droite ; l'hôtel est à env 50 m sur la gauche. Doubles 20 500-30 000 ¥, petit déj compris. Promos sur le site. Hôtel fort bien situé (juste derrière la Cerulean Tower), à quelques minutes de la gare. Architecture contemporaine plaisante et à taille humaine. Chambres de grand confort au design élaboré. Les doubles les moins chères sont déjà parfaites : clim, lit *queen size*, frigo, large TV...

Où manger ?

Bon marché (jusqu'à 1 500 ¥ / 12,50 €)

|●| *Uobei Shibuya Dogenzaka* 魚べ イ渋谷道玄坂 *(plan XIII, B2, 167)* : 1F, Sixth Central Bldg, 2-29-11 Dogenzaka. ☎ 3462-0241. Ⓜ *Shibuya* 渋谷 *(sortie Hachiko)*. Sortie à gauche, arrivé à l'embranchement du grand magasin 109, prendre à gauche Dogenzaka, puis, à env 100 m, à droite (ruelle étroite à restos). Tlj 11h-minuit (dernière commande à 23h30). C'est la « Rolls » des sushis populaires, pas cher, très clean, et l'un des meilleurs ! Prendre une carte numérotée à l'entrée, puis s'attabler au numéro. Après, c'est ludique en diable : taper sa commande sur un écran tactile (en anglais avec photo). En un éclair, la commande revient sur un petit plateau. On s'en empare et retour à l'envoyeur en appuyant sur un bouton jaune. Et ainsi de suite... Petit robinet d'eau chaude pour faire son propre thé, gingembre à volonté. Rassasié, appuyer « *check out* » sur l'écran, puis muni de votre carte numérotée, payez à la caisse.

|●| *Kamukura* 神座 *(plan XIII, B2, 168)* : 29-4 Udagawacho, Shibuya-ku. ☎ 6415-3790. Ⓜ *Shibuya* 渋谷 *(sortie Hachiko)*. À l'angle de 2 rues. Tlj 9h-7h. C'est le plus populaire de tous les restos de soupes du quartier de Shibuya. On prend un ticket dans une machine sur le trottoir après avoir choisi sur un grand panneau exposant la liste des plats (une trentaine d'options) et les photos de ceux-ci. À l'intérieur, les clients sont assis au coude-à-coude sur des sièges rouges devant un grand comptoir, avec les cuisiniers en toque blanche au centre.

|●| *Niku Yokocho* 肉横丁 *(plan XIII, B2, 174)* : 13-8 Udagawacho, Chitose Kaikan. Ⓜ *Shibuya* 渋谷 *(sortie 3)*. Au 2e étage. Tlj 17h-minuit. Un *food court* dans un immeuble où les petits stands à touche-à-touche servent essentiellement de la viande *(niku)* aux employés venus se caler rapidement à la sortie du travail et aux jeunes qui traînent un peu plus tard. Animé, bruyant, on aime.

Prix moyens (de 1 500 à 3 500 ¥ / 12,50-29 €)

|●| *Morimoto* 森本 *(plan XIII, B3, 169)* : Hamanoue Bldg, 2-7-4 Dogenzaka, Shibuya-ku. ☎ 3464-5233. Ⓜ *Shibuya* 渋谷 *(sortie Hachiko)*. À 30 m du passage vitré de la gare qui enjambe la rue. C'est le resto à l'angle des 2 rues (porte coulissante, attenant à un magasin de DVD aux couleurs criardes). Tlj sauf dim et j. fériés 17h-22h (16h30-21h30 sam). Depuis 1948, c'est le meilleur resto de style *izakaya* de Shibuya, souvent classé dans le top ten de Tokyo. Un petit comptoir unique, une vingtaine

de places, mais les gens s'y pressent pour déguster les meilleures brochettes de viande (yakitori) et de légumes de Shibuya. Uniquement des produits frais que le patron va chercher lui-même chez les producteurs, notamment les brochettes de shiitakes à partir de septembre (des champignons, ceux d'Ivaté sont les meilleurs), le *myôga* (genre de fenouil, sans en avoir vraiment le goût), le *rakkyô* parfumé au *shisso* (une plante aromatique), les foies, les anguilles, dont c'est aussi la spécialité.

I●I *Narukiyo* なるきよ *(plan XIII, D2, 170)* : 2-7-14 Shibuya-ku. ☎ 5485-2223. Ⓜ *Shibuya* 渋谷, puis à env 10 mn à pied. À l'angle de la rue (pas d'enseigne en anglais) ; en sous-sol, par l'escalier qui descend au niveau du panneau « Vort Aoyama ». Tlj sauf dim et j. fériés 18h-0h30. Résa conseillée, surtout le w-e. Ne pas hésiter à s'éloigner de la vie trépidante de Shibuya pour s'attabler dans cette attachante *izakaya*, connue de quelques heureux chanceux. On a été séduit par son cadre patiné, son atmosphère joyeuse, les rires des convives autour du comptoir, la bonne musique et ses plats variés à commander en petite portion (pas de carte en anglais). Ceux qui veulent plus d'inimité s'installeront dans le salon japonais (on enlève les chaussures).

I●I *Gonpachi* 権八 *(plan XIII, A3, 171)* : 14F, E-Space Bldg, 3-6 Maruyama-cho, Shibuya-ku. ☎ 5784-2011 et 3772. Ⓜ *Shibuya* 渋谷 *(sortie Hachiko)*. En bas, au rdc, il y a un *koban* (poste de police) ; monter au 14e étage de la tour. Tlj 11h30-3h30. Il s'agit d'une chaîne de qualité, très populaire et fréquentée par les gens du coin et les employés de bureau. *Gonpachi pizza, sumiyaki charcoal grill,* salades, brochettes grillées, soupes *(soba)*... En prime, une belle vue.

I●I *Matsukawa* 松川 *(plan XIII, B2, 172)* : 22-1 Shibuya-ku. ☎ 3461-1065. Ⓜ *Shibuya* 渋谷, ligne Ginza *(sortie Hachiko)*. En face de la station de métro ; façade étroite avec grande bande rouge *(c'est inscrit « Matsukawa »)*, à droite du magasin Nishimura. Tlj 11h-22h. Cadre classique d'une élégante sobriété pour la grande spécialité de la maison : l'anguille fumée. Déclinée à tous les prix, sous de multiples formes et avec toutes sortes d'accompagnements. Formule séduisante : l'association tempura-anguilles.

Chic (de 3 500 à 6 500 ¥ / 29-54 €)

I●I *Pignon* ピニョン *(plan XIII, A1, 173)* : 16-3 Kamiyama-cho, Shibuya-ku. ☎ 3468-2331. Ⓜ *Shibuya* 渋谷. Tlj sauf dim et j. fériés 18h-minuit *(dernière commande à 23h30)*. Un nom français qui annonce... les saveurs. Voilà un mélange réussi entre traditions japonaise et française. Dans le cadre d'abord, avec une cuisine ouverte sur le comptoir, une salle qui distille une sympathique atmosphère de bistrot rénové dans l'air du temps. La carte propose une cuisine aux accents français et méditerranéens (pâté de campagne, côtelettes d'agneau, crème brûlée, mousse au chocolat, etc.). Les plats sont généreux, les légumes croquants, le tout accompagné de bon pain. Atmosphère intime et musique cool.

Où boire un verre ?

♟ *Fujiya Honten* 富士屋本店 *(plan XIII, C3, 245)* : B1F, 2-3 Sakuragaoka-cho, Shibuya-ku. ☎ 3461-2128. Ⓜ *Shibuya* 渋谷 *(West Exit)*. De la gare, emprunter la passerelle qui passe sous la voie rapide ; lorsque la passerelle se divise en 3, descendre par les escaliers sur la gauche, puis 1re rue à droite. C'est juste après un building gris foncé, et avt l'immeuble de brique à l'intersection ; enseigne blanche avec caractères bleus (les plus grands), rouges et noirs ; au sous-sol. Tlj sauf dim, j. fériés et le 4e sam du mois 17h-23h (dernière commande à 22h). Voici un bar à vins de type *tachinomi*, c'est-à-dire que l'on consomme debout. Il existe depuis plus de 130 ans. On s'y retrouve aux côtés des Japonais vrais amateurs de vin. Pour grignoter,

TOKYO

quelques petits plats du style *izakaya* et des tapas.

Ψ IΘI And People *(plan XIII, A-B1, 246)* : 10-2 Udagawacho, Shibuya-ku. ☎ 6416-3926. Ⓜ *Shibuya (Hachiko). Tlj 12h-22h (dernière commande ; plus tôt au rdc).* Un salon de thé-resto parfait pour s'affaler dans l'un des fauteuils défoncés et se mettre en retrait de la frénésie enivrante de Shibuya. On reprend des forces autour d'un thé, d'un chocolat chaud (comme celui à l'orange) ou d'un cocktail, éventuellement d'un plat, type pizzas-pâtes-salades. En matière de déco, tout est dépareillé, récupéré, transformé... sans oublier les voilages autour des tables pour plus d'intimité. S'il fait beau, agréables balcons ou terrasses sous des treilles au bord de la ruelle piétonne. Musique *lounge*, ambiance feutrée. Clientèle plutôt jeune.

Ψ Glorious Chain Café グロリアスチェーンカフェ *(plan XIII, C1-2, 247)* : 1F, Cocoti Bldg, 1-23-16 Shibuya, Shibuya-ku. ☎ 3409-5670. Ⓜ *Shibuya 渋谷 (sortie Miyamasuzaka). Tlj 11h30-23h (dernière commande à 22h). Plats à prix moyens.* L'immeuble Cocoti est dédié à la mode et à la haute couture branchée, notamment la marque Diesel. Au rez-de-chaussée, ce café a la particularité d'être situé et géré par ladite marque de vêtements. C'est le premier *fashion-coffee* de ce type à Shibuya. On peut y boire et y manger une cuisine (genre *fish & chips*, hamburgers) à prix raisonnables dans un décor agréable. Salle spacieuse, murs en céramique noire, plafond de style industriel... une cafétéria clean, un poil classieuse.

Ψ Pub Hub Shibuya 英国風パブ HUB *(plan XIII, B1, 248)* : B1F, Fiesta Shibuya Bldg, 3-10 Udagawacho, Shibuya-ku. ☎ 3462-5881. ● pub-hub.com ● Ⓜ *Shibuya (Hachiko)* 渋谷. *Tlj 16h (14h sam-dim)-1h (2h ven-sam). Happy hours 17h (14h w-e)-19h.* Un pub british à l'ambiance européenne, bon endroit pour faire des rencontres. Il s'agit d'une chaîne bien implantée à Tokyo, mais néanmoins chaque pub a son style chaleureux et convivial. Le *Pub Hub* de Shibuya est un de nos préférés pour son décor et son animation musicale en fin de semaine. Possibilité d'y manger des *fish & chips.*

Ψ Bello Visto ベロビスト *(plan XIII, B3, 249)* : 40F, Cerulean Tower, 26-1 Sakuragaoka-cho, Shibuya-ku. ☎ 3476-3398. Ⓜ *Shibuya 渋谷 (West Exit, puis emprunter la passerelle qui passe sous la voie rapide). Tlj 16h (13h30 w-e)-1h (dernière commande à minuit) ; tea time jusqu'à 18h.* Si vous n'allez pas au *New York Bar* du *Hyatt* de Shinjuku, grimpez donc au 40e étage de ce grand hôtel de luxe. Même genre, même ambiance, le film *Lost in Translation* aurait tout à fait pu être tourné ici. Cadre sobre et élégant, bois verni sombre, mobilier stylé, lumières tamisées et, surtout, cette immense baie vitrée qui vous projette au cœur de la ville. La nuit, c'est vraiment magnifique. Prix des consos qui prennent de la hauteur, ça va de soi...

Où sortir ? Où danser ?

– **Conseil :** avant de sortir en boîte à Shibuya, et en général au Japon, munissez-vous de votre passeport (une photocopie n'est pas acceptée). Compter 2 000-3 500 ¥ l'entrée, un peu plus selon soirée.

♪ ⚡ Sound Museum Vision サウンドミュージアムビジョン *(plan XIII, A-B3, 250)* : B1F, Shintaiso Bldg, Dogenzaka, Shibuya-ku. ☎ 5728-2824 et 6415-6231. ● vision-tokyo.com ● Ⓜ *Shibuya* 渋谷 *(sortie Hachiko). Min 20 ans.* Cette boîte exceptionnelle au cœur de Shibuya compte 6 bars lounge et 4 pistes de danse. Les meilleurs DJs du Japon, d'Europe et des États-Unis s'y produisent.

♪ ⚡ Womb 子宮 *(plan XIII, A3, 251)* : 2-16 Maruyamacho, Shibuya-ku. ☎ 5459-0039. ● womb.co.jp ● Ⓜ *Shibuya* 渋谷 *(sortie Hachiko). Tlj 22h30-4h30.* Un gros immeuble qui abrite Arias Studios. Considérée comme une des meilleures boîtes de l'ouest de Tokyo. Super son, excellents DJs. Musique variée mais à dominante plutôt électro.

♪ **Contact** 接触 *(plan XIII, B3, 252)* : B2F, Shintaiso Bldg, 2-10-12 Dogenzaka, Shibuya-ku. ☎ 6415-6231. ● contacttokyo.com ● Ⓜ Shibuya 渋谷 *(sortie Hachiko). Entrée discrète en traversant un parking. Ouv à partir de 19h ou 22h selon programmation (consulter leur site). Entrée : à partir de 1 500 ¥. Min 20 ans.* L'une des plus grandes boîtes de Tokyo. Souvent des soirées avec DJs de renom. Bien connue des amateurs d'électro.

♪ **Club Asia** アジアクラブ *(plan XIII, A3, 253)* : 1-8 Maruyamacho, Shibuya-ku. ☎ 5458-2551. ● clubasia.co.jp ● Ⓜ Shibuya 渋谷 *(sortie Hachiko).* Là aussi, l'une des plus courues. Peut-être trop, car la boîte cède de plus en plus de place aux soirées privées. Branchée électro et soul.

♪ **Club Atom** アトムクラブ *(plan XIII, A3, 254)* : 4F-6F, 2-4 Maruyamacho, Shibuya-ku. ☎ 3464-0703 et 5428-5195. ● clubatom.com ● Ⓜ Shibuya 渋谷 *(sortie Hachiko). Situé entre l'hôtel Beat Wave et le Shibuya West Bldg. Tlj 22h-4h30. Min 20 ans.* Une des boîtes les plus populaires. Sélection pas trop sévère. 2 salles avec chacune sa propre musique.

Karaoké

Vous en trouverez davantage à Shinjuku, mais Shibuya n'est pas en reste. On vous conseille notamment **La Pasela** パセラ *(*● pasela.co.jp/shop/ shibuya/ ●)*, connue des jeunes Tokyoïtes, mais aussi des expats pour son grand choix de chansons étrangères.

Achats

✾ **Q Front Building** キューフロントビル *(plan XIII, B2)* : Ⓜ Shibuya 渋谷 *(sortie Hachiko). En face de la gare centrale.* 6 étages consacrés à la musique sous toutes ses formes, aux CD, films, mangas, livres informatiques... Abrite au 1ᵉʳ étage le *Starbucks,* qui offre la vue mythique du carrefour piéton le plus célèbre du monde. Au 6ᵉ étage, un sympathique café. Possibilité de se restaurer.

✾ **Mandarake Shop Shibuya** まんだらけショップ渋谷 *(plan XIII, B2, 312)* : B2F, Shibuya Beam Bldg, 31-2 Udagawacho, Shibuya-ku. ☎ 3477-0777 et 3228-0007. ● mandarake.co.jp ● Ⓜ Shibuya 渋谷 *(sortie Hachiko). L'entrée côté rue se distingue à son système de tuyaux et de tubulures, style postmoderne nippon. Tlj 12h-20h.* La boutique fait partie d'une chaîne bien connue des jeunes Japonais. *Mandarake* est spécialisé dans les mangas, les uniformes *cosplay,* les poupées, les figurines, les jeux et les DVD liés à la J-pop et à la culture manga.

✾ **Don Quijote** ドンキホーテ *(plan XIII, A2, 313)* : 2-25-8 Dogenzaka, Shibuya-ku. ☎ 5428-0211. ● donki. com ● Ⓜ Shibuya 渋谷 *(sortie Hachiko). En face du* Bunkamura. *Tlj 10h-4h30.* Un des grands *Discount Department Store* de Tokyo. Curieusement pas de nom visible, mais reconnaissable à sa façade à larges bandes rouges, noires et jaunes. Sur 3 niveaux, on y trouve de tout à des prix sages (jouets, matériel électronique et alimentation).

✾ **Tokyu Hands** 東急ハンズ *(plan XIII, B1)* : 12-18 Udagawacho. ☎ 5489-5111. Ⓜ Shibuya 渋谷 *(sortie Hachiko). Magasins ouv tlj 10h-21h.* Un centre commercial considéré comme le temple de la mode et de la diversité. L'ex-bonne vieille *Samar'* en plus sophistiqué. Très populaire auprès des femmes, il offre un choix étonnant. Tout pour la maison, tout ce qui rend la vie plus facile : objets domestiques, matériel de cuisine, bricolage, mais aussi objets et produits les plus pointus, les plus innovants, les plus surprenants, les plus superflus...

✾ **Shibuya 109** 渋谷１０９ *(plan XIII, B2)* : 2-29-1 Dogenzaka (angle

TOKYO

Dogenzaka et Bunkamura). ☎ *3477-5111.* Ⓜ *Shibuya* 渋谷 *(sortie Hachiko). Tlj sauf 1er janv 10h-21h.* Le plus emblématique des magasins pour les jeunes, le bastion des teenagers. La clientèle n'a guère plus de 20 ans. Ultimes tendances, modes les plus débridées...

⊛ ***Bic Camera*** ビックカメラ *(plan XIII, C2, 314) :* 1-24-12 *Shibuya.* ☎ *5466-1111.* Ⓜ *Shibuya* 渋谷 *(Masuzaka Exit, no 10). Tlj 10h-22h.* Tout le matériel photo, informatique, téléphones portables, audio, vidéo, etc.

⊛ ***Tower Records*** タワーレコード *(plan XIII, B1-2) :* 7F, *Tower Record Bldg, 1-22-14 Jinnan, Shibuya-ku.* ☎ *3496-3661.* Ⓜ *Shibuya* 渋谷 *(sortie Hachiko). Tlj 10h-23h.* Bon, OK, *Tower* c'est hyper connu, mais c'est aussi le plus gros magasin de musique de Tokyo. Bon rayon journaux et magazines également.

À voir

Itinéraire shibuyesque...

Tout commence au monument dédié au chien ***Hachiko,*** à la sortie de la gare *(Hachiko Exit),* peut-être le lieu de rendez-vous le plus populaire du Japon. À deux pas, le carrefour piéton le plus important au monde. En moins de 3 mn, des centaines de personnes (des milliers aux heures de pointe) auront changé de trottoir. Il existe même en plus 2 passages piétons en diagonale marqués au sol. Ballet ahurissant de grosses vagues déferlantes qui ne créent même pas de mascaret ! Tout fonctionne harmonieusement. Pour en avoir une saisissante vision en plongée,

HACHIKO, CHIEN FIDÈLE

Hachiko attendait chaque soir son maître, un professeur, à la gare de Shibuya, au même endroit. Un jour pourtant, en 1925, le professeur ne vint pas, terrassé par une crise cardiaque. Hachiko continua à venir pendant 10 ans. Des vendeurs de yakitori, à côté, l'avaient pris en affection et le nourrissaient copieusement. Son histoire émut beaucoup de monde. Quand il mourut à son tour, la nouvelle fit la une des journaux, et l'on érigea une statue à la sortie de la gare, en mémoire de cette fidélité exemplaire.

montez donc à l'étage du *Starbucks...* Ou encore au 11e étage de la ***tour Hikarie*** ヒカリエタワー *(plan XIII, C2-3).*

Le building d'angle **Q Front** キューフロント domine le quartier (empire du CD ; voir la rubrique « Achats »). Sur sa gauche débute le ***Center Gai*** センター街 *(plan XIII, B2),* une rue piétonne entièrement dédiée à la jeunesse. Véritable laboratoire de la culture ado, bastion des *center guys,* des *mambas* et de tous ceux, toutes celles qui veulent leur ressembler. Longues théories de néons tape-à-l'œil, magasins de fringues où l'on fait et défait toutes les modes sans cesse, boutiques colorées de gadgets, de téléphones portables aux boîtiers déments, de snacks pas chers, bars branchés, etc.

Vous vous trouvez dans le district d'**Udagawacho** 宇田川町 *(plan XIII, A-B1),* dont nous vous invitons maintenant à gravir les douces pentes, à travers ruelles étroites et escaliers bordés de bars de tous les genres. Celle qui monte vers le ***cinéma Rise*** par exemple *(plan XIII, B2),* dont on apprécie l'originale architecture, le décor insolite et la super programmation. Plus haut, le populaire grand magasin ***Tokyu Hands*** 東急ハンズ (voir la rubrique « Achats »). Sur Koen-dori, ne pas manquer d'admirer le ***Humax Building*** ヒューマックス *(plan XIII, B2),* l'immeuble possédant la façade la plus fantaisiste du coin (juste à droite se trouve le *Disney Store*). Des murs bombés de tags et de graffs annoncent le quartier des musicos, studios d'enregistrement, salles de répétition, magasins de vinyles, théâtres de poche, dont Shibuya est la petite capitale.

Puis on redescend vers le superbe complexe artistique **Bunkamura** 文化村 (voir plus loin), annonçant le quartier de **Dogenzaka** 道玄坂. Ce nom fut celui d'un grand bandit qui devint moine à la fin de sa vie et qui s'était installé dans le quartier.

Du *Bunkamura,* une rue monte vers le summum de la vie nocturne locale. Vous êtes désormais sur la colline des boîtes les plus fréquentées et des *love hotels* *(plan XIII, A2-3)* rivalisant dans les décors les plus kitschs ou délirants pour séduire la clientèle, du château médiéval au palais des Mille et Une Nuits. Peu de sélection à l'entrée des boîtes, police assez présente. Parfois, un poil de sollicitations pour des massages, sans plus. Les heures s'écoulent... Vers 23h30, atmosphère différente, bizarre, fiévreuse, l'heure de rentrer pour les banliusards les plus éloignés va sonner dramatiquement. Alors on redescend vers la gare centrale par l'avenue Dogenzaka, pour attraper le dernier *JR...*

🏃🏃 *La tour Hikarie* ヒカリエ *(plan XIII, C2-3) :* 2-21-1 Shibuya, Shibuya-ku. ☎ 5468-5892. ● *hikarie.jp* ● *Accès direct depuis la sortie 15 de la gare de Shibuya* (lignes Tokyo, Den-en-toshi, Hanzomon et Fukotoshin). Depuis les lignes JR Ginza, Keio, accès direct depuis la passerelle du 2ᵉ étage (qui enjambe la rue). Magasins ShinQs ouv 10h-21h ; cafés et restos 11h-23h.

Inaugurée en 2013, cette tour de 182,50 m de haut (43 étages) domine la gare de Shibuya. Son architecture design consiste en une superposition de blocs de verre et d'acier. Afin de réduire la chaleur et l'utilisation abusive des climatiseurs, la tour est recouverte de 30 % de verdure.

Du niveau B3F au 5F, les étages sont occupés par le centre commercial **ShinQs.** Pour la mode, rendez-vous au 2, 3 et 4F. Cafés et restaurants sont aux 6 et 7F. Au 8F, l'art et le design sont présents au *Creative Space* : galerie d'art, magasin design *Travel Store...* La surprise est perchée dans les derniers étages avec le *Tokyu Theater Orb* (11F-16F), qui dispose de 2 000 places. Pour jouir d'une belle vue sur le quartier, se rendre au *Sky lobby,* au 11F.

Culture

■ **Bunkamura** 文化村 *(plan XIII, A2) :* 2-24-1 Dogenzaka, Shibuya-ku. ☎ 3477-9111. ● *bunkamura.co.jp* ● Ⓜ *Shibuya* 渋谷 (sortie Hachiko). Tlj 10h-19h (21h ven-sam). Énorme complexe culturel de 6 étages au pied de la colline de Dogenzaka, comprenant cinéma (niveau 6F), théâtre (1F), salle de concerts (3F), petit musée (B1, sous-sol) et une très intéressante galerie d'art (1F, rez-de-chaussée). Voir la programmation sur le site internet. Pour se reposer dans une atmosphère germanopratine, un café sympa : *Les Deux Magots Paris.*

LES QUARTIERS DE HARAJUKU 原宿 ET D'OMOTESANDO 表参道

● Harajuku, Omotesando (plan XIV) *p. 208-209*

Harajuku, l'un des points de chute incontournables de Tokyo. Un de nos quartiers préférés. À cela, plusieurs raisons : d'abord le merveilleux parc Yoyogi abritant l'un des plus beaux temples shintoïstes de Tokyo, le Meiji Jingu. Puis Takeshita-dori, la « Carnaby Street » des ados, temple des modes les plus folles. Le pont de Harajuku, à l'entrée du parc Yoyogi, est un véritable

TOKYO

théâtre où sont en représentation (surtout le dimanche après-midi) toutes les *cosplayers,* ces adolescentes déguisées en « gothik », Lolita ou Barbarella. Au sud du parc, le Stade national datant des J.O. de 1964. Au-delà de Takeshita-dori, c'est le dédale des ruelles d'un quartier plutôt horizontal, abritant nombre de galeries d'avant-garde.

Omotesando, c'est aussi l'un des grands quartiers de la mode. De grandes marques, bien sûr, mais aussi des plus populaires qui en font un quartier abordable pour les budgets les plus modestes... Culture bien présente aussi avec les temples de Meiji et de Togo, sans oublier l'adorable musée Ota et ses superbes collections d'estampes.

HARAJUKU 原宿

Où manger ?

Bon marché (jusqu'à 1 500 ¥ / 12,50 €)

I●I *Harajuku Gyôzarô* 原宿餃子樓 *(plan XIV, B2, 175)* : 6-2-4 Jingumae, Okashima Biru, Shibuya-ku. ☎ 3406-4743. Ⓜ *Meiji-Jingumae* 明治神宮前 ou *Harajuku* 原宿. *Sur Omotesando, en venant du parc Yoyogi, tourner à droite avt l'immeuble Chanel puis prendre la 1ʳᵉ à droite ; le resto est à 50 m sur la droite. Tlj 11h30-3h (22h30 dim).* Petit restaurant de *gyôza* (raviolis d'origine chinoise). Les jeunes de Harajuku viennent se restaurer et faire une pause dans leur shopping. On croise aussi les employés des boutiques de luxe d'Omotesando. Pas de menu, mais des petits plats que l'on commande sur le modèle des tapas espagnoles. Les *gyôza* existent en 2 versions : bouillis ou grillés. Accompagnements de riz, chou mariné, *moyashi* (avec sauce épicée), pousses de soja en sauce, concombre *(kyûri),* etc. Il faut souvent faire la queue devant le restaurant, en attendant que des places se libèrent au comptoir (peu de tables), d'où l'on peut voir s'activer les cuisiniers.

I●I *Sakuratei* さくら亭 *(plan XIV, C1, 176)* : 3-20-1 Jingumae, Shibuya-ku. ☎ 3479-0039. Ⓜ *Harajuku* 原宿 (sortie Takeshita) ou *Meiji-Jingumae* (sortie 5). *Le resto de la galerie Design Festa. Service tlj 11h-23h (dernière commande à 22h). All you can eat 1 500-2 500 ¥ (buffet à volonté, avec une boisson, mais le repas ne doit pas dépasser 1h30 le midi et 2h le soir !).* Situé dans le quartier de la bohème de bon ton. Maisons particulières d'artistes et d'intellos, ruelles tranquilles ou colorées. Cadre particulièrement chaleureux, murs ornés de fresques et autres graffs, œuvres d'artistes du monde entier... Service jeune et alerte. Spécialité d'*okonomiyaki,* plat japonais, à mi-chemin entre la pizza et l'omelette. D'autres variantes, comme le *sakura yaki* (omelette aux lardons et à la mayonnaise), le *yaki soba* (nouilles sautées). Bref, beaucoup de choix, c'est bon, copieux et pas cher. Beaucoup d'étudiants le midi, l'ambiance y est animée. Ne pas manquer de visiter la magnifique galerie (avant ou après). Une de nos adresses préférées.

Prix moyens (de 1 500 à 3 500 ¥ / 12,50-29 €)

I●I 🚌 *Path* バス *(hors plan XIV par A2, 184)* : 1F, A-Flat, 1-44-2 Tomigaya Shibuya-Ku. ☎ 6407-0011. Ⓜ *Yoyogi Koen. Commandes 8h-14h, 18h-23h. Fermé lun, plus les 2ᵉ et 4ᵉ mar et dim du mois. Résa demandée pour le menu dégustation servi le soir, catégorie « chic ». Prix moyens pour les plats à la carte.* Adeptes de la bistronomie, bienvenue : ces anciens de la Maison Troisgros (Tokyo pour le cuisinier, Roanne pour le chef-pâtissier) ont fusionné leurs acquis et leur vision du métier : s'affranchir des codes culturels japonais pour établir un rapport au travail basé sur le plaisir (et non sur un long labeur). Alors, forcément, cette approche est communicative ! Dans une salle tout en longueur, à la déco tendance *hipster*, on navigue avec délice entre France et Japon, et ce dès le petit déj avec de bonnes viennoiseries, puis avec une carte de brunch alléchante, ou des plats type ragoût de porc et de fenouil aux feuilles de wasabi, risotto de petits pois et palourdes, salades végétariennes subtiles. Tandis que le menu dégustation s'invite le soir pour une expérience culinaire forcément originale... tout autant que cette belle aventure.

|●| Vino e Pasta ビノ・エ・パスタ *(hors plan XIV par C1, 177)* : 3-27-15 Jingumae. ☎ 3478-0417. Ⓜ *Harajuku* 原宿 *ou Meiji-Jingumae* 明治神宮前. *Du métro, prendre la Takeshita-dori jusqu'au bout, traverser le boulevard et prendre la rue en biais à gauche. Tlj sauf dim et j. fériés 12h-14h, 18h-23h (dernière commande à 21h30). Résa conseillée, surtout le soir.* Si vous êtes repu de sushis, saturé de sashimis, voilà un délicieux petit resto italien pour varier les plaisirs. Clientèle de gens de la pub, de la mode et du design. Le sympathique chef japonais a fait ses classes à Venise et est ravi de parler l'italien avec ses convives. 2 petites salles au cadre particulièrement sobre, pas d'affiches ensoleillées ni de gondoles clignotantes... « On doit se concentrer sur ma cuisine », martèle le maître des lieux. Belle carte des vins.

De chic à plus chic (de 3 500 à plus de 6 500 ¥ / 29-54 €)

|●| Eatrip イートリップ *(plan XIV, B2, 178)* : 6-31-10 Jingumae, Shibuya-ku. ☎ 3409-4002. Ⓜ *Harajuku* 原宿 *ou Meiji-Jingumae* 明治神宮前. *Mar-sam 18h-minuit, plus sam-dim 11h30-15h (17h dim). Menu déj à prix moyens ; le soir, menus 5 400-8 650 ¥.* Excellent restaurant, niché au fond d'un adorable petit jardin zen, au calme. Côté déco, un vieux parquet se marie parfaitement aux matériaux modernes (béton). Ici, on mange bio, tous les produits sont sélectionnés avec soin. On s'installe en salle ou à une table dans la véranda au bord du jardinet. Au programme : légumes grillés, poissons, terrines...

Où boire un verre et prendre un bon petit déjeuner ?

🍸 🍺 Eco Farm Café 632 エコファームカフェ632 *(plan XIV, B2, 256)* : 6-32-10 Jingumae. ☎ 3498-0632. Ⓜ *Harajuku* 原宿 *ou Meiji-Jingumae* 明治神宮前. *Tlj 9h-23h (21h30 dim et j. fériés) ; dernière commande 30 mn avt. Intéressant menu (bon marché) servi 11h-17h.* Légumes exposés en devanture à l'extérieur, pourtant ce n'est pas une épicerie, non, mais bien un café branché du quartier. On y sert d'ailleurs un des meilleurs cafés d'Harajuku. Excellentes pâtisseries, fauteuils confortables en mezzanine, ambiance très agréable et un patio au dehors où l'on peut venir avec son petit chien...

Achats

🏬 Magasin Laforêt ラフォーレ *(plan XIV, B1)* : 1-11-6 Jingumae, Shibuya-ku. ☎ 3475-0411. Ⓜ *Harajuku* 原宿 *(sortie Omotesando) ou Meiji-Jingumae* 明治神宮前 *(sortie 5). À l'angle de Meiji-dori et Omotesando. Tlj 11h-21h.* Beaucoup de jeunes Japonais(es) viennent faire leurs achats de vêtements ultra-branchés dans les dizaines de boutiques de ce complexe commercial, sur 5 étages, ou tout simplement du lèche-vitrines. Au dernier étage, une galerie d'art *Laforêt museum* réputée pour ses expos pleines de créativité. En face,

TOKYO

TOKYO

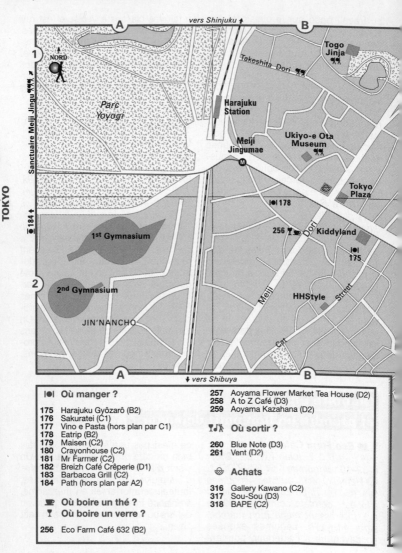

vers Shinjuku ↑

A **B**

1 NORD

Sanctuaire Meiji Jingu

Parc Yoyogi

Togo Jinja

Takeshita-Dori

Harajuku Station

Meiji Jingumae

Ukiyo-e Ota Museum

M

Tokyo Plaza

184

178

256

Dori

Kiddyland

175

1st Gymnasium

2nd Gymnasium

Meiji

Street

JIN'NANCHO

HHStyle

Cat

A **B**

↓ vers Shibuya

I●I Où manger ?	257 Aoyama Flower Market Tea House (D2)
	258 A to Z Café (D3)
175 Harajuku Gyôzarô (B2)	259 Aoyama Kazahana (D2)
176 Sakuratei (C1)	
177 Vino e Pasta (hors plan par C1)	**IJℷ Où sortir ?**
178 Eatrip (B2)	
179 Maisen (C2)	260 Blue Note (D3)
180 Crayonhouse (C2)	261 Vent (D2)
181 Mr Farmer (C2)	
182 Breizh Café Crêperie (D1)	**⊛ Achats**
183 Barbacoa Grill (C2)	
184 Path (hors plan par A2)	316 Gallery Kawano (C2)
	317 Sou-Sou (D3)
♚ Où boire un thé ?	318 BAPE (C2)
ℸ Où boire un verre ?	
256 Eco Farm Café 632 (B2)	

de l'autre côté du boulevard, ne pas manquer d'admirer l'entrée futuriste du Tokyo Plaza.

⊛ **BAPE (Bathing Ape in Luke-warm Water)** アベイシングエイプ *(plan XIV, C2, 318)* : 4-21-5 Jingumae,

Shibuya-ku. ☎ *5474-0204.* ● *bape. com* ● Ⓜ *Meiji-Jingumae* 明治神宮前 *ou Omotesando* 表参道 *(sortie A2). Dans une petite rue tranquille bordée de maisons et de petits immeubles ; se repère avec sa ribambelle de singes*

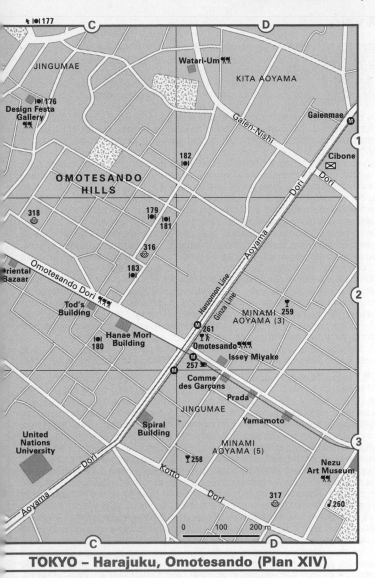

TOKYO – Harajuku, Omotesando (Plan XIV)

en vitrine. Tlj 11h-20h. Grande boutique moderne design, vendant des vêtements et des chaussures de la même marque. *BAPE* est internationalement connu, et ses vêtements, chaussures et accessoires très branchés sont très recherchés et demandés.

⊛ Nombreuses boutiques et magasins dans la rue Takeshita-dori (voir plus loin), comme *Takenoko, Cola Connection* et *Evangelion Store*.

À voir

 🚶🚶 *Le sanctuaire Meiji Jingu* 明治神宮 *(hors plan XIV par A1) :* au cœur du superbe Yoyogi Park. ☎ 3379-5511. ● *meijijingu.or.jp/english* ● Ⓜ *Harajuku* 原宿, *ligne JR Yamanote, ou Meiji-Jingumae* 明治神宮前, *ligne Chiyoda (sortie 5). À la sortie, tourner à droite jusqu'au pont qui mène à l'entrée du parc ; ensuite, bien indiqué. Ouv tlj, du lever au coucher du soleil.*

On passe un immense portique *(otori)*, le plus grand du Japon. Fabriqué dans un cyprès, vieux de 1 500 ans et provenant de Taiwan (diamètre des piliers : 1,20 m !). Après une bucolique promenade, on parvient à ce temple shintoïste datant de 1920. C'est là qu'on recueillit les âmes de l'empereur Meiji (1866-1912) et de son épouse, l'impératrice Shoken. Leurs tombes ne sont pas là mais au sanctuaire Fushimi, près de Kyoto. Pour démontrer la ferveur des fidèles, 100 000 arbres furent offerts par des Japonais de tous les pays. Le résultat est étonnant : le parc autour du temple évoque plus une forêt qu'un jardin urbain. Il fut détruit par les bombardements de 1945 et reconstruit. Depuis, c'est devenu un des lieux de pèlerinage les plus populaires (notamment la veille du Nouvel An).

On en admire les belles charpentes de cyprès enchevêtrées et le toit en tuiles de cuivre. Le week-end, surtout en mai, s'y déroulent des mariages, presque en série. On peut acheter, pour une poignée de yens, ces minuscules rouleaux, les *waka* (courtes maximes écrites par l'empereur, en japonais bien sûr).

Plus haut, le *trésor de Meiji (Homotsuden Honkan)* et son annexe *(Homotsu-Tenjishitsu, Treasure Museum Annex ;* **actuellement fermé pour travaux)**, plus moderne, au sud, où sont exposés par roulement les atours et objets de la cour impériale sous les Meiji. Ne pas manquer le *jardin des iris* près de l'étang *(tlj 9h-16h30 – 16h nov-fév, 8h-17h juin ; entrée : 500 ¥, réduc).* Il offre un splendide spectacle lors de la floraison en mai-juin (sur la gauche en montant vers le sanctuaire).

Le domaine abrite aussi un centre d'arts martiaux *(Shiseikan Dojo)* consacré au *budo, kyudo* (archerie japonaise), kendo, judo et aïkido. Mais il est fermé au public.

🚶🚶 *La rue Takeshita-dori* 竹下通り *(plan XIV, B1) :* Ⓜ *Harajuku* 原宿, *ligne JR Yamanote, ou Meiji-Jingumae* 明治神宮前, *ligne Chiyoda. Plan gratuit et détaillé de la rue à l'entrée de celle-ci, en venant de Meiji-dori.* ● *takeshita-street.com* ●
Nous sommes ici dans la rue adorée des ados japonais(es). Le dimanche matin, en particulier, le promeneur assiste à un incroyable théâtre de modes vestimentaires, on y voit les looks les plus fous. Takeshita-dori est la salle de spectacle et d'exhibition en plein air, la promenade favorite des *cosplays,* ces collégiennes déguisées pour un changement d'identité momentané. Le temps d'un week-end, ces sages Nippones deviennent des Nippones friponnes, elles portent les tenues les plus extravagantes, du style « gothik lolita » ou « romantic lolita ». Beaucoup refusent de passer à l'âge adulte ; au lieu de faire une crise violente, elles s'imaginent dans la peau d'angéliques poupées *(pretty angel)*, de soubrettes naïves *(maids)*, de *baby doll,* en passant par les uniformes et panoplies d'héroïnes de mangas (Hatsune Miku, Evangelion...), sans oublier le style *Autant en emporte le vent,* Nina Hagen et toutes les déclinaisons de *destroy...*

Si l'on saupoudre de quelques *center guys* et *mambas* à la mode Shibuya, de quelques parents consentants, de collégien(ne)s ordinaires en uniforme et de bataillons de touristes amusés et intrigués par ce phénomène culturel et social, vous avez là l'une des cartes postales de Tokyo des plus mémorables...

Et tout ce beau monde va envahir cette étroite rue piétonne, bordée de magasins de vêtements extravagants, de boutiques de faux bijoux en plastique, colifichets et autres parures clinquantes, de bars à chats et à... hiboux, de snacks pas chers, de glaciers (voir en vitrine les énormes glaces en plastique coloré ou les crêpes). En particulier, à mi-chemin, sur le côté gauche (venant du métro), vous ne manquerez pas *Takenoko* 竹の子, la boutique la plus originale, le choix le plus monstrueux de robes et de tenues incroyables. Feu d'artifice de couleurs pour les yeux.

Sur le même trottoir, ***The World Connection*** ワールドコネクション, une caverne incroyable de gadgets assez déments et plutôt abordables. Au sous-sol du magasin ***Happy Hearts*** ハッピーハーツ *(ouv 10h-20h),* ne manquez pas les jeunes filles qui viennent se prendre en photo *(purikura)* sur des décors informatiques totalement désopilants. Un grand moment ! Allez aussi faire un tour chez ***Conomi*** *(1F, Minoa Bldg, 1-19-2 Jingumae ;* ☎ *6273-0225 ; tlj 10h-19h).* Toutes les tenues pour se déguiser en fille sage...

De l'autre côté de Meiji-dori, un autre quartier s'est développé, disons un poil plus branché, avec des magasins de fringues et de déco intérieure plus tendance les uns que les autres, des salons de coiffure originaux et... *Design Festa,* l'une des galeries d'art les plus *hype* de Tokyo.

🏯🏯 ***Le sanctuaire Togo (Togo Jinja)*** 東郷神社 *(plan XIV, B1) : à l'intersection de la rue Takeshita-dori et de Meiji-dori.* Ⓜ *Harajuku* 原宿, *ligne JR Yamanote, ou Meiji-Jingumae* 明治神宮前, *ligne Chiyoda.* Temple shintoïste très vénéré et dédié à l'amiral Heihachiro Togo, un héros national, le « Nelson de la mer du Japon », le grand vainqueur de la flotte russe lors de la guerre de 1904-1905. À ne pas confondre avec l'amiral Tojo (classé criminel de guerre)... Là aussi, beau jardin et, comme pour le sanctuaire Meiji, c'est plus l'architecture extérieure qui est intéressante que l'intérieur (salle assez sombre, on n'aperçoit pas grand-chose). Avec de la chance, peut-être tomberez-vous sur un mariage shintoïste avec ses beaux habits, son rituel séculaire et l'étrange et fascinante musique qui l'accompagne.

🏯🏯 ***Ukiyo-e Ota Museum*** 太田記念美術館 *(plan XIV, B1) :* 1-10-10 Jingumae, Shibuya-ku. ☎ 3403-0880 et 5777-8600. ● *ukiyoe-ota-muse.jp* ● Ⓜ *Harajuku* 原宿, *ligne JR Yamanote, ou Meiji-Jingumae* 明治神宮前, *ligne Chiyoda (sortie 5).* Depuis Harajuku JR Station, descendre Omotesando-dori en direction de Meiji-dori, sur le trottoir de gauche, puis 2e ruelle à gauche (angle Alteka Plaza) ; fléché ensuite. Tlj sauf lun 10h30-17h30 (fermeture des caisses 30 mn avt). Entrée : 700 ¥ expos permanentes, 1 000 ¥ expos spéciales ; réduc. Éviter le dim... car beaucoup de monde. Dénicher, dans le treillis de ruelles de ce quartier pavillonnaire, ce merveilleux petit musée de l'estampe japonaise. On pénètre dans l'atmosphère feutrée et silencieuse de monastère, avec lumières tamisées, pour la plus belle collection au monde de ces grands maîtres qui ont pour noms Hokusai, Hiroshige, Toyokuni, Toyaharu, K. Shunshô et tant d'autres. Au rez-de-chaussée et au 1er étage, exposition d'une sélection par roulement, tous les mois, pour ne pas trop exposer les œuvres à la lumière et conserver la fraîcheur des couleurs. Présentation également de quelques livres illustrés, ancêtres des mangas.

Culture

🏯🏯 ***Design Festa Gallery*** 東京デザインフェスタ *(plan XIV, C1) :* 3-20-18 Jingumae (Gallery West) et 3-20-2 Jingumae (Gallery East), Shibuya-ku. ☎ 3479-1442. ● *designfestagallery.com* ● Ⓜ *Harajuku* 原宿, *ligne JR Yamanote, ou Meiji-Jingumae* 明治神宮前, *ligne Chiyoda.* Tlj 11h-20h. GRATUIT.
De toutes les galeries du quartier, voici la plus créative. 2 bâtiments offrent des petites salles aux artistes, voire 1 m² de murs pour une poignée de yens. Une façon intéressante de se faire connaître. Beaucoup de vrais talents donc, qui gagnent à être connus. L'occasion, peut-être, de vous offrir un coup de cœur pas cher.
En outre, cette volonté d'ouverture permet de géniales et chaotiques confrontations artistiques. Salles également réservées à d'autres expériences comme la *Dimmed Lighting area,* installations électriques d'avant-garde, les projections de films de « performances » internationales, défilés de mode, concerts de rock, métal, funk, punk, hardcore, électronique, danse, théâtre, tous les genres... Enfin, ne pas manquer le *Sakuratei,* bar et super resto derrière l'édifice principal entre les 2 bâtiments (voir la rubrique « Où manger ? »).

TOKYO

OMOTESANDO 表参道

Où manger ?

Prix moyens
(de 1 500 à 3 500 ¥ / 12,50-29 €)

I●I *Maisen* まい泉 (plan XIV, C2, *179*) : 4-8-5 Jingumae, Shibuya-ku. ☎ 2042-8485. Ⓜ *Omotesando* 表参道 (sortie A2). Tlj 11h-22h45 (dernière commande à 22h). Depuis 1980, c'est le spécialiste confirmé du *tonkatsu*, tranche de porc fondante frite dans une pâte légère et craquante. Installé dans d'anciens bains-douches, ce resto possède une grande salle avec un long comptoir, et même une échoppe sur l'extérieur pour les pressés. Outre le *tonkatsu* (plusieurs variétés de porc), il offre un vaste choix d'autres spécialités, comme le *hirekatsu teishoku* (filet de porc), le *kurobuta*, le *kaki furai* (huîtres frites) fin février, le *rosu katsu...* Parfois un peu d'attente.

I●I *Crayonhouse* クレヨンハウス (plan XIV, C2, *180*) : 3-8-15 Kitaaoyama, Minato. ☎ 3406-6409. Ⓜ *Omotesando* 表参道 (sortie A1). Au sous-sol de la librairie du même nom. Tlj 11h-23h ; salon de thé 14h40-17h30. C'est par un escalier fleuri qu'on accède, en contre-bas de la rue, à un patio tranquille bordé par des étals de légumes, et à une cafétéria plaisante équipée d'un self. Tables à l'occidentale ou coin japonais sur tatami. Midi et soir, intéressants buffets à base de nombreux produits bio. Smoothies pour se rafraîchir en journée.

I●I *Mr Farmer* ミスターファーマー (plan XIV, C2, *181*) : 4-5-12 Jingumae, Shibuya-ku. ☎ 5413-4215. Ⓜ *Omotesando* 表参道 (sortie A2). Tlj 9h-20h. Si vous aimez les légumes, c'est ici qu'il faut venir. Tous les produits vont directement de la ferme à l'assiette. Servis sous toutes leurs formes : sandwich, salades, soupes... Également quelques menus protéinés, des menus sans gluten, végans, des menus pour sportifs, des smoothies aux légumes... Très fréquenté par les jeunes générations de Tokyoïtes.

I●I *Breizh Café Crêperie* ル ブルタ ーニュ (plan XIV, D1, *182*) : 3-5-4 Jingumae, Shibuya-ku. ☎ 3478-7855. Ⓜ *Omotesando* 表参道 (sortie A2). Prendre la rue de l'hôpital Ito, puis tourner à gauche, passer devant le Royal Host, puis tourner à droite et tt droit. Tlj 11h30-22h30 (22h dim et j. fériés). Propagateur passionné de la culture bretonne, Bertrand Larcher, natif de Fougères, est fier d'avoir ouvert la 1ʳᵉ vraie crêperie du Japon. Le décor rappelle la Bretagne : affiches, souvenirs, faïences de Quimper, produits artisanaux, musique d'ambiance, ardoises aux murs, tout concourt à recréer l'atmosphère comme là-bas. Les produits sont choisis avec rigueur, comme le blé noir made in Japan. On y concocte de délicieuses galettes de sarrasin dont les Japonais raffolent, le tout arrosé d'un cidre Val de Rance gouleyant à souhait.

Chic (de 3 500 à 6 500 ¥ / 29-54 €)

I●I *Barbacoa Grill* バルバッコアグ リル (plan XIV, C2, *183*) : 4-3-2 Jingumae, Shibuya-ku. ☎ 3796-0571. Ⓜ *Omotesando* 表参道 (sortie A2). Juste à côté du Royal Host, au sous-sol de l'immeuble Gold's Gym. Tlj 11h30-15h (16h sam-dim), 17h30-23h (22h dim) ; dernière commande 1h avt. Midi et soir, formule all you can eat ; le midi en sem env 3 600 ¥, le soir env 5 400 ¥. À l'entrée, une collection d'assiettes signées par des vedettes et des sportifs. Dans une très grande salle fraîche et ventilée, on déguste le *churrasco a rodizio*, et toutes ces viandes grillées à la brésilienne présentées sur une épée (servies à volonté), dont 7 variétés de steaks et porc, saucisse, poulet, agneau... L'adresse pour les carnivores affamés !

Où boire un thé ?

☕ *Aoyama Flower Market Tea House* 青山フラワーマーケット ティーハウス *(plan XIV, D2, 257)* : *5-1-2, Minami-Aoyama, Minato-ku.* ☎ 3400-0887. Ⓜ *Omotesando* 表参道. *Tlj 11h-20h (19h dim et j. fériés) ; dernier service 30 mn avt fermeture.* Un salon de thé original et sympa, installé à l'intérieur d'un fleuriste. Des fleurs sortent des tables en verre, et l'on est entouré de plantes ! Essayez le thé parfum café. Fort de leur succès, ils ont ouvert une autre adresse à la sortie du métro Akasaka.

Où boire un verre ?

🍸 *A to Z Café* エートゥゼットカフェ *(plan XIV, D3, 258)* : *5F, Equbo Bldg, 5-8-3 Minami-Aoyama, Minato-ku.* ☎ 5464-0281. ● atozcafe.exblog.jp ● Ⓜ *Omotesando* 表参道. *Tlj 11h30-23h30.* Un lieu charmant et étonnant détenu par l'artiste Yoshitomo Nara, connue pour ses poupées au regard fâché. Une sorte de grand loft posé sur le toit d'un immeuble, avec des espaces séparés par des estrades et des barrières. La cabane au milieu est une mise en scène représentant l'intérieur de l'atelier de l'artiste. Meubles vintages de récup, sol en béton lissé et parquet, bouches d'aération apparentes. Un côté un peu austère. Et, surtout, grande baie vitrée tout autour d'où l'on a une belle vue, notamment sur l'immeuble *Prada*, tout en parois de verre, et sur la tour Mori. Bien pour boire un verre au calme.

🍸 *Aoyama Kazahana* 青山風花 *(plan XIV, D2, 259)* : *3-9-1 Minami-Aoyama, Minato-ku.* ☎ 6659-4093. Ⓜ *Omotesando* 表参道 *(sortie A3). Tlj 11h30-21h.* Un bar-resto tenu par une jeune équipe franco-japonaise, à la façade entièrement recouverte de plantes vertes. À l'intérieur, on boit son verre en regardant buller les poissons dans les aquariums.

Où sortir ?

🎵 *Blue Note* ブルーノート *(plan XIV, D3, 260)* : *Raika Bldg, 6-3-16 Minami-Aoyama, Minato-ku.* ☎ 5485-0088. ● bluenote.co.jp ● Ⓜ *Omotesando* 表参道. *Lun-ven 17h-minuit, w-e et j. fériés 15h30-23h. Résa conseillée. Entrée : 7 500-9 000 ¥ (cher mais programmation remarquable !).* Un « landmark » ! Un des plus célèbres clubs de jazz de Tokyo. Dans cette large salle, les plus grands musiciens de jazz nippon se sont produits : Hiromi Uehara, Sadao Watanabe, Toshiko Akiyoshi. Possibilité de se restaurer (plutôt bien et à prix raisonnables).

🍸🍴 *Vent (plan XIV, D2, 261)* : *B1F, Festae Omotesando Bldg, 3-18-19 Minami-Aoyama, Minato-ku.* ☎ 6804-6652. ● vent-tokyo.net ● Ⓜ *Omotesando* 表参道 *(sortie A3). Ven-sam (plus dim selon programmation).* En sous-sol, boîte branchée, au cadre stylé, mais c'est pas pour autant qu'on se la raconte. L'ambiance est cool. Plutôt électro avec des DJs dans l'vent ! Tranche d'âge : 25-40 ans.

Achats

🏠 *Gallery Kawano* ギャラリー川野 *(plan XIV, C2, 316)* : *Flats Omotesando 102, 4-4-9 Jingumae, Shibuya-ku.* ☎ 3470-3305. ● gallery-kawano.com ● Ⓜ *Omotesando* 表参道, *ligne Hanzomon (sortie A2). En sortant du métro, c'est dans une petite rue sur la droite, après le Royal Host. Tlj 11h-18h.* Si vous êtes atteint d'une frénésie d'achat de kimonos, c'est ici qu'il faut venir. Une des adresses préférées des Tokyoïtes. On y trouve, à prix raisonnables, toutes sortes de kimonos anciens, hommes ou femmes,

TOKYO

et aussi des tissus pour les faire fabriquer, bref, tout ce qu'il faut pour ravir les aficionados !

✿ **Sou-Sou** 青山店 *(plan XIV, D3, 317)* : 5-4-24, Minami-Aoyama, Minato-ku. ☎ 3407-7877. ● sousou.co.jp ● Ⓜ *Omotesando* 表参道*, ligne Hanzomon (sortie B1). En sortant du métro, prendre Kotto-dori à gauche en allant* vers le musée Nezu, puis 5e à gauche. Tlj 11h-20h. *Une boutique qui propose des vêtements inspirés du style traditionnel japonais, modernisés. Un grand choix entre autres de chaussures Tabi (pouce séparé). Dans un joli petit salon* (ouv 13h-18h)*, on peut boire thé ou café, préparés dans les règles de l'art ! Mérite une visite, ne serait-ce que pour le thé.*

À voir

🏛🏛🏛 **Omotesando :** les « Champs-Élysées » de Tokyo, mâtinés de boulevard Haussmann et d'avenue Montaigne. Pas mal d'enseignes en français, ça rappelle d'ailleurs vraiment Paris. Il n'y manque pas une grande marque. Elles sont toutes là, les *Prada, Louis Vuitton, Dior, Tod's, Ralph Lauren...* L'occasion aussi d'admirer les cadres magnifiques que les plus grands architectes leur ont concoctés pour séduire le chaland.

➤ Au choix, départ de l'itinéraire au métro Harajuku, Meiji-Jingumae ou Omotesando. Si vous démarrez du carrefour Laforêt, continuer Omotesando sur le trottoir de droite. Vous rencontrerez l'immeuble où se trouve *Kiddyland* キデイランド *(plan XIV, B2 ; 6-1-9 Jingumae, Shibuya-ku ; ● kiddyland.co.jp ● lun-ven 11h-21h, w-e 10h30-21h),* 6 étages de jouets du plus simple nounours à la console la plus sophistiquée. L'extase des mômes (et des grands), l'assassinat des porte-monnaie des parents, et la foule garantie le week-end.
Cat Street (plan XIV, B2), rue perpendiculaire à Omotesando, sur la droite après *Kiddyland,* un véritable monde à part qui accueille de nombreuses boutiques de fringues *up to date.* Elle offre une alternative plus authentique à *Takeshita-dori.* Dans cette rue, *Chanel* et *Bulgari,* qu'on ne présente plus. On adore le *MoMa Design Store,* dans l'immeuble Chanel-Bulgari *(5-10-1 Gyre ; tlj 11h-20h).* Au niveau 3F, on y trouve bien plus que des objets récupérés du célèbre musée newyorkais. Des centaines d'idées de cadeaux, à tous les prix : bijoux, sacs, gadgets design, objets pour la cuisine, la maison ou le bureau. À chaque fois, une règle : le produit a été imaginé et conçu par un artiste ou un designer. Plus loin, toujours sur le trottoir de droite, l'*Oriental Bazaar (5-9-13 Jingumae)* est le magasin idéal pour acheter ses souvenirs japonisants ou fausses antiquités à prix abordables. Ne pas manquer, sur le trottoir de droite toujours, le *Tod's Building (5-1-5 Jingumae).* Curieuse architecture en L, où les 6 façades semblent évoquer des rangées d'arbres qui s'entremêlent ; en outre, percées de fenêtres sans cadre, qui rendent l'impression encore plus étrange.

➤ Arrivé au métro Omotesando, traverser le carrefour (intersection avec Aoyamadori), continuer tout droit vers la 2de partie de la rue. À gauche de la rue, *Issey Miyake (plan XIV, D2 ; 3-18-11 Minami-Aoyama).* L'une des boutiques phares du génial couturier avec son portail d'entrée rose saumon digne d'un temple aztèque ou mésopotamien... Allez admirer plus loin sur la droite l'édifice *Prada (plan XIV, D3 ; 5-2-6 Minami-Aoyama).* La nuit, l'effet est saisissant. L'immeuble présente une façade très originale composée de multiples ouvertures intégrant des baies vitrées en verre épais. Prenez l'ascenseur jusqu'au 4e étage et redescendez à pied par l'escalier. Le relief du verre semble imiter le « matelassé » des sacs à main (œuvre des architectes Herzog et Meuron). 150 m avant *Prada,* la fabuleuse boutique *Comme des Garçons,* de Rei Kawakubo *(plan XIV, D3 ; 5-2-1 Minami-Aoyama).* L'architecture se révèle ici également particulièrement originale avec ses parois en verre arrondies et inclinées. Enfin, comment oublier le grand *Yamamoto (plan XIV, D3 ; 5-3-6 Minami-Aoyama),* l'homme en noir dont la boutique demeure toujours aussi fascinante. Non loin de *Comme des Garçons* s'élève l'élégant *Spiral*

Building *(plan XIV, C3 ; 5-6-23 Minami-Aoyama),* conçu et dessiné par Fumihiko Maki, architecte japonais ayant reçu le prix Pritzker d'architecture. Au rez-de-chaussée, le magasin *Spiral Records* propose un vaste choix de musiques.

➤ Pour les passionnés de design, descendre les marches qui mènent à *Cibone* *(plan XIV, D1 ; 2F, 2-27-25 Minami-Aoyama, Minato-ku ;* ☎ *3475-8017 ; tlj 11h-21h).* Là, un choix sans faute pour l'équipement de la maison, vaisselle originale, jouets surprenants ou cadeaux inouïs. Ne regardez pas trop les prix, ici les objets ressemblent à de l'art contemporain. Ou allez au *HHstyle (plan XIV, B2 ; 6-14-5 Jingumae, Shibuya-ku ; tlj sauf jeu 12h-19h30),* dans une ruelle sans voiture qui donne sur Omotesando. Tout le design que l'on peut acheter pour la maison, aussi bien gadgets que mobilier contemporain (incroyable collection de chaises !). Tout est bien pensé, élégant et bien souvent original. Bâtiment construit par Tadao Ando. On ne recule devant rien.

🕴🏃 *Le musée d'Art Nezu (Nezu Art Museum)* 根津美術館 *(plan XIV, D3) :* 6-5-1 *Minami-Aoyama, Minato-ku.* ☎ *3400-2536.* ● *nezu-muse.or.jp/en/* ● Ⓜ *Omotesando* 表参道, *lignes Ginza, Hanzomon et Chiyoda (sortie A5, puis 8 mn de marche). Tlj sauf lun (sauf si mar est férié) 10h-17h (dernière entrée 16h30). Fermé installations d'expos et vac de Noël. Entrée : 1 100 ¥ ; 1 300 ¥ pour les expos temporaires.*
À l'origine, ce terrain était occupé par la résidence privée de Kaichiro Nezu (1860-1940), industriel et président de la compagnie *Tobu Railway.* Le musée fut inauguré dans sa propre demeure en 1941. Après 3 ans de travaux sous la direction de l'architecte Kuma Kengo, le bâtiment a rouvert ses portes au public.
Cet espace moderne et design de 4 000 m² renferme pas moins de 7 000 objets d'art traditionnel asiatique, dont sept font partie du Trésor national. Peintures, sculptures, céramique et calligraphie cohabitent. Admirable peinture du XVIIIe s de Ogata Korin, représentant des iris. Voir aussi la sculpture bouddhique chinoise de Guanyin (Ekadasamukha) du VIIe s (dynastie Tang), le kimono de style kosode du XVIIe s avec son curieux damier noir et blanc...
Du *Nezucafé,* on a une belle vue sur le jardin de bambous où sont dispersés quelques charmants pavillons de thé. Le fondateur du musée était un grand amateur de thé et des arts relatifs à ce rituel traditionnel nippon.

🕴🏃 *Watari-Um (Watari Museum of Contemporary Art)* ワタリウム美術館 *(plan XIV, D1) :* 3-7-6 Jingumae, Shibuya-ku. ☎ *3402-3001.* ● *watarium.co.jp* ● Ⓜ *Gaienmae* 外苑前 *(sortie 3). Tlj sauf lun 11h-19h (21h mer et 20h dim). Entrée : 1 000 ¥ ; réduc.* Bâtiment original dessiné par l'architecte suisse Mario Botta. Expos avant-gardistes (limite provocation), qui laissent parfois perplexes les visiteurs. En tout cas, ça éveille l'intérêt, et sa librairie se révèle particulièrement riche en ouvrages d'art. Nous, on aime !

LE QUARTIER DE SHINJUKU 新宿

> ● Shinjuku (plan XV) p. 218-219

Le plus grand arrondissement de Tokyo, qui possède, dit-on, la plus importante station de métro au monde (avec ses stations satellites, 3 millions de passagers quotidiens), se déclinant sur plusieurs étages, des kilomètres de couloirs et correspondances, et une cinquantaine de sorties... Ce fut le 1er relais sur l'ancienne route du Tokaido qui menait de Tokyo à Kyoto, puis un important nœud ferroviaire pendant la période Edo.

TOKYO

Dans les années 1930, le quartier fut le refuge de la bohème, des artistes et autres marginaux de la ville, et, après la Seconde Guerre mondiale, un haut lieu du marché noir.

Une curiosité : lors du séisme de 1923, c'est ici que les immeubles résistèrent le mieux, grâce à une meilleure nature rocheuse du sous-sol. C'est probablement ce qui poussa les promoteurs, à partir de 1970, à y construire massivement leurs gratte-ciel de bureaux, et les autorités à décider d'y édifier la colossale mairie, chef-d'œuvre du grand architecte japonais Kenzo Tange.

Contrairement à Shibuya, qui possède une image unique, Shinjuku offre 3 visages : à l'ouest, donc, la forêt de buildings dorlotant la mairie, à l'est, Kabuki-cho, le quartier le plus « cho » de Tokyo (et son *Golden Gai,* l'un des plus étonnants lieux qu'on connaisse), et, au sud, le Shinjuku-gyoen, le plus grand parc de la ville, qui devient chaque année rose de plaisir à l'époque des cerisiers en fleur...

KABUKI-CHAUD

Depuis longtemps, Kabuki-cho était déjà un quartier de plaisirs. Jugeant l'endroit si pernicieux, on rasa à 2 reprises ce quartier médiéval. Les Japonais plantèrent des rizières à la place des maisons closes. Rien n'y fit, le monde des clubs, des bars et des amours vénales reprenait à chaque fois le dessus. À chaque disparition, ce quartier enclavé dans Shinjuku renaissait de ses cendres, plus animé, plus fébrile que jamais...

Adresses utiles

🏠 *Tokyo Tourist Information Center* 東京観光情報センター *(plan XV, A2-3) : au rdc, bât. 1, du Tokyo Metropolitan Government Bldg (la mairie).* Voir la rubrique « Adresses utiles. Informations touristiques » en intro de « Tokyo ».

🚌 *Shinjuku Expressway Bus Terminal (plan XV, B2) :* ☎ 5376-2222. ● highwaybus.com ● *À 2 mn de marche de la sortie ouest (West Exit) de la gare de Shinjuku, ou 7 mn de la sortie sud. Accès possible par un passage souterrain depuis la gare. Situé en face de l'immeuble Yodobashi Camera. Tlj 9h-20h.* C'est de là que partent principalement les bus de la compagnie *Keio Group.* Pour le mont Fuji (Fujiyoshida, Kawaguchiko et Kawaguchiko 5e station) ; une vingtaine de départs/j. 7h-20h ; durée 1h45

pour Kawaguchiko. Autres bus pour Hida Takayama, Kanazawa et Fujikyu Highlands.
– *Bureau JR :* à la sortie sud de la gare de Shinjuku. Pour changer les *JR Pass Rail* si on n'a pas eu le temps de le faire à l'aéroport, mais aussi pour acheter et réserver ses billets de train. On peut aussi y acheter la carte *Suica.*

@ *Manboo Internet Comic Cafe* マンガ喫茶マンボー *(plan XV, C1, 10) : 1-18-3 Shinjuku.* ☎ 5292-2656. Ⓜ *Shinjuku* 新宿 *(sorties B11 ou B13). Au cœur du Kabuki-cho, en face du New Club Royal. Tlj 24h/24.* La providence des cyber-jeunes avec ou sans domicile ou qui ont raté le dernier métro. Une douche est même à la disposition des usagers. Un étage est réservé aux femmes.

Où dormir ?

Très bon marché (moins de 6 000 ¥ / 50 €)

🏠 *La rue des hôtels bon marché (plan XV, D3, 75) :* 4-4 Shinjuku. À 15 mn à pied de la gare centrale (JR) ; sinon, Ⓜ *Shinjuku-Sanchome* 新宿三丁目, *ligne Toei* 都営線 *(sortie sud). Petite rue perpendiculaire à l'av. Koshukaido, en face du Bldg Forever 21.* Une surprenante rue provinciale avec des arbres, un peu en dehors du temps, et à l'ombre des tours de verre et d'acier de Shinjuku. Les promoteurs l'ont-ils oubliée ? Elle aligne une demi-douzaine de petits hôtels, certains plutôt genre auberge de campagne ou pension de famille, rudimentaires mais bien tenus. Quasiment jamais écrit « hôtel » dessus (peu habitués à recevoir des touristes). Le plus souvent complets. Pratiquement aucun parlant l'anglais. Faire effectuer sa réservation par un Japonais ou par le central de réservation *The Association of Economy Hotels* 東京の 安い宿 (● e-otomari.jp ●). En voici quelques-uns, tous les uns à côté des autres : *Shinjuku Business Hotel* 新 宿ビジネスホテル (4-4-21 Shinjuku ; ☎ 3341-1822 ; double env 5 500 ¥). C'est celui qui ressemble le plus à un hôtel. Reconnaissable à son enseigne (en japonais) rouge et bleu sur le toit *(ouvre à 17h)*. Le *Suehiro* すえひろ (☎ 3341-3181) est plus grand, plus moderne, et on y parle un peu l'anglais. La providence des petits budgets souhaitant résider à Shinjuku.

⚑ *Ace Inn* エース イン (hors plan XV par D2, **76**) : 5-3 Kata-machi, Shinjuku-ku. ☎ 3350-6655 et 0263-35-1188 (résa). ● ace-inn. jp ● Ⓜ Akebonobashi 曙橋, ligne Toei Shinjuku (sortie A3, puis 1 mn à pied), ou Yotsuya-Sanchome, ligne Marunouchi (sortie 4, puis 8 mn à pied). Réception à partir de 16h. Lits 2 200-4 350 ¥ ; un peu plus cher en juil.-août. Un immeuble moderne d'une dizaine d'étages offrant 280 lits à prix d'auberge de jeunesse (un étage réservé aux femmes). Les lits les moins chers ressemblent à des capsules en bois, sorte de lits clos (cependant moins oppressants que les capsules-hôtels). Dans la catégorie supérieure, lit plus grand, avec une table et une chaise. Il y a aussi un étage avec des dortoirs classiques (lits superposés). Douches et laverie au sous-sol. Consigne à bagages. Au 9e étage, sanitaires communs, cuisines, frigo, machines et distributeurs. Accueil pro.

De bon marché à prix moyens (de 6 000 à 15 000 ¥ / 50-125 €)

⚑ *Imano Tokyo Hostel* いまの東京 ホステル (plan XV, D1, **77**) : 5-12-2 Shinjuku, Shinjuku-ku Katamachi. ☎ 5362-7161. ● imano-tokyo.jp ● Ⓜ Shinjuku-Sanchome 新宿三丁 目, lignes Toei Shinjuku, Marunouchi et Fukutoshin (sorties E1, E2 ou C7, puis 3-5 mn à pied). De la JR, sortie est, puis 15 mn à pied. De la Higashi Station 東駅, ligne Toei Oedo, sortie A2, puis 8 mn à pied. Lits en dortoir 3 300-5 300 ¥ ; doubles 10 000-14 500 ¥. Possibilité de petit déj. Une auberge de jeunesse récente et accueillante avec sa déco actuelle, sa cuisine ouverte, sa pièce de vie commune près de la réception, le tout agrémenté d'une baie vitrée qui donne sur la rue. Elle propose des dortoirs de 6 à 10 lits (un est réservé aux filles), aménagés en box avec rideau. Également des chambres pour 2 à 5 personnes dotées de lits d'une personne et d'une partie à la japonaise (futons et tatami). Près de 110 lits en tout. Sanitaires communs. Laverie. Snacks le midi. Bonne ambiance et pleins de tuyaux en prime.

⚑ *Sakura Hotel Hatagaya* サクラ ホテル幡ヶ谷 (hors plan XV par A3, **78**) : 1-32-3 Hatagaya, Shibuya-ku. ☎ 3469-5211. Ⓜ Hatagaya 幡ヶ谷, ligne New Keio (South Exit, puis 2 mn de marche) ; à 2 stations de Shin-juku. Doubles 9 300-14 500 ¥. Cet hôtel économique fait partie d'une petite chaîne de qualité qui compte 3 hôtels et une auberge de jeunesse à Tokyo. L'ensemble est très bien tenu et accueillant. Les 75 chambres sont climatisées, avec toilettes intérieures. Cependant elles sont assez petites. Cafétéria, laverie, parking, distributeur de boissons, nombreux services. Infos pratiques sur Tokyo. Qualité supplémentaire, quartier calme et agréable.

⚑ *Apart Hotel Shinjuku* アパートメン トホテル新宿 (plan XV, D3, **79**) : 4-4-10 Shinjuku, Shinjuku-ku. ☎ 6273-0991. ● ap-shinjuku.com ● Ⓜ Shinjuku-Sanchome 新宿三丁目, ligne Toei 都営

TOKYO

vers Harajuku et Omotesando ↙ 78 🏠 Tokyo Opera City

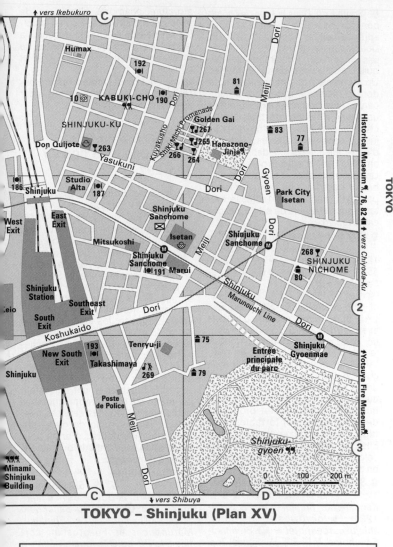

TOKYO

TOKYO – Shinjuku (Plan XV)

| |●| **Où manger ?**

    5 Menya Musashi (B1)
186 Yakitori Yokocho (ruelle des brochettes ; C2)
187 Shion (C2)
188 Sakura Suisan (B3)
189 Sanuki Udon (B1)
190 Shanghaï (C1)
191 Tempura Tsunahachi (C2)
192 Tsurutontan (C1)
193 Breizh Café Crêperie (C3)

194 Zauo (A3)

🍷 ♪ **Où boire un verre ?**
🕺 **Où sortir ?**

263 Calico Neko Cafe (C1)
264 Bon's (D1)
265 La Jetée et Le Baltimore (D1)
266 Bar Champion (C-D1)
267 Albatross et Nagune (D1)
268 Bars et clubs gays (D2)
269 Antiknock (C3)

線 *(South Exit). Dans la « rue des hôtels bon marché » (voir ci-avant) au fond, après le coude. Réception 12h-19h. Doubles avec sdb 11 000-14 000 ¥ ; pas de petit déj.* Petit immeuble tranquille avec auvent de tuiles rouges. Un surprenant et sympathique hôtel dont la réception a des airs de brocante. Une véritable expo d'objets usés par le temps, de tables et de chaises patinées que l'on retrouve jusque dans les chambres. Certaines d'entre elles arborent des couleurs chatoyantes, d'autres plus sobres. Une déco tendance et réussie. Un petit bémol pour la taille des chambres, pas bien grande. Une adresse routarde pour amateurs de calme presque campagnard...

🛏 *City Hotel Lonestar* シティホテル ロンスター *(plan XV, D2, 80) : 2-12-12 Shinjuku, Shinjuku-ku.* ☎ 3356-6511. ● *thehotel.co.jp* ● Ⓜ *Shinjuku-Sanchome* 新宿三丁目*, lignes Toei (sorties C7 ou C8, puis 2 mn à pied), et gare centrale (JR ; South ou East Exit, puis 10 mn à pied). Doubles avec sdb 12 500-15 000 ¥, petit déj compris.* Un bâtiment en brique jaune, à l'écart du bruit et de l'agitation, et pourtant tout proche du cœur battant du quartier nocturne de Kabuki-cho. Pas de charme particulier mais il s'agit d'un hôtel à taille humaine, fonctionnel et proposant des chambres confortables (AC, frigo, peignoir, sèche-cheveux, etc.). Elles ne sont pas très grandes, les coloris pourraient être plus gais, mais on s'y sent bien.

🛏 *Shinjuku Urban Hotel* 新宿アーバンホテル *(plan XV, D1, 81) : 2-8-12 Kabuki-cho, Shinjuku-ku.* ☎ 3209-1231. ● *tokyowest-hotel.co.jp/shinjukuurbanhotel* ● Ⓜ *Shinjuku-Sanchome* 新宿三丁目*, lignes Toei Shinjuku, Marunouchi et Fukutoshin (sortie E1, puis 5 mn à pied). De la JR, sortie est, puis 15 mn à pied. De la Higashi Station* 東駅*, ligne Toei Oedo, sortie A2, puis 5-6 mn à pied. Tt près du Golden Gai, face au Café Doutor et à droite de l'hôtel Avyss. Doubles avec sdb 12 000-13 000 ¥ ; pas de petit déj, mais café et thé à disposition à la réception.* Dans une petite structure, chambres classiques, de style occidental, dotées d'un mobilier un peu daté. On est accueilli, à la réception, par quelques notes de musique classique. Conventionnel et correct.

🛏 Voir également l'*Imano Tokyo Hostel (plan XV, D1, 77),* ci-dessus, pour ses chambres à prix moyens.

De chic à plus chic (de 15 000 à 35 000 ¥ / 125-292 €)

🛏 *Citadines Shinjuku Apart'hotel (hors plan XV par D2, 82) : 1-28-13 Shinjuku, Shinjuku-ku.* ☎ 5379-7208. ● *citadines.com/en/japan/tokyo/shinjuku.html* ● Ⓜ *Shinjuku Gyoenmae* 新宿御苑前 *(sortie 2), puis 2-3 mn de marche. À env 1 km à l'est de Kabuki-cho et de la grande gare de Shinjuku. Apparts 15 000-35 000 ¥ ; petit déj en sus.* Cette chaîne internationale au nom si français est implantée à Tokyo. Propose des studios de 25 à 31 m² tout équipés, avec AC, coin salon, bureau, toilettes et kitchenette. Décoration intérieure plutôt plaisante. Et puis on aime bien ce petit quartier que l'on traverse pour rejoindre l'établissement en sortant du métro et qui compte quelques petits restos. Tous les services possibles : laverie, salle de gym, garderie pour les petits... Parfait pour les familles avec enfants ou pour les séjours prolongés.

🛏 *Hôtel Sunlite* ホテルサンライト *(plan XV, D1, 83) : 5-15-8 Shinjuku, Shinjuku-ku.* ☎ 3356-0391. ● *pearlhotels.jp* ● Ⓜ *Shinjuku-Sanchome* 新宿三丁目*, lignes Toei Shinjuku, Marunouchi et Fukutoshin (sorties E1, E2 ou C7), puis 3-5 mn à pied. De la JR, South Exit, puis 15 mn à pied. De la Higashi Station* 東駅*, ligne Toei Oedo, sortie A2, puis 8 mn à pied. Doubles avec sdb 13 800-19 500 ¥.* Hôtel de luxe discret et classique, au hall pavé de marbre. Près de 200 chambres assez spacieuses et de bon confort, reparties dans 2 bâtiments.

Où manger ?

Bon marché
(jusqu'à 1 500 ¥ / 12,50 €)

|●| *Yakitori Yokocho* 焼き鳥横町 *(Omoide Yokocho ; la « ruelle des brochettes » ; plan XV, C2, 186) :* Kabukicho. *Sortir de la gare de Shinjuku par la sortie ouest, puis au niveau de Odakyu, repérer Uniqlo en face. Prendre la ruelle à droite sur le côté, puis de suite à gauche. Côté est, si vous êtes dans le Kabuki-cho, emprunter le long tunnel qui passe sous les voies (à hauteur de la Shinjuku-dori et du Studio Alta). Après le virage du tunnel, tourner dans la 1re rue à gauche ; c'est là, à 10 m, en face, coincé entre le grand magasin Odakyu et la voie de chemin de fer. Tlj midi et soir.* Entrée anonyme de 2 ruelles très étroites abritant une cinquantaine de minuscules restos spécialisés surtout dans les soupes *(udon, soba, ramen)* et les brochettes. Une survivance de la grande période du marché noir après la dernière guerre et des petits restos qui nourrissaient les ouvriers reconstruisant la ville. On y trouve une romantique succursale de l'*Albatross Bar* (du *Golden Gai*) avec ses vénérables lustres de cristal. Restos animés et bruyants ou parfois plus tranquilles, au choix. Souvent enfumés, effluves de graillon, lumières assassines ou pénombre dans de rares cadres vieillots... La tendance serait plutôt à la modernisation des lieux, et c'est devenu très touristique, la qualité s'en ressent un peu... Cuisines propres en général (facile à vérifier, on a le nez dessus !) et grand choix de brochettes et autres petits plats. Une expérience, un genre de *Golden Gai* en réduction. La nuit, le quartier prend des teintes expressionnistes.

|●| *Menya Musashi* 麺屋武蔵 *(plan XV, B1, 5) :* 7-2-6 Nishi-Shinjuku, Shinjuku-ku. ☎ 3363-4634. Ⓜ *Shinjuku, ligne JR Yamanote. Juste à côté de la* Sakura House. *Tlj 11h-22h30.* Une institution pour les *ramen* et *tsukemen.* On commande à la machine à l'entrée avant d'attendre une place au comptoir entourant la cohorte de cuistots affairés. La spécialité ici est le *chashu,* du porc de grande qualité, très goûteux, qui complète les saveurs du bol. Un régal !

|●| *Shion* しおん *(plan XV, C2, 187) :* 3-25-9 Shinjuku, Shinjuku-ku. ☎ 3356-1319. Ⓜ *Shinjuku* 新宿 *(sorties B11 ou B13). Le resto est au sous-sol ; large enseigne blanche. Tlj 11h30-23h.* Le traditionnel petit « train de sushis », un des moins chers du quartier. Toujours plein. Large choix de mets, on paie suivant le nombre d'assiettes, et robinet d'eau bouillante individuel pour faire son thé vert (compris dans le prix). Il y a du gingembre à chaque emplacement du comptoir.

|●| *Sakura Suisan* 桜水産 *(plan XV, B3, 188) :* 1-20 Shinjuku. ☎ 5339-2616. Ⓜ *Shinjuku* 新宿 *(sorties 3 ou 5). C'est à 200 m max sur la droite, sur Koshukaido-dori, après Uogasha Nihon-Ichi, en face du magasin de sport KAMO. Tlj 11h-14h, 16h-minuit (dernière commande à 23h15).* La devise de la maison : *Tous les jours, les mêmes prix bas.* Au sous-sol, ce restaurant est une chaîne, mais on y mange de très bons sashimis et sushis à des prix très raisonnables. Immense salle, avec espaces à la japonaise, à l'occidentale ou au comptoir. Fréquenté essentiellement par des Japonais, ce qui est bon signe. Photos pour tous les plats ! Beaucoup de monde le soir.

|●| *Sanuki Udon* 讃岐うどん *(plan XV, B1, 189) :* Daikan Plaza Bldg, 7-9-15 Nishi-Shinjuku. ☎ 5389-1077. Ⓜ *Shinjuku* 新宿 *(West Exit). Enseigne en japonais. En face de la synagogue Shalom ; petit renfoncement avec une grosse marmite de bronze. Tlj 8h (10h sam-dim)-23h.* On y sert des soupes *(udon),* petites ou grandes, toutes fraîches et bien mijotées. Le service se fait avec un plateau que l'on porte soi-même à la table. Cuisine ouverte sur la salle tout en bois, plancher fait de larges planches usées, tout comme les tables. Pas mal de patine. Bon accueil.

|●| *Shanghaï* 上海 *(plan XV, C1, 190) :* 1-3-10 Shinjuku, Kabuki-cho. ☎ 3232-5909. Ⓜ *Shinjuku* 新宿 *(Easy Exit). Dans une ruelle, 10 m en*

TOKYO

retrait de la rue principale. Tlj 18h-5h (2h dim). 3 sombres entrées dans le bloc et approche chaotique par d'expressionnistes ruelles. Devant le resto, le classique capharnaüm qu'on découvre dans les *hutongs* pékinois. Vous l'aviez deviné, authentique gargote chinoise. 2 salles minuscules (au 1er étage, plutôt familles et bandes d'amis) pour de vraies recettes et une cuisine familiale de bon aloi (mais, en fait, pas si bon marché que ça). Aussi, recommandons-nous de venir surtout entre 17h30 et 20h, puis de minuit à 5h (un genre de *happy hours,* une dizaine de plats sont proposés à moitié prix !). Pain frit maison, bon tofu légèrement pimenté et savoureuses petites paloudes sauce soja. Une adresse essentiellement pour amateurs de bouges et de lieux pas trop aseptisés.

De prix moyens à chic (de 1 500 à 6 500 ¥ / 12,50-54 €)

|●| *Tempura Tsunahachi* つな八本店 *(plan XV, C2, 191) :* 3-31-8 Shinjuku. ☎ 3352-1012. Ⓜ *Shinjuku* 新宿, *et Shinjuku-Sanchome* 新宿三丁目, *ligne Marunouchi. Dans une ruelle menant à Uniqlo (pour la reconnaître, de part et d'autre de la ruelle, les magasins* Around the Shoes *et* Segafredo). Tlj non-stop 11h-22h (dernière commande à 21h30). Resto à l'ancienne (façade en bois sombre verni) dans cet environnement clinquant. Établissement datant de 1923. Cadre intérieur d'une grande sobriété. Superbe réputation pour ses tempura à prix modérés. Sans

réservation, on se retrouve immanquablement au comptoir (pas plus mal, on admire les cuistots à l'œuvre). Produits de saison (poisson, crevettes et légumes). Dès juin apparaissent les délicieuses *anago* (anguilles de mer), à déguster avec un verre de saké glacé ! Tout est très frais, fin et craquant à souhait... Un excellent rapport qualité-prix.

|●| *Tsurutontan* つるとんたん *(plan XV, C1, 192) :* 2-26-3 Kabuki-cho, Shinjuku-ku. ☎ 5287-2626. *Au cœur de Kabuki-cho. Entrée au sous-sol de l'édifice Amimoto, sur lequel est marqué en grand « Little Sheep ». Tlj 11h-8h du mat ! Attention, il y a souvent la queue. Les plats en plastique sont reproduits à l'extérieur dans un présentoir long de 3 m ! Prix moyens.* Grande salle aux murs noirs et alcôves rouges, qui ne manque ni de style ni de caractère. Cuisine bien mijotée et prix raisonnables : soupes de nouilles *(ramen), gyôza* (raviolis)...

|●| *Breizh Café Crêperie* ブレッツカフェ *(plan XV, C3, 193) :* 13F, Takashimaya Times Sq. Bldg, 5-24-2 Sendagaya Gochome, Shibuya-ku. ☎ 5361-1335. Ⓜ *Shinjuku* 新宿 (South Exit), puis 5 mn de marche. Tlj 11h-22h. Prix moyens. Un proverbe dit : « Frappez un buisson, il en sortira un Breton ! » Un autre dit « Mieux que nippon, breton ». Paris-Cancale-Tokyo, depuis 1996, dans ces 3 villes, les crêpes du Breton Bertrand Larcher enchantent les amateurs. Les Japonais se bousculent dans cette crêperie aux couleurs de la Bretagne, nichée dans un grand et luxueux centre commercial. Cuisine très soignée et variée. Le blé noir est japonais, le cidre importé (excellent) et le caramel au beurre salé toujours délicieux.

Où manger et pêcher soi-même ses poissons ?

|●| *Zauo* ざうお *(plan XV, A3, 194) :* 3-2-9 Shinjuku. ☎ 3343-6622. Ⓜ *Tochomae* 都庁前, *puis 8 mn à pied. Dans l'immeuble du* Shinjuku Washington Hotel, *près de la tour du Tokyo Metropolitan Government Bldg (mairie de Tokyo), au rdc. Tlj 11h30-14h30 (dernière commande à 14h), 17h-23h (dernière commande à 22h). Compter min 4 000 ¥. Zauo, une adresse parmi* les plus insolites de Tokyo ! Immense restaurant de fruits de mer, où le poisson passe directement de l'eau à la cuisine avant de finir dans l'assiette. Encore une preuve du génie créatif des Tokyoïtes ! On se croirait dans la poissonnerie d'un port de pêche avec les viviers glougloutant répartis au pied des tables. Le client pêche lui-même son poisson dans ces bassins

(sauf le midi en semaine). C'est le gage d'une extrême fraîcheur des produits. Ensuite, on déguste le repas attablé sur le ponton d'un bateau qui semble flotter sur les bassins. Également une salle avec tables basses, à la japonaise. Original !

Où boire un verre en caressant des chats ?

▼ *Calico Neko Cafe* 猫カフェ きゃりこ *(plan XV, C1, 263) :* 6F, Fuji Bldg, 1-16-2 Kabuki-cho, Shinjuku-ku. ☎ 6457-6387. Ⓜ Shinjuku 新宿 *(sorties B11 ou B13). Situé entre Arabian Rocks et Pasela Resorts ; enseigne sur le trottoir avec une photo de chat ; au 6e niveau (ascenseur). Tlj 10h-22h (dernière entrée 21h15). Compter 1 000 ¥ pour 1h, 1 300 ¥ pour 1h30, 1 500 ¥ pour 2h ; petit supplément le w.-e. Interdit moins de 12 ans. Neko* signifie « chat » en japonais. L'hôtesse, anglophone et attentionnée, explique aux visiteurs les règles à suivre dans ce bar qui héberge 70 chats : enlever les chaussures, ranger les sacs dans un casier, ne pas faire de bruit, respecter le calme, les animaux, ne pas prendre les chats en photo avec flash, possibilité de commander une boisson (en plus de l'entrée). Après s'être nettoyé les mains avec un produit désinfectant, le client a le droit de caresser les chats tout en sirotant sa boisson, mais on ne peut pas les prendre dans les bras. Depuis sa création, ce café-chat a fait des petits (on en compte aujourd'hui une cinquantaine à Tokyo). La raison est pratique : les locataires tokyoïtes n'ont pas le droit d'avoir de chats chez eux dans leurs studios. Alors ils compensent cette frustration en venant dans les *Neko Cafe* !

Où boire un verre ? Où sortir ?

▼ ♪ *Golden Gai* ゴールデン街 *(plan XV, C-D1) :* 1-1-8 Kabuki-cho, Kuyakusho-dori. Ⓜ Shinjuku 新宿 ou Shinjuku-Sanchome 新宿三丁目. *Perpendiculaire à Yasukuni-dori. Le lieu s'anime à partir de 19h30-20h jusqu'à 1h (5h pour certains bars) ; en journée, c'est mort.* Un vestige de l'après-guerre et de la période de reconstruction. 5 longues et étroites ruelles, bordées par quelque 200 bars lilliputiens (en moyenne 4 m²) contenant au maximum 8 personnes (y compris le patron et le comptoir !), serrées les unes contre les autres comme des sardines au rez-de-chaussée, parfois à l'étage. Vu la taille réduite, les patrons n'apprécient pas que l'on squatte un siège toute la soirée avec une seule conso... Normal, s'ils ne rentabilisent pas le peu de sièges qu'ils ont, ils n'ont aucune chance de s'en sortir ! Ces bars possèdent depuis longtemps leur clientèle de fidèles. À moins que vous n'y alliez avec un habitué, vous n'y serez pas nécessairement le bienvenu. À vous d'errer, de renifler, de croiser des regards et des atmosphères hospitalières. Question d'intuition et d'interprétation des signes : tel établissement a ostensiblement placardé une affiche de manif anar parisienne sur sa porte, un autre annonce une belle expo de photos noir et blanc à l'intérieur (signes aussi que des jeunes remplacent les vieux tenanciers). En général, on paie une *cover charge* de 400 à 1 000 ¥. Possibilité parfois de grignoter quelques snacks. Ne pas manquer de venir vous pénétrer de ce lieu étrange, totalement anachronique et toujours menacé d'être un jour rayé de la carte par une grosse opération immobilière. Quelques adresses où vous ne débarquerez pas comme un cheveu sur la soupe !
– ***Bon's*** *(plan XV, D1, 264) :* Golden Gai, *au bout de la 1re ruelle, en venant de Yasukuni-dori. Né en 1979. C'est un pub américain de style ancien. Reconnaissable à son hommage à Tom Waits en façade. 3 fois plus grand que les autres, cadre intérieur façon 50's.
– ***La Jetée*** *(plan XV, D1, 265) :* Golden Gai, *dans la 4e ruelle, la 4e maison sur la droite de l'allée. Le nom est écrit en petit sur la porte. Fermé dim, 1er janv et vac d'été. Monter au 1er, comme dans un grenier. Vous n'y trouverez

TOKYO

pas de hiboux mais Tomoyo Kawai, la patronne adorable, francophile, francophone et cinéphile (elle a vécu en France). D'ailleurs, *La Jetée* est le nom d'un film de Chris Marker. On s'y serre avec bonheur, comme le font d'autres célèbres habitués quand ils débarquent à Tokyo : Wim Wenders, qui y tourna un film, Coppola, qui y possède sa bouteille. Quant à Quentin Tarentino, il partagea un verre avec des clients épatés. Pierre Barouh vient en voisin... Superbe sélection de musique de fond, et puis Tomoyo parle si amoureusement de Ferré et de Barbara...

– *Le Baltimore* (plan XV, D1, *265*) : *au pied de* La Jetée. ☎ 3205-8904. Ouvert aux autres comme la sympathique patronne l'est au jazz. Petite *cover charge,* comme d'habitude.

– *Bar Champion* (plan XV, C-D1, *266*) : *juste à l'entrée du* Golden Gai. Grosse baraque noire. Spécialiste de karaoké et un poil plus spacieux que les autres, ce qui permet à de joyeuses bandes d'Anglo-Saxons de s'essayer à chanter (souvent tonitruant, parfois juste). Fait un peu de racolage, mais sympa quand même.

– Et encore l'*Albatross* ou le *Nagune* ナグネ (plan XV, D1, *267* ; ☎ 3209-8852 ; ● nagune.jp ●), ce dernier proposant de belles expos photo (donc une invitation à les voir), et puis tous ceux où votre bonne intuition vous mènera...

Ailleurs...

♈ *Les bars et clubs gays* (plan XV, D2, *268*) : *entre le temple de Taiso-ji et Gyoen-dori, Shinjuku-Nichome.* Ⓜ *Shinjuku-Gyoenmae* 新宿御苑前 *et Shinjuku-Sanchome* 新宿三丁目*.* Prenez comme repère le *City Hotel Lonestar* (plan XV, D2, *80*). Quand vous lui tournez le dos, allez à droite dans cette rue jusqu'à la 1re intersection. Tourner à gauche en direction de Yasukuni-dori ; là commence le quartier gay le plus important du Japon, avec plus de 200 bars et établissements divers, librairies, etc.

♪ ☀ *Antiknock* (plan XV, C3, *269*) : *B1F, Rei Flat Bldg, 4-3-15 Shinjuku, Shinjuku-ku.* ☎ 3350-5670. ● *antiknock.net* ● Ⓜ *Shinjuku* 新宿 *(South Exit). Au sud-est de la gare de Shinjuku, à moins de 10 mn. Tlj de 18h30 jusque tard. Entrée : 2 000-2 500 ¥ sur résa, 2 500-3 000 ¥ à l'entrée, selon programmation.* Au sous-sol, voici l'archétype de la boîte bien rock. Concerts et soirées. Ça déménage vraiment bien !

Achats

⊛ *Don Quijote* ドンキホーテ (plan XV, C1) : *1-16-2 Kabuki-cho, Shinjuku-ku.* ☎ 5292-7411 et 12. Ⓜ *Shinjuku* 新宿 *(sorties B11 ou B13). Enseigne jaune. Tlj 24h/24.* Le paradis des fanas du shopping insolite ! Une boutique qui n'a pas son équivalent ailleurs. Si l'on cherche des cadeaux originaux à rapporter, c'est ici qu'il faut venir ! Une véritable chasse au trésor peut commencer dans cette chaîne économique tokyoïte où s'alignent des objets venant de tous les coins du globe, du plus inutile au plus utile, de 150 ¥ à plus de 1 million de yens ! Déguisements et uniformes pour *cosplays,* lingerie, cosmétiques, électroménager déraisonnable ou génial... Des jouets et gadgets inouïs et à tous les prix. Immense canevas d'étiquettes bariolées de couleurs du sol au plafond. Une autre boutique plus au nord (hors plan XV par B1 ; Okubo, 1-12-6).

⊛ *Isetan* 伊勢丹 (plan XV, C-D2) : *à l'angle de Shinjuku-dori et de Meiji-dori.* Ⓜ *Shinjuku-Sanchome* 新宿三丁目*.* Grand magasin valant autant pour son architecture que pour l'originalité de ses vitrines, la qualité et le choix de ses produits. Construit en 1933 dans un style monumental. Noter la richesse décorative de la façade : au 1er étage, belle série de fenêtres et bas-reliefs en bronze figurant des oiseaux. Balcons en ferronnerie d'art. Très belles lanternes également. Dans les étages supérieurs, longues baies avec un effet de verticalité assuré. Au sous-sol, immense rassemblement de boutiques et d'éventaires gourmands : pâtisseries, chocolatiers, caves à vins...

À voir

🏃🎎 Le quartier de Kabuki-cho 歌舞伎町 *(plan XV, C1)* : *sortie « est/Kabuki-cho »
de la gare de Shinjuku, puis suivre la rue de gauche ou de droite qui encadre l'Alta
(rdv favori des jeunes en face du square central).*
Le quartier « cho » de la capitale. Ça serait d'ailleurs injurieux de le comparer à
Pigalle, c'est 10 fois plus impressionnant. Ambiance quel que soit le jour de la
semaine. On l'appela ainsi parce que, après la Seconde Guerre mondiale, on pensait reconstruire le célèbre théâtre Kabuki ici. Cela ne se fit jamais, mais il conserva
le nom du projet. Si Shibuya, ce sont les larges et éclatants espaces publicitaires
façon Times Square, ici c'est plutôt le feu d'artifice d'enseignes étincelantes, de
néons aveuglants et multicolores, véritable apocalypse électrique battant sûrement Las Vegas en termes de consommation d'énergie.
Kabuki-cho est le *red light district* le plus important du Japon. Une marmite en perpétuelle ébullition au cœur de la vie nocturne, le quartier chaud de la capitale : bars
à hôtesses de tous les styles et à tous les prix, clubs luxueux et très chers, salons de
massage, sex-shops, saunas érotiques, *strip club*, salles de jeux, *pachinko* déments,
mélangés aux restos touristiques, snacks, fast-foods, *love hotels*, cinémas... Une
des sorties les plus populaires des *salary men* en goguette après le boulot. Habillés
de noir avec oreillettes, quelques hommes de main des yakuzas sont repérables (ils
ont horreur qu'on photographie les *otaku* distribuant des prospectus vantant leurs
boîtes). Un conseil : si vous souhaitez consommer (une boisson) dans ces lieux de
perdition (surtout ceux à entraîneuses !), enquérez-vous bien du prix avant. Depuis
quelques années, l'érotisme torride diminue au profit des karaokés. Le Japonais
prend son pied à chanter des amourettes devant les clients du bar... Tout change.
Pour ressentir ce qu'est l'enfer du jeu, se rendre à l'*Humax (plan XV, C1).* Une variété
incroyable de jeux, dans un environnement invraisemblable, cacophonie de cli-
quetis des machines et de musiques tonitruantes, dans un maelström de couleurs
et lumières criardes... Quasi pas de problème de sécurité (police vigilante), et finalement atmosphère plutôt bon enfant... Si, si ! Dans la nuit avancée, avec pas mal de
gens bourrés, la tension monte à peine d'un petit cran (mais alors un tout petit). Vers
minuit, ceux qui tiennent encore debout cavalent pour attraper leur dernier métro.

🎎 Le sanctuaire Hanazono (Hanazono Jinja) 花園神社 *(plan XV, D1)* : *Meiji-dori,
à deux pas du* Golden Gai. Sanctuaire shintoïste datant du XVIIe s, mais l'édifice
dans les tons rouges et blancs est contemporain. Donc pas le plus vénérable,
mais très populaire, car il garantit, dit-on, le succès dans les affaires. Un îlot de
paix peuplé d'arbres, une bonne respiration après tant de luxure. Comme dans les
autres temples shinto, on trouve d'abord le bassin aux ablutions, pour se purifier
avant la prière. Suivre le rituel nippon ! On remplit la coupelle d'eau puis on la verse
sur la main gauche et la main droite. On se rince ensuite la bouche avec cette
même eau puis on la crache sur les petits galets au sol. À l'entrée du temple, les
fidèles jettent une pièce de 100 ¥ dans le coffre blanc, sonnent la cloche, frappent
dans leurs mains et prient. Les tablettes votives (*ema* et *omamori*) sont accrochées
sur un piédestal, ce sont des porte-bonheur. Dans l'enceinte du sanctuaire, un
petit oratoire est dédié à Inari, divinité représentée sous forme de renard. Ce messager divin favorise la croissance du riz et porte chance aux commerçants. Ne pas
manquer l'énorme fête fin mai, pendant 3 jours, ni celle de novembre...

🏃🎎🎎 Les gratte-ciel de Nishi-Shinjuku 西新宿 *(côté ouest ; plan XV, B2)* :
le quartier rassemble une grande partie des immeubles de bureaux de la ville
(200 000 personnes y travaillent). Avec l'arrivée de la mairie en 1991, le déplacement du centre de gravité de Tokyo d'est en ouest a été officialisé. Voici les
édifices les plus remarquables.
*– **Tokyo Metropolitan Government Building*** 東京都庁 *(mairie ; plan XV, A2-3)* :
2-8-1 Nishi-Shinjuku. ☎ *5321-1111.* ● *metro.tokyo.jp/en* ● Ⓜ *Tochomae* 都
庁前 *(le plus proche, 2 mn à pied) ou Shinjuku* 新宿 *(sortie ouest, Nishi-gushi).*

Un tunnel piéton y mène depuis la gare. L'office de tourisme municipal se trouve au rdc, côté tour nord (Bldg 1). Chef-d'œuvre de Kenzo Tange. Les chiffres sont ahurissants, témoignages des années de bulle immobilière (années 1980-1990) : 243 m de haut et 48 étages ; il coûta, dit-on, 1 milliard de dollars et abrite quelque 20 000 employés... Des tours jumelles reliées entre elles par une façade moins haute, avec une immense agora devant. C'est, dit-on, Notre-Dame de Paris qui aurait inspiré l'architecte. On s'en rend compte le soir, quand les 2 tours sont illuminées. Le graphisme des milliers de fenêtres évoque le treillis des circuits électroniques. Cette tour futuriste inspire les cinéastes de science-fiction qui y situent souvent des scènes de leurs dessins animés *(anime)*, comme dans *Godzilla Ghidorah, Mobile Fighter Gundam, Samurai Troopers, Ghost in the Shell...* Le must, c'est bien sûr l'*observatoire* (le seul **gratuit** pour la vue sur Tokyo !), au 45e étage. Panorama, vous vous en doutez, exceptionnel. Par temps clair, on aperçoit le mont Fuji. Dans la journée, nous vous conseillons la tour sud *(accès 9h30-17h ~ 23h lun si la tour nord est fermée ; dernière entrée 16h30 ; fermé 1er et 3e mar du mois)*, et le soir la tour nord *(9h30-23h ; attention dernière entrée 22h30 ; fermé 2e et 4e lun du mois ; beaucoup de monde en fin d'ap-m dès que la tour sud ferme)*. Essayez de monter pendant que les 2 tours restent ouvertes.

– *Sompo Building* 損保ジャパンビル *(plan XV, B2)* : *42F, Yasuda Insurance Bldg, 1-26-1 Nishi-Shinjuku.* ☎ 5777-8600. Élégant gratte-ciel (200 m) joliment incurvé à la base, dessiné par Yoshikazu Uchida. Il abrite les bureaux de la compagnie d'assurance *Sompo.* Au 42e étage, le très intéressant *musée d'art Seiji Togo* 東郷青児記念 *(☎ 5405-8686 ; ● sjnk-museum.org/en ● ; tlj sauf lun 10h-18h ; entrée : 600 ¥, réduc).* Consacré essentiellement au peintre japonais Seiji Togo, dont le musée possède plus de 150 toiles. Quelques œuvres européennes également, dont les célèbres *Tournesols* de Van Gogh, qui fut à une époque le tableau le plus cher du monde.

– *Park Hyatt Hotel* パークハイアットホテル *(plan XV, A3)* : *3-7-1 Nishi-Shinjuku.* Ⓜ *Tochomae* 都庁前, ligne Toei Oedo (sortie A4), ou JR Shinjuku (sortie ouest, *Nishi-gushi).* L'un des plus beaux cadres intérieurs d'hôtel. Celui-ci occupe les 14 derniers étages de la tour Shinjuku Park Tower. Le lieu est fameux pour les scènes de *Lost in Translation,* le film de Sofia Coppola (avec Bill Murray et qui révéla la jeune Scarlett Johansson), tournées au *New York Bar* du *Park Hyatt.* Situé au 52e étage (entrée gratuite, mais ils se rattrapent sur le prix des consommations : 1 800 ¥ le jus d'orange !). Bar célèbre également pour son *afternoon tea* et son super *sunday brunch.* Là aussi, avec les vitres couvrant toute la surface, spectaculaire point de vue sur la ville.

– *Minami Shinjuku Building* 南新宿ビル *(plan XV, C3)* : *7-8F, JR Minami Shinjuku Bldg, 2-1-5 Yoyogi, Shibuya-ku.* ☎ 2043-1010. Ⓜ *Shinjuku* 新宿 *(sortie New South Exit), lignes JR Yamanote, Chuo et Saiko. Tlj sauf mer (mais ouv mer férié) 9h-17h. Fermé 12-16 août et vac de fin d'année.* Élégant édifice de 2012 (94 m, 18 étages), il abrite la nouvelle adresse du **Toto Tokyo Center Showroom.** Non, ce n'est pas un hommage dédié au célèbre comique italien, mais l'immense salle d'exposition du plus important fabricant de sanitaires japonais. Lecteurs(trices) férus d'hygiénisme ou amateurs de choses insolites pourront y admirer de splendides salles de bains et, surtout, les toilettes les plus sophistiquées du monde, avec cuvettes chauffées et musique pour couvrir les bruits intempestifs, bidets dernier cri, lavabos et douches du plus subtil design...

– *L Tower Building* エルタワービル *(plan XV, B2)* : *1-6-1 Nishi-Shinjuku.* ☎ 3340-1010. Ⓜ *JR Shinjuku, puis 2-3 mn à pied.* Une belle tour moderne de 31 étages (124 m de haut).

– *Tokyo Opera City* 東京オペラシティ *(hors plan XV par A3)* : *3-20-2 Nishi-Shinjuku.* Ⓜ *Hatsudai* 初台, *nouvelle ligne Keio (East Exit).* 234 m et 54 étages, l'une des plus hautes tours de Shinjuku. On y trouve *NTT,* et les célèbres multinationales *Microsoft* et *Apple Inc.* Une scène de *Godzilla 2000,* dessin animé de science-fiction, s'y déroule, la tour étant détruite par un ovni... Au 4e étage, ne pas manquer le *NTT Inter Communication Centre* (● ntticc.or.jp ● ; tlj sauf lun 11h-18h ; expos gratuites ou payantes). Le visiteur peut y découvrir un espace consacré aux innovations techniques les plus pointues en matière de robotique, communication et *video art*. Expos axées sur la rencontre de l'art et de la technologie.

– Enfin, pour les *addicts*, d'autres gratte-ciel ou points d'observation intéressants : le **NS Building** 新宿NSビル donnant sur une place intérieure dominée par l'horloge qui possède le plus grand balancier du monde (les 12 signes du zodiaque japonais marquent les heures), le **Sumitomo** 住友 et son observatoire gratuit au 51e étage, le **Centre Building** (au 54e étage) et le **Nomura Building** 野村ビル (au 50e étage).

🍴🍴 *Le parc de Shinjuku-gyoen* 新宿御苑 *(plan XV, D3) :* 11 Naito-cho. ☎ 3350-0151. Ⓜ *Shinjuku-Gyoenmae* 新宿御苑前, *ligne Marunouchi (sortie 1, puis 5 mn de marche), ou Sendagaya (JR). Tlj sauf lun 9h-16h30 (dernière entrée 16h). Entrée : 200 ¥ ; réduc.* Ancien jardin de la famille impériale créé en 1906, mixant harmonieusement styles japonais et européen. C'est un grand poumon vert sur le côté sud du quartier frénétique, électrique et vibrionnant de Shinjuku. En face de l'entrée principale, sur l'avenue, on recommande le *Bowls Café (2-5-16 Shinjuku)*. Très bien placé, on y sert des jus et du thé, et même des salades. Quelques tables dehors quand il fait beau.

Pour ceux qui ont un peu de temps

🍴 *Shinjuku Historical Museum* 新宿歴史博物館 *(hors plan XV par D2) :* 22 San-ei-cho, Shinjuku-ku. ☎ 3359-2131. Ⓜ *Akebonobashi* 曙橋, *ligne Toei, ou Yotsuya-Sanchome* 四谷三丁目, *ligne Marunouchi. À 8-10 mn à pied du métro. Tlj sauf lun 9h30-17h30 (dernière entrée 17h). Entrée : 300 ¥ ; réduc.* Petit musée dans un bâtiment moderne, avec une belle sculpture d'acier devant. Depuis la préhistoire jusqu'à aujourd'hui, l'histoire, les traditions, les styles de vie de Shinjuku, à travers vestiges, objets, maquettes, reconstitution de rue et de demeures traditionnelles, entrepôts (à une petite échelle). On apprend ainsi que le nom de Shinjuku apparaît en 1698, pendant l'ère Edo. Le quartier appartenait alors aux puissantes familles Naito et Ushigome. Il s'appelait à l'origine Naito-Shinjuku. Une maison de cette époque a été reconstituée. Témoignages d'écrivains et artistes qui vécurent dans ce quartier, comme Natsume Soseki (1867-1916). Voir aussi le vieux wagon de tramway. Si le temps vous est compté, privilégier plutôt l'extraordinaire *Edo-Tokyo Museum*.

🍴 🚶 *Le musée des Pompiers (Yotsuya Fire Museum)* 消防博物館 *(hors plan XV par D3) :* 3-10 Yotsuya, Shinjuku-ku. ☎ 3353-9119. Ⓜ *Yotsuya-Sanchome* 四谷三丁目, *ligne Marunouchi (sortie 2). Tlj sauf lun 9h30-17h (dernière entrée 16h30). Fermé 28 déc-4 janv. GRATUIT.* Tokyo-Edo connut une bonne centaine d'incendies importants durant son histoire. Dans cette tour de 10 étages, 8 niveaux sont consacrés à l'histoire des pompiers et de la lutte contre le feu. Véhicules (antique pompe à bras tirée par des chevaux, superbe automobile *Stutz* aménagée, motos, camions, hélicoptère) et uniformes, témoignages, documents, maquettes et vidéos retracent cette spectaculaire épopée du feu et de ceux qui l'affrontèrent... On peut voir aussi les moyens utilisés à l'époque Edo pour lutter contre ce fléau. N'oublions pas que Edo (Tokyo) était déjà une mégalopole de maisons et de pavillons en bois, et que les incendies y faisaient des ravages.

LE QUARTIER D'IKEBUKURO 池袋

● Ikebukuro (plan XVI) *p. 230-231*

Au nord de la ville, ce grand quartier de l'importance de Shibuya et Shinjuku abrite l'une des plus grosses gares de la ville. Cependant, il ne possède guère

TOKYO

l'aura de ces derniers et fait moins parler de lui. Pourtant, il ne se révèle pas déplaisant en soi. Dès qu'on sort de la gare, on pénètre dans des miniquartiers horizontaux au rythme dolent bien reposant après une journée active. Il a, en outre, le bon goût d'offrir parmi nos meilleures adresses d'hôtels bon marché. Intense vie locale et commerçante, à l'image des magasins géants *Tobu* et *Seibu* de part et d'autre de la gare et de l'immense Sunshine City vers l'est.

Où dormir ?

Très bon marché (moins de 6 000 ¥ / 50 €)

⌂ *Book and Bed* 予約とベッド (plan XVI, B2, 85) : Lumiere Bldg, 1-17-7 Ikebukuro, Toshima-ku. *Résa via le site seulement* ● bookandbedtokyo.com/en ● Ⓜ Ikebukuro 池袋, lignes JR Yamanote (West Exit), Marunouchi, Yurakucho et Fukutoshin (sortie C8). Niveaux 7F et 8F (réception). Lits 3 700-6 000 ¥ ; pas de petit déj. Paiement par CB seulement. Voilà une auberge de jeunesse nouvelle génération, originale et stylée comme tout (réception derrière un comptoir protégé par une grille coulissante, béton brut, tuyaux en alu). Derrière de grandes étagères qui grimpent jusqu'au plafond, et remplies de bouquins, se cachent une trentaine de lits *single*. En matière d'atmosphère et de déco, il y a de l'idée. En revanche, ça manque peut-être d'un peu d'intimité (au niveau 7F, l'étagère borde la salle commune et la cuisine à disposition). Gare au bruit si certains ne jouent pas le jeu... Une vingtaine de lits également dans un dortoir aménagé de manière plus classique.

De bon marché à prix moyens (de moins de 6 000 à 15 000 ¥ / 50-125 €)

⌂ *Kimi Ryokan* 貴美旅館 (plan XVI, A1, 86) : 2-36-8 Ikebukuro, Toshima-ku. ☎ 3971-3766. ● kimi-ryokan.jp ● Ⓜ Ikebukuro 池袋, lignes JR Yamanote (West Exit), Marunouchi, Yurakucho et Fukutoshin (sortie C6). Doubles 5 000-8 100 ¥ ; pas de petit déj. Une excellente adresse ! Dans une rue calme, l'extérieur est un bâtiment gris peu avenant, mais l'intérieur est vraiment plaisant. L'aimable M. Minato Kisaburo (anglophone) tient un des *ryokan* les plus vieux et les moins chers du secteur. On laisse, bien sûr, ses chaussures à l'entrée. Accueil et chambres à la japonaise, claires et bien tenues, avec AC, TV satellite, frigo. Elles peuvent accueillir de 1 à 5 personnes. Les toilettes sont communes et sur le palier (bains japonais). Lave-linge. Les chambres *medium*, un peu moins chères que les *larges*, sont déjà très bien pour 2.

⌂ *Tokyo House Ikebukuro* 池袋之家 (plan XVI, A2, 87) : 2-20-1 Ikebukuro, Toshima-ku. ☎ 3984-3399. ● housejp.com.tw ● Ⓜ Ikebukuro 池袋, lignes JR Yamanote (West Exit), Marunouchi, Yurakucho et Fukutoshin (sorties C1 ou C6). Depuis le boulevard, c'est la ruelle qui part sur la gauche de l'Ido-gawa Dental Clinic (avec le nounours). *Résa conseillée.* Doubles sans ou avec sdb 6 600-8 800 ¥, petit déj inclus (toasts et confiture). Dans un quartier de maisons basses, au bord d'une rue étroite, cette maison moderne abrite un intérieur cosy et chaleureux. Une quinzaine de chambres impeccables, de style japonais (tatami, futons) et de bon confort. Cuisine et laverie à disposition.

⌂ *Sakura Hotel Ikebukuro* サクラホテル池袋 (plan XVI, B1, 88) : 2-40-7 Ikebukuro, Toshima-ku. ☎ 3971-2237. ● sakura-hotel.co.jp/ikebukuro ● Ⓜ Ikebukuro 池袋, lignes JR Yamanote (West Exit), Marunouchi, Yurakucho et Fukutoshin (sortie C6). Réception 24h/24. Lit en dortoir 3 300 ¥ ; doubles 9 300-12 300 ¥ ; petit déj en sus. Suivre le boulevard jusqu'au *Pachinko Yu Tai-kiru* (bâtiment rouge et blanc), tourner à gauche, puis 1re à droite. Petit hôtel moderne et très bien tenu offrant un remarquable rapport qualité-prix. Dortoirs de 6 personnes et chambres à la japonaise ou à l'occidentale de bon confort : frigo, clim, possibilité de faire du thé... Quelques chambres japonaises pour 3 ou 4 personnes. Sanitaires communs, cuisine à disposition. De l'autre côté de la rue, le *Sakura Cafe* ressemble à un café-resto du sud de la France avec une grande terrasse (voir plus loin « Où manger ? »).

🏠 *Hôtel Star Plaza* スタープラザ *(plan XVI, A1-2, 89)* : 2-10-2 Ikebukuro, Toshima-ku. ☎ 3590-0005. ● *star-hotel.co.jp* ● Ⓜ *Ikebukuro* 池袋, *lignes JR Yamanote (West Exit), Marunouchi, Yurakucho et Fukutoshin (sortie C6). Dans une ruelle donnant sur le* boulevard et repérable au Family Mart *d'un côté et au* Pachinko Yu Tairiku *(bâtiment rouge et blanc) de l'autre. Ne pas confondre avec l'*Hôtel New Star Ikebukuro *situé à 200 m de là (même groupe, mais moins calme car situé au bord du boulevard). Doubles env 10 000-11 500 ¥, petit déj inclus. Environ 80 chambres dans une rue calme (c'est déjà pas mal !). Pas beaucoup de caractère mais hébergement fonctionnel, chambres classiques (tissus aux teintes marron clair et rosé) et confortables. Correct.*

Où manger ?

Bon marché
(jusqu'à 1 500 ¥ / 12,50 €)

|●| *Mutekiya* 無敵屋 *(plan XVI, B3, 196)* : 1-17-1 Minami-Ikebukuro, Toshima-ku. ☎ 3982-7656. Ⓜ *Ikebukuro* 池袋 *(East Exit). À 5 mn aussi de la Seibu Ikebukuro. En direction du magasin Seibu, même trottoir que Muji, 100 m avt. Impossible de rater des cris de carrefour animé, il y a une file d'attente en permanence à la porte ! Celle-ci est surmontée de 2 grosses soupières noires marquées de caractères blancs. Tlj 10h30-4h. Le* ramen *de Mutekiya se rapproche de la perfection. Alors, faites la queue comme tout le monde et attendez votre tour. Les photos aident à faire le choix :* nikutama men, honramu men, tokumaru men... *Le porc est l'ingrédient principal. Tout est délicieux, savoureux, frais, mais la salle est petite (18 places). Il y a beaucoup d'appelés mais peu d'élus, comme on dit dans la Bible. Ici, la religion c'est le goût, le très bon goût de ces soupes élaborées avec soin. Si le paradis existe, il commence dans ces gros bols rustiques exempts d'orgueil mais tout en saveurs... De loin, considéré comme le n° 1 du* ramen *!*

|●| *Sakura Cafe* サクラカフェ *(plan XVI, B1, 88)* : 2-39-10 Ikebukuro, Tsohima-ku. ☎ 5391-2330. *En face de l'hôtel Sakura, au rdc de l'annexe de celui-ci. Tlj 24h/24. Falafel,* buffalo wings, poutine *québécoise,* pasta, nachos, hawaian pancakes... *c'est le monde entier de la cuisine routarde qui s'affiche sur la carte* cosmopolite de ce café-resto. Voilà le meilleur coin qui soit dans le secteur pour grignoter, boire un jus ou un thé, se relaxer et rencontrer d'autres voyageurs. Choix de plus de 60 bières du monde entier. Belle terrasse au-dehors pour papoter et déguster une glace.

De prix moyens à chic
(de 1 500 à 6 500 ¥ /
12,50-54 €)

|●| *Restaurant-crêperie Le Mont-Saint-Michel* ル モンサンミシエル *(hors plan XVI par A3, 197)* : 3-4-15 Mejiro, Toshima-ku. ☎ 6915-3857. Ⓜ *Mejiro* 目白. *En sortant de la station, prendre la grande rue devant la gare sur la gauche, le resto est à 20 m sur le trottoir de gauche. Tlj sauf lun 11h30-14h30 (17h w-e), 18h (17h w-e)-22h30. Prix moyens.* Pas très dépaysant, mais la cuisine bretonne-normande est teintée des saveurs du pays du Soleil-Levant, ce qui lui donne un caractère assez créatif et original qui ne laisse pas indifférent. Salle avec tables rustiques au rez-de-chaussée et grand mur en granit pour rappeler le Mont ! À l'étage, même décor, avec un grand bar pour la dégustation des vins. Le chef, Dany Fec, est une personnalité joviale.

|●| *Cheval de Hyotan* 馬のひょうたん *(plan XVI, A2, 198)* : 3-5-7 Nishi-Ikebukuro. ☎ 5953-3430. *Tlj sauf mer et le 3ᵉ mar du mois 11h30-13h30, 18h-23h. Résa conseillée. Le midi, menus 1 900-4 500 ¥ ; le soir 3 800-8 000 ¥.*

TOKYO

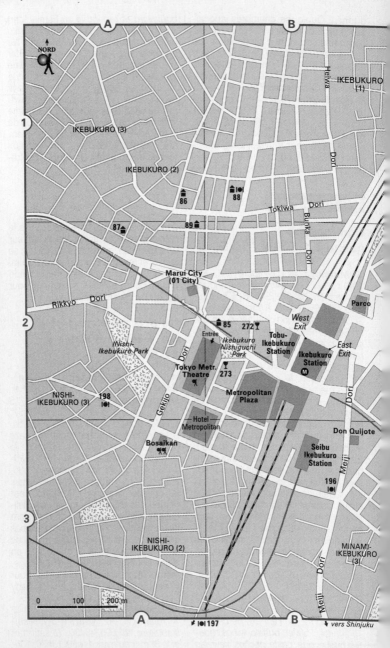

NORD

IKEBUKURO (1)

Heiwa

IKEBUKURO (3)

IKEBUKURO (2)

Dori

86

88

Tokiwa Dori

87

89

Bunka Dori

Marui City
(01 City)

Rikkyo Dori

85

272

West
Exit

Parco

NISHI-
Ikebukuro Park

Entrée
Ikebukuro
Nishiguchi
Park

Tobu-
Ikebukuro
Station

East
Exit

Ikebukuro
Station
M

Gekijo Dori

Tokyo Metr.
Theatre

273

NISHI-
IKEBUKURO (3)

198

Metropolitan
Plaza

Hotel
Metropolitan

Don Quijote

Bosaikan

Seibu
Ikebukuro
Station

Meiji

196

NISHI-
IKEBUKURO (2)

MINAMI-
IKEBUKURO (3)

Meiji Dori

0   100   200 m

197

vers Shinjuku

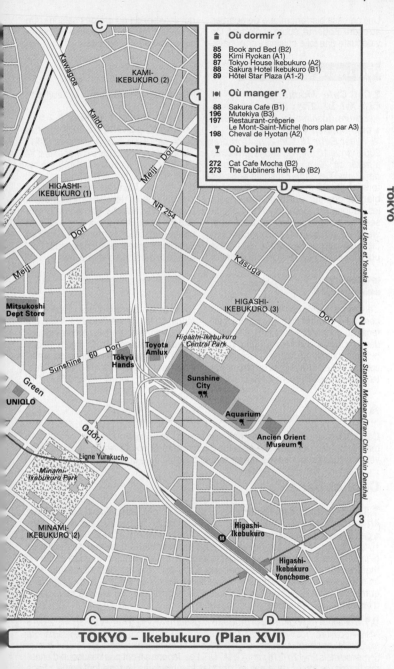

Où dormir ?

85 Book and Bed (B2)
86 Kimi Ryokan (A1)
87 Tokyo House Ikebukuro (A2)
88 Sakura Hotel Ikebukuro (B1)
89 Hôtel Star Plaza (A1-2)

Où manger ?

88 Sakura Cafe (B1)
196 Mutekiya (B3)
197 Restaurant-crêperie
Le Mont-Saint-Michel (hors plan par A3)
198 Cheval de Hyotan (A2)

Où boire un verre ?

272 Cat Cafe Mocha (B2)
273 The Dubliners Irish Pub (B2)

TOKYO

vers Ueno et Yanaka

vers Station Mukoara (Tram Chin Chin Denshal)

KAMI-
IKEBUKURO (2)

Kawagoe

Kaido

Meiji

Dori

HIGASHI-
IKEBUKURO (1)

Dori

NR 254

Meiji

Kasuga

HIGASHI-
IKEBUKURO (3)

Dori

Mitsukoshi
Dept Store

Higashi-Ikebukuro
Central Park

Sunshine 60 Dori

Toyota
Amlux

Tōkyū
Hands

Sunshine
City

Green

UNIQLO

Aquarium

Ancien Orient
Museum

Odōri

Ligne Yurakucho

Minami-
Ikebukuro Park

MINAMI-
IKEBUKURO (2)

Higashi-
Ikebukuro

Higashi-
Ikebukuro
Yonchome

TOKYO – Ikebukuro (Plan XVI)

Une adresse bistronomique de quartier, au cadre moderne, épuré et élégant. On y déguste une jolie cuisine franponaise qui vagabonde au gré des saisons. Un mix entre tradition française et esthétique japonaise, très réussi.

Où boire un verre ?

🍸 **Cat Cafe Mocha** 猫カフェモカ (plan XVI, B2, 272) : 3F, 1-15-6 Nishi-Ikebukuro, Toshima-ku. ☎ 5927-8828. ● catmocha.jp ● Ⓜ Ikebukuro 池袋 (West Exit). Tlj 10h-22h. Compter 200 ¥ pour 10 mn, boissons gratuites à partir de 20 mn. Interdit aux moins de 13 ans. Ce duplex installé sous les toits abrite 25 matous (presque tous blancs, couleur porte-bonheur pour les Japonais !). Des Tokyoïtes, déguisées en princesses ou en écolières, viennent ici pour les chouchouter. Lieu paisible par excellence, où l'on se pose pour se relaxer. On peut visiter les lieux virtuellement sur leur site internet.

🍸 **The Dubliners Irish Pub** ダブリナーズ池袋店 (plan XVI, B2, 273) : 1-10-8 Nishi-Ikebukuro, Toshima-ku. ☎ 5951-3614. En face de la gare d'Ikebukuro 池袋 (West Exit), au sous-sol du Sunglow Bldg. Tlj sauf dim 17h (16h sam)-23h (23h30 ven). L'un des nombreux pubs irlandais de cette chaîne, mais aussi l'un des plus animés. Guinness correctement tirée. Bon choix de snacks et petits plats à grignoter (fish & chips, salades diverses, spare ribs, etc.). Parfois de la musique celtique live.

Achats

L'embarras du choix, Ikebukuro étant considéré comme l'un des cœurs battants du commerce tokyoïte ! À l'image des 2 monstres encadrant la gare d'Ikebukuro, comme à Shibuya, la sanglante compétition entre les lignes de chemin de fer privées les amenèrent à rivaliser aussi sur le terrain du commerce. En l'occurrence ici, les lignes Seibu et Tobu, qui ont construit, collés à la gare, les gigantesques magasins du même nom. Citons parmi les grandes enseignes commerciales ayant pignon sur rue Uniqlo, Parco, Bic Camera et, bien sûr, Marui City (0101).

À voir

Ce n'est pas le quartier le plus riche en termes de trésors du patrimoine culturel, mais Ikebukuro possède une certaine personnalité. Si vous avez un peu de temps, voici quelques suggestions intéressantes pour mieux le connaître...

Côté ouest

🎭 **Tokyo Metropolitan Theatre** 東京芸術劇場 (appelé aussi Tokyo Metropolitan Art Space ; plan XVI, A-B2) : 1-8-1 Nishi-Ikebukuro, Toshima-ku. ☎ 5391-2111. ● geigeki.jp ● Ⓜ Ikebukuro 池袋, lignes JR Yamanote (West Exit), Marunouchi, Yurakucho et Fukutoshin (sortie 2B). Une architecture étonnante, des volumes gigantesques avec un impressionnant escalator. Ce bâtiment futuriste abrite un théâtre et plusieurs salles de concerts. On y trouve aussi des magasins, dont un spécialisé dans les articles et accessoires relatifs au théâtre, et de quoi boire et manger (snack, bar, café et restaurant). Et également des studios de location d'instruments de musique, et une poste.

🎭 **Bosaikan (Ikebukuro Earthquake Museum)** 防災館 (plan XVI, A3) : 4F, 2-37-8 Nishi-Ikebukuro, Toshima-ku. ☎ 3590-6565. Ⓜ Ikebukuro 池袋, lignes JR Yamanote (sortie Metropolitan), Marunouchi, Yurakucho et Fukutoshin (sortie 3). Tlj sauf mar et 3e mer du mois 9h-17h (21h ven). GRATUIT. Les Japonais n'ont pas beaucoup d'ennemis hormis les forces de la nature, dont les tremblements de terre font partie... Face à ces catastrophes, ils ont appris à réagir, à s'organiser dans l'urgence, et surtout à rester solidaires. Ce centre est la vivante illustration de l'intelligence nippone, mais surtout de la capacité des Japonais à se serrer les coudes quand ça va mal. Créé par les pompiers de Tokyo, le Bosaikan montre et explique ce qu'il faut faire et comment réagir en cas de séisme. Le plus impressionnant reste l'expérience (normalement de 12h à 12h30 ; 20 personnes maximum, mieux vaut réserver) de la salle « mouvante » restituant les conditions physiques d'un tremblement de terre (notamment celui de 1923). Projection également d'un petit film sous-titré sur les séismes les plus importants.

Côté est

🏃🏃 *Sunshine City* サンシャインシティ *(plan XVI, C-D2) :* 3-1-3 Higashi-Ike-bukuro, Toshima-ku. ☎ 3989-3331. ● sunshinecity.co.jp ● Ⓜ Ikebukuro 池袋, lignes JR Yamanote (East Exit), Marunouchi, Yurakucho et Fukutoshin (sortie 35) ; plus proche, la station Higashi-Ikebukuro, ligne Yarakucho (sortie 2, puis 3 mn de marche). Observatoire (tlj 10h-22h ; fermeture des guichets 1h avt) : 1 200 ¥ ; réduc. Cet énorme mastodonte urbain fut bâti à l'emplacement de la prison de Sugamo (où fut pendu comme criminel de guerre Tojo Hideki, le Premier ministre responsable de l'attaque sur Pearl Harbor). Aujourd'hui, on y trouve une tour de 60 étages, avec grands magasins, hôtels de luxe, aquarium, planétarium, musée d'arts asiatiques... De quoi meubler un bon après-midi !

🏃 🧍 *L'aquarium du Sunshine City* サンシャイン水族館 *(plan XVI, D2-3) :* tlj 10h-20h (18h nov-mars). Entrée : 2 200 ¥ ; réduc. Brochure et notices en anglais. Certains visionnaires rêvent de construire des tours au fond de la mer. Ici, c'est le contraire, ce sont les poissons qui montent au sommet des tours ! *Crazy Japan !* À cette hauteur, paraît-il, ce serait le plus grand aquarium du monde. Des milliers de poissons remarquablement présentés (plus de 700 variétés). Shows de phoques (sauf quand il pleut !).

🏃 *Le musée de l'Ancien Orient (Ancient Orient Museum)* 古代オリエント 博物館 *(plan XVI, D2-3) :* 7F, Sunshine City Bunkaikan, 3-1-4 Higashi-Ikebukuro, Toshima-ku. ☎ 3989-3491. ● aom-tokyo.com/english ● *Pas facile à trouver (mal indiqué !). Situé dans le Bunkaikan, l'édifice le plus à l'est de Sunshine City ; entrée au rdc, par la porte la plus proche du long tunnel des bus (côté sud) ; emprunter l'escalier mécanique pour le 1er étage, puis ascenseur à droite pour le 7e étage. Tlj 10h-17h (dernière entrée 16h30). Entrée : 600 ¥ ; réduc.* Vous ne traverserez sûrement pas Tokyo pour visiter ce musée, sauf si vous êtes intéressé par les arts orientaux (Égypte, Grèce...). Parmi les pièces rares : une beuverie indo-grecque (gare aux gamma GT et aux transaminases dans le foie), Aphrodite au bain (érotisme antique), tablettes, sculptures du Gandhara, cette région d'Afghanistan où l'art grec a rencontré l'art bouddhique. Expos temporaires bien fichues sur les régions d'Orient.

LE QUARTIER DE NAKANO 中野

● Nakano (plan XVII) *p. 235*

À **2 stations de métro de Shinjuku,** vers l'ouest, voici un quartier un peu en marge mais qui gagne à être connu, ne serait-ce que pour la *Nakano Broadway,* une longue galerie marchande populaire comme il n'en existe guère ailleurs. Quelques restos de qualité et le plus grand magasin de mangas de Tokyo devraient achever de vous convaincre...

TOKYO

TOKYO

Où dormir ?

⚑ *BnA Hotel (hors plan XVII par A2, 90)* : 2-4-7 Koenjikita, Suginami. Ⓜ *Koenji Station* 高円寺駅, *lignes JR Chuo, Tokyo Metro Tozai et JR Chuo Sobu (North Exit, puis 2 mn). Sinon,* Ⓜ *Shin Koenji* 新高円寺, *ligne Marunouchi, puis 15 mn à pied. Résa via le site seulement :* ● bna-hotel.com ● *Doubles avec sdb 14 000-21 000 ¥ ; petit déj en sus.* Dans un quartier en pleine émergence artistique, une adresse idéale pour ceux qui veulent vivre une expérience culturelle made in Koenji. L'endroit est dédié à la scène artistique locale, du café prêtant ses murs à des expos, aux chambres devenues des œuvres d'art à part entière. Le projet a germé dans l'esprit de 3 potes designers et architectes. L'objectif : plonger les voyageurs au cœur de l'art tokyoïte. Et on n'est pas déçu ! Un collectif d'artistes s'est littéralement emparé du mobilier, des murs et des sols de cette *guesthouse*-galerie. Le lieu est stylé.

Où manger ?

De bon marché à prix moyens (de moins de 1 500 à 3 500 ¥ / 12,50-29 €)

|●| *La poissonnerie de Nakano Broadway* 中野ブロードウェイの魚屋 *(plan XVII, A-B2, 200)* : Ⓜ *Nakano* 中野, *ligne Tozai. Juste en face de la sortie nord de la gare et à env 20 m de l'entrée de la galerie, à droite. Tlj 9h-19h.* Une poissonnerie pleine de couleurs proposant entre autres un choix incroyable et appétissant d'algues et de petits poissons séchés. Les gens s'y pressent pour s'acheter leur bento de sushis bons et frais.

De prix moyens à plus chic (de 1 500 à plus de 6 500 ¥ / 12,50-54 €)

|●| *Uroko* ウロコ *(plan XVII, B2, 202)* : 5-61-10 Nakano. ☎ 5948-5652. Ⓜ *Nakano* 中野, *ligne Tozai (North Exit). En sortant de la gare, repérer le KFC à droite ; passer devant, aller tt droit, petit coude à droite, puis à gauche, et on y est. Tlj 11h-5h.* Ici, on mange au coude-à-coude sur des tables rustiques, dans un cadre vintage version japonaise et les fumées des grillades. Spécialité de poisson et fruits de mer grillés sur de petits braseros. Bon, prix raisonnables, et le patron maîtrise quelques mots de français. Un lieu furieusement populaire et animé.

À voir

🦖 *Nakano Broadway* 中野ブロードウェイ *(plan XVII, A-B1-2)* : en face de la sortie du métro Nakano 中野, *lignes Tozai (dont Nakano est le terminus, North Exit) et JR Chuo, qu'on peut prendre à Shinjuku. Tlj 10h-20h.* Longue galerie populeuse, bruyante et violemment éclairée, où l'on trouve de tout, vraiment tout : des magasins de vêtements et chaussures à des prix d'avant les derniers J.O. de Tokyo, bazars multiples, boutiques vendant des cartes téléphoniques sexy, gadgets divers, confiseries, épiceries, gargotes à yakitori et une super poissonnerie (voir plus haut « Où manger ? »).
Mais les fans de mangas monteront dans les étages pour découvrir la plus importante succursale de *Mandarake* まんだらけ *(plan XVII, A-B1, 320 ;* ☎ *3228-0007 ;* ● mandarake.co.jp ● *; tlj 12h-20h).* Devanture de la boutique principale totalement déjantée. Sur 3 niveaux, une trentaine de boutiques. On y vend livres, figurines de

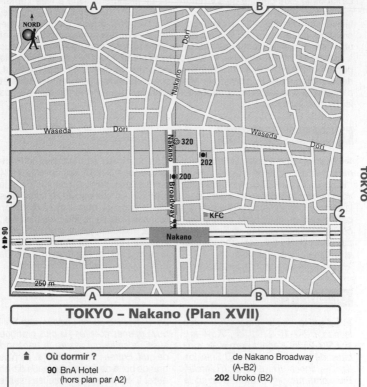

TOKYO

TOKYO – Nakano (Plan XVII)

🏠	**Où dormir ?**		de Nakano Broadway
	90 BnA Hotel		(A-B2)
	(hors plan par A2)		**202** Uroko (B2)
🍴	**Où manger ?**	⚙	**Achats**
	200 La poissonnerie		**320** Mandarake (A-B1)

mangas « anciens » (ou plus récents) dont certaines sont rares et très chères (jusqu'à 10 000-15 000 ¥, voire 25 000 ¥ !). On y trouve aussi des poupées en pièces détachées et tous leurs accessoires (vêtements, bijoux, etc.). Les boutiques de robes *cosplay* d'occase tapent dans les 14 000-25 000 ¥. On flotte dans un autre monde !

LE QUARTIER D'ODAIBA お台場

● Odaiba (plan XVIII) *p. 237*

L'« anti-Yanaka » intégral ! Autant le quartier de Yanaka évoque le vieux Tokyo provincial, rustique et presque campagnard, autant Odaiba nous propulse dans la 5e dimension ! On se trouve à l'autre bout de la planète Tokyo, plongé presque dans le XXIIe s. Quartier totalement artificiel, construit sur des terres gagnées sur la mer, véritable fenêtre vers les architectures et modes de vie de demain.

TOKYO

La façon la plus géniale de s'y rendre est de prendre la ligne privée Yurika-mome. Le métro, entièrement automatique, monte, descend, sinue, louvoie, biaise, virevolte au-dessus des eaux sur le Rainbow Bridge, ouvrant de surprenants panoramas sur la baie, des plongées et des angles inattendus, et offrant un panel exhaustif des bâtiments les plus futuristes de Tokyo... Le truc à savoir : se mettre dans le 1er wagon pour avoir toute la vue d'ensemble pendant le trajet, on se croirait presque dans un manège ! Tout au bout, de sublimes musées, comme le Miraikan, de grands magasins délirants et d'intéressantes attractions adaptées à tous les désirs et fantasmes de nos lecteurs et lectrices...

Comment y aller ?

➤ Depuis Shimbashi, prendre le **métro** automatique de la ligne Yurika-mome ゆりかもめ (360 ¥ le trajet). Si vous pensez faire plusieurs trajets dans la journée, ça vaut le coup d'acheter le *pass* quotidien. Autre ligne, mais beaucoup moins intéressante : la Rinkai, qui passe par Osaki, Oimachi, Tennoz Isle, et termine à Tokyo Teleport.
➤ On peut également se rendre à Odaiba *à pied* en traversant le Rainbow Bridge (il n'est pas ouvert 24h/24 aux piétons, voir les horaires dans la rubrique « À voir encore. À faire » plus loin). Pour cela, descendre à la station Shibaura-futo sur la ligne Yurikamome ; de là, marcher jusqu'au 1er pilier et prendre l'ascenseur pour monter sur le pont. Environ 30 mn de marche. De belles vues sur la baie, ça va de soi !

Où sortir ?

🏃 🍸 *AgeHa* (hors plan XVIII, vers le sud) : 2-2-10 Shinkiba, Koto-ku. ☎ 5534-2525. ● ageha.com ● Au sud-ouest de la baie d'Odaiba. Ⓜ Shinkiba 新木場, lignes JR Keiyo et JR Rinkal. Plus pratique, ligne directe avec la Yurakucho. Encore mieux : la navette depuis Shibuya, sortie est de la gare (plan XIII, C3) ; minuit-2h ttes les 15 mn, 2h-4h ttes les 30 mn ; retour pour Shibuya mêmes horaires ; la plus pratique aussi, la seule qui assure le transport de nuit. Entrée : 2 500-3 500 ¥. La plus grande boîte de Tokyo (du Japon dit-on aussi !). Immense. Nombreuses salles et même une piscine sur le toit. Tous les genres : hip-hop, techno, house... super DJs !

À voir

🏃🏃🏃 🏃‍♀️ *Miraikan – National Museum of Emerging Science and Innovation* 日本科学未来館 (plan XVIII) : 2-3-6 Aomi, Koto-ku. ☎ 3570-9151. ● miraikan.jst. go.jp/en/ ● Ⓜ Telecom Center テレコムセンター, ligne Yurikamome. Tlj sauf mar 10h-17h (dernier ticket 16h30). Entrée : 620 ¥ ; réduc ; gratuit moins de 18 ans sam. À noter que le pass annuel ne vaut que 1 230 ¥ ! Ça, c'est de l'encouragement... Pour le show du Dome Theater GAIA, réserver ; les jours de faible affluence, possibilité d'acheter son billet au plus tard 5 mn avt le show.
C'est tout d'abord une remarquable architecture, moderne et futuriste. À l'intérieur, immense sphère représentant le monde, et qui change de tonalités et de couleurs de façon magique. Ensuite, on y découvre les plus hautes technologies présentées et expliquées de manière on ne peut plus pédagogique et didactique ! La devise de la maison est clairement affichée : « Nous pensons que la science et la technologie font partie de notre culture ». Selon Karyn Poupée, auteur des *Japonais*, excellent livre sur le Japon d'aujourd'hui, ce musée est le « lieu d'apologie des découvertes et des travaux scientifiques nippons ». Le public est à l'image de la société japonaise : autant d'enfants et d'adolescents que de seniors, autant de

TOKYO

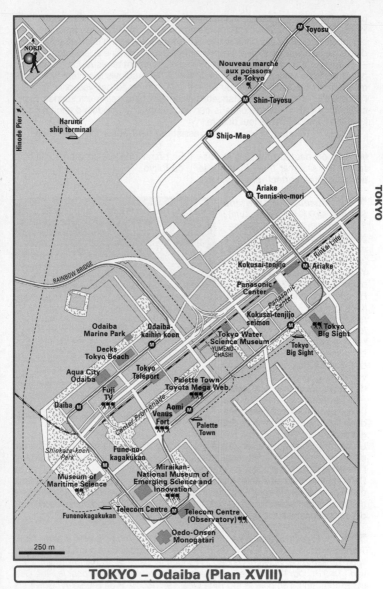

NORD

Toyosu

Nouveau marché
aux poissons
de Tokyo

Shin-Toyosu

Harumi
ship terminal

Hinode Pier

Shijo-Mae

Ariake
Tennis-no-mori

RAINBOW BRIDGE

Rinkai Line

Kokusai-tenjijo

Ariake

Panasonic
Center

Panasonic
Center

Odaiba
Marine Park

Odaiba-
kaihin koen

Kokusai-tenjijo
seimon

Tokyo
Big Sight

Decks
Tokyo Beach

Tokyo Water
Science Museum

YUMENO-
OHASHI

Aqua City
Odaiba

Tokyo
Teleport

Tokyo
Big Sight

Fuji
TV
★★★

Palette Town
Toyota Mega Web
★★★

Daiba

Center Promenade

Aomi
Venus
Fort
★★★

Palette
Town

Shiokaze-koen
Park

Fune-no-
kagakukan

Museum of
Maritime Science
★★

Miraikan-
National Museum of
Emerging Science and
Innovation
★★★

Funenokagakukan

Telecom Centre

Telecom Centre
(Observatory) ★★

Oedo-Onsen
Monogatari

250 m

TOKYO – Odaiba (Plan XVIII)

femmes que d'hommes. Les instits de maternelles amènent les bambins au Mirai-kan pour se pâmer devant le robot humanoïde Asimo de Honda, un être mécatro-nique d'assistance avec lequel ils cohabiteront peut-être dans quelques années...
– *Niveau 3F :* voilà une très riche section de robots justement. Les enfants peuvent expérimenter des appareils de très haute technologie. Des volontaires (certains

parlant l'anglais) fournissent les bonnes explications. Tout sur les nanotechnologies, la supraconductivité, l'optoélectronique... Une immense machine avec des boules noires et blanches explique le fonctionnement d'Internet. Jeux vidéo divers. Le coin jeux pour enfants est vraiment super. Librairie scientifique.
– *Niveau 5F :* la vie de la science et notre environnement terrestre. On est accueilli par un superbe moteur de lanceur de fusée *LE-7A*. Audiovisuels interactifs, schémas, grands tableaux... Visite du *Shintai 6500,* un grand bathyscaphe. Tout sur l'accélération des particules. Maquettes élaborées, nombreux microscopes. Explications sur l'ADN, voyage dans le cerveau, visite d'un module d'habitation de l'espace... Impossible de tout décrire !
– *Niveau 7F :* l'*Innovation Hall,* où vous assisterez peut-être à une expérience.

🍴 Tout en haut du musée, le ***restaurant*** *(tlj sauf mar 10h-17h)* propose un buffet très correct *(prix moyens).* En prime, une vue superbe sur la baie de Tokyo.

🏛️🚶 *Museum of Maritime Science* 船の科学館 *(plan XVIII) :* 3-1 Higashi-yashio, Shinagawa-ku. ☎ 5500-1111. ● fune nokagakukan.or.jp ● Ⓜ Funenokagakukan 船の科学館, ligne Yurikamome. Accès également par bateau-bus (25 mn depuis Hinode ou Shinagawa). Tlj sauf lun 10h-17h. Entrée : 720 ¥ ; réduc. ***Fermé pour rénovation jusqu'à nouvel ordre, sans réelle précision !***
Un musée de la mer... en forme de bateau. À l'intérieur, immenses volumes. Cependant, en raison des travaux, on ne peut visiter que l'extérieur et une partie de l'exposition, qui est présentée dans l'annexe (dont l'entrée est gratuite).

LE ROBOT EST L'AVENIR DE LA FEMME

Toyota investit aussi dans l'intelligence artificielle. Dans le musée de la compagnie au centre de l'archipel, c'est le robot Robina qui fait la visite. Il sait tenir un stylo et signe des autographes. Toyota fabrique des robots d'assistance pour les corvées ménagères, le soutien médical, la production industrielle et la mobilité réduite. En confiant des tâches ménagères à des robots, Toyota espère que les femmes auront plus de temps pour vivre, seront plus heureuses et feront plus d'enfants. Ainsi les robots pourraient-ils enrayer le vieillissement de la population nippone...

Un grand parc expose divers matériels liés à la mer et à la navigation : phares, petits sous-marins pour la recherche, énorme hélice de bateau de 50 000 t et l'immense canon d'un navire de guerre.
Dans la petite baie attenante, malgré la fermeture du musée principal, 2 bateaux qu'on peut visiter : le *Yotei Maru,* un ancien ferry, et le *Soya,* brise-glace et navire d'études dans l'Antarctique à la retraite (de 1938). De la *tour d'observation,* prodigieux panorama sur la baie, le Rainbow Bridge et la forêt de gratte-ciel.

🏛️🚶 *Toyota Mega Web* メガウエブ *(plan XVIII) :* Palette Town, Aomi 1-chome, Koto-ku. ☎ 3599-0808 (11h-18h). ● megaweb.gr.jp ● Ⓜ Aomi 青海, ligne Yurikamome. Bateau-bus depuis Hinodesanbashi (arrêt Palette Town). Lun-ven 11h-21h pour l'expo et le « garage historique », jusqu'à 20h pour le Ride One et l'E-com Ride, 18h pour le Kid Ride One, 19h pour le Ride Studio et l'Universal Design. Fermé w-e, j. fériés et veilles de j. fériés.
On pèse nos mots : le plus grand et le plus incroyable salon d'exposition de voitures au monde. Rappelons que Toyota est la 1ʳᵉ marque automobile mondiale depuis 2011 par le nombre de véhicules produits et vendus. Le père Toyoda a vraiment mis le paquet pour séduire les foules... Impossible de tout décrire, venez expérimenter par vous-même. Quelques coups de cœur pour vous mettre l'eau à la bouche.

– *L'History Garage :* une vraie ville bourrée de véhicules des années 1950-1970, mis en scène dans des quartiers emblématiques de grandes villes du monde. Une galerie où sont exposées près de 3 000 autos miniatures de toutes sortes, reconstitution d'un stand de course automobile, etc. Pour se détendre et se restaurer, le *Bonnie's Bar,* réplique d'un café yankee des fifties, ou l'*Alessandro Nannini Café,* conçu par un ancien pilote de course de F1.

– *Ride One :* pour seulement 300 ¥, on peut conduire le dernier modèle Toyota *(résa obligatoire au ☎ 0070-800-489-000 jusqu'à 18h le jour précédant sa venue et 1h avt sur place, s'il y a de la disponibilité ; posséder le permis de conduire international).* L'*E-come Ride* permet d'expérimenter la conduite d'une petite voiture électrique dans l'enceinte même du salon *(200 ¥).*

– Étonnant *Hybrid Wonderland :* plein de découvertes à faire. La Toyota Lexus (à moteur hybride, pétrole-électricité) est à l'honneur (pas de test possible). Avec le *Ride Studio,* les enfants ne sont pas oubliés : dans le *Petit Ride One,* possibilité de conduire une petite voiture hybride (à pédales et moteur) sur 150 m (de 3 à 5 ans). Dans le *Indoor Ride One,* piste de 230 m pour tester 3 véhicules (de 6 à 18 ans).

– Salle d'expos de voitures de course et cabine de simulation de conduite à haute vitesse. Question sensations, essayez également le *Mega Theater.* Présentation des voitures du futur dans la section « design ». Enfin, boutiques diverses où vous trouverez nécessairement votre bonheur...

🚶🚶🚶 *Venus Fort* ヴィーナスフォート *(plan XVIII) : au niveau de la station Aomi* 青み *(ligne Yurikamome), près du Tokyo Mega Web.* ● *venusfort.co.jp* ● Non, ce n'est pas la forteresse de la déesse antique de l'Amour et de l'Érotisme, mais un étonnant *shopping mall* décoré comme une ville italienne du XVIIIe s. C'est d'une kitschissime et totale beauté. Le plafond change de couleur à mesure que la journée avance (jusqu'à évoquer la nuit). Plus de 170 magasins sur 3 niveaux : 1F, *Venus Family* (un étage de boutiques dédiées à la famille) ; 2F, *Venus Grand* (vêtements, mode, cosmétiques, bijoux, accessoires) ; 3F, *Venus Outlet.* Pour les addicts, une salle de jeux électroniques ouverte 24h/24. Enfin, on peut conclure cette visite par la spectaculaire grande roue, la... plus grande du monde avec ses 115 m de haut *(ouv 10h-22h – 23h ven-sam –, selon météo ; durée : 16 mn ; compter 920 ¥).*

Les plus belles architectures du XXIe siècle

🚶🚶🚶 🚶🚶 À tout seigneur tout honneur, le *Miraikan (National Museum of Emerging Science and Innovation)* bien sûr (voir plus haut). Équilibre et force des lignes, harmonie des formes. Ici, tout réjouit l'œil.

🚶🚶🚶 *Le siège de Fuji TV* フジテレビ *(plan XVIII) : 2-4-8 Daiba, Minato-ku.* ☎ *03-5500-8888.* ● *fujitv.co.jp* ● Ⓜ *Daiba* 台場, *ligne Yurikamome (puis 3 mn à pied). Observatoire ouv tlj sauf lun 10h-18h (dernière entrée 17h). Certains restos jusqu'à 20h (22h w-e). Entrée : studios et terrasse d'observation 550 ¥.* Architecture vraiment futuriste avec son énorme sphère centrale et sa structure évoquant un immense Meccano ! Œuvre, on aurait dû s'en douter, du génial Kenzo Tange (voir « Personnages » dans « Hommes, culture, environnement »). Possibilité de grimper sur la terrasse d'observation *(fermé lun).* Remarquable panorama.

🚶🚶 *Tokyo Big Sight* 東京ビッグサイト *(plan XVIII) : 3-11-1 Ariake, Koto-ku.* ● *bigsight.jp* ● Ⓜ *Kokusai-tenjijo-seimon* 国際展示場正門, *ligne Yurikamome (puis env 7 mn de marche).* Appelé également *Tokyo International Exhibition Hall.* Spectaculaire entrée de l'édifice, composée d'énormes pyramides inversées. Quand il n'y a pas de conférence, possibilité d'accéder au point le plus élevé.

TOKYO

%\ Telecom Center テレコムセンター (plan XVIII) : à côté du Miraikan. ☎ 5500-0021. Accès à l'Observation Desk mar-ven 15h-21h, w-e et j. fériés 11h-21h. Fermé lun. Entrée : 500 ¥. Assez imposant. Probablement clin d'œil-hommage à la célèbre Arche de la Défense.

À voir plus loin, à Toyosu

%\ Le nouveau marché aux poissons de Tokyo 新豊洲 (plan XVIII) : infos au ☎ 3547-8013. ● tsukiji-market.or.jp ● Ⓜ Shin-Toyosu 新豊洲, ligne Tsukijishijo. C'est ici que l'emblématique marché aux poissons de Tsukiji a déménagé en octobre dernier, dans une immense halle moderne flambant neuve et climatisée. Réservé malheureusement aux professionnels ! (voir à Ginza « Le quartier de Tsukiji » plus haut).

À voir encore. À faire

➤ **Balade à pied sur le Rainbow Bridge** レインボーブリッジ : infos au ☎ 5463-0224. Accès piétons possible 9h-21h 1ᵉʳ avr-31 oct, 10h-18h 1ᵉʳ nov-31 mars ; dernière admission 30 mn avt fermeture. Long de 918 m, ce grand pont suspendu relie Odaiba à Shibaura. On peut y entrer du côté de Shibaura (5 mn de marche de la station Shibaura Futo) ou du côté d'Odaiba (à 15 mn de marche de la station Odaiba Kaihin Koen).

– **Détente sur l'Odaiba Marine Park** お台場海浜公園 (plan XVIII) : ● tptc.co.jp/en/ ● C'est une sorte de plage urbaine (Odaiba Beach, 800 m de long quand même), un rivage de sable et de cailloux, quelques hectares de nature dans le quartier futuriste du port de Tokyo. Dans le secteur trône une statue de la Liberté, réplique de celle qui fut jadis prêtée par la France. Quelques boutiques et restos sur **Decks Tokyo Beach** デックス東京ビーチ. Quant à Joypolis ジョイポリス, il ravira les amateurs de jeux vidéo. Allez donc boire un verre au **J-Pop Cafe** ジェイポップカフェ (5F, Tokyo Joypolis) pour admirer un décor évoquant la culture pop des années 1960. Tout est en courbes, en arrondis, dans des tons lumineux, rehaussé de savants jeux de lumière et d'ombre...

– **Panasonic Center** パナソニックセンター (plan XVIII) : 3-5-1 Ariake, Koto-ku. ☎ 3599-2600. ● panasonic.com/global/corporate/center/tokyo ● Ⓜ Kokusai-tenijo 国際展示場, ligne Rinkai (puis 3 mn à pied), ou Ariake 有明, ligne Yurikamome (3 mn aussi). Tlj sauf lun et fin de l'année 10h-18h (dernière entrée 17h). GRATUIT sauf Digital Network Museum (500 ¥). Comme le Sony Building, une vitrine des technologies du futur, sur 4 niveaux. Au 3ᵉ, le **Digital Network Museum** propose d'intéressantes expériences scientifiques et mathématiques.

– **Oedo-Onsen Monogatari** 大江戸温泉物語 (plan XVIII) : 2-6-3 Aomi, Koto-ku (côté ouest du Telecom Center). ☎ 5500-1126. ● daiba.ooedoonsen.jp/en/ ● Ⓜ Telecom テレコム, ligne Yurikamome (sortie principale, puis 2 mn de marche). Tte l'année, tlj 11h-21h (dernière entrée 19h) pour les bains à l'intérieur. Entrée : 2 720 ¥ (2 936 ¥ w-e) ; réduc ; moins cher après 2h (env 2 160 ¥). Après une bonne journée à Odaiba, vous méritez bien un bon bain. Ça tombe bien, cet onsen est l'un des plus agréables de Tokyo. L'eau thermale vient directement du centre de la terre, à 1 400 m. Cadre particulièrement séduisant qui reconstitue une maison de bain de la période Edo. Ravissante « rue principale » plongeant dans un passé plein de couleurs et de lumières. 14 bassins différents. Yukata bien sûr fourni, et tout pour la détente : plusieurs bassins de températures différentes, sauna, bain de sable chaud, boutiques, restos...

Pour ceux qui ont du temps

Quelques sites et attractions encore, pour ceux qui disposent d'un peu plus de temps. Quelques-uns en dehors de Tokyo également, cependant pas trop éloignés et qui valent la peine d'être visités.

🏃🏃 *Le musée Ghibli* ジブリ美術館 : *1-1-83 Simorenjaku, Mitaka-shi.* ☎ *05-7005-5777.* ● *ghibli-museum.jp/en/* ● Ⓜ *Mitaka* 三鷹*, lignes JR Chuo et Tozai (South Exit). Ensuite bus (200 ¥, réduc) ou 15 mn à pied. Tlj sauf mar 10h-18h. Entrée seulement sur résa (1 mois, voire 2, à l'avance !), obligatoire via le site internet ou bien dans les supérettes Lawsons. Billet : 1 000 ¥ ; réduc.* Visite guidée des studios de l'un des plus grands auteurs de dessins animés au monde : Hayao Miyazaki. *Mon voisin Totoro,* sorti en 1988, fut un immense succès. Depuis, le personnage de Totoro est devenu l'équivalent de Mickey dans les esprits nippons. C'est surtout les enfants qui adorent Totoro ou le « chat bus », autre vedette de ce long-métrage. Refusant d'être catalogué comme le Disney japonais, Miyasaki a été consacré mondialement avec la sortie du *Château dans le ciel,* de *Princesse Mononoke* (1997), puis du *Voyage de Chihiro,* oscar du meilleur film d'animation en 2003. Ses films suivants (*Le Château ambulant, Ponyo sur la falaise* et, plus récemment, *Le vent se lève*) ont aussi enchanté un large public. Visionnaire introverti et solitaire, travaillant dans l'ombre mais avec de gros moyens (ces studios en sont la preuve), Miyasaki a porté l'art de l'animation au plus haut degré de perfection. Retrouvez la magie, la sensibilité et l'intelligence des films de cet artiste immense, dans ce merveilleux musée. Architecture originale et colorée, beau jardin, immense atrium, explications de la fabrication d'un dessin animé, galerie d'art, expo de dessins originaux. Voir les toilettes pour les hommes dont la fenêtre s'ouvre sur le rêve...

🏃🏃 *L'aquarium de Shinagawa* 品川水族館 : *Shinagawa-kumin Park, 3-2-1 Katsushima, Shinagawa-ku.* ☎ *3762-3433.* ● *aquarium.gr.jp* ● Ⓜ *Omorikaigan* 大森海岸*, ligne Keihin Kyuko, puis 15 mn à pied. Navette gratuite depuis la station Oimachi (sortie est central). Bateau depuis Hinode 5 fois/j. Tlj sauf mar 10h-17h (dernière entrée 16h30). Entrée : 1 350 ¥ ; réduc.* Outre les superbes poissons et les requins, shows de dauphins et d'otaries *(en sem, dauphins à 11h, 13h30 et 15h30, otaries à 14h30 ; w-e et j. fériés, dauphins à 10h45, 13h30 et 15h30, otaries à 11h45 et 14h30).*

🏃🏃 *Tokyo Sea Life Park (Kaisai Rinkai Suizokuen)* 東京都葛西臨海水族園 : *6-2-3 Rinkai-cho, Edogawa-ku.* ☎ *3869-5152.* ● *tokyo-zoo.net/english/kasai* ● Ⓜ *Kasai Rinkai Koen* 葛西臨海公園*, ligne JR Keiyo, puis 5 mn à pied jusqu'au parc. Également par bateau, sur la rivière Sumida, avec la compagnie Tokyo Mizube Line (*☎ *5608-8869). Tlj sauf mer (et jeu si mer férié) 9h30-17h (dernière entrée 16h). Entrée : 700 ¥ ; réduc.* Le 1er aquarium du Japon a ouvert en 1882 dans le zoo d'Ueno. Aujourd'hui le pays en compte plus d'une centaine ! Énorme parc avec nombre d'aquariums montrant tous les aspects de la vie maritime, poissons de la mer du Japon, poissons exotiques, pingouins de Humbolt, le mystère des fonds sous-marins. Imposant dôme sous l'eau pour observer les thons. Également un parcours des poissons de rivière et quelques expériences et démonstrations pour les enfants. Librairie, vidéos interactives, boutique et resto, etc.

🏃🏃 *Tokyo Disney Resort* 東京ディズニーリゾート : *1-1 Maihama, Urasayu, Chiba. Infos :* ☎ *05-7000-8632 (seulement depuis le Japon) ; résas :* ☎ *04-5683-3333.* ● *tokyodisneyresort.co.jp* ● Ⓜ *Maihama* 舞浜*, ligne JR Keiyo. Tlj 8h-22h max (variable selon saison). Entrée : billet 1 j. 7 400 ¥ adulte, 6 400 ¥ 12-17 ans, 4 800 ¥ 4-11 ans ; « passeports » 2-4 j. Par Internet, pas d'attente à l'entrée.* Au parc d'attractions initial, dont le concept est identique à celui des Disneyworld des États-Unis, est venu s'ajouter en 2001 Disney Sea, sur le thème de la mer.

LES ENVIRONS DE TOKYO

YOKOHAMA 横浜   3,6 millions d'hab.   IND. TÉL. : 045

- Plan p. 244-245

1er grand port et 2e ville du Japon, vaste cité industrielle à 30 km au sud de la capitale, Yokohama s'est développé sous la poussée de l'urbanisation effrénée des années 1970-1980. La ville est devenue aujourd'hui une banlieue de Tokyo (de 16 à 40 mn de train selon la ligne). Ici, les loyers sont moins élevés, il y a de l'espace, moins d'agitation et de circulation, et l'air de la mer est vivifiant. Autant de raisons pour y vivre. La ville n'est pas à priori une grande destination touristique, mais pour ceux qui séjourneraient assez longtemps au Japon, elle mérite une visite. Ne serait-ce que pour le front de mer et son architecture futuriste, ainsi que pour le vibrant Chinatown, le plus important du pays (y aller aussi bien dans la journée que le soir).

UN PEU D'HISTOIRE

Longtemps minuscule port de pêche avant de rencontrer l'« Histoire », sous la forme de l'intervention américaine de 1854. Tout a commencé avec l'arrivée des « black ships », les grands bateaux noirs des Occidentaux qui impressionnèrent les paysans de la côte. Ils n'avaient jamais vu pareils engins flottants. En 1853, le commodore Perry débarque pour une 1re fois à Uraga. L'année suivante, c'est dans la baie de Yokohama qu'ont lieu les négociations entre Perry (représentant des États-Unis, débarqué avec 500 hommes à bord de l'*USS Susquehanna*) et les envoyés de l'empereur du Japon concernant l'ouverture commerciale et politique du pays. Ce traité de paix et d'amitié autorisait le commerce avec les Occidentaux et l'installation de concessions étrangères. Yokohama fut désigné officiellement 1er « port ouvert » du Japon (visiter le très intéressant musée Archives of History ; voir plus bas). Après les bombardements de Shimonoseki en 1864, l'ère Edo s'achève et commence l'ère Meiji, une période d'ouverture et de modernisation, comme jamais le Japon n'en a connu.

LA VILLE DES « PREMIÈRES »

1er consulat américain (1856), 1res marchandises importées de l'étranger (bière notamment), 1re ligne de chemin de fer et 1ers lampadaires à gaz, 1er réseau d'eau potable à domicile, 1er quotidien du Japon : Yokohama est la ville des « premières », où sont arrivées plusieurs technologies occidentales dès l'ouverture du pays (ère Meiji, débutée en 1864). Ce fut la ligne de contact entre Japonais et Occidentaux ! C'est sur les quais du port que débarquèrent aussi les 1ers touristes occidentaux dès la 2de moitié du XIXe s.

Dans de nombreux domaines, Yokohoma (porte d'entrée du pays) est la ville des « premières » (voir encadré) ! Avant les avions, c'était dans ce port que les paquebots européens et américains accostaient, après la traversée du Pacifique ou de l'océan Indien. Dès lors, le port et la ville connaissent une rapide et forte expansion, accélérée par l'ouverture de la ligne de chemin de fer Tokyo (Shimbashi)-Yokohama en 1872. Victime, comme Tokyo, du terrible séisme de 1923 et à moitié rasé par les bombardements de la Seconde Guerre mondiale. Jusqu'aux années 1970, il accueillit l'une des plus importantes bases de l'armée américaine.

Arriver – Quitter

Lignes *JR Tokaido, Keihin-Tohoku, Yokohama* et *Negishi* depuis Tokyo.
➢ *De Tokyo Station :* lignes JR Keihien-Tohoku, JR Tokaido, et JR Yokosuka. Trains ttes les 5-18 mn. Durée : de 25 mn (Tokaïdo, le plus rapide) à 35-40 mn (Keihin-Tohoku). Billet aller : env 450 ¥.
➢ *De Shinagawa Station :* avec la Keihin Kyuko Line (ttes les 10 mn, durée 17 mn), avec JR Tokaido et Yokosuka (ttes les 5-10 mn, durée 16-25 mn), et avec la Keihin-Tohoku (ttes les 4-10 mn, durée 26-29 mn). Billet aller : env 300 ¥.
Il y a 4 gares distinctes à Yokohama : Shin-Yokohama Station, la 1re en venant de Tokyo, puis Sakuragicho, Kannai et, enfin, Ishikawacho. Pour aller au port et au Chinatown, le mieux est de descendre à Ishikawacho.

Adresses et infos utiles

🛈 *Yokohama Convention & Visitors Bureau* 横浜観光コンベンションビューロー *:* ● *yokohamajapan.com* ● Il y a 3 bureaux d'information :
– *Sakuragicho Station Tourist Information Center* (plan A2) : CIAL Sakuragicho, 1-1 Sakuragi-cho, Naka-ku. ☎ 211-0111. Ⓜ Sakuragicho 桜木町 (North Exit). Dans la station Sakuragicho, juste au niveau de la West Exit ; c'est la boutique qui porte la mention « Cloak service ». Tlj 9h-18h.
– *Yokohama Station Information Center :* 2-16-1 Takashima, Nishi-ku. ☎ 441-7300. Tlj 9h-19h.
– *Shin-Yokohama Station Information Center :* 2F, Shin Yokohama Chuo Bldg, 2937 Shinohara-cho, Kohoku-ku. ☎ 473-2895. Près du Shin-Yokohama Raumen Museum. Tlj 9h-21h.
Bon matériel touristique : plan très bien fait de la ville, brochures détaillées sur les sites et les monuments, infos sur les hébergements...
– *Métro :* il existe 2 lignes de métro, la Minatomirai Line et la *Yokohama Municipal Subway Blue Line.* Vous pouvez utiliser et recharger vos cartes *Suica* et *Pasmo,* comme à Tokyo. Tarif selon distance : à partir de 180 ¥. Sinon, ticket à la journée : 460 ¥.
– *Taxi :* même principe qu'à Tokyo, prise en charge de 730 ¥.

Où dormir ?

De très bon marché à bon marché (de moins de 6 000 à 10 000 ¥ / 50-83 €)

🛏 *Guesthouse Futareno* ふたれのゲストハウス (plan A3, 10) : 4-173-5 Nogecho, Naka-ku. ☎ 308-8577. ● *futareno-gh.oops.jp* ● Ⓜ Sakuragicho 桜木町, ligne JR Keihin Tohoku (South Exit), puis 10 mn à pied. Lits en dortoir 3 000-3 200 ¥ ; doubles 8 000-9 000 ¥ ; pas de petit déj. Cachée en bordure d'une ruelle tranquille, voilà une jolie maisonnette ancienne, restaurée et aménagée en *guesthouse* intime, style auberge de jeunesse. Au sein de ses vieux murs,

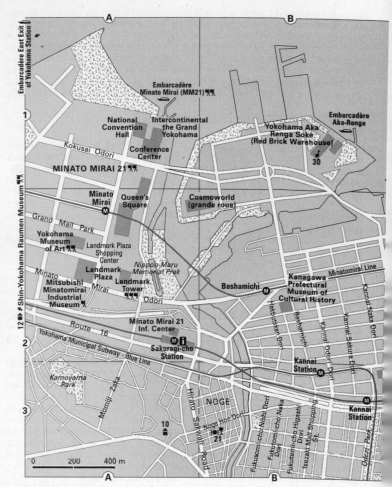

LES ENVIRONS DE TOKYO

Map labels:
- Embarcadère East Exit of Yokohama Station
- Embarcadère Minato Mirai (MM21)
- Embarcadère Aka-Renga
- National Convention Hall
- Intercontinental the Grand Yokohama
- Yokohama Aka Renga Soke (Red Brick Warehouse)
- Conference Center
- Kokusai Odori
- MINATO MIRAI 21
- 30
- Minato Mirai
- Queen's Square
- Cosmoworld (grande roue)
- Grand Mall Park
- Yokohama Museum of Art
- Landmark Plaza Shopping Center
- Nippon-Maru Memorial Prak
- Minato Mitsubishi Minatomirai Industrial Museum
- Minato Mirai
- Landmark Plaza
- Landmark Tower
- Odori
- Bashamichi
- Kanagawa Prefectural Museum of Cultural History
- Minatomirai Line
- Shin-Yokohama Raumen Museum
- Hakubutsukan Dori
- Bashamichi
- Kannai-Naka Dori
- Kannai-Sakura Dori
- Minato Mirai 21 Inf. Center
- Route 16
- Yokohama Municipal Subway - Blue Line
- Sakuragi-cho Station
- Kannai Odori Dori
- Kannai Station
- Kamoyama Park
- Momiji-Zaka
- NOGE
- Hirato Sakwal Road
- Noge Hon-Dori
- Fukutomi-cho Nishi Dori
- Futotomi-cho Naka Dori
- Fukutomi-cho Higashi Dori
- Isszak Mall Shopping St.
- Kannai Station
- Odori Park
- 10
- 21

0   200   400 m

■ **Adresse utile**

🛏 **Où dormir ?**

🛈 Sakuragicho
Station Tourist
Information Center (A2)

10 Guesthouse Futareno (A3)
11 Yokohama Hostel Village (C3)
12 Camelot Hotel
(hors plan par A2)

---

elle propose un salon-bibliothèque japonais à la belle atmosphère, 2 dortoirs de 6 lits (un réservé aux filles) et 3 *private rooms* pour 2 à 4 personnes avec tatami et futons. Sanitaires communs et cuisine à disposition. L'endroit est vraiment mignon, calme. De plus, le soir, on est tout près du quartier animé de Noge.

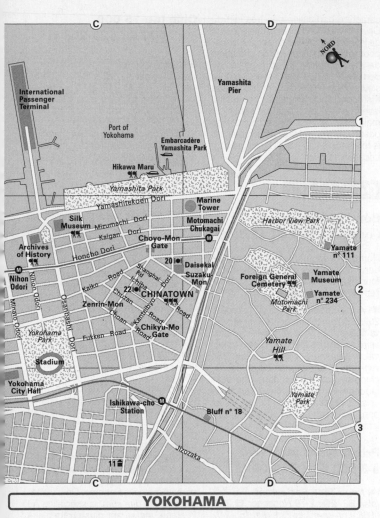

LES ENVIRONS DE TOKYO

YOKOHAMA

	Où manger ?		Où boire un verre ? Où sortir ?

20 Aoba Shinkan (C2)

21 Noge Time Restaurant (B3)

22 Saiko Shinkan (C2)

21 Les bars-restos du quartier de Noge et Le Temps Perdu (B3)

30 Motion Blue (B1)

🏠 *Yokohama Hostel Village (Hayashi Kaikan)* 横浜ホステルヴィレッジ *(plan C3, 11) :* 3-11-12 Matsukage-cho, Naka-ku. ☎ 663-3696. ● yokohama. hostelvillage.com/en ● Ⓜ *Ishikawacho* 石川町, *ligne JR Keihin Tohoku,* puis 5 mn de marche. Lits en dortoir 2 500-2 600 ¥ ; doubles 4 700-4 900 ¥ ; pas de petit déj. Également des appartements. Située dans un quartier sans caractère particulier, pas très loin du Chinatown (20 mn à pied), une auberge de jeunesse correcte, à l'accueil anglophone. Une cinquantaine de chambres de style japonais (avec frigo) et de dortoirs (6 lits) se répartissent sur plusieurs étages dans un bâtiment un peu tristounet. Clim, sanitaires communs, laverie et petite cuisine à disposition, mais pas de véritable salle pour se poser sauf sur la terrasse perchée sur le toit (encore faut-il qu'il fasse beau...). Location de vélos.

Chic (de 15 000 à 25 000 ¥ / 124-208 €)

🏨 *Camelot Hotel* キャメロットホテル *(hors plan par A2, 12)* : 1-11-3 Kitasaiwai, Nishi-ku. ☎ 312-2111. ● camelot japan.com ● Ⓜ *Yokohama Station* 横浜駅 *(West Exit), puis 8 mn à pied. Doubles 20 000-22 000 ¥, petit déj compris.* Hôtel de bon standing et aux chambres confortables. Également des chambres de style japonais pour 4 personnes.

Où manger ?

Bon marché (jusqu'à 1 500 ¥ / 12,50 €)

Nombreux restaurants bon marché dans le quartier de Chinatown, qui fourmille de lieux pour manger. On a l'embarras du choix.

🍴 *Aoba Shinkan* 青葉新館 *(plan C2, 20)* : 97 Yamashitachō, à Chinatown. ☎ 663-3770. *Dans la ruelle qui part entre les sorties 2 et 3 du métro Motomachi Chukagai. Tlj 11h30-22h (23h ven-sam).* Petite et savoureuse cuisine chinoise à prix doux dans une salle modeste et discrète. On y sert de la cuisine végétarienne de Taiwan. C'est bon, frais, varié et diététique. Excellentes *ramen* (soupes).

Prix moyens (de 1 500 à 3 500 ¥ / 12,50-29 €)

🍴 *Noge Time Restaurant* 戸部大夢 *(plan B3, 21)* : 2-79 Nogecho. ☎ 250-0666. *Lun-sam 16h-23h, dim 15h-21h.* Dans le fabuleux quartier de Noge qui dort le jour et s'éveille le soir, ce resto est l'une de nos adresses préférées. Si vous n'avez pas le courage de jouer du coude-à-coude pour dégoter un tabouret coincé entre le comptoir et la fenêtre, restez donc dehors, debout autour de petits braseros installés sur des tables de fortune. Entre 2 gorgées de saké, on papote, on s'esclaffe, tout en surveillant d'un œil attentif les grillades (viande, poisson et huîtres) dont les fumeroles embaument la rue. Un vrai moment de convivialité ! Petite salle à la japonaise à l'étage.

🍴 *Saiko Shinkan* 菜香新館 *(plan C2, 22)* : Shanghai-dori, à Chinatown. ☎ 664-3155. *Prendre la rue qui part juste en face de l'entrée du Rose Hotel (bâtiment à l'architecture kitsch en forme de bateau) ; à la 1re intersection, tt droit, puis 50 m plus loin, c'est l'immeuble sur la droite, avec une façade dorée clinquante. Tlj sauf 2e mar du mois 11h30-21h30 (dernière commande à 20h45). Si vous n'avez pas réservé, venir de bonne heure.* L'intérieur abrite 5 restos à tous les prix. Au rez-de-chaussée, grande salle au cadre classique et aux tables bien espacées pour une cuisine chinoise particulièrement élaborée. On s'y attable pour les *dim sum,* la spécialité. Au 2e étage, restaurant plus protocolaire pour les groupes, et aussi plus haut un salon de thé *(Chinese Tea Lounge).* Mieux vaut rester en bas.

🍴 *Shin-Yokohama Raumen Museum* 新横浜ラーメン博物館 : l'occasion de manger les meilleurs bols de nouilles de la ville (voir la rubrique « À voir »).

Où boire un verre ? Où sortir ?

🍸 *Les bars-restos du quartier de Noge (plan B3, 21)* : de part et d'autre de la Noge Hon Dori. Ⓜ *Bashamichi* 馬車道 *(sortie 1B).* Oubliez le quartier dans la journée, ce n'est qu'en fin d'après-midi et en début de soirée que les choses deviennent intéressantes. Tout le monde se retrouve pour prendre un verre après le boulot, ou vient partager un repas entre amis. L'animation se concentre le long d'une poignée de rues. Déployez vos antennes pour vous imprégner de cette ambiance populaire et laissez-vous porter par votre feeling. Essayez *Le Temps Perdu* ル タンペルデュ *(plan B3, 21 ;* se repère à la contrebasse au dessus de l'entrée) :

un sympathique piano-bar qui organise souvent des concerts intimes (gratuits) et qui propose un grand choix de bières (mais prix assez musclés...).

♪ *Motion Blue* モーションブルー *(plan B1, 30) :* Red Brick Warehouse *(1er bâtiment).* ☎ 226-1919. ● motionblue. co.jp ● *Lun-ven 17h30-23h, sam-dim 16h-21h30. Entrée : 4 000-8 000 ¥ selon groupes.* Le meilleur club de jazz de Yokohama. Concerts de grande qualité dans un cadre chic. Possibilité de se restaurer.

À voir. À faire

Au nord de la baie

👫👫 *Minato Mirai 21 (MM21)* みなとみらい21 *(plan A1) :* zone des quais réaménagée et vitrine de la modernité du Yokohama le plus avancé. Elle comprend plusieurs beaux musées, une très haute tour, une grande roue de 112 m de diamètre et les « entrepôts rouges » *(Red Brick Warehouse),* bâtiments portuaires de la fin du XIXe s transformés en emporium (et offrant une gamme d'élégants restos). Avec d'autres édifices contemporains *(Convention Center,* immeubles de bureaux aux belles lignes), tout cela forme une séduisante carte postale du port.

👫👫👫 *The Landmark Tower* ランドマークタワー *(plan A2) :* Minato Mirai 21. ☎ 222-5015. ● yokohama-landmark.jp ● Ⓜ *Minato Mirai* みなとみらい *ou Sakuragicho* 桜木町*, puis 5 mn de marche. Tlj 10h-21h (22h sam et pdt les grandes vac). Entrée : 1 000 ¥ ; réduc.* Impossible de la louper, c'est une des plus hautes tours du Japon (296 m). On ne vient ici pratiquement que pour elle. À 273 m, dans la *Queen's Tower A,* l'observatoire *Sky Garden* est le plus élevé du pays. Du 2e au 69e étage, l'ascenseur ne met que 40 secondes, ce qui en fait un des plus rapides au monde. Impressionnant ! De là-haut, prodigieux panorama à 360°, et, par beau temps, le regard porte jusqu'à 80 km. Restos et boutiques bien entendu.
– En outre, le *Landmark Plaza* ランドマークプラザ regroupe plus de 160 boutiques dans un vaste atrium. Il forme, avec le *Queen's East* クイーンズイースト à côté, un énorme *mall* aux lignes et volumes audacieux.

👫👫 *Yokohama Museum of Art* 横浜美術館 *(plan A2) :* 3-4-1 Minato Mirai, Nishi-ku. ☎ 221-0300. ● yokohama.art.museum/eng ● Ⓜ *Minato Mirai* みなとみらい*, sortie Museum Exit (n° 3), puis 5 mn de marche. Tlj sauf jeu 10h-18h (dernière entrée 17h30). Entrée : 500 ¥ collection du musée, 1 500 ¥ expo temporaire spéciale ; réduc.* Grandiose musée à l'architecture remarquable construit par Kenzo Tange : vaste volume central en escalier et mezzanine, dans un style un tantinet « pharaonique », aux couleurs granit funèbre. Propose uniquement des expos temporaires qui présentent des chefs-d'œuvre de la collection du musée. Au gré des expos, on aura peut-être la chance d'admirer des lithos de *Miró,* des toiles de *Paul Delvaux,* quelques intéressants exemples de la peinture japonaise des années 1930, comme *Hasegawa Toshiyuki* et *Ogawara Shù,* où l'on sent une nette influence de Salvador Dalí (ou peut-être est-ce l'inverse !). Ou encore des œuvres de peinture japonaise contemporaine, avec *Arawaka Shuraku* et *Tatsuno Toeko.* Grande salle des classiques aquarelles, estampes et paravents. Également des expos temporaires spéciales sur différents thèmes.

LES ENVIRONS DE TOKYO

🎥🚶🚴 *Le musée industriel Mitsubishi (Mitsubishi Minatomirai Industrial Museum)* 三菱みなとみらい技術館 *(plan A2): 3-1 Minato Mirai Sanchome, Nishi-ku.* ☎ *224-9031.* ● *mhi.co.jp/en/museum* ● Ⓜ *Sakuragicho* 桜木町 *(sortie 5, puis 10 mn de marche) ou Minato Mirai* みなとみらい *(sortie 4, puis 3 mn à pied). Tlj sauf mar 10h-17h (dernière entrée 16h30). Entrée : 500 ¥ ; réduc.* Un musée sur toutes les technologies les plus modernes, financé et organisé par la multinationale japonaise *Mitsubishi Heavy Industries.* Au rez-de-chaussée, expo de satellites et jeux vidéo, technologie des océans, l'environnement, les transports. Au 1er étage, technologie des énergies (turbines, le vent) avec des jeux pédagogiques et exercices de simulation pour comprendre. Puis l'atome, la radioactivité... Histoire des véhicules à travers une série de maquettes.

🎥🎥 *Shin-Yokohama Raumen Museum* 新横浜ラーメン博物館 *(hors plan par A2): 2-14-21 Shin-Yokohama, Koho-ku.* ☎ *471-0503.* ● *raumen.co.jp* ● Ⓜ *Shin-Yokohama* 新横浜, *ligne Yokohama Municipal Subway Blue Line (sortie 8) ; trajet : 15 mn. Autre possibilité : prendre la Minatomirai Line jusqu'à Kikuna, puis la JR Yokohama Line jusqu'à la station Shin-Yokohama. Tlj 11h (10h30 dim et j. fériés)-22h (dernière entrée 21h30). Entrée : 310 ¥ ; réduc.* Insolite musée des nouilles japonaises installé dans une grande rue d'antan reconstituée, dans un quartier ancien de Tokyo en miniature, et sur 2 niveaux. Historique de sa fabrication. Boutiques présentant chacune, par régions, ses variétés de nouilles. Possibilité de tester les différentes qualités et de se restaurer sur la petite place centrale reconstituée.

Au sud (Motomachi, Chinatown et le port)

🎥🎥🎥 *Chinatown* 中華街 *(plan C-D2):* Ⓜ *Motomachi-Chukagai* 元町中華街, *ligne Minato Mirai (sortie Chinatown ; arrivée à la porte Choyo-mon).* La plus grande ville chinoise du Japon. Le Chinatown de San Francisco est en pente raide, celui de Londres est petit, celui de Paris habité surtout par des Chinois venus de l'ex-Indochine, le Chinatown de Yokohama est un des plus vieux d'Asie. Ses habitants actuels sont des descendants de familles de migrants venus de Taiwan (Formose), de Shanghai et de Canton vers la fin du XIXe s. Ils étaient déjà près de 6 000 avant le tremblement de terre de 1923. Les émigrés de Chine populaire sont peu nombreux, et ils sont arrivés bien plus tard.
Délimité par de beaux portiques, c'est un très beau quartier, coloré, animé, propre et sûr. Il présente une séduisante homogénéité architecturale et propose, dit-on, plus de 500 restos et boutiques. Ce qui en fait un but de balade très populaire pour les Tokyoïtes. Le week-end, foule énorme !
Ne pas manquer le *Kantei-byo* 関帝廟, temple magnifique sur Minami-mon Silk Road. Portique polychrome très ornementé, mais le plus beau réside dans les colonnes extérieures du sanctuaire en serpentine ciselée et ornées de dragons et pieuvres tentaculaires. Travail superbe, souvent ajouré, ce qui donne un relief d'une grande délicatesse. Frise d'animaux tout autour du temple, particulièrement réussie, avec aux angles des personnages dans leur vie quotidienne. Sur les pilastres, oiseaux gravés de fort belle facture également. Pour les enfants, le *Yokohama Daisekai* 横浜大世界 (une reconstitution du Shanghai des années 1920-1930, restos, attractions diverses sur plusieurs étages) et l'*aquarium Yoshimoto* 吉本水族館.

🎥🎥 *Le paquebot NYK Hikawa Maru* 氷川丸 *(plan C1): au port, au niveau de Yamashita Park.* ☎ *641-2040.* ● *nyk.com/rekishi/e* ● Ⓜ *Motomachi-Chukagai* 元町中華街, *puis 8 mn à pied. Tlj sauf lun 10h-17h (dernière entrée 16h30). Billet : 300 ¥ ; réduc.* Amarré à un quai du port, proche de l'embarcadère des bateaux de promenade, l'*Hikawa Maru* est un cargo mixte de 12 000 t (long de 163 m) qui se visite. Construit en 1930, il transportait les passagers et les marchandises sur la ligne Yokohama-Seattle (côte ouest des États-Unis). Ce vétéran des mers fit 248 fois la traversée du Pacifique ! Un record. Charlie Chaplin fit la traversée à son bord quand il vint des États-Unis en Asie durant l'un de ses voyages de noces (il passa au Japon, à Shanghai, et même à Hanoi au Vietnam). Au lieu de l'abandonner ou de l'envoyer à la casse, les Japonais ont récupéré le paquebot, qui servit d'hôpital pendant la Seconde Guerre mondiale. Avec la tour voisine Marine Tower (sorte de phare dominant le port), ce sont les symboles maritimes du port de Yokohama. Les Japonais sont fiers de leur vieux paquebot, vestige d'une époque où le Japon était relié au reste du monde par la mer et pas encore par les airs.

🎥🏃 *Le musée de la Soie (Silk Museum)* シルク博物館 *(plan C2) : Yamashitacho, Naka-ku.* ☎ *641-0841.* ● *silkmuseum.or.jp* ● Ⓜ *Nihon-Odori* 日本大通り *(sortie 3, puis 5 mn à pied). Tlj sauf lun 9h30-17h. Entrée : 500 ¥ ; réduc.* Consacré à ce que fut l'une des grandes industries au Japon le siècle dernier. Évidemment, tout sur l'élevage du ver à soie et le procédé de production. Schéma de la route de la soie. Rouets, antiques métiers à tisser et machines modernes. Expo de tissus anciens, tapis, vêtements en soie, un peu datée et mal mise en valeur, mais intéressante quand même.

🎥🏃 *Archives of History* 開港資料館 *(plan C2) : 3 Nihono-dori, Naka-ku.* ☎ *201-2100.* ● *kaikou.city.yokohama.jp/en* ● Ⓜ *Nihon-Odori* 日本大通り *(sortie 3, puis 3 mn à pied). Tlj sauf lun 9h30-17h (dernière entrée 16h30). Entrée : 200 ¥ ; réduc.*
Au bord d'une petite place où se dresse une église protestante. Intéressant musée d'histoire de la ville, installé dans un beau bâtiment ancien, qui abrita naguère la maison du consulat de Grande-Bretagne (jusqu'en 1972). Il s'agit d'un site historique essentiel dans l'histoire du Japon, car c'est dans cette belle demeure de style british que fut signé le traité de 1854 entre les États-Unis, représenté par le commodore Perry, et le Japon. Objectif de ce traité : autoriser les puissances occidentales à commercer avec le Japon après une longue période de fermeture (plus de 2 siècles et demi).
Au rez-de-chaussée, ravissantes estampes et vues du port d'antan. Maquettes de bateaux. Historique des 1ers rapports tumultueux entre Japonais et Occidentaux. Noter l'amusante série de portraits du commodore Perry vu à travers les regards nippons de l'époque.
Au 1er étage, vue ancienne et panoramique du port, maquette d'une maison de marchand étranger à Yokohama. Photos et documents sur les missionnaires, le quartier *The Bluff* (colline actuelle de *Yamate,* où vivait la communauté occidentale), le 1er quotidien du Japon édité à Yokohama...
Dans la cour, une fontaine de rue importée d'Écosse (réplique) et l'arbre Tabunoki dont les racines ont survécu à l'incendie de 1923.
À l'entrée, petit café *Le Jardin de Perry.*

– Et encore, le *musée des Poupées,* le *Musée maritime,* le *musée des Jouets en fer-blanc (tin toys),* le *musée d'Histoire des journaux japonais,* le *musée de l'Histoire urbaine de la ville,* le *Cupnoddles Museum,* etc. Renseignement à l'office de tourisme.

🚣 *Promenades en bateau dans le port et la baie de Yokohama* 横浜クルーズ *(Yokohama Cruise) :* ☎ *671-7719 (résas).* ● *yokohama-cruising.jp* ● *Il existe plusieurs embarcadères dans le port et plusieurs types de croisières. En moyenne, 4-5 croisières/j. en sem (8/j. sam-dim) avec la compagnie Marine Shuttle. Tarifs : 1 000 ¥ pour 40 mn, 1 600 ¥ pour 1h, 2 200 ¥ pour 1h30. Billetterie sur les quais. Il existe aussi des croisières de nuit avec dîner à bord.* 2 compagnies se partagent le marché, *Marine Shuttle* et *Marine Rouge,* qui proposent des promenades dans le port de Yokohama. Les plus courtes durent 40 et 60 mn, les plus longues 90 et 120 mn. En 1h, on a déjà un bon aperçu du port de Yokohama. Les bateaux partent de l'embarcadère *Aka-Renga (Aka-Renga pier ; plan B1),* ou de *Yamashita*

Park (plan C1 ; ☎ *661-0347).* Plus au nord, au niveau de l'embarcadère Minato Mirai *(MM21 ; plan A1),* des bateaux-bus de la compagnie *Sea Bass* assurent des navettes régulières entre les embarcadères *East Exit of Yokohama Station (hors plan par A1),* d'*Aka-Renga* et de *Yamashita Park.*

Plus au sud

🎥🎥 *Le cimetière des Étrangers (Yokohama Foreign General Cemetery)* 外人墓地 *(plan D2) :* 96 Yamate-cho, Naka-ku. ☎ 622-1311. Ⓜ *Motomachi-Chukagai* 元町中華街, *ligne Minato Mirai,* ou bus municipal n° 11 depuis la station Sakuragicho. Sinon, à pied, compter 7 mn de marche depuis la station Motomachi-Chukagai *(sortie 5) ;* ça grimpe bien un peu, mais balade agréable. W-e et j. fériés 12h-16h30 *(vérifier, horaires et jours fluctuants car ce sont*

> ## OSTRACISME SOUS L'ÈRE EDO
>
> *Pendant plus de 260 ans (1603-1867), le Japon fut interdit aux étrangers. Celui que l'on trouvait sans autorisation sur l'archipel risquait la peine de mort. À l'intérieur de frontières corsetées, les Japonais ont, durant cette période, édifié une culture et des traditions propres, originales, parfois surprenantes, qui séduisent aujourd'hui les visiteurs... étrangers.*

des bénévoles qui gèrent le cimetière). Fermé janv. Petite contribution aux frais d'entretien. Pendant quelque temps, Yokohama fut la seule ville où les étrangers furent autorisés à séjourner et à mourir. Environ 4 900 personnes (de 40 nationalités) reposent dans ce petit Père-Lachaise du Soleil-Levant... du 1er marin décédé en 1854 sur le navire du commodore Perry au lieutenant-gouverneur de Cochinchine, Paul-Maxime de Bainville (1889), en passant par les victimes du naufrage de l'*USS Oneida* et André-Roger Lecomte (décoré par la France, est-il précisé), qui le premier introduisit le pain français au Japon... Dommage, la balade n'est pas autorisée dans la partie la plus ancienne (uniquement dans la partie haute du cimetière).

La colline de Yamate (Yamate Hill) 山手

🎥🎥 *Les vieilles demeures de style occidental de Yokohama :* après l'ouverture du Japon aux Occidentaux en 1864 (début de l'ère Meiji), les Occidentaux (Européens et Américains) avaient l'habitude de vivre, de commercer, de s'installer à Yokohama, le grand port ouvert sur le monde. La colline de Yamate s'appelait alors *The Bluff* (drôle de nom). Elle abrite aujourd'hui de nombreuses villas et demeures de style européen, dont beaucoup furent reconstruites à l'identique après le grand tremblement de terre de 1923. On peut voir 7 belles maisons restaurées par la municipalité de Yokohama. Entrée gratuite. Infos, détails et plan aux bureaux d'information.

– *Yamate Museum* 山手資料館 *(plan D2) :* Yamate-Hondori. ☎ 622-1188. Ⓜ *Motomachi-Chukagai* 元町中華街 *(sortie 6, direction Americayama Park,* puis 8 mn à pied). Tlj sauf lun 11h-16h. Entrée : 210 ¥ ; réduc. Dans une maison en bois de 1909 comme on en voit aux États-Unis dans les stations balnéaires rétro de la côte est.

– *Yamate n° 111 (plan D2) :* grande villa précédée par 3 arches blanches *(tlj sauf 2e mer du mois 9h30-17h – 18h juil-août ; GRATUIT).* **Bluff n° 18** *(plan D3) :* belle demeure de style anglo-américain avec des murs blancs, des tuiles sur le toit et des fenêtres à guillotine *(tlj sauf 2e mer du mois 9h30-17h – 18h juil-août ; GRATUIT).* **Yamate n° 234** *(plan D2) :* grande villa bordée d'une véranda à colonnes *(tlj sauf 4e mer du mois 9h30-17h – 18h juil-août ; GRATUIT).*

– Et aussi : **British House, Diplomat's House** (de style anglais XIXe s) et **Ehrismann Residence** dans un beau jardin ombragé.

NIKKO 日光 ET LE PARC NATIONAL
DE NIKKO 日光国立公園 env 26 000 hab.   IND. TÉL. : 0288

> ● Plan Nikko – Vue d'ensemble du parc national (plan I) *p. 253*
> ● Plan de la ville (plan II) *p. 254-255*

Après avoir traversé la grande plaine du Kanto, urbanisée et densément peuplée (où l'on voit des rizières protégées par de hautes digues), l'arrivée à Nikko à bord d'un petit omnibus est un plaisir pour l'esprit et les sens. Au printemps s'il fait beau, à l'automne si le soleil éclaire les forêts au feuillage roux et doré, on n'a alors qu'un désir, monter, monter toujours plus haut.
Heureuses montagnes que le progrès et la modernité ne troublent pas encore dans leur majesté intemporelle, paisibles lacs entourés de volcans endormis comme dans les estampes de Hiroshige ou de Hokusai, sublimes paysages préservés et peu habités : Nikko, c'est beau. Selon un vieux dicton japonais, il ne faut jamais dire *kekko* (« merveilleux ») avant d'avoir vu Nikko !
À 600-700 m d'altitude, étalée le long d'une rivière de montagne, la ville de Nikko constitue le point de départ pour découvrir cette région montagneuse, au relief accidenté et couverte de forêts. Cette petite ville très touristique vit au rythme des saisons. En été, une station d'altitude, à la température clémente, fréquentée par les randonneurs et les pêcheurs. En hiver, sous la neige, une station de sports d'hiver accueillant les skieurs et les patineurs.
Il faut prendre un peu de temps pour aller se baigner plus haut, dans les sources d'eau chaude naturelle *(onsen)* à Yumoto, à près de 1 500 m d'altitude.
Le parc national de Nikko est un monde différent, loin des activités urbaines, proche des éléments naturels, l'intérieur de l'Archipel. Rien d'étonnant à ce que ce site exceptionnel ait été élu naguère par le shogun Tokugawa pour y reposer pour l'éternité.

UN PEU D'HISTOIRE

À l'origine, le site s'appelait *Futaraa yama* ou *Nikko San* : en chinois, cela signifie « lumière solaire ». Les 1ers temples furent édifiés par le prêtre Shodo Shonin (735-817). Au fil du temps, d'autres sanctuaires et temples virent le jour dans la montagne. Hauts dignitaires, seigneurs féodaux, samouraïs et empereurs firent des dons importants donnant une impulsion et un rayonnement au site qui dura jusqu'en 1590. Il y eut une petite désaffection de quelques décennies, puis Nikko retrouva toute sa splendeur avec le transfert des cendres du shogun Tokugawa Ieyasu.

Tokugawa Ieyasu, le 1er shogun (1542-1616)

Un personnage digne d'un film d'Akira Kurosawa. Il est le fondateur de la dynastie héréditaire des shoguns Tokugawa, qui régnèrent en maîtres sur le Japon du XVIe s jusqu'à la restauration impériale en 1868. Originaire d'Okazaki, il assista d'abord Oda Nobunaga dans de nombreuses batailles entre les fiefs d'un Japon morcelé en seigneuries féodales. Guerrier redoutable et impitoyable, il parvint à placer le Japon central sous son autorité, et à l'unifier au fil du sabre, sacrifiant au passage sa femme et acculant son fils au suicide. Dans la guerre, tout est permis, semble-t-il... En 1590, il unit ses forces à celles de son rival Hideyoshi devenu son allié, pour étendre sa mainmise sur le pays. À la bataille de Sekigahara en 1600, il écrase

LES ENVIRONS DE TOKYO

ses derniers ennemis et devient l'homme fort du Japon. L'empereur lui accorde alors le titre de *sei-tai-shogun*, c'est-à-dire qu'il devient le chef incontesté de la classe des guerriers (les samouraïs et les bushis). Concrètement : il dirige le pays. Il quitte Kyoto et installe sa capitale à Edo, où il centralise le pouvoir tout en contrôlant d'une main de fer les seigneurs féodaux. En 1605, âgé de 63 ans, il transmet le flambeau à son 3e fils, qui achève le combat en écrasant (en 1615) les partisans de Hideyoshi retranchés dans le château d'Osaka. 1er shogun d'une lignée prestigieuse, Tokugawa Ieyasu s'éteint le 1er juin 1616, après une vie consacrée à la guerre et au combat. Quelques années plus tard, ses cendres sont transférées au sanctuaire Toshogu à Nikko, d'où, selon lui, pouvaient encore surgir des ennemis...

Les ennemis invisibles du Nord

Pourquoi le site de Nikko a-t-il été choisi par le shogun Tokugawa Ieyasu pour y implanter son mausolée ? Pour des raisons à la fois naturelles et surnaturelles, peut-on dire ! On retrouve l'importance de la géomancie (*Feng Shui* en chinois, *Fuu Sui* en japonais) dans l'histoire des hauts lieux du Japon. En venant de la côte et de la plaine du Kanto, Nikko forme la 1re barrière géographique montagneuse se dressant dans le ciel comme un rempart. Celle-ci ne cesse de monter de plus en plus haut, pour devenir infranchissable ou presque. Rassuré par les géomanciens, le shogun décide alors que ces montagnes redoutables et froides constituent l'endroit idéal pour défendre Edo, la capitale (actuelle Tokyo), et la protéger des mauvais esprits qui, selon la croyance japonaise, pourraient surgir du nord de l'Archipel. Le Nord, c'est donc le danger. Le shogun, lui, ne perd pas le nord. Au contraire, voilà qu'il impose sa griffe puissante sur Nikko et ordonne d'y être enterré après sa mort, pour garder Edo des ennemis invisibles. Tout a commencé ainsi. Le destin de Nikko est fixé pour les siècles.

LE STYLE NIKKO

Les historiens de l'art s'accordent pour dire qu'il existe un style particulier à Nikko, tant sur le plan religieux qu'artistique. La religion des sanctuaires et des temples marie sans les dissocier les croyances du shinto et la doctrine bouddhiste. L'animisme et le panthéisme du shinto n'excluent pas les principes moraux du Bouddha. Ce mélange original et tolérant de 2 traditions spirituelles

BOUDDHA SANS BIJOU

On reconnaît un temple bouddhique par la présence de statues du Bouddha, dont les oreilles sont allongées (il a renoncé à ses lourdes boucles d'oreilles et aux richesses). La déco est assez dépouillée. Dans les sites shintoïstes, on remarque beaucoup de statues d'animaux.

bien distinctes a donné naissance à un syncrétisme étonnant. À Nikko, le style architectural le montre bien : il s'appelle le style Gongen-zukuri. La sculpture, la peinture, la décoration extérieure et intérieure des pavillons affichent une exubérance presque baroque dans les formes, une richesse de couleurs que l'on ne retrouve pas dans le style japonais classique, fait de sobriété et de dépouillement zen. La raison de cet art ostentatoire et luxueux : rien n'était trop beau pour honorer le shogun Tokugawa Ieyasu, assimilé par les Japonais à une divinité humaine.

Quand y aller ?

Quelle que soit la saison choisie, la semaine est préférable au week-end pour profiter au mieux des sites !
– *Haute saison* : les mois d'octobre et de novembre correspondent à la saison touristique. Les Japonais y viennent nombreux admirer les couleurs automnales des forêts.

NORD

Station thermale
de Yumoto

Lac
Yunoko

Cascade
de Yudaki

Kotoku

▲ Mt Omanago

Senjogahara
Plateau

Kirifuri
Plateau

Cascade
de Ryuzu

▲ Mt Nantai

Urami
Falls ●

Botanical
Garden

Nikko
Museum

Centre-ville
de Nikko

Chugushi

N°1 Irohazaka
Drive

Kiyotaki

JR Nikko
Station

Lac
Chuzenji

Umagaeshi

119

Plage
d'Utagahama

Plaine
Akechiaire

Kegon
Falls

N°1 Irohazaka
Drive

122

2 km

**NIKKO – Vue d'ensemble
du parc national (Plan I)**

LES ENVIRONS DE TOKYO

– *Printemps :* sans doute la meilleure époque. Entre avril et juin.
– *Été :* les étés sont chauds, mais beaucoup moins qu'à Tokyo et dans la plaine. En raison de l'altitude, les températures y sont supportables.
– *Hiver :* Nikko est sous la neige. Les températures peuvent descendre à - 10 °C.

Arriver – Quitter

🚃 *Gares ferroviaires :* il existe 2 gares distantes de 200 m l'une de l'autre, la Tobu Nikko Station (plan II, D3, **1**) et la JR Nikko Station (plan II, D3, **2**). Toutes 2 dans le centre-ville.
➤ *De/pour Tokyo :* la formule la moins rapide mais aussi la moins chère consiste à prendre les trains de la ligne Tobu (● tobu.co.jp ●) depuis la gare d'Asakusa (au nord de Tokyo). Départs ttes les heures (min 1 train/h) 6h-21h30 dans les 2 sens : 20 trains directs/j., sinon changer à Shimoimachi, puis emprunter le petit omnibus pour Nikko. En *express,* moins de 3 000 ¥. Durée : env 2h-2h20 (les trains directs ne sont pas forcément plus rapides). Attention : sur cette ligne, le *Japan Rail Pass* n'est pas valable.
– *Autre possibilité :* le train *Shinkansen* (à grande vitesse) de la ligne Tohoku au départ des gares de Tokyo et d'Ueno. Il va jusqu'à Utsunomiya 宇都宮 (env 50 mn). Là, il faut changer et prendre l'omnibus de la ligne Nikko qui rejoint Nikko en 45 mn. Départs ttes les 45 mn env, 5h-21h30. *Japan Rail Pass* valable sur cette ligne. Billet : env 5 500 ¥.
– *Train pour la gare de Shinjuku (Tokyo) :* changement à Shimoimachi. Puis train *JR* direct jusqu'à Shinjuku. Intéressant pour ceux qui sont (ou vont) dans cette partie de la capitale.

Adresses et info utiles

🛈 @ *Informations touristiques :* bureau principal **Nikko Tourist Information Center** 日光観光センター situé au n° 591 Gokoumachi (grande route principale ; plan II, C2). ☎ 22-1525 ou 54-2496. ● nikko-travel.jp ●

LES ENVIRONS DE TOKYO

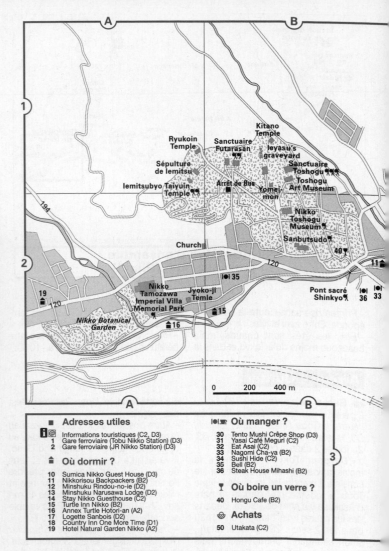

Adresses utiles

🛈@ Informations touristiques (C2, D3)
1 Gare ferroviaire (Tobu Nikko Station) (D3)
2 Gare ferroviaire (JR Nikko Station) (D3)

Où dormir ?

10 Sumica Nikko Guest House (D3)
11 Nikkorisou Backpackers (B2)
12 Minshuku Rindou-no-ie (D2)
13 Minshuku Narusawa Lodge (D2)
14 Stay Nikko Guesthouse (C2)
15 Turtle Inn Nikko (B2)
16 Annex Turtle Hotori-an (A2)
17 Logette Sanbois (D2)
18 Country Inn One More Time (D1)
19 Hotel Natural Garden Nikko (A2)

Où manger ?

30 Tento Mushi Crêpe Shop (D3)
31 Yasai Café Meguri (C2)
32 Eat Asai (C2)
33 Nagomi Cha-ya (B2)
34 Sushi Hide (C2)
35 Bell (B2)
36 Steak House Mihashi (B2)

Où boire un verre ?

40 Hongu Cafe (B2)

Achats

50 Utakata (C2)

Également à la Tobu Nikko Station et à la JR Nikko Station (plan II, D3). Tlj 9h (8h30 à la Tobu Nikko Station)-17h. Plan très bien fait de la ville et de la région, avec tous les détails et les infos utiles. Brochures sur l'hébergement et les activités en montagne (randonnées). À disposition : ordinateurs et Internet.

🚌 *Gare routière (plan II, D3) : sur la place, devant la Tobu Nikko Station. Des bus réguliers (lignes 1, 2 et 3)*

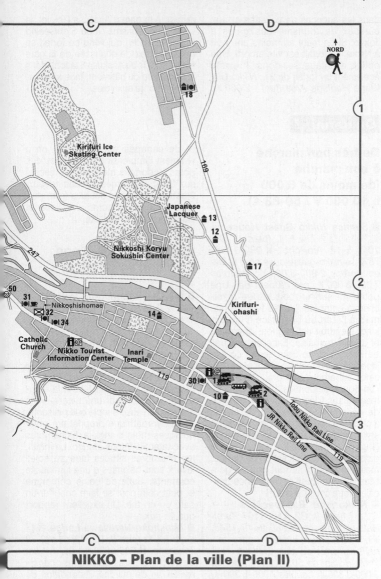

NIKKO – Plan de la ville (Plan II)

desservent la route principale, avec arrêt au niveau du pont Shinkyo (accès au secteur des temples), avant de rejoindre Chuzenji et Yumoto dans les environs de Nikko. Prix selon distance : min 150 ¥/trajet.

– All Nikko Pass : *info sur ● tobu.co.jp/ foreign/en/pass ● Forfait valable 4 j. Tarifs : 4 520 ¥ de mi-avr à nov, 4150 ¥ de déc à mi-avr ; réduc.* Il inclut le train (ligne Tobu) depuis Tokyo et donne libre accès aux bus de Nikko. On l'achète dans les agences de voyages et aux bureaux de tourisme des gares à Tokyo. Si on reste au moins une nuit à Nikko, ce forfait est vite amorti. Une option avantageuse, donc. Il existe également un forfait de 2 j., *Nikko City World Heritage Area* (tarif : 2 000 ¥ ; *réduc*). À la gare d'Asakusa (Tokyo), le bureau de tourisme *(Tobu Sightseeing Service Center)* qui vend ce forfait se trouve au rez-de-chaussée de la gare ferroviaire (Tobu Asakusa Station), dans la partie sud du bâtiment, face à l'escalier qui monte aux voies.

Où dormir ?

De très bon marché à bon marché (de moins de 6 000 à 10 000 ¥ / 50-83 €)

🏠 *Sumica Nikko Guest House* 日光ゲストハウス巣み家 *(plan II, D3, 10)* : 5-12 Aioi-cho. ☏ 090-1838-7873. ● nikko-guesthouse.com ● Lits en dortoir 2 800-3 000 ¥ ; doubles 7 000-8 000 ¥ ; pas de petit déj. Une petite maison en bois située à mi-chemin entre les 2 gares ferroviaires, mais à l'écart du bruit, face à un parking. L'endroit est mignon, charmant et à taille humaine. Excellent accueil de Kumiko et de Sato, jeune couple japonais anglophone qui tient avec soin cette auberge à bas prix. 2 dortoirs, l'un pour 3 personnes, l'autre de 4 lits réservé aux filles (1 seul dortoir mixte de décembre à mars). Au 1er étage, 2 chambres pour 2 ou 3 personnes de style japonais. Sanitaires communs (1 seule douche et 2 w-c), cuisine à disposition. L'endroit est un peu exigu, mais on vient ici surtout pour la gentillesse de l'accueil et l'ambiance amicale. Notre coup de cœur !

🏠 *Nikkorisou Backpackers* にっこり荘 *(plan II, B2, 11)* : 1107 Kami-Hatsuishi-machi. ☏ 080-9449-1545. ● nikkorisou.com ● De la gare ferroviaire, arrêt de bus Shinkyo 神橋 (n° 7), distant de 50 m. Lits en dortoir 3 000-3 300 ¥ ; doubles 7 000-8 300 ¥ ; pas de petit déj. Située à 100 m du pont Shinkyo, dans une petite rue calme, au bord de la rivière, une bonne maison rustique transformée en *hostel*, tenue par de jeunes Japonais aimables et qui parlent l'anglais. Dans le salon commun équipé d'une cuisine, d'une TV pour mater des films et de canapés pour s'affaler, on a vraiment l'impression d'être chez des potes ! 2 dortoirs modestes (1 réservé aux filles), lits fermés par des rideaux, 2 petites chambres doubles (clim partout). Sanitaires communs, laverie. Beaucoup de convivialité.

Bon marché (de 6 000 à 10 000 ¥ / 50-83 €)

🏠 *Minshuku Rindou-no-ie* 民宿りんどうの家 *(plan II, D2, 12)* : 1462 Tokorono. ☎ 53-0131. ● rindou@smile.ocn.ne.jp ● À 1 km au nord des gares ferroviaires ; compter 15 mn de marche, sinon service de pick-up entre la maison et les gares à la demande. Double env 7 600 ¥ ; petit déj en sus. Dans un quartier calme qui fait face à la montagne et bordé par une rivière, voilà une maison aussi simple que plaisante, où le sympathique propriétaire parle quelques mots d'anglais. 5 chambres avec tatamis, futons et frigo. Le matin, les chambres situées face au soleil levant sont baignées d'une luminosité éclatante. Salle de bains commune et petit coin pour se faire chauffer un café ou un thé. Un excellent rapport qualité-prix.

🏠 *Minshuku Narusawa Lodge* 民宿成澤ロッヂ *(plan II, D2, 13)* : 1462-22 Tokorono. ☏ 080-6636-02-88. À 1 km au nord des gares ferroviaires ; compter 15 mn de marche. À condition de réserver à l'avance, le propriétaire vient chercher ses hôtes en voiture à la gare. Compter 7 500-8 400 ¥ pour 2 ; pas de petit déj. Dans un quartier résidentiel et calme, une maison tenue par un monsieur un peu solitaire mais aimable. 2 chambres seulement, l'un pour 4 personnes, l'autre pour 6. Celle située au

1er étage est plus claire, plus agréable. Salle de bains commune.

De bon marché à prix moyens (de 6 000 à 15 000 ¥ / 50-125 €)

🏠 *Stay Nikko Guesthouse* ステイ日光ゲストハウス *(plan II, C2, 14)* : 2-360-13 Inarimachi. ☎ 25-5303. ● staynikko.com ● À env 500 m des gares ferroviaires, au bord de la rivière. Doubles 8 200-12 000 ¥ ; petit déj en sus. Une véritable *guesthouse*, une vraie belle petite adresse tenue par un jeune couple souriant et à l'énergie communicative. Le jardinet fleuri et coquet qui borde la maison donne le ton. L'intérieur tient toutes ses promesses avec du beau parquet verni, un salon japonais agréable pour se poser et ses 4 chambres confortables (une seule de style occidental). Une petite préférence pour celle qui donne sur le jardin, à l'arrière. Éviter la moins chère, dont la fenêtre s'ouvre sur le couloir. Sanitaires communs et petit coin cuisine où l'on peut se préparer le petit déj. Ne vous privez pas d'une balade au bord de la rivière, tout proche. Une adresse qui fait l'unanimité (et surtout un excellent rapport qualité-prix !).

🏠 *Turtle Inn Nikko* タートルイン日光 *(plan II, B2, 15)* : 2-16 Takumi-cho. ☎ 53-3168. ● turtle-nikko.com ● À env 2,5 km au nord des gares ferroviaires ; devant la Tobu Nikko Station, prendre le bus et descendre à l'arrêt Sogokaikanmae 総合会館前 (n° 8) ; de là, 1re rue à gauche, puis encore 1re à gauche et rejoindre la rue qui longe la rivière (à 5 mn à pied de l'arrêt de bus). Doubles sans ou avec sdb 9 200-11 700 ¥ ; petit déj en sus. Située dans un quartier tranquille, tout près de la rivière Daiya, une pension tenue par un collectionneur de tortues (d'où le nom de la maison). Très bon accueil en anglais. Chambres simples, confortables et parfaitement tenues (style japonais ou occidental). 2 chambres donnent sur la rivière. Possède une annexe très agréable *Annex Turtle Hotori-an,* 300 m plus loin, sur la droite de la route qui mène au parc des pierres et au Narabijizo *(plan II, A2, 16 ; ☎ 53-3663 ;*

doubles avec sdb 12 600-14 800 ¥, petit déj en sus). Dans celle-ci, demander l'une des 8 chambres donnant sur la rivière. Accueil adorable.

🏠 *Logette Sanbois* ロヂテサンボア *(plan II, D2, 17)* : 1560 Tokorono. ☎ 53-0082. Doubles sans ou avec sdb 11 880-14 580 ¥ ; petit déj en sus. Une sorte de gros chalet cossu, isolé sur un flanc de colline boisée dont l'architecture en bois, avec ses passerelles et ses balcons, rappelle une maison du Canada. Très bon accueil d'un couple japonais. L'ancien propriétaire lui a donné ce nom québécois en souvenir de ce pays. Des chambres dans le style occidental (confortables et impeccables) et 2 seulement dans le style japonais. On entend la rivière toute proche qui ronronne. Dîner à la demande pour les hôtes ; l'hôtel étant isolé, c'est une bonne option pour le soir.

De prix moyens à chic (de 10 000 à 25 000 ¥ / 83-208 €)

🏠 |●| *Country Inn One More Time* カントリーインワンモアタイム *(plan II, D1, 18)* : 1542 Tokorono. ☎ 53-5651. ● one-nikko.com ● À env 2 km au nord de la ville. Compter 30 mn de marche. En téléphonant avt, on viendra vous chercher à la gare (service de pick-up avec le centre-ville 15h-17h). Sinon, taxi. Doubles en ½ pens 8 500-17 850 ¥. À l'orée des bois, une superbe pension de charme, dans une maison moderne, de très bon goût et très soigneusement aménagée. Abrite des chambres impeccables, coquettes (avec clim et tout le confort) et très calmes. Le plus, ce sont les suites dotées de salle de bains communiquant avec des vérandas en plein air. Il y a 3 bâtiments : le principal, l'annexe *Gran Terrace* et *One More Time Heart* (plus cher encore). La cuisine raffinée et délicieuse est digne d'un grand restaurant.

🏠 *Hotel Natural Garden Nikko* ホテルナチュラルガーデン日光 *(plan II, A2, 19)* : 1825-3 Hanaishi-cho. ☎ 50-3070. ● n-garden-hotel.com ● À env 3,5 km à l'ouest des gares ferroviaires. Devant la Tobu Nikko Station, prendre le bus

LES ENVIRONS DE TOKYO

puis descendre à l'arrêt Nikko Shoku-butsuen 日光植物園 (n° 12). Sinon taxi. Doubles en ½ pens 17 300-20 000 ¥, petit déj inclus. Malgré une façade banale, voilà un hôtel à l'atmosphère un tantinet british avec un beau billard dans le hall d'entrée. Chambres confortables, au standing conforme à ce que l'on peut attendre pour ce type d'établissement. *Onsen* intérieur et extérieur. Très bon petit déjeuner que l'on prend dans une salle ensoleillée le matin, sur de jolies nappes blanches. Fait aussi resto le soir.

Où manger ?

Attention, le soir, les restos ferment relativement tôt.

Bon marché (jusqu'à 1 500 ¥ / 12,50 €)

|●| *Tento Mushi Crêpe Shop* てんとう むし (*plan II, D3, 30*) : à 50 m de la Tobu Nikko Station, une boutique couleur vin avec une coccinelle comme enseigne. Tlj 11h-18h, mais j. de fermeture aléatoire. Pas de méprise, il ne s'agit pas d'une crêperie bretonne... mais bien nippone. La gentille Mme Yoko-san est timide et ne parle que le japonais. Elle fait elle-même une dizaine de crêpes salées et sucrées différentes. Au thon et au fromage, à la cannelle, à la banane, aux amandes, au caramel... C'est simple et économique.

|●| ♥ *Yasai Café Meguri* 廻り (*plan II, C2, 31*) : 1-3 Kami-Hatsuishi-machi. ☎ 25-3122. À 100 m de la poste et en face de la célèbre confiserie Mitsuyama Youkan Honpo ; *extérieurement, il est écrit « Koyabashi Art Trading Co ».* Tlj sauf jeu 12h-18h (17h en hiver). Un petit resto tenu par des jeunes accueillants qui préparent une cuisine japonaise végétarienne, bio et vegan, d'une belle fraîcheur. Prix sages, décor sobre et clair dans une salle de style japonais (tatami), avec une jolie mezzanine. Bien aussi pour boire seulement un thé. On se déchausse à l'entrée.

|●| *Eat Asai* あさい (*plan II, C2, 32*) : 894 Kami-Hatsuishi-machi. ☎ 54-0110. Au bord de la route principale, à côté de la poste. Tlj sauf mar 11h30-14h, 17h-20h30. Peut rejoindre la catégorie « Prix moyens » en prenant les plats les plus chers. Ici, le temps qui passe a laissé son empreinte en jaunissant les photos, en patinant les murs. Et pour cause, ça fait plus de 30 ans que le discret et prévenant Akira Asai veille sur sa petite cantine de 4 tables. Eux aussi fidèles au poste, les habitués viennent se caler d'un gros bol de soupe le midi. Pas mal de plats chinois, quelques sushis. Une petite institution à Nikko.

Prix moyens (de 1 500 à 3 500 ¥ / 12,50-29 €)

|●| *Nagomi Cha-ya* 和み茶屋 (*plan II, B2, 33*) : 1016 Kami-Hatsuishi-machi. ☎ 54-3770. À 150 m du pont Shinkyo, attenant à l'antiquaire Takemoto. Ouv le midi tlj sauf lun (ferme à 16h). Petit restaurant tenu par de jeunes Japonais adorables et communicatifs (ils parlent l'anglais). Tables basses ou hautes, salle très sobre et agréable ouvrant sur un jardin à l'arrière. On y sert la cuisine *kaiseki*, mais particulièrement le *nikko yuba*, rouleaux faits à partir de lait de soja cuit, présenté comme des lamelles enroulées. C'est tendre et diététique, un plat apprécié des moines bouddhistes. En dessert, c'est l'occasion de goûter le *Nikko mizu-yokan*, une friandise sucrée un peu gélatineuse à base de haricots rouges.

|●| *Sushi Hide* 寿司秀 (*plan II, C2, 34*) : 808 Kami-Hatsuishi-machi. Env 150 m après l'office de tourisme (en venant de la gare), juste après Dragon Art et attenant au gothique Nikko Beetle Café (glurps !). Tlj 11h-18h. En façade, une rocaille insolite avec des grenouilles vertes, un chat Hello Kitty, des plantes grimpantes et des photos des plats. À l'intérieur, une salle minuscule (2 tables seulement et un salon dans le fond), un chef japonais et moustachu qui collectionne les figurines de chats, tandis que sa femme fait le service. La spécialité, c'est le *yuba zukushi* *wazen* (à base de lait de soja cuit et enroulé en lamelles) ou le *yuba shiraishi* (avec plateau de sushis). Cuisine fine et soignée. L'adresse est connue des sumotoris, des présentateurs de TV et de quelques personnalités nippones.

|●| ***Bell*** ベル *(plan II, B2,* ***35****) : 6-39 Yasukawa-cho.* ☎ *53-2843. Tlj 10h30-16h, 17h-21h30.* C'est un peu le petit resto de quartier tranquille où l'on croise quelques habitués venus papoter avec la patronne, tout en avalant un gratin fraichement préparé, des *noodles,* un curry, des spaghettis ou un plat japonais. Un resto sans façon mais plein de chaleur avec son long comptoir en bois qui semble débité dans un seul tronc, son étagère recouverte de bouquins et sa musique souvent jazzy, parfois classique. Tout est fait maison, alors ça peut demander parfois un peu de temps. Vous serez aussi le bienvenu pour un café ou un thé en journée.

De prix moyens à un poil plus chic (de 1 500 à 4 500 ¥ / 12,50-38 €)

|●| ***Steak House Mihashi*** みはし *(plan II, B2,* ***36****) : 1115 Kami-Hatsuishi-machi.* ☎ *54-3429. À 150 m en retrait de la route principale ; dans la rue qui monte à droite juste après le pont sacré (lorsqu'on est dos à la rivière). Tlj sauf jeu 11h30-20h (dernière commande à 19h30).* Maison en surplomb de la vallée, salle classique, accueil et service japonais (très classique aussi) dans un décor occidental. Spécialités de steaks et hamburger. Le patron possède son propre petit vignoble à Yamanashi. Vin très, très rustique... on peut s'en passer. On vient surtout ici pour la viande (excellente et tendre) ainsi que pour les champignons des bois *(maitake),* évoquant des bouquets touffus d'algues marines.

Où boire un verre ?

🍸 ***Hongu Cafe*** 本宮カフェ *(plan II, B2,* ***40****) : 2384 Sannai.* ☎ *54-1669. Sur la droite du chemin qui monte vers le sanctuaire, en prenant les escaliers qui débutent au niveau du pont de la route principale. Tlj sauf jeu 10h-17h.* Bonne ambiance tranquille. Dans ce petit café tout en bois qui surplombe la rivière, on s'installe à l'occidentale ou à la japonaise. Parfait pour un thé ou un café en journée. On peut aussi caler un petit creux (sandwichs et quelques plats).

Achats

🛍 ***Utakata*** うたかた *(plan II, C2,* ***50****) : 945 Naka-Hatsuishi-machi (route principale).* ☎ *53-6465.* ● *luxe-nikko.com* ● *À 300 m à gauche avt le pont Shinkyo, en venant de la gare. Tlj 10h-17h30.* Boutique originale, car on peut y louer à la journée kimono ou *yukata,* à partir de 3 800 ¥. Il y a une trentaine de styles différents. Les clients étrangers peuvent ainsi se promener dans Nikko vêtus d'un kimono et se faire prendre en photo.

À voir

Quand on vient en bus de la gare, l'arrêt Taiyuin Futarasan Jinja Mae (nº 85) se trouve à 100 m du Futarasan. Le mausolée Taiyuin est tout près. Sinon, arrêt Shinkyo (nº 7) près du pont sacré, puis accès au site par un escalier qui débute de l'autre côté de la rivière. **Attention : les sanctuaires Toshogu, Futarasan et le mausolée Taiyuin sont en restauration jusqu'en 2020, et même si une grande partie reste ouverte à la visite, certains temples ne le seront pas au moment de votre voyage.**

LES ENVIRONS DE TOKYO (side margin)

🎥🎥🎥 *Le sanctuaire Toshogu (Toshogu Shrine)* 東照宮 *(plan II, B1) :* ● *toshogu. jp/english* ● *Tlj 8h-17h (16h nov-mars) ; dernière entrée 30 mn avt. Essayez de faire la visite plutôt en semaine que le w-e. Entrée : 1 300 ¥ (entrée à la tombe d'Ieysus comprise). Audioguide en anglais : 500 ¥. Accès au dragon gémissant (Crying Dragon) : 500 ¥ ; réduc. Billet combiné avec le Nikko Toshogu Museum : 2 100 ¥ ; réduc.*

Le plus grand et le plus célèbre sanctuaire de Nikko, dédié au shogun Tokugawa Ieyasu (1542-1616), fondateur du shogunat des Tokugawa, une dynastie qui dirigea le Japon du XVI⁰ s jusqu'au milieu du XIX⁰ s. Pour édifier ce sanctuaire, le budget de l'État fut illimité ou presque. Rien ne fut trop beau pour le shogun. On recruta les meilleurs artisans et ouvriers du Japon, en particulier ceux de Nara et de Kyoto. Le style de l'ouvrage fut celui de Momoyama, et l'influence chinoise de la dynastie Ming y est évidente (le lion le prouve). Comme les cathédrales en Occident, le chantier dura des décennies.

On accède au sanctuaire par le *Sennin Ishidan* 千人石段, un escalier en pierre surnommé « escalier en pierre des 1 000 hommes ». Sur la gauche du torii se dresse une pagode à 5 étages. Après l'escalier, on passe par la porte Omoto ou Nio, dont les sculptures représentent des chrysanthèmes (fleur vénérée au Japon), des pivoines (fleur symbolisant la richesse) et des têtes de lion (la force, la puissance).

L'*écurie sacrée* est le seul bâtiment dont les murs ne sont pas laqués. Un auvent au-dessus de la porte d'entrée de l'écurie montre une « trinité simiesque », c'est-à-dire un insolite trio de singes sculptés : l'un met ses mains devant ses yeux, l'autre devant sa bouche et le dernier les pose sur ses oreilles. Cette attitude venue de l'hindouisme, entrée dans le bouddhisme, est un précepte moral qui signifie : « Ne pas voir le mal, ne pas dire le mal et ne pas écouter le mal. »

Sur la plate-forme au-dessus de la cour de l'écurie sacrée, après l'escalier sur la droite, se dresse un grand *candélabre* en bronze chargé d'une histoire étonnante. Il fut offert par François Caron au shogun Tokugawa Iemitsu.

Plus loin, derrière la tour du Tambour, le *Yakushi (Honji-do* 本地堂*)* au plafond décoré d'un célèbre dragon gémissant. Le *portail de la Lumière du Soleil (Yomeimon* 陽明門*)* porté par 12 colonnes marque l'endroit où les samouraïs d'un rang inférieur devaient attendre que leurs supérieurs soient admis auprès du shogun. Décoré par une ribambelle de motifs sculptés (oiseaux, animaux, fleurs), dont certains sont à l'envers pour conjurer le mauvais sort.

La *Kara-mon* 唐門 est une autre belle porte donnant accès au Hon-den. Les visiteurs se déchaussent. Le *Hai-den* est l'antichambre de l'*Hon-den* : plafonds à caissons, panneaux incrustés de fleurs de *pawlonia*, de phénix (oiseau sacré du bouddhisme) et de dragons. Voilà enfin le *Hon-den* 本殿 divisé en 3 pièces : le *Hei-den* où sont conservées des feuilles d'or, la seule que l'on peut visiter ; le *Naijin* et le *Nai-naijin* en principe ne sont pas accessibles. Dans celle-ci se trouve le fameux sanctuaire laqué or (Palais sacré) où les Japonais adorent les 3 hommes sanctifiés : Ieyasu, Hideyoshi et Yoritomo.

Pour rejoindre la tombe d'Ieyasu, on passe par la porte *Nemuri-neko* 眠り猫, sur laquelle se trouve une sculpture représentant « le chat qui dort », œuvre datant du XVII⁰ s.

LE 1ᴱᴿ FRANÇAIS AU JAPON

Aventurier français, protestant, François Caron (1600-1673) se mit au service de la VOC (Compagnie des Indes néerlandaises). Il arriva au Japon en 1620, apprit le japonais, devint interprète et épousa une Japonaise. En 1639, le voilà nommé directeur d'un comptoir commercial. Diplomate, il négocia avec les Hollandais et le shogun (général), qui ne souhaitait pas la présence des étrangers dans son pays. Sa vie, une étrange destinée, se termina par un naufrage à l'entrée de Lisbonne (voir la rubrique « Personnages » dans le chapitre « Hommes, culture, environnement » en fin de guide).

ৠৠ *Le sanctuaire Futarasan (Futurasan Shrine)* 二荒山神社 *(plan II, B1) :*
accès par le chemin qui débute à gauche des guichets d'entrée au sanctuaire
Toshogu et longe le mur d'enceinte ; avt d'arriver, un torii rappelle que ce lieu
est sacré. Tlj 8h-17h (9h-16h nov-mars). Accès : 200 ¥. Depuis toujours le sanctuaire a été un lieu de dévotion. Fondé en l'honneur d'Okuninushi no Mikoto,
il fut reconstruit en 1610. Noter les toitures de cuivre, dans la cour. Une vieille
lanterne en bronze (1293) devant le Hon-den a été surnommée « lanterne du
spectre ». Selon la légende, elle aurait favorisé l'apparition d'esprits combattants. Une fête des danses sacrées (Yayoi Festival) s'y déroule chaque année
du 13 au 17 avril.

ৠৠ *Le mausolée Taiyuin (Iemitsubyo Taiyuin Temple)* 大猷院廟 *(plan II, A1) :*
à 200 m du sanctuaire Futarasan. Tlj 8h-16h30 (15h30 nov-mars). Accès : 550 ¥ ;
réduc. Billet combiné avec le Sanbutsudo : 900 ¥ ; réduc. Il est aussi appelé
mausolée de Tokugawa Iemitsu (1603-1651). Construit 16 ans après le sanctuaire Toshogu, il est plus petit et plus modeste que celui-ci. Pour y accéder,
on monte des escaliers conduisant au temple Taiyuin, dont le pavillon décoré
d'une manière luxueuse (dorures, sculptures) est entouré d'une sorte de grosse
muraille de pierre bordée de douves. Curieuse palissade de couleur noir mat, formée par une sorte de moucharabieh. Le tombeau de Tokugawa Iemitsu (Okuin-
gohoto) se trouve au-dessus du temple, sur la colline, au milieu des arbres
(accès interdit).

ৠ *Nikko Toshogu Museum* 日光東照宮美術館 *(plan II, B2) : juste avt l'entrée du*
sanctuaire Toshogu, sur la droite de l'allée principale. ☎ 54-2558. Tlj 8h-17h (16h
nov-mars) ; dernière entrée 30 mn avt. Accès : 1 000 ¥ ; réduc. Billet combiné avec
le sanctuaire Toshogu : 2 100 ¥ ; réduc. Un musée récent qui retrace l'épopée de
Tokugawa Ieyasu et l'histoire du sanctuaire. La vie du fondateur de la dynastie des
Tokugawa est illustrée à travers notamment un dessin animé de 20 mn. On peut
admirer différents objets de l'ancienne cour impériale (le trésor), des représentations et des reliques du célèbre shogun.

ৠ *Sanbutsudo* 三仏堂 *(plan II, B2) : sur le côté droit de l'allée centrale en montant*
vers le sanctuaire Toshogu. Tlj 8h-17h (16h30 nov-mars) ; dernière entrée 30 mn
avt. Accès : 400 ¥ ; réduc. Billet combiné avec le mausolée Taiyuin : 900 ¥. En res-
tauration jusqu'au printemps 2019, mais reste ouv à la visite. C'est le temple
le plus important de Nikko, fondé au VIIIe s par Shodo Shonin. Il est surtout connu
pour la salle des 3 bouddhas dans laquelle se dressent 3 statues en bois recouvert
de feuilles d'or, dont celle du Bouddha Amida (8 m de haut !). À ses côtés, le Kannon à mille bras et le Kannon à tête de cheval.

ৠ *Le pont sacré Shinkyo* 神橋 *(plan II, B2) : à 1,5 km au nord de la gare de Nikko,*
sur la gauche de la rue principale en venant du centre, juste avt d'arriver à la colline
des temples. Accès : 300 ¥. Un vieux pont enjambe la tumultueuse rivière Daiya.
Construit en 1636, détruit puis reconstruit en 1907 sur le modèle d'origine, ce
« pont sacré » de 28 m de long n'est ouvert qu'à certaines occasions (fêtes). Une
légende raconte que le prêtre Shodo parvint à traverser la rivière sur le dos de
2 serpents qui lui servirent de passerelle.

ৠ *Nikko Tamozawa Imperial Villa Memorial Park* 日光田母沢御用邸記念公園
(plan II, A2) : à presque 3 km du centre-ville et de la gare de Nikko. Sur le côté
gauche de la route ; arrêt de bus Tamozawa (n° 10). ☎ 53-6767. Tlj sauf mar
9h-16h30 (17h avr-oct). Entrée : 510 ¥ ; réduc. Construit en 1899 comme résidence du prince impérial Yoshihito (empereur Taisho), ce palais servit de refuge
en 1944 au prince Akihito (actuel empereur), qui y vécut une année avant l'éva-
cuation. Comportant 106 pièces, il est entouré d'un grand parc ombragé par des
cèdres et des pins.

LES ENVIRONS DE TOKYO

DANS LES ENVIRONS DE NIKKO

%%% *Le lac Chuzenji* 中禅寺湖 *(plan I)* : *depuis la Tobu Nikko Station, bus lignes 2A et 2B ; billet : 2 300 ¥ l'A/R ; trajet : env 50 mn.* On y accède par une route montagneuse comportant de nombreux virages. Elle sinue jusqu'au plateau d'Akechidaira, avant de redescendre vers la petite bourgade de Chugushi, au bord du lac Chuzenji. La route du retour (plus sinueuse encore) est différente de celle de l'aller pour des raisons de sécurité (virages en épingle à cheveux, pente très forte). Situé à une vingtaine de kilomètres au nord de Nikko, à 1 271 m d'altitude, ce grand lac volcanique né de l'éruption du Nantai (qui en serait le cône) mesure environ 21 km de circonférence. Sa profondeur atteint 172 m au point le plus bas. Du gros village de Chugushi, on peut marcher le long de la rive nord du lac : paysages magnifiques.

% *Chugushi* 中宮祠 *(plan I)* : *depuis la Tobu Nikko Station, bus (ligne 2A), arrêt Futarasan Jinja Chugushi* 二荒山神社中宮祠 *(n° 28) ; billet : 2 300 ¥ l'A/R ; trajet : env 50 mn.* Petite ville d'altitude, au pied des montagnes, étendue dans le renfoncement est du lac Chuzenji. C'est le point de départ et d'arrivée des bus qui relient Nikko, et de ceux qui montent au lac Yunoko. D'insolites embarcations à pédales en forme de canards, de cygnes ou d'hélicoptères, promènent les touristes sur les eaux tranquilles. En été, entre les 1er et 7 août, se déroule la fête de Tohai Matsuri, au cours de laquelle près de 10 000 personnes habillées de blanc (la couleur des pèlerins) font l'ascension du Nantai-san (2 484 m). Au sommet de celui-ci se dresse le sanctuaire Oku Miya. À Chugushi, il commence à faire frais dès le mois d'octobre. Les hivers y sont enneigés et très froids.
On y trouve plein de petits restos de soupe, aux enseignes stylisées en tissu, avec de gros bols de soupe en évidence pour attirer le chaland. Donc de quoi manger, boire et dormir (au moins un hôtel).

|●| ▼ Pour boire un verre, une bonne adresse : *Adonis* アドニス, à la sortie du village, sur la route qui longe le lac vers Yumoto. Petit café-salon de thé avec une terrasse en bois ouverte sur le lac. Très agréable. Sert aussi des cakes et des spaghettis.

%% *Les chutes de Kegon (Kegon Falls)* 華厳の滝 *(plan I)* : *depuis la Tobu Nikko Station, bus (lignes 2A et 2B), arrêt Chuzenji Onsen* 中禅寺温泉 *(n° 26) ; de l'arrêt de bus, 5 mn à pied par un sentier sans difficulté.* On peut les observer gratuitement d'en haut ; sinon, un ascenseur permet d'accéder au plus près (550 ¥ ; réduc). La cascade jaillit depuis un flanc rocheux abrupt et coule depuis une hauteur de 100 m. C'est une des 3 grandes chutes d'eau du Japon par sa taille.

%% *Yumoto* 湯本 *et le lac Yunoko* 湯ノ湖 *(plan I)* : *à env 12 km de Chugushi. Depuis la Tobu Nikko Station, bus (ligne 2A), arrêt Kohan-mae* 湖畔前 *(n° 45) pour le lac, arrêt Yumoto onsen* 湯本温泉 *(n° 46) pour le village. Trajet : env 1h30. Billet aller : 1 700 ¥.* Une grosse bourgade haut perchée dans les montagnes (sommets à plus de 2 000 m), entourée de forêts magnifiques à l'automne, au bord du petit lac Yunoko. Son nom signifie « Origine de l'eau chaude ». On dit que c'est une station thermale, mais ce serait plus juste de dire : une ville de sources d'eau chaude naturelle et d'*onsen* classés comme les meilleurs de la région. L'eau jaillit des volcans à 56-68 °C. Située à 5 mn de marche de Yumoto Onsen, l'aire de ski de Yumoto est ouverte de décembre à mars.
Possibilité de se baigner dans les *onsen* des hôtels *(compter 1 000 ¥)*.

🛏 On y trouve quelques hôtels aux prix élevés, mais il n'y a pas d'hébergement bon marché à Yumoto. Parmi les plus beaux *onsen*, citons ceux de l'hôtel *Yumoto Itaya* 湯元板屋, (● yumoto-itaya.jp ● ; doubles dans la catégorie « De chic à plus chic »). C'est cher, mais l'expérience d'un *onsen* à cette altitude et dans un si beau paysage est unique...

KAMAKURA 鎌倉　　　env 185 000 hab.　　　IND. TÉL. : 0467

● Plan *p. 264-265*

À environ 50 km au sud de Tokyo, entourée sur 3 côtés par des collines boisées, la ville de Kamakura descend en pente douce jusqu'à la mer, s'étirant à l'ouest de la baie de Sagami jusqu'à l'île d'Enoshima. Une ville résidentielle, calme et recherchée par les salariés pour sa qualité de vie et ses loyers moins élevés qu'à Tokyo. Un touriste peut y passer la journée au départ de la capitale (y venir en train) sans avoir à y dormir, mais si l'on veut découvrir le site sans se presser, alors une nuit sur place s'impose. La balade des temples mérite à elle seule une bonne demi-journée. Kamakura, c'est aussi le 1er contact avec la mer quand on vient de Tokyo en allant vers le sud.

Les plages de sable gris de Yuigahama et de Shichirigahama ne sont certes pas lumineuses comme celles de Bali ou de Thaïlande, mais aux beaux jours elles attirent des foules de citadins heureux d'y prendre un bon bol d'air marin ou d'y passer leurs vacances, de nager, de bronzer au soleil de l'été et de voguer sur les flots. Des panneaux en bord de mer donnent des consignes en cas de tsunami. Toute la journée, les nombreux petits éventaires et restaurants de l'île d'Enoshima proposent des plats de la mer d'une fraîcheur exquise, à prix raisonnables.

UN PEU D'HISTOIRE

Il existait déjà un embryon de ville aux VIIe-VIIIe s, mais Kamakura n'entre vraiment dans l'histoire du Japon qu'à partir de l'an 1192. Cette année-là, le puissant et cruel Minamoto no Yoritomo (1147-1199), en lutte contre les Taira, les maîtres de Kyoto, y installe le *Bafuku,* c'est-à-dire le siège du 1er gouvernement féodal du Japon. Yoritomo peut donc être considéré comme le 1er shogun du Japon et le fondateur de la lignée des shoguns qui garderont le pouvoir jusqu'en 1868. Pour arriver au pouvoir, il a assassiné son frère Yoshitsune en 1186. Ce sont les frères ennemis : Yoritomo le politicien cynique au cœur froid, et Yoshitsune le héros pur et idéaliste, considéré encore aujourd'hui comme le « Napoléon nippon ». À hommes durs mode de vie dur : le style Kamakura de cette époque n'est pas efféminé mais viril, guerrier, martial. Cela n'empêche pas le shogun d'être sensible aux idées religieuses du zen. Aux XIIIe et XIVe s, Kamakura vit une sorte d'âge d'or, soit 140 ans entre 1192 et 1333. La ville fonctionne comme le centre politique du Japon, mais aussi le centre spirituel du zen nippon. En 1252, une sculpture en bronze représentant le Grand Bouddha (Daibutsu) voit le jour. L'année suivante, en 1253, on édifie le temple Kencho-ji et, en 1282, le *shariden* du temple Engaku-ji.

Yoritomo meurt en 1199. Sa tombe est toujours à Kamakura sur un flanc de colline (à 500 m au nord du sanctuaire Tsurugaoka Hachimangu). Ses héritiers sont très vite écartés du pouvoir par les Hojo (famille de la femme de Yorimoto), qui maintiennent pendant près d'un siècle leur siège à Kamakura. La ville reste la capitale militaire du pays jusqu'à sa destruction en 1333. Cette année néfaste marque le début du déclin de Kamakura. Petit à petit, la ville se retrouve marginalisée. Quand le shogun Tokugawa Ieyasu installe définitivement la capitale à Edo (actuelle Tokyo), Kamakura n'est plus qu'une petite cité provinciale.

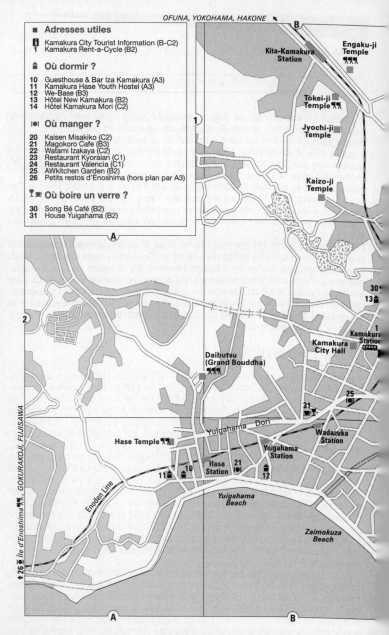

LES ENVIRONS DE TOKYO

■ Adresses utiles

ℹ Kamakura City Tourist Information (B-C2)
1 Kamakura Rent-a-Cycle (B2)

🏠 Où dormir ?

10 Guesthouse & Bar Iza Kamakura (A3)
11 Kamakura Hase Youth Hostel (A3)
12 We-Base (B3)
13 Hôtel New Kamakura (B2)
14 Hôtel Kamakura Mori (C2)

🍴 Où manger ?

20 Kaisen Misakiko (C2)
21 Magokoro Cafe (B3)
22 Watami Izakaya (C2)
23 Restaurant Kyoraian (C1)
24 Restaurant Valencia (C1)
25 AWkitchen Garden (B2)
26 Petits restos d'Enoshima (hors plan par A3)

🍷 Où boire un verre ?

30 Song Bé Café (B2)
31 House Yuigahama (B2)

Engaku-ji Temple
Kita-Kamakura Station
Tokei-ji Temple
Jyochi-ji Temple
Kaizo-ji Temple
Daibutsu (Grand Bouddha)
Kamakura Station
Kamakura City Hall
Yuigahama Dori
Hase Temple
Hase Station
Yuigahama Station
Wadazuka Station
Yuigahama Beach
Zaimokuza Beach
Enoden Line
Île d'Enoshima, GOKURAKOJI, FUJISAWA

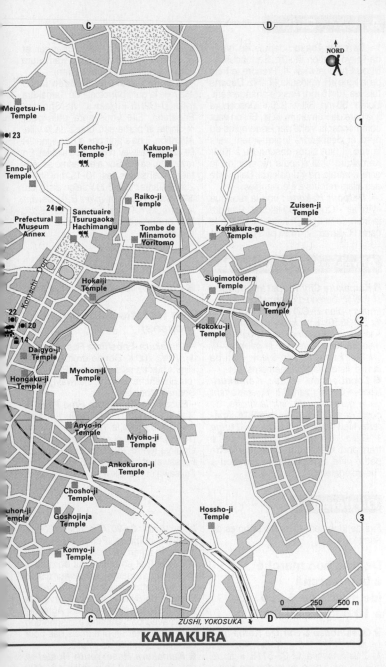

NORD

Meigetsu-in
Temple

|●| 23

Kencho-ji
Temple

Kakuon-ji
Temple

Enno-ji
Temple

24 |●|

Raiko-ji
Temple

Zuisen-ji
Temple

Prefectural
Museum
Annex

Sanctuaire
Tsurugaoka
Hachimangu

Tombe de
Minamoto
Yoritomo

Kamakura-gu
Temple

Komachi Dori

Hokaiji
Temple

Sugimotodera
Temple

Jomyo-ji
Temple

|22
|●|
|●| 20

Hokoku-ji
Temple

▲ 14

Daigyō-ji
Temple

Myohon-ji
Temple

Hongaku-ji
Temple

Anyo-in
Temple

Myoho-ji
Temple

Ankokuron-ji
Temple

Chosho-ji
Temple

uhon-ji
emple

Goshojinja
Temple

Hossho-ji
Temple

Komyo-ji
Temple

0   250   500 m

C

D

ZUSHI, YOKOSUKA

KAMAKURA

LES ENVIRONS DE TOKYO

LES ENVIRONS DE TOKYO

Arriver – Quitter

➤ *De/pour Tokyo :* depuis les gares de Tokyo Station 東京駅, Shimbashi 新橋 ou Shinagawa 品川. Prendre le train de la ligne JR Yokosuka 横須賀. Départs ttes les 10-15 mn. Pas de changement. Durée : 50 mn. Billet : 920 ¥. Descendre à la gare de Kamakura 鎌倉. Si l'on veut commencer la visite par les temples du nord et descendre logiquement vers le sud, il faut alors descendre à Kita-Kamakura 北鎌倉 puis repartir de la gare centrale de Kamakura. Cela évite des allers-retours à pied inutiles.

➤ *De/pour Hakone :* voir la rubrique « Arriver – Quitter » à Hakone. Prendre le train de la ligne Tokaïdo 東海道 à la gare d'Odawara 小田原, puis descendre à la gare d'Ofuna 大船, changer et prendre un monorail jusqu'à Kamakura (Ofuna-Kamakura, durée : 7 mn).

– *La ligne ferroviaire* Enoden Line *:* elle relie la gare principale de Kamakura *(plan B-C2)* à Fujisawa, via Shonan-Enoshina. Elle vous sera utile pour rejoindre la partie sud-ouest de la ville. Attention, il ne s'agit pas d'une ligne JR (le Japan Railway n'est pas valable). En revanche, cartes Suica et Pasmo acceptées. Trains ttes les 10-15 mn 5h47-23h55. Tarifs : 190-300 ¥ selon distance.

🚌 *Gare routière (plan B2) : devant la gare ferroviaire (sortie East Exit).* Bus qui desservent Kamakura et ses environs.

Adresses et infos utiles

🅸 *Kamakura City Tourist Information* 鎌倉観光 *(bureau d'informations touristiques ; plan B-C2) :* 1-1-1 Komachi. ☎ 22-3350. ● en.kamakura-info.jp ● *À la sortie du bâtiment de la gare centrale de Kamakura, sur la gauche. Tlj 9h-17h. Fermé 29 déc-3 janv.* Plan de la ville, liste des hébergements, etc.

■ *Location de vélos : Kamakura Rent-a-Cycle (plan B2, 1), en sortant de la gare centrale, sur la droite, du poste de police (koban), après la supérette Newdays. Tlj 9h30-17h. Fermé 1er-3 janv.* Compter env 1 600 ¥/j. Le transport idéal pour découvrir cette petite ville. Possibilité de location à l'heure également.

■ *Consigne (lockers) : dans la gare.*

Les forfaits touristiques (passes)

– *Kamakura-Enoshima Pass : valable 1 j. Prix : 700 ¥.* Donne droit à l'accès illimité aux trains des lignes JR, Enoden (ou Enoshima Electric Railway), et au Shonan Monorail.

– *Enoshima Kamakura Free Pass* 江ノ島鎌倉フリーパス *: valable 1 j. Tarif : 1 470 ¥ depuis la gare de Shinjuku (Tokyo).* Gratuité sur les lignes de trains Odakyu (entre Tokyo et Enoshima via Fujisawa) et sur la ligne Enoden (entre Fujisawa et Kamakura).

Où dormir ?

Pas de logement dans les temples de Kamakura.

De très bon marché à bon marché (de moins de 6 000 à 10 000 ¥ / 50-83 €)

🏠 *Guesthouse & Bar Iza Kamakura* IZA鎌倉ゲストハウス *(plan A3, 10) :* 11-7 Sakanoshita. ☎ 33-5118. ● izaiza. jp ● *À 5 mn à pied de la gare de Hase.* *Lit en dortoir 3 500 ¥ ; double 8 000 ¥ ; petit déj compris.* Petite auberge de jeunesse aménagée dans une maison coquette tout en brique, au bord de la route (peu passante). L'intérieur distille une sympathique atmosphère british. Dortoirs de 6 lits (l'un est réservé aux filles) et 2 chambres doubles. Agréable salon avec bar. Cuisine à disposition pour réchauffer un plat (mais pas pour cuisiner). Location de vélos.

🏠 *Kamakura Hase Youth Hostel* 鎌倉はせユースホステル *(plan A3, 11) :*

5-11 Sakanoshita. ☎ *24-3390. À 5 mn à pied de la gare de Hase. Réception 16h-21h. Couvre-feu à 22h (mieux vaut ne pas être fêtard !). Lit en dortoir 3 000 ¥ (supplément pour une arrivée après 21h !) ; réduc pour les membres de Hostelling International ; petit déj en sus.* Modeste maison tenue par un couple de retraités dans un quartier très calme. On y parle quelques mots d'anglais. Elle abrite 3 chambres simples et propres (seulement 12 lits) à prix économiques. Lits superposés. Hommes et femmes séparés. Douche et toilettes collectives.

– Voir aussi l'auberge de jeunesse **We-Base** *(plan B3, 12)*, plus loin, pour ses dortoirs « Très bon marché ».

Prix moyens (de 10 000 à 15 000 ¥ / 83-125 €)

🛏 **We-Base** *(plan B3, 12) : 4-10-7 Yuigahama.* ☎ *22-1221.* ● *we-base.jp* ● *À 5 mn à pied de la gare de Yuigahama. Lit en dortoir env 3 800 ¥ (sans petit déj) ; double env 12 000 ¥, petit déj inclus.* Un établissement récent, style auberge de jeunesse, d'une capacité de 160 lits. L'architecture moderne est plutôt réussie : pas mal de bois, des pans de mur en béton brut, de la luminosité et de l'espace. L'atmosphère y est peut-être un peu impersonnelle, mais l'endroit est parfaitement tenu et confortable. Dortoirs de 6 lits (mixtes ou réservés aux filles) avec sanitaires communs, chambres privées pour 2 à 6 personnes (certaines de style japonais, douches communes). Agréable bain japonais. Cuisine équipée, laverie, cours de yoga et location de vélos. Resto avec terrasse.

🛏 **Hôtel New Kamakura** ホテルニューカマクラ *(plan B2, 13) : 13-2 Onarichou.* ☎ *22-2230.* ● *newkamakura.*

com ● *Derrière la gare ; en sortant de celle-ci, tourner à gauche, passer sous les voies ferrées (passage piéton), puis 1er escalier à droite, on accède dans une rue longeant la ligne de chemin de fer, c'est 50 m plus loin. Doubles sans ou avec sdb env 6 000-17 000 ¥ ; pas de petit déj.* Construit en 1924 dans le style occidental avec des fenêtres à guillotine et à petits carreaux. L'hôtel a traversé les décennies, survécu aux guerres et aux tremblements de terre. Aujourd'hui, c'est un beau vestige de l'époque où il était fréquenté par les intellectuels et lettrés japonais. On trouve d'ailleurs un passage relatif au *New Kamakura* dans *Tsuru Wa Yamiki*, ouvrage de l'écrivain Kanoko Okamoto. Chambres au charme rétro, de style européen ou japonais, impeccables. Annexe dans la cour. Bon rapport qualité-prix, même si on est bercé par les annonces des haut-parleurs de la gare.

Chic (de 15 000 à 25 000 ¥ / 125-208 €)

🛏 **Hôtel Kamakura Mori** 鎌倉森ホテル *(plan C2, 14) : 1-5-21 Komachi.* ☎ *22-5868.* ● *kamakuramori.net* ● *À 3 mn à pied de la gare centrale de Kamakura. Réception au 3e étage. Doubles env 19 500-24 000 ¥, petit déj compris ; plus cher le w-e.* Hôtel très central, bien tenu dans un petit immeuble moderne sans grâce, avec des magasins au rez-de-chaussée. Les chambres de style occidental, réparties autour de la réception, sont bien équipées (salle de bains privée, clim), mais l'ameublement est un peu daté et les dessus-de-lit kitsch. Celles qui donnent sur l'avenue de Yukinoshita s'avèrent plus bruyantes.

Où manger ?

Prix moyens (de 1 500 à 3 500 ¥ / 12,50-29 €)

|◉| **Kaisen Misakikô** 海鮮三崎港 *(plan C2, 20) : 1-7-1 Komachi.* ☎ *22-6228. À 2 mn à pied de la gare. Depuis la pl. de la gare centrale, passer sous le*

portail rouge (torii), à l'entrée de la rue piétonne ; c'est 80 m plus loin, à droite du magasin Cafe & Meal More. Tlj 11h-21h30. Petit resto de sushis qui défilent sur un tapis roulant. Délicieux et prix raisonnables.

|◉| **Magokoro Cafe** カフェ　真心 *(plan B3, 21) : 2-8-11 Hase Kamakura.*

LES ENVIRONS DE TOKYO

☎ 61-3155. *Au 1ᵉʳ étage. Tlj sauf lun 12h-21h (salon de thé 15h-17h30).* La bonne petite adresse au cadre chaleureux (beaucoup de bois) que l'on apprécie pour son atmosphère, sa cuisine saine (pas mal de produits bio ou provenant de producteurs locaux) et sa généreuse baie vitrée qui regarde la mer. On savoure une assiette composée, un poisson ou un plat végétarien (pas de viande), tout en regardant les surfeurs chercher la vague. Accueil sympa, en anglais. Petite boutique de produits bio.

|●| Watami Izakaya 和民居酒屋 *(plan C2, 22) :* 1-6-17 Komachi. ☎ 60-4731. *À 2 mn à pied de la gare centrale. Depuis la pl. de la gare, passer sous le portique rouge ; c'est le 2ᵉ immeuble à gauche à l'entrée de la rue piétonne, au 1ᵉʳ étage. Tlj 11h30-minuit (2h ven-sam).* Grande salle chaleureuse et animée, où l'on déguste une savoureuse cuisine d'*izakaya* (petite taverne populaire) très variée : fruits de mer, salades, raviolis *(gyoza)*, yakitori... Carte japonaise et internationale.

|●| Restaurant Kyoraian 去来庵 *(plan C1, 23) :* 157 Yamanouchi. ☎ 24-9835. *Sur la gauche de la route entre le temple Engaku-ji et le temple Kencho-ji, à mi-chemin env. Tlj sauf ven 11h-15h (fermé le soir).* Un panneau en cuivre en japonais et en anglais indique l'histoire de cette vieille maison construite au début de l'ère Showa (vers 1917-1920) dans le style sukiya. Passé le portail en bois, on gravit une petite pente pour arriver dans un jardin ombragé où se tient la maison de Kusaka Shuhei, le très sympathique patron anglophone, hispanophone et un peu francophone (il a vécu en Espagne et connaît Aurillac en France). Il est aussi rugbyman ! Son grand-père, directeur du comité olympique japonais, avait parcouru le monde, rapportant de France un goût prononcé pour la cuisine, qu'il a transmis à Shuhei. Ici, on sert un menu unique de cuisine bourguignonne, préparée à la manière nippone. Prix sages pour la qualité proposée. Notre coup de cœur à cause du cadre, de la cuisine et de la personnalité de Kusaka !

|●| Restaurant Valencia カフェレストランバレンシア *(plan C1, 24) :* ☎ 24-6154. *En venant du temple Kencho-ji, sur la droite de la route, à côté du musée d'Art moderne de Kamakura, et à env 400 m d'une entrée du sanctuaire Tsurugaoka Hachimangu. Tlj sauf lun, 1ᵉʳ et 3ᵉ mar du mois 10h30-18h.* Après les temples, les tapas ! Voici un restaurant espagnol tenu par une famille japonaise, qui sert de très bons plats traditionnels à prix sages depuis 1972. On peut aussi s'y arrêter pour boire un verre (bière pression). Endroit agréable au cours de la balade.

|●| AWkitchen Garden エーダブリュキッチン ガーデン *(plan B2, 25) :* 2-4-43 Yuigahama. ☎ 61-3155. *Tlj 11h30-18h (19h en été, 22h sam).* C'est avant tout pour l'étonnant jardin planté d'essences méditerranéennes et aménagé au bord de la voie ferrée que l'on vient ici. Les petits trains qui passent tout près, et dont on sentirait presque le souffle, assurent le spectacle ! En revanche, la grande salle en brique est souvent bruyante. Cuisine correcte mais sans véritable surprise (pizzas, pâtes, sans oublier quelques plats japonais).

Où boire un verre ?

♟ Song Bé Café ソンベカフェ *(plan B2, 30) :* 13-32 Onaricho. ☎ 61-2055. *En sortant de la gare centrale, tourner à gauche, passer sous la voie ferrée, puis 1ᵉʳ escalier à droite ; on accède dans une rue longeant la ligne de chemin de fer, c'est à 100 m. Tlj 11h30-20h (18h lun, 21h sam) ; dernière commande 45 mn avt fermeture.* Petit café portant un nom vietnamien, tenu par un Japonais ayant voyagé au Vietnam et dans plusieurs pays d'Asie. On y trouve notamment la bière vietnamienne 333. Salle arrangée comme un salon-boutique avec plein d'objets d'artisanat. Petite terrasse donnant sur le bord de la ligne de chemin de fer : c'est charmant de voir les trains passer sans bruit (ou si peu). Possibilité de grignoter quelques plats.

♨ ♟ House Yuigahama ハウスユイ ガハマ *(plan B2, 31) : 1-12-8 Yuiga-hama.* ☎ *53-8589. À 3 mn à pied de la gare de Wadazuka, au bord de la route principale. Tlj sauf mer 10h-18h (19h en été).* Un café-librairie dans l'air du temps avec une solide table en aluminium, des étagères remplies de bouquins, une poignée de fauteuils, un long comptoir le nez collé à la vitrine pour regarder la vie de la rue, un beau parquet. L'endroit est cosy à souhait et parfait pour un café ou un thé, accompagné d'un gâteau. Propose quelques snacks. Dans la salle vitrée à l'arrière, des architectes planchent sur des projets de restauration d'intérieur.

À voir

Parmi les nombreux temples de Kamakura, notre préférence va aux temples Engaku-ji et Kencho-ji, ainsi qu'au sanctuaire shinto de Tsurugaoka Hachimangu. Ne pas manquer ensuite d'aller au sud de la ville admirer le Grand Bouddha Daibutsu, unique en son genre.

Autour de la gare de Kita-Kamakura (quartier nord)

🏃🏃🏃 Le temple Engaku-ji 円覚寺 *(plan B1) : pour y aller, train JR depuis la gare de Kamakura, direction Ofuna, descendre à la gare de Kita-Kamakura* 北鎌倉, *puis 3 mn de marche. Sinon, de la gare routière, prendre n'importe quel bus partant de la plate-forme n° 2, descendre à l'arrêt Kita Kamakura Station* 北鎌倉駅, *puis 2 mn de marche. Tlj 8h-16h30 (16h déc-fév). Entrée : 300 ¥ ; réduc. Plan détaillé à la réception.* Pour remercier les dieux du Japon de la victoire militaire remportée sur les Mongols au XIIIe s, le shogun Hojo Tokimune fit construire ce temple et lui donna le nom d'un sutra *(Engaku-kyo* signifie « sutra de l'Illumination parfaite »). C'est un des temples zen les plus importants de la région du Kanto. Il a été plusieurs fois détruit par les guerres et les incendies (1400, 1563) et par le tremblement de terre de 1923. À chaque fois, il fut reconstruit, renaissant de ses cendres tel le phénix, oiseau sacré du bouddhisme. Adossé à une colline boisée, il compte plusieurs pavillons et oratoires éparpillés dans un grand jardin ombragé et fleuri, planté notamment d'abricotiers. À voir en février pendant la floraison de ces arbres. La partie la plus remarquable de cet ensemble est le **Shari-den** 舎利殿 ou pavillon des Reliques sacrées du Bouddha, situé à 100 m de la billetterie, à gauche en montant, après le petit étang. Érigé en 1282, le Shari-den serait le plus vieux pavillon de style chinois restant au Japon.

Les pavillons **Butsunichi-an** 佛日庵 (salle pour la cérémonie du thé) et **Ohbai-in** 黄梅院 se visitent *(entrée : 100 ¥).* Petit pavillon en bois orné d'un tissu mauve, Ohbai-in se trouve tout en haut du jardin, au pied du versant, noyé dans la luxuriante végétation. Ne pas manquer non plus cette grosse cloche en bronze *(ogane)* datée de 1301 et mesurant 2,50 m de hauteur. C'est la plus lourde cloche des temples de Kamakura : dong dong dong...

– La tombe d'Ozu : Yasujiro Ozu (1903-1963), un des plus grands cinéastes japonais, de renommée mondiale *(Le Voyage à Tokyo, Le Goût du saké...),* a passé la fin de sa vie à Kamakura. Il y est mort le 12 décembre 1963. Sa tombe se trouve dans l'enceinte du temple Engaku-ji. Après la billetterie, prendre sur la droite, laisser les escaliers menant à la cloche et continuer sur 50 m. La tombe d'Ozu se trouve dans la partie haute du cimetière, sur la droite, 3 rangées avant le mur du fond. C'est un petit cube de pierre grise, gravé du seul caractère *mu,* qui signifie « le rien constant » ou « l'impermanence », et non pas le néant.

🏃🏃 Le temple Tokei-ji 東慶寺 *(plan B1) : à 10 mn de marche du temple Engaku-ji.* ● *tokeiji.com* ● *Tlj 8h30-16h30 (16h oct-mars). Entrée : 200 ¥ ; réduc.* Temple fondé en 1285 par Hojo Sadatoki, régent du shogunat de Kamakura. Pendant la période

Edo, les femmes s'y réfugiaient pour obtenir le divorce en échange de 3 années de dévotion. C'est pour cette raison que ce sanctuaire est surnommé le « temple du Divorce ». Avec le temps, le Tokei-ji s'est tourné vers une dévotion florale, car il est devenu le temple des Fleurs et reste très fréquenté par la gente féminine. Dès le mois de février, on assiste à la floraison des abricotiers, puis à celle des magnolias et des pêchers (fin mars-début avril). Au début du mois de mai, ce sont les pivoines. En raison du port de ces fleurs rouges, les pivoines sont vénérées en Chine, où elles symbolisent la richesse. Les iris éclosent dans la 2de quinzaine de mai. Au fond du magnifique jardin, ne pas manquer de se balader dans le cimetière à flanc de colline. Les tombes ornées de statues sont envahies d'une mousse luxuriante et semblent faire corps avec la nature. On est littéralement transporté dans l'univers mythique d'Hayao Miyazaki. Plusieurs personnalités reposent ici, dont Kitaro Nishida, fondateur de l'école de Kyoto. Un endroit particulièrement zen...

🎬🎬 *Le temple Kencho-ji* 建長寺 *(plan C1) : à 15 mn de marche du temple Engaku-ji. À 2 km au nord de la gare de Kamakura. Sinon, de la gare routière, prendre n'importe quel bus partant de la plateforme n° 2, descendre à l'arrêt Kenchojimae, puis 5 mn de marche. Tlj 8h30-16h30. Entrée : 500 ¥ ; réduc.*
Entouré de bosquets de cèdres japonais, il a été fondé en 1249 par un religieux chinois de la secte zen du Rinzai, sur le modèle d'un temple chinois du Jingshan (région de Hangzhou). Petit rappel : Hangzhou, un des berceaux impériaux de la Chine, était au XIIIe s une des plus grandes et des plus belles villes du monde à à l'époque où Marco Polo la décrivit. Rappelons-nous aussi que le bouddhisme est arrivé au Japon au VIIIe s grâce à des moines chinois du monastère de Yangzhou (ville chinoise près de Nankin). Détruit en 1315 par un grand incendie, le temple *Kencho-ji* a été reconstruit à l'identique.
On passe d'abord sous une monumentale porte *Sanmon* 山門, possédant une charpente très travaillée. Le *Kencho-ji* forme un ensemble plus sobre, plus dépouillé que le temple *Engaku-ji.* Le pavillon *Hado* 法堂 abrite une statue d'un bouddha osseux et ascétique placé sous un dais orné de tissus colorés. Le *Hojo* est un vaste pavillon où se déroulent les cérémonies bouddhistes. À l'arrière s'étend un petit jardin zen : le *Shin-ji Ike* 心字池. Son originalité est d'être non pas un « jardin sec », fait de pierres et de rocailles, mais un jardin de contemplation, autour d'un étang bordé de gazon.

Autour de la gare de Kamakura (quartier central)

🎬🎬 *Le sanctuaire Tsurugaoka Hachimangu* 鶴岡八幡宮 *(plan C2) : à 1 km au nord de la gare centrale de Kamakura. Tlj 5h (6h oct-mars)-21h. Entrée libre sauf musée des Trésors nationaux (200-600 ¥ selon expos).*
Le plus beau sanctuaire shinto de Kamakura. Fondé en 1063, reconstruit au XVIe s, le pavillon principal date de 1823. On passe sous un torii. Juste après, un pont bombé (que l'on ne peut pas enjamber) et, de part et d'autre, 2 étangs nommés respectivement *Genji* et *Heike* (les noms des 2 clans rivaux de samouraïs au XIIIe s). Au haut des escaliers se dresse le *Kami*

L'ARBRE DE VIE

Au sanctuaire Tsurugaoka Hachimangu, on croise de nombreuses femmes portant des bébés dans les bras. Une tradition veut que, le 7e jour après la naissance, les mères japonaises viennent remercier les kami (divinités) et leur demander santé et prospérité pour leur progéniture. Mais pourquoi ? Au XIIe s, le shogun Yoritomo voulait que sa femme ait une grossesse heureuse. Pour cela, il fallait honorer les kami, et il fit planter une allée de cerisiers (sakura) d'un bon kilomètre de long. Cette grande allée existe encore aujourd'hui. Elle conduit de la gare de Kamakura à l'entrée du sanctuaire.

no Yama, le pavillon principal, où les croyants affluent. Ils jettent des pièces de monnaie dans un immense tronc, le *Saisen-bako* 賽銭箱 (5 m de long environ). Ils joignent ensuite les mains pour faire une courte prière. Ils se procurent aussi des tablettes votives *(ema),* des porte-bonheur *(omamori),* sans oublier les baguettes de bambou *(omikuji)* que l'on sort au hasard d'une boîte après l'avoir secouée. Ils contiennent des petits morceaux de papier délivrant la bonne *(Kichi)* ou la mauvaise fortune *(Kyo).* Ces mêmes fervents passent par les *chozuya,* qui sont de petits abris sous lesquels on trouve des bassins remplis d'eau « lustrale ». Ils y viennent se laver les mains et se rincer la bouche avant de se rendre au pavillon principal.

– Le sanctuaire abrite le *musée des Trésors nationaux (tlj sauf lun 9h-16h30 – fermeture des guichets 16h ; fermé 29 déc-3 janv ; entrée : 400 ¥, réduc),* réputé pour sa collection unique d'objets bouddhiques. Il se situe dans la galerie intérieure. On peut admirer notamment des sanctuaires portatifs *(mikoshi)* que l'on sort lors des processions annuelles dans les rues de la ville.

Autour de la gare de Hase (quartier sud)

✯✯✯ Le Daibutsu (Grand Bouddha) **de Kamakura** 鎌倉大仏 *(plan A-B2) :* ● kotoku-in.jp ● *À 8 mn à pied de la gare de Hase. Sinon, depuis la gare routière, prendre n'importe quel bus partant des plateformes n°s 1 et 6, arrêt Daibutsu-mae, puis marcher 5 mn. Tlj 8h-17h30 (17h oct-mars). Entrée : 200 ¥, et 20 ¥ de plus si l'on veut entrer à l'intérieur.*
Daibutsu en japonais signifie « Grand Bouddha ». Cette énorme sculpture de bronze aux reflets vert métallique mérite bien son nom. Elle est la 2e plus grande statue du Bouddha au Japon après celle de Nara. Construite en 1252, défiant par sa solidité les typhons et les tsunamis, elle représente Amida méditant pour l'éternité : elle pèse 122 t et mesure 11,40 m de haut. Voilà un imposant bouddha tout en paix et en grâce. Sous la neige hivernale, il est encore plus touchant de sérénité. Allez savoir quel mystère il cache !
On peut pénétrer à l'intérieur de la statue par le côté (payant). Un petit escalier permet d'atteindre la plate-forme située au niveau de son abdomen. Curieuse sensation : on est dans le corps métallique du Bouddha. Le plus important n'est-il pas ailleurs, en dehors de la matière et du bronze ? Tel est le message à décrypter en contemplant cette admirable statue.
Observer les détails : la position de ses mains et sa tête penchée indiquent la voie de la méditation bouddhique. Daibutsu a des yeux horizontaux mi-clos mesurant 1 m (chaque œil !) mais des sourcils légèrement arqués. Ses oreilles font presque 2 m, symbolisant la longévité dans le bouddhisme. C'est pour mieux voir et entendre la souffrance du monde afin de mieux s'en détacher, répondrait n'importe quel bouddhiste présent sur le parvis de la statue. En regardant bien, on remarque aussi qu'il porte une longue et fine moustache. Sa bouche esquisse le sourire énigmatique des sculptures ioniennes (Grèce antique). Sa chevelure crépue est composée de 656 boucles spiralées. Sur le milieu du front, entre les yeux mi-clos, un tortillon pointu (entièrement en argent) représente le « projecteur divin » par lequel le Bouddha émet la lumière qui illumine l'univers pour le sortir des ténèbres. Est-ce le 3e œil ?

✯✯ Le temple Hase 長谷寺 *(plan A3) : à 200 m au nord de la gare de Hase. Sinon, depuis la gare routière, prendre n'importe quel bus partant des plateformes n°s 1 et 6, arrêt Hase Kannon. Tlj 8h-17h (16h30 oct-fév). Entrée : 300 ¥ ; réduc.* Adossé à la colline de Kannonzan, le temple abrite plusieurs pavillons, dont le pavillon principal qui renferme une statue dorée de Kannon aux 11 visages (déesse de la Miséricorde). Réalisée en 721, ce serait la plus haute statue en bois du Japon (elle mesure 9,18 m de haut). Le musée des Calligraphies *(tlj sauf mar 9h-16h30 ; entrée : 300 ¥, réduc)* expose également des sculptures sur bois et des gravures sur pierre ou métal. La grotte Benten-Kutsu fut le lieu où, selon la légende, Kukai (Kobo Daichi) se retira. Il sculpta 16 statues de « Boddhisatuas » dans la roche et une statue de Benzaiten, seule déesse parmi les 7 divinités de « Bonne Fortune du Japon », associée à la mer, à la musique et aux beaux-arts.

Fêtes et manifestations

– *Avril :* habituellement, les 2e et 3e dimanches, c'est le festival de Kamakura au cours duquel défilent des centaines de personnes costumées. Outre ce défilé, on peut assister à une compétition de tir à l'arc à cheval *(yabusame),* à des cérémonies de thé, à des spectacles de danses japonaises.
– *Août :* festival *Bonbori* au sanctuaire shinto Tsurugaoka Hachimangu. La nuit est illuminée par près de 300 lanternes.
– *Septembre :* fête annuelle du sanctuaire de Tsurugaoka Hachimangu. À cette occasion, grande procession *Menkake Gyoretsu* où les participants portent des masques comiques ou grotesques. Compétition d'archers montés sur des chevaux.

DANS LES ENVIRONS DE KAMAKURA

🏃🍴 *L'île d'Enoshima* 江 ノ 島 *(hors plan par A3) : à 5 km à l'ouest de Kamakura.* Reliée à la terre par un isthme sablonneux et étroit (600 m de long) enjambé par le pont Benten (voitures et piétons), cette petite île mesure environ 4 km de circonférence. Sur la carte, sa forme évoque un champignon qui serait suspendu par la tige (ou une grosse fleur à l'envers...). C'est en fait une grosse colline entourée par la mer. Ce serait en somme le petit « Mont-Saint-Michel » du Japon ! En 1182, le shogun Minamoto no Yorimoto y aurait installé une statue de Benten pour l'invoquer et lui demander de pacifier les régions du Nord.
Très agréable promenade jusqu'au sommet de la colline Shoten-jima à travers des ruelles étroites et pentues. On peut découvrir un sanctuaire perché d'où la vue sur la baie est superbe (par beau temps). Une vieille croyance veut que les pêcheurs invoquent les divinités de ce sanctuaire pour avoir une bonne pêche.
En musardant sur les hauteurs, s'arrêter aussi dans les petits jardins comme l'*Enoshima Samuel Cooking Garden.* Le clou de la promenade, c'est sans doute de monter au sommet de la tour d'observation du phare *(Enoshima Lighthouse).* Sur le versant est de l'île, du côté de la baie de Sagami, un port de plaisance *(Shounan Harbor)* abrite des voiliers qui ne sortent qu'en été. Il fut construit pour les Jeux olympiques de Tokyo en 1964.
➤ *Accès :* on peut y aller en train au départ de la gare centrale de Kamakura. Prendre la ligne Enoden pour Enoshima. Départs ttes les 12 mn. Billet : 260 ¥. Durée : 23 mn. On peut aussi prendre cette même ligne à la gare de Hase. Arrivée à la gare d'Enoshima. Pour rejoindre l'île, il faut marcher 1 km, traverser un faubourg balnéaire, puis suivre la route qui enjambe l'isthme en passant entre la plage de Higashihama et un petit port de pêche. Possibilité aussi de s'y rendre en bus depuis la gare de Kamakura *(en sem, départs ttes les heures 8h30-16h30 depuis la plateforme n° 6 ; w-e 4 bus/j. 9h30-12h30).* Billet : 310 ¥. Trajet : 40 mn. Contrairement au train, les bus rejoignent l'île.

|●| *Petits restos d'Enoshima (hors plan par A3, 26) :* en arrivant par le pont Benten, on trouve sur le quai principal du village, au pied de la colline, une ribambelle de petits restos de fruits de mer et d'éventaires couverts de poissons et de coquillages. Les produits de la pêche sont très frais, les prix sages, les saveurs exquises ! D'autres petits restos éparpillés le long des chemins qui traversent l'île, les plus agréables étant ceux qui sont situés au sommet de la colline (pour la vue).

HAKONE 箱根 ET SES ENVIRONS

env 25 000 hab.   IND. TÉL. : 0460

● Plan *p. 276-277*

Un grand portail vermillon (un torii) semble planté pour l'éternité dans les eaux du grand lac Ashinoko, au pied des sombres forêts et des versants majestueux des volcans, tandis
qu'au loin le mont Fuji (Fujiyama ; on dit Fuji-san en japonais),
emblème du Japon, dessine son élégante silhouette conique
au sommet enneigé. Cette image remarquable ne vaut-elle pas
10 000 mots ? Difficile de ne pas céder à sa beauté et à la tentation de voir ça
de plus près. Résultat : près de 19 millions de touristes (la plupart japonais)
passent à Hakone chaque année ! C'est l'un des records de fréquentation
dans le pays. Pourquoi ? Le site de Hakone constitue sans doute le 1er grand
paysage naturel (volcans, lac, forêts) aussi bien conservé et aussi proche
de la trépidante mégalopole japonaise (à 1h10 de train seulement, au sud
de Tokyo). Alors les citadins de la 1re ville du monde s'y précipitent dès le
week-end et pour leurs vacances, en toute saison, mais surtout en été et
en automne. Hakone, c'est le « bol d'air frais » le plus économique pour un
Tokyoïte, son assurance « verdure, calme et source d'eau chaude naturelle ».
2e raison de ce succès, Hakone est une des 3 portes d'accès qui mènent par
la route au pied du mont Fuji si vénéré des Japonais. 3e raison : on y trouve
des infrastructures hôtelières en nombre suffisant, et des sources d'eau
chaude *(onsen)* parmi les plus réputées au nord du Japon. Bien qu'apparemment sauvage, cet arrière-pays n'est pas une région dépeuplée, loin de là.
De nombreux villages éparpillés dans les anfractuosités du relief, hameaux et
quartiers à l'habitat dispersé, donnent vie à cet environnement de montagnes
boisées et à ces vallées parcourues par des rivières aux eaux glougloutantes.
Chaque année, le 3 novembre, se déroule une fête historique costumée,
commémorant les processions des daimyo (seigneurs féodaux) qui se ren-
daient naguère à Edo (Tokyo) via Hakone par la route du Tokaïdo (lire plus loin
« À voir. À faire »).

Les différents quartiers

– *Hakone* 箱根 *:* une petite ville japonaise, étalée sur la rive sud du lac
Ashi 芦ノ湖, au pied des montagnes
boisées. Une partie des maisons
occupent les versants, mais en réalité
l'animation est concentrée dans la partie basse. Hakone est composée de
2 quartiers : *MotoHakone* 元箱根 *(plan
B3)* au nord et *Hakone-machi* 箱根町
(plan B3) au sud. Entre ces 2 secteurs,
compter 5 mn en bus, 10 mn à pied.
Beaucoup d'hôtels assez chers dans
ce secteur, mais aussi l'essentiel des
commerces, des magasins, des cafés,
des restaurants.
– *Togendai* 桃源台 *et Kojiri* 湖尻 *(plan*

A2) : ce sont des quartiers (de petits
villages vivant du tourisme) situés au
bord du lac Ashi, dans sa partie nord-
est. En été, grosse animation ; en hiver,
c'est endormi. On est tout près de l'eau
et de la station de départ des téléphériques qui montent à Ubako et Owakudani (accès aux fumerolles sur le flanc
du volcan Kamiyama).
– *Sengokuhara* 仙石原 *(plan A-B1) :*
sorte de grand village aux maisons
noyées dans la végétation, sur un plateau à 650 m au-dessus des eaux du
lac. Il semble éloigné de tout, mais ce
n'est qu'une impression, car Sengokuhara reste proche du lac (10 mn en bus)

LES ENVIRONS DE TOKYO

et à 15 mn de Gora. Bon endroit pour séjourner. Excellente adresse : la *Fuji Hakone Guest House.* Plusieurs musées, dont l'étonnant musée du Petit Prince.
– *Gora* 強羅 *(plan B1) :* village haut perché sur le flanc du mont Kami. On y trouve de quoi dormir, manger et boire. Terminus de la ligne de chemin de fer, c'est là que tout le monde descend. Les correspondances entre les divers moyens de transport se font très bien. À 9 mn en funiculaire de Sounzan, 10 mn de bus de Kowakidani et 30 mn de Yumoto.
– *Odawara* 小田原 *(plan D1) :* ville située à environ 20 km à l'est de Hakone, en dehors de la vallée. C'est le point de départ et d'arrivée des trains venus de Tokyo ou de Kyoto. C'est à Odawara, ville-carrefour, que l'on descend du train et que l'on prend un autre petit train ou un bus pour se rendre à Hakone. On n'y séjourne pas (à moins d'être perdu).
– *Yumoto* 湯本 **et *Tonosawa*** 塔之澤 *(plan C2) :* quartiers situés entre Odawara et Hakone, dans le fond de la vallée de la rivière Haya. À 40 mn de bus de MotoHakone et de la rive sud du lac Ashi. Ce n'est pas le meilleur des endroits pour séjourner (sauf pour la qualité des sources chaudes naturelles, les *onsen*), car on est assez loin du lac.

Arriver – Quitter

En train

Utile et complet, le site de la *Odakyu Railways* (la société des chemins de fer d'Hakone) : ● *hakonenavi.jp/english* ●

➢ *De/pour Tokyo :* depuis la gare de Shinjuku 新宿 (Tokyo), le *Limited Express (Romance Car)* est le plus pratique, car il dessert directement la gare de Hakone-Yumoto en 1h35. C'est le plus cher. Sinon, train express *Odakyu* 小田急 (● *odakyu.jp/english* ●). Départs ttes les 6-20 mn. Durée : env 1h30. Descendre à la *gare d'Odawara* 小田原 *(plan D1, 1).* De celle-ci, prendre le petit train pour la *gare de Yumoto* 湯本 *(plan C2, 2 ;* 15 mn), puis un bus jusqu'à MotoHakone 本箱根 (ligne H ou K ; 35 mn) ou Sengokuhara 仙石原 (ligne T ; 30 mn). Pour rejoindre Gora, changer de train à la gare de Yumoto et poursuivre avec le *Hakone Tozan Train* (Gora est le terminus ; 30-35 mn). Le temps d'attente entre les correspondances n'excède pas 10 mn.
– Autre possibilité depuis Tokyo : prendre la ligne de train Tokaïdo 東海道 *(Tokaïdo Line),* qui met 1h20 de la gare de Shinagawa jusqu'à Odawara, où l'on descend, puis prendre soit le bus soit le petit train *(Hakone Tozan Train).* Départs fréquents. Il y a aussi le train *Tokaïdo Shinkansen Hikari* ou *Kodama* (à grande vitesse) ; compter 35 mn de trajet au départ de la gare de Shinagawa (sud de Tokyo) jusqu'à la gare d'Odawara. Résa obligatoire.

➢ *De/pour Kyoto :* liaisons régulières et quotidiennes du train *Shinkansen,* entre Kyoto 京都 et Odawara. Compter env 3h de trajet. Attention, tous les trains à grande vitesse ne s'arrêtent pas à Odawara.
➢ *De/pour Kamakura :* de la gare d'Odawara, prendre le train de la ligne Tokaïdo en direction de Tokyo, descendre à la gare d'Ofuna 大船. Changer de train. Prendre un petit train de la ligne Yokosuka 横須賀 pour Kamakura, qui est la station après Kita-Kamakura 北鎌倉. Trajet : env 45 mn.

En bus

➢ *De/pour Tokyo :* avec la compagnie *Odakyu Express Bus. Infos :* ● *odakyu-hakonehighway.co.jp* ● Au départ de la gare routière de Shinjuku 新宿 (Shinjuku Bus Terminal, sortie ouest de la gare ferroviaire de Shinjuku, à Tokyo). Départs ttes les 30-60 mn, env 6h35-23h35 pour Gotemba (dernier à 19h05 pour aller jusqu'à Togendai) depuis Shinjuku. Dans l'autre sens, 7h30-20h35 depuis Gotemba, le dernier à 18h depuis Togendai. Trajet : 1h45 pour Gotemba 御殿場 et 2h15 pour Togendai 桃源台. Bus également de/vers *Tokyo Station.*
➢ *De/pour Kawaguchiko* 河口湖 *(versant nord du mont Fuji) :* un superbe voyage en bus à travers les paysages de volcans et de lacs avec la perspective constante du mont Fuji

qui domine la région. De Hakone 箱根 (MotoHakone) prendre la ligne W *(Shinjuku Hakone Line)*. Départ du parking devant l'*hôtel de Yama* (voir plus bas) : 4-5 bus/j. 9h05-15h35. En route, le bus s'arrête à Togendai et Sengoku. Sinon, une quinzaine de départs/j. depuis Togendai, 7h30-18h. Changer de bus à Gotemba et prendre la ligne Fujikyu pour Kawaguchiko. Très facile, la gare routière *Fujikyu Bus Terminal* est située juste à côté de la gare *Gotemba Bus Station*. De Gotemba à Kawaguchiko, env 30 bus/j. en moyenne 6h50-21h40. Durée totale du trajet : env 1h15.

Adresses et infos utiles

ℹ Hakone Tourist Information Service *(plan C2)* **:** *706-35 Yumoto, Hakone-machi, Ashigara-shimo-gun.* ☎ *85-8911.* ● *hakone.or.jp* ● *À côté de la gare routière de Yumoto. Tlj 9h-17h45. Également un bureau dans la gare ferroviaire d'Odawara, situé en face des guichets d'accès au quai.* Plan détaillé du site de Hakone, avec explications en anglais (gratuit). Les lignes de train et de bus y figurent, ainsi que les musées, les distances, les durées de marche.

ℹ Autres bureaux d'information touristique *(Visit Japan Information Center) :* à la Fuji Hakone Guest House *(plan A-B1, 10 ; voir « Où dormir ? »), 912 Sengokuhara.* ☎ *84-6577. Autres comptoirs d'info dans une dizaine d'hôtels de la ville.* Ce ne sont pas des antennes de l'office de tourisme, mais des hôtels agréés pour délivrer des informations. *Également un petit bureau à 30 m de la gare ferroviaire de Gora (plan B1).*

⚙ Supérette 7-Eleven : *en face de l'embarcadère des bateaux de Moto-Hakone, près du grand portique rouge.* Si tous les restos sont fermés, ce *convenience store* (on les appelle aussi *konbini*) ouvert 24h/24 peut dépanner.

Carte *Hakone Free Pass*

Cette carte-forfait est très avantageuse dès que l'on reste une journée à Hakone. Depuis la gare de Shinjuku à Tokyo ou depuis celle d'Odawara, elle permet d'utiliser les transports en commun librement sur les lignes suivantes : le *Hakone Tozan Bus* (en gros, tous les bus qui sillonnent le coin), le *Hakone Tozan Train,* qui relie Yumoto à Gora, le funiculaire, le téléphérique de Hakone, le bateau sur le lac Ashi. Elle permet aussi d'utiliser les *Odakyu Hakone Highway Bus* (depuis Tokyo) et *Nomazu Tozan Tokai Bus.* On peut bénéficier aussi de petites réductions auprès de certains musées, sites touristiques, restaurants et excursions. En vente aux bureaux de la *Odakyu Line* dans les gares de Shinjuku 新宿 (à Tokyo) et d'Odawara 小田原 (près de Hakone). *Infos :* ● *hakonenavi.jp/english/freepass* ●

– *Tarifs :* pour 2 j. au départ de Shinjuku (Tokyo), transport en train sur la ligne Odakyu inclus : adulte 5 140 ¥, enfant 1 500 ¥. Au départ d'Odawara : adulte 4 000 ¥, enfant 1 000 ¥. Il existe aussi un forfait de 3 jours (5 640 ¥).

Où dormir ?

De très bon marché à bon marché (de moins de 6 000 à 10 000 ¥ / 50-83 €)

🛏 Hakone Sengokuhara Youth Hostel 富士箱根ユースホステル *(plan A-B1, 10):* 912 Sengokuhara. ☎ *84-8966.* ● *theyh.com* ● *À 20 mn de Gora (ligne S) et à 10 mn en bus depuis Togendai (lignes T ou W) ; depuis la gare* de Yumoto, possibilité de prendre le bus (ligne T ; env 50 mn). Arrêt Senkyoromae 仙郷楼前. Prendre ensuite la rue qui part entre les 2 arrêts de bus, juste en face du parking, puis, un peu plus loin, la ruelle sur la gauche, c'est indiqué. Lits en dortoir 4 500-5 000 ¥ ; petit déj en sus. Pas de double. Au fond d'une impasse tranquille, dans un quartier paisible et vert, à 650 m d'altitude, juste en face de la pension *Fuji Hakone Guest House* (voir plus loin). Il s'agit en fait des mêmes propriétaires, aimables

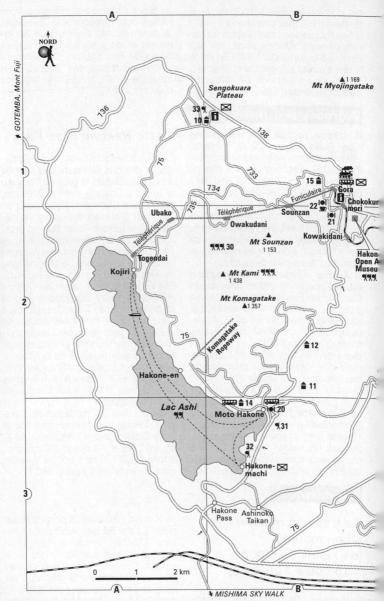

LES ENVIRONS DE TOKYO

NORD

GOTEMBA, Mont Fuji

136

Sengokuara
Plateau

▲ 1 169
Mt Myojingatake

33

10

75

138

733

734

735

15

Gora

Funiculaire

Chokokun
mori

Ubako

Téléphérique

Sounzan

Téléphérique

22

Owakudani

21

Togendai

30

Mt Sounzan
1 153

Kowakidani

Hakon
Open A
Museu

Kojiri

▲ Mt Kami
1 438

Mt Komagatake
▲ 1 357

Komagatake
Ropeway

75

12

Hakone-en

11

Lac Ashi

14

Moto Hakone

20

31

32

Hakone-
machi

Hakone
Pass

Ashinoko
Taikan

75

0   1   2 km

MISHIMA SKY WALK

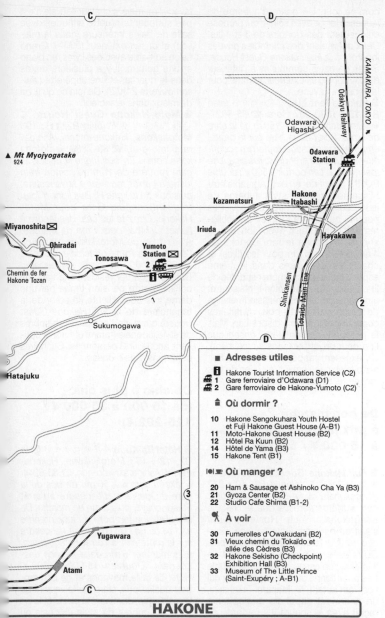

▲ *Mt Myojyogatake*
924

LES ENVIRONS DE TOKYO

■ Adresses utiles

🛈 Hakone Tourist Information Service (C2)
🚂 1 Gare ferroviaire d'Odawara (D1)
🚂 2 Gare ferroviaire de Hakone-Yumoto (C2)

🏠 Où dormir ?

10 Hakone Sengokuhara Youth Hostel
   et Fuji Hakone Guest House (A-B1)
11 Moto-Hakone Guest House (B2)
12 Hôtel Ra Kuun (B2)
14 Hôtel de Yama (B3)
15 Hakone Tent (B1)

◖◗🍽 Où manger ?

20 Ham & Sausage et Ashinoko Cha Ya (B3)
21 Gyoza Center (B2)
22 Studio Cafe Shima (B1-2)

🚶 À voir

30 Fumerolles d'Owakudani (B2)
31 Vieux chemin du Tokaïdo et
   allée des Cèdres (B3)
32 Hakone Sekisho (Checkpoint)
   Exhibition Hall (B3)
33 Museum of The Little Prince
   (Saint-Exupéry ; A-B1)

HAKONE

LES ENVIRONS DE TOKYO

comme tout. Un genre d'auberge de jeunesse tenue avec soin et qui propose uniquement des dortoirs de 3 et 4 lits. Ceux qui veulent des chambres privées logeront à la *Fuji Hakone Guest House*. Salles de bains communes à l'intérieur du pavillon ou à l'extérieur, comme pour la pension. Laverie.

🛏 *Hakone Tent* 箱根ゲストハウス (plan B1, 15) : 1320-257 Gora. ☎ 83-8021. ● hakonetent.com ● À 150 m de la gare de Gora. Sortir de la gare par la droite, emprunter le passage souterrain ; continuer 100 m puis prendre la rue à gauche (panneau). Lit en dortoir 3 500 ¥ ; double 9 000 ¥ ; petit déj en sus. Agréable établissement récent, style auberge de jeunesse. Le hall d'entrée boisé (vieilles poutres qui ont de l'allure), particulièrement chaleureux avec son bar et son resto, donne le ton. Dortoirs de 4 à 6 personnes (un pour les filles) et chambres japonaises dans le même esprit. Une seule chambre est dotée de lits. L'ensemble est soigné, plaisant et aménagé de manière réussie (mélange de béton brut et de bois). Sanitaires communs et cuisine à disposition. Mais le pompon, ce sont les 2 *onsen* que l'on peut privatiser (sans supplément). Un excellent rapport qualité-prix. Fait resto le soir seulement (oh ! rien de très recherché : pizzas et pâtes).

De bon marché à prix moyens (de 6 000 à 15 000 ¥ / 50-125 €)

🛏 *Fuji Hakone Guest House* 富士箱根ゲストハウス (plan A-B1, 10) : 912 Sengokuhara. ☎ 84-6577. ● fujihakone. com ● Même adresse que le Hakone Sengokuhara Youth Hostel, mais il s'agit du bâtiment juste en face. Doubles 10 000-16 000 ¥, petit déj compris. CB refusées. Comme à l'auberge de jeunesse, on est accueilli par un couple très attentionné ou par leur fille Lisa qui l'est tout autant. M. Masami Takahashi, un charmant Japonais anglophone, reçoit avec le sourire les routards du monde entier. Homologué « Bureau d'information », il leur fournit des infos touristiques sur Hakone et un plan détaillé. Chambres de style japonais

(avec clim, mais la chaleur estivale n'est pas suffocante à cette altitude), avec salle de bains intérieure (dans la maison) et *onsen* extérieur (500 ¥). Grand salon agréable avec des livres, un piano et une guitare. Il y a plusieurs restos dans le quartier et une supérette *Lawson* ouverte 24h/24. De loin ce qu'il y a de mieux dans le secteur.

🛏 *Moto-Hakone Guest House* 本箱根ゲストハウス (plan B2, 11) : 103 Motohakone, Hakone-machi, Ashigara-shimo-gun. ☎ 83-7880. ● motohakone.com ● En bus, ligne H depuis la gare routière de Yumoto ; sinon train jusqu'à l'arrêt ferroviaire Miyanoshita, puis bus de la ligne H. Bus ligne Y (peu fréquent) depuis Gora pour Moto-Hakone. Dans ts les cas, descendre à l'arrêt Oshiba, puis 1 mn de marche. À env 1 km de MotoHakone, un peu à l'écart de la route principale. Doubles 10 000-13 000 ¥ ; petit déj en sus. Dans un quartier résidentiel à flanc de colline, petite pension tenue par une dame très accueillante (la sœur de la tenancière de la *Fuji Hakone Guest House*) qui parle l'anglais. 5 chambres de style japonais (tatami et futons) pouvant accueillir 3 personnes. Sanitaires communs. Pas d'*onsen*.

De chic à plus chic (de 15 000 à 35 000 ¥ / 125-292 €)

🛏 *Hôtel Ra Kuun* ホテルラクーン (plan B2, 12) : 103 MotoHakone, Hakone-machi, Ashigarashimo-gun. ☎ 83-6244. ● rakuun.com ● À 50 mn de bus de la gare d'Odawara ; descendre à l'arrêt Futagochaya, puis 5 mn de marche. De MotoHakone (au bord du lac), prendre un taxi ou un bus (10 mn) et descendre sur la route n° 1 à l'arrêt Futagochaya, puis marcher 5 mn dans le sens descendant. Doubles 15 000-20 000 ¥. Hôtel de taille moyenne et de bon rapport qualité-prix, situé sur le versant de la montagne, dominant la plaine et le lac Ashi. Chambres de style japonais ou occidental avec salle de bains intérieure, et très belle vue (parfois balcon) sur le lac. *Onsen* collectif divisé en 2 parties : une partie abritée et un bassin à l'extérieur en plein air, bordé d'une palissade en bois (délicieux endroit).

🏠 *Hôtel de Yama* 山のホテル *(plan B3, 14)* : 80 Motohakone, Hakone-machi. ☎ 83-6321. ● hakone-hoteldeyama.jp/en ● À 10 mn à pied de MotoHakone. Doubles 17 000-28 000 ¥, petit déj compris. Situation de rêve pour cette grande demeure à flanc de montagne, surplombant le lac et entourée d'un grand jardin avec au loin la silhouette magnifique du mont Fuji. Ce grand bâtiment blanc coiffé d'un toit rouge cerise qui émerge des arbres abrite une centaine de belles chambres très confortables. Les plus jolies (et les plus chères) ont un petit balcon avec vue sur le lac et le mont Fuji. 2 restos : un japonais traditionnel et un français, le *Vert Bois* (plus cher). Propose aussi un grand bain public *(onsen)* couvert avec vue sur la forêt. Magnifique adresse.

Où manger ?

De bon marché à prix moyens (de moins de 1 500 à 3 500 ¥ / 12,50-29 €)

À *Motohakone*

Attention le soir à MotoHakone, tout est fermé après 19h. On dîne très tôt (service vers 18h-19h). Plusieurs restaurants et cafétérias, *izakaya* et *bentô*.

|●| *Ham & Sausage* 腸詰屋 *(plan B3, 20)* : 19, rue principale (à gauche de l'hôtel Musashiya). ☎ 83-1771. Tlj sauf mer 10h-17h. Une sorte d'épicerie-charcuterie *(delicious homemade)* où tout est fait maison. On peut manger sur place du saucisson, du salami, du jambon, le tout préparé avec soin selon la mode allemande mais servi à la manière japonaise. Simple et pas cher.

|●| *Ashinoko Cha Ya* 芦ノ湖茶屋 *(Ashinoko Tea House ; plan B3, 20)* : rue principale, sur la gauche en direction de Hakone-machi, à la sortie du village. ☎ 83-6731. Tlj sauf jeu 11h-16h (dernière commande à 15h30). Bon marché. À 50 m du portique rouge (torii), une grande cafétéria à l'étage pour manger des plats japonais sans prétention mais suffisants. Soupes *miso* au porc, soupes de nouilles aux champignons. Jolie vue sur le lac.

À *Gora*

|●| *Gyozon Center* 餃子センター *(plan B2, 21)* : ☎ 82-3457. À env 600 m de la gare ferroviaire de Gora. En sortant de la gare, suivre la route principale qui longe la voie ferrée. Gyoza Center est dans un virage, sur la droite, une maison solitaire en bois-brique. Tlj sauf jeu 11h-15h, 17h-20h. Ce resto, à la déco chaleureuse et à l'atmosphère conviviale, mérite l'attention. Beaucoup de bois, de plantes vertes et plein de petites bricoles qui pendouillent du plafond. Long comptoir et tables au rez-de-chaussée ; à l'étage, c'est version japonaise sur tatami (on enlève ses chaussures). Les *gyoza* sont des raviolis chinois préparés à la façon japonaise (c'est-à-dire parfois en friture). Pas mal de tempura également.

|●| 🚏 *Studio Cafe Shima* スタジオカフェシマ *(plan B1-2, 22)* : ☎ 82-2749. Sortir de la gare, faire 100 m en passant devant les boutiques ; au niveau du portique marron marqué « Hakone Craft House & Gora Park », tourner à droite, monter la petite rue, c'est la 6e maison, côté droit. Tlj sauf jeu 10h-18h. Bon marché. Cakes, pâtisseries faites maison, café et thé, jus de fruits (et même jus au gingembre), quelques sandwichs, voilà ce que l'on peut trouver dans cette petite boutique hybride qui fait à la fois studio photo et café. C'est mignon, calme et accueillant.

À voir. À faire

➢ *Une balade d'une journée à Hakone :* voilà ce que l'on peut voir et faire en une journée sans trop se presser, une sélection, un best of de Hakone. Si l'on est basé à Motohakone 本箱根, prendre un bus *(Hakone Tozan Bus)* pour Kowakidani 小涌谷 *(ligne H)*. À Kowakidani, prendre le train *(Hakone Tozan Train)*, adorable moyen de transport (la gare ferroviaire est à 50 m de l'arrêt de bus). De Gora à Sounzan 早雲山, funiculaire *(cable car)* toutes les 15-30 mn, 7h40-19h05. Billet aller 420 ¥ ; trajet : 10 mn. Puis de Sounzan à Owakudani 大涌谷, monter en téléphérique *(ropeway,* départs très fréquents, 9h-17h – 16h15 déc-fév ; durée 10 mn ; 840 ¥ l'aller) jusqu'à cet observatoire qui permet de voir de près le phénomène naturel des fumerolles jaillissant du volcan Kamiyama 神山. Ensuite, reprendre le téléphérique jusqu'à Togendai 湖尻東源台 (1 050 ¥ ; trajet : 15 mn) sur la rive nord-est du lac Ashi 芦之湖. S'il fait beau, si le ciel est dégagé, on aperçoit au loin le majestueux mont Fuji au sommet enneigé. De Kojiri-Togendai, revenir à Motohakone en bateau (voir plus bas) la solution la plus pratique. Si l'on n'est pas pressé, prendre la ligne de bus W (Shinjuku Hakone Line ; 4 bus/j. seulement) qui relie Gotemba à Togendai, et Togendai à l'*hôtel de Yama* (Motohakone) par une petite route de corniche.

🏃🏃🏃 *Les fumerolles d'Owakudani (Owakudani Hot Springs)* 大涌谷 *(plan B2, 30) :* pour y aller, 2 solutions ; prendre le téléphérique (ropeway) depuis la station de Kojiri-Togendai sur la rive nord-est du lac Ashinoko (durée : 15 mn ; billet aller : 1 050 ¥) ; ou y monter depuis Gora (versant nord) en funiculaire jusqu'à Sounzan puis en téléphérique de Sounzan à Owakudani. Certains tronçons du téléphérique peuvent être en maintenance, dans ce cas, le trajet se fait en bus. Écriez-vous : Utsukushi ! « Magnifique ! » Quel beau paysage ! On se retrouve sur les flancs dénudés et rocailleux du volcan Kamiyama, d'où émanent des fumerolles de gaz sulfureux, c'est-à-dire des fumées et des vapeurs de soufre (l'air sent bel et bien le soufre) provenant des entrailles de la terre. Une vision spectaculaire au sein d'une sorte de brousse d'altitude (buissons, petits arbustes) marquée ici et là par de grandes traînées jaunes (la couleur naturelle du soufre) laissées par les jaillissements des fumerolles. Il y a environ 3 000 ans, quand le volcan Kami explosa, le phénomène fut si dévastateur que les Japonais nommèrent cet endroit « l'Enfer » (*Oojigoku* 大地獄), nom qui resta attaché à la montagne jusqu'en 1876. Cette année-là, l'empereur Meiji visita Hakone et il fut décidé qu'il ne verrait pas un site nommé l'enfer : on changea alors de nom, et le lieu devint « Owakudani ».

Sur l'esplanade principale (grand parking, commerces) se regroupent les touristes. Sur le côté gauche, un oratoire dédié à Jizo (divinité des voyageurs et des enfants). Le sentier qui part sur la droite de l'esplanade conduit en 10 mn à *Tamago-Chaya,* une plateforme d'observation. Les sentiers qui partent dans la montagne sont interdits en raison de risques d'émanations toxiques.

🏃🏃🏃 *Le mont Kami (Kamiyama)* 神山 *(plan B2) :* plus haut sommet (1 438 m) de la région de Hakone, ce vieux volcan en sommeil se dresse au-dessus du lac Ashi, dans sa partie est. Son nom, *kamiyama,* signifie « montagne divine », ou « montagne des esprits divins », ou quelque chose d'approchant. Au Japon, le *kami* désigne l'esprit divin à l'origine de l'univers et des hommes. En réalité, les *kami* seraient en quantité infinie, car la religion shinto en dénombre près de 88 millions ! Pour un Japonais, les « *kami* célestes » ne s'occupent pas des affaires humaines tandis que les « *kami* terrestres » vivent dans le monde avec les hommes et sont présents partout : dans les sites naturels, sous la terre, dans les nuages, dans les champs, les bois, les rivières, les rochers, et surtout dans les montagnes plus près du ciel. Les *kami* peuvent, dans certains cas, s'incarner dans des animaux ou des hommes d'exception. Ils sont généralement bienveillants *(aramitama)* ou parfois méchants et brutaux *(nigimitama).* Pour les apaiser, il suffit de quelques offrandes ou rites propitiatoires...

Autour du lac Ashi

🏃🏃 *Le lac Ashi (Ashinoko)* 芦ノ湖 *(plan A-B2-3) :* un grand lac de cratère volcanique, entouré de montagnes et de volcans dont une grande partie des versants est couverte de forêts protégées. Il mesure environ 20 km de circonférence et sa profondeur maximale atteint 43 m.

➤ **En bateau :** *de Motohakone ou Hakone-machi à Togendai, env 12 départs/j. 9h30-17h en hte saison (dernier départ vers 16h10 en basse saison). Durée : 30 mn. Billet : env 1 000 ¥ l'aller ; réduc. Les billets s'achètent aux guichets des embarcadères. Il existe 1 billet combiné avec croisière et téléphérique pour 1 300 ¥ ou un pass à la journée pour 3 400 ¥ (tt compris).* Le 1er bateau est la reconstitution dans le style kitsch Disneyland d'un galion espagnol. Le 2e bateau est la réplique d'un bateau à aubes comme ceux qui voguent sur le Mississippi en Louisiane. Cet aspect parc d'attractions ne doit pas vous empêcher de les emprunter. C'est une promenade très agréable, surtout si le ciel est dégagé.

🪶 **Le vieux chemin du Tokaïdo (Old Tokaïdo Road)** 東海道 **et l'allée des Cèdres** *(plan B3, 31) : accès libre.* Un beau vestige (long de 2 km environ) du Tokaïdo, le vieux chemin qui reliait autrefois Edo (Tokyo) à Kyoto en 53 étapes (voir encadré). Dans le quartier de Motohakone, près du cimetière, un panneau indique un chemin qui passe sous une allée de cèdres. Il longe une route bitumée, enjambe celle-ci par une passerelle avant d'arriver à un autre chemin pavé qui sinue sur le flanc de la montagne : c'est ce qui reste du Tokaïdo. Ce tronçon est très bien conservé. À l'époque médiévale, le passage des montagnes de la région

LE TOKAÏDO

C'est le nom de l'ancienne route qui relia Edo (aujourd'hui Tokyo) à Kyoto, la capitale impériale, pendant 4 siècles (du XVe au XIXe s), en passant par Odawara et Hakone. Long de 492 km, ce chemin de pierre longeait la côte pacifique et la mer intérieure. Pour mieux surveiller les déplacements des seigneurs féodaux, le shogun Tokugawa Ieyasu décida, en 1600, d'établir 53 postes de contrôle par lesquels les voyageurs devaient passer sous peine d'être considérés comme clandestins. Aujourd'hui enfoui sous le béton et l'urbanisme, sauf pour quelques tronçons (notamment celui de Hakone), le Tokaïdo est devenu la route « emblématique » du vieux Japon.

de Hakone au relief très accidenté était devenu si difficile par mauvais temps (chemins boueux et quasi impraticables) que le shogun décida de paver la route et d'établir un poste de contrôle à Hakone. Pour donner de l'ombre aux voyageurs et éviter l'érosion des sols par les eaux, ce chemin historique est bordé de vieux cèdres tricentenaires (et plus vieux encore) qui furent plantés en 1618.

🪶🪶🪶 **Vues sur le mont Fuji :** le mont Fuji 富士山 n'étant pas très loin de Hakone à vol d'oiseau, on peut l'apercevoir vers le nord-ouest et l'admirer depuis plusieurs endroits, à condition qu'il fasse beau et que le ciel soit dégagé. En mars-avril, il est encore enneigé mais la visibilité est souvent bonne. En hiver, risque de brumes. En été, le mont perd sa neige, mais il est toujours aussi visible de loin. Il y a d'abord les cabines du téléphérique *(Ropeway)* qui suit la pente de la montagne entre Ubako et Owakudani. La 2e option pour admirer le mont Fuji consiste à prendre un des bateaux qui naviguent sur le lac (comme ce galion de croisière). L'autre endroit est la rive sud du lac Ashi depuis le *Hakone Detached Palace Garden* 恩賜箱根公園パーク, où se trouve un petit observatoire prévu à cet effet. Une passerelle, la *Mishima Sky Walk (hors plan par A-B3)* a été aménagée, à environ 10 km au sud de Hakone-machi, pour offrir un point de vue optimal sur le mont Fuji. Elle mesure 400 m de long mais l'accès n'est pas donné... *(1 000 ¥, réduc).*

Musées

Le site de Hakone et les différents villages environnants abritent une trentaine de musées, jardins, parcs, centres culturels et d'exposition. L'affluence touristique (des Japonais surtout) explique ce nombre important de lieux destinés à fixer la clientèle de passage (en majorité des habitants de Tokyo en week-end ou en vacances).

LES ENVIRONS DE TOKYO

🏃🏃🏃 *Hakone Open Air Museum* 彫刻の森美術館 *(plan B2) :* ☎ 82-1161. ● *hakone-oam.or.jp* ● *À env 100 m de l'arrêt ferroviaire Chokokuno-mori (prendre à gauche à la sortie de la gare). Tlj 9h-17h (dernière entrée 16h30). Entrée : 1 600 ¥ ; réduc.* Un splendide musée en plein air où s'étalent, sur 70 ha, une centaine de sculptures de Maillol, Rodin (le célèbre *Balzac !*), Bourdelle, Niki de Saint Phalle et sa femme noire... Entouré de collines, on ne compte pas ses pas au milieu de ce parc magnifiquement aménagé et unique au monde. Voilà pourquoi on peut se délasser les jambes grâce à une rigole de source chaude... Tout au fond, un bâtiment entièrement dédié à Picasso et à ses œuvres les moins connues : des céramiques exceptionnelles et des gouaches épurées, notamment sur la corrida. Quelques peintures, bien sûr.

🏃 *Hakone Sekisho (Checkpoint) Exhibition Hall (Museum of Old Tokaïdo Highway)* 箱根関所資料館 *(plan B3, 32) :* ☎ 83-6635. ● *hakonesekisyo.jp* ● *Tlj 9h-17h (16h30 déc-fév). Entrée : 500 ¥ ; réduc.* Musée organisé autour du site du vieux poste de garde de Hakone *(Hakone Checkpoint* 箱根関所*)* installé en 1619 sur ordre du shogun Tokugawa. Il était destiné à surveiller de près les allées et venues des Japonais (et surtout des samouraïs) sur la route du Tokaïdo. Abandonné en 1819, ruiné par le temps, le poste fut redécouvert en 1965 à l'occasion de fouilles archéologiques. Il s'agit d'une reconstitution fidèle de cet endroit historique. On visite notamment le pavillon des fonctionnaires (collection d'arcs, de fusils et de sabres). Le musée retrace à travers des objets, des plans et des gravures l'histoire de ce poste de garde sur le vieux chemin du Tokaïdo. Armures de soldats, coffres, pistolets, bouliers, lances, sabres, nacelle en bambou et en osier pour le transport des seigneurs féodaux (les daimyo). Un cortège seigneurial composé de 141 petits personnages a été reconstitué dans une vitrine longue d'une dizaine de mètres. Afin d'éviter des troubles et des rébellions dans les fiefs, pour les maintenir sous leur tutelle, les shoguns Tokugawa exigeaient que les seigneurs vivent à Tokyo, loin de leurs familles. Ils ne se déplaçaient que sous escorte et uniquement en cheminant sur le Tokaïdo. Les contrôles y étaient très sévères. Des documents montrent le type de sanctions infligées par la loi aux contrevenants. Les voyageurs illégaux ou clandestins sur le Tokaïdo étaient crucifiés ! Leurs femmes devenaient des esclaves à la tête rasée et étaient données en pâture au premier venu.

🏃 *Museum of The Little Prince (Saint-Exupéry)* 星の王子さまミュージアム *(musée de Saint-Exupéry et du Petit Prince ; plan A-B1, 33) :* 909 Sengokuhara, Hakone-machi. ☎ 86-3700. ● *lepetitprince.co.jp* ● *Quartier de Sengoku, en face de l'arrêt de bus Kawamukai (lignes T ou V depuis Togendai-Kojiri ; ligne S depuis Gora). Tlj sauf 2e mer du mois 9h-18h (dernière entrée 17h). Entrée : 1 600 ¥ ; réduc.* Incroyable, fastueuse et onéreuse reconstitution du château et du village de Saint-Maurice-de-Remens dans l'Ain, berceau de l'écrivain Antoine de Saint-Exupéry. L'intérieur a été aménagé à l'identique, tel un sanctuaire consacré à cet auteur très populaire au Japon grâce à son succès mondial : *Le Petit Prince.* On peut même voir une reconstitution du fort de Cap Juby et son meublé de Buenos Aires, où l'auteur a vécu. Côté magasins, il y a une rue avec la fleuriste Consuelo (la femme de Saint-Ex), la pharmacie, la librairie Frédéric... Avec ce musée, on quitte le Japon momentanément pour retrouver la province française : dépaysant pour un touriste japonais, un peu moins pour un Français. Quoi qu'il en soit, c'est un musée stupéfiant, un « copier-coller » admirablement réussi. Restaurant français *Le Petit Prince* sur place.

🏃 *À voir encore : Lalique Museum* (consacré à l'œuvre du célèbre bijoutier et verrier de luxe), *Hakone Local Museum* (musée sur l'histoire locale), *Hakone Art Museum, Hakone Monono-fu-sato Art Museum* (collection d'armures de samouraïs). Le *Wild Grass Garden (Ashinoko Yasoen)* abrite environ un millier de plantes sauvages naturelles de la région du mont Fuji. Le *POLA Museum of Art* est consacré à la peinture moderne japonaise et occidentale.

Les sources chaudes *(onsen* 温泉*)* de Hakone

– Les touristes japonais viennent à Hakone non seulement pour profiter de l'environnement exceptionnel (volcans, fumerolles, forêts et lac) et de la proximité du mont Fuji, mais aussi pour se baigner dans les sources chaudes *(onsen)*. C'est une eau naturelle sulfureuse, provenant du sous-sol des volcans, et qui jaillit de la terre pour être canalisée afin de se jeter dans des bassins. Se baigner dans un *onsen* est recommandé par les médecins en raison des vertus thérapeutiques des eaux volcaniques. Pas besoin de suivre une cure thermale pour s'y adonner. Il suffit de s'y plonger pour le simple plaisir du bain. C'est une des formes les plus raffinées et originales du savoir-vivre japonais, résultat de l'amour des Japonais pour l'eau et les bains.
– Les *onsen* sont de grands bassins collectifs installés dans des salles spéciales (abritées, semi-abritées ou en plein air) dans des bâtiments ou des pavillons contigus aux hôtels (quand on est client, on y est admis dès lors que l'on a une chambre). On en trouve aussi dans des centres publics qui fonctionnent sur le mode des bains thermaux (à l'heure, à la demi-journée, à la journée). Rien à voir avec une piscine sportive : dans un *onsen,* on ne nage pas, on se délasse.
– Les *onsen* les plus agréables sont ceux qui se trouvent en plein air près des rivières et des cours d'eau, entourés de rochers et de végétation. Le meilleur moment reste la nuit, sous les étoiles. Se baigner au printemps est une expérience unique : dehors il fait frais, et on se détend dans une eau à la température oscillant entre 30 et 45 °C ! On vous le rappelle, on se baigne nu, les hommes et les femmes séparés (certains *onsen* sont mixtes, mais c'est très rare). Qui n'a pas connu le plaisir de l'*onsen* ne connaît pas le Japon !
– On recense une grande variété d'*onsen* autour de Hakone, du plus simple au plus luxueux. Jusqu'à l'ère Meiji, on ne comptait que 7 sources chaudes *(Hakone 7 Toh),* mais avec l'avènement du tourisme moderne au XXe s, une dizaine de nouvelles sources ont été aménagées. Aujourd'hui, c'est à Yumoto *(plan C2),* Sengokuhara *(plan A-B1)* et Gora *(plan B1)* que les sources d'eau chaude naturelle ouvertes au public sont les plus nombreuses. Mais on en trouve aussi ailleurs. De nombreux hôtels proposent des *onsen* au sein de leur établissement *(1 000-1 500 ¥),* ouvert à tous, sans pour autant y avoir réservé une chambre. Les informations sur les conditions et les prix sont disponibles auprès de l'office de tourisme ou sur Internet (version anglaise). ● *onsenjapan.net* ● Voir aussi le site ● *secret-japan.com/onsen/location/japan* ●

LE MONT FUJI 富士山
ET LA RÉGION DES CINQ LACS 富士山五湖

● Carte *p. 285*

◈ Avec son élégante silhouette conique presque parfaite, son sommet enneigé (même en été), ses versants réguliers, le mont Fuji se dresse au-dessus des plaines industrialisées, des lacs aux eaux claires, des champs et des forêts, il s'élève au-dessus des villages, des villes et des hommes, comme s'il cherchait à se détacher de la réalité terrestre, pour dire : « Aimez-moi, mais respectez-moi. » Ce n'est pas un hasard si les Japonais ne l'appellent pas le Fujiyama (c'est une erreur d'Occidental) mais Fuji-san, c'est-à-dire mont Fuji – mais on le surnomme aussi « Monsieur Fuji » – tellement ce volcan exceptionnel suscite l'admiration. Il culmine à 3 776 m, ce qui en fait la plus haute montagne du Japon. Assez proche de la mer, il monte si haut que son sommet se retrouve souvent dans les brumes et les nuages. C'est par une belle journée de printemps, sous le ciel bleu, qu'il apparaît le plus nettement, mais c'est en été, et seulement pendant 2 mois, que l'on peut caresser son sommet. Durant ces 2 saisons, la vue sur le mont Fuji est réputée plus belle depuis le lac Shoji, tandis que le lac Yamanaka est à préférer en automne et en hiver.

UN PEU D'HISTOIRE

Le nom de Fuji viendrait d'un mot d'origine ainou adapté au japonais. Il serait associé à une divinité du Feu. En langue ainou, Fuchi est en effet le nom de la déesse du Feu. Au fil de sa longue histoire, le mont Fuji a été nommé de 16 manières différentes, preuve de son importance dans la vie du Japon. La naissance de ce grand volcan se perd dans la nuit des temps, remontant à l'ère glaciaire (il y a près de 600 000 ans). Selon les scientifiques, il aurait pris sa forme actuelle il y a 300 000 ans environ et serait entré en éruption 18 fois. La 1re éruption s'est produite en l'an 864. Lors de la dernière, qui eut lieu en 1707, un petit cratère est apparu (appelé « Hoei »). Au fil des éruptions, les cendres et les laves du Fuji-san ont recouvert les 2 volcans voisins. En 1860, l'ambassadeur de Grande-Bretagne, sir Rutherford Alcock, est le 1er Occidental à atteindre le sommet. Jusqu'à la restauration de l'ère Meiji (1868), l'ascension reste interdite aux femmes, comme au mont Koya (Koyasan). Aujourd'hui, le mont Fuji ressemble à un volcan endormi. Ce n'est qu'une impression car ce « stratovolcan » n'est pas tout à fait éteint. Même si les risques d'éruption apparaissent faibles, ils ne sont pas nuls. Le mont Fuji est sous surveillance constante.

UNE MONTAGNE SACRÉE

On sait que le mont Fuji est aimé et vénéré par les Japonais depuis le VIIe s, comme l'atteste la chronique ancienne de *Man'yôshu.* En l'an 663, un moine anonyme y serait déjà monté. Cette haute montagne suscite autant l'admiration que l'effroi. Les Japonais l'admirent mais le craignent, l'aiment mais le redoutent. De même que les Grecs avaient leur mont Olympe, demeure de Zeus, les Japonais ont bel et bien ici leur montagne sacrée, toujours en service, non loin de Tokyo, la plus grande ville du monde. Pour les adeptes du shinto par exemple, le sommet du mont serait habité par des *kami* (divinités), comme Fuji-Hime et Sakuya-Hime (appelé aussi Sengen Myojin). Ils y habiteraient et gouverneraient le monde visible et invisible. Les *kami* du mont Fuji veillent aussi sur la floraison des cerisiers, arbres vénérés des Japonais. L'affection pour ce volcan devient de l'adoration.

Fondée en 1948 par Hasegawa Teruhiro (1904-1962), la secte shinto du Fuji-kô réunit des adorateurs du mont Fuji. Aujourd'hui encore, des groupes de fervents pèlerins entreprennent l'ascension jusqu'au sommet, rappelant aux hordes de touristes que ce lieu n'est pas profane. Ils veillent sur le puissant volcan, considérant que les *kami* ne doivent pas être dérangés par l'agitation humaine. En été pourtant, c'est parfois la bousculade au sommet, ce qui peut décevoir certains grimpeurs. Mais les *kami* aiment le silence et le secret. En juillet-août, ils prennent sans doute leurs vacances et doivent se retirer momentanément dans les entrailles du volcan pour éviter la cohue des visiteurs.

Symbole du Japon

Le mont Fuji est donc l'emblème de l'archipel, l'icône du Japon, une image simple et forte qui parle d'elle-même. Pour les Japonais, c'est « la montagne » par excellence. Pour le monde entier, il symbolise le Japon, mieux que n'importe quel temple ou sanctuaire. Si le Fuji-san révèle l'histoire et la géographie du Japon, il appartient aussi au Patrimoine de l'humanité, c'est un volcan-citoyen du monde.

LE MONT FUJI ET LA RÉGION DES CINQ LACS

Il pourrait être le chef de file de cette grande famille volcanique planétaire, qui forme la « ceinture de feu du Pacifique », de Manille à la Patagonie en passant par Hawaii, le Mexique et la cordillère des Andes.

Arriver – Quitter

Liaisons avec Tokyo

En bus

À *Kawaguchiko* et à *Fujiyoshida*, les gares routières se trouvent juste devant les gares ferroviaires.

➤ *De/vers Tokyo :* penser à prendre un billet aller-retour car les bus au retour sont souvent pleins (surtout le week-end et en été).

– *De la gare routière de Shinjuku à Kawaguchiko* 河口湖 *:* à Tokyo, le Shinjuku Bus Terminal 新宿駅バスターミナル se trouve sur le côté ouest du building Yasuda Seimei, à 2 mn de marche de la sortie ouest de la gare JR Shinjuku. Bus Fuji Kyûkô (☎ (0555)

23-2111) et Keio Dentetsu (☎ (0353) 76-2222). Une vingtaine de départs/j. 7h-20h. Bus également pour *Fujiyoshida* 富士吉田. Durée : 1h45.

➤ *De la gare de Tokyo Station à Kawaguchiko* 河口湖 *:* bus Fuji Kyuko. Une vingtaine de départs/j. 6h20-21h20 (sortie *Yaesu South* jusqu'à 10h20 puis sortie *Yaesu Noth* à partir de 11h20). Durée : 2h.

– *De la gare routière de Shinjuku à la 5ᵉ station du mont Fuji* (*Kawaguchiko – Yoshida-guchi* 河口湖吉田口) *:* on peut rejoindre directement la 5ᵉ station du mont Fuji (la plus fréquentée) en prenant les bus des lignes Keio et Fujikyû. *Résas :* Fujikyu Bus, ☎ (0555)

286 | TOKYO ET SES ENVIRONS / LES ENVIRONS DE TOKYO

LES ENVIRONS DE TOKYO

72-5111. *Billets* : env 2 700 ¥. Compter 2h20. On peut aussi réserver auprès des agences de voyages.

En train

➤ *De Tokyo (gare de Shinjuku) pour Fujiyoshida* 富士吉田 *(Fujisan station) et Kawaguchiko* 河口湖 : trains JR *(ligne Chûô)*, avec changement à Otsuki (durée : 1h). Ensuite il faut prendre le petit train *(ligne Fuji Kyûkô)* qui relie Otsuki à Kawaguchiko (terminus de la ligne) en faisant une halte à Fujiyoshida *(Fujisan Station)*, située à 3 km de Kawaguchiko (durée : 35 mn). Avec la ligne JR Rapid Holiday Train (de Chuo Line) pdt l'été seulement sam-dim : durée env 2h30. Les trains passent à Otsuki et continuent jusqu'à Kawaguchi-ko (ville).

Liaisons avec Kyoto

➤ *De Kyoto à la gare Shin-Fuji :* prendre le train à grande vitesse *Shinkansen*, descendre à Shin-Fuji 新富士. De là, bus pour le mont Fuji (voir détails plus bas). Cette solution évite de passer par Tokyo. On gagne du temps. La route en bus est superbe, très urbanisée au départ, plus naturelle à la fin.

Liaisons avec le versant sud (gares de Fuji, Fujinomiya et Mishima)

Attention la plupart de ces bus ne fonctionnent pas en hiver, mais seulement au printemps ou en été.
➤ *De la gare de Shin-Fuji à Kawaguchiko* 河口湖 *(via la gare de Fujinomiya) :* bus *Fujikyû*. Durée : 1h55. Intéressant pour ceux qui viennent de Kyoto à bord du train *Shinkansen*. On descend à Shin-Fuji d'où un bus monte jusqu'au secteur du mont Fuji.
➤ *De la gare de Shin-Fuji à la 5ᵉ station du mont Fuji (Fujinomiyaguchi trail) :* bus *Fujikyû*. Tlj de mi-juil à mi-août seulement. Durée : 2h15.

➤ *De la gare de Shin-Fuji au lac Motosuko* 本栖湖 : bus *Fujikyû*. Durée : 1h20.
➤ *De la gare de Fuji (Fuji Station) jusqu'à la 5ᵉ station du mont Fuji* 富士山五合目 *(Fuji Subaru Line) :* bus *Fujikyû (Fujinomiyaguchi trail)*. Tlj de mi-juil à mi-août seulement. Durée : 2h10.
➤ *De la gare de Fujinomiya à la 5ᵉ station du mont Fuji* 富士山五合目 *(Fujinomiyaguchi trail) :* bus *Fujikyû*. Tlj de mi-juil à mi-août seulement. Durée : 1h40.
➤ *De la gare de Mishima à Kawaguchiko* 河口湖 : une dizaine de bus *Fujikyû/j.*, directs ou avec changement à Gotemba. Durée : 1h30 (direct), sinon env 2h30.
➤ *De la gare de Mishima à la 5ᵉ station du mont Fuji* 富士山五合目 *(Mishima-guchi) :* bus *Fujikyû*. Tlj de mi-juil à mi-août seulement. Durée : 2h05.

Liaisons avec Gotemba (à l'est du mont Fuji)

➤ *De la gare de Gotemba à Kawaguchiko* 河口湖 : bus *Fujikyû* (☎ (0555) 73-8181). De Gotemba à Kawaguchiko, une bonne vingtaine de bus/j. 7h40-20h10 (7h-19h30 dans l'autre sens). Durée : env 1h15.
➤ *De la gare de Gotemba à la 5ᵉ station du mont Fuji* 富士山五合目 *(Gotemba-guchi) :* bus *Fujikyû*. Tlj début juil-début sept. Durée : 40 mn.
➤ *De la gare de Gotemba à la 5ᵉ station du mont Fuji* 富士山五合目 *(Subashiri-guchi) :* bus *Fujikyû*. Tlj début juil-début sept. Durée : 1h.

Liaisons avec Hakone

➤ *Bus* réguliers depuis Hakone jusqu'à la gare de Gotemba *(ligne W)*. De là, on change de bus, et on en prend un autre *(Fujikyû Line)* qui va à la gare de Kawaguchiko. Ou un bus *Odakyu* pour Sengoku, Togendai et Hakone-en. Voir les détails dans la rubrique « Arriver – Quitter » à Hakone.

Se déplacer dans le secteur du mont Fuji et des Cinq Lacs

➤ *De Fujiyoshida à Kawaguchiko* 河口湖 : bus *Fujikyû* ttes les 20 mn-1h, 7h15-18h (en sens inverse 7h50-18h33). Durée : 10 mn. Également des trains.

➤ *De Fujiyoshida et Kawaguchiko à la 5e station du mont Fuji 富士山五合目 (Kawaguchiko-guchi) :* 7-8 bus *Fujikyū*/j. 8h40-14h50 (10h40-16h20 dans l'autre sens). Un bus supplémentaire au mois de septembre, à 16h40 depuis Fujiyoshida et à 17h50 depuis la 5e station. Ils partent de la gare de Fujiyosida et passent par Kawaguchiko avant de rejoindre la 5e station. En hiver, départs selon conditions météo. Trajet : 1h depuis Fujiyoshida.

➤ *De Kawaguchiko au lac Saiko* 西湖 *:* env 15 bus *Fujikyū*/j. Durée : 30 mn.

➤ *De Kawaguchiko et lac Yamanakako* 山中湖 *(Asahi-gaoka) :* près de 25 bus *Fujikyū*/j. Ils partent de Kawaguchiko et passent par Fujiyosida avant de rejoindre le lac. Durée : 40 mn depuis Kawaguchiko.

➤ *De Fujiyoshida et Kawaguchiko au lac Motosuko* 本栖湖 *:* une dizaine de bus *Fujikyū*/j. (un peu plus depuis Kawaguchiko). Durée : 55 mn depuis Fujiyoshida.

– Au départ de **Kawaguchiko,** il existe 3 lignes *Sightseeing Bus* : la *Red Line* dessert les abords du lac Kawaguchi ; la *Green Line* longe la rive sud du lac Kawaguchi puis fait le tour du lac Saiko ; la *Blue Line* rejoint les lacs Shojiko et Motosuko. *Compter 1 340 ¥ le pass valable 2 j. sur la Red Line et Green Line ; 1 500 ¥ le pass valable sur les 3 lignes ; réduc.*

Adresses et infos utiles

– Penser à avoir de l'argent liquide sur soi, peu d'établissements acceptent les cartes de paiement européennes.
– *Site internet :* ● jnto.go.jp ●
🔖 *Yamanashi Prefectural Fuji Visitor Center* 富士山世界遺産センター *:* 6663-1 Kenmarubi, Funatus, Fujikawaguchiko-machi, Minami-tsuru-gun, Yamanashi Préfecture. ☎ (0555) 72-0259. Tlj 8h30-17h (18h juil et sept, 22h août).

🔖 *Fujinomiya City Information Office :* à la gare ferroviaire (trains JR) de Fujinomiya. ☎ (0555) 27-5240. Lun-ven 9h-17h, w-e et j. fériés 9h30-16h.
🔖 *Bureau d'information de la gare de Shin-Fuji (Shinkansen) :* ☎ (0545) 64-2430. Tlj 9h-18h. On peut également se procurer des vélos (gratuits) selon disponibilités, juste au niveau du bureau d'information. Consigne à bagages à côté.

FUJIYOSHIDA 富士吉田 *(50 000 hab. ; ind. tél. : 05)*

Ville importante étendue au pied du mont Fuji, côté nord, elle peut servir de camp de base avant de monter vers le sommet du mont Fuji. Elle s'est développée autour du sanctuaire shinto du *Kitaguchi Hongu Fuji Sengen Jinja.* C'est de là que les pèlerins s'élancèrent pendant 400 ans à l'assaut du mont Fuji. Longtemps, elle fut la capitale du textile régional (surtout la soie). Pas de grosse usine, mais près de 350 petits ateliers abrités dans les maisons particulières (employant plus de 2 000 personnes) assuraient environ 70 % de la production de la cravate de qualité ! Aujourd'hui, ce mode de production est en fort déclin. Son eau minérale est également fameuse. Le centre-ville n'a guère évolué depuis la dernière guerre. Boutiques un peu hors du temps, d'autres abandonnées, vieux quartiers et rues dans un lent processus de réhabilitation. Une ville qui n'aurait pas vu le temps s'écouler...

Un peu d'histoire

De Fujiyoshida débutait la voie historique du mont Fuji, populaire lieu de pèlerinage pour ceux qui pensaient que Dieu résidait à son sommet. À la fin du XVIe s, le village situé vers l'est dut cependant déménager à l'actuel emplacement de la ville à cause des trop nombreuses avalanches. Il abrita de nombreux refuges et auberges de pèlerins, appelées *Oshi Houses.* En 1814, on en dénombrait 86. Aujourd'hui, il n'en subsiste qu'une douzaine, dont peu encore en activité. Désormais,

LES ENVIRONS DE TOKYO

de nombreux randonneurs commencent l'ascension à la 5e station... Cependant, ne pas manquer de visiter la *Togawa Oshi House,* l'une des plus fascinantes *oshi...* (lire la rubrique « À voir »).

Fêtes et festivals

– Avril : *fête de Fujizakura,* les cerisiers du Fuji en fleur.
– 30 juin : fête de l'ouverture des randonnées du mont Fuji.
– 10 août : le *Wakamiya tagiki nô,* spectacle nocturne de nô en plein air.
– Les 26 et 27 août s'y déroule le *festival du Feu,* grande cérémonie du *Himatsuri.*
· Processions au cours desquelles d'immenses torches éclairent les rues.
– Autour du 19 septembre : le *Yabusame,* concours de tir à l'arc à cheval.
– Fin octobre-début novembre : *fête des Érables.*

Adresses utiles

🛈 *Fujiyoshida Tourist Information Service :* 2-5-1 Kami-yoshida. ☎ (0555) 22-7000. ● *city.fujiyoshida.yamanashi.jp/div/english/html* ● *Juste à côté de la gare de Fujiyoshida (Fujisan Station). Tlj 9h-17h (18h juil-août). Congés : 29 déc-3 janv.* Plans, brochures, expo de la production locale d'artisanat et de textiles.

🛈 *World Heritage Information Center:* 1-10-15 Kamiyoshida. ☎ (0555) 24-8660. ● *chaya-info@mfi.or.jp* ● *Près de la Kanadorii Gate.* Toute l'info sur l'histoire et l'architecture locales. Propose également des tours de 30 mn à 2h.

Où dormir ?

De très bon marché à bon marché (de moins de 6 000 à 10 000 ¥ / 50-83 €)

🛏 *Mt Fuji Hostel (St Michael's)* マウント富士ホステルマイカルズ : *3-21-37 Shimoyoshida.* ☎ (0555) 72-9139. ● *mfi.or.jp/mtfujihostel* ● *À 15 mn à pied de la gare de Fujiyoshida. Ouv tte l'année. Résa possible par* Hostelworld *également. Lit en dortoir 3 000 ¥ ; doubles 6 400-7 600 ¥ ; pas de petit déj.* Une auberge de jeunesse méticuleusement tenue. 2 dortoirs mixtes de 10 personnes, avec lits superposés. 2 chambres à la japonaise (futon) pour 1 à 4 personnes et 2 chambres à l'européenne pour 1 ou 2 personnes. Accueil sympa. Sanitaires communs. Laverie et séchage, *lockers* individuels, coin avec frigo et micro-ondes pour préparer le petit déj. Grand salon confortable et terrasse (avec vue sur le Fuji). Plein d'infos, mais on s'en doutait bien un peu.

🛏 *Saruya and Salon Hostel* 猿谷ホステル : *3-6-26 Shimoyoshida.* ☎ (0555) 75-2214. ● *akamatsu@saruya-hostel. com* ● *À 7 mn à pied de la station Shimoyoshida, 20 mn de la gare de Fujiyoshida. Ouv tte l'année. Lit en dortoir 3 300 ¥ ; double 8 800 ¥ ; pas de petit déj. Guesthouse* installée dans une vénérable demeure de 90 ans, sobrement et agréablement rénovée. Grand dortoir d'une douzaine de personnes, avec futons séparés par des rideaux. Les quelques chanceux qui s'installeront sur la mezzanine bénéficieront de plus d'intimité. Les doubles, également de style japonais, se trouvent dans un bâtiment mitoyen. Personnel accueillant. Salle commune avec cuisine équipée, agréable pour se poser. Location de vélos.

🛏 *Maisan Chi Guest House* まいさんち : *4-6-46 Shimoyoshida.* ☎ (0555) 24-5328. ● *maisan-chi.jimdo.com* ● *À env 10 mn à pied de la gare de Fujiyoshida. Congés : fin déc-janv.*

Lit en dortoir 3 300 ¥ ; doubles env 8 000-9 000 ¥ ; petit déj en sus. CB refusées. Demeure ancienne (cloisons papier). Dortoir mixte pour 4 personnes avec lits superposés et une double de style japonais. Très propre. Sanitaires communs, chauffage, ventilo, frigo et micro-ondes. Laverie et séchage. Consigne payante. Bon accueil anglophone.

🛏 *Fujiyoshida Youth Hostel : 3-6-51 Shimoyoshida.* ☎ *(0555) 22-0533. À 7 mn à pied de la station Shimoyoshida, 20 mn de la gare de Fujiyoshida. Congés : fév. Lit en dortoir 3 500 ¥ ; double 8 800 ¥ ; pas de petit déj. CB refusées. Membre du réseau HI.* Dans une ruelle, 50 m en retrait de la rue principale. Situé dans ce « vieux » centre-ville un poil déglingué. Demeure traditionnelle à l'intérieur assez rustique, mais c'est bien tenu (attention à l'escalier, bien raide !), et pour les fans d'Ozu, atmosphère Japon années 1950 extra ! Patron accueillant. 6 chambres ou minidortoirs, sanitaires communs (avec petit jacuzzi). Lave-linge, frigo, micro-ondes.

Prix moyens (de 10 000 à 15 000 ¥ / 83-125 €)

🛏 I●I *Hôtel Tatsugaoka* 竜ヶ丘 *: 3-6-10 Shimoyoshida.* ☎ *(0555) 28-7119 et 24-3988 (resto).* ● *tatsugaoka.jp* ● *À 15 mn à pied de la station Shimoyoshida. Doubles env 12 000-13 000 ¥,* *petit déj inclus. Le soir, menu à prix moyens.* Hôtel de style contemporain à taille humaine, avec un beau jardin. Chambres d'excellent confort et spacieuses, clim, TV, frigo. Style européen ou japonais. *Onsen* particulièrement agréable. Vue sur le Fuji, ça va de soi ! Bon resto *Yakiniku* ouvert aux non-résidents *(11h30-14h, 17h-22h).* Box intimes et tables avec fosse pour les jambes.

Spécial coup de folie (plus de 60 000 ¥ / 500 €)

🛏 I●I *Hôtel Kaneyamaen* 鐘山苑 *: 6283 Kamiyoshida.* ☎ *(0555) 22-3168.* ● *kaneyamaen.com* ● Tout simplement l'un des 10 plus beaux hôtels du Japon, dans un superbe environnement. Pour ceux qui ont gagné au loto (mais promo sur Internet, dîner compris). Imposante architecture contemporaine à l'extérieur mais réussissant à créer intérieurement une alliance harmonieuse de structures modernes et d'atmosphère de *ryokan* ! Surtout entouré d'un magnifique jardin japonais et offrant des prestations exceptionnelles : chambres de charme et dotées de tout le confort imaginable (style européen ou japonais), vaste piscine se confondant avec l'horizon, spa, remise en forme et merveilleux *onsen.* En prime, des concerts de tambours japonais de grande qualité et une cuisine de haute réputation.

Où dormir dans les environs ?

🛏 Au lac Yamanaka 山中湖, on trouve quelques pensions à prix modérés et une auberge de jeunesse à petits prix : *Yamanakakohan-so Seikei* (☎ *(0555) 62-0020).*

🛏 I●I *Pension Montelac* ペンションとコテージモンテラック *: 2552 Hirano, Yamanakako-mura, Minamitsuru-Gun, Yamanakako.* ☎ *(0555) 62-4418.* ● *mountfuji.jp* ● *Bus direct de la JR Tokyo Station à la gare routière de Yamanaka (6 bus/j. 7h50-18h50 ; durée : 2h20). Sur le versant nord du lac Yamanako ; l'adresse étant assez isolée, le* *propriétaire peut venir chercher ses hôtes à la gare routière la plus proche. Double env 11 500 ¥ ; petit déj en sus. Dîner env 3 000 ¥.* Voilà une remarquable pension familiale tenue par un chaleureux Japonais francophone... cas unique dans la région ! Accueil formidable, grand sens du service, courtoisie. Excellente adresse avec des chambres confortables (style occidental) et calmes, profitant d'une vue superbe sur le lac et, au loin, le mont Fuji. Salle de bains commune. Petit déj sain et frais. Cuisine occidentale.

Où manger ?

**De bon marché
à prix moyens
(de moins de 1 500
à 3 500 ¥ / 12,50-29 €)**

|●| *Yoshinoike Onsen* 葭之池温泉 : *Shimo Yoshida 6698.* ☎ *(0555) 22-3362. Tlj au déj seulement.* Située dans un coin campagnard, une auberge à l'ancienne, cadre en bois blanc, tables basses et clientèle locale (vieilles dames rigolotes). Bonne cuisine servie généreusement.

Spécialité d'*udon.* Populaire *onsen,* également avec eau chaude thermale *(600-1 200 ¥ en journée selon durée, 800 ¥ 17h-21h).*

|●| *Sakigake* 魁 : *2-20-1 Kamiyoshida.* ☎ *(0555) 24-0223. Tlj 17h-minuit. Prix moyens.* Dans une chaleureuse demeure traditionnelle. Au rez-de-chaussée, comptoir et tables basses. Au 1er étage, plus cossu. Fine cuisine à prix raisonnables. Jolie présentation des mets. Spécialité de *yoshida fried udon* et de carpaccio de cheval. Accueil au diapason.

À voir

🏯 *Togawa Oshi House* 旧外川家住宅 : *3-14-8 Kamiyoshida.* ☎ *(0555) 22-1101. À 5 mn à pied de la gare de Fujiyoshida (Fujisan Station). Tlj sauf mar et 28 déc-3 janv 9h30-17h (dernière entrée 16h30). Entrée : 100 ¥ ; réduc.* Cette *oshi* date de 1768, l'auberge elle-même de 1860. Visite d'une dizaine de pièces dont la plus importante, la Goshinzen, la salle de prière des Doja (pèlerins). On y honore la mémoire de Jikigyo-Miroku, un saint prédicateur mort en 1733 entre la 7e et la 8e station, alors qu'il jeûnait en même temps (pas prudent !). Nombreux objets et souvenirs de pèlerinage comme les *gyoi,* vêtements que portaient les pèlerins (blancs comme les habits de funérailles). On y imprimait souvent des figures du Bouddha. Témoignages sur les *Goriki,* ces « sherpas » locaux qui portaient les bagages et équipements des pèlerins, la nourriture, les vêtements de rechange, *dotera* (kimono), *waraji* (chaussures de montée faites en paille), etc.

🏯 *Le musée d'Histoire locale* 富士山ミュージアム : *2288-1 Kamiyoshida.* ☎ *(0555) 24-2411.* ● *fy-museum.jp* ● *À 15 mn en bus depuis la gare de Fujiyoshida (Fujisan Station), arrêt Sun Park Fuji, puis 1 mn à pied. Tlj sauf mar et quelques j. autour du Nouvel an 9h30-17h (dernière entrée 16h30). Entrée : 400 ¥ ; réduc.* Possibilité de billet groupé avec la maison Togawa et le musée du Radar. Il présente l'histoire de la ville et du pèlerinage, toute la saga du mont Fuji, ainsi que la riche production textile de la ville qui fit sa renommée, notamment les *kaiki,* superbes kimonos en soie. Folklore traditionnel, peintures, poteries, outils et objets domestiques. Présentation claire, moderne, on comprend vraiment à la fin de la visite l'amour des Japonais (voire du monde entier) pour le Fuji. Boutique.

🏯 *Le sanctuaire de Kitaguchi Hongu Fuji Sengen-Jinja* 北口本宮冨士浅間神社 : *de la gare de Fujiyoshida (Fujisan Station) env 20 mn à pied ou bus Fujikyû (direction Lake Yamanakako), arrêt Asama Jinja-mae.* C'est la 1re étape de l'ascension du mont Fuji par l'historique voie Yoshida (la seule qui démarre au pied de la montagne). Même si vous montez en bus après la 5e station, venez vous imprégner de l'atmosphère nimbée de spiritualité du lieu. Au début de la forêt Suwa, une belle allée puis un large escalier mènent au temple shintoïste précédé du torii, le portique traditionnel. De part et d'autre, des cèdres géants plusieurs fois centenaires.

🏯 *La pagode Chûreitô* 忠霊塔パゴダ : *à 10 mn à pied de la gare Shimoyoshida. Bus également depuis la gare de Kawaguchiko (5-6 départs/j. ; trajet : env 20 mn).* Au sein du superbe Niikurayama Sengen Park. Bien que possédant un look ancien, elle n'a pourtant qu'une bonne cinquantaine d'années. Cependant, sur sa colline, ses 4 toits superposés se découpant sur le mont Fuji en font le plus fascinant point de vue qui soit. D'après Elia Locardi, un des plus grands photographes de paysages, le Fuji vu du parc se classe 9ᵉ sur les 21 plus beaux sites au monde (1ᵉʳ Rome, 17ᵉ Paris, 20ᵉ Venise...). Particulièrement photogénique au moment des cerisiers en fleur...

🏃🚶 *Le musée du Radar du mont Fuji* 冨士山レーダードーム館 : *1936-1 Araya Fujiyoshida.* ☎ *(0555) 20-0223. Tlj 9h30-17h (19h août) ; dernière entrée 30 mn avt. Entrée : 610 ¥ ; réduc.* Ce radar et son dôme observèrent la météo pendant 35 ans au sommet du mont Fuji. Il cessa son activité en 1999 et fut reconstruit à Fujiyoshida. Toute l'histoire de la construction du radar, ainsi que celle de la météo du mont à travers graphiques et instruments de mesure scientifiques. Petite section dédiée à Nitta Jiro, un écrivain célèbre qui consacra l'un de ses romans à l'édification du radar.

KAWAGUCHIKO 河口湖 *(25 000 hab. ; ind. tél. : 05)*

À 4 km de Fujiyoshida et à 831 m d'altitude, la petite ville de Kawaguchico s'étend sur la rive sud du lac Kawaguchi, miroir naturel dans lequel se reflète la montagne sacrée. Terminus de la ligne de chemin de fer, c'est à Kawaguchico que se concentre la majorité des hôtels et pensions du secteur. On y croise un grand nombre de touristes.

Adresses utiles

ℹ️ *Fujikawaguchiko Tourist Information Center :* à la gare de Kawaguchiko, 3641-1 Funatsu, Fujikawaguchiko-machi. ☎ (0555) 72-6700. ● fujisan.ne.jp ● Tlj 8h30-17h30. Congés : 29 déc-3 janv.
■ *Location de vélos :* à la boutique

Keep Baggage & Delivery Service, 3634-2 Funatsu. 📱 090-5789-3776. Dans la rue qui part juste en face de la gare. Tlj 9h-17h. Compter 500 ¥/h ; 1 500 ¥/j. Également des vélos électriques (plus chers). Fait aussi consigne à bagages.

Où dormir ? Où manger ?

De très bon marché à bon marché (de moins de 6 000 à 10 000 ¥ / 50-83 €)

🏠 *K's House Mt Fuji* ケイズハウス富士山 *(Backpackers Hostel) :* 6713-108 Funatsu, Fujikawaguchiko, Minamitsuru-gun. ☎ (0555) 83-5556. ● kshouse.jp ● À 15 mn à pied de la gare. Lits en dortoir 2 500-6 000 ¥ ; doubles sans ou avec sdb 7 200-9 800 ¥ ; pas de petit déj. Il s'agit d'une auberge de jeunesse, dans un emplacement calme (quartier résidentiel), à 2 mn de la rive sud du lac Kawaguchi. Dortoirs (de 4 à 9 lits superposés) et chambres à la japonaise, impeccablement tenus et arrangés, avec chauffage en hiver.

Sanitaires privés pour les chambres les plus chères seulement. Salon et coin lecture, grande cuisine à disposition, laverie et location de vélos. En été, très agréable patio intérieur avec parasols et quelques tables. Sans oublier plein d'infos utiles avant de s'attaquer au Fuji.
🏠 *Kage Low Mont Fuji Hostel :* 3111-1 Funatsu, Fujikawaguchiko, Minamitsuru-gun. ☎ (0555) 72-1357. 📱 070-3530-1314. ● kagelow.jp ● À env 800 m de la gare. Résa via le site seulement. Lits en dortoir 2 850-3 100 ¥ ; double env 8 600 ¥ ; petit déj en sus. Grande bâtisse récente où le béton se mélange au bois. On est accueilli dans une salle avec une large baie vitrée qui donne sur un jardin et une terrasse en bois. Tout est de très bon goût. Dortoir

mixte de 12 lits, 1 autre de 4 couchages réservé aux filles. Ceux qui recherchent plus de confort opteront pour une chambre pour 2 *(queen size bed)* ou pour 4. Sanitaires communs, cuisine à disposition, laverie, location de vélos. L'endroit est calme. Une vraie réussite.

🛏 **Kawaguchiko Station Inn** 河口湖 ステーションイン : *3639-2 Funatsu.* ☎ *(0555) 72-0015.* ● *st-inn.com/english* ● *Bien situé, à 100 m de la gare, de l'autre côté de la rue. Double env 8 000 ¥ ; petit déj en sus.* Propres, confortables et bien tenues, les chambres sont de style japonais mais les sanitaires sont communs. Certaines donnent sur le mont Fuji. Au dernier étage, bain sur le principe d'un *onsen* avec vue, s'il vous plaît, sur le Fuji ! Au rez-de-chaussée, un café-resto. Pas de mauvaise surprise, un très bon rapport qualité-prix.

Prix moyens (de 10 000 à 15 000 ¥ / 83-125 €, pour dormir ; de 1 500 à 3 500 ¥ / 12,50-29 €, pour manger)

🛏 **Guesthouse Orange Cabin** ゲ ストハウスオレンジキヤビン :

3713-13 Funatsu. ☎ *(0555) 73-8009.* ● *bh6ybtht.preview.suite.booking. com* ● *À 200 m de la gare. Prendre la rue qui part en face de la gare, puis 1ʳᵉ à droite. Doubles 10 000-12 000 ¥ ; pas de petit déj.* Une *guesthouse* à la façade noire, mais rassurez-vous, l'intérieur est beaucoup plus lumineux. 5 chambres, scrupuleusement entretenues, avec tatami et futons, se partagent les sanitaires communs. Certaines peuvent accueillir jusqu'à 5 personnes. L'ensemble est nickel, presque trop... Grande cuisine équipée (de quoi se préparer un repas consistant) et une salle à manger attenante. Sanitaires communs et laverie.

🍽 **Restaurant Hôtô Fudô** ほうと う不動 : *3631-2 Funatsu.* ☎ *(0555) 72-5560. Face à la gare. Façade en bois sans vitrage, constituée de planches rustiques et sombres ; on ne peut pas le rater. Tlj 11h-19h.* Son extérieur austère contraste avec les vitrines modernes. À l'intérieur, grande salle sombre d'auberge montagnarde avec tatamis et tables basses. Quelques tables classiques également. On y sert le *houtou*, gros bol en fonte contenant des nouilles épaisses de blé et des légumes. C'est bon et copieux. Prix très sages pour la qualité.

À voir. À faire

🏛 Le *musée d'Art Itchiku Kubota* 久保田一竹美術館 *(à 25 mn de bus de la gare ; tlj sauf mar 9h30-17h en été, 10h-16h30 en hiver ; entrée : 1 300 ¥, réduc)* et le *musée d'Art de Kawaguchi* 河口美術館 *(à 10 mn de bus de la gare ; tlj sauf mar 9h30-17h ; entrée : 800 ¥, réduc).* Nombreuses œuvres sur le thème du mont Fuji.

🚶🚶 *L'observatoire du mont Tenjo :* une petite balade facile et agréable à faire – de préférence lorsque le mont est bien dégagé – jusqu'au sommet, où se trouve le sanctuaire de Komitabe. Un bon moyen d'échapper à la foule. Possibilité de redescendre le mont en 40 mn de marche. Sinon, on peut y accéder en téléphérique *(Mont Kachi Kachi Yama Ropeway)*, qui débute près du lac : ● *kachikachiyama-ropeway.com* ● *Tlj 9h-17h10 (9h30-16h40 janv-fév) ; tarif : 800 ¥ A/R ; billet combiné avec une balade en bateau sur le lac : 1 400 ¥, réduc.*

L'ascension du mont Fuji

🚶🚶🚶 *Le cratère du mont Fuji* 内因 *(Nai In) :* voici la gueule du monstre ! Une ligne de crêtes composée de 8 sommets dessinant une forme circulaire de 500 à 600 m de diamètre et de 80 m de profondeur. Du rebord du cratère, on assiste au lever du soleil. Par beau temps, la vue est très étendue sur les Alpes japonaises, la région de Tokyo et le Pacifique.

Quand faire l'ascension ?

L'ascension du mont Fuji n'est autorisée qu'entre le 1er juillet et le 10 septembre.

Dormir en refuge

⌂ Le camping est interdit sur le mont Fuji et autour. Seule possibilité, passer la nuit en refuges *(huts).* Ils sont ouverts seulement du 1er juillet au 26 août. On en compte une vingtaine sur la piste de Kawaguchiko, répartis entre le 5e et le 8e palier ; une dizaine sur la piste Fujinomiya. L'affluence est telle qu'ils sont souvent pleins à craquer et que l'on doit partager sa chambre avec d'autres randonneurs. Réservation impérative directement auprès des refuges (les offices de tourisme disposent de la liste) : *compter 5 000-6 000 ¥/pers ; petit déj en sus.*

Conseils pratiques

– Au sommet, la température est de 5-6 °C en moyenne en juillet et août. Prévoir des vêtements pour le vent, le froid et la pluie. Les pentes sont abruptes et les vents peuvent être forts. Il peut y avoir des chutes soudaines de neige, même en été. Prévoir aussi des lunettes de soleil et de bonnes chaussures, cela va de soi.
– Il vaut mieux commencer l'ascension dans l'après-midi, dormir en route dans un refuge, puis le lendemain matin poursuivre la marche jusqu'au sommet pour admirer le lever du soleil (prévoir une lampe de poche).
– Emporter de quoi boire (eau minérale) et de quoi manger (un minimum), même si l'on trouve le nécessaire dans les gîtes d'étape. Prévoir suffisamment d'argent liquide.
– Un centre de secours d'urgence se trouve aux 7e et 8e stations de la piste de Kawaguchiko *(Yoshidaguchi trail).* Ouvert de mi-juillet à fin août. Un autre à la 5e station, mais pas de date précise d'ouverture.

Les chemins (pédestres) d'accès au sommet du mont Fuji

– Il existe 4 pistes balisées, longues de 15 à 25 km. Elles sont divisées en tronçons marqués par des étapes (des paliers). Selon la piste choisie, l'ascension dure de 5 à 9h.
– Des routes accessibles aux cars permettent d'atteindre les 5e ou 6e paliers. De ces paliers, les randonneurs peuvent monter aux 7e et 8e paliers.

➤ *La piste de Kawaguchiko (Yoshidaguchi trail)* 河口湖 : *au nord du mont Fuji.* C'est la piste la plus fréquentée. Elle part de Kawaguchiko-eki, où l'on prend un bus (30 km, 1h environ) qui monte jusqu'à la 5e station (Kawagushiko-Yoshidaguchi). Certains puristes partent depuis le *sanctuaire de Kitaguchi Hongu Fuji Sengen-Jinja* à Fujiyoshida. Depuis la 5e station, on continue à pied jusqu'à la 6e station (2 km, 40 mn). De la 6e à la 7e station, il faut 1h (1 km). De la 7e à la 8e station, compter 1h30 (1,5 km). De la 8e à la « grande » 8e station, encore 1h de marche (1,1 km). Enfin de celle-ci au sommet, compter 1h20 de marche (1,2 km). Au total, la montée prend 5-6h, la descente environ 3-4h.

➤ *La piste de Fujinomiya (Fujinomiyaguchi trail)* 富士宮 : *versant sud du mont Fuji.* Cette piste moins fréquentée s'adresse plutôt aux randonneurs qui viennent de Mishima et de Fujinomiya. Il faut prendre un bus depuis la gare de Fujinomiya et monter jusqu'à la 5e station appelée Fujinomiya-guchi. De celle-ci, la montée jusqu'au sommet dure 5h30 et la descente 4h.

➤ *La piste de Subashiri (Subashiriguchi trail)* 須走 *: versant est du mont Fuji.* De la gare de Gotemba, prendre un bus jusqu'à la 5e station de Subashiri-guchi (1h de trajet). Montée : 5h-5h30. Descente : environ 2h30 pour revenir à la 5e station.

➤ *La piste de Gotemba (Gotembaguchi trail)* 御殿場 *:* sur le versant sud du mont Fuji. De Gotemba Station à la 5e station de Gotemba-guchi, compter 40 mn en bus. De là, compter 7h de marche pour atteindre le sommet du mont Fuji, 3h pour la descente. Difficile, nous ne la conseillons pas.

Dans le secteur des Cinq Lacs

Pour se déplacer dans le secteur, bus depuis Fujiyoshida et Kawaguchiko. Voir « Se déplacer dans le secteur du mont Fuji et des Cinq Lacs » plus haut.

🥾🥾 *Le lac Yamanaka (Yamanakako)* 山中湖 *: à 9 km de la ville de Fujiyoshida. Tte l'année, selon conditions météo. Départs ttes les 30 mn 9h30-16h. Compter 1 000 ¥ ; réduc.* Un petit tour de 30 mn sur le lac et puis s'en va... C'est le plus grand lac de la région, et le plus haut (982 m). Très touristique, surtout en été, en raison du nombre d'hôtels et de pensions. À 5 mn de marche de l'arrêt de bus Bungaku-no Mori Koen, le *parc Lake Yamanaka Library Grove* abrite 2 musées, l'un consacré à l'écrivain Tokutomi Soho, l'autre à Mishima Yukio. Ce dernier est le plus intéressant car il présente la vie et l'œuvre de l'un des plus célèbres auteurs japonais du XXe s *(Mishima Yukio Museum ; tlj sauf lun 10h-16h30 ; entrée : 500 ¥).*

🥾🥾 *Le lac Sai (Saiko)* 西湖 *: à env 8 km à l'ouest du lac Kawaguchi.* Petit lac bordé en partie par la forêt d'Aokigahara Jukai.

🥾🥾 *Le lac Shoji (Shojiko)* 精進湖 *: à 18 km à l'ouest de la ville de Fujiyoshida.* D'une circonférence de 5 km, il est le plus petit des 5 lacs de la région. Très belle vue sur le mont Fuji depuis la rive nord, où se concentrent les pensions et les hôtels, surtout au printemps et en été.

🥾🥾 *Le lac Motosu (Motosuko)* 本栖湖 *: à 23 km à l'ouest de la ville de Fujiyoshida et à 4 km au sud du lac Shoji.* La vue sur le mont Fuji depuis la rive nord est si belle qu'elle est représentée sur les billets de 1 000 ¥. C'est le seul lac de la région qui ne gèle pas en hiver en raison de sa profondeur (138 m). On peut y pêcher des truites. Balades en bateau.

🥾🥾 *Les hauteurs d'Asagiri (Asagiri Heights)* 朝霧 *: à env 10 km au sud du lac Motosu.* C'est le « piémont » verdoyant du mont Fuji, sur son versant ouest, entre 700 et 1 000 m. Terroir occupé par des fermes et des élevages. Même en été, cette petite région connaît des températures douces, plus fraîches que sur la côte.

KYOTO
ET SES ENVIRONS

KYOTO 京都   1 469 600 hab.   IND. TÉL. : 075

● Carte Conurbation Kyoto-Osaka-Nara *p. 297* ● Plan d'ensemble *p. 304-305*

« Je mettrais volontiers Kyoto au nombre des 10 villes du monde où il vaille la peine de vivre quelque temps. » Cette phrase de l'écrivain Nicolas Bouvier, qui a vécu au Japon (dans les années 1950-1960), reste d'actualité. Il suffirait d'ajouter aujourd'hui : même si on n'y vit pas, le simple fait d'y passer quelques jours procure un grand bonheur pour le voyageur.
Entourée sur 3 côtés par des collines et des monts boisés, traversée par la rivière Kamo, cette ville occupe un site exceptionnel.
Un adage dit que le Japon est comme un être humain dont la tête serait à Tokyo, l'estomac à Osaka et le cœur à Kyoto ! Riche d'un patrimoine artistique et culturel sans équivalent dans les autres villes de l'archipel, Kyoto peut être considérée comme la capitale historique, intellectuelle et culturelle du Japon. De nombreux sites et monuments sont d'ailleurs inscrits au Patrimoine mondial de l'humanité par l'Unesco. Capitale impériale pendant près de 1 100 ans, la cité des geishas et des *maiko,* des temples et des jardins, perpétue le savoir-vivre japonais à travers les traditions artistiques et religieuses, d'étonnantes fêtes et manifestations. Ville des arts, du thé, du kabuki (théâtre), de l'ikebana (art floral), ville de cœur des Japonais, qui s'y sentent plus japonais qu'ailleurs, est-elle la ville de l'âme ? Oui, sans doute. La devise de ses habitants pourrait être : *harmonie et sérénité, propreté et beauté, calme et élégance, courtoisie et bienveillance.* Sa délicieuse cuisine dite *kaiseki* est sans conteste un sommet de délicatesse, l'une des plus fines cuisines du Japon.
Au milieu de ses constructions modernes subsistent des quartiers à l'architecture traditionnelle, des ruelles et des canaux bordés de vieilles maisons en bois, de *ryokan* (auberges traditionnelles), de magasins ornés de lampions calligraphiés, et d'*izakaya* (petits restos pas chers) aux entrées ourlées de *noren* (rideaux suspendus à la porte).
Avec sa kyrielle de temples, de sanctuaires, de monastères et de jardins (à voir au printemps ou à l'automne), Kyoto fait penser à une grande dame aristocratique, inspirée par la grandeur de son passé et tournée vers un

nouveau type de modernité à visage humain. L'éducation y tient aussi une place importante, les universités y ont enfanté une ribambelle de Prix Nobel et les étudiants représentent 10 % de la population.

UN PEU D'HISTOIRE

Yamashiro, « château de la montagne »

À l'origine, la ville s'appelait Yamashiro, du nom d'un ancien royaume dont le nom signifie « château de la montagne ». Enrichie dans le commerce de la soie, elle érige en 711 le *Fushimi-Inari,* l'un des plus anciens temples shintoïstes avec le Shimogamo, le Yasaka Jinja ou le Kotyu-ji. Le bouddhisme arrivera bien après, grâce aux marchands et émissaires chinois et coréens...

Heian-kyo, « capitale de la paix » (794-1192)

Pour se détacher de l'influence des sectes bouddhistes de Nara, capitale du Japon entre 711 et 788, l'empereur *Kammu* déplace celle-ci à moins de 100 km au nord. Un geste politique habile ! Il choisit d'abord le site de l'actuelle Kyoto, en le nommant *Heian-kyo,* « capitale de la paix ». Du IXe au XIIe s (794-1192), une brillante civilisation s'y développe. L'empereur y réside, entouré de sa cour, de la noblesse, des familles de samouraïs et des religieux (shinto et bouddhistes), sans oublier les artisans et les commerçants qui sont le moteur de l'essor économique de la ville. Le temple *Kiyomizu-dera* est fondé sur un flanc de colline en l'an 798. Le temple Kitano date de l'an 947. Stabilité politique, dynamisme commercial, essor spirituel et moral du peuple : tous les facteurs du progrès sont réunis.

Un site choisi selon les règles de la géomancie

Le site de *Heian-kyo* n'a pas été choisi au hasard. Protégée des typhons sur 3 côtés par sa ceinture de collines, la nouvelle capitale se trouve à l'abri des tremblements de terre, qui frappent plutôt le littoral. Informé de ces conditions naturelles exceptionnelles, l'empereur Kammu demande conseil aux experts.
Les astrologues trouvent le site favorable, bien placé par rapport aux points cardinaux et au *feng shui.* 2 rangées de collines l'encadrent à l'est et à l'ouest. 2 rivières de montagne se joignent pour n'en former qu'une qui coule dans la plaine jusqu'à la mer. À leur confluent, constituant le « Chi » du feng shui, ce site béni des dieux, approuvé par les géomanciens, est favorable en tout point à l'installation du palais impérial et de sa cour.
Le principe du feng shui est que tout relève d'une énergie universelle. Une substance subtile, sans mesure ni limite, compose le cosmos tout entier, circule dans le monde qui nous entoure, mais aussi dans notre corps et notre esprit. Les lieux de vie sont donc choisis selon ce principe.
L'empereur Kammu ordonne alors la construction de sa nouvelle capitale sur le modèle de *Chang'an,* en Chine (aujourd'hui Xi'an), cette puissante capitale de la dynastie des Tang qui avait déjà inspiré les urbanistes à Nara. Organisée autour du palais impérial, Heian-kyo se divise en quartiers rectangulaires quadrillés par des rues rectilignes, elles-mêmes coupées par des rues transversales qui enjambent la *rivière Kamo* par des ponts. La ville s'agrandit jusqu'au pied des collines. Pourquoi là ? Les collines couvrent un secteur privilégié. On n'y touche pas ! C'est une sorte d'espace sacré habité des dieux et opposé au monde profane. L'empereur demande donc que le piémont de Kyoto soit réservé aux sanctuaires, aux temples, aux monastères bouddhiques et, bien sûr, aux jardins. Ainsi Kyoto peut-elle s'épanouir en paix dans un berceau de verdure et de bienveillance.
Aujourd'hui encore, malgré les changements de forme, le caractère de Kyoto n'a pas bougé. Les choix faits naguère par l'empereur Kammu imprègnent toujours le paysage urbain moderne.

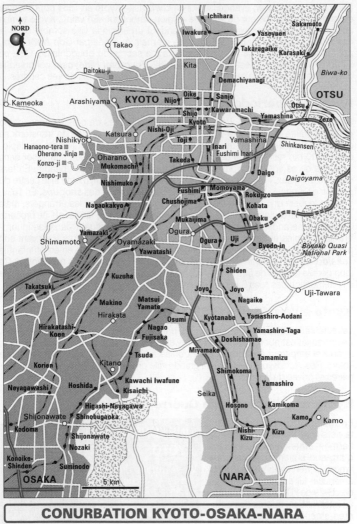

NORD

Ichihara
Sakamoto
Iwakura
Yaseyuen
Takao
Takaragaike
Karasaki
Daitoku-ji
Kita
Biwa-ko
Demachiyanagi
OTSU
Kameoka
Arashiyama
KYOTO
Oike
Sanjo
Nijo
Otsu
Zeze
Shijo
Kyoto
Kawaramachi
Yamashina
Nishikyo
Katsura
Nishi-Oji
Yamashina
Hanaono-tera
Toji
Inari
Shinkansen
Oherano Jinja
Oharano
Fushimi Inari
Konzo-ji
Mukomachi
Takeda
Zenpo-ji
Daigo
Nishimuko
Fushimi
Momoyama
Daigoyama
Chushojima
Rokujizo
Nagaokakyo
Kohata
Mukaijima
Obaku
Yamazaki
Ogura
Shimamoto
Oyamazaki
Ogura
Uji
Byodo-in
Biwako Quasi
Yawatashi
National Park
Kuzuha
Shiden
Takatsuki
Joyo
Joyo
Uji-Tawara
Makino
Matsui
Nagaike
Hirakata
Yamate
Osumi
Kyotanabe
Yamashiro-Aodani
Hirakatashi-
Nagao
Yamashiro-Taga
Koen
Fujisaka
Doshishamae
Korien
Tsuda
Miyamake
Tamamizu
Kitano
Hoshida
Kawachi Iwafune
Shimokoma
Neyagawashi
Kisaichi
Seika
Yamashiro
Higashi-Neyagawa
Hosono
Kamikoma
Shijonawate
Shinobugaoka
Kamo
Kamo
Kodoma
Shijonawate
Nishi-
Kizu
Nozaki
Kizu
Konoike-
Shinden
Suminodo
OSAKA
NARA

5 km

CONURBATION KYOTO-OSAKA-NARA

À l'époque Kamakura et Muromachi (1192-1573)

La capitale politique repose sur des bases morales, religieuses et spirituelles. Le zen, branche ascétique du bouddhisme, s'y implante. En 1397, on construit le temple Kinkaku-ji (pavillon d'Or). Lors de la guerre civile de l'ère *Onin* (1467-1477) qui ravage l'archipel, Heian-kyo est détruite par les incendies, y compris le palais impérial. En 1482, **Ashikaga Yoshimasa** ordonne la construction du Ginkaku-ji (pavillon d'Argent). Au XVIe s, les 1ers Portugais, qui appellent la ville « Miyako », s'installent sur l'île de Kyushu et tentent de convertir le Japon au christianisme.

Saint François Xavier, évangélisateur en chef, visite Kyoto en 1551 pour essayer de convaincre l'empereur de suivre la religion catholique. En vain... Kyoto tombe ensuite dans les querelles intestines : pendant un siècle la ville sombre dans le désordre et l'anarchie, jusqu'à sa reprise en main musclée par *Oda Nobunaga,* qui fait raser, en 1571, le mont Hiei, montagne sacrée du bouddhisme. Cela ne lui porte pas chance, il est assassiné en 1582. *Toyotomi Hideyoshi* conquiert le pouvoir par la force et la ruse. Sous sa férule, la cité renaît enfin de ses cendres.

Kyoto à la période Edo (1603-1867)

À peine reconstruite, la capitale vit ses dernières heures de prééminence, car le nouveau maître du Japon, le shogun *Tokugawa Ieyasu,* décide de transférer sa capitale à près de 500 km au nord, à *Edo* (aujourd'hui Tokyo). Malgré ce déplacement, Kyoto reste la ville de cœur des Japonais. Elle poursuit son essor dans le sillage de sa splendeur passée et compte près de 600 000 habitants. En tant que chef religieux, l'empereur y réside toujours avec sa cour, même si le centre du pouvoir politique se trouve à présent à Edo dans les mains des *shoguns.* En 1639, comme le reste du Japon, la ville se ferme aux relations avec les étrangers, mais elle bourdonne toujours d'activités commerciales : artisans, fabricants de brocarts de soie, tisserands, céramistes, potiers. Les pèlerins affluent dans les innombrables temples et sanctuaires. Les commerçants, les voyageurs y arrivent soit par la mer (le port de Kobe-Osaka), soit d'Edo par voie terrestre en empruntant le *Tokaïdo,* un long chemin empierré qui longe la mer et traverse les montagnes. Ce long périple de près de 500 km à pied, ou à cheval, compte 53 étapes. Il se termine à l'intersection des rues Sanjo et Teramachi.

Kyoto à l'ère Meiji (1868-1895)

La restauration du pouvoir impérial a lieu dans le palais impérial de Kyoto en 1868. Le shogunat est aboli. L'empereur redevient le maître absolu du Japon. En 1869, le nouvel empereur *Mutsuhito* est intronisé à Kyoto, mais il réside désormais à Tokyo. Résultat : Kyoto devient une grande ville provinciale, vidée de ses fonctionnaires et privée de la cour.

Kyoto dans la Seconde Guerre mondiale

En 1939-1945, Kyoto figurait sur la liste des cibles militaires de l'armée américaine. Les plans d'attaque étaient déjà dans les tiroirs. L'intervention d'un consul américain lui a évité les bombes des B-29 de l'US Air Force. Grâce à l'intervention, auprès des autorités américaines, de nombreux japonologues américains et de l'orientaliste français Serge Elisseeff (qui avait des relations de haut niveau aux États-Unis), Kyoto a été remplacée sur la liste des objectifs par Nagasaki.

UNE LUNE DE MIEL SAUVE KYOTO

Le secrétaire d'État à la Guerre de Roosevelt et Truman, Henry L. Stimson, avait la mainmise sur le largage de la bombe atomique. Kyoto était en tête de liste pour être bombardée. Si elle fut épargnée, c'est grâce au bon souvenir que Stimson avait gardé de son voyage de noces à Kyoto, 30 ans plus tôt !

Capitale culturelle, artistique et intellectuelle du Japon

Des centaines de sanctuaires, de temples et de musées, une litanie de jardins, plus de 200 « Trésors nationaux », près de 1 600 « Trésors culturels », riche d'un tel patrimoine historique et artistique, Kyoto est bel et bien la métropole culturelle du Japon.

Un adage ne dit-il pas : « Jette une pierre au hasard, tu blesses un professeur ! » ? Le contraste entre le Kyoto ancien et l'urbanisme du XXe s est caractéristique de la ville : les temples et maisons préservées du quartier de Gion voisinent avec la Kyoto Tower et la gare contemporaine, formant une alliance réussie entre le passé et la modernité.

Le protocole de Kyoto et les émissions de gaz à effet de serre

En 1997, les pays membres de l'ONU se sont rassemblés à Kyoto pour participer à la 3e conférence des Nations unies sur les changements climatiques et signer le *protocole de Kyoto,* entré en vigueur en 2005. Destiné à fournir des solutions au grave problème du réchauffement climatique de la planète et à réduire les émissions de gaz à effet de serre, cet accord a initialement été signé par 37 pays industrialisés (hormis les États-Unis, qui n'ont pas ratifié le protocole). Les accords de Kyoto ont bel et bien marqué le début d'une réflexion planétaire, avec des contraintes juridiques mieux définies lors de la COP21 en 2015, et un engagement plus marqué des 196 pays désormais signataires. Kyoto était synonyme de ville culturelle et historique, elle est à présent un symbole dans le domaine de l'environnement et de l'écologie.

GEISHAS ET *MAIKO,* L'ÂME SECRÈTE DU JAPON

Le quartier de Gion reste l'endroit du Japon où l'on peut voir le plus de geishas et de *maiko* (jeunes apprenties geishas), dans la rue comme dans les maisons de thé *(ochaya).* Elles portent le kimono en soie, avec une sorte de petit coussin (obi) dans le dos, des sandales *(zori)* et, pour les jours de pluie, de hauts sabots de bois (ashida ou *takageta).* Considérés encore aujourd'hui comme des modèles de goût, d'élégance et de raffinement, ces « monuments culturels vivants » sont formés depuis leur enfance dans les disciplines artistiques traditionnelles : le chant, la musique, la poésie, la danse, l'art floral, l'art du thé. Autrefois très présentes au Japon, où elles furent à tort assimilées à des courtisanes de haut rang ou des prostituées *(mise-joro),* les geishas ne seraient plus aujourd'hui qu'environ 1 500. Dans le quartier de Gion, il y en aurait moins de 300, et environ 60 *maiko.* Elles sont éduquées au *Gion Corner* (voir la rubrique « Spectacles culturels » dans « Les quartiers de Gion et de Higashiyama »), qui est leur école nationale. Pour assister et participer à une soirée japonaise dans une maison de geishas ou dans un restaurant de 1re classe, mieux vaut parler et comprendre le japonais et avoir un budget conséquent... c'est très, très cher...

SPÉCIALITÉS GASTRONOMIQUES DE KYOTO

– *Nishin-soba* 鰊蕎麦 *:* nouilles de sarrasin servies avec du hareng séché.
– *Saba-sushi* 鯖寿司 *:* sushi de maquereau.
– *Kyo yasai* 京野菜 *:* les légumes de Kyoto, à savoir carottes, potirons et aubergines cultivés autour de la ville, sont connus et appréciés dans tout le Japon.
– *Cuisine kaiseki* 懐石料理 *:* à l'origine, ce type de repas était servi avant la cérémonie du thé et constituait l'un des fondements spirituels de la culture

ON NE RIGOLE PAS AVEC LA TRADITION

Le restaurant Hyotei *(voir « Les quartiers à l'est de Kyoto. Où manger ? ») est une institution traditionnelle qui perpétue les repas* kaiseki *depuis plus de 400 ans. La maison n'a jamais varié ni dans le menu ni dans le service. Après 15 générations de cuisiniers, elle s'est toutefois permis de changer de poisson pour le bouillon traditionnel. Non sans une certaine appréhension...*

KYOTO

alimentaire. C'est toujours le mode d'alimentation des moines bouddhistes. En raison du nombre important de temples à Kyoto, elle s'est répandue dans toutes les couches de la société. Le *kaiseki* est un repas complet qui se compose de riz, d'une soupe, d'un apéritif (sashimi, etc.), d'un plat mijoté et d'un mets grillé. Autrement dit, c'est une soupe et 3 plats *(ichiju-sansai)*. Les ingrédients de saison coupés avec délicatesse, l'esthétique raffinée de la présentation et la sobre élégance qui s'en dégage font du repas *kaiseki* un menu de luxe mais pas forcément dans les restaurants les plus chic de la ville. À découvrir une fois en voyage, les gourmets s'en souviendront longtemps !

– **Yudofu :** tofu à déguster après l'avoir trempé dans une sauce à base d'algues et de soja, accompagné de divers condiments.

– **Yuba :** peau du tofu obtenue lors de la cuisson, à apprécier avec de la sauce soja ou en soupe.

FÊTES ANNUELLES ET MANIFESTATIONS CULTURELLES

Aucune ville du Japon n'organise autant de fêtes que Kyoto. Le calendrier annuel contient une liste incroyable de célébrations religieuses et culturelles, manifestations historiques, festivités traditionnelles. En voici les principales, par ordre saisonnier. Sinon, consultez le site :

● *kyoto.travel/en/planyourvisit/events* ●

– **Kemari Hajime :** 4 janvier. Cette fête se déroule au temple Shimogamo. Il s'agit d'un jeu de balle *(kemari)* naguère pratiqué par la famille impériale.

– **Hatsu Ebisu :** 8-12 janvier. Une fête ancienne qui date du XVIe s. Elle se tient dans l'enceinte du temple Ebisu et attire de nombreux hommes d'affaires désireux de réussite professionnelle et de gains d'argent.

– **Baika Sai :** 25 février. La fête des Pruniers en fleur a lieu au temple Kitano Tenmangu. Dans le parfum des fleurs, la fête se déroule autour d'une cérémonie du thé, où les visiteurs sont servis par des *maiko* et des *geiko*.

– **Hanami :** période durant laquelle les cerisiers *(sakuras)* fleurissent. Le rituel annuel de contemplation des *sakuras* est très respecté (fin mars-début avril).

– **Haru no odori :** plusieurs dates au printemps, les *geiko* et les *maiko* participent à ces fêtes où la danse classique se décline sous toutes ses formes : *Miyako odori* (tout le mois d'avril), *Kyo odori* (idem), *Kitano odori* (fin mars-début avril) et *Kamogawa odori* (mai).

– **Yabusame Shinji :** 3 mai. Fête des Archers à cheval qui se déroule au temple Shimogamo. Cette manifestation culturelle a une portée symbolique car elle sert de préliminaire à la fête des Roses trémières *(Aoi matsuri)*.

– **Aoi matsuri :** 15 mai. Fête des Roses trémières. Une des 3 grandes fêtes annuelles de Kyoto. Un défilé de presque 1 km de long se rend du palais impérial jusqu'aux temples Shimogamo et Kamigamo. Nombreux chars richement décorés et des centaines de participants revêtus de costumes traditionnels.

– **Mifune matsuri :** le 3e dimanche de mai. Cette fête se déroule à Arashiyama, à l'ouest de Kyoto, sur la rivière venue des montagnes et où évoluent une vingtaine de bateaux de style impérial, spécialement ornés pour cette occasion.

– **Kyoto Takigi Noh :** variable selon les années, entre fin mai et début juin. Festival du Théâtre nô, dans l'enceinte du temple Heian, la nuit, à la lueur des torches.

– **Gion matsuri :** 1er-31 juillet, dans la chaleur torride de l'été japonais. Nombreuses cérémonies et rituels de purification. Le moment fort culmine pendant 3 nuits consécutives autour des 14e, 15e et 16e jours, se poursuivant le 17e jour par un immense défilé coloré de chars.

– **Toki matsuri :** 7-10 août. La rue Gojo dans sa partie à l'est de la rivière Kamo accueille ce festival des potiers et de la poterie.

– **Daimonji :** 16 août. Fête annuelle marquant la fin de la fête des Morts avec des grands feux allumés sur 5 des collines entourant la ville.

– *Kangetsu no Yube :* 2-3 jours à l'automne, mais la date change tous les ans. Grande fête dite « de la Moisson lunaire » célébrée au temple Daikakuji, un des 3 lieux idéaux pour observer la lune au Japon.
– *Jidai matsuri :* 22 octobre. Festival des Âges. Magnifique procession de 1 700 participants, habillés en costume traditionnel, du palais impérial au temple Heian.
– *Kurama no Himatsuri :* 22 octobre. Fête spectaculaire consacrée au feu, au cours de laquelle la population du village de Kurama (dans la montagne proche) défile dans les rues en portant des centaines de torches.
– *Arashiyama Momiji matsuri :* le 2ᵉ dimanche de novembre. Fête populaire en l'honneur de la chute des feuilles automnales. Preuve que les Japonais aiment la beauté éphémère du cycle des saisons. Nombreux spectacles de danse, de musique, de théâtre, autour du pont Togetsukyo, à Arashiyama.
– *Kencha Sai :* 1ᵉʳ décembre. Très ancienne fête du Thé initiée par le shogun Toyotomi Hideyoshi en 1587. Se tient au temple Kitano Tenmangu et présente de nombreuses cérémonies rituelles du thé.

Quand y aller ?

– *Haute saison :* il y a 2 périodes d'affluence à Kyoto, de mi-mars à début mai (après la *Golden Week,* soit la 1ʳᵉ semaine de mai, où les Japonais prennent leurs vacances, c'est la basse saison) et de septembre à novembre. Le printemps (période de la floraison des cerisiers, fin mars-début avril) est superbe, et la température encore supportable. En octobre, le temps change, la douceur s'installe dans la 2ᵈᵉ quinzaine. Novembre est

un mois magnifique quand les arbres prennent des couleurs automnales.
– *Basse saison :* en été (juillet-août), il fait chaud (30-35 °C), et humide comme dans un pays tropical. Septembre est moins chaud (25-30 °C). Entre décembre et février, c'est l'hiver. Peu de touristes. La température peut descendre à 0 °C, et souvent il neige pendant quelques jours. Les temples et les jardins sous la neige donnent alors à Kyoto un aspect poétique incomparable.

Entrées gratuites

– ⊘ 🍴 Le temple Nishi Hongan-ji *(plan I).*
– 🍴🍴 Le temple Higashi Hongan-ji *(plan I).*
– ⊘ 🍴🍴 Le temple Chion-in *(plan V).*
– ⊘ 🍴🍴 Le sanctuaire Kamigamo Jinja *(hors plan III).*
– ⊘ 🍴🍴 Le sanctuaire Shimogamo Jinja *(hors plan III).*
– 🍴🍴🍴 Le sanctuaire Fushimi-Inari *(plan d'ensemble).*

– 🍴 Le sanctuaire Yasaka jinja *(plan V).*
– 🍴 Le musée Fureaikan (Kyoto Museum of Traditional Crafts ; *plan IV).*
– 🍴🍴🍴 Le palais impérial *(plan III).*
– 🍴🍴🍴 La villa Katsura *(plan d'ensemble).*
– 🍴🍴 La villa impériale Shugakuin *(plan d'ensemble).*
– 🍴 Le parc Maruyama *(plan V).*

Arriver – Quitter

En avion

– Il n'y a pas d'aéroport à Kyoto. L'aéroport le plus proche est à Osaka **(aéroport international du Kansai ; KIX),** à 100 km au sud-ouest de Kyoto, ou, pour les vols domestiques (*JAL* et *ANA*), l'**aéroport Itami** *(ITM).*

En bus

➤ *De/pour l'aéroport international du Kansai* 関西国際空港, *au sud d'Osaka :* en bus *Airport Limousine* climatisé. Ttes les 20-30 mn 5h57-23h42. Durée : 88 mn. Billet : 2 550 ¥ ; A/R 4 180 ¥ (réduc enfants). Arrêts de bus

KYOTO

KYOTO

aux terminaux 1 et 2 à la sortie du hall des arrivées (distributeur automatique pour se procurer les billets). C'est facile. Si vous ne comprenez pas, demandez, on vous renseignera avec gentillesse. À Kyoto, le terminus de la ligne se trouve à la gare ferroviaire (**Kyoto Station** 京都駅), côté sud, près de l'hôtel *Keihan Kyoto* 京阪京都, à l'angle de l'avenue Takeda-Kaido, (plan I, B2-3). Bureau d'infos à l'hôtel *Keihan*.

➤ **De/pour l'aéroport national Itami** 伊丹空港, **à Osaka** : à 10 km au nord du centre d'Osaka. Essentiellement pour les lignes domestiques des compagnies *JAL* et *ANA*. Navettes *Airport Limousine* ttes les 25 mn 8h-21h10 de l'aéroport (terminal nord ou sud) pour Kyoto Station (sortie sud). Durée : env 50 mn. Les navettes de 19h25, 20h05 et 20h40 poursuivent aussi vers l'hôtel *New Hankyu* ニュウ 阪急 et la Nijo Station 二条駅. Celles de 19h45, 20h20 et 20h55 s'arrêtent également à Shijo Kawaramachi Station 四条河原町駅, au Kyoto City Hall et à la Demachiyanagi Station 出町柳駅.
Pour gagner l'aéroport d'Itami depuis Kyoto, navettes *Airport Limousine* ttes les 25-30 mn 5h40-18h50 de la Kyoto Station (sortie sud). Prix : 1 310 ¥.

➤ **De/pour Tokyo** : bus de nuit. Durée : 7h. Billet : à partir de 4 800 ¥ selon saison avec *Willer* (● willerexpress.com ●).

En train

– *Rappel* : gratuit avec le **Japan Rail Pass,** sauf pour les super express « Nozomi » et « Mizuho ».
– Dans la gare de Kyoto, billetterie à gauche de l'entrée nord (tlj 5h30-23h). Pour organiser ses déplacements en train, le site ● hyperdia.com/en ● est incontournable : horaires et tarifs en ligne après avoir renseigné son trajet.

➤ **De/pour l'aéroport international du Kansai, au sud d'Osaka** : train *Airport express Haruka*. Normalement 2 départs/h. Durée : 1h15. Billet : env 3 300 ¥ si l'on réserve sa place à l'avance, un peu moins cher sans résa. Trajet moins cher mais plus long avec le train rapide. Durée : 2h. Billet : 1 880 ¥. Arrêt à la gare centrale de Kyoto (Kyoto Station).

➤ **De/pour l'aéroport national Itami, au nord d'Osaka** : de l'aéroport, prendre le monorail (trajet 1h10) jusqu'à **Minami-Ibaraki** 南茨木 puis *Hankyu Kyoto Line* pour arriver à la **Station Hankyu Kawaramachi** 阪急河原町 (plan II, D3).

➤ **De/pour Osaka** : si vous êtes pressé, le *JR Shinkansen* relie Shin-Osaka à la JR Kyoto Station en 15 mn pour 1 420 ¥ (560 ¥ avec résa). Trains réguliers au départ de la gare Yodoyabashi 淀屋橋, sur la ligne *Keihan electric* jusqu'à la gare de Sanjo 三条. Durée : 50 mn. Billet : 410 ¥. Trains réguliers sur la ligne *Hankyu electric*, au départ de la gare d'Osaka-Umeda 梅田 jusqu'à la gare de Kawaramachi 河原町. Durée : 40 mn. Billet : 400 ¥. Autres trains *JR* de la gare Osaka Station. Durée : 30 mn. Billet : 560 ¥.

➤ **De/pour Tokyo** : train *Shinkansen* (le TGV japonais) au départ de la gare Tokyo Station. Un trajet Tokyo-Kyoto (513 km) dure 2h20-2h50. Billet : env 14 000 ¥.

➤ **De/pour Nara** : liaison directe avec *JR Nara Line* « Miyakoji Rapid Train » qui s'arrête à la gare JR Nara. Durée : 45 mn. Fréquence : env ttes les 30 mn. Billet : 710 ¥. Autre ligne ferroviaire : la ligne *Kintetsu Kyoto*, directe avec *Express Limited* qui s'arrête à la gare de Kintetsu Nara 近鉄奈良. Durée : 35 mn. Billet : 1 130 ¥, mais non valable avec le *Japan Rail Pass*.

➤ **De/pour Koyasan** : départs avec la *JR Line* vers la **Namba Station** à Osaka, via la station d'Umeda (ligne Mido-suji). À la **Namba Station**, où l'on peut acheter le *Koyasan Pass*, prendre le train de la *Nankai Line* pour **Gokurakubashi**. Autre possibilité via la station **Shinimamiya** (avec changement à Osaka), et même temps de parcours. Pour les détails, se reporter à « Koyasan ».

Topographie de la ville

Kyoto est traversée du nord au sud par des rivières venues des montagnes. | La **Kamo-gawa** et son affluent la **Katano-gawa** se rejoignent au nord de la ville et reçoivent plus au sud les eaux de la *Katsura-gawa* pour finalement se jeter dans la baie d'Osaka à une cinquantaine de kilomètres au sud.

Se déplacer dans Kyoto

À pied 歩いて

La ville est entourée de collines, couvertes de forêts, mais la partie urbanisée située dans une plaine est plate et bien quadrillée. Même très étendue, la ville se découvre bien à pied, notamment le quartier central *(plan II)* et Gion *(plan V)*. Avec un bon plan, on se dirige facilement dans les avenues et les rues. S'il fait beau, marcher dans Kyoto est un moyen économique et facile pour explorer le réseau dense de rues étroites et de ruelles des quartiers au caractère villageois. *Une des plus belles promenades* se trouve au nord-est de la ville, l'allée de la Philosophie *(plan IV)* qui, le long d'un canal bordé de cerisiers et d'érables, relie le temple Ginkaku-ji (pavillon d'Argent) au temple Nanzen-ji. Quand on ne trouve pas son chemin, il suffit de demander en s'excusant : « *sumimasen* » et de montrer le plan, ça marche à tous les coups ! Nous vous recommandons le *Kyoto Walking Guide,* à télécharger sur ● *jnto.go.jp/eng/pdf/index.html* ●, qui propose 24 balades à Kyoto et dans la région.

En bus バス

Un billet de bus coûte 230 ¥ (120 ¥ pour les enfants) à l'intérieur de la ville. À acheter à l'intérieur du bus (on paie à la sortie). Le *pass* pour une journée (600 ¥) est intéressant : il permet d'aller à peu près partout dans la zone urbaine *(flat fare zone).* À l'extérieur de cette zone, c'est plus cher, selon la distance, le tarif s'affiche dans le bus et s'il y a un complément à payer, on le règle auprès du conducteur. On distingue les bus qui sortent de la zone urbaine par leur numéro noir sur un fond blanc, les autres ont un numéro sur fond coloré. Les bus passent en moyenne toutes les 7 à 20 mn, et ils fonctionnent de 6h à 22h30. Le réseau couvre toute la ville. Il existe des plans (en anglais) du réseau de bus urbains au bureau d'informations touristiques de la gare routière et ferroviaire (Kyoto Station), et dans la plupart des stations. Le plan a l'air compliqué à première vue, mais une fois qu'on s'y est plongé, tout devient facile. Il suffit de repérer le lieu où l'on veut se rendre, puis de suivre le réseau coloré des lignes de bus et de trouver l'arrêt le plus proche de l'endroit où on se trouve. Et l'avantage sur le métro, c'est qu'on profite du paysage.

À signaler : les lignes 100 (rouge), 101 (vert) et 102 (jaune), appelées *Raku Bus,* parcourent idéalement les principaux sites touristiques.

Comment voyager en bus

À l'arrêt, faire tranquillement la queue pour embarquer par l'arrière. On règle à la sortie à côté du chauffeur. Si vous avez un *pass,* vous le glissez dans la fente ad hoc et vous sortez (après la 1re utilisation, il suffit de montrer le *pass* au chauffeur) ; si vous payez le montant du trajet en liquide (voir tableau d'affichage lumineux à l'avant), vous réglez en déposant votre monnaie dans la machine automatique. Si vous n'avez pas le montant exact et que vous devez faire de la monnaie, tout est prévu : le changeur automatique accepte jusqu'à 1 000 ¥. Si vous vous êtes trompé, pas de souci, le conducteur vous indiquera la marche à suivre avec la plus exquise des politesses.

En métro 地下鉄

Le réseau de métro de Kyoto est beaucoup moins dense que celui d'Osaka ou de Tokyo ; il existe 2 lignes qui se croisent à la station Karasuma Oike, la ligne *Karasuma,* nord-sud *(Kokusaikaikan-Takeda),* et la ligne *Tozai,* est-ouest *(Rokujizo-Tenjingawa).* Les stations de la ligne *Karasuma* sont numérotées de 1 à 15 précédées de la lettre K ; celles de la ligne *Tozai,* de 1 à 17 précédées de la lettre T. Le réseau

KYOTO

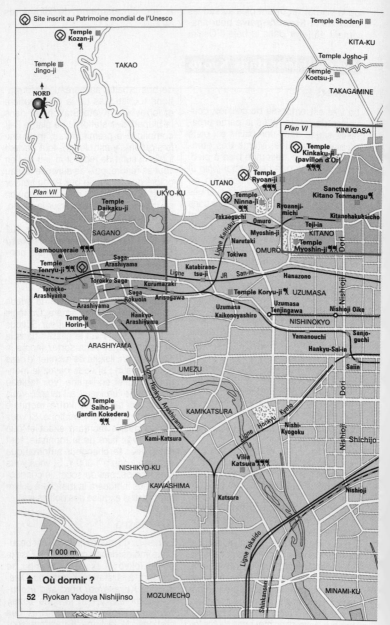

KYOTO

Site inscrit au Patrimoine mondial de l'Unesco

Temple Shodenji

Temple Kozan-ji

KITA-KU

Temple Josho-ji

Temple Jingo-ji

TAKAO

Temple Koetsu-ji

NORD

TAKAGAMINE

Plan VI

KINUGASA

Temple Kinkaku-ji (pavillon d'Or)

UTANO

Temple Ryoan-ji

Sanctuaire Kitano Tenmangu

Plan VII

UKYO-KU

Temple Ninna-ji

Ryoannji-michi

Kitanohakubaicho

Temple Daikaku-ji

Takaoguchi

Omuro

Toji-in

KITANO

SAGANO

Myoshin-ji

Temple Myoshin-ji

Bambouseraie

Saga-Arashiyama

Narutaki

OMURO

Dori

Temple Tenryu-ji

Tokiwa

Katabirano-tsu-ji

Torokko-Arashiyama

Torokko Saga

Kurumazaki

Ligne

San-in

JR

Hanazono

Saga-Rokuoin

Arisugawa

Temple Koryu-ji

UZUMASA

Arashiyama

Hankyu-Arashiyama

Uzumasa Kaikonoyashiro

Uzumasa Tenjingawa

Nishioji Oike

Temple Horin-ji

NISHINOKYO

ARASHIYAMA

Yamanouchi

Sanjo-guchi

Hankyu-Sai-in

Matsuo

UMEZU

Saiin

Saiin

Ligne Hankyu Arashiyama

KAMIKATSURA

Ligne Hankyu Kyoto

Nishi-Kyogoku

Nishioji

Dori

Temple Saiho-ji (jardin Kokedera)

Shichijo

Kami-Katsura

NISHIKYO-KU

Villa Katsura

Nishioji

Nishioji

KAWASHIMA

Katsura

1 000 m

Ligne Tokaido

Shinkansen

MINAMI-KU

MOZUMECHO

🛏 Où dormir ?

52 Ryokan Yadoya Nishijinso

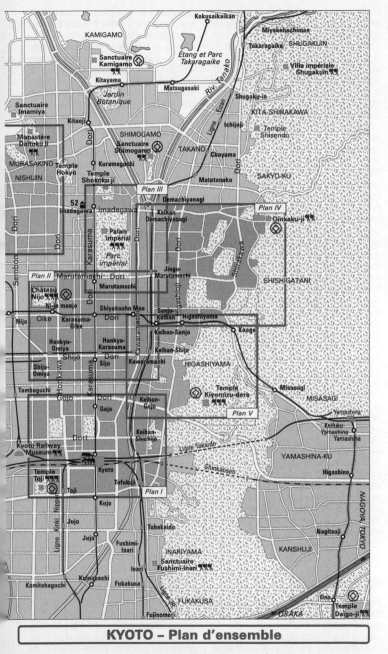

KYOTO

KYOTO – Plan d'ensemble

fonctionne de 5h30 à 23h30. Comme ailleurs, il fonctionne très bien et n'est pas très profond, donc pas de longs couloirs. Un billet varie de 210 à 350 ¥. Si à l'achat du billet, au distributeur automatique (choisir l'option *english*), vous vous êtes trompé dans le prix et la distance, pas de panique : à la station, aux machines « *fare adjustment* » ou auprès des préposés, vous pouvez « ajuster le tarif ». Le mieux est donc de prendre le prix minimum et d'ajuster au besoin.
– En complément, 5 lignes de train privées forment une sorte de réseau RER qui dessert les banlieues et au-delà dans le Kansai. Ce sont les lignes *Keifuku, Eizan, Keihan, Hankyu* et *Kintetsu. Japan Rail West* (JR) et *Kintetsu* se connectent à la gare centrale de Kyoto. *Hankyu* dispose d'un terminal à l'intersection de *Shijo Kawaramachi. Keihan* dispose d'une station au *Sanjo Keihan,* non loin de *Shijo Kawaramachi.*
Sur nos plans, nous avons choisi de marquer les stations de ces réseaux de la lettre S. De toute manière, un plan des réseaux est à garder en permanence sur soi pour s'y retrouver. Malheureusement, les 2 lignes du métro ne couvrent pas toute la surface de la ville, il faut donc alterner les déplacements entre le métro et le réseau ferré (style RER), qui ont leurs tarifs respectifs. Il existe plusieurs cartes et *passes* (voir ci-dessous) qui permettent de circuler à la fois sur le réseau souterrain et celui des bus, mais avec des restrictions telles que ce sera plutôt compliqué à gérer. Un site indispensable pour se déplacer dans la ville avec les horaires et durées de trajets en fonction du lieu choisi : *Bus and Train Veteran* ● *arukumachikyoto.jp/index.php?lang=en* ● avec appli à télécharger sur smartphone. Ainsi que ● *hyperdia.com/en/* ●

En taxi タクシー

Peut dépanner, surtout tard le soir, quand il n'y a plus de métro. Une petite course dans le centre-ville (en dehors des heures de pointe) coûte en moyenne entre 450 ¥ (prise en charge) et 1 500 ¥. Un conseil pratique : les chauffeurs de taxi parlent rarement et mal l'anglais. L'idéal consiste à leur présenter la destination écrite en japonais. Si le chauffeur ne la connaît pas, il l'entrera sur son GPS. Sinon, indiquer un site ou un monument important de la ville, à proximité. Les cartes bancaires sont parfois acceptées mais il est préférable d'avoir de l'argent liquide.

À vélo 自転車

Hormis le secteur pentu des collines à l'est, la ville est plate et quadrillée, et on peut donc, quand le temps s'y prête, la découvrir aisément à bicyclette. Tout ou presque est fait pour simplifier la vie des cyclistes. Nombreuses pistes cyclables tracées sur les trottoirs (plus ou moins larges). Pas de problème de vol (on vous proposera quand même parfois une assurance). On peut louer des vélos assez facilement dans certaines AJ et hôtels. Compter dans les 900-2 000 ¥ la journée (moins en AJ). Ne pas hésiter à utiliser la sonnette pour prévenir les piétons de votre arrivée sur les trottoirs. Les sens interdits sont autorisés aux vélos... Attention, dans les zones de Shijo-dori, sur une partie de Kawaramachi-dori (*plan II, C-D2* ; très passant) et sur certaines autres grandes artères, il est interdit de circuler à vélo, mais les trottoirs sont assez larges pour les cyclistes. Dans certains lieux très touristiques, comme le château Nijo, le temple Kiyomizu, Ginkaku-ji, etc., le parking à vélo est payant (200 ¥ ; billet valable une journée). Enfin, n'oubliez pas, on conduit à gauche !
Une de nos adresses de location préférées :

■ *Rental Bicycle Kyoto Miyabiya* レンタルサイクル京都みやび屋 *(plan I, B1, 1) : 323 Kamijyuzuya-machi, Shimogyo-ku.* ☎ *354-7060.* ● *k-miyabiya.jp* ● *En face du temple Higashi Hongan-ji. Tlj 8h30-19h. Possibilité de résa en ligne. Compter 800-1 400 ¥/j. selon modèle, et jusqu'à 2 300 ¥/j. pour un vélo électrique.* Choix entre vélos de ville, VTT et même électriques, équipés de paniers à l'avant, de porte-cartes et de sièges pour enfants en option. Parle l'anglais, donne la météo des jours à venir et fournit des itinéraires de visites. Casques, gants en hiver et bouteilles d'eau en été ! Parking le soir si besoin et garde des bagages après le check-out à l'hôtel. Le service au client porté à son degré de perfection !

Les différentes cartes et les *passes* disponibles

Ces différentes cartes *(passes)* sont disponibles aux distributeurs automatiques du métro (sauf pour la carte *City Bus* et la carte du *Kyoto City Bus*). On peut les acheter aussi aux bureaux d'information du métro et dans certains kiosques.

– **Traffica Kyoto Card :** elle est utilisable sur les bus et métros et donne droit, sans limite dans le temps, à un total de 1 100 ¥ en valeur-trajet pour un achat de 1 000 ¥ ou 3 300 ¥ pour 3 000 ¥.

– **Kyoto City Bus & Kyoto Bus One Day Pass :** 600 ¥ pour 1 jour, ½ tarif 6-12 ans. En vente dans le bus auprès du chauffeur, dans les hôtels et points d'information. Permet d'accéder librement en bus aux principaux quartiers de la ville, sauf quelques-uns éloignés du centre-ville. En sortant du bus, on l'insère dans la machine à composter et la date du jour s'y imprime. Pour les trajets suivants, dans la journée, il suffit de le montrer avec la date visible au chauffeur. C'est à notre avis la formule la plus intéressante.

– **Kyoto Sightseeing One & Two-day Pass :** 900 ¥ pour 1 jour ; 1 700 ¥ pour 2 jours ; ½ tarif 6-12 ans. En vente aux guichets du métro et dans les centres d'information des gares de bus.

Transport gratuit pour la durée choisie (2 jours consécutifs pour la plus chère) sur les bus du réseau *Kyoto City Bus,* la plupart de ceux de la *Kyoto Bus Cy* et le métro (mais pas le train). Peu rentable à notre avis.

– **Kyoto Subway One Day Card :** 600 ¥. Peut être utilisée sur toutes les lignes de métro de Kyoto durant une journée.

– **JR West Rail Pass :** 2 300 ¥ pour 1 jour, 4 500 ¥ pour 2 jours, 5 500 ¥ pour 3 jours et 6 500 ¥ pour 4 jours. Donne le droit d'utiliser librement les trains du réseau local du Kansai et de Haruka. Ce dernier réseau assure la liaison pour l'aéroport international du Kansaï, à Osaka.

– **Kansai Thru Pass :** 4 000 ¥ pour 2 jours, 5 200 ¥ pour 3 jours. Donne accès libre à la plupart des trains, métro et bus de la région du Kansai (Kyoto, Osaka, Nara).

– La carte à puce **ICOCA,** valable dans la majorité des transports de Kyoto (et du Kansai en général), est une carte prépayée (du montant de son choix, moyennant une caution de 500 ¥ qu'on récupère à la fin). Comme la *Suica* à Tokyo, elle est rechargeable et évite d'acheter à chaque trajet un nouveau billet.

Adresses et infos utiles

Informations touristiques

🛈 *Kyoto Tourist Information Center (office de tourisme ; plan I, B2) :* au 2e étage de la gare ferroviaire. ☎ 343-0548. ● kyoto-magonote.jp ● *Prendre l'escalator qui mène à la passerelle traversant la gare du nord au sud par-dessus les voies à gauche de l'entrée du grand magasin* Isetan. *Tte l'année, tlj 8h30-19h.* Une mine d'infos et un accueil remarquable en anglais et parfois en français. Infos sur la ville et ses environs proches : visites, horaires et prix, transports (trains, bus), hébergements, sorties, excursions, manifestations culturelles. Bonne documentation, cartes et plans détaillés. Également un autre *Information Center* sur Karawamachi-dori *(plan II, D2).*

🛈 *Kansai Tourist Information Center (plan I, B2) :* au 3e étage de la Kyoto Tower. ☎ 341-0280. ● tic-kansai.jp ● *Tlj 10h-18h.* Nombreuses informations (et brochures) pour voyager dans la région et tout le Japon. Résas train, bus, hôtels, *Koyasan pass* (réduction) ; service de change et distributeur de billets,

KYOTO

vente de cartes SIM, et réduction sur la visite de la Kyoto Tower *(600 ¥ au lieu de 770 ¥)*. Également des spectacles de *maiko (3 000 ¥)*. Très complet et calme. Personnel prévenant.

■ *Guides bénévoles (Kyoto S.G.G. Club-Goodwill Guide Groups) :* ▦ 090-6684-0167. ● *reservation.sama ritan@gmail.com* ● *goodsamaritanclub. org/reservation-login* ● *Valable seulement sam-dim et j. fériés.* Les visiteurs peuvent profiter d'un service de guides bénévoles anglophones (étudiants) à condition d'en faire la demande au moins 1 ou 2 semaines à l'avance, via leur site internet. Ce service est gratuit, mais il convient de payer les déplacements des guides, leurs repas et leurs billets d'entrée aux sites et temples.
– Plusieurs sites aux prestations équivalentes : ● *kyoto.travel* ● *kyoto freeguide.web.fc2.com* ●
– Kyoto Visitors Host : ● *kyotovisitors host.com* ● *Compter 2 000-3 000 ¥/h.* Des visites de la ville par des guides anglophones et même francophones pour certains.

Achats

Artisanat

✿ **Kyoto Handicraft Center** 京都ハ ンディクラフトセンター *(plan IV, B2, 7) :* Heian Jingu Kita, Marutamachi, Sakyo-ku, 17. ☎ 761-8001. ● *kyoto handicraftcenter.com/index.html* ● *Bus nᵒˢ 93, 203 et 204, arrêt Kumano Jinja-mae. Tlj 10h-19h. Quelques maigres infos au rdc. Détaxe possible à partir de 5 000 ¥ d'achat ; passeport nécessaire pour cette formalité.* Sur plusieurs étages et 2 bâtiments : laques, perles, cloisonnés, bijoux, éventails, kimonos, poteries, foulards en soie, peintures, estampes, calligraphies, paravents et démonstration de gravure sur bois. Fabrication et vente de poupées, porcelaines, cerfs-volants, masques. Livres, sandales japonaises, thé, biscuits... Et même un petit café pour reprendre des forces.

✿ **Ezoshi** 絵草子 *(plan V, B1, 42) :* Umemotocho, Shinmonzen-dori, Higashiyama-ku. ☎ 551-9137. ● *ezo shi.com* ● *Tlj 10h-18h.* Boutique d'estampes japonaises, beau choix, bien diversifié. Sébastien, le gendre du

propriétaire, nous fait partager en français ses connaissances et sa passion sur le monde des estampes. Précieux de pouvoir communiquer !

✿ **Konjaku Nishimura** 今昔西村 *(plan V, A1, 45) :* Benzaitencho, 36, Yamato Oji Dori, Higashiyama-ku. ☎ 561-1568. ● *konjaku.com* ● *Tlj sauf mer 10h-19h.* Incroyable boutique de kimonos et tissus anciens. Vaut le détour autant pour l'ambiance, une vraie caverne d'Ali Baba, que pour la qualité ! Certains sont tellement beaux qu'ils méritent d'être encadrés.

Autres lieux pour le shopping

✿ **Teramachi Arcade** 寺町道り *(plan II, D2)* et **Shin-Kyogoku Arcade** 新京極通り *(plan II, D2)*, situées entre Shijo-dori et Oike-dori, combleront vos envies d'achats. Ces 2 galeries marchandes et quelques rues perpendiculaires piétonnes abritent des centaines de boutiques en tout genre. Du souvenir le plus insolite aux vêtements les plus branchés en passant par les estampes, livres anciens, étals de nourriture et toutes sortes d'objets dont les Japonais ont le secret. On trouve également de nombreuses boutiques sur Shijo-dori, en allant du Shijo Bridge à Karasuma-dori et dans l'élégante Sanjo-dori, où se trouve le Musée municipal de Kyoto *(plan II, C2)*.

✿ **Bento & Co** *(plan II, C2) :* à l'angle de Gokomachi et Rokkaku. ☎ 708-2164. ● *bentoandco.com* ● *Tlj 12h-19h.* Une boutique entièrement consacrée aux bentos, ces coffrets compartimentés bien pratiques pour transporter son repas. Un choix à faire tourner la tête : des versions sobrement utilitaires, d'autres élégantes ou plus rigolotes, notamment pour les enfants. Il y en a pour tous les goûts, tous les appétits (différentes tailles), à prix raisonnables ! Pour faire du réassort, vente en ligne.

✿ N'hésitez pas à entrer, au moins par curiosité, dans les 2 grands magasins de Kyoto, **Takashimaya** 高島屋 et **Hankyu** 阪急 *(plan II, D3, 5)*. Ils se font face au carrefour avec Kawarama-dori. Du sous-sol (rayon épicerie vraiment à voir) au dernier étage, on trouve de tout, mais un peu plus cher qu'ailleurs.

✿ Également de nombreux magasins

pour le shopping autour et dans la gare (*Kyoto Station*). Voir notamment **Kyoto-Yodobashi** 京都ヨドバシ (*plan I, B2 ; juste à l'arrière de la Kyoto Tower ; tlj 9h30-22h*), un grand centre commercial avec *Uniqlo,* restos, mais surtout, au rez-de-chaussée et en sous-sol, des produits informatiques en tout genre. Sûr que vous trouverez votre bonheur.

Francophonie

■ *Institut franco-japonais du Kansai* 関西日仏学館 (*plan IV, B1, 4*) : 8 Izumidono-cho, Yoshida, Sakyo-ku. ☎ 761-2105. ● *institutfrancais.jp/kansai/fr/* ● *À 12 mn à pied de la gare de la ligne Keihan (gare de Demachi-Yanagi* 出町柳駅*). Bus n°s 31, 65, 201 et 206 ; descendre à l'arrêt Kyodai Seimon-mae* 兄弟正門前*. Mar-ven 9h30-21h, sam 10h-19h, dim 9h30-16h. Café tlj sauf lun 11h30-17h (15h dim). Fermé lun, j. fériés et août.* Nommé ambassadeur de France au Japon en 1921, Paul Claudel séjourna à Kyoto en 1926, où lui vint l'idée de créer une maison franco-japonaise destinée à diffuser la culture française au Japon et à développer les échanges entre les 2 pays. En 1927, l'Institut ouvrit d'abord ses portes sur l'une des collines à l'est de Kyoto (actuelle villa Kujoyama), puis le centre se déplaça dans le quartier de l'Université de Kyoto. Aujourd'hui, cet institut donne des cours de français et sert de centre culturel de la francophonie.

Internet

– *Kyoto wifi :* la ville met à la disposition des visiteurs un service wifi gratuit pour 24h, à la très large couverture. ● *kanko.city.kyoto.lg.jp/wifi/en* ● et suivre les instructions pour se connecter. Par ailleurs, la majorité des hébergements, des restos et des bars disposent également d'une connexion.

Hébergements

Attention, depuis octobre 2018, une *taxe* est prélevée sur tous les établissements hôteliers de la ville de Kyoto (et Kyoto uniquement). Elle varie en fonction du prix de la nuitée, de 200 à 500 ¥, voire 1 000 ¥ pour les hôtels les plus luxueux, et s'ajoute donc au prix des chambres doubles que nous indiquons.

Hébergement dans les temples (*shukubo* 宿坊)

Il est possible de loger dans certains temples à condition de respecter les règles de fonctionnement imposées par les moines et de s'adapter à leur rythme de vie, à la cuisine végétarienne et au confort des lieux, sommaire mais suffisant. Attention, ils sont parfois excentrés.

Auberges de jeunesse, *guesthouses, ryokan, minshuku* et hôtels

En haute saison, les prix des hébergements peuvent monter. On peut demander des réductions si l'on reste plusieurs jours. À voir avec la réception des établissements sur place. Les *minshuku* sont des *ryokan* bon marché, l'équivalent de nos chambres d'hôtes, avec donc une ambiance familiale.

Recommandation : pour les *ryokan,* il est fortement conseillé de réserver très à l'avance (dès la mise en ligne des résas sur leurs sites), l'ouverture du marché chinois ayant généré une forte hausse de la demande, et comme les Chinois sont (très) nombreux et que les *ryokan* ont (très) peu de disponibilités, vous risquez de faire chou blanc sans cette précaution.

Auberges avec *onsen* 温泉

À l'occasion de leurs vacances, les Japonais aiment passer du temps dans les *onsen*. Ce sont des sources chaudes naturelles *(hot springs)* où ils se baignent dans des bassins remplis d'une eau souvent sulfureuse car venue du sous-sol des montagnes et des volcans. À Kyoto, l'eau sulfureuse est reconnue pour ses bienfaits sur la santé. Elle peut soulager les rhumatismes, atténuer la pression sanguine, diminuer les douleurs de dos, soigner

KYOTO

KYOTO

les maladies de peau et calmer la nervosité. Les *onsen* sont la plupart du temps attenants ou incorporés à des structures d'accueil, comme les auberges-*ryokan* ou certains hôtels.

Dans ces lieux ouverts aux Japonais comme aux touristes étrangers (attention, l'accès est souvent interdit aux personnes tatouées), on peut utiliser les bassins d'eau chaude toute la journée, et même souvent une partie de la nuit.

Attention, dans les *onsen*, comme dans les *sento* (bains publics de quartier), la règle consiste à se laver au savon sous la douche, assis sur le tabouret bas, avant de se détendre dans le bain chaud, bien rincé. Sans cela, on passe pour un rustre qui n'a rien compris aux coutumes nippones ! Les hommes (nus) et les femmes (nues sous un petit pagne) fréquentent des bassins séparés.

Les hôtels ont 2 types d'*onsen* : à l'intérieur et à l'extérieur. Certains sont assez chers, mais l'expérience est à faire une fois au cours d'un voyage au Japon. Un moment inoubliable de savoir-vivre et de détente à la japonaise !

– On en trouve aussi à Arashiyama et à Ohara, 2 villages situés à l'ouest et au nord de Kyoto, dans des paysages au pied des montagnes.

– Il ne faut pas confondre les *onsen* avec les bains publics (*sento*) situés dans tous les quartiers des villes, et jamais dépendants d'une auberge. Ces derniers sont bon marché et offrent une expérience ultra-dépaysante.

🛁 ***Kurama Onsen*** くらま温泉 : 520 Kurama Honmachi, Sakyo-ku. ☎ 741-2131. ● kurama-onsen.co.jp ● *De la gare centrale (Kyoto Station* 京都駅*), prendre le bus urbain n° 4 jusqu'à Demachiyanagi-ekimae* 出町柳駅前 *(petite gare) ; de là, prendre le train de la ligne Eizan (env 30 mn) jusqu'à Kurama ; de la gare de Kurama, une navette de minibus (Free Shuttle Bus) conduit à l'hôtel, situé à 10 mn à pied. En taxi, depuis Kyoto Station, compter env 45 mn et 5 000 ¥. Bains : ouv 10h-21h (20h en hiver) ; dernière admission 40 mn avt fermeture ; 1 000-2 500 ¥/ pers (+ 400 ¥ pour la loc de la serviette). Chambres confortables de style japonais avec douche-w-c (à partir de 34 000 ¥) pour 2 en ½ pens. Forfait bains-repas sans hébergement 4 800 ¥/ pers.* Situé à l'extrême nord de Kyoto, dans un site naturel d'une grande beauté, une vallée boisée et encaissée (gorges de la rivière Kuruma), cet hôtel-*onsen* exceptionnel est une des meilleures adresses près de Kyoto. Bien sûr, cet endroit coûte cher, mais, malgré tout, le rapport qualité-prix reste excellent pour les prestations proposées. Plusieurs *onsen* d'eau chaude sulfureuse à l'intérieur et à l'extérieur (bassins séparés hommes et femmes). Le plus agréable est le bassin commun extérieur (*ouv 10h-21h – 20h en hiver*), semi-couvert par une avancée sur pilotis. Été comme hiver, c'est un régal de s'y baigner en admirant les forêts de cèdres noirs et les monts environnants.

KYOTO QUARTIER PAR QUARTIER

AUTOUR DE LA GARE FERROVIAIRE (KYOTO STATION 京都駅)

● Autour de la gare (plan I) p. 312-313

Sûr que vous passerez au moins une fois dans le quartier de la gare *JR* de Kyoto durant votre séjour. Facile à repérer de loin : elle est au pied de la Kyoto Tower. C'est aussi l'une des plus importantes gares du Japon. Elle est desservie à la fois par le réseau de *Japan Railways,* le *Shinkansen,* mais aussi d'autres compagnies ferroviaires privées, le métro de Kyoto et sur son flanc nord la principale gare de bus desservant la ville et ses alentours. Construite en 1997 par *Hiroshi Hara*, la gare est à elle seule un monument qu'il faut visiter ! Avec son atrium de 470 m de long et 60 m de haut et une architecture complètement futuriste, elle est tentaculaire ! Elle fait aussi fonction de centre commercial, comporte des hôtels de luxe, une salle de spectacle, l'office de tourisme de la ville, de nombreux restaurants et galeries en sous-sol sur 3 niveaux et propose une vue sur la ville depuis le sommet des 11 étages. Pour son toit en damier, l'architecte s'est inspiré de la disposition des ruelles de la vieille ville. Pour vous retrouver dans cette ville dans la ville, il est indispensable de s'en procurer le plan détaillé.

Où dormir ?

Très bon marché (moins de 6 000 ¥ / 49 €)

🛏 |○| *K's House Kyoto Backpackers Hostel* バックパッカーズホステル ケイズハウス京都 *(plan I, C2, 20)* : 418 Nayacho, Shichijo-agaru, Dotemachi-dori. ☎ 342-2444. ● kshouse. jp ● *À 10 mn à pied de la gare centrale ; prendre au nord Karasuma-dori puis à droite Shichijo-dori, trottoir de gauche, vers la rivière Kamo ; après Kawaramachi-dori, prendre la 1ʳᵉ rue à gauche, c'est à 50 m sur la droite. Lits en dortoir (4-8 pers) à partir de 2 400 ¥ ; doubles à partir de 6 500 ¥. Buffet à volonté (8h-13h) 680 ¥.* Sans doute la plus sympa et la mieux équipée de toutes les AJ privées de Kyoto. Bâtiment moderne, réception accueillante avec ses canapés et son alignement d'ordinateurs. Les dortoirs pour 8 sont impeccables (douche-w-c à l'extérieur), tout comme les chambres sobres avec clim, certaines avec salle de bains. Cuisine rutilante à dispo, salons pour discuter entre routards, petite cour intérieure et nombreux services (laverie, location de vélos). Café zen au rez-de-chaussée, petite cour intérieure et le meilleur pour la fin : super terrasse au dernier étage avec vue imprenable sur la ville et les montagnes. Une très bonne adresse.

🛏 *Piece Hostel Kyoto* ピースホステル 京都 *(plan I, C3, 21)* : 21-1 Higashikujo Higashisanno-cho. ☎ 693-7077. ● piecehostel.com ● *Lits en dortoir 2 400-3 400 ¥/pers, petit déj (simple) inclus ; double env 7 000 ¥.* À proximité de la Kyoto Station, voici un *hostel* réjouissant : moderne, lumineux, rutilant et convivial avec un espace moderne

optimisé au maximum, notamment dans les dortoirs de 4, 6 et 18 couchages isolés par un rideau (liseuses, matelas à mémoire de forme, sèche-cheveux...). Quelques doubles sans fioritures avec un lit devant la TV et un lavabo. Les espaces communs apportent quelques mètres carrés salutaires : cuisine ouverte à tous et terrasse plaisante. Une belle annexe dans un *ryokan* rénové.

Bon marché (de 6 000 à 10 000 ¥ / 50-83 €)

🛏 *Hostel Shizuya* 京の御宿しづや *(plan I, C2, 23)* : au fond d'une impasse à l'angle de Schichijo-dori et Kawaramachi. ☎ 351-2726. ● contact@ shizuya-kyoto.com ● shizuya-kyoto. com ● *Réception 9h-19h. Lits en dortoir 3 300-4 500 ¥/pers ; double env 15 000 ¥ ; pas de petit déj. CB refusées.* Pas facile à repérer, et l'enseigne (ainsi que l'accueil) en japonais n'aide pas vraiment. À l'entrée, la discrète porte coulissante ouvre sur une réception épurée. Dans cette maison où le bois prédomine, des dortoirs au cordeau pour femmes, de 4 à 6 personnes. Les hommes logent dans l'annexe de l'autre côté du *Hibi Coffee* (voir « Où manger ? »). Calme absolu et atmosphère très zen, voire monacale (fréquentation majoritairement japonaise). Une adresse reposante et dépaysante !

🛏 *Hana Hostel* ハナホステル *(plan I, B2, 24)* : 229 Akezu-dori, Kogawa-cho. ☎ 371-3577. ● kyoto.hanahostel.com ● *Lits en dortoir 2 800-3 100 ¥ ; doubles env 7 200-7 800 ¥.* Une *guesthouse* à l'ambiance chaleureuse et internationale. Dortoirs de 4 et 8 lits mixtes, 4 et 6 lits

KYOTO

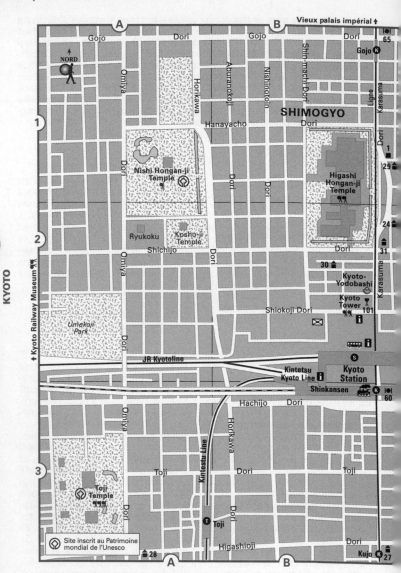

Vieux palais impérial ↑

A · B

Gojo · Dori · Gojo · Dori

Gojo K

NORD

Omiya

Horikawa

Aburanokoji

Nishinotoin

Shin-machi Dori

Karasuma

Ligne

65

1

Dori

SHIMOGYO

Hanayacho

Dori

Nishi Hongan-ji Temple

Dori

Dori

Dori

Higashi Hongan-ji Temple

Dori

1

29

Ryukoku

Kosho-ji Temple

Shichijo

Dori

Dori

24

31

2

Omiya

Kyoto Railway Museum

30

Kyoto-Yodobashi

Umekoji Park

Shiokoji Dori

Kyoto Tower

101

Dori

JR Kyotoline

Kintetsu Kyoto Line

S

Kyoto Station

Shinkansen K

60

Hachijo · Dori

Omiya

Horikawa

Dori

Dori

Kintetsu Line

3

Toji

Toji Temple

Dori

Dori

Toji

T Toji

Higashioji · Dori

Kujo K

27

◎ Site inscrit au Patrimoine mondial de l'Unesco

28

A · B

■	**Adresses utiles**	🏠	**Où dormir ?**	**25** Ryokan Yuhara (C1)
🛈	Tourist Information Centers (B2)	**20**	K's House Kyoto Backpackers Hostel (C2)	**26** Ryokan Hiraiwa (Hiraiwa Annex ; C1)
1	Rental Bicycle Kyoto Miyabiya (B1)	**21**	Piece Hostel Kyoto (C3)	**27** The Lower East Nine Hostel (B3)
		23	Hostel Shizuya (C2)	**28** The Next Door (A3)
		24	Hana Hostel et Ryokan Kyoraku (B2)	**29** Ryokan Matsubaya (B1)

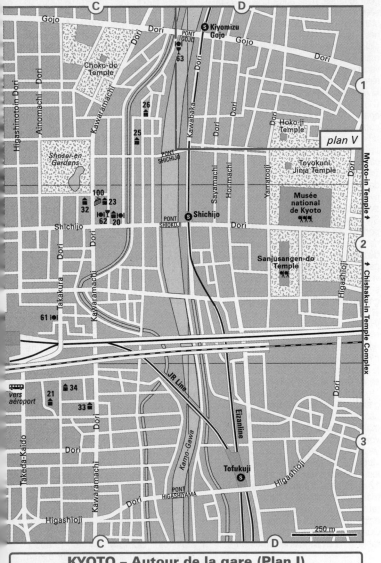

Gojo Dori
Gojo Dori
(S) Kiyomizu Gojo
PONT GOJO
63
Choko-do Temple
26
25
PONT SHICHIJO
Shosei-en Gardens
100
23
32
62 20
PONT SHIOKOJI
(S) Shichijo
Shichijo Dori
61
21 34
33
vers aéroport
Takeda-Kaido
Dori
Higashioji
Hoko-ji Temple

plan V

Myoto-in Temple ➤

Toyokuni Jinja Temple

Musée national de Kyoto

Sanjusangen-do Temple

➤ Chishaku-in Temple Complex

JR Line
Eizan line
Kamo-Gawa
Tofukuji (S)
PONT HIGASHIYAMA
Higashioji

250 m

KYOTO – Autour de la gare (Plan I)

KYOTO

30 Ryokan Heianbo (B2)	
31 Hotel Station Kyoto West (B2)	
32 Kikoku-so Inn (C2)	
33 Almont Hotel (C3)	
34 Hotel Centnovum Kyoto (C3)	

|●| **Où manger ?**
60 Sushi no Musashi (B3)
61 Honke Daiichi Asahi (C2)
62 Hibi Coffee-Asipai (C2)
63 Efish (C1)
65 Soba no Mi Yoshimura (B1)

🍴🍷 **Où manger une pâtisserie ?
Où boire un verre ?**
100 Kaikado Café (C2)
101 Sky Lounge Kuu (B2)

pour femmes, mais aussi chambres privées à la japonaise (tatami, futon) de bon standing pouvant accueillir 2 ou 3 personnes. Salles de bains pratiques et propreté nickel. Location de vélos, cuisine, casiers, machines à laver. Soirées musique souvent proposées. Une adresse populaire, à réserver longtemps à l'avance.

🏠 **Ryokan Yuhara** 旅館ゆはら *(plan I, C1, 25)* : *Kiyamachi-dori, Shomen-agaru.* ☎ 371-9583. ● *ryokan-yuhara. com* ● *À 15 mn à pied de la gare. Bus nᵒˢ 4 ou 17, arrêt Kawaramachi-Shomen, prendre vers l'est et traverser le petit canal. Double 9 000 ¥ ; pas de petit déj.* Très jolie maison traditionnelle en bois, dans un quartier paisible au bord de la rivière Takase. Une dizaine de chambres avec tatamis et lavabos, très bien tenues. Style typique japonais, avec futon et portes coulissantes séparant la chambre de la véranda. Quant aux peintures qui décorent les murs, elles sont l'œuvre du papa. Ici, on travaille en famille au service des clients, pour qui les proprios se décarcassent. Douche commune et grande salle de bains avec *sento*.

🏠 **Ryokan Hiraiwa** 旅館アネッス平岩 *(Hiraiwa Annex ; plan I, C1, 26)* : *314 Hayai-cho, Kaminokuchi-agaru, Ninomiyacho-dori.* ☎ 351-6748. ● *yadoya-hiraiwa.kyoto* ● *Même accès que pour le précédent, mais à 100 m sur la droite en longeant le petit canal vers le nord. Le Ryokan Hiraiwa fait l'angle sur la gauche. Doubles env 8 000-12 000 ¥ ; pas de petit déj.* Dans un quartier charmant composé de maisons basses, en voici une au calme, tout près de Gion. Vaste façade en bois avec des baies vitrées à l'étage donnant sur les ruelles. Accueil jovial, ambiance familiale. 12 chambres traditionnelles, petites mais impeccables et typiques, avec tatamis, futons, table basse. Salle de bains commune à la japonaise et clim. Quelques vélos à louer. Accueil adorable dans un anglais approximatif.

Prix moyens (de 10 000 à 15 000 ¥ / 83-125 €)

🏠 **The Lower East Nine Hostel** *(plan I, B3, 27)* : *32 Higashikujo Minamikarasuma-cho.* ☎ 644-9990. ● *lowereastnine.com* ● Ⓜ *Kujo. Nuitée en dortoir*

3 800-4 500 ¥ ; petit déj en sus. Doubles 10 000 ¥ en lits superposés et sdb partagée, 18 000 ¥ avec sdb privée. Dans la mouvance de ces *hostels* qui éclosent en ville pour satisfaire une clientèle exigeante, celui-ci est dans le haut du panier ! Dortoirs modernes de 4 à 12 personnes, avec lits superposés en bois clair, au calme. Le petit plus, ce sont les espaces communs où il fait bon vivre : chouette cuisine à l'étage, salon et café accueillants. Joli plancher, canapé et fauteuils élégants. D'ailleurs, question budget, les chambres privées (une poignée seulement) passent tout de suite dans la catégorie « Chic ». Une 2ᵉ adresse tout aussi pimpante : *The Next Door (plan I, A3, 28 ; 65 Nishikujo, Higashihieijyocho),* avec des prix similaires, petit déj inclus et location de vélos. Du toit-terrasse, belle vue sur la pagode du temple Toji.

🏠 **Ryokan Matsubaya** 松葉家旅館 *(plan I, B1, 29)* : *Nishiiru, Higashinotoin Nishi, Kamijuzuyamachi-dori.* ☎ 351-3727. ● *matsubayainn.com* ● *À 10 mn à pied de la gare, dans une rue en face de l'entrée du temple Higashi Hongan-ji. Doubles 8 600-18 000 ¥.* Cette auberge reçoit des voyageurs depuis 1884. Modernisée depuis et décorée de manière dépouillée, elle propose une trentaine de chambres climatisées, dans le style japonais traditionnel des *ryokan* pour la plupart, où peuvent dormir jusqu'à 5 personnes. Au 5ᵉ étage, une poignée de chambres à l'occidentale avec salle de bains. D'autres, très charmantes, au rez-de-chaussée, avec vue sur le microjardin, très zen. Accueil chaleureux (en anglais).

🏠 **Ryokan Heianbo** 平安坊 *(plan I, B2, 30)* : *725 Heian-cho, JR Kyoto-ekimae, Shimogyo-ku.* ☎ 351-0650. ● *kyo-yado. com/heianbo/eng-info.html* ● *À 3 mn de marche de la gare : prendre Karasuma, tourner à gauche à la 2ᵉ intersection ; le ryokan se trouve sur la droite, 250 m plus loin. Compter 11 880-19 600 ¥ pour 2 avec ou sans sdb ; petit déj en sus. CB refusées.* Petite maison discrète dans une rue étroite, près d'une école, à l'ombre des tours. Accueil familial, attentif et courtois. Les chambres typiques sont une introduction à la culture japonaise : on dort sur un futon posé sur un tatami, on se déchausse, on revêt le *yukata* le soir, on se détend dans le bain commun. Pour la moitié des chambres, salle de bains sur le palier (un peu moins chères). Adorable petit jardin zen et cuisine pour les hôtes. Au réveil, petit déj japonais.

🏠 *Ryokan Kyoraku* 旅館京らく *(plan I, B2, 24)* : 231 Kogawacho, Shichijoagaru, Akezu-dori. ☎ 371-1260. ● *ryo kankyoraku.jp* ● *À env 6 mn de marche de la gare ; par Karasuma-dori, puis à droite Shichijo-dori, ensuite la 1re ruelle à gauche. Doubles 14 000-20 000 ¥ ; pas de petit déj.* Maison de 2 étages à la fois moderne et ancienne, avec une jolie façade, grande salle au rez-de-chaussée. Très central, très propre. Chambres de style japonais (plus 1 occidentale), toutes climatisées, avec ou sans salle de bains. Pas de repas. Laverie. Couvre-feu à 23h.

🏠 *Hotel Station Kyoto West* ホテルステーション京都西館 *(plan I, B2, 31)* : Karasuma-Higashi-iru, Shichijo, Shimogyo. ☎ 343-5000. ● *hotel-st-kyoto.com* ● *À 5 mn à pied de la gare par Karasuma, à la 2e intersection tourner à droite sur Shichijo-dori ; l'hôtel est proche du coin. Double avec sdb 12 000 ¥ ; petit déj en sus.* Hôtel sans grande personnalité, avec des chambres de style occidental ou japonais. Sympa : les 2 grandes salles de bains communes (non mixtes ; 17h30-23h30, plus le dimanche matin).

Chic (de 15 000 à 25 000 ¥ / 125-208 €)

🏠 *Kikoku-so Inn* 枳殻荘 *(plan I, C2, 32)* : Nishi-iru, Hitosuji-me, Nanajo-agaru, Shimogyo-ku. ☎ 371-2989. En remontant Kawaramachi-dori vers le nord de la gare, passer Shichijo-dori et prendre la 1re rue à gauche le long du jardin Shosei-en. Double 20 000 ¥. Repas du soir possible. Un *ryokan* traditionnel du centre-ville, tenu par un vieux monsieur ultra-serviable. 4 grandes chambres élégantes de style japonais donnant sur un adorable jardin intérieur où quelques carpes s'ébattent dans un bassin. Seule une chambre (un peu bruyante car sur rue) a sa petite salle de bains privative. Pour les autres, elle est commune. Cuisine exquise et propreté impeccable.

🏠 *Almont Hotel* アルモントホテル *(plan I, C3, 33)* : 26-1 Nishi Iwamoto-cho, Higashi Kujo. ☎ 681-2301. ● *almont.jp* ● *Doubles 25 000-34 000 ¥ ; petit déj en sus.* Derrière la gare, dans un quartier pratique à défaut d'être charmant. C'est d'ailleurs un hôtel fonctionnel et un point de chute confortable. Sur plusieurs étages, des chambres de bon standing à l'équipement sans faille malgré des salles de bains assez petites. Vaste réception avec coin bibliothèque, *sento* pour se remettre de sa journée.

🏠 *Hotel Centnovum Kyoto* ホテルセントノーム京都 *(plan I, C3, 34)* : 19-1 Higashi Kujou, Higashihisanno-cho, Minami-ku. ☎ 682-8777. ● *cent novum.or.jp* ● *Double env 28 000 ¥ ; pas de petit déj. Parking.* À côté de la gare, un imposant paquebot de granit posé devant les rails. Pas de nuisance sonore cependant, et le confort standardisé peut rassurer certains. Sur place, une cafétéria (le *Flore*), un restaurant (japonais) et tous les services nécessaires. Chambres classiques de style occidental ou japonais et bien équipées (clim, machine à café).

KYOTO

Où manger ?

De bon marché à prix moyens (de moins de 1 500 à 3 500 ¥ / 12,50-29 €)

I●I Des étages supérieurs aux galeries souterraines, la *gare de Kyoto (plan I, B2-3)* recèle à elle seule des dizaines de restos de toutes sortes à tous les prix. Regardez le plan de la gare pour vous y retrouver. Beaucoup ferment vers 23h. Au sous-sol, accès côté gare routière, plein de restos. Le meilleur indice pour choisir : se glisser dans la file d'attente la plus longue ! L'un de nos préférés qui fait partie d'une chaîne avec d'autres en ville :

– *Sushi no Musashi* 武蔵寿司 *(plan I,*

B3, 60) : 440 Ebisucho, Nakagyo-ku. ☎ *222-0634. Entrée sud-est de la gare. Tlj 11h-22h (dernière commande à 21h45).* Pratique et ludique, ce resto de sushis incarne l'image d'Épinal que tout étranger se fait du Japon : sur un long tapis roulant défilent d'appétissantes assiettes de sushis. Saumon, crabe, crevette, canard, poulpe... Le choix est varié, et on se régale sans se ruiner. On a aussi aimé le robinet individuel pour se servir un thé vert (gratuit) ! Beaucoup de monde, mieux vaut venir avant midi ou un peu tard pour ne pas attendre. Pratique avant de prendre le train.

|●| *Eat Paradise* イートパラダイス *: au 11e étage de la galerie marchande Isetan.* Une longue série de restos pour tous les goûts, alignés de part et d'autre d'un couloir. Tempura, *tonkatsu* (côtelettes de porc frites), nouilles. Rien que pour la vue sur la ville et les montagnes, on craque pour *Kyotofu Fujino*, une valeur sûre pour la cuisine à base de tofu. Pas donné, mais des menus au déjeuner.

|●| *Honke Daiichi Asahi* 本家第一旭 *(plan I, C2, 61) : 845 Higashi Shiokouji Mukaihata-cho.* ☎ *351-6321. À 3 mn de la gare. Repérer l'enseigne blanche à liséré vertical rouge.* Réputé à des kilomètres à la ronde pour ses délicieux *ramen* à l'émincé de porc. Salle minuscule, on y fait la queue pour attendre son tour aux heures de pointe.

|●| 🍸 *Hibi Coffee-Asipai* アシバイ＋ヒビ コーヒー *(plan I, C2, 62) : dans l'impasse à l'angle de Shichijo-dori et Kawaramachi.* ☎ *276-3526. Tlj sauf mar 8h-18h.* Dans une impasse improbable, un café adorable, décontracté et gourmand, chargé d'une onctueuse odeur de café. Il est torréfié sur place, et se déguste à toute heure sur l'une des quelques tables en bois. Midi et soir, un curry à prix doux, qui fait le bonheur d'une clientèle d'initiés (dont vous faites partie !).

|●| 🍸 *Efish (plan I, C1, 63) : 798-1 Nishihashizumè-cho, Gojo-sagaru Kiyamachi-dori.* ☎ *361-3069. Tlj 8h-21h30.* Il fait bon vivre dans ce lieu de flânerie, où les baies vitrées devant la rivière, les tables sur 2 étages et l'ambiance de café-boutique invitent à un grignotage vagabond. Rien de sophistiqué côté cuisine : sandwichs, soupes et currys réalisés avec des produits frais font simplement plaisir. L'artisanat présenté est aussi dans nos goûts, mais moins dans nos cordes côté budget. Une adresse dépaysante.

|●| *Soba no Mi Yoshimura* 蕎麦の実よしむら *(plan I, B1, 65) : à l'angle de Gojo-dori et Karasuma-dori, 3e échoppe à droite du McDo.* ☎ *353-0114. Tlj 11h-14h30, 17h30-22h30 (dernière commande 22h).* Au rez-de-chaussée, les marmitons confectionnent activement les *soba*, ces nouilles au sarrasin, populaires, dont le restaurant s'est fait une spécialité. Fascinant ! À l'étage, on s'installe sur de petites tables ou au comptoir avec vue sur l'avenue (pas grisante). Cuisine soignée et à prix doux, autour de recettes de *soba* chaudes ou froides. Également des tempura de crevettes aériens et des bouillons pleins de saveurs.

Où manger une pâtisserie ? Où boire un verre ?

🍮 *Kaikado Café* 開化堂カフェ *(plan I, C2, 100) : sur Kawaramachi.* ☎ *353-5668. Tlj sauf jeu et 1er mer du mois 10h30-19h.* Derrière la haute baie vitrée qui évoque celle d'un atelier, un élégant café au mobilier de bois blond, et un comptoir qui présente d'alléchantes pâtisseries. N'en jetez plus, c'est le cheese-cake la vedette ! À savourer avec un bon café, en laissant couler son regard de la paisible terrasse arrière à l'artisanat en vente au comptoir. Depuis 6 générations, cette famille d'artisans fabrique le haut de gamme de la boîte à thé (étain, cuivre et laiton). Superbe simplicité, mais gloups, que c'est cher !

🍸 *Sky Lounge Kuu* スカイラウンジ空 *(Kyoto Tower Hotel ; plan I, B2, 101) : Karasuma-dori, Shichijo-sagaru, Shimogyo-ku.* ☎ *352-0253. Situé au 11e étage de la Kyoto Tower ; accès par ascenseur (gratuit pour l'accès au bar). Tlj 15h-23h (dernière commande à 22h).* Un grand bar-*lounge* avec lumière bleutée intime, où l'on sert toutes sortes de boissons (apéritifs, cocktails...). On y va surtout pour la vue sur la ville, la nuit.

À voir

··

🏃🏃 *La tour de Kyoto* 京都タワー *et l'observatoire (plan I, B2)* **:** à l'angle des
av. Shiokoji-dori et Karasuma. ● kyoto-tower.co.jp ● Tlj 9h-21h (dernière entrée
20h40). Ce grand vase de béton et d'acier s'élance à 131 m dans le ciel de Kyoto et
constitue un point de repère dans le paysage urbain. Construite selon les normes
antisismiques, reposant sur une structure de 22 colonnes d'acier tubulaire, elle
s'appuie sur un bloc de 11 étages qui abrite un hôtel, un bureau d'informations
touristiques (3ᵉ étage) et des magasins (au rez-de-chaussée). La tour peut résister
à des vents (typhons) de 90 m/s et aux tremblements de terre. Mais, rassurez-vous,
la ville de Kyoto est épargnée par ce genre de cataclysmes naturels (contrairement
à Osaka et Kobe). Merci aux géomanciens d'autrefois qui avaient pensé à tout !
– *Visite :* la billetterie se trouve au rdc. On y accède par un magasin situé à l'angle
de Karasuma et de Shiokoji-dori ; chercher le panneau « Tower Observatory Tickets » (entrée différente de l'entrée du Kyoto Tower Hotel). Billet pour l'observatoire : 770 ¥ (660 ¥ en achetant son billet au Kansai Tourist Information Center, au
3ᵉ étage). Prendre ensuite l'ascenseur. On peut soit aller boire un verre au bar *Sky
Lounge Kuu,* au 11ᵉ étage (voir plus haut), soit reprendre l'ascenseur (en gardant le
même billet) qui grimpe jusqu'à l'observatoire, au sommet de la tour. À faire en fin
de journée pour le coucher du soleil.

🏃🏃 *Le temple Higashi Hongan-ji* 東本願寺 *(plan I, B1-2) :* 7-jo Agaru. ☎ 371-
9181. ● higashihonganji.or.jp ● Entrée sur la gauche de Karasuma-dori. Tlj 5h50-
17h30 mars-oct, 6h20-16h30 nov-fév. GRATUIT.
Ce temple, récemment restauré, abrite le mausolée de Shinran Shonin (1173-
1262), fondateur du bouddhisme Shin. L'enseignement principal de la *Jodo
Shinshu,* « Véritable secte de la Terre pure », est basé sur un sutra dit « sutra de
la Vie éternelle », qui suppose la dévotion inconditionnelle au Bouddha (que les
Japonais appellent « *Amida* »). Pour renaître dans le paradis d'Amida, il suffit au
croyant, débarrassé de la superstition et des distinctions de classe sociale, d'avoir
foi dans le vœu originel d'Amida de sauver toutes les créatures sans exception. Un
accès simplifié à la lumière divine, en somme.
Le *Goei-do Mon,* imposante porte sculptée, donne accès au *Goei-do* (pavillon
du fondateur), aux dimensions impressionnantes : 76 m de long, 58 m de large et
38 m de haut. Son toit est réputé pour être le plus grand du monde. Le *Hon-do* au
sud de l'enceinte abrite une boîte en verre dans laquelle est enroulée une grosse
corde tressée *(kezuna)* avec des cheveux offerts par les dévots du temple et qui
servit à hisser les poutres de bois, lors de la reconstruction de cette salle en 1895.

◈ 🏃 *Le temple Nishi Hongan-ji* 西本願寺 *(plan I, A1) :* entrée par Horikawa-dori.
☎ 371-5181. ● hongwanji.or.jp ● À 10 mn de marche de la Kyoto Station, ou bus
nᵒˢ 9, 28 ou 75. Tlj 5h30-17h30 (18h en été, 17h en hiver) ; dernière entrée 30 mn
avt fermeture. Cérémonie tlj à 6h. GRATUIT. Fondé en 1224 à Higashiyama par le
bonze Shinran, le siège de la secte bouddhiste Shinshu fut transféré à Kyoto et
établi sur ce site de Nishi Hongan-ji en 1591, sous le règne de Toyotomi Hideyoshi.
Sur la cour principale, face à l'entrée San mon (1645), s'ouvrent le *Hon-do* (salle
principale, 1760) – qui expose une image d'*Amida Bouddha* à côté de celle du
prince *Shōtōku* (574-622) – et, au sud, le *Daishi-do* (salle du Fondateur, 1637).

◈ 🏃🏃 *Le temple Toji* 東寺 *(plan I, A3) :* infos ● toji.or.jp ● À env 1 km (10 mn à
pied) au sud-ouest de la Kyoto Station. En train, ligne Kintetsu, arrêt Toji Station
東寺駅, puis marcher env 300 m. Bus nᵒ 207. L'entrée se situe au nord-est de
l'enceinte, sur Omiya-dori. Tlj 8h30-16h (17h de mi-avr à mi-sept, 16h30 de mi-
mars à mi-avr). Entrée : 500-800 ¥ selon période. « Le temple de l'Est » appartient
à la secte Shingon, qui diffuse le bouddhisme ésotérique et dont le siège est sur
le mont Koya. Il fut fondé en 796 par l'empereur Kammu, du temps de Heian-kyo.
On venait y prier pour la paix et la tranquillité. Le *Jiki-do* (au nord) est un réfectoire
reconstruit en 1930. Au nord-ouest, le *Hozo* (salle du trésor) date de l'époque

Kamakura (1197). Au centre de l'enceinte, le *Kondo* abrite une vingtaine de statues et un grand mandala sculpté. La *pagode à 5 étages* (1644) qui se dresse à l'angle sud-est serait la plus haute du Japon (57 m). Le 21 de chaque mois se déroule une foire (antiquités, céramiques, brocante...) en l'honneur de Kobo-san, le nom posthume et honorifique du fondateur de la secte bouddhique Shingon. Les jardins sont magnifiques quand les cerisiers sont en fleur !

🎏 🚶 ***Kyoto Railway Museum*** 京都鉄道博物館 *(plan d'ensemble)* : *Kankijicho, Shimogyo-ku.* ☎ *75-323-7334.* ● *kyotorailwaymuseum.jp* ● *En bus : lignes nᵒˢ 205, 208, 103, 104 et 110, descendre à Umekoji-koen/Kyoto Railway Museum-mae. À 25 mn de marche de la gare de Kyoto direction ouest. Tlj sauf mer (hors vac scol de printemps et d'été) 10h-17h30 (dernière admission 17h, mais arrivez de préférence avt, car certaines attractions ferment à 16h). Fermé 30 déc-1er janv. Entrée : 1 200 ¥ ; réduc.* Étendu sur 3 niveaux et un espace extérieur, le musée promeut la culture ferroviaire nippone et ses développements spectaculaires depuis la locomotive à vapeur (qui prend des passagers, avec un dernier tour à 16h) jusqu'au *Shinkansen.* L'ancienne gare en bois de Nijo y est exposée ainsi que 53 locomotives et wagons. Une maquette de train de 30 m de long circule 1 fois/h (pendant 10 mn) au milieu d'un paysage reconstitué. Attention, elle ne fonctionne elle aussi que jusqu'à 16h. Les visiteurs sont plongés dans une expérience interactive, ludique et enrichissante, qui rassemble visites guidées, ateliers, simulateurs de conduite (jusqu'à 16h15 et sur tirage au sort en raison de la forte demande)... De quoi ravir les passionnés du rail comme les plus novices ! Les tout-petits ne sont pas oubliés non plus avec une aire de jeux dédiée aux petits trains. Prévoyez du temps, on peut facilement y passer une demi-journée ! Dommage que tous les écrans tactiles et explications ne soient pas traduits en anglais.

🎏 🎏 ***Le Musée national de Kyoto*** 京都国立博物館 *(plan I, D2)* : *527 Chayama-chi.* ☎ *541-1151.* ● *kyohaku.go.jp* ● *De la Kyoto Station, bus nᵒˢ 206 ou 208, descendre à Hakubutsukan* 博物館 *ou Sanjusangen-do-mae* 三十三間堂前 *; l'entrée se trouve sur Shichijo-dori, en face du temple Sanjusangen-do. Tlj sauf lun 9h30-17h (dernier billet 16h30) ; musée ouv lun férié (il ferme alors mar). Entrée payante (260 ¥) mais supplément selon expo ; réduc.*
Au début de l'ère Meiji (1868), le Japon se tourna vers le monde occidental, et ce nouvel état d'esprit à l'échelle d'une nation supposait d'abandonner d'une certaine façon la culture traditionnelle japonaise. Certaines œuvres d'art anciennes furent même détruites, perdues ou abandonnées. Devant cet état de fait, le gouvernement décida de réagir en créant en 1889 les 3 premiers musées nationaux du Japon à Tokyo, Nara et Kyoto. En 1897, le Musée impérial de Kyoto ouvrit ses portes dans le grand bâtiment en brique, de style européen, que l'on voit encore aujourd'hui au centre de l'enceinte.

L'ancien Musée impérial (bâtiment en brique rouge)
Conçu par Tokuma Katayama, l'un des maîtres de l'architecture dite « de style impérial », à qui l'on doit également le palais d'Akasaka à Tokyo. On le voit bien, ce bâtiment est inspiré de l'architecture baroque française du XVIIe s. Le fronton triangulaire est orné de 2 bas-reliefs de style gréco-oriental représentant des divinités du bouddhisme, protectrices des arts et de l'artisanat. Il est dévolu aujourd'hui aux seules expositions temporaires.
– *Le Penseur, copie de la statue de Rodin* : impossible de ne pas la voir ! Les jeunes collégiens se font photographier devant et, pour s'amuser, ils prennent la même pose méditative.

Les collections permanentes
Le récent hall des collections permanentes, le *Chishinkan Wing Heisei,* a été conçu par **Yoshio Taniguchi,** connu pour sa refonte du MoMA à New York. Sur 3 niveaux lumineux y est présentée, par roulement thématique, toute l'histoire de l'Art au Japon des origines au XVIIe s. En vedette, les collections de sculpture d'époque Nara, Heian et Kamakura et les remarquables paravents peints par **Sotatsu,**

fondateur de l'école Korin. Collection amusante de rouleaux des scènes satiriques ou de guerre avec des combats de samouraïs traités sur le mode humoristique où les personnages ont des têtes d'animaux. Collections précieuses de céramiques, calligraphies, laques et textiles et costumes.

ฅ๙๙ Le temple Sanjusangen-do 三十三間堂 *(plan I, D2) :* au sud du Musée national de Kyoto. Tlj 8h-17h (9h-16h de mi-nov à fin mars) ; dernière entrée 30 mn avt fermeture. Entrée : 600 ¥ ; réduc. Explications en anglais.

Ce qui frappe, c'est la taille du temple et son ancienneté : un pavillon de bois de 120 m de long et de plus de 800 ans d'âge ! Fondé en 1164 par le puissant seigneur de la guerre Taira-no-Kiyomori, incendié puis reconstruit en 1266, le monument n'a pas beaucoup changé depuis cette date, mais il a été rénové. Il abrite une armée de 1 001 statues dorées en bois de cyprès alignées sur 33 travées et représentant des déités bouddhistes, et notamment Kannon, déesse de la miséricorde. Près de 124 statues datent du XIIe s. Il s'en dégage une atmosphère assez mystique... Aux extrémités de la galerie, noter les statues remarquables des divinités du Vent et du Tonnerre. À noter aussi, Shagara, la divinité de la Pluie, et l'étonnante histoire de la statue d'Ashura. Cette divinité serait l'équivalent dans le bouddhisme japonais d'Ahura Mazda, divinité du zoroastrisme en Perse. Quel chemin parcouru de l'Iran jusqu'au Japon ! Ahura Mazda est entré dans la religion de l'Inde où il est devenu Ashura, un « anti-dieu » qui combat les autres divinités. Il représente en effet les forces du mal contre le bien et la vertu.

À la fin de la visite, on passe par un couloir latéral bordé de vitrines exposant des arcs. Une dernière curiosité : le *Mandala kaléidoscopique.* En tournant une manivelle, on fait défiler les multiples facettes du mandala (diagramme représentant les divinités du bouddhisme).

LE QUARTIER CENTRAL ET COMMERCIAL

● Le quartier central (plan II) *p. 322-323*

C'est le cœur de la ville commerçante, entre les grandes avenues Oike-dori, Shijo-dori et Karasuma-dori, dans un secteur bourdonnant d'activité. On y flâne évidemment à pied sans aucune difficulté, la balade étant rendue agréable par la présence des longues galeries marchandes *(shopping arcades)* réservées aux piétons.

Ces galeries couvertes bordées d'innombrables commerces constituent le principal attrait du quartier, épicentre de la vie commerciale. La grande galerie *Teramachi* en est le meilleur exemple, mais il y a aussi, tout près, la galerie *Shinkyogoku* et le merveilleux *marché alimentaire Nishiki.* Rien d'écrasant pour autant, les immeubles culminent à une hauteur raisonnable et on retrouve vite le calme dans les petites rues étroites bordées de maisons basses à la lisière des grands axes.

Plus à l'est, entre l'avenue Kawaramachi et la rivière Kamo, le quartier ancien de Pontocho est un îlot pittoresque et préservé, constitué de la rue piétonne Pontocho-dori et de sa parallèle Kiyamachi-dori. Elles sont reliées par de nombreuses venelles latérales et forment l'un des cœurs battants de la vie nocturne de Kyoto (bars, cafés, cafétérias, restaurants, centres d'amusement de jeux électroniques). En été, les auberges et les salons de thé qui bordent Pontocho-dori ouvrent à leurs clients leurs terrasses en plein air. Elles sont construites sur pilotis au-dessus de la rive droite. Le soir, sous les étoiles, c'est l'un des endroits les plus agréables pour boire un verre, en regardant couler la rivière Kamo. Balade nocturne agréable en direction de la gare, en longeant la rivière.

KYOTO

Où dormir ?

Très bon marché (moins de 6 000 ¥ / 50 €)

🛏 *Roujiya* ろうじ屋 *(plan II, A2, 39)* : 22-58 Ikenouchi-cho, Nishinokyo. ☎ 432-8494. ● *kyotobase.com/en/ erooms* ● *À 6 mn à pied de la station Nijo* 二条駅, *sur la ligne Sagano San-in, sortir par l'est et tourner à gauche ; traverser Senbon-dori, prendre à droite et marcher sur Oike-dori jusqu'au 1er feu. Au parc sur la droite, prendre l'allée après le square. La* guesthouse *blanche est là. Lits en dortoir à partir de 3 000 ¥ ; doubles à partir de 8 000 ¥. CB refusées.* Dans une impasse *(roujiya)* bien cachée, une *guesthouse* intime et chaleureuse tenue par un couple de proprios adorables, qui ont pas mal roulé leur bosse, notamment en France. 2 chambres doubles (prix catégorie « Bon marché »), à la déco traditionnelle soignée (tatamis), et 2 dortoirs de 4 et 8 lits (un mixte et un pour filles), tout aussi accueillants. Douches communes rutilantes de propreté et cuisine moderne à disposition où sont dispensés des cours de cuisine par la charmante proprio en tenue traditionnelle. On se sent comme à la maison ! Location de vélos *(500 ¥)*. Une bien belle découverte.

🛏 *9 Hours* ナインアワーズ *(plan II, D3, 40)* : 588 Teianmaeno-cho, Shijyo, Teramachi-dori. ☎ 353-7337. ● *nine hours.co.jp* ● *Nuitée 1 900-4 900 ¥.* Ce capsule-hôtel porte le nom du temps moyen, 9h, dont usent les visiteurs pour se doucher, dormir et manger. Si on peut payer à l'heure, les marmottes y trouveront aussi leur compte en réservant sur Internet (beaucoup moins cher que sur place). La signalétique au mur et au sol donne les directions essentielles : la réception, la douche, le dortoir. Les espaces de vie sont assez simples mais aussi propres qu'un bloc opératoire ! Capsules non mixtes alignées à la queue leu-leu. Déco futuriste et blanc monacal. Réglez donc votre appareil de sommeil, qui s'adapte à votre rythme diurne. L'oreiller est aussi multiposition, à vous de trouver celle qui vous convient. Idem pour le matelas. Petit déj au *Starbucks* voisin. Faut aimer...

Bon marché (de 6 000 à 10 000 ¥ / 50-83 €)

🛏 *Guest House Rakuza* ゲストハウス楽座 *(plan II, D3, et plan V, A2, 41)* : 2-255 Miyagawasuji (rue piétonne). ☎ 561-2242. ● *rakuza.gh-project. com* ● *De la Kyoto Station, bus n° 205, descendre à Shijo-Kawaramachi* 四条河原町, *puis 7 mn de marche. Doubles env 6 200-9 400 ¥ ; pas de petit déj.* À deux pas du cœur de l'animation, une vieille maison traditionnelle japonaise de l'époque Edo, très bien restaurée par le sympathique Nicolas. Le dortoir (catégorie très bon marché) de 3 lits dédié aux filles a une belle vue sur un cerisier, superbe au moment de la floraison. Une poignée de chambres japonaises et 1 occidentale, décorées avec goût. Clim et ventilo pour l'été. Un cachet indéniable qui compense une isolation pas franchement optimale. Accueil chaleureux, plein de conseils pour découvrir les coups de cœur de la maison dans les environs. Une bonne adresse ! Nicolas propose également un hébergement *Waraku-An* dans le quartier de Shogoin *(plan IV)*.

🛏 *Piece Hostel Sanjo* ピースホステル三条 *(plan II, C2, 42)* : 531 Asakura-cho, Tominokoji. ☎ 746-3688. ● *piecehostel.com* ● *Lits en dortoir 2 800-3 400 ¥ ; doubles sans ou avec sdb 6 500-12 500 ¥ ; familiales ; petit déj inclus.* Chapeau bas pour cet ancien *ryokan* reconverti avec brio en *hostel*, où bandes de potes, familles et couples se sentent indifféremment à l'aise. C'est zen, c'est neuf, bien agencé et le personnel est aux petits soins (accueil anglophone). Dortoirs impeccables de 4 et 10 lits avec salle de bains et toilettes communes (privées dans certaines doubles, lavabo dans les autres). Espaces communs design et conviviaux comme on en rêve : canapés, grandes tablées, ordinateur Mac à disposition. Machines à laver au sous-sol. Bref, un coup de cœur en plein centre !

Prix moyens (de 10 000 à 15 000 ¥ / 83-125 €)

Ryokan Nakajimaya 旅館中島家 *(plan II, C3, **43**) : Bukkoji-agaru, Takakura-dori. ☎ 351-3886. • ryokan-nakajimaya.kyotohotelsjapan.net • À 5 mn à pied de la sortie 5 de la station de métro Shijo* 四条駅. *Dans une ruelle calme, près d'une école, entre le sanctuaire Shinmei Jinja et le temple Bukko-ji. Double env 14 000 ¥ ; pas de petit déj.* Dans une maison en bois et béton, petit *ryokan* familial en plein cœur du quartier de Shimogyo. Il abrite des chambres traditionnelles sur tatamis sobres et confortables (clim, salle de bains commune). Très bon accueil, comme presque partout.

Ryokan Kohro 旅館こうろ *(plan II, C2, **44**) : Kitahigashikado Rokkaku, Sakaimachi-dori. ☎ 221-7807. • kohro.com • À 6 mn de la station de métro Karasuma-Oike* 烏丸御池駅. *Double env 14 000 ¥. Dîner sur demande (excellente cuisine* kaiseki*).* Hôtel de petit luxe dans une ruelle calme, non loin de l'animation du centre dans un bâtiment en dur de 3 étages (ascenseur), assez austère à l'extérieur mais très confortable, bien tenu et plutôt charmant. Chambres avec douche-w-c, clim, TV, frigo, *yukata*, et belle salle de bains commune à la japonaise en bois de cyprès au sous-sol.

Chic (de 15 000 à 25 000 ¥ / 125-208 €)

Via Inn ヴィアイン *(plan II, B2-3, **45**) : 551-2 Yamabushiyama-cho, Muromachi-dori, Nishikikoji-agaru. ☎ 256-6111. • viainn.com/en/kyoto • Doubles env 17 000-20 500 ¥, petit déj léger compris.* Dans cet hôtel de chaîne de plus de 200 chambres, on ne vient pas pour le charme ou l'originalité de la déco, mais pour la fonctionnalité et le confort (clim, bouilloire, bonne literie, ascenseur). Très bon rapport qualité-prix-emplacement, à deux pas de l'animation. Hors saison, on tombe alors dans la catégorie « Prix moyens ».

Ryokan Watazen 綿善旅館 *(plan II, C2, **46**) : Rokkaku-sagaru, Yanagibaba. ☎ 223-0111. • kyoto-ryokan-w.com • Double env 20 000 ¥ ; petit déj en sus.*

KYOTO

Où dormir ?

- **39** Roujiya (A2)
- **40** 9 Hours (D3)
- **41** Guest House Rakuza (D3)
- **42** Piece Hostel Sanjo (C2)
- **43** Ryokan Nakajimaya (C3)
- **44** Ryokan Kohro (C2)
- **45** Via Inn (B2-3)
- **46** Ryokan Watazen (C2)
- **47** Hearton Hotel Kyoto (C1)

Où manger ?

- **70** Boulangerie Shinshindo (D1)
- **71** Katsukura (C3)
- **72** Fumiya (C2-3)
- **73** Restaurant Ippudo (C3)
- **74** Roji Tempo, les restaurants du Musée municipal (C2)
- **75** Yak & Yeti (D3)
- **76** Les restaurants de Pontocho-dori (D2-3)
- **77** Restaurant Kushikura (C2)
- **78** La Masa (D1)
- **79** Manzara Tei Nishiki (C3)
- **80** Le Bouchon (D1)
- **81** Ganko Takasegawa Nijoen (D1)
- **91** Restaurant Negiya Heikichi (D3)
- **93** Tenkadori (hors plan par C3)
- **95** Antonio (D1)
- **134** Culotte (B1)
- **135** Bonne Famme (B1)

Où boire un verre ou un bon café ?

- **102** Café Independants (C2)
- **103** Ace Cafe (D2)
- **104** Bar en terrasse du restaurant Tohkasaikan (D3)
- **105** Before 9 (C2)
- **106** Inoda Coffee (C2)
- **107** Sowgen (C2)
- **113** Kissa Agaru (D3)

Où sortir ? Où danser ?

- **2** Super Jan Kara (D3)
- **120** Club World (D3)
- **122** Club Métro (D1)

Achats

- **5** Takashimaya et Hankyu (D3)

À faire

- **39** Roujiya (A2)
- **112** Wak Japan (C1)

NORD

KYOTO

Marutamachi — Dori
Dori
Takeyamachi — Dori
134
Ebisugawa — Dori

Château Nijo-jo

Nijo — Dor
135

Entrée

Oshikoji — Dor

Nijo-jo mae — T

Oike — Dori
Oïke — Dori

NAKAGYO

Anegakoji — Dori
Anegakoji — Dori
39

Sanjo — Dori
Sanjo — Dori

Rokkaku — Dori
Rokkaku — Dori

Takoyakushi — Dori
Takoyakushi — Dori

45

Nishikikoji — Dori

Shijo — Dori
Omiya — Dori
Shijo — Dori
Hankyu Kyoto Line
Shijo-Omiya
Randen Arashiyama Line
Tram Terminal

Ayakoji — Dori
Ayakoji — Dori

Bukkoji — Dori
Bukkoji — Dori

Takatsuji — Dori

Senbon — Dori
Horikawa
Aburanokoji
Horikawa
Muromachi
Nishinotoin

⊘ Site inscrit au Patrimoine
mondial de l'Unesco

250 m

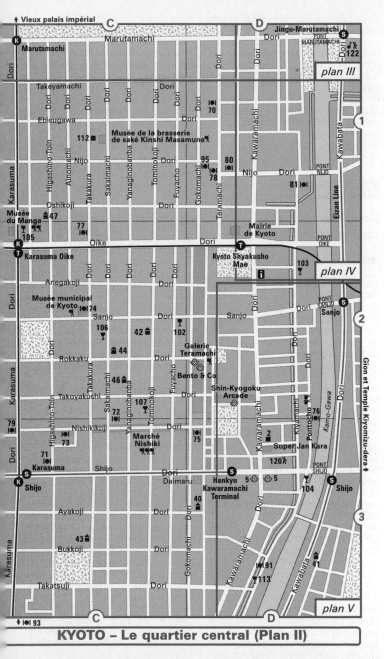

Cette auberge japonaise traditionnelle existe depuis 1830. Située dans une ruelle calme et non loin du quartier animé de Teramachi : emplacement idéal, Une vingtaine de chambres sobres avec tatamis, tables basses, *yukata* (kimono du soir) et petite salle de bains. Pendant le dîner (possible sur place), le personnel déploie le futon. On peut se délasser dans le bain commun. Location de vélos.

🛏 *Hearton Hotel Kyoto* ハート ンホテル京都 *(plan II, C1, 47)* : Higashinotoin-dori, Oike Agaru. ☎ 222-1300. ● *heartonhotel.com* ● *À deux pas de la station Karasuma Oike* 烏丸御池駅. *Doubles 15 000-30 000 ¥.* Un hôtel imposant et pratique, avec tous les services standard : réception ouverte 24h/24, change, TV, mais l'ensemble est assez impersonnel et les chambres doubles minuscules. À 2, il vaut mieux prendre une *twin*. Déco plutôt neutre mais de bon goût. Grand patio zen et accueillant à la réception. Prêt de vélos.

Où manger ?

Bon marché (moins de 1 500 ¥ / 12,50 €)

🍴 *Restaurant Ippudo* 一風堂 *(plan II, C3, 73)* : 653-1 Bantoyacho, Nishikikoji-dori, entre Takakura-dori et Higashino-Toin-dori, dans le prolongement de la galerie du marché Nishiki. Tlj 11h-2h. C'est un excellent petit resto de quartier bien connu du voisinage, proche du marché couvert Nishiki. Rançon du succès, on risque d'y faire la queue aux heures de pointe. Au choix, la table commune à l'entrée ou le comptoir face aux cuisines. Spécialité : la soupe *ramen* au porc.

🍴 *Fumiya* 富美屋 *(plan II, C2-3, 72)* : Sakaimachi. ☎ 222-0006. Tlj 11h-16h30. À côté du fourmillement de la galerie Teramachi, voilà une bonne adresse, modeste mais convaincante, pour apprécier un plat de nouilles : *udon* (farine de blé), *soba* (farine de sarrasin) et quelques variantes sont servis fumants dans une cocotte, sous forme de bouillon. Typique et pas ruineux.

🍴 *Tenkadori* 天下鳥 *(hors plan II par C3, 93)* : Karasuma-dori. ☎ 354-9100. *Sur le trottoir de gauche en venant de Shijo-dori et en allant vers la gare de Kyoto, c'est dans le pâté de maisons avt la station de métro Gojo* 五条. *Tlj 17h-1h.* Tout petit restaurant de yakitori, seulement 3 tables à la japonaise et une à l'occidentale pour 4 personnes maximum, et quelques places au bar. Spécialité de brochettes vraiment délicieuses. Attention car l'addition peut vite grimper...

🍴 *Yak & Yeti* ヤクアンドイエティ *(resto népalais ; plan II, D3, 75)* : Gokomachi. ☎ 213-7919. ● *yaketyeti.co.jp* ● *De Shijo-dori, remonter Gokomachi, c'est sur la droite, juste avt l'intersection avec Nishikikoji-dori, non loin de la galerie couverte Teramachi. Tlj 11h30-15h, 17h-22h.* Petite salle, petite carte, petits prix mais portions plantureuses et accueil charmant. À la carte, les classiques de la cuisine népalaise (drapeau en façade) comme des currys, quelques plats végétariens et des *momos* tibétains. C'est simple et savoureux.

🍴 *Boulangerie Shinshindo* 進々堂 *(plan II, D1, 70)* : 674 Kueninmaecho, Teramachi-dori. ☎ 221-0215. *À 250 m de l'angle sud-est de l'enceinte du palais impérial. Tlj 7h30-19h.* Une très ancienne boulangerie (1913), dont le fondateur était venu quelques mois à Paris et en Europe pour se former. Il en a gardé en façade la devise *Donne-nous aujourd'hui notre pain quotidien* (!) et des viennoiseries délicieuses pas plus chères qu'en France ! Parmi les douceurs, il y a même des cannelés et des macarons. Quelques très bons petits plats de restauration rapide, des tartines, des sandwichs, etc. Très bon expresso également. Pour les nostalgiques, dans la boutique, ils vendent aussi du camembert.

🍴 *Culotte* キュロット *(plan II, B1, 134)* : à l'angle de Takeya-cho-dori et Aburanokoji, pas loin du château Nijo. ☎ 241-0061. *Lun-ven (sauf j. fériés) 12h-15h (dernière commande à 14h30), 17h-21h (dernière commande à 20h).*

CB refusées. Pas d'enseigne, juste une porte en verre dépoli, que seuls les plus culottés ouvriront. Sans regret, car la petite salle (on se déchausse) feutrée, au décor seventies, réconforte tout de suite. Cuisine *obanzai* (familiale et traditionnelle) bien savoureuse et servie avec attention. Frais, bon et d'un excellent rapport qualité-prix. Gardez de l'appétit pour les desserts, franchement gourmands ! Près du comptoir, quelques douceurs à emporter.

I●I *Bonne Famme* ボンファン *(plan II, B1, 135)* : Nijo-dori, Ogawa Est, Nagayaka-ku. ☎ 241-4150. *Dans une petite rue juste en face du château Nijo. En principe, mar-sam 11h30-14h, 17h30-21h30.* Une petite adresse de poche, au rez-de-chaussée d'une maison privée, derrière un escalier en colimaçon. Comptoir autour de la cuisine et une poignée de tables en salle. Pas de carte, juste 1 ou 2 plats (poisson et viande) qui n'ont rien de français. C'est bon, frais, très bien cuisiné et tout est fait maison ! Accueil adorable.

I●I *Katsukura* かつくら *(plan II, C3, 71)* : Higashino-Torin-dori (tt de suite au-dessus de Karasuma). *Tlj 11h-22h (dernière commande à 21h30).* Bien connu pour ses plats de porc panés et frits *(tonkatsu)*, ce resto de chaîne n'a rien de renversant, mais il faut avouer que c'est simple et bon, tout ce gras... À accompagner d'une sauce à base de graines de sésame à composer soi-même. Avis aux affamés, les accompagnements des menus (chou et riz) sont servis à volonté.

De prix moyens à chic (de 1 500 à 6 500 ¥ / 12,50-54 €)

I●I *Manzara Tei Nishiki* まんざら亭にしき *(plan II, C3, 79)* : Nishikikoji-dori. ☎ 253-15-58. *Tlj 17h-minuit. Prix moyens.* Nichée dans une ancienne maison kyotoïte, voilà une adresse intime, notamment le soir quand l'éclairage se tamise. Juste quelques places le long du bar, dans la petite salle et à l'étage. C'est chaleureux, à l'image des plats locaux *(obanzai)* qu'on se partage bien volontiers, histoire de goûter à

tout. Que des bonnes surprises ! Néanmoins, on vous prévient, la bouchée apéritive est facturée, comme c'est souvent le cas.

I●I *Roji Tempo, les restaurants du Musée municipal* 路地転出 *(plan II, C2, 74)* : Sanjo-Takakura, Nakagyo-ku. ☎ 222-0888. *À 3 mn de marche de la station de métro Karasuma-Oike* 烏丸御池駅 *et à 7 mn de la station Hankyu-Karasuma* 阪急烏丸駅. *Tlj sauf lun 11h-20h30. Prix moyens.* 2 restos au rez-de-chaussée du musée au sein d'une reconstitution de rue de l'époque Edo. Bon rapport qualité-prix. Au choix : resto de *sobas Ukiya* ou cuisine *kaiseki* plus raffinée chez *Nadaman.*

I●I *Les restaurants de Pontocho-dori* 先斗町通 *(plan II, D2-3, 76)* : sur plus de 500 m, ils se succèdent de part et d'autre de la ruelle étroite et piétonne qui forme l'unique voie du quartier ancien de Pontocho. Aller à Kyoto sans se promener dans ce quartier, c'est comme aller à Paris sans voir la rue Mouffetard. On y accède par des venelles latérales depuis la rue Kiyamachi ou par Shijo-dori. Y aller le soir ou de nuit, quand les maisons et les boutiques sont éclairées de lampions en papier de riz et d'enseignes de style ancien. À midi, c'est beaucoup plus calme. En été, certaines auberges ouvrent leurs terrasses sur pilotis pour un dîner devant la rivière Kamo et sous les étoiles. Un moment agréable, loin du bruit (et pourtant l'agitation n'est pas bien loin !). Attention, le soir, les prix grimpent vite. Difficile de recommander un resto plus qu'un autre dans la profusion d'adresses. Mais on a beaucoup aimé *Manten,* au début nord de la rue, côté droit *(tlj 17h30-23h ; prix moyens).* Que ce soit au rez-de-chaussée ou à l'étage, au comptoir, sur des tables hautes ou basses, les yakitori (essentiellement), mais aussi les pièces de bœuf et salades assurent la réputation du lieu, presqu'autant que l'ambiance, et ça n'est pas peu dire ! Prix raisonnables. Une autre bonne option : *Mimasuya (prix « Chic »),* au milieu de la rue, côté gauche en descendant l'allée vers le sud, pour dîner face à la rivière. Mais votre flair sera le meilleur indic !

KYOTO

KYOTO

|●| **Restaurant Negiya Heikichi** 葱や平吉 *(plan II, D3, et plan V, A2, 91)* : *dans la ruelle qui longe le canal.* ☎ 342-4430. Ⓜ *Kawaramachi. De Shijo-dori, prendre Kawaramachi vers le sud par le trottoir de gauche. Tlj midi et soir. Prix moyens le midi, chic le soir. CB refusées le midi.* Dans une salle chaleureuse, on se régale d'une cuisine familiale japonaise saine à base de légumes de saison. Mais la vraie spécialité, c'est le poireau de Kyoto *(kujonegi)*, servi à volonté et sous toutes les formes ! Menus intéressants et variés à midi. Le soir, la carte change avec un choix de *hot pot* (fondue) pour 2.

|●| **Restaurant Kushikura** 串くら *(plan II, C2, 77)* : *Takakura-dori.* ☎ 213-2211. *En venant de Karasuma-Oike, prendre Oike-dori sur la gauche, vers la mairie de Kyoto ; puis prendre la 4e à gauche ; le resto se trouve sur la gauche à 30 m. Petit parking à côté.* Spécialisée dans les yakitori, cette auberge traditionnelle comprend une salle avec un comptoir devant des cuisines fumantes et des petites salles à l'arrière, plus intimes. On commence par se déchausser avant de s'attabler, pourquoi pas à une table basse *kotatsu* (où l'on peut glisser ses jambes dans le creux en dessous). Délicieuses brochettes grillées, à prix avantageux dans les menus du déjeuner. Les élégantes serveuses en kimono, souvent pliées sur les genoux, glissent sur le tatami. Excellente adresse.

|●| **La Masa** ラマサ *(plan II, D1, 78)* : *Teramachi-dori.* ☎ 255-6093. *En venant de Oike-dori par Teramachi, c'est à gauche au niveau du carrefour avec Nijo-dori ; couloir à côté d'un magasin de presse. Tlj 12h-14h, 18h-22h. Menus à prix moyens le midi, de chic à plus chic le soir.* Le quartier a vu fleurir quelques restos espagnols ces dernières années. Celui-ci est un des pionniers, une taverne ouverte par Kiyotaka, le patron, qui a vécu dans la péninsule Ibérique et se partage désormais avec 2 autres restos de même influence, *El Fogon* et *Barraca*. Bonne cuisine apprise à Madrid : tapas variées, jambon *iberico*, poulpe à la galicienne... Vins espagnols, le tout servi par un personnel agréable.

|●| **Le Bouchon** *(plan II, D1, 80)* : *1-71 Enokichu, Nijo-Teramachi.* ☎ 211-5220. *Tlj sauf jeu 11h30-14h30, 17h30-21h30. Prix chic. CB refusées.* Un bouchon lyonnais méticuleusement reconstitué, avec carrelage noir et blanc, comptoir en zinc, nappes en vichy, tables et banquettes de bistrot. On s'y croirait ! Le sympathique patron francophone, Yuichi Tamada, a appris la cuisine dans une école hôtelière à Lyon. Le résultat est étonnant de qualité et de délicatesse nippones. Escargots à la mode bourguignonne, saucisson aux lentilles, brochettes d'agneau, quenelles à la lyonnaise, et aussi gâteau au chocolat... C'est très bon et copieux. Très bon rapport qualité-prix et un intéressant plat du jour à midi.

|●| **Antonio** *(plan II, D1, 95)* : *Nijo-Teramachi.* ☎ 075-221-32-12. *Tlj sauf mar 18h-21h (dernière commande). Prix chic.* Voilà de quoi réviser vos classiques espagnols : paellas, tapas, morue, calamars à la plancha et pain maison, exécutés avec savoir-faire par Antonio, le chef andalou en cuisine et en salle. Tout est fait à la demande, prévoir donc de l'attente ou commander au moment de la résa.

Plus chic (6 500-15 000 ¥ / 54-125 €)

|●| **Ganko Takasegawa Nijoen** がんこ高瀬川二条苑 *(plan II, D1, 81)* : *484-6 Higashi Ikesu-cho, Kiyamachi-dori, Nijyo-sagaru.* ☎ 223-3456. *1re rue à droite avt le pont Nijo en venant de Nijo-dori. Tlj 11h-21h30. Menus 5 000-12 000 ¥.* Cette grande auberge traditionnelle en bois est ceinturée de végétation. Un cadre très agréable et raffiné, où des hôtesses en kimono accueillent les clients. On se déchausse et on se dirige vers une des salles japonaises, donnant sur le très beau jardin intérieur. Cuisine exquise et variée, admirablement présentée, selon le principe de la cuisine *kaiseki*, composée de plusieurs plats autour du riz et de la soupe. Show de *maiko* plusieurs fois par mois ; se renseigner.

Où boire un verre ou un bon café ?

❢ *Café Independants* カフェアンデパ ンダン *(plan II, C2, 102)* : 1928 Bldg B1, Sanjo-dori, angle avec Gokomachi-dori. ☎ 255-4312. Tt près de la galerie Tera-machi. Ne pas confondre avec le Café Chocolat à l'entrée. Tlj 11h30-minuit. Un de nos bars préférés dans le quartier. L'immeuble Art déco, un rendez-vous d'artistes, date de 1928 et se remarque à l'angle de Sanjo et de Gokomachi. Au sous-sol, dans une cave accessible par un escalier incrusté de mosaïques, se cache ce bar patiné, décalé, enfumé et informel, bien connu des jeunes. Bières et cocktails à accompagner de jambon serrano ou de plats copieux. Soirées musicales animées par des orchestres pop-rock. Se renseigner sur la program-mation. On adore !

❢ *Before 9 (plan II, C2, 105)* : 545 Nijo-dencho, Karasumaoike-agaru. ☎ 741-6492. Sur Karasuma, face au musée du Manga. Tlj 17h-1h. Un comptoir épuré en bois blond, quelques tables au rez-de-chaussée et à peine plus en mezza-nine, le décor à la mode scandinave est planté. Atmosphère relax pour siroter l'une des 8 bières artisanales servies à la pression. Également des sakés et une sélection de petits plats à partager.

❢ *Sowgen* そうげん *(plan II, C2, 107)* : 573 Takamiyacho Nakagyo-ku. ☎ 252-1007. Tlj sauf 2e mer du mois 11h30-22h30. Une brocante où les adeptes de la chine aimeront flâner, au milieu d'une foultitude d'objets et de meubles entassés. Au fond, un improbable café où, enfoncé dans un antique canapé chesterfield, on se pose autour d'un café et d'un délicieux gâteau au thé vert. Également des soupes et des sandwichs à grignoter.

❢ *Ace Cafe* エースカフェ *(plan II, D2, 103)* : The Empire Bldg 10F (10e étage ; ascenseur), Kiyamachi-agaru. ☎ 241-0009. En descendant la rue Kiyamachi

d'Oike vers Sanjo, c'est à gauche ; un petit panneau le signale. Tlj 18h-1h. Bar lounge, avec de grandes baies vitrées qui dévoilent une superbe vue sur la partie est de Kyoto. De jour comme de nuit, on sirote avec plaisir un thé ou une bière, dans une ambiance jeune et inter-nationale. Possibilité de manger des petits plats de tous horizons eux aussi.

❢ *Bar en terrasse du restaurant Toh-kasaikan* 東華彩館 *(plan II, D3, 104)* : Shijo-dori. C'est le dernier immeuble avt la rivière à droite, en pierre jau-nâtre, au style italiano-florentin-nippon hybride, mais en fait, c'est un resto chinois avec une terrasse le long de la rivière. Tlj 11h30-21h30. Oubliez le res-taurant et ne gardez que le meilleur : la terrasse en été pour boire un verre, au calme, face à la rivière. Encore plus agréable les nuits de pleine lune.

❢ *Inoda Coffee* イノダコーヒー *(plan II, C2, 106)* : 140 Sakaimachi, entre Sanjo-dori et Rokkaku-dori. Tt près du musée (municipal) de Kyoto. Tlj 7h-19h. Pâtisserie-salon de thé assez chic (serveurs en tenue blanche et nœud papillon) et cafétéria dans une maison traditionnelle, agréable et bien fréquentée. On y vend du café en grains (bonne odeur en entrant). Petit salon à gauche près de la boutique, et grande salle au fond avec vue sur un patio charmant, doté d'une fontaine. Vers les toilettes, des perruches vous aident à patienter...

❢ *Kissa Agaru* 喫茶上る *(plan II, D3, 113)* : dans la ruelle qui longe le canal. Ⓜ Kawaramachi. Reconnaissable à la table basse posée sur un trépied à l'extérieur. Tlj 17h-23h. Tout petit café au mobilier un rien design. Sièges bas ou fauteuils posés sur le tatami pour siroter un thé ou une mousse devant les baies vitrées donnant sur la rivière. Charmant ! Musique jazzy en fond.

KYOTO

Où sortir ? Où danser ?

⚲ *Club World* 世界クラブ *(plan II, D3, 120)* : Imagium Bldg BF-2F, 97 Shin-machi, Shimogyo-ku. ☎ 213-4119. ● world-kyoto.com ● En venant de

Kawaramachi-dori, en direction de la rivière Kamo, prendre le trottoir de gauche, tourner dans la 1re rue à gauche qui touche le petit canal Kayamachi.

KYOTO

Tlj 21h-5h (3h30 jeu). Entrée : 1 000 ¥ avt 23h (le double après), 1 boisson incluse. C'est le rencart des jeunes branchés de Kyoto, la tanière des oiseaux de nuit habillés dernière mode : paillettes, bijoux chic et choc, cuissardes, minijupes et shorts sexy... Ambiance techno extravagante ou disco selon les soirs, mais clientèle qui se tient bien, sans aucune agressivité. Moyenne d'âge : la vingtaine. À 30 ans, ici, vous êtes âgé. À 40 ans, déjà vieux. À 50 ans, n'en parlons plus...

Karaoké

■ *Super Jan Kara* スーパージャンカラ *(plan II, D3, 2)* : 296 Naraya-cho, Kawaramachi, Takoyakushi-agaru, Nakagyo-ku. ☎ 212-5858. *Compter 250 ¥ les 30 mn en journée, jusqu'à 2 000 ¥ en soirée.* Le temple du karaoké sur 7 étages, une quarantaine de salles privatives, de la plus simple à la plus luxueuse. Chansons en anglais, mais pas en français.

À voir

🏃🏃 *Le quartier de Pontocho* 先斗町 *(plan II, D2)* : *entre Sanjo-dori au nord et Shijo-dori au sud, Kiyamachi-dori à l'ouest (elle longe un canal) et la rivière Kamo à l'est.* Pontocho a conservé un caractère et un charme pittoresques malgré l'affluence touristique : maisons basses en bois aux formes élégantes, serrées les unes contre les autres et délicatement décorées, auberges éclairées par des lampions en papier de riz, maisons de thé, et restaurants à touche-touche ornés de *noren,* des demi-rideaux en tissu, fendus et calligraphiés. Côté droit de la rue quand on vient du pont Shijo, la plupart des restaurants ont des terrasses sur la rivière Kamo, ouvertes seulement en été. Attention, si à l'heure du déjeuner les prix restent sages, le soir en revanche les tarifs doublent ou triplent. Parallèle à Pontocho-dori, *Kiyamachi-dori* et ses venelles latérales forment l'un des quartiers nocturnes les plus animés de Kyoto, entre le canal Takase, construit au XVIIᵉ s pour acheminer les marchandises entre Kyoto et Osaka, et la rivière. Bars, restaurants, boîtes de nuit, maisons de *maiko* (apprenties geishas) s'alignent tout du long.

🏃 *La galerie Teramachi* 寺町 *(plan II, D2) :* longue de 750 m, d'Oike-dori au nord jusqu'à Shijo-dori au sud, entièrement piétonne et couverte, elle abrite un nombre impressionnant de boutiques et magasins. Pêle-mêle, on y trouve des vêtements traditionnels, du thé, des babioles, des restos et cafés... Sur la droite, en descendant d'Oike-dori vers Shijo-dori, on passe devant la seule librairie ancienne du quartier avec sa façade en bois sombre, ses caisses et ses rayons remplis de livres. Plus loin, le magasin *Daishodo* vend aussi de vieux livres (plus rares et plus chers), ainsi que des estampes. À l'intersection de Teramachi et de Shanjo-dori, là où se trouve la façade du resto ornée d'un énorme crabe rouge, un modeste panneau rappelle que c'est à cette intersection qu'aboutissait naguère la fameuse *route Tokaïdo,* qui reliait en 53 étapes Edo (Tokyo) à Kyoto. La galerie est reliée à celle de Shinkyôgoku.

🏃🏃🏃 *Le marché alimentaire Nishiki* 錦市場 *(plan II, C3) :* entre les rues Takakura et Teramachi, et perpendiculaire à la galerie du même nom. Tlj 9h-18h. On découvre cette galerie couverte uniquement à pied. Ne pas louper son animation avec ses éventaires et ses boutiques, joliment décorés et bien tenus, si représentatifs de l'incroyable variété des produits de l'alimentation japonaise. Cet alignement fascinant, le « ventre de Kyoto », couvre des centaines de mètres à l'intérieur de la longue galerie couverte. Un bonheur de dépaysement ! Pour vous faire une idée, n'hésitez pas à goûter les échantillons qu'on vous propose, histoire de tester des mets que vous n'oseriez peut-être pas commander au restaurant.

◎ 🏃🏃🏃 *Le château Nijo-jo* 二条城 *(Nijo-jo ; plan II, A1) :* entrée par la porte est, rue Horikawa-dori, au niveau de Nijo-dori. Ⓜ *Nijo-jo mae* 二条城前, ligne Tozai. Bus nᵒˢ 9, 50 et 101 depuis la Kyoto Station. Tlj (sauf mar en déc-janv et juil-août)

8h45-16h sept-juin (dernière entrée 15h), 8h-19h juil-août (dernière entrée 18h). Entrée : 600 ¥. Audioguide disponible en français : 500 ¥. Parking à vélos payant (200 ¥, billet valable 1 j.). Panneaux explicatifs en anglais.

Classé au Patrimoine mondial de l'Unesco, le château Nijo a été construit à l'origine, en 1603, pour servir de résidence au 1er shogun Tokugawa Ieyasu (1542-1616). Complété en 1626 par le 3e shogun Tokugawa Iemitsu (1603-1651), son descendant, ce monument représente un des plus beaux exemples d'architecture dite « Momoyama » au Japon. En apparence inadapté pour résister aux sièges, il n'en possède pas moins de solides défenses. Les shoguns y résidèrent pendant 15 générations, de père en fils, jusqu'en 1867, date à laquelle le maître des lieux remit son pouvoir à l'empereur, qui en fit alors sa propriété.

– *Le palais Ninomaru* 二の丸御殿 *:* c'est la partie la plus intéressante à visiter *(attention, dernière entrée 16h15 ; photos interdites ; dès avr 2019, l'entrée sera payante : 400 ¥).* Le palais shogunal est précédé de la monumentale *Kara-mon* (porte chinoise) recouverte d'or. Il abrite 33 pièces organisées en enfilade, toutes sur le même niveau, selon l'architecture traditionnelle japonaise : portes coulissantes *(shoji)* au quadrillage de bois et de papier de riz, tatamis au sol, cloisons peintes. Chaque pièce

LE CHANT DU ROSSIGNOL

Étrange ce petit bruit quand vous marchez, non ? Le parquet crisse et couine non pas parce qu'il est mal entretenu mais pour une ruse : à peine un visiteur avait-il le pied posé dans un couloir que le shogun et son entourage étaient prévenus de son intrusion. Ces planchers portent le joli nom de « rossignol ». Lire à ce sujet Le Silence du Rossignol, *de Lian Hearn, éd. Gallimard (Folio), le tome I du « Clan des Otori », une saga extraordinaire.*

est décorée de panneaux peints par des artistes de l'école Kano, certaines formant de grandes parois dorées ornées d'arbres en fleurs, d'oiseaux et de tigres majestueux... En fait, ce sont des copies, les peintures originales étant exposées dans une galerie distincte *(entrée : 100 ¥).* Parmi les nombreuses salles, celle des audiences *(Ohiroma Ichi no Ma* 大広間二の間*)* abrite des mannequins qui figurent les vassaux agenouillés devant le shogun. L'appartement privé du dirigeant *(Shiroshoin* 白書院*)* est la pièce où il vivait, mangeait, dormait, se délassait, toujours assisté de ses dames de compagnie (les geishas).

– *Le jardin Ninomaru* 二の丸庭園 *:* après la visite, traverser à pied le grand jardin intérieur, qui aurait été conçu à l'origine par le maître Kobori Enshu. Beaux bassins plantés de rochers et d'arbustes.

– *Le palais Honmaru* 本丸御殿 *:* c'est un château défensif dans le château, peut-on dire. Dans un périmètre entouré de douves et de jardins se dresse un petit palais qui, naguère (avant l'incendie de 1750), était doté d'un donjon de 5 étages *(fermé au public).*

– *Le jardin Seiryu-en* 青龍苑 *:* la balade dans l'enceinte du château Nijo se poursuit dans la partie nord, à travers cet autre jardin Seiryu-en aménagé en 1965 avec de nombreux rochers et pierres apportés spécialement ici pour embellir le site. Possibilité de se rafraîchir à une buvette ou de boire un thé dans une des 2 maisons de thé du jardin *(Koun-tei* ou *Waraku-an).*

🎨🚶 *Le musée du Manga (Kyoto International Manga Museum)* 京都国際マンがミュージアム *(plan II, C1-2) : Karasuma-Oike, Nagagyo-ku.* ☎ *254-7414.* ● *kyotomm.jp/en* ● Ⓜ *Karasuma-Oike* 烏丸御池駅 *(sortie 2). Tlj sauf mer (ou jeu si mer férié) 10h-18h (dernière entrée 17h30). Démo de création de manga et ateliers sam-dim et j. fériés 11h-17h. Entrée : 800 ¥, qui permet d'entrer et sortir librement dans la même journée ; réduc moins de 18 ans. Expos temporaires de qualité. Consignes gratuites.*

« Images dérisoires », « esquisses rapides », « images malhabiles », telles pourraient être les traductions du mot *manga,* qui désigne aujourd'hui, pour les

Japonais, les albums de bandes dessinées. Pour les passionnés, c'est le 1er musée du Japon (et du monde) consacré au manga. L'énorme phénix du musée est l'œuvre du célèbre mangaka Tezuka Osamu. Fondé avec l'appui des plus hautes autorités (Ville de Kyoto, Université de Kyoto Seika, de manga !), très bien organisé, avec beaucoup d'espace, ce musée de la nouvelle génération abrite une immense collection de près de 300 000 mangas, dont 50 000 présentés, depuis les plus vieux albums jusqu'aux plus récents, en édition reliée et brochée, et non pas sous forme de revues vendues dans les maisons de la presse ou *convenience stores*. Il existe une section en français. On peut les consulter librement comme dans une bibliothèque, mais on ne peut pas les emprunter. Au 2e étage, dans la galerie principale, on découvre des collectors parus de 1945 à 2005. Une partie du musée abrite les archives et un très sérieux centre de recherches. À travers ce musée, le Japon veut donner ses lettres de noblesse à cet art graphique populaire, de la même manière que la B.D. en Occident est maintenant reconnue comme une discipline artistique à part entière.

Les revues de mangas, tout comme les albums reliés sous forme de livres de poche, sont destinées à des catégories de lecteurs définies selon leur âge : *kodomo* (子供), pour les jeunes enfants, *shonen* (少年), pour les jeunes garçons adolescents, *shojo* (少女), manga sentimental pour les jeunes filles adolescentes, *josei* (女性), pour les jeunes femmes adultes, *seinen* (青年), pour les jeunes hommes adultes, et *redisu* (レディース), pour les femmes adultes. Voilà des images dérisoires devenues institutionnelles.

L'ANCÊTRE DU DESSIN ANIMÉ

Le terme « manga » devint courant à la fin du XVIIIe s. Hokusai, le peintre de la célèbre vague de tsunami, dessina en 1814 des images de personnages grimaçants. Il les nomma hokusai manga. Un des plus célèbres auteurs modernes de mangas est Tezuka Osamu, surnommé le « Walt Disney japonais », qui inventa en 1951 un personnage de héros-robot-justicier.

🔪 **Le musée de la brasserie de saké Kinshi Masamune, Horino Memorial Museum** キンシ正宗 堀野記念館 *(plan II, C1)* **:** 172 Sakaimachi-dori. ☎ 223-2072. ● kinshimasamune.com ● *Tlj sauf mar avr-mai et oct-nov, ainsi que mer les autres mois 11h-17h (dernière entrée 16h30). Entrée : 300 ¥. Brochure en anglais.* Si la brasserie-mère s'est installée à Fushimi-Inari (voir plus loin), on peut déjà visiter ce petit musée abrité dans une ancienne maison de marchand, de la famille Horino. On découvre son histoire via une petite vidéo d'intro et on y apprend le processus et les techniques pour obtenir un saké pur, à partir du cœur du grain de riz, riche en amidon, avec le lavage à l'eau cristalline du quartier (ce qui en fait un saké doux, très apprécié des femmes, dixit le guide maison). Petite dégustation à la fin de la visite des pièces où étaient reçus les bons clients, divertis par quelques pièces de théâtre (et des jeunes femmes peu farouches). La brasserie produit encore une très bonne bière, la *Machiya,* vendue à Kyoto. Une bonne idée cadeau !

🔪 **Le Musée municipal de Kyoto** 京都文化博物館 *(plan II, C2)* **:** Sanjo-Takakura, Nakagyo-ku. ☎ 222-0888. ● bunpaku.or.jp ● Ⓜ Karasuma-Oike 烏丸御池駅. *Tlj sauf lun 10h-19h30 (20h30 pour les restos). Entrée : 500 ¥ ; réduc étudiants ; accès gratuit à l'ancienne* Bank of Japan. *Des guides bénévoles anglophones sont disponibles pour les visites ; en faire la demande à l'accueil.* Dans des espaces aérés, l'exposition permanente retrace l'histoire de Kyoto et de sa culture depuis la fondation de la ville (qui s'appelait alors Heian-kyo, vers 794) jusqu'à l'ère Meiji (qui commence en 1868). Peu de commentaires en anglais, ce qui enlève de la substance à la visite. Belles maquettes, photos aériennes de Kyoto, tableaux, documents. Coup d'œil intéressant à l'ancienne *Bank of Japan* construite en 1906 et rachetée par la Ville.

À faire

■ **Roujiya** ろうじ屋 *(plan II, A2, 39)* : *22-58 Ikenouchi-cho, Nishinokyo, Nakagyo-ku.* ☎ *432-8494. Voir aussi plus haut dans « Où dormir ? ».* Notre adresse préférée pour les cours de cuisine. En tenue traditionnelle, pendant plus de 1h30, selon la saison, vous apprendrez à cuisiner les aliments du moment, avec toujours les bases de la cuisine japonaise (sushi, maki, etc.). Quelques infos sur les us et coutumes. En anglais.

■ **Wak Japan** *(plan II, C1, 112)* : *761 Tenshu-cho, Nakagyo.* ● *wakjapan.com* ● *Résa en ligne env 2 sem avt.* Dans une vieille maison traditionnelle en bois *(machiya)*, des petits salons à la japonaise où l'on vous enseigne quelques thèmes de la culture japonaise : cérémonie du thé, port du kimono, cuisine, origami, calligraphie, ikebana (art floral), visites guidées...

AUTOUR DU PALAIS IMPÉRIAL

● Le quartier central (plan II) *p. 322-323*
● Autour du palais impérial (plan III) *p. 333*

KYOTO

Où dormir ? Où manger ?

La proximité du palais impérial et le calme sont les points positifs du quartier, par ailleurs assez excentré de l'animation. Bien desservi par le métro et les bus, mais ne sous-estimez pas les distances à pied.

Bon marché (moins de 1 500 ¥ / 12,50 €)

|●| **Falafel Garden Vegetarian Food** ファラフェルガーデン *(Israel Cafe & Restaurant ; plan III, B1, 91)* : ☎ *712-1856. À 80 m à l'est de la station de train Demachi-yanagi* 出町柳駅 *(lignes Keihan et Eiden), sur la droite de la rue qui rejoint en oblique l'intersection d'Imadegawa-dori et Higashioji-dori. Tlj sauf lun 11h-21h30.* Falafels à partir de 450 ¥ ; set menu 1 100-1 400 ¥. Bon petit resto alternatif de quartier, avec des journaux à consulter, un panneau d'infos pour les clients, des rencontres de jeunes toujours possibles, le tout sur un joli petit jardin à l'arrière. On y confectionne de copieux falafels, préparés à la mode japonaise. Délicieuses pâtisseries, jus de fruits.

Prix moyens (de 10 000 à 15 000 ¥ / 83-125 €)

🛏 **Palace Side Hotel** ザパレスサイドホテル *(plan III, A2, 50)* : *Karasuma, Shimodachiuri-agaru.* ☎ *415-8887.* ● *palacesidehotel.co.jp* ● Ⓜ *Marutamachi* 丸太町. *Doubles à partir de 10 200 ¥ ; petit déj en sus. Réduc à partir de la 3ᵉ et de la 6ᵉ nuit.* Un hôtel de capacité moyenne (120 chambres) en face du palais impérial et proche du métro. Des chambres à l'occidentale propres et bien équipées (minidouche-w-c, clim, frigo) mais assez compassées avec leurs tissus fleuris plus vraiment riants. Vue sur les frondaisons du parc impérial (dans les étages du haut). Les petits déjeuners (copieux et variés) se prennent au rez-de-chaussée (petit resto-cafétéria). Machines à laver et cuisine à disposition. Excellent accueil.

Chic (de 15 000 à 25 000 ¥ / 125-208 €)

🛏 **Noku Kyoto** ノク京都 *(plan III, A2, 51)* : *sur Karasuma-dori, à l'angle de*

Marutamachi. ☎ *211-0222.* ● *noku roxy.com* ● Ⓜ *Marutamachi* 丸太町. *Double env 21 000 ¥, petit déj compris.* Au pied du métro, tout proche du palais impérial et du quartier central (ainsi que d'une supérette), cet hôtel moderne est idéalement situé. Chambres immaculées, spacieuses pour Kyoto et impeccablement équipées (TV, plateau de courtoisie, penderie, bureau). Design sobre rehaussé de quelques idées de déco, et accueil ultra-prévenant. Au choix, petit déj occidental au café du rez-de-chaussée ou japonais au sous-sol. Une belle adresse !

🛏 **Ryokan Yadoya Nishijinso** 宿屋西陣層 *(hors plan III par A1 et plan d'ensemble, 52) :* 458 *Nishimachi.* ● *nishijinso.com* ● Ⓜ *Imadegawa* 今出川. *Doubles 17 500-20 000 ¥ ; petit déj en sus.* Tout proche du palais impérial, un ryokan au calme, avec des chambres traditionnelles (tatami, futon, *yukata*) au rez-de-chaussée ou occidentales à l'étage, équipées de frigo, bouilloire et TV. Toilettes et salle de bains communes avec sento (attention, bien respecter les horaires d'utilisation). Le jardinet offre une agréable aération visuelle. Assez cher tout de même pour des prestations minimales...

À voir

🎎🎎🎎 *Le palais impérial (Gosho, Kyoto Imperial Palace)* 京都御所 *(plan III, A1-2) :* accès par Karasuma-dori. Ⓜ *Imadegawa* 今出川, *ligne Karasuma.* – **Horaires :** *visite libres tlj sauf lun : avr-août 9h-16h20 (dernière admission) ; mars et sept 9h-15h50 ; oct-fév 9h-15h20. Visites guidées en anglais à 10h et 14h. GRATUIT. Livret en français et application gratuite avec explications sur le palais.*

Un peu d'histoire

Le 1er palais impérial, bâti en 794, aurait été situé plus à l'ouest par rapport au site actuel. Il aurait occupé une surface rectangulaire de plus de 1 km sur 870 m de large, entre les rues Nichijo et Nijo. On ne le voit plus, car il a été détruit et reconstruit plusieurs fois. Après l'incendie de Kyoto en 1788, le site actuel de Gisho a été retenu pour établir le nouveau palais, qui brûla lui aussi en 1854. On reconstruit alors un nouveau : c'est celui que nous voyons aujourd'hui.

L'EMPEREUR DU JAPON : SYMBOLE DE LA NATION

L'empereur est le symbole de la nation. Il n'a pas le titre de chef de l'État, mais pour les Japonais il est au-dessus des partis, un monarque constitutionnel, admiré et respecté de tous. Il garantit l'intégrité et la continuité du Japon. L'empereur est toujours le chef spirituel de la religion shinto. Il bénéficie de toutes les prérogatives au même titre qu'un citoyen japonais, mais il ne peut pas comparaître devant des tribunaux.

Visite du palais impérial

Le **parc impérial** *(Kyoto Gyoen* 京都御苑*)*, le plus grand espace vert (84 ha) de la ville, offre un écrin de verdure aux différents pavillons et bâtiments formant le palais impérial. La visite se fait à pied, en suivant un parcours fléché. On admire d'abord l'**Okurumayose** 御車寄, l'entrée utilisée par les courtiers accrédités auprès de l'empereur. Le **Shodaibunoma** 諸大夫の間 leur servait de salle d'attente. Le **pavillon Shishinden** 紫宸殿, le plus important de l'ensemble, servait aux cérémonies du couronnement et abrite aujourd'hui encore les trônes impériaux (appelés *Takamikura* et *Michodai*). Construits pour le couronnement de l'empereur Taisho (1915), ils ont été utilisés pour celui de l'empereur Akihito (l'actuel empereur). Le *Seiryoden* fut la résidence de l'empereur avant que l'on construise le pavillon *Otsunegoten*, où se trouve le lit impérial. La grande cour que l'on traverse est de sable blanc. 2 espèces de bambou y poussent : le bambou *kuretake* et le *kawatake*.

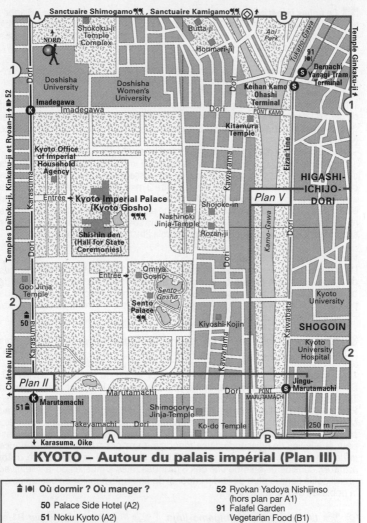

KYOTO – Autour du palais impérial (Plan III)

🛏 |◉| Où dormir ? Où manger ?		
50 Palace Side Hotel (A2)	52 Ryokan Yadoya Nishijinso (hors plan par A1)
51 Noku Kyoto (A2)	91 Falafel Garden Vegetarian Food (B1)

Le ***pavillon Kogosho*** 小御所 était le lieu où l'empereur recevait le shogun et les daimyo, qui dirigeaient le pays. Ce bâtiment est historiquement important car, en 1868, s'y déroula la conférence rétablissant le pouvoir impérial à la place du shogunat, une date cruciale qui a changé le cours de l'histoire du Japon. L'année suivante, l'empereur Mutsuhito s'installa à Edo (Tokyo) pour concrétiser sa reprise du pouvoir.

On passe ensuite devant l'*Ogakumonjo* et le ***pavillon Otsunegoten*** 御常御殿 (15 chambres), où sont conservés le sabre et le sceau impérial. Ce fut la dernière résidence de l'empereur à Kyoto avant que celui-ci ne s'installe à Tokyo. Le magnifique jardin *Oikeniwa* clôture le parcours.

፝ᨖ Le palais impérial Sento 仙洞御所 *(plan III, A2) : dans le parc du palais impérial. Ouv mar-dim. Fermé lun, 1 mar/mois et 28 déc-4 janv. Résa obligatoire (voir ci-dessous). Visites guidées en japonais, en groupes et à heure fixe (précisée au moment de la résa). Des audioguides en français sont disponibles. GRATUIT. Durée : env 1h. Interdit aux moins de 18 ans.*
– Conditions de visite du palais impérial Sento et des villas impériales Katsura et Shugakuin : *résas dans les bureaux de l'agence impériale (Imperial Household Agency ; plan III, A1), Kyoto Gyoen, 3 Kamigyo-ku.* ☎ 211-1215. ● *sankan. kunaicho.go.jp/* ● *(en anglais).* Ⓜ *Imadegawa* 今出川. *Dans le secteur nord-ouest du parc du palais impérial. Mar-dim 8h45-17h. Fermé lun et 28 déc-4 janv.* À noter que les villas impériales Katsura et Shugakuin se situent à la périphérie de Kyoto (voir plus loin).
– Attention, les visites sont interdites aux moins de 18 ans.
– On réserve de 3 façons possibles : *à l'agence impériale, au plus tard la veille du jour souhaité.* Être en possession de son passeport. Une personne peut inscrire jusqu'à 4 participants. *Sur Internet :* entre 3 mois à l'avance et jusqu'à 4 jours avant, mais le nombre de places est très limité par ce biais, et une fois l'inscription effectuée en ligne, elle est soumise à un tirage au sort. Dernière option (risquée), *se rendre sur l'un des sites le jour même.* Les tickets sont délivrés à partir de 11h (avoir son passeport), mais arriver bien avant (parfois 2h), car là encore peu de places.

Visite du palais impérial Sento
Du palais des empereurs retirés (retraités), il reste un ravissant jardin et 2 maisons de thé, qu'une visite guidée (en japonais mais audioguide en français) permet de parcourir. Une parenthèse enchantée dans un magnifique écrin végétal ! Balade poétique sur les sentiers, entre les 2 étangs reliés par un pont, et sur les îlots. Paisible et romantique.

◎ **፝ᨖ Le sanctuaire** *(shrine en anglais)* **Shimogamo-jinja** 下賀茂神社 *(hors plan III par B1 et plan d'ensemble) : Shimogamo-Hondori.* ● *shimogamo-jinja. or.jp* ● *Bus nᵒˢ 4 et 205 de la Kyoto Station, arrêt Jinja-mae* 神社前. *Tlj 5h30-18h en été, 6h30-17h en hiver (10h-16h pour le musée du Trésor). GRATUIT.* Situé au cœur d'un grand parc bordé par 2 rivières, la Kamo et son affluent la Takano Gawa, c'est l'un des plus vieux sanctuaires shinto de Kyoto. Classé au Patrimoine mondial de l'humanité de l'Unesco, il est dédié à Hono Ikatsuchi no Mikoto, dieu des Montagnes, et à son épouse la déesse des Rivières, tous deux protecteurs de la province de Yamashiro, qui entoure Kyoto. Il est connu aussi pour être le lieu de naissance d'une friandise de riz pilé à la sauce aigre-douce *(Mitarashi-dango).* Chaque année, le 15 mai, s'y déroule la grande fête d'**Aoi matsuri,** considérée comme une des 3 grandes fêtes annuelles de la ville, avec grand défilé dans le parc du jardin impérial de figurants habillés en costumes de la noblesse de l'époque Heian.

◎ **፝ᨖ Le sanctuaire Kamigamo-jinja** 上賀茂神社 *(hors plan III par B1 et plan d'ensemble) :* ● *kamigamojinja.jp* ● *à 3 km au nord-ouest du sanctuaire Shimogamo-jinja. Bus nᵒˢ 4 depuis la Kyoto Station ou 46, arrêt Kamigamo jinja-mae* 上賀茂神社前. *Tlj 5h30-17h. GRATUIT.* Situé dans le quartier de Kita-ku, Kamigamo est composé d'une immense enceinte d'environ 66 ha, qui renferme 34 sanctuaires et pavillons sacrés. Sanctuaire-associé, sorte de filiale spirituelle du sanctuaire Shimogamo, il est dédié au dieu du Tonnerre, lequel est né de l'union des divinités qui protègent le sanctuaire Shimogamo. Chaque année, le 15 mai, la procession traditionnelle de la fête d'**Aoi matsuri** (voir Shimogamo-jinja plus haut) se termine dans ce site exceptionnel. Le quartier autour du sanctuaire (Kamigamo-shake-machi) se découvre à pied au fil des rues campagnardes et des canaux bordés de maisons traditionnelles aux murs de terre battue.

LES QUARTIERS À L'EST DE KYOTO

• Les quartiers est (plan IV) *p. 336-337*

Où dormir ?

Très bon marché (moins de 6 000 ¥ / 50 €)

🏠 *Guest House Waraku-An* 和楽庵 *(plan IV, B2, 55)* : 19-2 Sannou-cho, Marutamachi-dori. ☎ 771-5575. • kyotoguesthouse.net • Bus n°s 93 et 204, du terminal de la station de train Hankyu Marutamachi 阪急丸太町, et bus n° 203 de la ligne circulaire, arrêt Kumano Jinja-mae 熊野神社前, à 50 m de Higashioji-dori, 2e impasse sur la gauche après la poste, un panneau l'indique. Résa impérative bien à l'avance. Compter 2 700 ¥/pers en dortoir ; doubles 6 500-7 560 ¥. Une de nos meilleures adresses dans cette catégorie. Petite pension discrète dans une maison japonaise, fraîchement rénovée, avec des coins et recoins, tenue par un très sympathique couple franco-japonais. Nicolas Le Bacquer est un charpentier originaire de Bretagne, et son épouse Yuki une businesswoman japonaise qui parle le français. Dortoirs de 3 lits pour les hommes et de 4 lits pour les femmes, ainsi que des doubles avec tatamis et futons. Douches et toilettes communes.

Où manger ?

Prix moyens (de 1 500 à 3 500 ¥ / 12,50-29 €)

🍴 *Restaurant Omen* おめん *(plan IV, D1, 88)* : en contrebas du temple Gingaku-ji. À côté d'un parking, à 250 m du carrefour où commence le chemin de la Philosophie (Tetsugakuno-michi). Tlj sauf jeu 11h-21h (dernière commande à 20h30). Congés : nov. Menu en anglais. Grande maison traditionnelle, avec un

Excellent accueil et plein d'infos sur les restos aux alentours. Ils proposent une autre adresse en centre-ville *(Guest House Rakuza),* tout aussi chaleureuse.

Prix moyens (de 10 000 à 15 000 ¥ / 83-125 €)

🏠 *Hôtel Traveler's Inn* 京都トラベラーズイン *(plan IV, B3, 56)* : 91 Enshoji-cho, Okazaki. ☎ 771-0225. • k-travelersinn.com • À 5 mn de marche de la station de métro Higashiyama 東山, ligne Tozai (sortie 1). De Kyoto Station, bus n°s 5 ou 57, arrêt Bijutsukan-mae. Une étape pratique pour qui veut dormir dans ce quartier à prix sages. Attention toutefois, en haute saison, les tarifs doublent et basculent dans la catégorie « Chic » de manière injustifiée. Chambres de style occidental ou japonais (un peu moins chères pour ces dernières) avec douche-w-c et grande salle de bains commune (à la japonaise, 15h-minuit). Pas d'ascenseur pour gravir les étages. Déco un peu vieillotte mais réception avenante. Fait aussi resto *(Café Green Box)* et loue des vélos.

KYOTO

long comptoir en bois derrière lequel s'active le cuisinier. Salle chaleureuse avec tatamis et quelques tables. La spécialité : les nouilles *udon* (farine de blé) ou *soba* (faites à partir de farine de sarrasin), mais la cuisine reste variée et raffinée, sans attentat au portefeuille : tempura, sushis, salades. Le *mori-soba* est le plus populaire des *soba* froids. Pour l'assaisonnement, chacun le prépare à son goût en mélangeant condiments et sésame dans le bouillon.

336 |

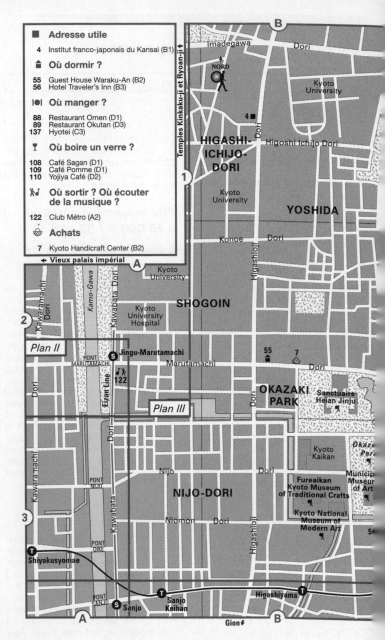

■ Adresse utile

4   Institut franco-japonais du Kansai (B1)

🏠 Où dormir ?

55 Guest House Waraku-An (B2)
56 Hotel Traveler's Inn (B3)

🍽 Où manger ?

88   Restaurant Omen (D1)
89   Restaurant Okutan (D3)
137 Hyotei (C3)

🍸 Où boire un verre ?

108 Café Sagan (D1)
109 Café Pomme (D1)
110 Yojiya Café (D2)

💃🎵 Où sortir ? Où écouter
     de la musique ?

122 Club Métro (A2)

🍡 Achats

7   Kyoto Handicraft Center (B2)

← Vieux palais impérial

Site inscrit au Patrimoine mondial de l'Unesco

Imadegawa

Dori

Shinakawa Sosui Dori

Ginkaku-ji Temple

Yoshi-yama Park

JODOJI

Shirakawa

88

108

Yoshida Jinja-Temple

Honen-in Temple

109

Munetada Jinja Temple

SHIN-NYO-DO

Dori

Anraku-ji Temple

Shinnyo-do Temple

110

Reikan-ji Temple

Chemin de la Philosophie (Tetsugakuno-michi)

Konkai Komyo-ji Temple

KONKAI-KOMYO-JI

Okazaki Betsuin

Shirakawa

Sanctuaire Otoyo

Okazaki Jinja Temple Dori

Shishigatani Dori

Marutamachi

OKAZAKI

Mangan Temple

Dori

Eikan-do Temple

Nijo

Zoo

Nomura Museum

Ozakazi Dori

89

Murin-An Garden

137

Nanzen-ji Temple

Konchi-in Temple

Tenju-an Temple

Nanzen-in Garden

Plan V

Tozai Subway Line

250 m

KYOTO

KYOTO – Les quartiers est (plan IV)

I●I *Restaurant Okutan* 奥丹 (plan IV, D3, **89**) : Shimokawara-cho. ☎ 771-8709. À 200 m au sud du musée Nomura, au niveau du jardin du temple Nanzen-ji. Bus nᵒˢ 5 ou 100 depuis la Kyoto Station ; arrêt Nanzenji 南禅寺. Tlj 11h-21h. Un des meilleurs restaurants de tofu de la ville. Situé dans un beau quartier, *Okutan* occupe une vieille maison aux murs blancs, renfermant un petit jardin intérieur, endroit charmant, paisible et poétique, où l'on mange sur des tatamis une fine cuisine. La bonne qualité de l'eau de Kyoto permet d'élaborer un tofu excellent. Les plats les plus connus sont le *yudofu* et le *dengaku*. Ce sont des assortiments de cubes de tofu légèrement grillés servis avec du *kinomemiso* (*miso* au poivre) ou du *gomamiso* (*miso* relevé au sésame).

Très chic (à partir de 15 000 ¥ / 125 €)

I●I *Hyotei* 瓢亭 (plan IV, C3, **137**) : 35 Kusakawa-cho, Nanzenji. ☎ 771-4116. ● hyotei.co.jp/en ● Juste après le Murin-An Garden. Tlj sauf jeu et 2ᵉ et 4ᵉ mar du mois 11h-19h30. Menus 23 000 ¥ (déj)-27 000 ¥ ; env 5 400 ¥ à l'annexe. Cet établissement réputé propose la cuisine *kaiseki* depuis plus de 400 ans. Une institution dans un cadre raffiné et serein, avec petits bassins d'eau, ponts et jardins, et service aux petits soins. Prix élevés à la hauteur de la découverte gastronomique. Tenue correcte de rigueur. L'annexe à prix plus raisonnables donne déjà un bel aperçu de la cuisine *kaiseki*.

Où boire un verre (et grignoter) sur le chemin de la Philosophie ?

🍸 *Café Sagan* 再願 (plan IV, D1, **108**) : sur le côté droit du canal, en bordure de la promenade piétonne. Tlj sauf jeu 8h-21h. Jus de fruits, thé, café, sandwichs et table en terrasse pour faire une pause dans ce coin ravissant.

🍸 *Café Pomme* (plan IV, D1, **109**) : 200 m après le Café Sagan, sur le côté droit du chemin au niveau du temple Honen-in. Tlj sauf mer et 2ᵉ et 3ᵉ jeu du mois 12h-20h. Une pomme rouge est l'emblème de ce petit café où l'on sert à boire (thé à la pomme) et à manger (sandwichs, cakes et gâteaux maison) sur des tables miniatures. Très sympathiques propriétaires.

🍸 *Yojiya Café* ようじや (plan IV, D2, **110**) : sur le côté gauche du chemin en venant du temple Ginkaku-ji. Tlj 10h-18h. « Ô temps suspends ton vol... » On s'approprie volontiers les vers de Lamartine, assis sur les tatamis de la jolie maison, face aux baies vitrées donnant sur le magnifique jardin zen : arbustes, pont japonais, rochers. Un cadre enchanteur et verdoyant pour déconnecter le temps d'un goûter.

Où sortir ? Où écouter de la musique ?

♪ 🕺 *Club Métro* 京都クラブメトロ (plan IV, A2, et plan II, D1, **122**) : sur Kawabata, à l'angle de Marutamachi. ☎ 752-4765. ● metro.ne.jp ● Ⓜ Marutamachi 丸太町 (sortie 2). Accès par la bouche de métro (sous-sol). Demander, c'est facile à trouver, en fait presque à l'angle, mais sur l'av. Kawabata. Entrée : 2 000-3 000 ¥, 1 boisson incluse. Tous les jeunes connaissent cette boîte réputée pour ses concerts et ses soirées techno, house, *break-beats, hybrid sound*, mais il peut y avoir aussi de la musique latino de temps en temps. Ambiance électrique mais pas destroy ou mal famée : on y croise de jeunes branchés japonais toujours corrects et courtois, même dans l'excentricité ! Programme complet sur leur site.

À voir

◉ 🍴🍴 *Le temple Ginkaku-ji* 銀閣寺 *(pavillon d'Argent ; plan IV, D1) :* rue Shishigatani. ☎ 771-5725. ● shokoku-ji.jp ● Bus n° 5 depuis Kyoto Station ; durée : 35 mn. Depuis Gion, bus nos 100 ou 203 ; durée : 20 mn. Pour ts ces bus, descendre à l'arrêt Ginkakuji-mae 銀閣寺前, puis marcher 5 mn jusqu'au temple. Tlj 8h30-17h (9h-16h30 de déc à mi-mars). Entrée : 500 ¥ ; réduc.

Appelé aussi Jiho-ji 慈照寺 (son nom officiel) mais à ne pas confondre avec l'autre temple Kinkaku-ji, surnommé lui le « pavillon d'Or ». Ce temple et ce site, classés au Patrimoine mondial de l'Unesco, font partie des endroits emblématiques de Kyoto. À l'origine, ce fut la résidence du shogun Ashikaga Yoshimasa (1435-1490), qui fit élever en 1489 une villa à la campagne sur le modèle du Kinkaku-ji, lui aussi pavillon à 2 étages de plan carré. De la même manière que là-bas, il s'installa au pied des collines de l'est de Kyoto. Peut-on imaginer un site plus enchanteur ? À sa mort, la résidence fut convertie en temple zen.

Il s'appelle pavillon d'Argent mais il ne fut jamais recouvert de feuilles d'argent, contrairement au projet initial. Son aspect est donc moins luxueux que le Kinkaku-ji (pavillon d'Or), même si les structures de bois sont couvertes de laque. Après l'entrée, le Kannonden est bordé d'un jardin sec comportant une sorte de petit cône de gravier (Kogetsudai), qui évoque la forme d'un volcan (le mont Fuji ?), auprès d'une autre formation en gravier (Ginsanden), représentant la mer d'argent. Tous les deux doivent refléter l'éclat lunaire les soirs de pleine lune. Si vous pouvez faire l'essai, cela nous intéresse de savoir si ça marche.

Au nord du pavillon central, on remarque le *Hon-do* (XVIIᵉ s) et le *Tokyu-do* (1487), sorte de chapelle privée *(accès sur résa 500 ¥),* qui abrite une statue en bois d'Ashikaga Yoshimasa et 2 statues (du Bouddha et de Kannon). Se promener dans le jardin est un régal, surtout au printemps et à l'automne. La maison de thé *(Shashitsu)* qui s'y cache serait une des plus anciennes du pays. Des petites allées réservées aux promeneurs suivent le flanc de la colline boisée, d'où l'on a à chaque tournant une vue panoramique sur le nord de Kyoto. Observer les superbes parterres de mousse et les quelques bassins où les visiteurs jettent des pièces pour la réalisation de leurs vœux.

🍴🍴 *Le chemin de la Philosophie (Tetsugakuno-michi)* 哲学の道 *(plan IV, D1-2) :* une promenade enchanteresse (bien indiquée) longée par un canal sur 2 km, qui commence au sud du temple Gingaku-ji et se termine au sanctuaire Nyakuo-ji, au pied des collines sud de Higashiyama. Elle a été ainsi nommée en souvenir du philosophe japonais Nishida Kitaro, qui aimait y flâner pour méditer. Comme partout dans les jardins de Kyoto, la meilleure époque pour s'y promener est l'automne ou le printemps au moment de la floraison des cerisiers. En venant de Gingaku-ji, à votre gauche, plusieurs petits sanctuaires (gratuits) méritent un arrêt, comme *Otoyo Shrine* et ses statues de souris souvent décorées de fleurs, et le *Honen-in.*

🍴🍴 *Le temple Honen-in* 法然院 *(plan IV, D1) :* 30 Goshonodan-cho, Shishigatani. Fermé au public sauf le jardin (GRATUIT), qui ouvre ses portes au printemps et à l'automne. C'est le 1ᵉʳ temple à gauche du canal que l'on rencontre sur le chemin de la Philosophie. Fondé en 1681 par le 38ᵉ abbé de Chion-In, sur le site même du temple où Honen (1133-1212) avait vécu et fondé la secte bouddhiste Jodo. L'allée qui mène au temple est bordée d'érables et le jardin, au milieu de la forêt, est réputé pour ses camélias. Très calme et serein. On y trouve aussi la tombe de l'écrivain Tanizaki Junichiro (1886-1965), un des plus grands auteurs japonais du XXᵉ s.

🍴 *Le temple Shinnyo-do* 真如堂 *(plan IV, C2) :* Shirakaya-dori. Bus n° 5 depuis la Kyoto Station ; arrêt Shinnyo-do mae 真如堂前. Tlj sauf w-e 9h-16h. Entrée : 500 ¥ pour le pavillon principal et le jardin. Construit en 984 pour accueillir la statue sacrée du Bouddha Amida Nyorai, provenant du mont Hiei, qui domine la ville de Kyoto.

KYOTO

🎎🎐 Le temple Eikan-do 永観堂 *(plan IV, D3) :* ☎ 761-0007. ● *eikando.or.jp* ● *Bus n°s 5 ou 100 depuis la Kyoto Station ; arrêt Nanzenji* 南禅寺 *ou Eikando-michi* 永観堂道. *Tlj 9h-17h (16h en hiver). Entrée : 600 ¥ ; 1 000 ¥ en nov, pour admirer les érables aux couleurs de l'automne.* Autrefois appelé temple Zenrin-ji, il fut fondé par un disciple de Kobo Daishi et reconstruit au XVe s. C'est surtout pour son jardin que l'on vient à l'Eikan-do. Étendu sur les pentes du mont Daimonji (466 m), il sert de cadre naturel pour la grande fête annuelle du Bon (le 16 août). Des feux sont allumés sur la colline et dessinent alors le caractère japonais « Dai » (Grand). À l'arrière, une pagode permet d'avoir une large vue sur la ville.

🎎🎐 Le temple Nanzen-ji 南禅寺 *(plan IV, D3) :* ● *nanzenji.com* ● *Bus n° 5 depuis Sanjo-Kawaramachi ; arrêt Nanzenji-Eikando-michi* 南禅寺永観堂道 *ou station Keage* 蹴上 *(ligne Tozai). Tlj 8h40-17h (16h30 déc-fév) pour le pavillon Hojo et la porte Sanmon. Entrée : 500 ¥ pour le jardin Hojo ; accès payant pour les différents temples, mais balade gratuite autour des pavillons.* Fondé autour de 1264 grâce à une donation de l'empereur Kameyama, qui se passionna tant pour la philosophie zen qu'il transforma sa demeure aristocratique en temple (1291). Plusieurs fois reconstruit suite aux incendies, le complexe de temples de Nanzen (c'est un grand monastère) renferme des pavillons datant pour les plus anciens du XVIIe s. La porte principale *(San-mon),* au plafond peint, est magnifique de gigantisme. Cadre bucolique. Le jardin du « Tigre bondissant » est un bel exemple de jardin sec zen. Autour du Nanzen-ji, de nombreux jardins verdoyants appartenant à des maisons privées sont visibles de l'extérieur et rendent la balade très agréable. Accès payant au **Ten-juan Garden** 天授庵 *(plan IV, C3 ; 500 ¥),* un jardin confidentiel, moussu et qui ravit par l'équilibre de ses proportions. Un chemin de pierres sépare l'étang en deux.

🎐 Le parc Okazaki 岡崎公園 *(plan IV, B2-3) :* vaste parc avec des massifs de cerisiers et d'érables, à découvrir dans la 2de quinzaine d'avril.

🎐 Le sanctuaire shinto Heian Jingu 平安神宮 *(plan IV, B2) :* au nord de l'enceinte du parc Okazaki. Ⓜ *Higashiyama* 東山 *(Tozai Line), bus n°s 32 et 206. Tlj 6h-18h pour le sanctuaire. Jardins : 1er-14 mars et oct, 8h30-17h ; 15 mars-sept 8h30-17h30 ; nov-fév 8h30-16h30. Entrée libre, sauf pour le jardin Shin : 600 ¥.* Construit en 1895 pour fêter les 1 100 ans de la fondation de la ville de Kyoto, c'est une reproduction au 5/8 du palais impérial des origines (qui fut détruit), c'est-à-dire du 1er palais de 794. Le jardin est très prisé pour ses iris (floraison en mars), ses érables et ses cerisiers.

🎐 Fureaikan (Kyoto Museum of Traditional Crafts) ふれあい館 *(plan IV, B3) :* entrée sur Nijo-dori, face au théâtre. ☎ 762-2670. ● *kmtc.jp/en/* ● Ⓜ *Higashiyama ou bus n°s 5 ou 100, arrêt Okazaki Koen Bijutsukan/Heian Jingu-mae. Salle d'exposition au sous-sol. Tlj 9h-17h (dernière entrée 16h30). GRATUIT. Fiche explicative en français.* Récemment aménagé, ce musée lumineux fait un tour d'horizon de l'artisanat kyotoïte, dont on a ici un large éventail. L'occasion de survoler les différents savoir-faire propres à la ville, représentés par des objets emblématiques : travail du bambou et de la pierre, broderies, parapluies japonais en papier et bambou *(wasaga),* éventails, poupées impériales, boîtes à thé... Présentation aérée dans une immense salle moderne donnant sur un jardin intérieur. Boutique et librairie bien fournies, avec de jolis souvenirs de qualité (détaxe à partir de 5 000 ¥).

🎐 Le musée national d'Art moderne de Kyoto (Momak) 京都国立近代美術館 *(plan IV, B3) :* Okazaki, Enshoji-cho. ☎ 761-4111. ● *momak.go.jp* ● Ⓜ *Higashiyama, ligne Tozai. Tlj sauf lun 9h30-17h (20h ven-sam, 21h ven-sam juil-oct). Entrée : 430 ¥ ; réduc étudiants ; réduc ven-sam après 17h.* Grand bâtiment moderne des années 1960, dans le parc Okazaki, près de l'énorme torii rouge qui en marque l'entrée par le sud. En plus des expositions temporaires, fonds permanent de 10 000 œuvres exposées par roulement. Une collection riche de quelques toiles célèbres, mais pas toujours exposées : Mondrian, Picasso, Matisse, pour ne citer que des artistes occidentaux. Également des dessins, céramiques japonaises et sculptures. Au dernier étage, une baie vitrée permet d'admirer la vue sur la place et la montagne Higashiyama.

🚶 *Le musée municipal d'Art de Kyoto* 京都市美術館 *(plan IV, B3) :* parc Okazaki. ☎ 771-4107. Tlj sauf lun 9h-17h (dernière entrée 16h30). Entrée : variable selon expos. *En rénovation jusqu'à début 2019.* Construit en 1928, ce grand bâtiment moderne juste en face du précédent abrite des collections d'art moderne et sert de lieu d'expositions temporaires.

LES QUARTIERS DE GION 祇園
ET DE HIGASHIYAMA 東山

● Gion, Higashiyama-ku (plan V) *p. 342-343*

KYOTO

À l'est de la rivière Kamo, ces quartiers légèrement à l'écart du centre commercial constituent le cœur touristique de la ville. C'est là que vous sentirez battre le pouls de Kyoto, dans les méandres des ruelles jalonnées de maisons traditionnelles en bois. Dévolu aux geishas et aux *maiko* autrefois très nombreuses, Gion est l'un des plus anciens quartiers. Dans ses rues bordées de maisons basses et de boutiques qui grimpent vers le temple Kiyomizu-dera dans le quartier d'Higashiyama, on touche au plus près l'âme de la ville. Si vous voulez vous imprégner du Kyoto d'antan, c'est de ce côté-là qu'il faut porter vos pas, sans attendre.

Où dormir ?

Très bon marché
(moins de 6 000 ¥ / 50 €)

🏠 *Gojo Guest House* 五条ゲストハウ ス *(plan V, A3, 58) :* 3-396-2 Gojobashi-higashi. ☎ 525-2299. ● gojo-guest-house.com ● En venant du pont Gojo, sur Gojo-dori, prendre le côté gauche ; c'est après la 5ᵉ intersection, juste avt une grande passerelle qui enjambe l'avenue. Station Gojo (Eizan Line) à 5 mn. De la Kyoto Station, bus nᵒˢ 100 ou 206 jusqu'à Gojozaka. Résa conseillée. Nuitée 2 000-3 700 ¥/pers en dortoir ; doubles 5 500-8 250 ¥. Modeste pension dans une maison centenaire. On entre côté rue dans une cafétéria chaleureuse. Les 3 chambres privées se trouvent à l'arrière et donnent sur un couloir, tandis que les dortoirs non mixtes (6 personnes) sont côté avenue (passante). Salle de bains commune. Location de vélos, laverie, micro-ondes et clim. Autre avantage : son emplacement. On est à 10 mn du temple Kiyomizu. Également 2 chambres dans une annexe, *Gojo Annex (plan V, B2,*

59) située dans une vieille maison au calme, à 500 m.

🏠 *Gion Ryokan Q-beh* 祇園旅館 休 兵衛 *(plan V, B2, 60) :* 505-3 Washio-cho, Higashiyama-ku. ☎ 541-7771. ● booking@q-beh.com ● Dans la ruelle qui monte en face de l'hôtel Maifukan. Lits en dortoir (8-10 pers) 2 500-3 500 ¥ ; doubles 9 000-10 000 ¥. Entre le ryokan et l'auberge de jeunesse, version cosy. Pas plus d'une dizaine de chambres avec ou sans salles de bains, futons et *shojis*. On a été sensibles à l'effort de déco, aux jolies vasques bleues en céramique et à l'accueil adorable. Dortoirs assez compacts avec *noren* (rideaux fendus) devant les lits. Cuisine à disposition et ensemble nickel. Un excellent point de chute au cœur du quartier de Gion.

🏠 *Bakpak Kyoto Hostel* 京都バック パックホステル *(plan V, A2, 57) :* 1-234 Miyagawa Suji. ☎ 525-1433. ● kyoto hostel.net ● Du pont de Shijo, marcher 5 mn sur Kawabata le long de la rivière Kamo. Réception ouv 9h-18h (prévenir en cas d'arrivée hors créneau). Nuitée en dortoir 2 300 ¥/pers ; doubles

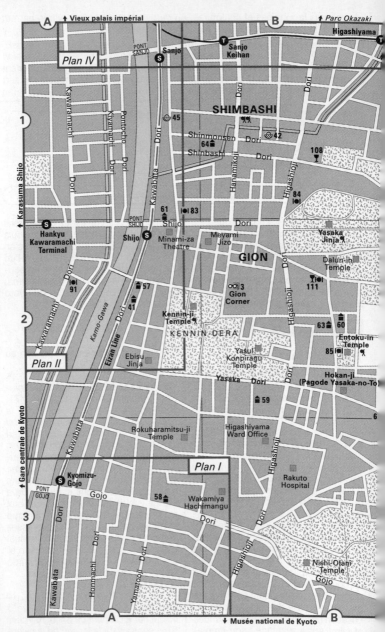

KYOTO

↑ Vieux palais impérial

Plan IV

A

↑ Parc Okazaki

Higashiyama

B

Sanjo
Keihan

T

PONT SANJO

Sanjo

S

SHIMBASHI

Kawaramachi Dori

Kiyamachi Dori

Pontocho Dori

1

↑ Karasuma Shijo

45

Shinmonsen Dori

42

64

Shinbashi Dori

108

Hanamikoji

Kawabata Dori

84

61

83

PONT SHIJO

Shijo

Hankyu
Kawaramachi
Terminal

S

Shijo

S

Minami-za
Theatre

Meyami
Jizo

Dori

Yasaka
Jinja

GION

Dalun-in
Temple

111

91

57

Kamo-Gawa

Eizan Line

41

Gion
Corner

3

Kennin-ji
Temple

KENNIN-DERA

Higashioji

63

60

Entoku-in
Temple

85

2

Ebisu
Jinja

Yasui
Konpiragu
Temple

Yasaka Dori

Hokan-ji
(Pagode Yasaka-no-To)

Plan II

59

6

↑ Gare centrale de Kyoto

Kawabata

Rokuharamitsu-ji
Temple

Higashiyama
Ward Office

Higashioji

Rakuto
Hospital

Plan I

Kyomizu-
Gojo

S

PONT GOJO

Gojo

58

Wakamiya
Hachimangu

Dori

3

Dori

Honmachi

Yamato

Dori

Nishi-Otani
Temple

Gojo

A

↓ Musée national de Kyoto

B

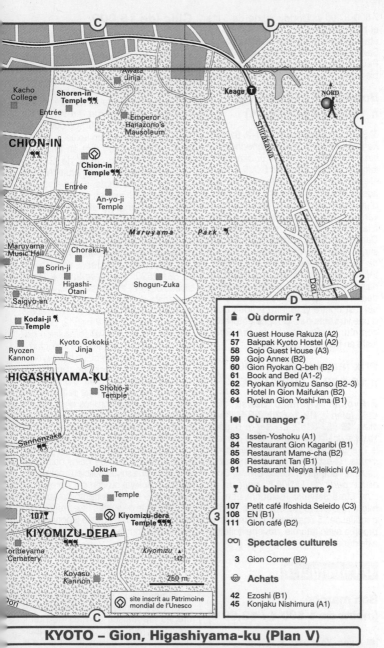

Kacho College

Shoren-in Temple 🎭🎭

Entrée

Awata Jinja

Keage T

NORD

Shirakawa

CHION-IN 🎭🎭

Emperor Hanazono's Mausoleum

Chion-in Temple 🎭🎭

Entrée

An-yo-ji Temple

Maruyama Park 🎭

Maruyama Music Hall

Choraku-ji

Sorin-ji

Higashi-Otani

Shogun-Zuka

Dori

Saigyo-an

Kodai-ji Temple 🎭

Kyoto Gokoku Jinja

Ryozen Kannon

HIGASHIYAMA-KU

Shoho-ji Temple

Sannenzaka 🎭🎭

Joku-in

Temple

107 ♟

Kiyomizu-dera Temple 🎭🎭🎭

KIYOMIZU-DERA 🎭🎭🎭

Toribeyama Cemetery

Koyasu Kannon

Kiyomizu ▲ 142

250 m

🏯 site inscrit au Patrimoine mondial de l'Unesco

KYOTO

🛏 Où dormir ?

41 Guest House Rakuza (A2)
57 Bakpak Kyoto Hostel (A2)
58 Gojo Guest House (A3)
59 Gojo Annex (B2)
60 Gion Ryokan Q-beh (B2)
61 Book and Bed (A1-2)
62 Ryokan Kiyomizu Sanso (B2-3)
63 Hotel In Gion Maifukan (B2)
64 Ryokan Gion Yoshi-Ima (B1)

🍴 Où manger ?

83 Issen-Yoshoku (A1)
84 Restaurant Gion Kagaribi (B1)
85 Restaurant Mame-cha (B2)
86 Restaurant Tan (B1)
91 Restaurant Negiya Heikichi (A2)

🍸 Où boire un verre ?

107 Petit café Ifoshida Seieido (C3)
108 EN (B1)
111 Gion café (B2)

∞ Spectacles culturels

3 Gion Corner (B2)

🛍 Achats

42 Ezoshi (B1)
45 Konjaku Nishimura (A1)

KYOTO – Gion, Higashiyama-ku (Plan V)

7 000-8 000 ¥. Dortoir mixte de 8 lits et chambres privées, répartis dans les étages de ce petit immeuble moderne. Salle de douche et toilettes sur le palier. Petite cuisine à disposition. Ensemble bien tenu.

Bon marché (de 6 000 à 10 000 ¥ / 50-83 €)

⏏ *Book and Bed* (plan V, A1-2, **61**) : 9F, Kamagowa Bldg, 200 Nakanocho-Nishiru, Higashiyama-ku. ● bookandbed tokyo.com/en/kyoto ● Lit 5 000 ¥. Résa et paiement sur leur site internet. Un hostel-bibliothèque perché au 9e niveau d'un immeuble, voilà le concept innovant de cette récente adresse dédiée à la lecture, dans de belles conditions. Depuis les baies vitrées, superbe vue sur la ville et les montagnes. Au centre de ce dortoir peu commun, la bibliothèque de plus de 5 000 livres (en japonais et en anglais) et des lits encastrés derrière les rayonnages ! L'un d'entre eux est contre la fenêtre et jouit donc d'une vue hors pair. Douche et toilettes communes. Petit resto *In the Soup* juste en face, ouvert le soir.

Prix moyens (de 10 000 à 15 000 ¥ / 83-125 €)

⏏ *Ryokan Kiyomizu Sanso* 清水山荘 (plan V, B2-3, **62**) : 3-341 Kiyomizu. ☎ 551-3152. Laisser la pagode Yasaka-no-To sur la gauche et prendre la rue piétonne et commerçante qui monte. C'est 200 m plus loin, sur la gauche, face au magasin Biwan. Doubles à partir de 11 000 ¥ ; petit déj en sus. Mme Setsuko Iwabuchi tient sa mignonne petite maison avec soin et gentillesse. 5 chambres modestes et propres avec tatamis, douche-toilettes à l'extérieur.

Chic (de 15 000 à 25 000 ¥ / 125-208 €)

⏏ *Hotel In Gion Maifukan* 舞風館 (plan V, B2, **63**) : 440 Kamibentencho, Higashiyama-ku. ☎ 561-3181. ● maifu kan.com ● En face d'un parking et à env 300 m de l'entrée du sanctuaire Yasaka (sur la droite de la rue, en venant de Yasaka). Doubles 20 000-36 000 ¥. Ce n'est ni un *ryokan* ni un luxueux palace, mais un hôtel charmant en brique et béton, en plein quartier de Gion (à l'écart de l'agitation et du bruit). Accueil avec quelques mots d'anglais. Une vingtaine de chambres occidentales ou japonaises, propres et fonctionnelles (douche-w-c, clim, frigo, bouilloire). Location de vélos, massages. Petit déj en sus, servi au rez-de-chaussée.

⏏ *Ryokan Gion Yoshi-Ima* 吉今 (plan V, B1, **64**) : Shinmonzen, Yamato-oji. ☎ 561-2620. ● yoshi-ima.net ● De la station Shijo 四条駅 (Eizan Line), prendre Kawabata-dori vers le nord, jusqu'à une placette, puis la 3e ruelle à droite après le canal. Env 40 000 ¥ pour 2, petit déj et dîner inclus ; prix variables selon saison. À deux pas de l'animation nocturne mais à l'écart de celle-ci, un hôtel-*ryokan* de charme dans l'ancienne demeure du noble Shimizu, au cœur d'un quartier préservé, traversé par des petits canaux et par des ruelles bordées d'antiquaires et d'anciennes maisons de *maiko* et de geishas. Chambres élégantes et très agréables, de style japonais avec portes coulissantes, tatamis, futons, *yukata*, table basse et salle de bains commune ou privée. Vue sur un délicieux petit jardin (de style Sukiya) où l'on peut prendre le thé dans la maisonnette nommée Benitei. Les petits déjeuners et les repas (uniquement de la fine cuisine japonaise traditionnelle) sont servis dans la chambre.

Où manger ?

Bon marché (moins de 1 500 ¥ / 12,50 €)

|●| *Issen-Yoshoku* 壹銭洋食 (plan V, A1, **83**) : Yamato-dori. ☎ 533-0001. Tlj 11h-minuit. Une adresse populaire et sympathique pour dévorer sur le pouce les fameux *okonomiyaki*, ces crêpes japonaises garnies de bœuf, crevettes, oignons, œuf. Pour quelques centaines de yens (paiement à la commande), on tient là un plat unique, économique et alléchant, à voir cuir sur

les plaques fumantes. Salle gentiment kitsch, encombrée de maquettes et de tableaux en relief.

Prix moyens (de 1 500 à 3 500 ¥ / 12,50-29 €)

I●I *Restaurant Gion Kagaribi* かがり 火 *(plan V, B1, 84)* : *Machi Kitagawa, Maruyamakoen Nai.* ☎ 541-0002. *En bordure du jardin du sanctuaire Yasaka ; le resto est dans le virage sur la gauche en retrait d'un petit parking et d'une cour en gravillons, ombragée. Tlj midi et soir (dernière commande à 20h). Résa recommandée. Menu en français.* Grandes salles avec tatamis et tables basses, ouvrant par des portes coulissantes sur un agréable jardin fleuri au printemps. Spécialisé dans les plats végétariens. Tofu (accommodé de différentes manières), tempura de légumes. Quelques menus non végétariens comme le *sukiyaki*. Bonne adresse à prix sages et bien située. Encore un régal !

Chic (de 3 500 à 6 500 ¥ / 29-54 €)

I●I *Restaurant Mame-cha* 豆ちゃ *(plan V, B2, 85)* : *463-16 Shimokawaracho, Shimokawara-dori, Yasakatoriimae, Sagaru.* ☎ 532-2788. *Dans un dédale de ruelles entre la pagode et le sanctuaire Yasaka. Depuis celui-ci, prendre vers le sud Shimo Kawara Dori, puis prendre la ruelle à gauche sous une lanterne ; au bout, à droite dans la ruelle pavée, le resto se trouve tt de suite sur la droite. Mais se faire aider peut être une bonne idée aussi ! Lun-sam 17h-23h, dim 17h-22h30 (dernière commande 1h avt fermeture). Résa indispensable.* Salles privées sur tatamis et tabourets autour du comptoir en U où l'on peut voir les cuisiniers à l'œuvre. Choix de plusieurs sets (menus) de cuisine dite familiale mais plutôt raffinée. Service attentif et anglais élémentaire.

I●I *Restaurant Tan* 丹 *(plan V, B1, 86)* : *au bord de la rivière Shirakawa, sur la droite juste avt d'arriver sur Sanjo-dori.* ☎ 533-7744. *Tlj sauf lun 8h-10h, 12h-14h30, 18h-22h. Menus à partir de 3 000 ¥ au déj, env 5 000 ¥ le soir. CB refusées.* À travers la baie vitrée, on aperçoit la table d'hôtes en bois, devant la cuisine ouverte, comme posée au pied du canal. Pas de carte, le menu est unique une fois que l'on a tranché entre viande et poisson. La suite est un enchaînement de saveurs subtiles : une succession de petits plats qui arrivent comme autant de surprises ! Discrètement, le chef s'active pendant que ses convives se régalent. Avec nos voisins, on est sur la même longueur d'ondes, on affiche les mines réjouies des jours heureux. Pour le café, on passe au salon, à l'étage.

Où boire un verre ?

♈ *Petit café Ifoshida Seieido* 吉田清栄 堂 *(plan V, C3, 107)* : *au pied du temple Kiyomizu-dera. C'est le 1er commerce à droite avt l'entrée dans l'enceinte du temple, dans la ruelle piétonne bordée de magasins de souvenirs.* Il n'y a pas beaucoup de lieux pour se poser dans le coin, contrairement aux apparences. En voilà donc un tout indiqué avant ou après la visite de cet étonnant temple. À l'extérieur, un lampion rouge indique cette boutique de souvenirs qui cache un petit café à l'arrière (avec un jardinet). ♈I●I *Gion Café* 祇園カフェ *(plan V, B2, 111)* : *484, Kiyoi-cho, Higashiyama-ku.* ☎ 744-6997. *Tlj 10h-22h.* Sur les pentes de Gion, un café au calme, avec une salle lumineuse donnant sur un jardin d'hiver. Miroirs, poutres, un cachet qui nous est familier. L'adresse est tenue par un Français, mais on y boit des bières et des sakés bien locaux. Également un plat du jour à prix raisonnable.

Cérémonie du thé

♈ *EN (plan V, B1, 108)* : *272 Matsubaracho, Higashiyama-ku.* ☎ 3782-2706. ● teaceremonyen.com ● *Tlj 14h-19h. Résa recommandée. Compter 2 500 ¥/ pers pour 45 mn. Possibilité de séance privée (4 500 ¥). CB refusées.* Une adresse agréable pour vivre l'authentique cérémonie du thé.

KYOTO

À voir

KYOTO

🏃 *Le temple Kennin-ji* 建仁寺 *(plan V, A2) :* ● kenninji.jp ● *Accès au sud par Yasaka-dori, ou au nord par la rue du Gion Corner (200 m à l'est). Bus n° 206 depuis la Kyoto Station, arrêt Higashiyama-Yasui* 東山安井. *Tlj 10h-17h (16h30 nov-fév). Entrée : 500 ¥. Dépliant en français.* Un des plus vieux temples zen de Kyoto, au sein d'une enceinte qui compte une quinzaine de pavillons sacrés et de sanctuaires de style chinois éparpillés dans la verdure. Construit en 1202 par le bonze-prêtre Eisai, celui qui a introduit le thé au Japon, c'est le temple principal de la branche bouddhiste Rinzai. Il abrite un chef-d'œuvre, un paravent doré à l'or fin représentant les dieux du Vent et du Tonnerre, réalisé par Tawaraya Sotatsu. Dans le *Hattô*, remarquez les 2 dragons peints au plafond en 2002. Visite du jardin sec de style « Karesansui » et du jardin du thé du Ryusoku-in.

🏃 *Le sanctuaire Yasaka Jinja* 八坂神社 *(plan V, B2) : à 600 m à l'est de la station Shijo (Keihan Line). Bus n°s 100 et 206 depuis la Kyoto Station. GRATUIT.* Un grand torii de pierre peint en vermillon marque l'entrée de l'enceinte quand on vient de Shijo-dori. On n'est pas certain de l'origine de ce sanctuaire shinto, mais on sait qu'il a été reconstruit en 1654. Les croyants viennent y implorer les divinités contre les maladies. À voir pendant le festival de Gion en juillet.

🏃🏃 *Le petit quartier de Shimbashi* 新橋 *(plan V, B1) : à 5 mn à pied de Shijo-dori.* En venant de la rivière Kamo (et du pont), suivre le trottoir de gauche de Shijo-dori, prendre la 1re rue à gauche bordée d'immeubles abritant des dizaines de bars à hôtesses signalés par des enseignes. Continuer tt droit, laisser 2 rues à droite, passer le petit canal ombragé par des cerisiers et des saules, puis prendre la 1re rue à droite après celui-ci : elle s'appelle Shinmonsen et communique avec la rue parallèle Shimbashi. C'est tout petit, mais c'est un coin intact, encore préservé. On remonte dans le temps et on se retrouve dans un décor d'avant l'ère Meiji, avec de nombreuses maisons de thé où naguère (et aujourd'hui encore) vivaient et travaillaient les élégantes *geiko* (on dit « geishas » à Kyoto) et les jolies *maiko* (les apprenties geishas). Ceux qui ont lu le roman *Geisha* et/ou vu le film du même nom y retrouveront avec un peu d'imagination le décor charmant et l'univers si particulier du Kyoto d'autrefois.

⊗ 🏃🏃 *Le temple Chion-in* 知恩院 *(plan V, C1) :* ● chion-in.or.jp ● *À 500 m au nord-est du Yasaka Jinja.* Ⓜ *Higashiyama* 東山, *puis 15 mn de marche. Depuis Kyoto Station, bus n° 206, arrêt Chion-mae* 地恩前. *Tlj 9h-16h30 (dernière entrée 15h50). GRATUIT. Attention,* **le temple est en travaux jusqu'en 2019 mais toujours visitable.**
Classé au Patrimoine mondial de l'Unesco, c'est un des temples les plus importants de Kyoto, siège de la secte bouddhiste Jodo (qui possède environ 7 000 temples au Japon). Construit en 1234 par le prêtre Genchi, autour du mausolée de Honen Shonin, près du site où ce dernier avait son ermitage, le temple a été ravagé par des incendies au cours de son histoire et plusieurs fois reconstruit. Les bâtiments actuels datent du XVIIe s. Jusqu'à l'ère Meiji (milieu du XIXe s), le supérieur de ce temple était un membre de la famille impériale. L'accès au temple se fait par des escaliers qui mènent à la *porte San-mon*, construite en 1621 et surmontée d'un étage. Haute de 24 m, large de 50 m, elle serait un des plus parfaits exemples de porte de temple au Japon. Il faut à nouveau grimper des escaliers pour accéder aux temples.
– Le Mie-do 御émde堂 *:* l'immense temple en bois est recouvert d'une charpente métallique pendant la durée des travaux. Dédié à Honen Shonin, il est situé au centre de la grande enceinte intérieure qui peut contenir des milliers de fervents.

– *Le Seishi-do* 勢至堂 *:* derrière le temple Mie-do, sur la pente de la colline à droite. Classé Trésor national, ce sobre bâtiment reconstruit en 1530 abrite une statue de Bodhisattva Seishi, duquel le jeune Honen tira le nom qu'il portait dans son enfance, c'est-à-dire « Seishi-maru ».

– *Le mausolée de Honen* 法然上人の御堂 *:* élégant petit pavillon de style Hogyo, abritant les cendres de Honen Shonin. Bénéficie de l'environnement calme et verdoyant du jardin Santei.

– *Le jardin Hojo* 方丈庭園 *:* entrée 400 ¥, billet combiné avec le jardin Yuzen 500 ¥. À l'arrière du grand temple principal, un sentier en fait le tour. Ce jardin fut dessiné par le moine bouddhiste Gyokuen en 1641.

– *Le jardin Yuzen* 友禅苑 *:* entrée 300 ¥. Au sud de l'enceinte, c'est un jardin moderne, proche de la porte San-mon, irrigué par des bassins, planté de buissons taillés, et aménagé avec de petits jardins secs de pierre. On y trouve 2 petites maisons de thé nommées *Karokuan* et *Hakujuan*.

Le temple Shoren-in 青蓮院 *(plan V, C1) :* ● shorenin.com ● *Station Higashiyama* 東山 *(Tozai line), à 300 m au nord du temple Chion-in, accessible par une route ombragée. Tlj 9h-17h. Entrée : 500 ¥ ; réduc. Visites nocturnes possibles (18h-22h ; 800 ¥), consulter les dates sur le site internet.* Plus petit, plus intime que le Chion-in, le Shoren-in fait partie des 5 temples Monzeki de Kyoto, rattaché à la branche bouddhiste Tendai dont la maison mère est le temple Enryaku sur le mont Hiei. La direction en est assurée depuis l'origine par des membres de la famille impériale. Parmi les trésors nationaux du Japon, signalons ici les peintures du Cetaka Bleu, divinité ésotérique du bouddhisme japonais. Voir les belles chambres intérieures dépouillées dans le style religieux japonais. L'adorable jardin adossé à une pente du mont Awata aurait été dessiné par So-ami pendant la période Muromachi : bassins, cascades, rochers, massifs d'azalées, pins et érables.

Le parc Maruyama 円山公園 *(plan V, C-D1-2) : accès par les bus n°s 206 ou 100 depuis la Kyoto Station, arrêt Gion* 祇園*. GRATUIT.* Établi sur les pentes du mont Higashi Yama, entre le sanctuaire Yasaka et le temple Chion-in, ce parc de 9 à 10 ha est un des endroits préférés des habitants de Kyoto au moment de la floraison des cerisiers (fin avril). Une merveille ! Parmi ces beaux arbres, un grand cerisier au centre du jardin détonne par sa taille et sa forme qui fait penser à un saule pleureur. Il est illuminé la nuit.

Le temple Kiyomizu-dera 清水寺 *(plan V, C3) :* ● kiyomizudera.or.jp ● *Bus n°s 100 ou 206 de la Kyoto Station, arrêt Kiyomizu-michi* 清水道 *ou Gojo-zaka* 五条坂*. Pour y accéder, 10 mn de marche dans une rue piétonne, bordée de nombreuses boutiques. En travaux jusqu'en mars 2020. En principe, tlj 6h-18h30 (18h en hiver). Visites nocturnes possibles (18h-21h ; 800 ¥), consulter les dates sur le site internet. Entrée : 400 ¥ ; réduc. Parking à vélos payant.*
Voici un des temples les plus connus et les plus visités de Kyoto. Le meilleur moment pour y aller est en fin d'après-midi, un jour de semaine. Construit sur le versant d'une colline boisée, dominant la partie sud-ouest de la ville, cet ensemble de 7 pavillons et d'une pagode est célèbre pour son mode de construction : il repose en effet sur une vaste plateforme soutenue par 139 robustes piliers de bois. Son nom signifie « eau pure ». Fondé en 798 par Sakanoue Tamuramaro (758-811), vainqueur des Ebisu, il est dédié à Kannon Bosatsu, la divinité bouddhiste la plus populaire du Japon. Ses attributs sont la fleur de lotus et le vase à eau. À l'origine, l'homme était venu chercher des daims sur cette montagne, car selon la croyance, leur sang permettait aux femmes de mieux accoucher. Il rencontra alors Enchin, moine qui avait choisi l'endroit pour son eau pure et pour célébrer Kannon. Quand Enchin expliqua à Tamuramaro sa barbarie, lui et sa femme se mirent à vénérer Kannon avec leur compagnon moine. C'est ainsi qu'ils décidèrent de construire le temple.

KYOTO

On passe d'abord la porte principale *Nio-mon* (XVe s), puis on monte jusqu'au *Shoro* (beffroi) et au *Sai-mon*. Sur la grande plateforme se dresse le *Hon-do* et plusieurs pavillons d'offrandes et de prières. On y retrouve les troncs *(Saisen-bako)* dans lesquels on jette des pièces de monnaie pour remercier les dieux de leur bienveillance. Comme dans beaucoup de temples, les Japonais inscrivent souvent des vœux et des prières sur des tablettes votives *(Ema)*, ils se procurent aussi des talismans *(Omamori)* qui portent chance.

LA FOI SAUVE, MAIS PAS TOUJOURS !

Les visiteurs les plus téméraires du temple sautaient du haut de la terrasse. S'ils survivaient, leurs vœux seraient exaucés. La terrasse est quand même située à 13 m de hauteur ! 234 personnes ont fait l'expérience, 80 % ont survécu. Les 20 % restants étaient de toute manière, selon les croyances, sauvés par Kannon (déesse de la compassion !). Depuis le XIXe s, cette tradition est rigoureusement interdite. Ouf !

En se rapprochant du versant de la colline, on trouve plus loin le *Shaka-do*, l'*Amida-do*, l'*Okuno-in*. Il faut continuer à pied, passer par des sous-bois d'où l'on a une vue superbe sur le temple et la ville. Redescendre en contrebas du temple pour arriver à une grande fontaine qui jaillit de la colline en se déversant dans un bassin rituel *(Chozuya)*. Là, des croyants effectuent des rites de purification en utilisant des ustensiles à long manche pour prendre de l'eau, la boire et se laver les mains. Le promeneur se retrouve presque sous le temple, et c'est le meilleur endroit pour admirer la forêt de pilotis qui le soutient. Le sentier continue ensuite jusqu'à la sortie.

🐾🏃 *Le quartier et les ruelles de Sannenzaka* 三年坂 *(plan V, B-C2-3)* **:** ce réseau de rues piétonnes mène du temple Kiyomizu-dera au sanctuaire Yasaka et à Gion. C'est sans doute *une des plus belles promenades* à faire dans cette partie de Kyoto. En sortant du temple, on descend progressivement de la colline par un réseau de ruelles aux dalles de pierre patinées et bordées d'échoppes d'antiquaires, de souvenirs et d'artisanat (poteries, céramiques). Avec les 4 étages de la **pagode Yasaka-no-To** (un des symboles de Kyoto) en ligne de mire, sur la gauche, on passe devant de jolies maisons traditionnelles de style *machiya*, construites dans le style architectural dit « unagi-no-nedoko », littéralement « lit d'anguille ». En effet, pour les Kyotoïtes, les étroites maisons construites tout en profondeur ressemblent aux trous où se cachent les anguilles. Ne pas hésiter à prendre les rues perpendiculaires, comme l'adorable rue *Ishibei-Koji*. Avec ses cascades de toits de tuiles, la rue *Ninenzaka* prend le relais de *Sannenzaka* pour déboucher au pied de la colline où s'adosse le mémorial *Ryozen Kannon* (1955), doté d'une statue de béton de 24 m de haut, dédiée à tous ceux qui sont tombés pour la cause de la paix. La rue *Nene* mène alors au temple de *Kodai-ji*.

🏃 *Le temple Kodai-ji* 光台寺 *(plan V, C2)* **:** ● kodaiji.com ● À 300 m au sud du sanctuaire Yasaka. Tlj 9h-17h30 (dernière entrée 17h) ; nocturnes en été. Entrée : 600 ¥ ; combiné avec le temple Entoku-in : 900 ¥. Il a été fondé en 1606 par la veuve du shogun Toyotomi Hideyoshi, pour honorer la mémoire de son époux. Le Kaison-do est un des principaux pavillons de ce temple. Il a été décoré par des artistes des écoles Tosa et Kano au début du XVIIe s. Entouré d'une bambouseraie et flanqué de 2 étangs, c'est un lieu féerique le soir, lorsque les éclairages renforcent son caractère hors du temps (nocturnes en été).

🏃 *Le temple Entoku-in* 圓德院 *(plan V, B2)* **:** ● kodaiji.com/entoku-in ● En contrebas du temple Kodai-ji, de l'autre côté de la rue. Tlj 10h-17h (jusqu'à 21h30 en hte saison). Entrée : 500 ¥. Peu connue, cette annexe du temple Kodai-ji mérite une visite en nocturne pour ses 2 jardins secs illuminés. Le premier est constitué de gravier ratissé, le second, de l'autre côté de la maison, est fait de mousses et de rochers. Magnifiques panneaux peints dans la maison. Le temple abrite aussi une maison de thé *(env 1 500 ¥ pour participer à la cérémonie à 16h, sans résa).*

Spectacles culturels

∞∩ *Gion Corner* ギォンコーナー *(plan V, B2, 3) : Yasaka Hall, Gion, Hanamikoji, Shijo-agaru.* ☎ 561-1119. ● *kyoto-gioncorner.com* ● *Depuis Kyoto Station, bus n°s 100 ou 206, arrêt Gion 祇園, puis marcher 5 mn, ou gare Gion Shijo de la ligne Keihan. Tlj, avec 2 spectacles, à 18h et 19h ; de déc à mi-mars, seulement ven-sam et j. fériés. Fermé de mi-juil à mi-août et fêtes du Nouvel An. Venir 10 mn avt le début du spectacle. Durée : 50 mn. Réserver sa place. Entrée : 3 150 ¥ (cérémonie du thé incluse) ; réduc. Brochure en français (1 000 ¥ + une caution à récupérer en partant). CB refusées.* Grand bâtiment moderne, le Gion Corner, construit en 1962 dans le style néokyotoïte, est géré par la Fondation des arts traditionnels du spectacle de Kyoto. Il abrite l'école nationale où sont formées les geishas et les *maiko,* mais également des salles de spectacle ouvertes aux visiteurs. Pour un prix raisonnable, on peut se faire une bonne idée des arts traditionnels du Japon, à savoir le *chado* (cérémonie du thé), le koto (cithare japonaise), le *kado* (art floral), le *bunraku* (théâtre de marionnettes), le *gagaku* (musique et danse de cour), le *kyo-mai* (danse féminine de Kyoto) ainsi que le kyogen (spectacle comique traditionnel). Après le spectacle, on peut assister à une cérémonie du thé *(durée : 30 mn ; payant, billet combiné possible).* On est assis autour d'une table, et 2 maîtresses de cérémonie donnent les explications en anglais puis invitent les participants à les imiter.

● Le Nord-Ouest (plan VI) p. 350-351

Où dormir ?

Bon marché (de 6 000 à 10 000 ¥ / 50-83 €)

🏠 *Ryokan Kingyoya* 旅館金魚家 *(plan VI, D2, 66) : 243 Kanki-cho, Kamigyo-ku.* ☎ 411-1128. *Bus n° 206 depuis Kyoto Station et n°s 6 et 46 depuis la station Nijo. Depuis Senbondori, prendre la rue Teranouchi vers l'est, puis 2e rue à gauche et 1re à droite. Lit en dortoir (3 pers non mixtes) 2 700 ¥ ; doubles env 7 600-9 000 ¥.* Dans un quartier pittoresque bordé de maisons basses en bois, en voici une pleine de charme, probablement centenaire, planquée dans un enchevêtrement de ruelles. À l'étage, quelques chambres à la japonaise avec tatamis et futons. La plus grande a un salon séparé et une terrasse. Toilettes et douche au rez-de-chaussée, ainsi qu'un salon pour les hôtes et un adorable jardin intérieur. Excellent accueil anglophone et location de vélos. Bon à savoir, le bain public (*Sento Funaoka,* voir la rubrique « Où se détendre ? ») n'est qu'à 5 mn de marche.

🏠 *Wasabi Guesthouse (plan VI, D3, 67) : 456-3 Shinhakusuima-rucho, Kamigyo-ku.* ☎ 276-0828. *À 15-20 mn à pied du palais impérial. Compter en moyenne 2 200 ¥ le lit, 3 500-10 000 ¥ la chambre pour 2 ; petit déj en plus (sandwichs).* Installée dans une ancienne *machiya,* une maison traditionnelle, typique de Kyoto, cette auberge vaut surtout

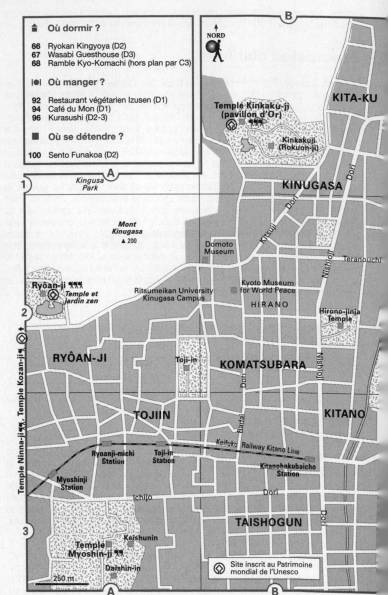

KYOTO

Où dormir ?

66 Ryokan Kingyoya (D2)
67 Wasabi Guesthouse (D3)
68 Ramble Kyo-Komachi (hors plan par C3)

Où manger ?

92 Restaurant végétarien Izusen (D1)
94 Café du Mon (D1)
96 Kurasushi (D2-3)

Où se détendre ?

100 Sento Funakoa (D2)

Site inscrit au Patrimoine mondial de l'Unesco

250 m

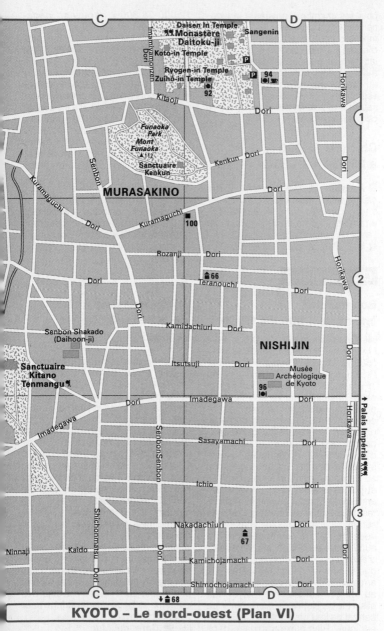

KYOTO

Daisen In Temple
Sangenin
Monastère
Daitoku-ji
Koto-in Temple
Ryogen-in Temple
Zuihō-in Temple
94
92
Kitaoji
Dori

Imamiyamonzen Dori

Horikawa Dori

Funaoka
Park
Mont
Funaoka
▲112
Sanctuaire
Kenkun

Kenkun Dori

MURASAKINO

Dori

Senbon

Kuramaguchi Dori

Kuramaguchi Dori
100

Rozanji Dori
Dori

Dori

Dori

66
Teranouchi

Dori

Horikawa Dori

Senbon Shakado
(Daihoon-ji)

Kamidachiuri Dori

Dori

NISHIJIN

Itsutsuji Dori

Dori

Sanctuaire
Kitano
Tenmangu

Musée
Archéologique
de Kyoto
96

Dori
Imadegawa

Dori

Horikawa

↑ Palais Impérial

Imadegawa

Sasayamachi Dori

Senbon Senbon

Ichio

Shichonmatsu Dori

Nakadachiuri Dori

67

Ninnaji
Kaïdo

Kamichojamachi Dori

Dori

Shimochojamachi Dori

↓ 68

KYOTO – Le nord-ouest (Plan VI)

KYOTO

pour ses chambres privées à la japonaise (1-4 personnes). Les dortoirs, mixtes ou non (6-10 lits), offrent peu d'espace. Celui des filles pour 6 est légèrement plus aéré mais se situe à l'étage. Les sanitaires se trouvent au rez-de-chaussée. Agréable petit espace vert au fond (pour la déco seulement) agrémenté d'un bassin à carpes. Bon accueil.

Chic (de 15 000 à 25 000 ¥ / 125-208 €)

🏠 *Ramble Kyo-Komachi* (hors plan VI par C3, **68**) : 413-32 Juyonken-cho, Kamigyo-ku. ☎ 821-0606. ● ramble-kyoto.com ● Au sud de l'arrêt de bus, prendre la 2e à gauche et la 1re à droite, puis fléché. Doubles 12 000-38 000 ¥ (souvent négociable autour de 26 000 ¥), bon petit déj compris (japonais ou occidental, à préciser avt). Bus n° 206 de Kyoto Station, jusqu'à Senbon Demizu. Dans un quartier résidentiel se cache, à l'abri d'une ruelle, cette maison de ville en bois (machiya) rénovée dans un style contemporain. Il s'en dégage une vraie impression de quiétude, aussi bien dans le salon que dans la poignée de chambres cosy, toutes différentes, aménagées à la japonaise ou à l'occidentale, dotées de belles salles de bains. Si la situation géographique n'est pas idéale, un peu loin de tout (même si les arrêts de bus s'avèrent nombreux à proximité), le charme du lieu et l'accueil aux petits soins compensent haut la main cet inconvénient.

Où manger ?

Bon marché (moins de 1 500 ¥ / 12,50 €)

|●| *Kurasushi* (plan VI, D2-3, **96**) : Imadegawa Dori, Kamigyo-ku. ☎ 417-0333. Au-dessus d'un parking, repérer l'enseigne noire sur fond blanc. Au 1er étage. Tlj 11h-minuit. Un resto, plutôt une cafétéria, de sushis archipopulaire. Se faire aider pour la procédure : on s'enregistre à la borne en précisant le nombre de personnes pour obtenir un numéro et on attend d'être appelé... en japonais ! Reste à s'installer dans un des boxes ou au comptoir et d'imiter les familles et jeunes attablés dans une joyeuse ambiance. Chacun pioche les assiettes de sushis et de makis qui défilent sur un rail, mais si rien ne vous tente, vous pouvez toujours commander autre chose sur l'écran. Ne pas oublier d'appuyer sur le bouton pour prévenir que la commande est récupérée. On arrose le tout de thé au matcha, servi au robinet. Lorsqu'on a fini, on fait glisser les assiettes dans une fente (ça permet de les comptabiliser). Et le tour est joué ! Rien d'extraordinaire dans les préparations, mais le débit assure la fraîcheur des plats, c'est ludique et vraiment pas cher.

De prix moyens à chic (de 1 500 à 6 500 ¥ / 12,50-54 €)

|●| *Restaurant végétarien Izusen* 泉仙 (plan VI, D1, **92**) : 4 Daitokuji-cho, Murasakino. ☎ 491-6665. Au sud-ouest dans l'enceinte du monastère Daitoku-ji ; passer devant le temple Zuihô-in, marcher jusqu'au bout du chemin en zigzag, le long d'une paroi de bambous. Tlj 11h-16h. Fermé le soir et 29-31 déc. Menus 3 300-6 500 ¥. On débouche sur un charmant pavillon sous les arbres, bordé d'un jardin où l'on peut manger quand le temps le permet (tables basses), dans un environnement calme et serein. Tatamis traditionnels à l'intérieur. La cuisine monastique dite teppatsu est élaborée selon les règles du bouddhisme zen et servie avec un grand souci d'esthétique sur un plateau composé d'une dizaine de petits bols. Repas sain et diététique. Le 1er menu est déjà très copieux et peut même suffire pour 2 appétits moyens.

|●| 🍵 *Café du Mon* カフェドゥモン (« portail » en japonais ; plan VI, D1, **94**) : juste en face de l'entrée du monastère Daitoku-ji. ☎ 492-7837.

Tlj sauf mer-jeu 10h30-18h. Compter 650-2 000 ¥ ; menu env 1 200 ¥. Resto-salon de thé « à la française » proposant des petits plats cuisinés, mélange entre cuisine française et saveurs japonaises, goûteux, ainsi que des gâteaux faits maison, et même des cannelés. La propriétaire a ouvert ce salon de thé après avoir appris dans des brasseries en France et en Italie. Petite terrasse fleurie adorable aux beaux jours.

Où se détendre ?

■ *Sento Funaoka* 船岡温泉 *(plan VI, D2, 100) : Murasakino Minamifunaokacho, 82-1. Tlj 15h (8h dim)-1h. Entrée : 430 ¥. Serviette et savons en vente sur place (prix modique).* Proche du pavillon d'Or, voici un bain public qui vaut le détour. Après avoir déposé ses chaussures dans les casiers de l'entrée, hommes et femme se séparent. À vos ablutions avant de vous plonger dans une douce torpeur... Plusieurs bains, dont certains à remous ou en extérieur dans un minuscule jardin.

À voir

🌿🌿 *Le monastère bouddhique Daitoku-ji* 大徳寺 *(plan VI, C-D1) : Kitaoji-dori.* ● *zen.rinnou.net* ● *L'entrée se trouve à 250 m dans une rue perpendiculaire à celle-ci. De la Kyoto Station, bus n°s 206 ou 101, arrêt Daitokuji-mae* 大徳寺前. *Tlj 9h-17h (16h30 déc-fév).*

Il conviendrait plutôt de dire : le complexe des temples. Daitoku-ji est en fait un grand monastère dans une vaste enceinte verdoyante et ombragée de plusieurs hectares. Selon l'écrivain Nicolas Bouvier, cette enceinte « n'entrerait pas dans le Champ-

NICOLAS BOUVIER, CONCIERGE DU TEMPLE

« J'ai pu louer – un coup de chance – un bâtiment dans l'immense enceinte du temple bouddhique Daitoku-ji. Littéralement traduite, notre adresse donne : pavillon de l'Auspicieux Nuage, Temple de la Grande Vertu, Quartier de la Prairie Pourpre, Secteur du Nord, Kyoto. » Nicolas Bouvier raconte cette expérience dans Chronique japonaise. *En 1964, pour vivre, il devint concierge du temple Daitoku-ji et, pendant 4 mois, s'occupa du courrier.*

de-Mars, et il faudrait des vies longues et nombreuses pour compter les tuiles de ses toits ». Des 60 temples d'origine, il en reste aujourd'hui 22, rescapés des incendies et des destructions. On s'y balade comme dans un labyrinthe.

– Seuls quelques temples sont ouverts au public (4 ou 5), par rotation. Le plus célèbre et le plus important est le ***temple Daisen-in*** 大仙院 *(ouv 9h-17h ; entrée : 400 ¥ ; dépliant très utile en français 500 ¥ ; photos interdites, hélas).* Sur le perron, on foule les 12 signes du zodiaque (essayez de les retrouver !). Fondé en 1509 par Kogaku Soko, ce temple possède un pavillon réputé pour ses *fusuma* (portes coulissantes) qui furent peintes par les frères Kano (1513-1575). Ces peintures exceptionnelles représentent des paysages de saison, des fleurs, des oiseaux et les travaux agricoles.

Autour du pavillon, 4 admirables ***jardins zen de style sec*** (rocailles et graviers), merveilles de sagesse et d'esthétique ! Celui qui retient en premier l'attention est divisé en deux par un plancher d'observation. Modèle de jardin zen, il doit se lire de gauche à droite, son message spirituel étant à décrypter derrière la beauté abstraite et minérale des rochers et des graviers.

De ce plancher d'observation, donc, on distingue sur le côté gauche des rochers symbolisant le mont Horai. Cette montagne mythique, située selon la tradition chinoise à l'est de la Chine, est censée être le séjour des Immortels qui y garderaient l'élixir d'éternité. Le sommet est représenté par 3 pics. Du mont Horai s'écoule une cascade qui représente l'impétuosité de la jeunesse. Un chemin de gravillons représente le courant de vie, enrichi d'un effleurage qui enlace 2 animaux représentés par des rochers : la Tortue *(Kame Shima)* et la Grue *(Tsuru Shima)*. Ce courant minéral atteint ensuite la « mer intérieure », franchissant au sud un « barrage » représenté par une cloison percée d'une fenêtre en forme de fleur de lotus à l'envers *(kato mado)*. Le flux se transforme alors en un fleuve, symbole de l'ouverture de l'esprit humain, sur lequel flotte le bateau de l'intelligence (un autre rocher). Une autre tortue en pierre tente de remonter le courant des graviers : c'est le passé sur lequel on ne peut jamais revenir. Enfin, au sud du Hon-do, s'étend l'océan d'éternité.

– Commencé en 1502, le **temple Ryôgen-in** 龍源院 *(ouv 9h-16h20 pour la dernière admission ; entrée : 350 ¥)* abrite aussi un charmant petit jardin zen. À côté de celui-ci, un autre jardin sec enclos dans le pavillon en bois, qui serait le plus petit jardin de ce type à Kyoto et peut-être au Japon. Le pavillon *Kodatei* 淳沱底 conserve des fusils dits « Tanegashima », datant de 1583. Ce sont des pièces rares, les 1ers fusils de l'histoire du pays. Inspirés des fusils fabriqués et utilisés au XVIe s par les Portugais, ils portent ce nom car ils furent présentés pour la 1re fois aux Japonais sur l'île Tanegashima, archipel situé au sud de Kyushu.

– Le **temple Zuihô-in** 瑞峯院 *(ouv 9h-16h30 pour la dernière admission ; entrée : 400 ¥)* a été fondé en 1535 par Ôtomo Sôrin, qui était connu aussi comme « seigneur chrétien ». En son hommage, les pierres ont été redisposées en forme de croix. Sous la lanterne en pierre à droite de la barre transversale est enterrée une statue de la Vierge Marie, pour rappeler l'interdiction du christianisme pendant 200 ans.

– À côté, le **temple Koto-in** 高桐院 *(ouv 9h-16h30 ; entrée : 400 ¥ ; en restauration, à l'heure où nous bouclons ce guide, **réouverture prévue en principe en oct 2018)**.* Fondé par la famille Hosakawa (période Edo), il compte parmi ses trésors quelques peintures de paysages chinois réalisées par Li Tang à l'époque de la dynastie Song. Il abrite aussi les tombes des 1ers comédiens et danseurs de kabuki.

🎏 *Le sanctuaire Kitano Tenmangu* 北野天満宮 *(plan VI, C2) :* bus nos 50 ou 101 depuis la Kyoto Station, arrêt Kitano 北野. ● kitanotenmangu.or.jp ● Tlj 5h-18h (5h30-17h30 nov-mars). GRATUIT. Entrée : 300 ¥ pour le trésor. Fondé en 947 et dédié à Sugawara Michizane, le patron des lettrés et des étudiants, considéré aujourd'hui comme le dieu de l'Éducation. On comprend pourquoi à la veille des examens il y a tant d'étudiants à y faire des vœux et des prières. Le pavillon principal est classé Trésor national, et ses 2 portes comme biens culturels importants. Le 25 de chaque mois, une fête accompagnée d'une sorte de marché aux puces *(6h-21h)* se tient aux abords du sanctuaire. La fête de la Floraison des pruniers (arbre préféré de Sugawara) a lieu chaque année le 25 février, et l'accès au jardin est payant pendant toute la période du *hanami*.

🎏🎏 *Le temple Myoshin-ji* 妙心寺 *(plan VI, A3) :* dans le quartier d'Omuro, au sud-ouest de la ville. ● myoshinji.or.jp ● Pour l'entrée nord, depuis la Kyoto Station, prendre la JR Sagano Line, arrêt Hanazono 花園 ; pour l'entrée sud, depuis la Kyoto Station, bus n° 26. Tlj 9h10-16h40. Entrée : 500 ¥. Visites guidées ttes les 20 mn. Fondé en 1337 par l'empereur Hanazono, cet immense complexe de 47 temples est aussi vaste que le monastère Daitoku-ji, c'est tout dire ! Il appartient à la secte bouddhiste zen Rinzai. Si vous voulez fuir la foule et trouver un peu de calme, venez ici. Superbes jardins secs, faits de graviers et de rochers. Dans le temple principal *Reiun-in*, peintures de paysages de l'école Kano. Sa cloche, fondue en 698, serait la plus ancienne du Japon.

◎ 🎏🎏🎏 *Le temple Ryôan-ji* 龍安寺 *et son jardin zen (plan VI, A2) :* à 1 km au nord du temple Myoshin-ji. Depuis la station Imadegawa 今出川 (Karasuma Line), bus n° 59, arrêt Ryoanji-mae. Mars-nov, tlj 8h-17h ; déc-fév, tlj 8h30-16h30. Entrée : 500 ¥ ; réduc. Resto (spécialité de tofu) dans le jardin.

Classé au Patrimoine mondial de l'Unesco, le temple Ryôan-ji mérite d'être aussi visité un jour de semaine et hors saison ; en temps normal, il y a vraiment beaucoup de monde. D'autant plus que le site porte naturellement à la méditation poétique et philosophique.

Ce temple bouddhique de la branche du Myoshin-ji de la secte zen Rinzai-shu possède le plus réputé des jardins zen de contemplation. Temple, parc et jardin ont été fondés en 1473, au pied des collines boisées, par Hosokawa Katsumoto (1430-1473), l'un des plus grands seigneurs de son temps. Reconstruit en 1499, puis détruit par un incendie en 1797, le temple actuel date donc du début du XIXe s.

Le *jardin zen* serait l'œuvre de maître Soami (1472-1523). De forme rectangulaire, long de 30 m et large de 10 m, fermé par un mur à 3 côtés, il est composé d'une cour de gravier gris ratissé quotidiennement et ses rayures symétriques et régulières représentent les remous des rivières et les vagues des océans. Cette « mer grise » est parsemée de 15 rochers qui symbolisent les continents et les îles du monde. Le plus original réside dans la disposition des rochers. La configuration des 15 rochers répartis en groupes de 5 varie selon l'angle de vue, et il est impossible de les contempler tous à la fois : il en manque toujours un.

JARDIN ZEN, UN MONDE DE MÉDITATION

Le jardin sec (kare sansui) est à l'image de la spiritualité du bouddhisme zen : dépouillement, détachement, sagesse. Il symbolise la nature et le cosmos en miniature, simplifie les éléments et rappelle aux moines détachés du monde que celui-ci continue d'exister. Mais pour être complet, le jardin sec fait de sable, de gravier et de pierres ne suffit pas. Il faut lui adjoindre un jardin humide. C'est le cas au temple Ryôan-ji, où, à côté du jardin sec, se trouve un jardin de mousses. Dans ce dernier, l'eau est présente sous forme de fontaine, symbole de la vie.

Contigu au jardin sec se trouve donc son complément indispensable, un *jardin humide* composé d'un bosquet d'arbres abritant un parterre de mousses, vertes à longueur d'année. Symbole de la vie qui n'a de cesse de croître et de se maintenir, la mousse n'a pas la même signification dans le bouddhisme japonais qu'en Occident, où elle est souvent assimilée à un vulgaire parasite.

Dans les buissons sur le côté du pavillon central, après le jardin humide, observer le petit bassin de pierre rond *Tsukubai,* avec une ouverture carrée (on dirait une pièce de monnaie ancienne), ornée de 4 caractères sculptés qui signifient : « J'apprends seulement pour être heureux. » Dans la sagesse bouddhique zen, celui qui apprend pour le seul plaisir est riche spirituellement. Celui qui est riche d'argent et de biens mais qui reste dans l'ignorance est pauvre spirituellement.

◈ 🍴 *Le temple Ninna-ji* 仁和寺 *(hors plan VI par A2) :* situé à 800 m au sud-ouest du temple Ryôan-ji. ● ninna-ji.jp ● *Depuis la Kyoto Station, bus n° 2, arrêt Omuro-Ninna-ji* 御室仁和寺. *Tlj 9h-17h (16h30 en hiver). Entrée : 500 ¥ à l'époque de la floraison des cerisiers ; 500 ¥ pour la visite du Kondo.* Classé au Patrimoine mondial de l'Unesco, ce temple fut à l'origine un palais élevé en 886 par l'empereur Koko, puis achevé par son fils Uda Tenno (867-931), qui s'y retira comme abbé. C'est ainsi que pendant des siècles, jusqu'à l'ère Meiji, les abbés de ce temple étaient choisis par les membres de la famille impériale. On peut admirer la pagode de 5 étages (33 m de haut) et le *pavillon Kondo,* classé Trésor national, ou visiter la maison de thé. À voir surtout à la fin du mois d'avril, au moment de la floraison des cerisiers.

◈ 🍴 *Le temple Kozan-ji* 高山寺 *(hors plan VI par A2) :* 8 Togano-o-cho, Umegahata. *En 50 mn env avec le bus n° 8 depuis la Kyoto Station ou bien Shijo Omiya ou encore Omuro Ninnanji sur la ligne Karasuma ; descendre à Takao (terminus)* 栂尾. *Également accessible en JR pour ceux qui ont le* Japan Rail Pass. *Plus difficile*

KYOTO

d'accès car plus isolé. Tlj 8h30-17h. Entrée : 500 ¥ ; 800 ¥ pour le temple annexe Sekisui-in. Situé à 6 km au nord du temple Ninna-ji, dans le proche arrière-pays de Kyoto (faubourg campagnard d'Ukyo-ku), au cœur des bois et dans une vallée bucolique baignée par la rivière Kiyotaki. Voilà encore un site distingué par l'Unesco et placé sous sa protection. Fondé en 774 pour marquer la conversion au bouddhisme de l'empereur Gotoba, ce temple bouddhiste est célèbre pour avoir été le 1er lieu d'implantation du thé vert au Japon, importé de Chine. Le temple *Sekisui-in,* construit dans le style Shinden, date de l'époque Kamakura (1185-1333). Il abrite des rouleaux précieux représentant des caricatures d'animaux.

 ⊗ 🏃🗡🗡 *Le temple Kinkaku-ji* 金閣寺 *(pavillon d'Or ; plan VI, B1) :* à 1,5 km à l'ouest du temple Daitoku-ji. En bus urbain, de la Kyoto Station, prendre les lignes nos 101 ou 205, arrêt Kinkakuji-michi 金閣寺前 *(env 30 mn). De l'arrêt de bus de la station Sanjo-Keihan* 三条京阪 *(ligne Tozai), bus n° 59 (sans changement, env 30 mn). Tlj 9h-17h. Entrée : 400 ¥. Venir un jour de sem et tôt de préférence, sinon il y a beaucoup de monde, et ça enlève énormément de charme à la visite.*

Classé au Patrimoine mondial de l'Unesco, établi au pied du mont Kinugasa (200 m d'altitude), ce temple est l'un des trois les plus visités de Kyoto. Il a été construit en 1397 par le shogun Ashikaga Yoshimitsu, le Louis XIV japonais, qui en fit sa résidence pour la retraite, mais surtout pour montrer sa puissance vis-à-vis de la Chine voisine. Il fit dessiner le jardin qui l'entoure. L'endroit ne devint un temple qu'après sa mort. La plupart des bâtiments disparurent avec les siècles. Le

> **POURQUOI LE REZ-DE-CHAUSSÉE DU PAVILLON D'OR N'EST-IL PAS DORÉ ?**
>
> *Pour que les 2 étages supérieurs se reflètent parfaitement dans l'eau. La partie basse ressemble à une proue de navire en route vers l'ouest, le lieu du repos chez les bouddhistes après la mort.*

pavillon d'Or brûla en 1950 lors du suicide d'un jeune moine du temple, une histoire relatée dans le célèbre roman de Mishima. Une réplique exacte fut reconstruite en 1955. Le pavillon a été recouvert de feuilles d'or, d'où son nom. Au sommet, un phénix, pour symboliser la renaissance constante.
D'une élégance troublante, dans un environnement d'une subtile poésie (à condition qu'il n'y ait pas la foule), se reflétant dans les eaux d'un petit étang, il est encore plus beau sous la neige, en hiver, que sous le soleil, en été, ou bien dans son écrin rougeoyant, à l'automne. Après la visite, on peut (en option) s'arrêter à la maison de thé *Sekka-tei* (traduction : « thé, soir admirable »), située dans le jardin. De là, la vue au coucher du soleil est magnifique !

LE QUARTIER D'ARASHIYAMA 嵐山

● Plan d'ensemble *p. 304-305* ● Arashiyama (plan VII) *p. 357*

Situé à l'ouest de Kyoto, au débouché d'une impétueuse rivière de montagne, dans un site admirable entouré de collines boisées, Arashiyama est la promenade dominicale favorite des habitants de Kyoto. Naguère, les empereurs de la période Heian venaient s'y reposer et profiter de son calme champêtre. Aujourd'hui, on y accourt pour la fabuleuse bambouseraie, à ne rater sous aucun prétexte. C'est aussi le point de départ de belles balades à pied et à vélo. L'idéal est d'y consacrer une journée.

KYOTO – Arashiyama (Plan VII)

Arriver – Quitter

➤ Prendre le train (*JR* ligne Sagano) depuis la Kyoto Station. Billet : 240 ¥. Durée : 15 mn. Descendre à la gare Saga-Arashiyama. En bus n° 28 depuis la Kyoto Station ou n° 11 depuis Shijo Kawaramachi, arrêt Arashiyama-Tenryuji-mae (env 30 mn) mais trajet plus long et risque d'embouteillages.

– *Itinéraire à organiser en fonction de sa gare d'arrivée :* station Saga-Arashiyama au nord de la rivière ou station Arashiyama (ligne Hankyu, pratique quand on vient de la villa Katsura notamment) au sud de la rivière.
– *Location de vélos :* magasins devant la station Torokko Saga.

Où manger ?

Les stands de rue et restaurants ne manquent pas : ils sont à touche-touche dans la rue qui prolonge le pont Togetsu-kyo vers le nord, en direction de la bambouseraie. Nombreuses possibilités de grignoter sur le pouce sans se ruiner.

Prix moyens (de 1 500 à 3 500 ¥ / 12,50-29 €)

|●| *Yoshimura* よしむら *(plan VII, A2) : le long de la rivière, à l'ouest du pont.*

C'est le 3e resto à droite. Tlj 11h-17h. Entrée discrète en marge d'un jardinet. Au choix, d'un côté une véranda en surplomb avec vue imprenable sur le pont et la rivière, où l'on sert des *soba* fraîches, et de l'autre au fond du jardin, cuisine de tofu (et quelques plats de tempura) dans un décor traditionnel. On se déchausse dans les 2 cas, mais les repas sont servis à table. Bon rapport qualité-prix grâce à des menus intéressants, et service souriant.

À voir. À faire

🏃 Le pont Togetsu-kyo 渡月橋 *(plan VII, A-B2) :* c'est la curiosité d'Arashiyama. Même si son nom signifie « le pont qui traverse la lune », il ne s'agit plus à présent que d'un vulgaire pont en béton (piétons et voitures), mais avec tout de même des balustrades en bois. Il franchit une rivière large et peu profonde qui en amont du pont s'appelle la rivière Oi, mais en aval change de nom et devient la rivière Katsura. Certains jours (à l'aube en hiver, par exemple), la vision de ce pont rappelle le charme délicat d'une estampe japonaise. Sous la pluie, c'est encore plus poétique : on se croirait dans une peinture de Hiroshige. Au pont, un panneau indique les distances : Matsuo-taisha 1,5 km, Koke-dera 2,6 km.

◎ 🏃🏃 Le temple Tenryu-ji 天龍寺 *(plan VII, A2) :* à 800 m au sud-ouest de la gare JR Sagano-Arashiyama. ● tenryu-ji ● Jardins entrée principale : tlj 8h30-17h20 (dernier accès ; 16h50 en hiver) ; jardins entrée nord (côté bambouseraie) : tlj 9h-17h (16h30 en hiver). Temple : tlj 8h30-17h (dernière entrée ; 16h30 fin oct-fin mars). Entrée : 500 ¥ pour les jardins ; 300 ¥ de plus pour le temple. Notez qu'on voit très bien le temple depuis les jardins, inutile de prendre le billet combiné. Bon resto végétarien sur place, Shigetsu. Classé au Patrimoine mondial de l'Unesco, fondé en 1339 mais reconstruit après 1900, ce temple du « dragon céleste » conserve de très beaux jardins de style Soseki. À l'arrière s'étend le parc Kameyama en bordure de rivière, où l'empereur Kameyama (XIIIe s) avait fait planter des cerisiers provenant de Yoshino. Un site à voir au printemps au moment de leur floraison ! Quitter le temple par le nord pour pénétrer dans la magnifique *forêt de bambous.*

🏃🏃🏃 Le village d'Arashiyama 嵐山 *(plan VII, A-B2) :* touristique en diable, il attire les foules le week-end. Il faut dire que son impressionnante *bambouseraie (plan A2)* est magnifique, avec ses dégradés de vert qui semblent monter jusqu'au ciel ! À côté des bambous géants de Sagano, on n'est pas plus grand qu'une tête d'épingle ! La promenade sur une allée verdoyante de 800 m est magique, et même les plus blasés resteront bouche bée devant cette merveilleuse nature. Quand les tiges de près de 10 m de haut, serrées les unes contre les autres, s'entrechoquent au gré du vent, c'est enchanteur (malgré le monde) ! La partie la plus impressionnante débute après le petit temple *(Nonomiya shrine)*. On vous proposera sûrement les services d'un pousse-pousse, mais c'est à pied qu'on en profite le mieux. Attention, le lieu est très fréquenté, il vaut mieux s'y rendre tôt le matin ou tard le soir pour profiter au maximum de sa magie.
En sortant de la bambouseraie, *plusieurs jardins privés* (et payants), comme la *Ōkōchi-Sansō Villa (plan A2 ; à droite en haut de la bambouseraie, puis tt de suite à gauche ; tlj 9h-17h ; entrée : 1 000 ¥, réduc).* Ce jardin a été créé par un ancien acteur de films muets, qui y a consacré une bonne partie de sa vie. Il a été taillé pour ouvrir des perspectives sur le mont Hiein-Zan (et la ville) d'un côté, sur la vallée et la rivière Hozu plus haut, formant un panorama bucolique à souhait. Entrée un peu chère. Dommage, même si on vous offre le thé.
À l'intérieur de la gare Torokko Arashiyama Station *(plan A2),* d'où part le *Romantic Train,* expo de trains miniatures intéressante, et à la sortie à droite, le *musée des Locomotives et du Piano* (GRATUIT) présente côte à côte de vieilles locomotives et des pianos, curieux ! Sinon, prendre à gauche de la gare pour embrasser le panorama du pont et de la rivière. Le soir, en décembre, des centaines de lanternes illuminent les rues d'Arashiyama.

🦶 **Balade à bord du train Torokko (« Romantic Train »)** トッコ (plan VII, A2) : à la gare Saga-Arashiyama. Fonctionne tlj sauf mer et janv-fév. Départs 9h-16h (les horaires sont affichés). Billet A/R : 1 240 ¥ ; enfant 620 ¥. Japan Rail Pass non valable. On achète le billet dans le hall de la gare Torokko, à côté du musée des Locomotives et des Pianos. Durée de la balade : env 1h (A/R). C'est un vieux train qui a été restauré pour le plaisir des touristes. Attention, wagons partiellement couverts, petite laine indispensable. Il va d'Arashiyama à Kameoka en passant par Hozukyo, empruntant une vallée encaissée et boisée, qui se faufile dans des gorges étroites où coule la tumultueuse rivière Hozu, parsemée de rochers. On a l'impression de quitter très vite le monde de la plaine et de pénétrer sans transition dans l'univers des montagnes. Le train passe des tunnels et franchit des ponts. En cours de voyage, outre le paysage sauvage, on peut voir des embarcations qui descendent la rivière (barques pour touristes et rafteurs sur des bateaux pneumatiques). Cela donne un aperçu de la géographie particulière du Japon où à peine 20 % de la superficie sont occupés par les activités humaines qui restent concentrées dans les plaines littorales. Au terminus de Kameoka, le train reste 5 mn et repart vers Arashiyama.

🦶🦶🦶 **La villa Katsura** 桂離宮 (hors plan VII par B2 et plan d'ensemble) : Misono Katsura, Nishikyo-ku. De la Kyoto Station, bus n° 33 jusqu'à l'arrêt Katsura-rikyu-mae 桂離宮前, puis compter 5 mn de marche par la route le long de la rivière. Billet (hors zone One Day City Card) : 240 ¥. Sinon, train depuis les stations Karasuma ou Kawaramachi (Hankyu Line) puis 15 mn de marche. Plusieurs visites guidées en japonais, tlj sauf lun et 1 mar/mois, à heure fixe précisée au moment de la résa. Fermé 28 déc-4 janv. Audioguides et dépliants en français. Interdit aux moins de 18 ans.

– **Réservations, billets :** résa obligatoire, soit à l'Agence impériale (Imperial Household Agency), soit, beaucoup plus risqué, sur place ou en ligne. Pour plus de détails, voir plus haut « Conditions de visite du palais impérial Sento et des villas... ». Se présenter à l'entrée 20 mn avt l'heure prévue. GRATUIT. Durée : env 1h.

Construite à partir de 1620 pour le prince Toshihito Hachijo, frère de l'empereur Go-Yozei, cette villa, résidence secondaire du prince à 10 km du palais impérial (le trajet se faisait en chaise à porteurs !), au bord de la rivière Katsura (ou Hozu), est remarquable par la sobriété de ses bâtiments qui s'élèvent autour d'un étang central. Elle est entourée de magnifiques jardins, peut-être parmi les plus beaux du Japon, qui sont une référence absolue pour tous les jardiniers paysagistes du monde. Le charme et l'intérêt de ce grand jardin viennent de la variété de ses styles paysagers : jardin de thé cha-niwa, jardin sec kare-sansui, jardin de contemplation à étang chitei. Les spécialistes de la littérature japonaise y décèleront des « citations » empruntées au Dit de Genji, dont le prince Toshihito était un admirateur. Un joyau visuel et une visite incontournable aux beaux jours.

🦶 **Le temple Koryu-ji** 広隆寺 (plan d'ensemble) : Uzumasa-hachioka-cho, Ukyo-ku, à 2,5 km à l'est d'Arashiyama. Depuis la Kyoto Station, bus (Kyoto Bus) nᵒˢ 71, 72, 73 et 74, arrêt Uzumasa-Koryuji-mae 太秦広隆寺駅 et 3 mn de marche. Tlj 9h-17h (16h30 déc-fév). Entrée : 700 ¥. Fondé en 603 par Hata Kawakatsu en l'honneur du prince Shotoku (572-621) à l'époque où les Francs étaient dirigés par les rois mérovingiens et le fameux roi Dagobert ! Imaginez donc l'ancienneté de ce temple. Le Kodo, salle de prédication (1165), est l'un des plus vieux pavillons qui existent à Kyoto (en libre accès). Mais la pièce la plus rare est conservée dans le Trésor du temple : la statue de Miroku Bosatsu, le Bouddha de l'Avenir, datée de 623, qui aurait été offerte au prince Shōtoku par le royaume coréen de Silla. Son sourire mystérieux tout en douceur et son ancienneté en font un des trésors nationaux les plus précieux du Japon.

AU SUD DE KYOTO : RAKUNAN 洛南

● Plan d'ensemble p. 304-305

Ces quartiers du sud (Rakunan) occupent une plaine bordée de collines qui sert depuis toujours de voie de passage pour aller de Kyoto à Nara. On y trouve plusieurs faubourgs tous habités : Yamashina, Sennyuji et, au sud de la voie express Mesihin, les quartiers quasi campagnards de Daigo et Fushimi-ku, ce dernier étant réputé pour ses activités de distillerie de saké et pour les ruines du château Momoya. La promenade sur la colline du sanctuaire Fushimi-Inari est exceptionnelle. S'il y a un site à ne pas rater dans les environs de Kyoto, c'est bien celui-là.

À voir

✱✱✱ *Le sanctuaire Fushimi-Inari* 伏見稲荷大社 *(plan d'ensemble) :* ● inari.jp ● *Depuis la Kyoto Station, prendre la JR Line en direction de Nara pour 2 arrêts en moins de 5 mn (140 ¥ ; gratuit avec le JR Pass). Descendre à Inari* 稲荷. *L'entrée du sanctuaire se trouve en face de la sortie de la gare. Autre gare à Inari, station Fushimi-Inari* (Keihan Line) *avec trains directs pour Gion (210 ¥). Tlj 24h/24. GRATUIT. Compter min 2h pour faire le tour de la colline. Très fréquenté, venir tôt.*

Le culte d'Inari remonterait à l'année 711. Il aurait été introduit au Japon par une famille coréenne immigrée (les Hata) qui s'installa à Fushimi. Ces Coréens fondèrent donc Fushimi-Inari en 711, mais l'ensemble a été reconstruit dans le style Momoyama en 1499. C'est le principal sanctuaire shinto (et le plus imposant) de la branche Inari, qui compte aujourd'hui près de 40 000 sanctuaires au Japon. Il se démarque des autres sites par l'omniprésence des statues de renards (voir encadré) et par son immense réseau de galeries formées par plus de 30 000 torii

LES RENARDS ET LES CORBEAUX

Dans la religion shinto, Inari est le kami (divinité) des céréales et du riz, des fonderies et du commerce, ainsi que le gardien des maisons. Son messager traditionnel est le renard (kitsune), protecteur des récoltes, si respecté et vénéré qu'avec le temps il est confondu avec le kami. D'où la multitude de statues représentant le renard au sein du site de Fushimi-Inari. Sculptées dans le bronze, la pierre ou le bois, elles portent souvent un petit bavoir rouge calligraphié (pour la protection des enfants).

vermillon aux pieds noirs alignés à touche-touche, et qui s'étendent sur près de 5 km à flanc de colline dans la forêt. Impression extraordinaire !

Petit rappel : dans la tradition shinto, le torii est un grand portique qui marque la séparation entre l'espace sacré et le monde profane, entre le monde d'ici-bas et l'au-delà habité par les esprits, les divinités et les dieux. Les inscriptions ne sont faites que d'un côté du torii, pour s'adresser aux esprits et non aux simples mortels. Des fontaines, des petits bassins, des oratoires, des lanternes en pierre ponctuent les bords des sentiers. Sous les futaies de pins et de *Cryptomeria,* mêlées à la végétation, des petites statues sculptées représentent Jizo Bosatsu, la divinité protectrice des voyageurs et des enfants. Comme le renard, Jizo porte souvent une bavette rouge. Au croisement des chemins, souvent posés avant les passerelles et les ponts, les *dosojin* sont des pierres sculptées de caractères japonais (des prières : sutras) et ficelées par un cordon votif. Elles protègent aussi les pèlerins des mauvais esprits.
– Chaque année, le 10 juillet, le sanctuaire Fushimi-Inari accueille la fête du Replantage du riz, célébration dédiée à Inari, la divinité protectrice des céréales et du riz.

Visite du sanctuaire et randonnée dans la montagne

Du 1er grand sanctuaire, on marche sous un double tunnel de torii (à un endroit il se divise en 2 couloirs) pour accéder aux pavillons des vœux et des prières *(Okusha Ohaisho).* Là, on peut voir un excellent résumé d'un sanctuaire shinto. Des officiants vêtus de blanc peuvent vous renseigner (certains parlent parfois l'anglais). Sur cette plate-forme (une clairière dans les bois) sont réunis plusieurs pavillons de style shinto : grosse corde que l'on frappe contre une cloche, cordons tressés suspendus *(shimenawa)* auxquels sont noués des papiers votifs. Sur les éventaires de bois, les croyants attachent ou déposent des *ema* (petites tablettes en bois sur lesquelles est écrite une prière), achètent des *o-mamori* (sorte de sachets porte-bonheur qu'il faut porter sur soi pour écarter les mauvais esprits et attirer la chance), se procurent des *o-mikuji* (oracles écrits annonçant la bonne ou la mauvaise fortune). Ces coutumes shinto venues du fond des âges se sont maintenues dans le Japon moderne. Aujourd'hui, ce sont surtout les dirigeants d'entreprise qui financent l'édification de nouveaux torii, gravés à leur enseigne pour attirer la bonne fortune sur leur business, à condition de pouvoir encore trouver un emplacement libre !

La partie la plus haute de la balade se fait par un chemin pentu (couvert de torii ou non) jusqu'à 233 m d'altitude. Pas de difficulté majeure, mais il est nécessaire d'être bon marcheur et en forme.

|●| ☗ Pour se désaltérer, plusieurs buvettes et maisons de thé, le long du sentier, ainsi que des pavillons en bois qui font office de petits restos. Notre pavillon-restaurant préféré se trouve à mi-pente, 1re étape à la montée, avant-dernière étape à la descente, et s'appelle **Nishimura** 西村 *(ouv 10h-16h).* Le sentier passe devant. Vue superbe par-dessus les arbres sur la vallée au sud de Kyoto.

|●| ☗ ***Vermillion Café :*** *dans l'enceinte* du sanctuaire, sur le chemin de la descente. Tlj 9h-17h. Un joli café où l'on s'attarde volontiers autour d'un verre accompagné d'une douceur. Sol en béton, fauteuils en cuir, une ancienne presse en guise de table commune, d'autres réparties sur la terrasse, au calme devant un rideau de verdure : le cadre est réussi ! Quelques souvenirs à vendre. Une autre adresse (mêmes proprios) presque aussi chouette à côté de la gare, sur la rue passante.

⊗ 🎥 ***Le temple Daigo-ji*** 醍醐寺 *(plan d'ensemble) :* Garan-cho, Daigo. ● *dai goji.or.jp* ● *Depuis la Kyoto Station, ligne Tozai, arrêt Daigo* 第五, *puis marcher 10 mn. Tlj 9h-17h (16h30 en hiver). Entrée : 800 ou 1 500 ¥ au printemps et à l'automne ; réduc.* Isolé dans les faubourgs du sud de Kyoto, à la limite de la ville et de la campagne, ce vaste et magnifique complexe templier fut construit en 874. Il mérite amplement une excursion hors des sentiers battus. Il abrite en effet une pagode à 5 étages datant de 951, qui serait une des plus vieilles de ce style (c'est-à-dire en bois) au Japon, 2 musées et, tout autour, un beau jardin orné d'un photogénique pont vermillon. Y venir de préférence fin mars-début avril, au moment de la floraison des cerisiers.

AU NORD-EST DE KYOTO

● Plan d'ensemble p. 304-305

À voir

🎥 *La villa impériale Shugakuin* 修学院 *(plan d'ensemble) :* située à flanc de colline, à l'extérieur de la ville, à la lisière des forêts, à près de 10 km au nord-est du centre.

En bus, depuis la Kyoto Station, ligne n° 5, arrêt Shugakuin-Rikyu-michi 修学院離宮
道. *Accès par la ligne de train Eizan Line, arrêt Shugakuin* 修学院. *Plusieurs visites
guidées tlj sauf lun et 1 mar/mois, à heure fixe précisée au moment de la résa. Fermé
28 déc-4 janv. Audioguides et dépliants en français. Interdit aux moins de 18 ans.*
– *Réservations, billets :* résa obligatoire, soit à l'agence impériale, soit, beaucoup plus risqué, sur place ou en ligne. Pour plus de détails, lire plus haut
« Conditions de visite du palais impérial Sento et des villas... ». GRATUIT. Durée :
env 1h20. Construite par l'empereur Gomizuno-o dans la 2de moitié du XVIIe s,
dans un grand parc de 54 ha, au pied de collines boisées (sous le mont Hiei), la
villa impériale Shugakuin est en fait constituée de 3 villas. Elles furent établies
sur ordre du shogun Tokugawa en faveur de l'empereur retraité Go-Mizuno. La
villa supérieure avec les pavillons *Rin'untei* et *Kyusuitei* est la plus importante
et la plus jolie des 3 villas du site. Parc magnifique, à voir en automne pour les
couleurs chatoyantes des arbres.

LES ENVIRONS DE KYOTO

NARA 奈良   373 377 hab.   IND. TÉL. : 0742

● Plan d'ensemble (plan I) *p. 364-365* ● Nara – Centre (plan II) *p. 367*

**On le sent tout de suite : l'âme du vieux Japon habite la 1re capitale fixe du pays.
À 42 km au sud de Kyoto, dans le bassin de Yamato, voilà l'arrière-pays, le vrai,
ondulé par de douces collines, un paysage verdoyant et boisé qui hésite entre
la campagne et la ville, avec une ambiance de vie provinciale paisible. Petite
par la taille, certes, mais grande par son histoire, cette ville fut le berceau de la
civilisation de l'empire du Soleil-Levant, de la religion, et aussi des arts et de
l'artisanat japonais. De cette époque (le VIIIe s) où elle fut capitale avant Kyoto
(et donc avant Tokyo), elle a gardé son plan en damier strié de rues à angles
droits, et surtout une ribambelle de temples (en partie classés par l'Unesco) qui
lui donnent une antériorité historique sur les autres villes.
On y trouve le 1er temple bouddhiste du pays et, plus loin, le plus grand temple
en bois du monde. Et que dire de cette statuaire bouddhique d'une rare élégance, présentée dans le Musée national ? La ville se découvre facilement à
pied, au fil des allées ombragées qui traversent le grand parc (528 ha) où les
daims évoluent en toute liberté.**

UN PEU D'HISTOIRE

Avant le VIIIe s, les capitales du Japon étaient itinérantes. À la mort des empereurs, la ville devenait comme impure, il fallait donc en changer et choisir un
autre endroit. Telle était la tradition. Néanmoins, en 710, l'impératrice Genmei
s'installa à Nara, appelée Heijokyo (capitale de la paix), qui devint une capitale
permanente. Inscrite dans un plan carré en damier de plus de 4 km de côté,
inspiré de la ville chinoise de Chang'an (Xi'an aujourd'hui), Heijokyo abritait de
nombreux temples et palais, témoins de la richesse de la cité. L'actuelle ville de
Nara ne correspond qu'à la partie orientale de cette 1re vraie capitale du Japon.
Son centre se trouvait alors beaucoup plus à l'ouest. Les empereurs résidaient
au nord-ouest de la ville (◎ site du palais impérial de Heijo, près de l'actuelle
gare de Yamato-Saidaiji 大和西大寺).

L'âge d'or de Nara

Les 74 ans (710-784) où Nara est la capitale du Japon peuvent être considérés comme le 1er âge d'or du pays. Sous l'influence de la Chine, on imite, on copie, on adapte et on « japonise » ce qui vient du continent. Des artistes, des savants, des techniciens chinois et coréens viennent enseigner le tissage de la soie, l'art de la laque et de l'orfèvrerie, l'architecture et la construction. Durant cette période, le code juridique chinois *(Ritsuryo)* est introduit au Japon. La littérature japonaise donne ses 1ers chefs-d'œuvre : le *Kojiki* (la plus ancienne chronique du Japon) et le *Nihongi*.

Essor du bouddhisme

Les arts fleurissent et la religion bouddhiste (venue de Chine) s'implante définitivement au Japon et devient religion d'État. Le temple **Gangō-ji** serait le 1er temple du Japon. Artistes et artisans créent des chefs-d'œuvre, comme le Grand Bouddha *(Daibutsu)* en bronze du temple **Todai-ji.** Monastères et familles nobles luttent pour avoir la haute main sur le gouvernement. 6 sectes bouddhiques prennent une grande importance spirituelle, mais aussi politique et intellectuelle. Les bonzes et les moines gouvernent les esprits et influencent les dirigeants. L'un d'eux, le moine *Dōkyō,* devient même l'amant de l'impératrice *Shōtoku.* Ne parvenant pas à l'épouser, il est exilé à la mort de celle-ci.

Déclin de Nara

L'empereur Konin est le dernier empereur à régner à Nara. En 784, son successeur, l'empereur Kammu (736-805), déplace sa capitale à Heian-kyo (actuelle Kyoto), situé à une quarantaine de kilomètres au nord. La manœuvre est stratégique, il s'éloigne ainsi des moines bouddhistes qui ont la mainmise sur le pouvoir. Renommée Nanto, Nara devient une ville secondaire et subit de nombreuses destructions. Elle est incendiée par le clan des Taira en 1180.

Ayant traversé les siècles, Nara vit aujourd'hui à l'écart de l'agitation d'Osaka toute proche, dans la mouvance touristique de Kyoto. 1re capitale du Japon, elle a choisi d'être jumelée avec des cités qui furent aussi de brillantes capitales : Versailles (France), Tolède (Espagne) et Xi'an (Chine).

LA CUISINE DE NARA

La ville est réputée pour ses repas réalisés à base de légumes frais *(yakuzen ryori)*. La spécialité la plus populaire de Nara est le *kaki no hazushi* 柿の葉寿司, un sushi composé d'une tranche de maquereau ou de saumon sur du riz vinaigré et enveloppé d'une feuille de kaki *(kaki no ha)*. Un autre incontournable : les nouilles sômen (blanches, longues et fines, à base de blé) de Miwa *(miwa sômen* 三輪そうめん*)*, qui se mangent chaudes en hiver et froides en été. Goûtez aussi l'*asukanabe* 飛鳥鍋, une sorte de pot-au-feu de poulet cuit avec des légumes dans un bouillon mélangé avec du lait et du *miso.* Original et exquis !

Arriver – Quitter

En train

➤ *De/pour Kyoto :* liaison directe avec la *JR Nara Line,* qui s'arrête à la gare JR-Nara. Durée : 45 mn. Billet : 710 ¥. Fréquence : env ttes les 30 mn.
– *Autre ligne ferroviaire :* la ligne *Kintetsu Kyoto,* directe jusqu'à la gare de Kintetsu-Nara 近鉄奈良. Durée : 40 mn. Billet : 620 ou 1 130 ¥ pour un trajet, mais non valable avec le *Japan Rail Pass.* Pour consulter les horaires et les prix, un site très pratique et fiable : ● hyperdia.com/en ●

LES ENVIRONS DE KYOTO

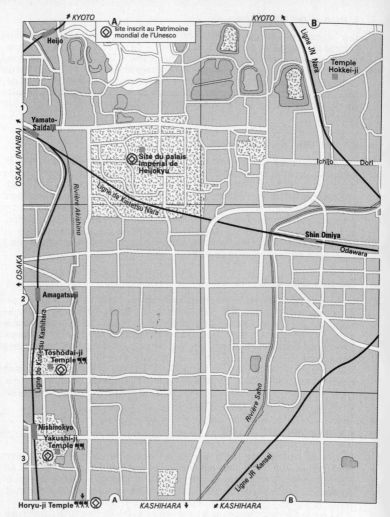

↗ *KYOTO*

↖ *KYOTO*

⊙ site inscrit au Patrimoine
mondial de l'Unesco

Heijo

Ligne JN Nara

Temple
Hokkei-ji

1

Yamato-
Saidaiji

OSAKA (NANBAI)

⊙ Site du palais
impérial de
Heijokyū

Rivière Akishino

Ligne de Kintetsu Nara

Ichijo   Dori

Shin Omiya

Odawara

↑ *OSAKA*

2

Amagatsuji

Ligne de Kintetsu Kashihara

Tōshōdai-ji
Temple

Rivière Saho

Nishinokyo
Yakushi-ji
Temple

3

Ligne JR Kansai

Horyu-ji Temple   **A**   *KASHIHARA* ↓   ↙ *KASHIHARA*   **B**

En bus

➢ **De l'aéroport international du Kansai** 関西国際空港 *(Osaka) :* il existe un bus limousine direct pour Nara. Tlj 6h-21h dans le sens Nara-aéroport. ● *kate.co.jp/en* ● Durée : 1h30. Billet : 2 050 ¥. Il se prend des terminaux 1 (1er étage) et 2. À Nara, il s'arrête à la Kintetsu-Nara Station et à la JR-Nara Station, points de départ de ces mêmes bus dans le sens Nara-aéroport international. Attention, pour les vols domestiques, assurés par la *JAL* et *ANA,* l'aéroport est celui d'Itami, près d'Osaka, différent de l'aéroport international du Kansai. Voir « Arriver – Quitter » à Kyoto.

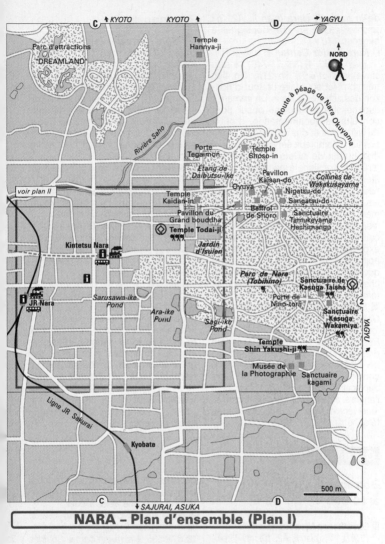

NARA – Plan d'ensemble (Plan I)

LES ENVIRONS DE KYOTO

Adresses et infos utiles

Informations touristiques

🛈 *Office de tourisme de Nara* (Nara City Tourist Information Center ; plan II, A1-2, *1*) : ☎ 22-5595. ● visitnara.jp ● Tlj 9h-21h. Fermé pdt les fêtes de fin d'année et Nouvel An.

🛈 *Centre d'information touristique de la gare Kintetsu-Nara* (plan II, A1, *2*) : ☎ 24-4858. Tlj 9h-17h. Très bien et efficace.

🛈 *Centre d'information touristique*

de la gare JR-Nara (plan II, A2, 3) : ☎ 27-2223. *Tlj 9h-21h.* Consignes à bagages *(410 ¥/j.).*

🛈 *Nara Visitor Center* 奈良県猿沢イン *(plan II, B2, 4) :* ☎ 81-7461. ● *saru sawa.nara.jp/* ● *Tlj 8h-21h.* Un lieu très complet pour faire un tour d'horizon des activités à Nara. Un immense espace où l'on peut se poser pour consulter la documentation, profiter du wifi gratuit et des ordinateurs à disposition. Nombreux services : change, distributeur de billets *(Visa* et *MasterCard),* consigne à bagages *(gratuit 8h-19h),* location de vélos, bus touristique (3 circuits), billetterie (train), visites avec des guides francophones de mars à novembre *(walking tours).* Sur réservation (payant), cérémonie du thé, cours de calligraphie, origami, le tout expliqué en anglais. Également une application gratuite (Apple Store uniquement), « Nara Audio Guide », à télécharger, pour des explications sur les temples (en anglais). Incontournable !

■ *Service de guides bénévoles : Goodwill Guide & Interpreter Service (guides bénévoles Nara S.G.G. Club). Résas et infos à l'office de tourisme près de la gare JR-Nara.* Ces guides ne demandent aucun salaire, mais il convient de prendre en charge leurs déplacements et leurs repas. Ils parlent l'anglais, et parfois le français. Il faut les réserver minimum 1 jour à l'avance, en téléphonant.

Transports

🚆 *Gare ferroviaire de Kintetsu-Nara* 近鉄奈良駅 *(plan II, A1) :* lignes de Kintetsu en direction de Kyoto et de la gare de Namba (Osaka).

🚆 *Gare ferroviaire de JR-Nara* JR 奈良駅 *(plan II, A2) :* lignes de *Kansai JR* (ligne Yamatoji) pour Horyuji et ligne de *Sakurai JR* (pour Sakurai). Bon à savoir : le guichet pour se procurer les billets du *Shinkansen* est bien moins fréquenté qu'à Kyoto.

🚌 *Gare routière de Kintetsu-Nara* 近鉄奈良バスターミナル *(plan II, A1) :* sur la place devant la gare. Nombreuses lignes de bus. Plan détaillé fourni au bureau du tourisme de la gare.

🚌 *Gare routière de JR-Nara* 奈良バスターミナル *(plan II, A2) :* sur la place devant la gare. Nombreuses lignes de bus. Plan détaillé fourni au bureau du tourisme de la gare.

– Une ligne de bus circulaire, *Nara City Loop* (bus jaune, ttes les 10 mn), permet de faire le tour de la ville en passant par les 2 gares ferroviaires. Compter 210 ¥ le trajet ou 500 ¥ pour le *pass* journalier.

■ *Location de vélos :* plusieurs loueurs, notamment à proximité des gares ferroviaires, dont *Nara Rent a Bike (plan II, A1, 5 ; Takamaichi-cho ;* ☎ 24-8111 ; tlj 8h30-17h).* Ou au *Nara Visitor Center (plan II, B2, 4).* Compter 800 ¥ pour 24h, env le double pour un vélo électrique.

Où dormir ?

Bon marché (de 6 000 à 10 000 ¥ / 50-83 €)

🏠 *Guesthouse Nara Komachi* ゲストハウス奈良小町 *(plan II, A2, 10) :* 41-2 Surugamachi. ☎ 87-0556. ● *guesthouse@ wave.plala.or.jp* ● *À 250 m de la gare JR et de la rue commerçante. Double 6 000 ¥.* Bâtiment tout en longueur, noir et ocre. Une adresse conviviale, assez design et moderne. Une petite dizaine de chambres jusqu'à 4 personnes, pas bien grandes mais fonctionnelles. Très propres, les doubles ont même toilettes et salle de bains derrière des parois de verre. À disposition : micro-ondes, boissons et quelques mangas. Accueil extra en anglais, notre adresse préférée dans sa catégorie. Vélos à louer.

🏠 *Nara Visitor Center & Inn* 奈良県猿沢イン *(plan II, B2, 4) :* 3 Ikeno-cho. ☎ 81-8585. ● *nara-inn.com* ● *Doubles 6 900-12 600 ¥.* Devant le lac, le centre d'informations géré par la préfecture de Nara a aménagé 24 chambres spacieuses, aussi modernes que la structure le laissait présager. Une heureuse surprise à prix modérés ! Sur 3 niveaux, les chambres à l'occidentale ou de style japonais, avec tatamis, futons et salle de bains privée, sont fonctionnelles, et la vue sur le lac assez plaisante. Cuisine bien équipée, bain japonais et

NARA – Centre (plan II)

LES ENVIRONS DE KYOTO

■ Adresses utiles

- **i 1** Office de tourisme de Nara (A1-2)
- **i 2** Centre d'information touristique de la gare Kintetsu-Nara (A1)
- **i 3** Centre d'information touristique de la gare JR-Nara (A2)
- **i 4** Nara Visitor Center (B2)
- **5** Nara Rent a Bike (A1)

🏠 Où dormir ?

- **4** Nara Visitor Center & Inn (B2)
- **10** Guesthouse Nara Komachi (A2)
- **11** Oak Hostel (A1)
- **12** Ugaya Guesthouse (A2)
- **13** Ryokan Seikanso (A2)
- **14** Naramachi Hostel and Restaurant (B2)
- **15** Guesthouse Sakuraya (A2)
- **16** Super Hotel Lohas (A2)
- **17** Ryokan Matsumae (B2)
- **18** Hotel Sunroute (B2)
- **19** Ryokan Yoshidaya (B2)

❘●❘ Où manger ?

- **30** Aida (A2)
- **31** Restaurant Kameya (B2)
- **32** Zakka & Café Conpei Too (B2)
- **33** Restaurant Kinatei (A2)
- **34** Château d'Or Bakery Restaurant (A1)
- **35** Kichiza Denemon (A2)
- **36** Kura (A2)
- **37** Tonkatsu Ganko et Washokuya Happoh (A1)
- **38** Restaurant Edogawa (A-B2)

🍴🍰 Où boire un verre ? Où manger une pâtisserie ?

- **50** Café Pao (A-B2)
- **51** Nakatanido (A2)
- **52** Mellow Cafe (A1-2)
- **53** Lamp Bar (A1-2)

nombreux services proposés par le *Visitor Center* (dont la location de vélos). Personnel ultra-efficace et compétent.

🏠 *Oak Hostel* オークホステル奈良 *(plan II, A1, 11)* : 15 Higashimuki-Kitamachi. ☎ 24-0984. ● oakhostel.com/nara ● *Sortie 1 depuis la gare. Nuit en dortoir 2 800-3 800 ¥/pers ; doubles 8 000-10 000 ¥ ; pas de petit déj mais thé et café à dispo.* Un bon plan, à côté de la gare Kintetsu, que cet *hostel* rénové et tout fringant ! Un dortoir mixte de 16 lits où l'intimité de chacun tente d'être préservée. Également des chambres doubles et même familiales, avec petite salle de bains privée. L'ensemble est nickel et le confort assuré malgré l'espace restreint et la vue parfois inexistante. TV, frigo et couettes moelleuses. Accueil anglophone amical.

🏠 *Ugaya Guesthouse* 格安宿泊ウガヤ *(plan II, A2, 12)* : 4-1 Okukomori-cho, dans une rue calme, à 5 mn de la gare de JR-Nara. ☎ 95-7739. ● ugaya.net ● *Nuitée 2 500 ¥ en dortoir 6 pers. CB refusées.* Dans une vieille maison, une *guesthouse* pour petits budgets qui abrite 2 dortoirs mixtes avec lits superposés ou des chambres doubles. Des escaliers raides mènent au 2e étage à la salle de bains à partager, très propre. Cuisine, petit café au rez-de-chaussée pour grignoter ou prendre son petit déj (non compris) en lisant quelques mangas de la bibliothèque, laverie. Ambiance pas folichonne, dommage.

🏠 *Ryokan Seikanso* 旅館静観荘 *(plan II, A2, 13)* : 29 Higashi-Kitsuji-cho. ☎ 22-2670. ● nara-ryokanseikanso.com ● *Depuis la gare JR-Nara, env 20 mn à pied ou Loop Bus n° 1, arrêt Kitakyobate à 200 m. Depuis la gare Kintetsu-Nara, env 15 mn de marche. Double env 9 000 ¥ ; petit déj en sus.* Dans le quartier Naramachi, en bordure d'une petite rue paisible, un *ryokan* à l'ancienne qui était jusqu'à la Seconde Guerre mondiale une maison de plaisirs. À l'étage, le long d'un grand couloir, des chambres à la japonaise avec clim, TV, *yukata*, jardin d'hiver, pouvant loger jusqu'à 4 personnes. Futons confortables et 2 bains communs. Parmi les 9 chambres, les plus agréables ont vue sur un jardin zen.

🏠 *Naramachi Hostel and Restaurant* ナラマチ ホステル&レストラン *(plan II, B2, 14)* : 939-1 Takabatake-cho. ☎ 93-33-90. *Nuitée en dortoir (8-20 pers) 4 000 ¥ ; chambre 2-4 pers 16 000 ¥ ; petit déj japonais 1 000 ¥.* Cette ancienne usine de soja a été reconvertie en *hostel* labyrinthique, tenu au cordeau par une équipe jeune et dynamique. Dortoirs de 8 à 20 lits superposés et chambres de 2 lits doubles, dont l'un en mezzanine, faute de place, et matelas chauffants appréciables en hiver (clim en été). Il faut dire que l'isolation phonique et thermique n'est pas le point fort de cette auberge. Parties communes aérées et agréable cour. Fait également resto.

Prix moyens (de 10 000 à 15 000 ¥ / 83-125 €)

🏠 *Guesthouse Sakuraya* 桜舎 *(plan II, A2, 15)* : 1 Narukawa-cho. ☎ 24-1490. ● guesthouse-sakuraya.com ● *Résa à l'avance impérative. Doubles 10 400-14 500 ¥, petit déj traditionnel inclus.* Une de nos adresses préférées à Nara, dans l'un des quartiers les plus agréables. Dans une maison *machiya* de plus de 150 ans, restaurée avec goût, 3 chambres de style japonais (tatami, futon), très épurées, avec clim et douche commune. Une à l'étage. Et 2 chambres au rez-de-chaussée, la plus grande avec vue sur le jardin zen. Accueil adorable de la propriétaire, Kayoko, qui parle anglais et dispense volontiers ses bons plans pour visiter la ville. Dégustation de thé, cours de calligraphie pour s'imprégner de la culture japonaise.

🏠 *Super Hotel Lohas* スーパーホテルロハス *(plan II, A2, 16)* : 1-2 Sanjo-honmachi, Nara Shi. ☎ 27-9000. ● superhoteljapan.com/en/s-hotels/nara-lohas ● *Réception au 4e étage. Doubles 12 000-17 000 ¥, petit déj-buffet inclus.* Ce cube de béton posé à côté de la gare n'est évidement pas une référence architecturale, mais le confort moderne et l'accueil anglophone prévenant compensent largement. Chambres standard sans grand charme mais bien fonctionnelles, *onsen* commun. Au bout du compte, un rapport qualité-prix intéressant et une situation idéale à deux pas de la gare. On choisit la qualité de son oreiller : noyaux de cerise ou plumes ? Très agréable, surtout avec la vue depuis les étages les plus élevés.

🛏 *Ryokan Matsumae* 旅館松前 *(plan II, B2, 17)* : 28-1 Higashiterabayashi-cho. ☎ 22-3686. ● matsumae.co.jp ● *À 7 mn de marche de la gare Kintetsu, ou à 15 mn de la gare JR-Nara. Doubles 10 800-17 200 ¥ ; petit déj japonais ou occidental en sus.* Dans le quartier central de Naramachi, un *ryokan* traditionnel avec 15 chambres classiques et bien tenues (confortables, avec la clim), donnant sur la rue ou sur l'arrière (petit jardin). Certaines sont avec douche et w-c (plus chères), d'autres sans (*onsen* en commun). Accueil extra. On y parle l'anglais. Propose des guides *Goodwill* et des cours de calligraphie et de yoga.

De chic à très chic (de 15 000 à 35 000 ¥ / 125-292 €)

🛏 *Hotel Sunroute* ホテルサンルート奈良 *(plan II, B2, 18)* : 1110 Takabatake-cho. ☎ 22-5151. ● sunroute-nara.co.jp ● *Doubles 22 700-29 200 ¥ ; petit déj japonais ou occidental en sus.* La situation ultracentrale et le professionnalisme du personnel (anglophone) laissaient espérer un sans-faute sur les chambres. Elles sont certes fonctionnelles (frigo, bouilloire, thé) mais exigües (tout comme les salles de bains) et assez démodées. Le petit plus : le partenariat avec les bains publics *(onsen)*, à moins de 15 mn à pied. Location de vélos et bureau d'informations.

🛏 *Ryokan Yoshidaya* 吉田屋旅館 *(plan II, B2, 19)* : 118 Bodai-cho. ☎ 23-2225. ● nara-yoshidaya.co.jp ● *Au bord de la rue qui longe à l'est l'étang de Sarusawa-ike. Double 36 000 ¥.* En plus d'être bien placé face à un petit étang, cet hôtel récemment rénové a de belles proportions, depuis le hall jusqu'aux 19 chambres à l'occidentale ou avec tatamis. Déco épurée, lumières douces et joli mobilier. N'empêche qu'à ce prix on aurait aimé un personnel anglophone !

Où manger ?

Bon marché (jusqu'à 1 500 ¥ / 12,50 €)

🍴 *Aida (plan II, A2, 30)* : Sanjo-dori. *Tlj sauf mer 11h-15h. Menu unique 800 ¥.* Une adresse discrète dans la rue commerçante, et néanmoins connue des habitués. Sol en béton brut, quelques tables en bois blond devant la cuisine et une petite salle à l'étage où l'on mange à la japonaise, assis sur des tatamis. Une belle affaire que la formule, préparée avec des produits frais et servie rapidement : soupe, légumes, tempura ou *spring rolls*, riz, salade et thé vert. Qui dit mieux ?

🍴 *Restaurant Kameya* かめや *(plan II, B2, 31)* : Sanjo-dori. ☎ 22-2434. *En remontant la rue Sanjo en direction de l'étang Sarusawa. Tlj sauf mar 11h-22h.* Gros lampion rouge, intérieur noir et blanc, tables avec plaques chauffantes et espace pour glisser ses jambes. Une bonne adresse à Nara, pour la cuisine *okonomiyaki*. Ici, cette variante japonaise de la crêpe mélange poisson, crevettes, bœuf, œufs, nouilles et légumes. Un régal, préparé sur les plaques chauffantes sous les yeux des clients. Informel et roboratif.

🍴 *Zakka & Café Conpei Too* ザッカ&カフェこんぺいとう *(plan II, B2, 32)* : Higashiterabayashi-cho. ☎ 080-3834-3999. *Tlj 10h-21h.* Déco *kawaii*, esprit maison de poupées, avec tables bien nappées pour cette sympathique adresse hybride, à la fois boutique de souvenirs et salon de thé de poche pour restauration simple et pas trop chère préparée sous vos yeux. Gâteaux maison, pizzas, pâtes, tartes... En attendant la commande, achetez vos petits souvenirs ! Petite terrasse aux beaux jours.

🍴 *Restaurant Kinatei* 喜菜亭 *(plan*

II, A2, 33) : 21-5 Sugigamachi. 📞 080-6119-6105. Au rdc d'un immeuble gris en brique, nommé « Féliz » ! Tlj sauf lun, seulement le midi 11h30-14h30. Résa conseillée. L'emplacement dénué de charme ne doit pas vous arrêter. Ce resto tenu par la fantaisiste Mme Nishizawa (anglophone) sert une cuisine végétarienne bio. Sous forme de *set menu,* on goûte soupe, légumes cultivés autour de Nara, riz, algues, tofu, *udon,* thé vert organique. Elle est fière de ses produits, et sa cuisine, qui laisse le choix entre 4 plats au menu, n'a rien de monotone. Au mur, sur un planisphère, les clients pointent leur pays d'origine.

🍴 Château d'Or Bakery Restaurant シャトードール *(plan II, A1, 34) :* 39 Konishi-cho. En venant de la gare de Kintetsu-Nara, c'est sur la gauche, à env 100 m. Tlj 7h-22h (19h pour la cafétéria à l'étage). Sandwichs, soupes, salades, spaghettis à prix raisonnables pour la partie resto au 1er étage, tandis que le rez-de-chaussée abrite une boulangerie à la française vendant des petits pains, des croissants, des brioches et autres viennoiseries rustiques mais plutôt bonnes.

Prix moyens (de 1 500 à 3 500 ¥ / 12,50-29 €)

🍴 Kichiza Denemon 吉左衛門 *(plan II, A2, 35) :* 5-1 Honkomiri-cho. 📞 24-4700. Tlj sauf lun 11h-15h (dernière commande à 14h30), 17h30-23h (dernière commande à 22h30). Cette maison orangée abrite une table gourmande, où le menu du déjeuner, qui inclut thé et dessert, est une aubaine. On s'assied, au choix, sur une chaise au comptoir devant les cuisines ou à l'une des tables dans la petite salle en longueur. Un régal que ces tempura, sashimis et petits plats raffinés qu'on enchaînerait volontiers. Mais gare à l'addition... Le soir, le menu est plus cher et l'adresse bascule dans la catégorie « Chic ».

🍴 Kura 蔵 *(plan II, A2, 36) :* 16 Komyoin-cho. 📞 22-8771. À droite de Shimomikado, la rue piétonne couverte. Tlj 17h-22h (dernière commande 21h30). On passerait devant sans le remarquer. Et pourtant, voici l'un de nos coups de cœur ambiance-qualité-prix. N'hésitez pas à faire coulisser la porte d'entrée pour vous installer au coude-à-coude, juché sur un tabouret, devant le vieux comptoir patiné. Adresse populaire hors d'âge, avec vieilles pubs Asahi... en bois ! Classiques de la cuisine japonaise, légumes qui mijotent sous vos yeux et petits plats à partager. Menu en anglais, mais n'hésitez pas à demander de l'aide aux serveurs, en bleu de chauffe, ou désignez le plat de votre voisin. Le tout arrosé d'un petit saké bien frais (ou chaud). Attention, c'est souvent plein !

🍴 Tonkatsu Ganko とんかつがんこ *(plan II, A1, 37) :* au début de la galerie couverte Higashimuki, juste après la gare de Kintetsu-Nara. 📞 25-4129. Tlj 11h-22h. Un grand comptoir en bois tout autour de la cuisine et quelques tables pour 2 ou 4 personnes dans des cabines. La spécialité ici, c'est la friture : porc, poulet et crevettes. Les menus sont tous servis avec une soupe *miso,* du riz et du chou. Rien de raffiné, mais c'est copieux et bon.

🍴 Washokuya Happoh 和食屋八寶 *(plan II, A1, 37) :* au début de la galerie couverte Higashimuki, à côté du précédent. 📞 26-4834. Tlj 11h30-22h30 (22h dim ; dernière commande 1h avt fermeture). Un resto tout en longueur avec petite fontaine. Si vous prenez un repas à l'étage, déchaussez-vous avant de monter. Les palissades en bambou qui isolent les tables apportent une certaine intimité. Spécialités de pot-au-feu de poulet et excellents tempura. Copieux et raisonnable, surtout au déjeuner.

Chic (de 3 500 à 6 500 ¥ / 29-54 €)

🍴 Restaurant Edogawa 江戸川 *(plan II, A-B2, 38) :* Mochiidono-dori, à l'angle de la rue du temple Gango-ji. 📞 20-4400. Juste après la fin de la galerie couverte Mochiidono. Tlj 11h-21h30 *(dernière commande à 21h). Fermé Nouvel An. Résa conseillée. Carte en anglais.* Vieille maison aux murs de bois peints en noir. Intérieur dépouillé et décoré sobrement, tables basses avec une fosse pour les jambes. Ici, la spécialité, c'est l'anguille ! Présentation soignée et excellente cuisine.

Où boire un verre ? Où manger une pâtisserie ?

❦ *Café Pao* カフェパオ界 *(plan II, A-B2, 50)* : 12-1 Wakido-cho. ☎ 24-3056. *Tlj sauf lun 11h30-17h.* En retrait de la rue, sur la gauche après la galerie couverte, dans une sorte de jardin d'hiver, sous une grande verrière, avec des tables dehors pour déguster une glace ou un café aux beaux jours. Sert aussi des petits plats à prix sages. Très bon accueil et bon service. Allez voir les petits magasins d'art et artisanat qui bordent le passage, dans une galerie. Et en face, allez goûter les pâtisseries colorées de *Nakanishi Yosaburo* 中西与三郎. Déroutant !

❦ *Nakatanido* 中谷堂 *(plan II, A2, 51)* : sur Sanjo-dori. ☎ 23-0141. *Tlj 10h-19h.* Pour une pause sucrée, c'est ici qu'il faut venir déguster des *mochi* (gâteau de riz) frais confectionnés sur place ! Le clou, c'est le spectacle des pâtissiers martelant les *mochi* !

❦ |●| *Mellow Cafe (plan II, A1-2, 52)* : axe unit 1-8 Konishi-cho. ☎ 27-9099. *Tlj 11h-23h30 (dernière commande à 23h).* Au fond d'une allée, une construction en brique abrite ce lieu animé, aéré et décontracté. Musique en fond sonore, ambiance jeune et branchée. Côté cuisine, des currys ainsi que des pâtes et pizzas pas vraiment typiques mais savoureuses.

❦ *Lamp Bar (plan II, A1-2, 53)* : 1F, Iseya Bldg, 26 Tsunofuricho. ☎ 24-2200. *Tlj 17h-2h.* Le top du bar à cocktails. Une atmosphère feutrée et classe, et surtout des cocktails coûteux mais du tonnerre, réalisés avec une dextérité impressionnante par Michito Kaneko, champion en la matière (si, si, zieutez le diplôme !). Regardez-le opérer derrière le bar, il est fascinant ! Pas de carte, vos désirs seront exécutés... à la perfection.

Achats

❦ *Crafts Museum* 奈良工芸館 *(plan II, A2)* : 1-1 Azemamecho. ☎ 27-0033. *Tlj sauf lun 10h-18h (dernière entrée 17h30). GRATUIT.* Salle d'exposition permanente du savoir-faire des artisans de Nara : poterie, calligraphie, brosses, encres et masques... de très belles pièces ; quelques-unes en vente, mais très chères !

❦ *Harushika Sake Brewery* 今西清兵衛商店 *(plan II, B2)* : 24-1 Fuku-chiincho. ☎ 23-2255. *Tlj 9h-17h (dernière dégustation 16h30). Congés :* août. *Dégustation 500 ¥.* L'ancienne capitale impériale serait le lieu de naissance du saké, qui nécessite une eau de source très pure et un riz de haute qualité. À ses débuts au Japon (VIIe s), il était fabriqué dans les sanctuaires shintoïstes, où il était associé à certains rites. Le saké Harushika est issu de cette tradition. L'accueil est sympathique, et l'on goûte 5 sakés différents, du sec au pétillant, dans un joli petit verre que l'on garde en souvenir. *Kampaï !*

À voir

Au centre de Nara (quartier de Naramachi 奈良町*)*

Ce quartier, constitué d'un dédale de petites rues marchandes qui évoquent l'époque Edo, conserve de nombreuses vieilles maisons, certaines ayant été transformées en musées, restaurants ou magasins. Se munir d'un plan à l'office de tourisme. Très agréable promenade qui se fait facilement à pied.

◎ 👣👣 *L'ensemble du temple Kōfuku-ji* 興福寺 *(plan II, B1)* : ● kohfukuji.com ● *À 300 m de la gare Kintetsu-Nara. Tlj 9h-17h. Accès au site GRATUIT ; temples payants.* Fondé en 669 à Yamashina, c'est l'un des principaux temples de Nara, dirigé par les moines de la secte Hosso. Chaque année, le 19 mai, se déroule la fête du Lancer des éventails pour exorciser les mauvais esprits. Les bâtiments autour sont en principe ouverts à la visite en fonction des travaux de rénovation en cours.

👣👣👣 La *pagode à 5 étages (Gojuno-to)* 五重塔 *(plan II, B1-2)* serait une des plus hautes du Japon (50 m) après celle du temple Toji de Kyoto. Elle date de l'an 730 mais fut reconstruite en 1426 dans le style Muromachi. Ne se visite pas.

Plusieurs autres pavillons autour : le *Tokon-do* ou *Eastern Golden Hall* 東金堂 *(entrée : 300 ¥),* qui abrite en son centre le Yakushi Nyorai, bouddha médecin de bronze de 1415. C'est à cette date qu'il a été reconstruit. Il ne reste rien du temple original, bâti en 726 par l'empereur Shomu pour assurer la guérison de sa tante.

– Dans l'enceinte du temple encore, les trésors d'art bouddhique du Kofuku-ji sont conservés dans le *Kokuho-kan* 国宝館 *(entrée : 600 ¥),* un ancien réfectoire des moines. En vedettes : la statue d'*Ashura,* une divinité maléfique originaire de Perse, avec ses 6 bras et ses 3 visages, et le *Senju Kannon,* la divinité aux mille bras en bois laqué et doré.

– Seul le *Central Golden Hall* est fermé pour travaux, en principe jusqu'en octobre 2018.

◎ 👣👣 *Le temple Gangō-ji* 元興寺 *(plan II, B2)* : ● gangoji. or.jp ● *Tlj 9h-17h (16h30 dernière entrée). Entrée : 500 ¥ ; réduc.* Un petit temple intime, classé au Patrimoine mondial de l'Unesco. Ce serait le 1ᵉʳ temple bouddhique du Japon. Fondé par Sogano Umako sur le site d'Asuka, il a ensuite été démonté en 718 pour être transféré à Nara, devenue capitale. Beau toit de tuiles, où subsistent quelques traces de couleur orangée. Le

LE PLUS VIEUX PORTE-BONHEUR DU JAPON

Autour de vous, vous verrez partout des (faux) singes, sur les toits, aux portes des maisons, devant les fenêtres... Il s'agit de Migawarizaru, un singe habillé en rouge, un messager divin capable de faire des galipettes comme personne. À la fois attrape-malheur et porte-bonheur, il permet d'éviter accidents, maladies, etc.

pavillon principal, *Gokurakudo,* autrefois dortoir des moines, repose sur des colonnes de bois. L'intérieur, très sobre, offre un décor dépouillé. Au fond du jardin, des tombes dorment dans un petit cimetière. On y trouve aussi un modeste musée (statues, sculptures, maquettes, estampes) à l'étage.

👣 *Le temple Jurin-in* 十輪院 *(plan II, B2)* : *tlj sauf lun 9h-16h30. Entrée : 400 ¥.* Autrefois temple secondaire du Gango-ji. Le principal objet de culte, *Jizo Bosatsu,* qui se trouve dans le pavillon des pierres, est une des divinités les plus populaires au Japon, considéré comme le protecteur des voyageurs et des enfants.

👣👣 *La maison Koushi-no-ie* 格子の家 *(plan II, B2)* : *à 200 m du temple Jurin-in, dans une petite rue sur la gauche en venant de la galerie couverte Mochiidono. Tlj sauf lun 9h-17h. GRATUIT. Brochure en français.* Voici une maison de type *machiya* 町家, reconstituée, typique de ce quartier de Naramachi. Les *machiya* servaient aux marchands d'habitation et de lieu de travail. Elles se distinguent par l'étroitesse de leur façade et la profondeur du bâtiment. Cela évitait aux propriétaires de payer trop de taxes foncières, calculées selon la largeur de la façade. Remarquer à l'extérieur le treillage en lamelles de bois couvrant les fenêtres. Elles permettaient aux habitants de voir l'extérieur depuis l'intérieur, sans être vus eux-mêmes. L'escalier emboîté a été habilement conçu avec des tiroirs sous les marches pour économiser de l'espace. Le jardin intérieur constitue la partie la plus agréable, communiquant à l'arrière avec la pièce d'entreposage. Voir aussi les fourneaux de la cuisine, l'évent à fumée et la lucarne. Et demandez aux personnes de l'accueil de vous faire une démonstration d'ouverture (très originale) de la porte d'entrée !

🦌🦌 *La maison Naramachi Nigiwai-no-ie* 奈良町にぎわいの家 *(plan II, B2)* : 5 *Nakashinya-cho. Tlj sauf mer 9h-17h. GRATUIT.* Une autre maison centenaire ouverte à la visite. Comme à Koushi-no-ie, plancher et panneaux coulissants caractérisent cette demeure traditionnelle bordée d'un jardin qui semble prolonger les pièces.

À l'est

🦌 *Le parc de Nara (Tobihino)* 飛火野 *(plan I, D2)* : c'est le poumon vert de Nara, qui se termine par les hauteurs du mont *Wakakusa*. Frondaisons, bosquets, bassins et étangs, allées forestières ombragées, c'est un paysage reposant qui sert d'écrin aux temples et sanctuaires classés au Patrimoine mondial de l'Unesco. On y circule librement à pied.

🦌🦌 *Le Musée national de Nara* 奈良国立博物館 *(plan II, B1)* : ☎ 22-7771. ● *narahaku.go.jp* ●

NOS AMIES LES BÊTES

Cerfs, daims et biches sont vénérés dans la religion, et en particulier à Nara. Ce sont les messagers des dieux. Dans le bouddhisme, le cerf est un animal sacré qui sauve les hommes du désespoir et apaise leurs passions. D'où les innombrables daims (il y en aurait environ 1 200) qui vivent en liberté dans les parcs et les enceintes des temples de Nara. Ils rappellent l'époque où hommes et bêtes vivaient en parfaite harmonie.

Tlj sauf lun et j. fériés 9h30-17h (20h ven-sam). Entrée : 520 ¥ ; combiné pour les expos temporaires : 1 200 ¥ ; gratuit moins de 18 ans et plus de 70 ans (passeport demandé). Audioguide (anglais) : 500 ¥.

2 bâtiments distincts composent le musée : le bâtiment principal, construit en 1895 où sont superbement exposées des statues bouddhiques, et l'annexe (ailes ouest et est, cette dernière étant réservée aux expositions temporaires). Le bâtiment principal *(Nara sculpture hall)*, rénové en 2016, concentre un magnifique ensemble de sculptures bouddhiques de Nara, intitulé « Joyaux de l'art bouddhique ». Depuis les statues de la période Asuka (VIIᵉ s) jusqu'à la période Kamakura (XIVᵉ s) en passant par quelques sculptures du Gandhara (Pakistan), de Chine et de Corée, le visiteur balaie l'histoire du bouddhisme. Nombreuses petites figurines en bronze, très attachantes par leur taille et leur finesse, mises en valeur elles aussi grâce à une présentation soignée et des éclairages étudiés. La sculpture de la période de Nara (645-794) exprime bien l'essor artistique de cette époque et la naissance de l'art japonais. Ses sculpteurs s'inspiraient de l'art chinois de l'époque Tang et de l'art indien des Gupta, mais leurs œuvres ont un style épuré, différent des modèles imités. Les historiens disent qu'on assiste au VIIIᵉ s à la « japonisation » de l'art venu de Chine.

Un passage souterrain jalonné de panneaux explicatifs sur l'histoire du musée et du bouddhisme (également une librairie, un café et un restaurant au sous-sol) mène au 2ᵈ bâtiment. Dans l'aile ouest sont exposés des mandalas (dessins représentant des cercles symboliques, utilisés dans la méditation), des céramiques, des bijoux, des calligraphies et des objets archéologiques. Tous les ans en automne, exposition des trésors du **Shoso-in** appartenant à l'empereur Sômu, les objets conservés au **Todai-ji** et récoltés tout au long de la route de la soie à l'époque Nara.

🏹 **Le musée Okumura** 奥村記念館 *(plan II, B1) : en face du Musée national de Nara.* ☎ 26-5112. *Tlj sauf 3ᵉ mar du mois 10h-17h. GRATUIT.* Musée consacré aux technologies inventées par Tahei Okumura (1880-1971) afin de lutter contre les séismes au Japon. Cet entrepreneur de Nara dirigea une grande entreprise fabriquant des systèmes sophistiqués d'amortisseurs en caoutchouc sur lesquels repose la base des immeubles pour amortir l'onde de choc en cas de séisme. Dans une salle, des illustrations racontent les réalisations de cet inventeur de génie et l'évolution des techniques antisismiques jusqu'à aujourd'hui. Le plus insolite est ce fauteuil qui permet de simuler les effets d'un tremblement de terre. Assis et attaché, faites-en l'expérience ! Une façon de se rendre compte de la violence des secousses sismiques.

◎ 🏃🏃🏃 **Le temple Todai-ji** 東大寺 *(plan I, D2) : à 500 m au nord-est du Musée national.* ● *todaiji.or.jp* ● *Tlj 7h30-17h30 avr-oct, 8h-17h nov-mars. Entrée : 600 ¥ ; billet couplé temple + musée : 1 000 ¥. Audioguide (musée) : 500 ¥.* Le Todai-ji est le siège de la secte Kegon, qui fut introduite au Japon en 735 par le bonze chinois Dosen. C'est un des temples les plus imposants du Japon. Le pavillon principal est considéré comme le plus grand édifice en

DES CHARPENTIERS DOUÉS

Les temples de Nara, tout en bois, ont résisté au temps. Il faut dire que leurs constructeurs, les VIIIᵉ s, les ont conçus de façon ingénieuse : isolés du sol par des pilotis, ils sont faits de poutres horizontales à section triangulaire, et leurs parois se dilatent ou se contractent en fonction du taux d'humidité. Un savoir-faire sans clous ni vis transmis par voie orale depuis des siècles. Longévité assurée !

bois du monde. Dès sa construction, il eut pour vocation « la protection du pays et la prospérité de la nation ». On peut dire qu'il est lié étroitement à l'histoire du Japon, d'où la foule de visiteurs qui s'y pressent à longueur d'année.

Après avoir photographié les daims qui errent sur l'allée centrale, on passe sous la grande **porte Nandaimon** 南大門 (haute de 29 m) édifiée en 1199. C'est l'un des exemples les plus purs du style Tenjiku-yô. Elle abrite 2 statues de rois divins. Agyô à la bouche ouverte, Ungyo la bouche fermée, mais les deux manifestent la force et la puissance.

Le grand **pavillon Daibutsu-den** 大仏殿 (ou *du Grand Bouddha*), construit en 747-751, mesure 57 m de long sur 48,50 m de haut. À droite de l'entrée, sur un balcon extérieur, grosse statue en bois représentant *Binzuru*, une divinité bouddhique qui porte un bonnet et une tunique rouges, offerts par les dévots pour les protéger des maladies. On lui attribue des pouvoirs surnaturels, comme celui de guérir les douleurs d'un geste simple : on touche la statue de Binzuru à l'endroit où on a mal, puis on touche la même partie de son propre corps.

– *L'intérieur du Daibutsu-den :* on ne se déchausse pas. L'énorme salle intérieure frappe par le gigantisme de la statue du **Grand Bouddha Vairocana,** la plus grande sculpture en bronze du monde avec ses 15 m de hauteur, réalisée en 751 par un artiste coréen ! L'obscurité empêche de l'observer en détail. Derrière la statue du Bouddha (côté droit quand on le regarde), le pied d'un pilier est troué. La croyance veut que celui qui traverse ce trou de la taille d'une narine du bouddha ait une longue vie. Les enfants ont toutes leurs chances. Pour les adultes, tendez un bras en avant, c'est plus facile !

– En sortant, vous pouvez faire une halte au *musée* exposant quelques trésors du temple.

🎎 *Les jardins d'Isuien* 依水園 *(plan II, B1)* : *prendre, sur 300 m, la route à gauche avt la porte de Naidamon et tourner à gauche au bout de celle-ci. Tlj sauf mar 9h30-16h30 (16h dernière entrée). Entrée : 900 ¥, incluant celle du petit musée Neiraku exposant des poteries.* Un peu à l'écart des foules, cet ensemble de 2 magnifiques jardins datant de l'époque Meiji (XIXe s) constitue un ravissant intermède à la succession de temples. Alimentés par une petite rivière, 2 étangs entourés de parterres et de bosquets gracieux servent de décor paisible aux maisons de thé avec les collines en arrière-plan. Si vous souhaitez économiser le prix de l'entrée, préférez le *jardin Yoshikien,* voisin et gratuit, qui offre de beaux points de vue sur les jardins d'Isuien.

◎ 🎎 *Le sanctuaire shinto de Kasuga Taisha* 春日大社 *(plan I, D2)* : *à 1,2 km au sud-est du temple Todai-ji, compter 30 mn à pied.* ● *kasugataisha.or.jp* ● *Tlj 6h-18h avr-sept, 6h30-17h oct-mars. Entrée : 500 ¥ pour accéder au bâtiment principal et 500 ¥ de plus pour le trésor.*
Sur les pentes boisées du mont Wakakusa Yama se tient ce sanctuaire shinto, considéré comme le plus important de Nara. Il aurait été fondé par la puissante famille des Fujiwara au VIIIe s. Une impressionnante galerie peinte en vermillon conduit au pavillon *Honden,* au centre du sanctuaire. Près de 3 000 lanternes sont suspendues sur les colonnes de ce corridor sacré, ainsi que sur les pavillons adjacents. Les plus anciennes remonteraient au VIIe s, d'autres sont datées de 1323. 2 fois par an, à l'occasion de la *fête des Lanternes* (3-4 fév et 14-15 août), elles illuminent le sanctuaire : inoubliable et poétique ! Près du Honden, dominant une cour de graviers, avec 8 m de circonférence, l'*arbre Honsha-osugi* (un *Cryptomeria*) aurait plus de 1 000 ans d'âge. Au printemps, les glycines roses ajoutent une poésie supplémentaire au lieu.

🎎 *Le sanctuaire de Kasuga Wakamiya* 春日若宮 *(plan I, D2)* : se trouve en pleine forêt, 150 m plus loin, vers le sud-est, au bord d'une allée ombragée par des arbres couverts de mousse. Le pavillon le plus important est le *sanctuaire shinto de Wakamiya,* reposant sur de grosses colonnes de bois. Les pavillons *Hosodono* et *Kaguraden* se distinguent par leurs cordes suspendues *(shimenawa)* auxquelles sont noués des papiers votifs. Sur des éventaires, les dévots accrochent des *ema* (tablettes en bois sur lesquelles est écrite une prière), achètent des *o-mamori* (sachets porte-bonheur qu'il faut porter sur soi pour attirer la chance) ou se procurent des *o-mikuji* (oracles écrits annonçant la bonne ou la mauvaise fortune). Ces coutumes du culte shinto viennent du fond des âges et cohabitent avec les pratiques bouddhistes.

🎎 *Le temple Shin Yakushi-ji* 新薬師寺 *(plan I, D2)* : près du musée de la Photographie. Arrêt de bus Wari ischijo. Tlj 9h-17h. Entrée : 600 ¥. Bâti en 747 par l'impératrice Komyo pour demander la guérison de son époux, l'empereur Shomu. Dans le Hon-do, une statue de Yakushi Buddha protégé de 12 guerriers célestes, classés trésors nationaux. Les autres bâtiments ont été détruits lors d'un incendie, pendant la période de Nara.

À l'extérieur de la ville, au sud-ouest

Avant de partir visiter ces temples situés à l'extérieur de la ville, demander un plan détaillé de ces quartiers à l'office de tourisme. Le plus pratique est d'y aller en train, c'est gratuit avec le *JR Pass* (3e arrêt après Nara, compter 10 mn de trajet). À l'arrivée à la gare, un petit bureau d'infos. Tout est bien indiqué. Il faut marcher.

◎ ☂☂ *Le temple Tōshōdai-ji* 唐招提寺 *(plan I, A2) :* en bus, ligne n° 70, au départ des gares de Nara-Kintetsu ou JR-Nara, arrêt Toshodaiji. Durée : 16-20 mn. Tlj 8h30-17h (dernière entrée 16h30). Entrée : 500 ¥ et 200 ¥ de plus pour le trésor. Fondé par le bonze chinois Ganjin, en 759, pour servir de siège à la secte bouddhiste Risshu. Il se trouvait au centre de la ville lorsque Nara était capitale du Japon. Derrière la porte sud se dresse le majestueux *Kondo,* la plus grande structure du VIII⁰ s restant dans le Japon d'aujourd'hui. Sa beauté a été décrite dans de nombreux poèmes anciens. La rangée de ses piliers n'est pas sans rappeler le Parthénon d'Athènes.

◎ ☂☂ *Le temple Yakushi-ji* 薬師寺 *(plan I, A3) :* en bus, même ligne que pour le précédent ou seulement 15 mn à pied. Tlj 8h30-16h30. Entrée : 800 ¥. Il est, avec le temple Kofuku-ji, l'un des sièges de la secte Hosso. Fondé en 680, il fut presque entièrement reconstruit à partir du XIII⁰ s. Les bâtiments aux murs blancs, boiseries vermillon et volets verts sont répartis de manière symétrique. La pagode de l'Est *(To-to),* à 3 étages, est le seul monument du site qui date des origines. Le pavillon d'Or (1976) et la pagode de l'Ouest à 3 étages (1981) ont aussi été reconstruits sous le règne Showa (1926-1989).

◎ ☂☂☂ *Le temple Horyu-ji* 法隆寺 *(hors plan I par A3) :* 1-1 Horyuji Sannai, Ikaruga-cho, Ikoma-gun. ☎ 75-2555. ● horyuji.or.jp ● En train (le plus rapide : 10 mn) : ligne JR Kansai Line (Yamatoji) ; billet : 220 ¥. Descendre à la gare de Horyu-ji. À la gare, on trouve un petit bureau touristique (Ikagura Tourism) qui distribue un plan détaillé

GUIDE DES RECORDS

Kongo Gumi, entreprise spécialisée dans la construction de temples, était la plus ancienne du monde. Créée en l'an 578 (quand même !), elle a déposé son bilan en 2006, à la suite de mauvais investissements. Elle compta 40 générations de patrons de la même famille !

indiquant l'accès à pied jusqu'au temple ; env 20 mn de marche depuis la sortie nord de la gare à travers un faubourg banal. Également bus n° 72, sortie sud, 190 ¥ (ttes les 20 mn). Trajet plus long en bus (n⁰ˢ 97 ou 52) depuis les gares Kintetsu ou JR-Nara, arrêt Horyuji-mae. Durée : min 35 mn (760 ¥). Tlj 8h-17h (16h30 nov-fév). Entrée : 1 500 ¥ ; compter 300 ¥ de plus pour l'accès à l'enceinte est. À la réception du temple, demandez la brochure en français, très bien faite.

Cet ensemble unique est le 1ᵉʳ site japonais à avoir été classé (en 1993) par l'Unesco sur la liste du Patrimoine mondial de l'humanité. Le site abrite les plus anciennes constructions en bois du monde, la plus grande étant le pavillon principal du temple Todai-ji. Le site de Horyu-ji conserve des œuvres artistiques et religieuses exceptionnelles retraçant l'histoire du Japon. Près de 190 de ces œuvres ont été classées comme trésors nationaux ou biens culturels importants.

Bâti en 607 par le prince Shōtōku, fondateur de la secte du même nom, il aurait été détruit par le feu en 670, puis reconstruit au VIII⁰ s. L'ensemble est composé d'une enceinte ouest *(Saiin Garan),* qui comprend la pagode à 5 étages *(Goju-no To)* et le *Kondo* (pavillon principal), et de l'enceinte est *(Toin Garan),* organisée autour du pavillon des Songes *(Yumedono).* Les bâtiments sont en très bon état de conservation.

Saiin Garan 西院伽藍 *(enceinte ouest)*
– Le Kondo 金堂 *(pavillon principal) :* le plus ancien et le plus sacré, il abrite la « Triade » formée par les sculptures d'un bouddha flanqué de 2 serviteurs (époque d'Asuka, milieu VI⁰-début VIII⁰ s) et protégé par 4 gardiens célestes. Les murs décrivant le paradis bouddhiste sont inspirés des fresques d'Ajanta, près de Mumbai, en Inde. À l'extérieur, le long des avant-toits de l'auvent à triple plafond, des personnages célestes volent en compagnie du phénix (oiseau sacré de la mythologie bouddhiste).

– *La pagode à 5 étages* 五重唐 *(Goju-no To)* **:** la plus ancienne pagode du Japon, debout depuis le XIIIᵉ s malgré séismes et typhons. 5 niveaux pour plus de 32 m de hauteur, chacun symbolisant les éléments tantriques : terre, air, eau, bois et espace. Remarquable flèche et collection de statues en terre cuite du début de l'époque de Nara.

– *Daihozoin* 大宝蔵院 *(galerie des Trésors du temple, à droite au fond de l'enceinte)* **:** dans un bâtiment récent, large collection d'œuvres bouddhistes, dont le célèbre *Yumechigai Kannon*, appelé aussi le Transmutateur des Rêves, et le tabernacle *Tamamushi no zuschi* (ère Asuka), propriété de l'impératrice Suiko. Plusieurs représentations du prince Shōtōku à diverses époques de sa vie.

– *Kudara Kannon do* 百済観音堂 *(salle de la Kudara Kannon)* **:** cette statue de l'ère Asuka est une des œuvres de l'art bouddhique japonais les plus admirées : sculptée au VIIᵉ s en un bloc unique de bois de camphrier, haute de plus de 2 m, elle représente Sho Kannon Bosatsu. Masques de bugaku, sculptures, peintures du XIIᵉ au XVᵉ s.

Toin Garan 東院伽藍 *(enceinte est)*

– *Toin-shoro* 東院鐘楼 *(pavillon de la Cloche)* **:** il a une forme très amusante, dite *hakaagoshi* (« jupe évasée »).

– *Yumedono* 夢殿 *(pavillon des Songes)* **:** de forme octogonale, il serait le plus ancien de ce type au Japon. Construit entre 729 et 748, il est dédié au prince Shōtōku, dont on dit qu'il était un avatar de Kuse Kannon (le Sauveur). Conservée pieusement depuis des siècles, cette « statue cachée » représenterait le visage du prince.

KOYASAN 高野山 (MONT KOYA)   IND. TÉL. : 0736

◦ Plan *p. 378-379*

◎ **Voici la 2ᵉ « montagne sacrée » du Japon, après le mont Fuji. Au sud-est d'Osaka, au cœur de la péninsule de Kii (Wakayama-ken), entouré de 8 sommets dépassant les 1 000 m, le mont Koya (Koyasan en japonais) semble appartenir plus au ciel qu'à la terre, plus aux dieux qu'aux hommes, tant la spiritualité et la mystique bouddhistes ont marqué ce site de leur empreinte millénaire. Sur les quelque 3 000 habitants du Koyasan aujourd'hui, on compte près de 700 moines qui vivent dans 117 temples répartis dans le creux d'un petit plateau d'altitude dominé par la masse sombre des forêts de cèdres, de cyprès et de pins. Un site unique pour se retirer du monde. On comprend pourquoi les moines, à la recherche de calme et de paix pour méditer, s'y sentent aussi bien.**

C'est ici qu'a commencé l'histoire du bouddhisme au Japon vers 816 de notre ère, quand Kukai, un moine formé en Chine, revint s'y installer dans un ermitage au cœur de la solitude des montagnes, loin de l'agitation de la plaine. Il y développa la secte Shingon (voir plus bas), une forme ésotérique de bouddhisme, qui eut très vite beaucoup de succès et fit de nombreux adeptes dans l'archipel. Le mausolée de Kukai se trouve au cœur d'un vaste cimetière, un des plus beaux du Japon. De décembre à février, le mont est sous la neige et il fait très froid. Les meilleures périodes sont le printemps ou l'automne. En été, en raison de l'altitude, il y fait bien plus doux qu'à Osaka et Kyoto, où la chaleur est parfois torride.

LES ENVIRONS DE KYOTO

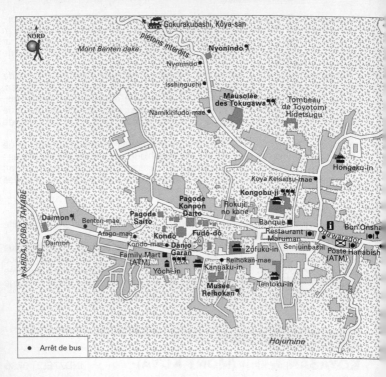

Gokurakubashi, Kôya-san
piétons interdits
Mont Benten dake
NORD
Nyonindo
Nyonindo
Isshinguchi
Namikirifudo-mae
Mausolée des Tokugawa
Tombeau de Toyotomi Hidetsugu
Hongaku-in
Koya Keisatsu-mae
Kongobu-ji
Pagode Konpon Daito
Rokuji no kane
Pagode Saito
Daimon
Benten-mae
Banque
Maruman
Bon'Onsha
Atago-mae
Kondo
Fudô-dô
Restaurant
Odawaradori
Daimon
Kondo-mae
Danjo
Zôfuku-in
Senjuinbashi
Poste Hanabish (ATM)
Family Mart (ATM)
Garan
Reihokan-mae
Yôchi-in
Kangaku-in
Tentoku-in
Musée Reihokan
NARIDA, GOBO, TANABE
Hojumine
● Arrêt de bus

SHINGON OU « LE VRAI MOT »

Issu d'une famille noble de l'île de Shikoku, *Kukai* (774-835), que les Japonais appellent aussi Kobo Daishi, a été envoyé à Xi'an, alors capitale de la Chine, par l'empereur Kammu. Il y est resté 2 ans (804-806), sous la dynastie des Tang, pour étudier le confucianisme, le taoïsme et le bouddhisme, devenant le fils spirituel de Hui-Ko, le maître bouddhiste le plus réputé de Chine. De retour au Japon, il installe son siège (monastère de Kongobu) sur le mont Koya, où *il fonde la secte Shingon,* dont le nom signifie « Vrai Mot » ou « Mots Véritables ». Ce voyage à Xi'an est reproduit sur les panneaux du temple Kongobu-ji. Il meurt à 62 ans en 835, en position de méditation, les jambes croisées.

La nouveauté du Shingon repose sur une doctrine simplifiée du bouddhisme. Il proclame qu'un croyant ayant « une bonne pensée et une bonne pratique » peut atteindre la révélation au cours de sa vie, et non après celle-ci. Dans ce cas, l'accès des hommes au salut est plus facile. Plus concrètement, cet éveil spirituel s'appelle le *satori ;* il permet d'atteindre la perfection au cours de sa vie grâce à ses actes et non dans le renouvellement des vies (ce que suppose le *nirvana*). Résultat : cette doctrine connaît un franc succès au Japon et attire les pèlerins, tandis que le bouddhisme traditionnel se maintient autour de

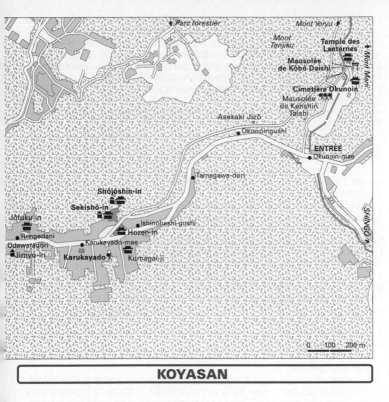

KOYASAN

son berceau, la ville de Nara (où domine la secte Tendai). Sur le mont Koyasan, le Shingon s'est ainsi répandu au fil des siècles au point qu'il comptait dans sa plus grande expansion près de 1 500 pavillons accueillant plus de 90 000 moines. Au Japon aujourd'hui, près de 1,2 million de personnes suivent le bouddhisme de la branche Shingon (4 000 temples répartis dans le pays).

TEMPLES : MODE D'EMPLOI

La particularité du mont Koya, c'est que le visiteur peut loger dans les temples (shukubo 宿坊). C'est même une industrie bien rodée, il y en a 52. Les réservations se font directement auprès du temple, ou auprès de l'office de tourisme du Japon. Loger dans ces temples offre une expérience particulièrement dépaysante. On se déchausse toujours à l'entrée pour mettre des sandales ou des chaussons. À l'accueil, un moine hôtelier (parfois anglophone mais pas toujours) s'occupe de recevoir les hôtes. Il les conduit à leur chambre, explique les conditions du séjour et rappelle les règles à respecter. Les chambres de ces hôtelleries se trouvent souvent dans des pavillons attenants ou adjacents au pavillon principal, mais en aucun cas les visiteurs ne dorment à proximité des moines. Le confort est variable, et il peut faire froid en hiver. Les prix sont partout assez élevés et comprennent le dîner et le petit déjeuner.

LES ENVIRONS DE KYOTO

Les chambres sont sobres et propres, toujours de style traditionnel japonais (portes coulissantes à treillis de papier de riz, tatamis, futons pour dormir...). Certaines chambres, les plus chères, permettent d'apprécier une esthétique japonaise raffinée avec terrasse donnant sur un jardin zen. On revêt le *yukata*, qui sert de robe de chambre dans tout le périmètre du temple. Les ***repas du soir*** et les petits déjeuners sont souvent servis dans la chambre (pas toujours) par des novices qui effectuent des retraites spirituelles, ou pris en commun avec les autres hôtes.

– Les visiteurs peuvent assister à la ***prière bouddhiste*** qui a lieu habituellement à 6h-6h30. Le petit déjeuner se prend vers 7h. Dans la journée, les visiteurs vaquent à leurs occupations. Le soir, les temples ferment très tôt leurs portes, habituellement vers 21h. Pas question d'aller s'amuser en ville, d'ailleurs il n'y a rien à y faire à la nuit tombée, les boutiques fermant vers 17h-18h. Il convient donc d'être de retour au temple avant 18h, car le dîner y est servi à cette heure, jamais plus tard. Pensez-y ! Les hôtes doivent suivre le rythme monacal.

– La ***cuisine*** des moines *Shojin ryori* est exclusivement végétarienne, sans viande ni poisson ni œufs, mais aussi sans ail ni oignons. Elle est néanmoins variée, très bien présentée, dans la grande tradition de la gastronomie japonaise. On peut y goûter un tofu au sésame qu'on ne trouve qu'à Koyasan. L'alcool n'y est pas banni car les moines proposent du saké ou de la bière (payants). Pour se laver, en plus des douches classiques (communes), on utilise les salles de bains collectives (hommes et femmes séparés). On y retrouve le même confort et le même esprit pratique que dans le reste de l'hôtellerie japonaise, à savoir des douches basses (avec petits tabourets) où on se savonne et un grand bassin d'eau chaude bouillonnante à côté où l'on s'immerge nu comme ses voisins. Dans le bouddhisme, qui ne craint pas cet état de nature, la nudité est synonyme de pureté des origines, à condition de rester pudique. Idem pour les femmes.

– Lors de votre séjour, vous pourrez découvrir le mode de vie bouddhiste avec des moines anglophones.

Le ***Shakyo*** est une pratique consistant à décalquer des passages de sutras. Une fois les caractères tracés sur une mince feuille de papier, le moine brûlera (mais pas devant vous) ce qui est censé transmettre vos souhaits au Bouddha. Mais vous pouvez aussi emporter votre feuille de papier en souvenir.

La méditation ***Ajikan,*** introduite au Japon par le moine Kukai, est une forme de méditation Shingon qui a pour but d'unir le croyant avec le Bouddha. Vous commencez par vous « recentrer » sur vous-même en observant votre souffle et en entrant progressivement dans un état de respiration lente et rythmée et de relaxation. Facile d'accès, cette méditation est particulièrement conseillée aux profanes. Les séances commencent à 16h30. Vous devez donc arriver au temple d'hébergement à 16h au plus tard.

Arriver – Quitter

➤ **De Kyoto :** départs avec la *JR Line* vers la **Namba Station** 難波駅 à Osaka, via la station d'Umeda 梅田駅 (ligne Mido-suji). Même temps de parcours en allant vers **Shin-Imamiya** via la station Osaka (30 mn puis 18 mn de train).

On trouve un centre d'information et une billetterie spécifique pour Koyasan dans la **gare de Namba,** ainsi qu'un guichet qui délivre aussi le *Koyasan Pass* à la station **Shin-Imamiya.** Possibilité d'acheter des forfaits (*Koyasan Pass Partrimoine Mondial,* env 3 400 ¥) comprenant l'A/R de Namba (ou Shin-Imamiya) à Koyasan avec 1 ou 2 jours de bus locaux gratuits à Kosayan et réduc (coupons) pour l'entrée des temples. D'autres itinéraires sont possibles vers Koyasan depuis l'aéroport du Kansai via la gare de Tengashaya ; la

Wakayama Station vers Hashimoto *(JR Line)* ou de Nara vers Namba (10 mn, ligne Kintetsu).
– À la *Namba Station* 難波駅 ou *Shin-Imamiya* 新今宮 (1 station d'écart, sur la même ligne) à Osaka, prendre le train de la *Nankai Line* pour *Gokurakubashi* 極楽橋 (entre 870 et 1 610 ¥ selon le type de train qui détermine la durée du trajet : *Ltd Express Koya* 1h20, *Rapid Express* 1h30 et *Express* 1h40). On voit l'évolution du paysage, au fur et à mesure, passant des zones urbaines aux collines, puis au décor de montagne avec de jolis villages de plus en plus clairsemés.
À Gokurakubashi, prendre le funiculaire (390 ¥) vers la gare de Koyasan. Là commence la partie la plus insolite du voyage. Le train à crémaillère remonte un versant montagneux et boisé très accentué, de presque 45°. En 5 mn, on arrive au terminus, la petite *gare de Koyasan* 古谷山 aux escaliers très raides. Ceux qui se sont encombrés d'un bagage très lourd profiteront de l'ascenseur à mi-pente, sur le côté gauche pour rejoindre la sortie. Puis il faut prendre un bus jusqu'au « centre » de Koyasan. En résumé, 5 changements et 4h à 4h30 plus tard, on arrive à Koyasan !
– Si vous avez acheté un *Koyasan Pass*, vous avez 2 jours de trajets de bus gratuits. Sinon il existe un *pass* journalier (830 ¥) à acheter à l'arrêt d'autobus de la gare en arrivant.
– 3 lignes parcourent le site de Koyasan. De la gare partent 2 lignes : la verte, qui, après avoir rejoint le centre *Senjuinbashi* 千手院橋 (où se trouve l'office de tourisme), bifurque alors vers l'ouest jusqu'à l'arrêt *Daimon* 大門 ; la bleue, qui suit le même trajet puis file vers l'est jusqu'au cimetière *Okunoin* 奥の院. Une ligne orange parcourt en 14 arrêts l'axe est-ouest Daimon-Okonoin. La longue portion Gare-1er arrêt (Nyonindo 女人堂) est interdite à la circulation pédestre, le bus est donc obligatoire à l'arrivée à la gare. On monte à l'arrière en prenant un ticket qui indique la zone où on a embarqué, et le montant à payer pour les arrêts à venir est affiché sur un tableau lumineux à l'avant (220-420 ¥ selon trajet ; gratuit jusqu'à 6 ans et 50 % de réduc jusqu'à 12 ans). On insère son ticket d'embarquement auprès du chauffeur et on dépose sa monnaie (exacte) dans la boîte ad hoc en sortant. Si on n'a pas l'appoint exact, il est possible de faire le change jusqu'à 1 000 ¥. Navettes régulières : 1-4 bus/h 6h30-20h50. Compter env 10-15 mn pour aller de la gare au centre de Koyasan.

Adresse et infos utiles

🛈 *Koyasan Tourist Association* 高野山宿坊協会 中央案内所 *(office de tourisme, bureau d'information du Koyasan) :* ☎ 56-2616. ● shukubo.net ● *À l'angle de la rue Odawara (rue principale) et de la route qui vient de la gare. Bus Senjuin Bashi. Tlj 8h30-16h30.* Informations détaillées sur le mont Koya : plan du site, visites touristiques, logement dans les temples (*Shukubo Kumiai* – association d'hébergement dans les temples), location d'audioguides en français *(500 ¥)* et de vélos *(400 ¥/h, 100 ¥ les 30 mn supplémentaires ; passeport demandé)*. Résas pour les fêtes et manifestations. Vente d'un ticket d'accès à 6 sites (valable plusieurs jours) pour 1 500 ¥. On y parle un tout petit peu l'anglais. 2 autres centres d'information (vers le cimetière).
■ *Banques, change :* banque *Kiyo* dans le centre-ville, fermée le week-end. Change avec présentation du passeport. Distributeurs à côté de la poste et au *Family Mart* près de l'arrêt de bus Kondo-mae.
– Important : les cartes de crédit ne sont pas acceptées partout.
– *Service internet pour smartphone en libre accès :* ● koyasan.net ● En anglais, toutes les infos pratiques pour votre séjour.
– *Site internet :* ● nankaikoya.jp/fr ● Il présente en français des infos sur le mont Koya et, plus précisément, sur les

moyens d'accès au site, et les visites proposées. La même chose en anglais, mais en plus avec la possibilité de réserver en ligne.

Où dormir ?

Il n'y a pas d'hôtels classiques. On dort dans les hôtelleries des temples *(shukubo)*. Sur les 117 temples du mont Koya, 52 accueillent les visiteurs. Ces temples se trouvent de part et d'autre de la rue principale du village (rue Odawara) et dans les rues adjacentes, toujours dans la partie habitée, et non dans le secteur de la nécropole (le cimetière Okunoin). Ils sont de tailles différentes, proposant de 5 à 70 chambres selon leur importance. Et la plupart proposent même le... wifi !
– **Réservations et informations :** il faut s'adresser à l'office de tourisme du mont Koya. Voir adresse plus haut ou via ● shukubo.net ● Le prix d'une nuitée est variable, selon le confort proposé ; il inclut la chambre, le dîner et le petit déjeuner, mais pas les boissons. *Compter 10 000-18 000 ¥/j. par pers.*

🏠 **Temple Jimyo-in** 持明院 : *rue Odawara.* ☎ 56-2222. ● *koyasan-jimyoin.com* ● *Bien situé et central (bus Rengedani, arrêt n° 8).* Le plus traditionnel et le plus accueillant. Adossé au versant de la montagne, il surplombe la route comme un petit castel posé sur une muraille. Une allée bordée de lanternes y mène. Les chambres de style japonais sont d'un confort sobre et décorées de manière traditionnelle, avec des *shoji*, panneaux coulissants en bois peint. Les plus belles disposent d'une terrasse qui ouvre sur le jardin zen intérieur. La télé est-elle bien utile ? Bain collectif très agréable. Un excellent endroit pour méditer. Prière au petit matin vers 7h. Accueil tout en gentillesse et en délicatesse. Les moines semblent comme voler en marchant sur les planchers : époustouflant ! Le moine hôtelier parle l'anglais.
🏠 **Temple Sekishô-in** 赤松院 : *571 Koyasan.* ☎ 56-2734. ● *seki shoin.jp/* ● *Bus Ichinohashi-Guchi,*

arrêt n° 10. Légèrement en retrait de la route, voici l'un des plus grands *shukubo* de Koyasan, avec une soixantaine de chambres avec lavabos desservies par un ascenseur. Tant dans les grandes chambres pour groupes que dans celles pour individuels, la déco reste simple et dépouillée. Une petite moitié a une salle de bains privée, et certaines un accès direct sur le jardin zen à l'arrière du temple. Les repas se prennent tous ensemble, un novice vient vous chercher à 17h30 pour le dîner. Pratique de la méditation *Aji-kan*. Accueil tout en douceur.
🏠 **Temple Shojoshin-in** 清浄心院 : ☎ 56-2006. ● *shojoshinin.jp* ● *Bus Kondo-mae, arrêt n°s 10 ou 11. À côté du temple Sekishô-in.* À l'entrée du cimetière Okunoin, un beau monastère en bois patiné. Spacieux, élégant, mais seulement 20 chambres avec vue sur le jardin zen (où des carpes s'ébattent dans un bassin). Les plus chères sont équipées d'une couverture chauffante sur la table, appréciable en hiver. Bain commun nickel.
🏠 **Temple Yôchi-in** 養智院 : *293 Koyasan.* ☎ 56-2003. ● *yochiin. com* ● *Bus Kondo-mae, arrêt n° 18. Presque en face de la porte principale des temples Garan, dans une rue latérale.* L'entrée donne sur un jardin sec. Accueil en anglais pour expliquer les règles de vie et pantoufles en rang d'oignons pour accéder à la vingtaine de chambres traditionnelles derrière les parois de papier, où les futons sont déjà disposés. *Yakuta* à dispo pour circuler. Dîner pris dans la chambre ou en commun vers 17h30. Excellente cuisine végétarienne à base de recettes transmises de moine en moine depuis 900 ans. Possibilité de commander de la bière ou du saké. Sanitaires séparés et bain commun. Couvre-feu à 21h. À 7h, petit déj assez frugal après la cérémonie de 6h30 dans le *hondô*.

🏠 ***Temple Ekoin*** 宿坊 恵光院 : *497 Koyasan.* ☎ *56-2514.* ● *ekoin.jp* ● *Bus Kondo-mae, arrêt n°s 9 ou 10.* Un temple charmant, d'une trentaine de chambres traditionnelles avec bain commun. Propose une séance quotidienne de méditation à 16h30, la visite du cimetière de nuit et la cérémonie du feu à 7h. Un peu frisquet en hiver, comme dans la plupart des temples.

Où manger ?

Pour déjeuner, quelques petits restos dans le village, le long de la rue Odawara (la rue principale). Pour dîner, on prend ses repas dans les hôtelleries des temples. Certains restos et boutiques ferment le lundi et en janvier-février.

De bon marché à chic (moins de 1 500 à 6 500 ¥ / 12,50-54 €)

|●| ***Restaurant Maruman*** まるまん : *rue Odawara, au carrefour en face de l'office de tourisme. Tlj 8h-17h.* Notre préféré, genre cantine populaire. Plats en vitrine. Soupes, sushis et plateaux-repas à prix sages. Beaucoup de monde, arriver tôt, mais service rapide.

|●| 🍴 ***Bon'Onsha*** 凡恩舎 : *rue Odawara, à deux pas du Jimoy-in. Tlj sauf lun-mar 9h-17h30.* Minicafé, galerie, salon de thé, au milieu des poteries. Petit menu du jour intéressant. L'occasion aussi de boire un bon café avec un cake maison. Accueil franco-japonais.

|●| ***Hanabishi*** 花菱 : *rue Odawara, à deux pas de la poste, arrêt Senjuin Bashi.* ☎ *56-2236. Tlj 11h-18h.* Très fréquenté à l'heure du déjeuner. Il faut dire que le resto, qui existe depuis plus de 100 ans, a eu le temps de se faire connaître... Néanmoins, la salle aux tons noirs est assez banale, avec des petits box. L'occasion de faire un vrai repas gastronomique végétarien alliant raffinement de la présentation (plateaux bento de bois laqué) et saveurs délicates. Service débordé en cas d'affluence, mais l'attente vaut la peine. Vin de pêche en apéritif.

À voir

– *Site général d'informations :* ● *koyasan.or.jp* ●

Le secteur ouest des temples, en partant du centre

🍴🍴🍴 *Le temple Kongobu-ji* 金剛峯寺 : *près du centre. Bus Kongobuji-mae. Tlj 8h30-17h (dernière entrée 16h30). Entrée : 500 ¥ ; étudiant 200 ¥. Panneaux explicatifs en anglais.* On emporte ses chaussures dans un sac en plastique. Le temple le plus imposant de la secte Shingon est aussi son centre administratif. Établi en 1593 par le shogun Hideyoshi pour honorer la mémoire de sa mère. Reconstruit en 1863, il frappe par ses dimensions. Dans les salles n°s 5, 6 et 7, des panneaux peints avec force détails rappellent le voyage de Kukai (Kobo Daishi) à Xi'an (Chine) du temps des Tang, cette ville étant considérée alors comme la plus grande cité du monde. De ce voyage « initiatique », Kukai rapporta le bouddhisme Shingon au mont Koya et au Japon. C'est dans l'une des pièces (n° 8) que se suicida le neveu de Hideyoshi. En sirotant un thé accompagné de gâteaux offerts, on admire le ***jardin Banryû-tei*** (le plus grand jardin zen du Japon) constitué de rochers entourés par une « mer » de gravier soigneusement ratissé. On y distingue 2 dragons gardant le pavillon central réservé aux dignitaires shintoïstes et à l'empereur. On peut voir aussi le mausolée du bonze évêque Shinzen, neveu de Kobo Daishi, qui dirigea le mouvement Shingon après la mort de celui-ci.

🎭 *L'ensemble Danjo Garan* 壇場伽藍 *(Grande Pagode) :* bus *Kondo-mae. Tlj 8h30-17h.* Si l'on vient de l'est, la longue promenade en pente douce qui mène au site est illuminée le soir. Sous cette appellation sont réunis une vingtaine de bâtiments qui constituent le cœur sacré du mont Koya.

On est d'emblée surpris par l'éclat de la pagode **Konpon Daito** 根本大塔 *(entrée : 200 ¥),* laquée de vermillon (un orange très vif). De forme carrée et haute de près de 49 m avec des côtés de 24 m, elle abrite un mandala tridimentionnel, des piliers peints à l'effigie des Bodhisattvas et de nombreuses représentations des déités bouddhiques.

– Le **Kondo** 金堂 *(pavillon d'Or ; entrée : 200 ¥),* construit par Kukai en 819, a été plusieurs fois ravagé par les incendies, et reconstruit pour la 7e fois en 1932, à l'identique. Il abrite Bhaishajyaguru, un Bouddha-médecin.

– Sur le côté est de l'enceinte, le pavillon **Fudô-dô,** construit en 1197 dans le style « Shoin » de l'ère Kamakura ; rescapé de nombreux incendies, il serait un des plus vieux pavillons du mont Koya. Remarquer aussi le beau torii octogonal de **Sanko-no-Matsu** peint en rouge, qui entoure un bosquet de pins sacrés.

– Le **Saito** 西塔 (ou *pagode de l'ouest*) ressemble au Konpon Daito mais il est resté en bois brut (sans peinture). Plus loin encore, le **Saito Toto** 西塔東塔, dans le coin nord-ouest de l'enceinte du Kondo, plus près de la route, une petite pagode discrète sous de beaux cèdres géants.

🎭 *Le musée Reihokan* 霊宝館 *: bus Reihokan-mae. Tlj 8h30-17h30 (17h nov-avr). Fermé quelques j. à la fin de l'année, autour du Nouvel An. Entrée : 600 ¥ ; réduc. On se déchausse avt d'entrer.* Une présentation de l'histoire millénaire du mont Koyasan à travers des peintures et des objets religieux provenant des temples, répartis dans 2 ailes. Statues du Bouddha, mandalas, représentations de Kobo Daishi, le fondateur de Koyasan, sutras et calligraphies, et liste ancienne des objets rapportés par Kukai de son séjour en Chine.

🎭 *Le Daimon* 大門 *(porte de Koyasan) : à la sortie de la ville, à 2 km (30 mn de marche) du centre-ville. Bus Daimon.* Sublime portail monumental, haut de 25 m, flanqué de gardiens grimaçants et qui marquait autrefois l'entrée de la « montagne sacrée » pour les voyageurs venus de l'ouest. De là, beau point de vue sur la montagne et les vallées. C'est aussi le départ de la route du pèlerinage de Choishi-mishi (24 km), marqué par les bornes de Kobo Daishi en personne, tous les 109 m, l'équivalent d'un *shô*, une mesure japonaise.

Au nord du centre

🎭🎭 *Le mausolée des Tokugawa* 徳川家霊台 *: sur la droite de la route vers la gare du Koyasan. Bus Namikiri Fudo-mae. Tlj 8h30-17h. Entrée : 200 ¥.* Construit en 1643 par le 3e shogun Iemitsu, ce mausolée en bois sculpté, encore couvert de feuilles d'or et d'argent, rappelle la puissance des Tokugawa et leur goût pour les très belles œuvres (comme à Nikko). Ces mausolées sont représentatifs de l'ère Edo, avec une base carrée, un toit pyramidal et sur pilotis avec des balustrades.

🎭 *Nyonindo* 女人堂 *: à env 1 km (20 mn à pied) du centre, vers la gare du Koyasan. Bus Nyonindo. Tlj 8h30-17h. GRATUIT.* Avant 1872, le chemin traditionnel de pèlerinage était interdit aux femmes. Ce site de Nyonindo, rescapé d'une série de 7 temples, marque le point à partir duquel celles-ci devaient emprunter une piste latérale et escarpée pour atteindre le mausolée de Kukai (Okunoin Gobyo).

Le secteur est, vers le grand cimetière Okunoin

🚶 ***Karukayado*** 苅萱堂 *: bus Karukayado-mae. Tlj 8h-16h30. GRATUIT.* Un pavillon qui abrite une belle histoire, celle d'un père et d'un fils (Karukaya et Ishidomaru) qui avaient quitté le monde pour vivre comme des ascètes dans un temple, sans jamais avouer leur lien familial. Statue de la divinité Jizo.

🚶🚶🚶 ***Le cimetière Okunoin*** 奥の院 *: tlj 6h-17h30. GRATUIT. Des stations sont numérotées pour obtenir des infos via l'audioguide proposé à l'office de tourisme. Visites guidées le soir 19h15-20h30 ; rdv devant le temple Ekoin ; 1 500 ¥/pers.*

Plus qu'un cimetière, c'est une immense nécropole étendue sur le versant des montagnes (mont Tenjiku, mont Yoru, mont Mani), protégée par le couvert d'une somptueuse forêt de pins et de cèdres multicentenaires. Ces arbres remarquables, certains très hauts et majestueux, montent vers le ciel comme les piliers d'un temple défiant les mortels. Pas de voitures sur ce chemin « sacré » long de 2 km, pas de véhicules à moteur, rien que des marcheurs hantés par leurs songes et de fervents pèlerins, gagnés par la beauté des lieux, subjugués par la paix qui s'en dégage. Près de 200 000 pierres tombales de samouraïs et de gens simples parsèment ces sous-bois, car depuis les XIᵉ-XIIᵉ s les familles nobles et les samouraïs ont pris l'habitude de faire inhumer leurs cendres à proximité du mausolée de ***Kukai.*** Au fil du temps, cette tradition a été adoptée par des familles plus modestes. Couvertes de mousses et envahies par les herbes sauvages, ces tombes sommeillent pour l'éternité dans le grand silence de la montagne, seulement perturbé par les gouttes de pluie ou le croassement des corbeaux. Les esprits des défunts y attendent l'avènement prévu du Bouddha du futur *(Miroku Butsu).*

Certaines tombes ressemblent à des stèles, à des totems, à des stupas tibétains, d'autres plus simples sont hérissées de *sotoba,* ces longues tablettes en bois couvertes de sutras (prières) calligraphiés. Le chemin est aussi parsemé de lanternes de pierre *(ishidoro)* et de petites auges contenant de l'eau *(tsukubai).* Les plantes grimpantes, les buissons et les taillis, les fleurs, les branches et les troncs recouverts de mousse végétale, envahissent tout, y compris les tombes, ce qui donne à ce vaste cimetière une aura de mystère unique, une enveloppe d'immortalité. Bref : une poésie entre ciel et terre, au cœur d'un paysage incontestablement poétique. Pourtant rien de sinistre ou de tourmenté dans ce royaume des Morts et des âmes, au contraire, une impression de beauté et de sérénité, liée à la nature et au cycle de la vie.

Sur les bas-côtés des chemins du cimetière, dans les fossés et les fourrés, parfois au creux des troncs d'arbres, surgissent de curieuses petites statues aux yeux mi-clos, à l'expression sereine et bienveillante mais toujours énigmatique. Elles représentent le bodhisattva ***Jizo Bosatsu,*** une divinité vénérée des shintoïstes et des bouddhistes, qui le considèrent comme le protecteur des voyageurs. Les croyants lui offrent

BIZARRE, BIZARRE

Vous remarquerez, pendant votre balade, d'étranges stèles aux formes surprenantes, avec des noms familiers comme Panasonic ou Mitsubishi. Ou d'autres, comme la fusée de la maison ShinMaywa Industries, l'un des fleurons de l'aéronautique japonaise... Ce sont des stèles offertes au cimetière par ces entreprises pour honorer la mémoire de leurs employés.

souvent des bavoirs et des bonnets rouges ou blancs pour le remercier de la protection qu'il accorde aux bébés et aux enfants dans l'au-delà.

Au bout du long chemin forestier, on aboutit au ***Kobo Daishi Gobyo*** 弘法大使御廊, haut lieu spirituel de ce site sacré : le mausolée de Kukai. Établi dans une clairière de la forêt, près d'une source d'eau pure (la rivière Tama), il

LES ENVIRONS DE KYOTO

marque l'aboutissement, le point final où les pèlerins venus des quatre coins du Japon viennent prier et faire des dévotions à leur maître spirituel. Attention, les photos y sont interdites.

Enfin, le **temple des Lanternes** (*Torodo* 灯篭堂 ; *6h-17h30*) où, selon la croyance (mais c'est sans doute vrai), 2 lanternes votives y brûlent sans interruption depuis plus de 1 000 ans au milieu des 10 000 allumées depuis ! Ambiance spectaculaire avec ces lanternes à l'infini, en l'air et au sous-sol.

Festivités

– *1er dim de mars* : **Koya no-Hi matsuri,** cérémonie du feu pour accueillir l'arrivée du printemps sur l'esplanade du *Kongôbu-ji*. On brûle les vieilles amulettes pour chasser le mal et favoriser la bonne fortune.

– *21 mars* : **Kyusho Mieku,** cérémonie pour commémorer l'accession de *Kobo Daishi* à la méditation éternelle. La veille au soir, le temple (sur le site du Danjo Garan) est recouvert de fleurs. Le *Mie-dô,* la supposée maison de *Kobo Daishi,* d'ordinaire fermée, peut être partiellement visitée.

– *15 juin* : **Aoba Matsuri,** date anniversaire de la naissance de *Kobo Daishi.* Longue procession dans la ville avec chars, danseurs et lanternes.

– *13 août* : **Rosoko Matsuri** *(festival des bougies).* La nuit, les 2 km du chemin à travers le cimetière *Okonoin* sont jalonnés de lanternes et de cierges. Cérémonie bouddhiste à 20h au **Torodo.**

OSAKA 大阪

2 700 000 HAB.   IND. TÉL. : 06

Située au fond d'une immense et profonde baie, communiquant avec la mer Intérieure, Osaka est surnommée la « ville aux 808 ponts ». Si ses pieds et ses jambes sont dans l'eau, c'est qu'elle tire l'essentiel de sa prospérité des échanges maritimes, et ce depuis sa fondation. Née de la mer, faite pour la mer, arrosée par des rivières venues des montagnes avoisinantes (la ville est construite sur un delta), emportée par les vagues de la prospérité, happée par le courant du progrès industriel et commercial, voilà une puissante mégapole magnifiée par cette richesse qu'elle a gagnée à force d'ingéniosité et de travail ! Rien d'équivalent dans les villes européennes ! Si Osaka a les pieds dans l'eau, elle a aussi la tête dans les étoiles.

Il suffit de monter au sommet de la tour *Abeno Harukas,* au sud, ou de l'*Umeda Sky Building,* au nord, pour observer cette 3e ville du Japon par sa taille (2 fois plus grande que Paris intra-muros), immense forêt urbaine de tours et d'immeubles qui étincèlent dans la nuit du Kansai.

Le vent d'est et le vent d'ouest ont donc engendré ici une cité unique en son genre, qui dévore tout sur son passage, formant avec Kobe sa voisine une vaste conurbation. Plus contrasté qu'il n'y paraît au premier abord, c'est bien l'endroit à découvrir au Kansai après Kyoto. Osaka respire le progrès, la nouveauté et ne se prend pas pour une ville-musée ou une cité touristique. Et pourtant, elle ne manque ni de parcs ni de petits quartiers aux maisons anciennes qui composent autant de coins cachés à dénicher. Il faut s'y perdre, explorer, tenter, inventer son propre itinéraire pour la comprendre... un peu.

QUI SE RESSEMBLE S'ASSEMBLE !

Osaka est jumelée avec de très grandes villes mondiales comme San Francisco (États-Unis), São Paulo (Brésil) et Shanghai (Chine). Ce choix des villes-jumelles aux quatre coins de la terre n'est pas un hasard. Comme San Francisco, Osaka est située au fond d'une grande baie en pleine zone sismique. Comme São Paulo, Osaka est une conurbation bourdonnante et dévoreuse d'espace. Comme à Shanghai, on y aime le commerce et la finance, la gastronomie et la vie nocturne.

Enfin, pour les gourmets, une bonne nouvelle : Osaka est la capitale gastronomique du Japon. Certains disent que c'est dans le Kansai que l'on mange le mieux. Il y a autant de restaurants que d'habitants ou presque...

UN PEU D'HISTOIRE

Selon la chronique nippone, l'empereur Jimmu y débarqua au VIIe s av. J.-C. après avoir navigué sur la mer Intérieure. En raison des « vagues rapides » *(naniwa)* du fleuve, il nomma ce site Naniwa et s'y fixa. C'est au IVe s de notre ère que l'empereur Nintoku y installe sa capitale. Il exempte de taxes les marchands et les négociants ; le commerce se développe. Le port se tourne vers le reste de l'Archipel et la Corée, d'où arrivent les 1res statues bouddhiques envoyées par le roi de ce pays. En 680, le 1er palais de Naniwa est construit. En 1496, la cité englobe déjà dans ses murs d'enceinte une dizaine de bourgades.

Le siècle d'Osaka (XVIe s)

L'essor économique d'Osaka se maintient avec *Toyotomi Hideyoshi* (1536-1598), qui tient les rênes du pouvoir politique de l'empire. Redoutable guerrier, il crée la classe des samouraïs et poursuit son objectif : l'unification du Japon. Il fait construire à Osaka un puissant château qui sert de bastion à la guerre menée contre son rival Tokugawa Ieyasu. À la mort d'Hideyoshi, son fils *Toyotomi Hideyori* poursuit la lutte contre l'ennemi de toujours. Au terme d'un long siège (hiver 1614), Tokugawa et Hideyori signent une trêve, rompue au printemps suivant par Tokugawa, qui sort vainqueur de cette nouvelle bataille. Il devient à son tour le maître du Japon. Il déplace le siège du gouvernement shogunal à Edo (actuel Tokyo) et délaisse Osaka, où il place un gouverneur pour le représenter. Malgré ce bouleversement politique, Osaka reste le pôle commercial et financier du pays. Grâce à cette prospérité, la ville attire également artistes et poètes. Elle accueille le grand dramaturge *Chikamatsu Monzaemon,* le romancier *Ihara Saikaku* et le grand *Bashô,* le créateur de la poésie haïku (il y est mort en 1694). À cette époque, des arts nouveaux naissent à Osaka : le bunraku (sorte de théâtre de marionnettes) et le kabuki (théâtre traditionnel populaire où les acteurs sont tous des hommes).

Symbole du « miracle économique japonais »

Avec l'ère Meiji, à partir du milieu du XIXe s, le Japon ouvre ses portes au monde occidental et s'industrialise. Le port développe son activité à l'international à partir de 1868. Osaka passe en peu de temps d'un monde médiéval fermé sur lui-même à un monde nouveau et moderne. Détruite en grande partie par les bombardements de la Seconde Guerre mondiale, la ville a été reconstruite d'une manière occidentale, mais elle est restée très japonaise par son esprit et son caractère. Dans les années 1960, portée par la croissance, Osaka redevient une ville-phare essentielle, organisée autour de son grand port qui ne cesse de s'étendre, englobant la zone d'activité de Kobe au nord de la baie. En 1970, elle est la 1re ville d'Asie à accueillir l'Exposition universelle. Depuis cette date, rien n'arrête l'expansion géographique et économique d'Osaka, dont la conurbation compte à présent 128 municipalités étendues dans un rayon de 50 km. Rien qu'à Osaka « intra-muros » vivent environ 2,7 millions d'habitants. Quant à la région du Kansai, dont Osaka est l'œil du dragon, elle s'étend sur 41 200 km^2, soit environ 11 % de la superficie du Japon.

Osaka, ville futuriste

Cette agglomération compte aujourd'hui de nombreux gratte-ciel aux formes ultramodernes dont l'*Osaka World Trade Center* (1995), qui culmine à 252 m, dépassé par l'*Abeno Harukas,* la 3e plus grande tour du pays après ses consœurs de Tokyo (300 m). Un des fleurons de l'architecture moderne est sans doute l'*Umeda Sky Building* de l'architecte Hiroshi Hara. Un monument d'audace et d'avant-garde, haut

ET OSAKA OSA

Par son esprit plus ouvert, dit-on, que dans d'autres villes du pays, Osaka constitue un vivier pour les créations en tout genre. Citons pêle-mêle : les hôtels-capsules, les sushis sur tapis roulant, les devantures avec enseignes 3D, les nouilles instantanées, le 1er bar à chats. Même le whisky japonais a été distillé pour la 1re fois au nord d'Osaka.

de 173 m, composé de 2 tours adjacentes reliées entre elles par une passe-relle surmontée d'un jardin flottant. Parmi les grands architectes contemporains d'Osaka, citons d'abord *Tadao Ando* (né en 1941 à Osaka), qui a donné à sa région natale la quintessence de son œuvre : le musée Chikatsu Asuka à Kanan et l'église de la Lumière (1989) à Ibaraki, pour ne citer qu'une partie de ses remarquables réalisations. Des architectes étrangers ont été mis aussi à contribution. Au sud de la ville, l'aéroport du Kansai construit sur les eaux de la baie d'Osaka a été confié à *Renzo Piano*, l'architecte du Centre Pompidou à Paris.

Arriver – Quitter

En avion

✈ *Aéroport international du Kansai (KIX) :* sur une île artificielle, à env 45 km au sud d'Osaka. ☎ (072) 456-6160. ● kansai-airport.or.jp ● Les vols en provenance d'Europe atterrissent en général au terminal 1.

🛈 *Centre d'informations touristiques du Kansai (Kansai TIC) :* au niveau 1F (rdc), arrivées internationales (terminal 1). ☎ (072) 456-6160. Tlj 7h-22h. Nombreuses brochures gratuites et très bien faites sur Osaka et la région du Kansai.

■ *Change :* aux niveaux 1F (arrivées internationales) et 2F (départs domestiques) du terminal 1. Banques, machines de change et distributeurs.

■ *Téléphonie-Internet :* au terminal 1, niveau 1F (arrivées internationales). Comptoirs pour l'achat de cartes SIM (avoir un portable récent) et de Pocket Wifi.

■ *Kansai Airport Limousine Bus :* comptoir face à la sortie « Arrivées internationales » (niveau 1F, terminal 1 et terminal 2). Pour rejoindre Osaka et les villes alentour.

■ *Consignes :* dans le terminal 1, au rdc (1F), au 1er étage (2F) et au 3e étage (4F). Également au terminal 2. Ouv 6h30-22h30 (variable selon comptoirs).

✈ *Osaka International Airport (ou Itami Airport) :* à 14 km au nord de la gare d'Osaka. ● osaka-airport.co.jp ● N'accueille que les vols domestiques. On y accède par bus, bus limousine, monorail ou taxi.

➤ *Tokyo (Narita et Haneda) :* plusieurs vols/j. vers les 2 aéroports de la capitale.

Rejoindre Osaka depuis l'aéroport international du Kansai

➤ *En train :* à l'aéroport, du hall des arrivées internationales (rez-de-chaussée du terminal 1), monter au niveau 2F (1er étage), traverser la passerelle pour rejoindre la Station Kansai Airport où se prennent les trains des lignes *JR* et *Nankai*. Billets en vente aux distributeurs automatiques ou aux guichets. C'est aussi là que se trouve le *Comptoir JR* pour changer contre le *pass* le voucher du *JR Pass* réservé à l'avance dans son pays d'origine. On peut aussi y réserver ses trains *Shinkansen* : tlj 5h30-23h.

Pour le centre d'Osaka (Namba-Nankai) : ligne Nankai 南海. Départs très fréquents. Durée : env 45 mn (*Airport Express* et 920 ¥) ou 38 mn avec le *Rapid*. Pour la gare de Tennoji 天王寺 (sud d'Osaka), lignes JR *Airport Express Haruka* ou *Kansai Airport Rapid Service*. Durée : respectivement 30 et 45 mn (1060 ¥). Pour la gare d'Osaka : ligne JR *Kansai Airport Rapid Service*. Durée : env 1h10 (1 200 ¥). Pour Shin-Osaka 新大阪 (au nord d'Osaka) : ligne JR *Airport Express Haruka*. Durée : 50 mn. Billet : 1 360 ¥.

➤ *En bus pour le centre (les quartiers de Minami et Namba) :* bus limousine pour Namba, Umeda, Shin-Osaka, Abeno Harukas. Départs réguliers ttes les 30 mn-1h30 selon destinations. Durée : env 50 mn (Namba)-1h10 (Abeno Harukas). Billet : 1 100-1 200 ¥.

Rejoindre les autres villes depuis l'aéroport international du Kansai

➤ *En train :* pour *Kyoto,* train *Airport express Haruka*. En principe, 2 départs/h. Durée : 1h15. Billet : env 3 300 ¥ si l'on réserve sa place à l'avance, un peu moins cher sans résa. Trajet plus économique mais aussi plus long avec le train « rapide ». Durée : 2h. Billet : 1 850 ¥. Arrêt à la gare centrale de Kyoto

OSAKA

(Kyoto Station). Pour *Nara* 奈良 : durée env 1h10.

➢ *En bus :* avec le *Kansai Airport Limousine Bus* ● kate.co.jp ● Pour *Kyoto* 京都 : notre solution préférée. Ttes les 20-40 mn. Durée : env 1h25. Billet : 2 600 ¥. À Kyoto, le bus limousine s'arrête derrière la gare ferroviaire (Kyoto Station 京都駅). Pour *Nara* 奈良 : bus direct ttes les heures. Durée : 1h25. Billet : 2 100 ¥. À Nara, les bus s'arrêtent à la *JR Nara Station,* en centre-ville.

➢ *En avion :* pour *Tokyo (Narita),* tlj entre l'aéroport du Kansai et Narita (Tokyo).

En train

Pour organiser ses déplacements en train, voir le site ● hyperdia.com/en ●

➢ *Kyoto :* si vous êtes pressé, le *JR Shinkansen* relie Shin-Osaka à la JR Kyoto Station en 15 mn. Sinon, nombreux trains *JR* de la gare Osaka Station. Durée : 30-40 mn. Billet : 560 ¥ (plus la résa éventuelle pour le *Shinkansen*).

➢ *Mont Koyasan* 高野山 : voir la rubrique « Arriver – Quitter » du mont Koyasan.

➢ *Tokyo* 東京 : des trains *Shinkansen* relient la gare de Shin-Osaka à Tokyo. Durée : 2h30. Coût : env 9 000 ¥ (plus la résa).

➢ *Hiroshima* 広島 : *Shinkansen* env ttes les 20 mn depuis la gare de Shin-Osaka. Durée : 1h30. Billet : env 5 600 ¥.

➢ *Nara :* ligne Yamatoji, ttes les 15 mn env. Départ de Osaka Station ou Tennoji. Durée : env 1h. Prix : 800 ¥.

En bus

2 compagnies principales, *Willer Express* (● willerexpress.com ● et *JR Highway Buses* (● nishinihojrbus. co.jp ● Plusieurs points de départ : entre autres Osaka Station, Namba, Abenobashi (quartier de Tennoji). Elles desservent notamment **Hiroshima** (prix : env 5 000 ¥ ; durée : env 6-7h) et **Tokyo** (env 6 000 ¥ ; durée : 8h30).

Topographie de la ville

Osaka n'a pas vraiment de centre-ville mais fonctionne comme un réseau géant, une vaste toile d'araignée, immense et bien ordonnée, sous des apparences parfois confuses. Elle se compose de plusieurs gros nœuds de communication, souvent autour des grandes stations de train ou métro, qui servent de points de repère.

– *Minami* 南 *(plan I) :* ce serait le centre géographique d'Osaka, autour de la gare de Namba et du quartier des affaires. C'est aussi le quartier des gourmands *(kuidaore no machi* 食い倒れの町*)* et des fêtards, où les restaurants et les bars remplissent les rues et les ruelles animées de *Dotonbori* 道頓堀. Un des secteurs de la ville les plus trépidants le soir. Ne pas manquer non plus de se promener de nuit dans le microquartier très américanisé d'*Ame Mura* アメ村.

– *Le quartier de Tennoji-Abeno* 天王寺あべの *(plan II) :* au sud-est de la ville. Un des quartiers les plus populaires, avec le miniquartier de *Shinsekai* 新世界, bourdonnant de vie et d'activité commerciale (des restos par dizaines), dominé par la tour d'Osaka (*Tsutenkaku* 通天閣), largement supplantée en hauteur par la gigantesque Abeno Harukas.

– *Osaka-jo* 大阪城 *(quartier du château d'Osaka ; plan III) :* à l'est de la ville. Quartier plus résidentiel et moins « électrique » que Minami et Umeda.

– *Kita* 北 *(plan IV) :* au nord de la ville, autour de la grande gare JR Osaka et de celle d'Umeda.

– *Le port d'Osaka* 大阪港 *(plan V) :* le plus grand du Japon, devant celui de Yokohama-Tokyo.

Se déplacer dans Osaka

On sillonne les avenues à pied mais en prenant le métro pour aller d'un quartier à l'autre. Son réseau quadrille complètement le centre d'Osaka, lui-même encerclé par la ligne *JR*. Compte tenu de la superficie de la mégapole, les

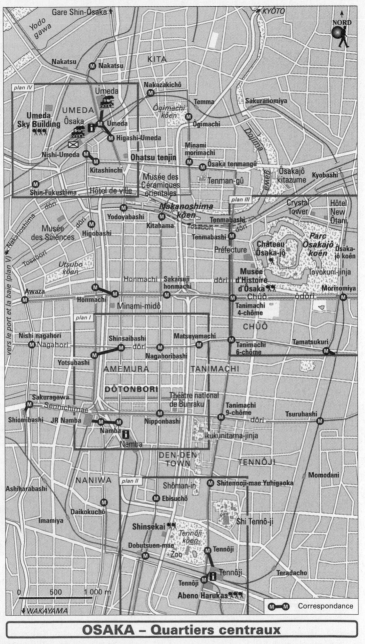

Gare Shin-Ôsaka ↑ ↗ KYÔTO

NORD

Yodo gawa

Nakatsu • M Nakatsu

KITA

plan IV

Umeda • M Nakazakichô

UMEDA Temma Sakuranomiya

Umeda Sky Building 🎦🎦🎦 Ôsaka

Ôgimachi kôen Ôgimachi

Nishi-Umeda M M Umeda M Higashi-Umeda

Kitashinchi Ohatsu tenjin Minami morimachi

Shin-Fukushima Hôtel de ville Nakanoshima kôen

dôri Musée des Céramiques orientales Ôsaka tenmangû Tenman-gû

Dojima Ôsakajô kitazume Kyobashi

plan III

Crystal Tower Hôtel New Ôtani

Yodoyabashi Kitahama Tosabori Tenmabashi dôri

Musée des Sciences Higobashi Dosabori Tenmabashi

Château Ôsaka-jô Parc Ôsakajô kôen Ôsaka-jô kôen

Utsubo kôen Préfecture

Toyokuni-jinja

Awaza M Honmachi Sakaisuji honmachi dôri Musée d'Histoire d'Ôsaka 🎦🎦 Morinomiya

M Honmachi Minami-midô Chûô ôdôri

plan I Tanimachi 4-chôme

Nishi nagahori M Nagahori Shinsaibashi dôri Matsuyamachi CHÛÔ Tamatsukuri

Yotsubashi Nagahoribashi Tanimachi 6-chôme

AMEMURA TANIMACHI

Sakuragawa DÔTONBORI Théâtre national de Bunraku Tanimachi 9-chôme dôri Tsuruhashi

Sennichimae Ikukunitama-jinja

Shiomibashi JR Namba M M M Nipponbashi

Namba 🛈

Namba DEN-DEN TOWN TENNÔJI

NANIWA plan II Shôman-in Shitennôji-mae Yuhigaoka Momodani

Ashiharabashi Ebisuchô

Daikokuchô Shi Tennô-ji

Imamiya Shinsekai 🎦🎦 Tennôji kôen Tennôji

Dobutsuen-mae Zoo Tennôji

Tennôji 🛈

Tennôji Teradacho

0 500 1 000 m

Abeno Harukas 🎦🎦🎦

↙ WAKAYAMA

M—M Correspondance

OSAKA

vers le port et la baie (plan V) Nakanoshima dôri

OSAKA – Quartiers centraux

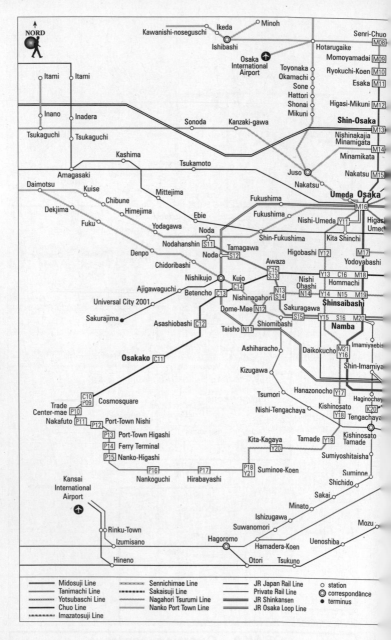

NORD

Kawanishi-noseguschi • Ikeda • Minoh

Ishibashi

Osaka International Airport

Itami • Itami

Inano • Inadera

Tsukaguchi • Tsukaguchi

Sonoda • Kanzaki-gawa

Amagasaki

Kashima

Tsukamoto

Daimotsu

Kuise

Chibune

Himejima

Dekijima

Fuku

Yodagawa

Denpo

Chidoribashi

Nishikujo

Ajigawaguchi • Betencho

Universal City 2001

Sakurajima

Asashiobashi C12

Osakako C11

C10 P09 Cosmosquare

Trade Center-mae P10

Nakafuto P11 P12 Port-Town Nishi

P13 Port-Town Higashi

P14 Ferry Terminal

P15 Nanko-Higashi

P16 P17 P18 Y21

Nankoguchi Hirabayashi Suminoe-Koen

Kansai International Airport

Rinku-Town

Izumisano

Hineno

Hagoromo

Otori Tsukuno

Hamadera-Koen

Senri-Chuo M08

Hotarugaike

Momoyamadai M09

Toyonaka

Ryokuchi-Koen M10

Okamachi

Esaka M11

Sone

Hattori

Higasi-Mikuni M12

Shonai

Mikuni

Shin-Osaka

M13

Nishinakajia Minamigata

M14

Minamikata

Juso

Nakatsu M15

Nakatsu

Umeda Osaka

M16

Fukushima

Nishi-Umeda Y11

Higas Umed

Fukushima

Kita Shinchi

Nishi-Fukushima

Shin-Fukushima

M17

Higobashi Y12

Yodoyabashi

Noda

Nodahanshin S11

Tamagawa

Awaza

Noda S12

C15 S13

Y13 C16 M18

Hommachi

Nishi Ohashi

Kujo C14

N13 S14

Y14 N15 M19

Nishinagahori

Shinsaibashi

Dome-Mae N12

Sakuragawa

S15

Y15 S16 M20

Taisho N11

Shiomibashi

Namba

Ashiharacho

Daikokucho

M21 Y16

Imamiyaebis

Kizugawa

Shin-Imamiya

Tsumori

Hanazonocho

Haginochay

Nishi-Tengachaya

Y17

Kishinosato

K20

Y18 Tengachaya

Kita-Kagaya

Tamade Y19

Kishinosato Tamade

Tamade

Y20

Sumiyoshitaisha

Suminoe

Shichido

Sakai

Minato

Mozu

Ishizugawa

Suwanomori

Uenoshiba

OSAKA

——— Midosuji Line	▦▦▦ Sennichimae Line	——— JR Japan Rail Line	○ station
——— Tanimachi Line	▪▪▪▪ Sakaisuji Line	——— Private Rail Line	◎ correspondance
┅┅┅ Yotsubaschi Line	——— Nagahori Tsurumi Line	═══ JR Shinkansen	● terminus
——— Chuo Line	——— Nanko Port Town Line	═══ JR Osaka Loop Line	
▪▪▪▪ Imazatosuji Line			

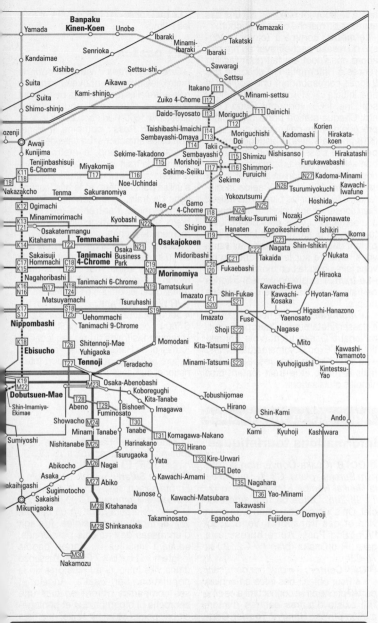

OSAKA – Plan du métro

arrêts se trouvent éloignés les uns des autres et on marche donc beaucoup.

– **Le métro :** comme à Tokyo, la densité du réseau peut effrayer au premier abord, mais tout est fait pour faciliter l'accès à l'information. À chacune des 9 lignes correspondent une couleur et une initiale : « M » rouge pour Midosuji Line, « C » vert pour Chuo Line, etc. Chaque station porte un numéro précédé du nom de l'initiale de la ligne (K18 pour la station Ebisucho), ce qui permet de s'assurer qu'on va dans le bon sens. On paie aux machines près des guichets (version en anglais) ; le prix varie entre 180 et 280 ¥ selon la distance, 370 ¥ pour les plus longs trajets. Bien conserver son ticket, on le repasse à la sortie. Et si vous êtes perdu, il y a toujours un préposé dans les stations parlant deux mots d'anglais, qui saura vous remettre sur le droit chemin ou vous faire payer le bon montant.

– **Le train :** il existe également 5 lignes de train avec un système de billetterie propre.

– **Le monorail :** dans le nord de la ville, il dessert notamment l'aéroport international d'Osaka Itami (vols domestiques) et l'Expo Commemoration Park.

– **Le bus :** là encore, réseau dense, mais le métro et le train restent plus simples d'utilisation.

– **Le taxi :** prise en charge 700 ¥ et tous les 2 km.

Les *passes*

– **One Day Pass :** valable pour le métro, les bus et le nouveau tram, qui relie entre elles les îles de la baie. Inclut aussi des réductions pour certains sites. *Prix : 800 ¥ en sem, 600 ¥ le w-e.*

– **Amazing Pass :** combine le transport et les attractions. Le *pass* de 1 jour *(2 500 ¥)* comprend le métro et les 5 lignes de train (mais ni la ligne *JR*, ni le monorail). Celui de 2 jours *(3 300 ¥)* s'utilise pour le métro et le bus (aucune ligne de train, ni le monorail). Tous 2 comprennent l'entrée à de nombreux sites (voir la brochure fournie au moment de l'achat).

– **Kansai Thru Pass :** *4 000 ¥ pour 2 j., 5 200 ¥ pour 3 j.* Donne accès libre à la plupart des trains, métro et bus de la région du Kansai (Kyoto, Osaka, Nara). Achat dans les offices de tourisme.

– **JR West Rail Pass :** *2 300 ¥ pour 1 j., 4 500 ¥ pour 2 j., 5 500 ¥ pour 3 j. et 6 500 ¥ pour 4 j.* Donne le droit d'utiliser librement les trains du réseau local du Kansai et de Haruka. Ce dernier réseau assure la liaison pour l'aéroport international du Kansai.

Adresses et infos utiles

Informations touristiques

🛈 **OCTB** (Osaka Convention & Tourism Bureau ; *plan I, C3, 1*) : au rdc de la Nankai Namba Station, niveau 1F. Tlj 9h-20h. Office de tourisme officiel. On s'y procure un bon plan de la ville et des transports. Vend aussi l'Amazing Pass. Autre bureau à la gare JR d'Osaka (*plan IV, C2, 2 ; tlj 7h-23h*).

🛈 **Call Center :** ● ofw-oer.com/call/en/ ● Pour obtenir des infos en anglais par téléphone en se connectant à ce site.

🛈 Il existe d'autres centres d'information privés : **Hankyu Tourist Center** (*plan IV, C1, 3 ; à la gare d'Umeda-Hankyu ;* Ⓜ *Umeda Station ; tlj 8h-17h*), **OCAT** (*plan I, A3, 4 ; à la gare JR de Namba ;* Ⓜ *Namba Station ;* tlj 8h30-20h30*) et à la boutique de la tour Abeno Harukas (*plan II, B2, 5 ; niveau 3,5F ;* Ⓜ *Tennoji*).

■ **Osaka Safari :** ● osakasafari.com ● En hte saison, résa 4 mois à l'avance conseillée. Compter 11 000 ¥/pers sur la base de 2 pers pour 7h de balade. ½ j. ou nocturne possibles. Il s'agit d'un réseau de Français passionnés, souvent installés au Japon depuis longtemps. Leur but ? Capter l'essence d'une ville toujours au plus près de la population. Sur Osaka, Angelo et ses comparses offrent en plus une approche photographique et photogénique : points de vue insolite, quartiers secrets, lieux chargés d'histoire... avec des techniques de photos indiquées à ceux qui le souhaitent. Quand on a peu de temps, voilà une façon idéale d'aborder cette ville qui ne se livre pas tout de suite.

Argent, banques, change

– *Change des devises (euros) :* dans les grandes banques de la ville, aux bureaux de change de l'aéroport et autour de la gare d'Osaka, ainsi qu'à la poste centrale. Les banques sont en général ouvertes en semaine de 9h à 15h et la poste jusqu'à 18h. En dépannage, la plupart des hôtels proposent aussi un service de change (à un taux généralement élevé).
– *Retrait d'argent liquide :* on peut retirer des yens en espèces aux ATM de la plupart des magasins-épiceries *(convenience stores)* des chaînes *7-Eleven, Family Mart* et *Lawson* (pratiquement dans tous les points de vente). Avantages : on en trouve un peu partout et ils sont ouverts 24h/24. Les postes japonaises possèdent aussi des distributeurs automatiques de billets et assurent ce genre de service *(9h-17h)*. Les banques *(fermées le w-e)* ont également des distributeurs mais qui n'acceptent pas toujours les retraits avec des cartes de paiement étrangères. Attention, dans tous les cas, commissions variables, parfois importantes.

OSAKA QUARTIER PAR QUARTIER

MINAMI (NAMBA, DOTONBORI) 南

● Minami (plan I) *p. 396-397*

OSAKA

Où dormir ?

Notez que la préfecture d'Osaka impose une taxe pour tous les établissements. Elle s'élève à 100-300 ¥/j. par personne selon le prix de la nuit.

Bon marché (de 6 000 à 10 000 ¥ / 50-83 €)

🛏 *Fuku Hostel* 福宿 *(plan I, C3, 10) :* 3F Sennichimae, Chuo-ku. ☎ 6633-8029. ● *fukuhostel.jp* ● Ⓜ *Nippombashi* 日本橋. *Env 2 900-3 300 ¥/pers en dortoir selon j. de la sem (plus cher w-e) ; 12 000-16 000 ¥ pour les chambres privées de 2-4 pers ; sdb commune.* À l'étage d'un immeuble, auberge peu spacieuse proposant 2 dortoirs (mixte ou pour filles) et des chambres aveugles (rapport qualité-prix moyen). Clim partout, coin salon et cuisine à dispo. Restent l'équipement correct, le bon accueil et la situation.

De prix moyens à chic (de 10 000 à 25 000 ¥ / 83-208 €)

🛏 *Hotel Crossover* ホテルクロスオーバー *(plan I, C2, 11) :* 2-11-26 Shimanouchi, Chuo-ku. ☎ 6484-3327. ● *hotelcrossover.com* ● Ⓜ *Nagahoribashi* 長堀橋 ou *Nippombashi* 日本橋. *Pour 2, prévoir 13 000-15 000 ¥.* En retrait de la rue principale, plutôt au calme (même si tout est relatif en ville), cet hôtel à taille humaine dans les tonalités marron propose des chambres de type occidental ou japonais, pas très grandes mais bien tenues.
🛏 *Cross Hotel* クロスホテル *(plan I, B2, 12) :* 2-5-15 Shinsaibashisuji, Chuo-ku. ☎ 6213-8281. ● *crosshotel. com/osaka/* ● Ⓜ *Namba* 難波. *Compter 18 000-25 000 ¥ pour 2.* Hôtel moderne bien situé d'environ 200 chambres,

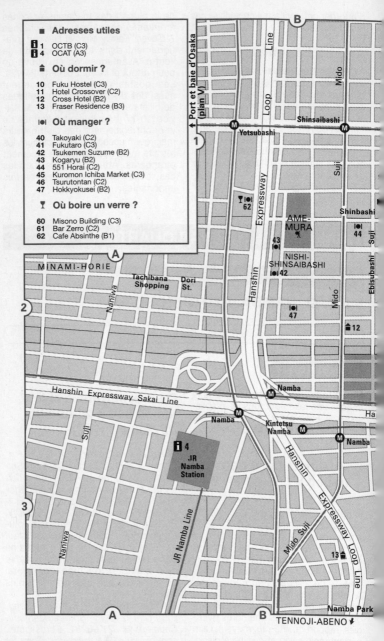

OSAKA

■ Adresses utiles

1 OCTB (C3)
4 OCAT (A3)

● Où dormir ?

10 Fuku Hostel (C3)
11 Hotel Crossover (C2)
12 Cross Hotel (B2)
13 Fraser Residence (B3)

❙●❙ Où manger ?

40 Takoyaki (C2)
41 Fukutaro (C3)
42 Tsukemen Suzume (B2)
43 Kogaryu (B2)
44 551 Horai (C2)
45 Kuromon Ichiba Market (C3)
46 Tsurutontan (C2)
47 Hokkyokusei (B2)

❙ Où boire un verre ?

60 Misono Building (C3)
61 Bar Zerro (C2)
62 Cafe Absinthe (B1)

Port et baie d'Osaka (plan V)

Line
Loop
Mido

Shinsaibashi

Yotsubashi

Suji

Expressway

Shinbashi

AME-
MURA

❙●❙
44

Suji

43
❙●❙

NISHI-
SHINSAIBASHI

❙●❙ 42

Ebisubashi

❙ ❙●❙
62

MINAMI-HORIE

Tachibana
Shopping

Dori
St.

Naniwa

Hanshin

Mido

❙●❙
47

🏠 12

Hanshin Expressway Sakai Line

Namba

Suji

Namba

Kintetsu
Namba

Namba

Ha

Naniwa

1 4
**JR
Namba
Station**

JR Namba Line

Hanshin

Expressway Loop Line

Mido Suji

13 🏠

Namba Park

TENNOJI-ABENO

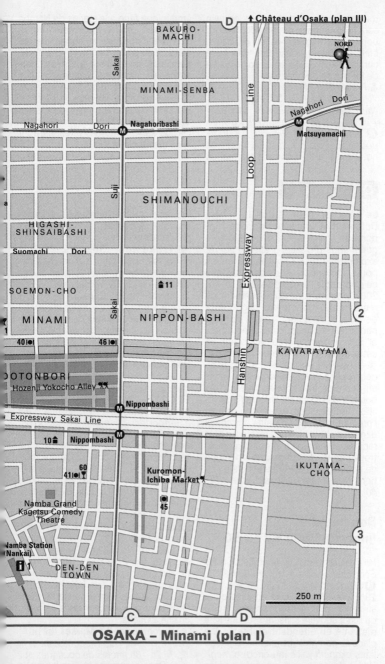

NORD

BAKURO-MACHI

Sakai

MINAMI-SENBA

Line

Nagahori Dori

Nagahori   Dori   Nagahoribashi

M Matsuyamachi

Loop

Suji

SHIMANOUCHI

HIGASHI-
SHINSAIBASHI

Expressway

Suomachi   Dori

SOEMON-CHO

Sakai

🏯 11

MINAMI

NIPPON-BASHI

KAWARAYAMA

40 🍴   46 🍴

Hanshin

DOTONBORI

Hozenji Yokocho Alley 🍴🍴

M Nippombashi

Expressway   Sakai Line

M

10 🏯 Nippombashi

IKUTAMA-
CHO

60

41 🍴 🍷

Namba Grand
Kagetsu Comedy
Theatre

Kuromon-
Ichiba Market 🍴

🍴 45

Namba Station
(Nankai)

ℹ 1

DEN-DEN
TOWN

250 m

OSAKA

C   D

OSAKA – Minami (plan I)

rouge et anthracite. À noter : les twin sont plus grandes que les doubles et, bonne nouvelle, les salles de bains, bien équipées, possèdent une taille correcte. Accueil aux petits soins. Salon de thé au rez-de-chaussée.

🛌 *Fraser Residence* フレイザーズホスピタリティ *(plan I, B3, 13)* : 1-17-11 Nambanaka, Naniwa-Ku. ☎ 6635-7111. ● *frasershospitality.com* ● Ⓜ *Namba* 難波. *Prévoir 18 000 ¥ pour 2, petit déj inclus.* Ce business hotel mise à la fois sur sa situation stratégique face à la station de Namba et sur ses services pour étendre sa clientèle : doubles et suites (certes sans charme) tout confort, chambres familiales accueillant jusqu'à 5 personnes (2 chambres), kitchenette dans certaines, et partout machine à laver et prêt de portable. De plus, le petit déj est servi dans une chaleureuse salle. Si vous n'avez pas assez marché dans Osaka, salle de fitness et sauna pour vous maintenir en forme.

Où manger ?

Le quartier situé entre la rivière Dotonbori et la station de métro Nippombashi 日本橋 est un des cœurs gourmands d'Osaka. Y aller le soir et explorer les rues parallèles entre les ponts Dotonbori et Nippom. Dans ce rectangle urbain de 500 m sur 200 m, ce ne sont qu'alignement de restaurants, ribambelle clignotante de bars et de cafés, kyrielle de lieux nocturnes aux enseignes électriques et aux néons colorés. Au cœur de cette agitation, le temple Hozenji 法善寺 réserve un îlot de calme, avec des ruelles bordées de restaurants un peu plus traditionnels que sur les boulevards passants. Une des spécialités de Dotonbori est le poulpe que l'on mange coupé en petits morceaux dans des choux. Un des restos les plus réputés et les moins chers du coin se trouve près de l'immense enseigne de poulpe, au milieu des escaliers, au bord de la rivière *(Takoyaki, plan I, C2, 40)*.

Bon marché
(jusqu'à 1 500 ¥ / 12,50 €)

🍴 *Fukutaro* 福太郎 *(plan I, C3, 41)* : Sennichimae, Chuo-ku. ☎ 6634-2951. Ⓜ *Nippombashi* 日本橋. *Lun-ven 17h-23h, w-e 12h-23h.* Une adresse qui a si bien bénéficié du bouche-à-oreille qu'il faut souvent s'inscrire sur une liste d'attente en attendant d'obtenir une place au comptoir. La raison ? D'excellents *okonomiyakis* (au chou) et *negizaki* (à l'oignon vert) préparés par les habiles cuistots et conservés au chaud sous des clochetons. Bon accueil malgré la cadence.

🍴 *Tsukemen Suzume* つけ麺雀 *(plan I, B2, 42)* : 1-3-19 Tanimachi, dans le quartier d'Ame-Mura. ☎ 6966-0611. Ⓜ *Yotsubashi* 四ツ橋. *Tlj 11h30-16h30, 18h-22h, mais venir tôt car ferme avt s'il y a trop d'attente.* Quelques places autour du comptoir en bois où les clients s'affairent à « slurper » les ramen au-dessus de leur bol. Une adresse réputée.

🍴 *Kogaryu* 甲賀流 *(plan I, B2, 43)* : 2-18-4 Nishi-Shinsaibashi, dans le quartier d'Ame-Mura. Ⓜ *Yotsubashi* 四ツ橋. *Tlj 10h30-20h30, mais la salle n'ouvre que jusqu'à 19h ; ensuite, c'est à emporter.* Enseigne en japonais, devant un square : repérer les photos géantes de *takoyaki* au-dessus de l'échoppe. Connu pour ses choux fourrés au poulpe, aspergés de sauce soja ou saupoudrés d'oignons verts, vendus par 10 minimum. Ça cale bien tout en étant moins bourratif qu'ailleurs. Et les prix se tiennent.

🍴 *551 Horai* 5 5 1 蓬莱 *(plan I, B2, 44)* : ☎ 6641-0551. Ⓜ *Shinsaibashi* 心斎橋. *Tlj 10h-22h. Fermé 3ᵉ mar du mois.* On vient dans ce resto chinois d'abord pour changer un peu, mais surtout pour ses *butaman*, sorte de brioche à la vapeur farcie au porc. On trouve d'autres adresses de cette chaîne à Osaka.

🍴 *Kuromon Ichiba Market* 黒門市場 *(plan I, C3, 45)* : Ⓜ *Nippombashi* 日本橋. *Tlj 9h-18h (moins de boutiques ouv dim).* Dans ce marché tout en longueur, plein de petits stands pour manger surtout du poisson et des fruits de mer grillés. Bonne ambiance. Se reporter aussi plus loin à la rubrique « À voir ».

Prix moyens (de 1 500 à 3 500 ¥ / 12,50-29 €)

|●| *Tsurutontan* つるとんたん *(plan I, C2, 46)* : 3-17 Soemon-cho. ☎ 6211-0021. Ⓜ *Nippombashi* 日本橋. Tlj 11h-8h (tte la nuit donc). Adresse très prisée, à juste titre ; il faut souvent s'inscrire sur une liste d'attente. On s'installe ensuite dans un des boxes japonais face à la rivière (avec de la chance) ou, moins drôle, face au mur. Spécialité d'*udon* (pâtes de blé épaisses) accompagné de viande, fruits de mer ou tofu, au curry également. Large choix pour ce plat populaire. Cuisine vraiment délicieuse. Seul bémol, compte tenu du monde, ça fait un peu usine.

|●| *Hokkyokusei* 北極星 *(plan I, B2, 47)* : 2-7-27 Nishi-Shinsaibashi. ☎ 6211-7829. Ⓜ *Namba* 難波. Tlj 11h-22h (mais peut fermer plus tôt). Fourchette basse. Le spécialiste de l'*omurice* : du riz enveloppé dans une omelette servi avec de la sauce tomate. Né ici dans les années 1920, ce plat typique d'Osaka est en fait la version d'un plat occidental vue par les Japonais de l'époque. Une autre facette de la cuisine nippone. Cadre traditionnel.

Où boire un verre ?

Ⴤ *Misono Building* 味園ビル *(plan I, C3, 60)* : Sennichimae, Chuo-ku. À l'étage d'un immeuble. Ⓜ *Nippombashi*. Tlj dès 19h, mais plus d'ambiance à partir de 20h-21h et le w-e. Une rue de la soif avec plein de bars sympas... dans le couloir d'un immeuble ! Bienvenue au Japon !

Ⴤ *Bar Zerro* ゼロバー *(plan I, C2, 61)* : 2-3-2 Shinsaibashi Suji. ☎ 6211-0439. Ⓜ *Shinsaibashi* 心斎橋. Tlj 19h-5h. Ambiance plutôt anglo-saxonne dans ce bar non loin de la rivière Dotonbori. L'alcool y coule à flots. Pour éponger : sandwichs, salades et des plats plus consistants type *fish & chips*.

Ⴤ |●| *Cafe Absinthe* カフェアブサン *(plan I, B1, 62)* : South Yotsubashi Bldg, 1-2-27 Kita-Horie. Ⓜ *Shinsaibashi* 心斎橋 *(sortie 7)*. Tlj sauf mar 12h-1h. Hymne à la rencontre des cultures : clientèle mi-japonaise, mi-étrangère pour une immersion dans le monde arabo-méditerranéen. Entre 2 bouffées de chicha, on croque dans un falafel ou on se cale d'un couscous au poisson. Et bien sûr on tente l'absinthe !

OSAKA

À voir

🍖 *Ame-Mura* アメ村 *(plan I, B1-2)* : gare de Shinsaibashi 心斎橋, ligne Mido-Suji 御堂筋. En sortant de la gare de Shinsaibashi, direction Namba par l'av. Mido-Suji, marcher env 3 blocs sur le trottoir de droite, puis tourner à droite. Quelques rues au cœur du quartier de Nishi-Shinsaibashi. Dès que vous verrez des vitrines de magasins de mode et d'accessoires à l'occidentale, des boutiques tenues par de jeunes Japonais (ou Japonaises) aux cheveux décolorés et aux vêtements excentriques, pas de doute vous êtes arrivé dans Ame-Mura, « le village américain (« Ame » pour « Amerikan »). Moins *underground* et moins américaine qu'à l'origine, la culture, ici, se veut désormais jeune, populaire et internationale. On y trouve des créateurs de mode et designers japonais, des échoppes *trendy,* un peu de *street art,* des bars en tous genres, des *coffee-shops* et restos en enfilade. Y aller quand les enseignes éclatent dans la nuit, à l'ombre d'une statue de la Liberté stylisée accrochée à une tour.

🍖🍖 *Hozenji Yokocho Alley (plan I, C2)* : tout petit quartier de seulement 2 rues, juste en retrait de la *shopping street*. Entre les deux, un siècle les sépare. Des sollicitations commerciales, visuelles et auditives constantes, on passe à un alignement de maisons basses, en bois, certes converties pour la plupart en restos, mais dans un esprit plus discret. Si on peut retrouver cette architecture traditionnelle ailleurs, c'est ici que le contraste est le plus saisissant.

🍴 *Namba Parks* なんばパークス *(plan I, B-C3) : au sud de la gare de Namba (ligne Nankai* 南海*)*. En plein quartier d'affaires, près du plus gros nœud de transports de la ville, voici un centre commercial de 8 étages à l'architecture étonnante, qui abrite des centaines de magasins et de restaurants *(tlj 11h-21h – 23h pour les restos)*.

🍴 *Nipponbashi Den Den Town* 日本橋デンデンタウン *(plan I, C3) : à 3 mn à pied (vers l'est) de la station Namba* 難波. Le plus grand quartier d'équipements électriques, mais aussi de boutiques de mangas.

🍴 *Kuromon Ichiba Market* 黒門市場 *(plan I, C3) :* Ⓜ *Nippombashi* 日本橋. *Tlj 9h-18h (moins de boutiques ouv dim)*. Composé essentiellement d'une longue rue couverte où s'alignent petits supermarchés, boutiques de vêtements, bouchers, poissonniers, restos... À la fois intéressant à voir et potentiellement utile pour manger du poisson frais ou rapporter des bricoles forcément exotiques à la maison. Au *Kuromon Information Center* (côté sud de la rue), machine pour faire du change.

LE QUARTIER DE TENNOJI-ABENO 天王寺あべの

● Tennoji-Abeno (plan II) *p. 401*

Où dormir ?

Bon marché (de 6 000 à 10 000 ¥ / 50-83 €)

🛏 *The Pax Hostel* ザ パックス *(plan II, A1, 16) : 1-20-5 Ebisu Higashi, Naniwa-ku.* ☎ *6537-7090.* ● *thepax.jp* ● Ⓜ *Ebisucho* 恵比寿町. *Env 2 200-3 000 ¥ le lit en dortoir mixte ou pour fille ; 1 quadruple ; petit déj en sus.* Non loin de la tour mais dans un coin calme de Shinsekaï. Cette auberge qui fait aussi café et vente de vinyles (ils servent aussi accessoirement de déco) recèle un vrai caractère. 6-10 lits dans les dortoirs, cuisine à dispo, petit coin salon en mezzanine d'où on descend par un toboggan (attention à l'atterrissage !). Très bon accueil.

🛏 *Lodging & Kin Osaka* ロジングとキンのこと *(plan II, A1, 17) : 2-8-22 Nipponbashishinishi, Naniwa-ku.* ☎ *6599-8917.* ● *lnk.osaka* ● Ⓜ *Daikokucho* 大国町. *Réception 8h-10h, 16h-22h. Bar tlj 19h-23h. Compter env 3 500 ¥/pers en dortoir (4-6 lits) et 8 500 ¥ pour 2 en*

chambre privée, petit déj inclus. À la limite du quartier de Namba. Le jeune patron, fan de mangas, a habillé son auberge de bois. Dortoirs et chambres à l'étage. On aime bien la double de style japonais en angle, vraiment agréable. L'autre possède 2 lits superposés. Excellent rapport qualité-prix. En bas, le café est accessible aux non-résidents.

🛏 *Ryokan Hokousou* 旅の宿葆光荘 *(plan II, B1-2, 18) : 14-16 Horikoshi-cho, Tennoji-ku.* ☎ *6771-7242.* ● *hokousou. com* ● *Métro jusqu'à la gare de JR Tennoji, sortie nord, puis 2 mn de marche en suivant l'av. Tanimachi-suji (trottoir de droite) vers le nord. On marche sous une sorte de galerie couverte le long de l'avenue. Tourner à droite dans une tte petite allée. C'est plus loin, à env 100 m, en retrait de l'agitation. Doubles 8 900-10 500 ¥ (+ 1 000 ¥ pour avoir une chambre précise) ; petit déj bon marché en sus. Espèces seulement.* Inconvénient, la proprio ne parle que japonais et ne prend

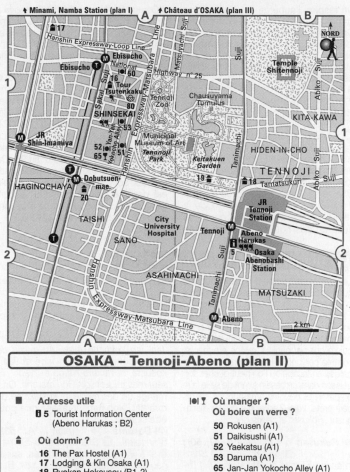

OSAKA – Tennoji-Abeno (plan II)

OSAKA

Adresse utile	
🛈 5	Tourist Information Center (Abeno Harukas ; B2)

🏠 Où dormir ?	
16	The Pax Hostel (A1)
17	Lodging & Kin Osaka (A1)
18	Ryokan Hokousou (B1-2)
19	Kintetsu Friendly Hostel (B1-2)
20	Hotel Toyo et Hôtel Raizan South (A2)

🍴🍸 Où manger ? Où boire un verre ?	
50	Rokusen (A1)
51	Daikisushi (A1)
52	Yaekatsu (A1)
53	Daruma (A1)
65	Jan-Jan Yokocho Alley (A1)

✿ Achats	
80	Tower Knives (A1)

pas de résa par e-mail. Mais son fils et sa belle-fille lui filent un coup de main de temps en temps, ils se débrouillent en anglais ; sinon essayez de faire appeler quelqu'un pour vous. C'est une maison japonaise traditionnelle, rescapée au milieu de tous ces immeubles, tenue par une vénérable mamie. Chambres japonaises avec fenêtres à treillis, tatami, futon, tout ce qui fait le charme du *ryokan*. Des 4 du bas, 3 s'ouvrent sur le jardin intérieur. Comme d'habitude, la salle de bains de style japonais est commune. Endroit propre, calme et chaleureux.

🏠 *__Kintetsu Friendly Hostel__* 近鉄フレンドリーホステル *(plan II, B1-2, 19)* : dans le parc Tennoji. Pas de tél. ● *friendlyhostel.osaka/* ● Ⓜ Tennoji 天王寺. *Résa en ligne. Dortoirs 4-8 lits env 2 000 ¥/pers, chambres privées pour 3-4 (lits superposés) avec balcon, casiers et clim 10 000-12 000 ¥, plus des familiales plus grandes dont l'une avec douche, petit déj basique inclus.*

On respire, l'auberge est située dans un parc : un luxe dans cette mégapole. On peut aussi la choisir pour son côté fonctionnel. Les chambres sont réparties sur 2 étages avec cuisine à dispo. Mais l'ensemble manque d'âme. Difficile de tout avoir !

🛏 **Hotel Toyo** ホテル東洋 (plan II, A2, 20) : 1-3-5 Taishi, Nishinari-ku. ☎ 6649-6348. ● hotel-toyo.jp ● JR Shin-Imamiya, sortie est, ou Ⓜ Dobutsuen-mae 動物園前, sortie 2. De cette station, prendre le bd sur le trottoir de gauche en direction de la station JR Shin-Imamiya, puis tourner dans la 1ʳᵉ rue à gauche. Chambres 1 pers 2 000-2 500 ¥ ; twin 5 000-6 000 ¥ selon saison et j. de la sem (plus cher sam) ; sdb commune. Voilà un des hôtels les moins chers d'Osaka. Petit immeuble de 5 étages à l'intérieur coloré, qui abrite des chambres minuscules (5 m²) mais propres et équipées du minimum de confort (ventilo ou clim). Laverie (payante), cuisine à dispo. Bon accueil.

🛏 **Hôtel Raizan South** 来山南館ビジネスホテル (plan II, A2, 20) : 3-3-1 Taishi, Nishinari-ku. ☎ 6647-2195. ● chuogroup. jp/minami ● Même accès que pour l'Hotel Toyo, son voisin. Doubles 4 800-9 000 ¥ (w-e et hte saison) ; pas de petit déj. La partie « sud » de l'immeuble correspond aux étages supérieurs (du 6ᵉ au 9ᵉ). On le conseille en semaine (le week-end, les prix sont surévalués). L'ensemble est vieillot et bas de plafond. Cela dit, les chambres, recouvertes de lino, sont propres. Location de vélos. Laverie.

Où manger ? Où boire un verre ?

Les Japonais viennent surtout dans le quartier pour manger la spécialité locale, le **kushikatsu** 串カツ : de la panure. On pane tout ce qui peut l'être (viande, poisson, brochettes...). Le coin regorge aussi de restos de poisson et de fruits de mer. Et puis à quartier original, restos étonnants, comme celui qui a installé une coque de bateau en façade où l'on peut pêcher son poisson dans un bassin avant de se le faire préparer ! Et pour les amateurs de sushis déjà prêts, voici 2 adresses qui se distinguent : Rokusen et Daikisushi.

🍴 **Rokusen** ろく鮮 (plan II, A1, 50) : à Shinsekai. ☎ 6643-1168. Ⓜ Shin-Imamiya-Ekimae 新今宮駅前. Tlj 11h-21h30 (dernière commande). Prix moyens. Au comptoir ou à table, on fait son choix de sushis d'après un menu illustré (ouf !) : sardine, daurade, thon, makis, tempura, soupe de palourdes... Un excellent rapport qualité-prix.

🍴 **Daikisushi** 大喜寿司 (plan II, A1, 51) : Jan-Jan Yokocho Alley. Au milieu de l'allée, côté droit. Tlj 11h-21h. Bon marché. Un resto populaire de sushis vraiment abordables, servis au comptoir. Attention, ça clope.

🍴 **Yaekatsu** 八重勝 (plan II, A1, 52) : Jan-Jan Yokocho Alley. Au milieu de l'allée, côté gauche, en face du Daikosushi, devanture rouge et blanc. Tlj sauf mer, midi et soir. Bon marché. On y mange un des meilleurs kushikatsu du quartier. Non fumeur, assez rare pour être signalé.

🍴 **Daruma** だるま (plan II, A1, 53) : Shinsekai. Ⓜ Shin-Imamiya-Ekimae 新今宮駅前. Au bout de l'allée, sur la gauche, à l'angle. Tlj midi et soir. Bon marché. Le resto de kushikatsu le plus connu, devenu une chaîne nationale.

🍷 **Jan-Jan Yokocho Alley** ジャンジャン横丁 (plan II, A1, 65) : plusieurs tashinomi où les vénérables papis ont leurs habitudes autour du petit comptoir. Pour une tranche de vie populaire.

Achats

✾ **Tower Knives** タワーナイブズ (plan II, A1, 80) : 1-4-7 Ebisuhigashi, Naniwa-ku. ☎ 4301-7860. ● towerknives.com ● Au pied de la tour. Tlj 10h-18h. On peut voir l'aiguiseur travailler jeu 10h30-17h30. Sur présentation du passeport, achat en détaxe possible (- 8 %). Depuis le XVIᵉ s, la région d'Osaka est réputée pour la fabrication de couteaux de cuisine. Cet atelier-boutique aux allures de showroom est tenu par un Canadien (anglophone) secondé par des vendeurs polyglottes (notamment en français). On a droit à un cours très intéressant sur la coutellerie japonaise, l'histoire, la fabrication, l'intervention des différents corps de métiers (forgeron, aiguiseur, graveur).

Compte tenu du travail, on ne s'étonne (presque) plus du prix de ce bel objet *(10 000-300 000 ¥ pour un beau couteau avec un manche en bois !).* On peut même faire graver un nom en japonais. Une visite instructive.

À voir

𝕏𝕏𝕏 *Abeno Harukas* あべのハルカス *(plan II, B2) :* ☎ 6621-0300. ● *abeno harukas-300.jp* ● Ⓜ *Tennoji. Achat des tickets au 16F, tlj 8h50-21h30 (dernière admission). Accès à l'observatoire du 60ᵉ étage : 1 500 ¥ ; réduc. Pour l'héliport, au sommet de la tour (300 m) : + 500 ¥. Pour l'attraction* Edge of Harukas, *achat au 60F, tlj 9h-17h, mais début de l'activité à 10h ; prix : 1 500 ¥.*

La 3ᵉ plus grande construction du pays, après les tours de Tokyo, et le plus grand gratte-ciel du Japon nous toise crânement du haut de ses 300 m (elle est tout de même légèrement plus petite que la tour Eiffel. Ouf !). L'observatoire est, quant à lui, perché à 288 m. Essayer d'y monter par temps clair pour apercevoir le château, le quartier d'Umeda, la baie et le Minato Bridge (rouge)... Un panorama à 360° encore plus ébouriffant (au sens propre) depuis l'héliport.
– Edge of Harukas : ne pas avoir le vertige, puisque le défi consiste à se pencher au-dessus du vide à 300 m depuis une passerelle de 20 m de long et 60 cm de large. Rassurez-vous, on est harnaché et retenu par un fil de vie tout le temps de l'expérience, soit 7 mn.
I●I ⛾ Très agréable café-resto au 58ᵉ étage, en plein air aux beaux jours. Et ne surtout pas manquer les toilettes du 59ᵉ étage, sauf si on a le vertige...

𝕏𝕏 *Le quartier de Shinsekai* 新世界 *(plan II, A1) :* Ⓜ *Dobutsuen-mae* 動物園前. *Ou gare de Shin-Imamiya (JR Loop ou ligne Nankai Koya). En sortant du métro, prendre à gauche pour passer sous le tunnel qui rejoint la Jan-Jan Yokocho Alley.* Un parc d'attractions se tenait ici entre 1912 et 1923. Lorsqu'il a fermé, la jeune classe ouvrière, qui s'y était installée, est restée, tout comme le côté festif et délirant. Voilà pourquoi, encore aujourd'hui, c'est un des quartiers les plus populaires et les moins chers d'Osaka, habité par une population souvent plus toute jeune. On aime son atmosphère à la fois kitsch, vivante et gardienne des vieilles traditions. La *Jan-Jan Yokocho Alley,* passage couvert, est connue pour ses restos de *kushikatsu* (voir plus haut « Où manger ? Où boire un verre ? ») et autrefois pour le *shogui* (les échecs). On comptait alors de nombreuses salles. Il en reste une seule aujourd'hui, où l'on voit les joueurs à 99 % masculins de plus de 70 ans venir s'affronter selon leur niveau, parfois à longueur de journée. Les salles de jeux vidéo font aussi partie du décor. Carrément vintage pour certaines, avec, derrière les écrans, une moyenne d'âge quasi canonique.
Entre l'allée et la tour Tsutenkaku, rues et ruelles sont envahies par les enseignes en 3D hallucinantes et les lampions lumineux, les panneaux étincelants, les crabes aux pinces d'or, les éléphants roses... un parking Hello Kitty (!), le tout sous le regard bienveillant de *Billiken,* le dieu protecteur du quartier représenté sous forme de petites statues replètes. Tout un monde à l'écart des grands axes où il fait bon flâner, de jour comme de nuit.

𝕏 *Tsutenkaku* 通天閣 *(plan II, A1) : tlj 9h-20h30 (dernière entrée). Guichet au sous-sol de la tour. Prix : 700 ¥ jusqu'à 87,5 m, + 500 ¥ pour l'étage suivant à 91 m.* Au cœur du quartier, immanquable avec ses allures de tour Eiffel. Construite une 1ʳᵉ fois en 1912 pour le parc d'attractions en s'inspirant de la tour Eiffel, reconstruite dans les années 1950, son nom signifie « la voie du ciel ». Si elle ne l'atteint pas, elle affiche tout de même fièrement ses 103 m de hauteur... Pas mal pour l'époque !

OSAKA

AUTOUR DU CHÂTEAU

● Autour du château (plan III) *p. 405*

Où dormir ?

Chic (de 15 000 à 25 000 ¥ / 125-208 €)

🏠 ***Carpe Diem*** カルペディエム *(hors plan III par B2, 24) :* 3-2-14 Nakahama, Joto-ku. ☎ 6961-0444. ● *carpediem-osaka.jp* ● *À la station de Midoribashi* 緑橋 *(ligne Chuo), sortie 2, puis env 10 mn de marche. À env 30 mn à pied du château. Munissez-vous du plan imprimable sur leur site web. Doubles avec sdb et clim 15 000-18 000 ¥ ; réduc moins de 12 ans.* Imaginez une vieille et vaste maison japonaise, loin de l'agitation urbaine, qui se cacherait dans un quartier tranquille d'Osaka aux maisons basses où l'on entendrait les poissons nager dans leur bocal et les chats marcher sur les gouttières. On entre comme dans un manoir. Le jardin intérieur, adorable, dans le plus pur style japonais, est une œuvre d'art voulue par les propriétaires franco-japonais (sur place une partie du temps). Tout autour, de belles chambres impeccables (tatami, futon, treillis en papier de riz) dont les portes coulissantes ouvrent sur le jardin. 2 communiquent entre elles. Et pour profiter pleinement du lieu, plusieurs ateliers et activités sont proposés sur place. *Carpe Diem !*

À voir. À faire

🏯 ***Le château d'Osaka*** 大阪城 *(plan III, A-B1-2) :* 1-1 Osaka-jo, Chuoku. ☎ 6941-3044. ● *osakacastle.net* ● Ⓜ *Temmabashi* 天満橋 *(le plus facile), Osaka-jo-koen* 大阪城公園 *(JR Loop) ou Morinomiya* 森ノ宮 *(ligne Chuo). Tlj 9h-16h30 (dernière admission). Fermé 28 déc-1er janv. Entrée : 600 ¥ ; réduc. Achat des billets au guichet automatique. 2 files d'attente : la plus longue pour l'ascenseur jusqu'au 5e étage, puis escaliers jusqu'au 8e ; l'autre pour les escaliers tt du long. Audioguide gratuit (sur présentation d'une pièce d'identité) face à l'ascenseur (ce qui permet ensuite d'y monter sans faire la queue ! Sinon intérêt limité).*

Au centre d'un grand parc de 106 ha se dresse ce donjon entièrement reconstruit pour la 3e fois en 1931. Non bombardé par les Américains, il a ensuite été restauré en 1997. Il s'agit d'une fidèle reconstitution en béton d'une partie du château d'Osaka à l'époque de Togukawa, qui l'avait recouvert de chaux après sa victoire au début du XVIIe s (la version originale d'Hideyoshi, à la fin du XVIe s, était brute, il n'en reste rien aujourd'hui). Les remparts, ainsi qu'une des tourelles, remontent au XVIIe s. L'intérieur moderne abrite un musée consacré à l'histoire et à l'époque du shogun Toyotomi Hideyoshi (1536-1598), unificateur de la nation japonaise, samouraï et guerrier, bâtisseur du château d'Osaka, et de son fils Toyotomi Hideyori. Une large part est aussi consacrée aux batailles que livrèrent les 2 hommes contre le redoutable Tokugawa. Depuis l'observatoire au 8e étage, très belle vue sur cette partie de la ville. Au 2e étage, tenues de samouraï et kimonos à porter le temps d'une photo. Si la visite du château n'est pas indispensable, en revanche une balade dans le beau *parc* planté de cerisiers et de pruniers (une merveille au printemps !) permet de prendre un bon bain de chlorophylle, jamais désagréable. De plus, on bénéficie d'une belle vue d'ensemble sur les remparts entourés de douves larges et profondes.

🎭 🏛 ***Le musée d'Histoire d'Osaka*** 大阪歴史博物館 *(Osaka Rekishi Hakubutsukan ; plan III, A2) :* 4-1-32 Otemae. ☎ (06) 6946-5728. Ⓜ *Tanimachi* 谷町*, gare*

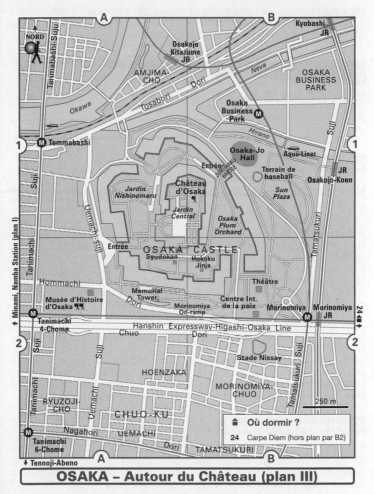

OSAKA

OSAKA – Autour du Château (plan III)

de Tanimachi 4-Chome (sortie 9). Tlj sauf mar 9h30-17h (20h ven). Entrée : 600 ¥ ; réduc. Un immeuble moderne abrite ce musée consacré à l'histoire d'Osaka, des origines (époque où la ville s'appelait Naniwa-no-miya – 645-793 av. J.-C.) à nos jours. La visite débute par le 10e étage puis descend jusqu'au 7e. Ne pas manquer la vue du 10e étage, notamment sur le château, la reconstitution de scènes portuaires (9e étage) avec les pêcheurs sur les ponts, la possibilité de se prendre pour un archéologue et de reconstituer des poteries (8e) et des scènes de la vie quotidienne au cours d'une période prospère au Japon (7e). Voir également, au rez-de-chaussée, le sol vitré qui laisse apparaître les fondations des anciens entrepôts du Ve s. L'un d'eux a même été reconstitué à l'extérieur, en bois et toit de chaume. À côté, les colonnes (type Buren) marquent leur emplacement de l'époque.

Balade en bateau Aqua-Liner (plan III, A1) : embarquement à Osaka-jo Pier, au nord du château. Il existe 3 autres embarcadères (et débarcadères). Voir leur site ● suijo-bus.osaka ● Départs ttes les heures 10h-17h. Billet : 1 700 ¥ ; réduc. Durée : 55 mn. Pour découvrir la ville depuis les bras de la rivière et des canaux adjacents, le bateau peut être une option intéressante.

KITA ET PLUS AU NORD

● Kita (plan IV) p. 408-409

Où dormir ?

Bon marché (de 6 000 à 10 000 ¥ / 50-83 €)

🏠 **Guesthouse U-en Osaka** ゲスト ハウス由苑 (plan IV, A3, 27) : 2-9-23 Fukushima, Fukushima-ku. ☎ 7503-4394. ● u-en.hostelosaka.com ● Arrêt : Hanshin Railway Fukushima 新福島. Dortoirs pour filles ou mixtes (4-12 lits) env 3 000 ¥/pers ; doubles japonaises 6 200-6 600 ¥, plus 1 quadruple ; sdb commune. Cet ancien entrepôt de saké, centenaire, a conservé son cachet d'origine (et son isolation a minima). Dortoirs pour la plupart alvéolés (lit en profondeur, fermé par un rideau), petits mais bien équipés (coffre, lampe, prise, étagère et miroir pour chaque lit).

Chambres privées riquiqui. Toutes possèdent la clim. Café-bar et salon au rez-de-chaussée, cuisine à dispo.
🏠 **J-Hoppers** ジェイホッパーズ (plan IV, A3, 28) : 4-22 Fukushima 7-chome, Fukushima-ku. ☎ 6453-6669. ● osaka.j-hoppers.com ● Ⓜ Fukushima 福島. Compter 2 500 ¥/pers en dortoir (6-8 lits), 3 000 ¥/pers pour les doubles à quadruples. Thé et café à dispo. Non loin de l'animation d'Umeda. Cette chaîne d'auberges, positionnée dans toutes les grandes villes du pays, offre un rapport qualité-prix très correct. Lits superposés fermés par un rideau, lampe individuelle. Machine à laver (payante). Un côté salle de classe dans les parties communes, mais une terrasse sur le toit appréciable.

Où boire un verre ?

🍸 **Sky 40** カフェスカイ40 (plan IV, B1, 70) : 40F Umeda Sky Bldg, 1-1-88 Oyodo-naka. ● skybldg.co.jp ● Au nord-ouest de la ville. À 10 mn à pied de la gare centrale d'Osaka. Tlj 10h-22h. Ticket jusqu'à l'observatoire nécessaire (1 500 ¥). Pour boire un verre en contemplant la forêt de tours et d'immeubles d'Osaka.

À voir

🎦🎦🎦 **Umeda Sky Building** 梅田スカイビル (plan IV, B1) : 1-1-88 Oyodo-naka. ● skybldg.co.jp/skybldg/english.html ● Au nord-ouest de la ville. À 10 mn à pied de la gare centrale d'Osaka (North Gate Building) ou de la station Umeda. Attention, gros chantier à traverser pour rejoindre le gratte-ciel. Tlj 9h30-22h30 (dernière admission 22h). Tarif : 1 500 ¥ pour l'observatoire ; réduc. Aller dans la tour est et prendre l'ascenseur au niveau 3F, où se trouve aussi le guichet de vente des billets. Monter au 35e étage. Puis prendre un escalier mécanique à l'intérieur d'un gros tube transparent de près de 2 m de diamètre. Voici probablement l'immeuble le plus audacieux d'Osaka. Au sommet de la tour (170 m) se trouve l'observatoire du Jardin flottant (Floating Garden Observatory ; en japonais Kuchu Teien Tenbodai 空中庭園展望台), d'où la vue panoramique sur Osaka et sa baie est étonnante. Prenez votre temps, et choisissez surtout votre heure. Cette tour remarquable en forme de tabouret, œuvre de l'architecte Hiroshi Hara, symbolise le renouveau du quartier nord d'Umeda. Y monter de préférence quand il fait beau et que le ciel est dégagé. On peut aussi y aller au coucher du soleil, ou même la nuit. On ne vous en dit pas plus, car c'est époustouflant de beauté urbaine. C'est peut-être par cette tour Umeda qu'il faudrait commencer sa visite d'Osaka. Un simple coup d'œil d'en haut sur cette « Futuropolis » vaut tous les commentaires !

LE SOUFFLE D'OSAKA

Des artistes et des créateurs de renom ont vu le jour à Osaka : le peintre Hokusai (1760-1849), auteur de la fameuse vague (de tsunami), le romancier Kawabata Yasunari (1899-1972), Prix Nobel de littérature, et, parmi les artistes vivants, l'architecte Tadao Ando (un des plus connus du Japon) et Haruki Murakami (né en 1949, près d'Osaka), l'écrivain japonais le plus souvent traduit à l'étranger et l'un des plus lus hors du Japon. Ajoutons à cette liste prestigieuse le réalisateur scénariste Kitamura (né en 1969), la dessinatrice de manga Yu Watase (née en 1970) et la chanteuse Ai Otsuka (née en 1982).

🐾 *La gare d'Osaka* 大阪駅 *(plan IV, C2) :* bourdonnante d'activité, sans cesse en mouvement, cette grande gare ultramoderne, où transitent près de 800 000 personnes quotidiennement, abrite aussi des galeries marchandes remplies de commerces. Ce réseau dense de galeries où l'on se perd facilement (à moins d'être attentif aux panneaux) débouche sur une ville souterraine. Au sous-sol, car à l'extérieur tout est déjà construit, s'est développé un réseau de galeries où l'on trouve un nombre stupéfiant de restos, de petits éventaires de nourriture, de services, de magasins : enseignes *Lucua, Uniqlo, Tokyo Hands* pour l'artisanat et des objets de la vie quotidienne, créatifs et de qualité ; et dans un autre genre, les amateurs trouveront un Pokemon Center dans le *South Building*.
– *Le quartier autour de la gare d'Osaka :* un des cœurs battants d'Osaka, de jour comme de nuit. Accumulation bien ordonnée d'immeubles modernes, de tours futuristes, de grands magasins et de centres commerciaux : *Hanshin* 阪神, *Hep Five* ヘップファイヴ (avec la grande roue rouge sur son toit), les centres commerciaux du *Grand Front,* juste à côté de la gare JR, ainsi que *Hankyu Sanbangai* 阪急三番街. Ce dernier est directement relié à la gare d'Umeda 梅田駅 (ligne *Hankyu* 阪急). Mais non loin de *Hep Five,* on trouve aussi une vie locale, jeune, plus cachée : encore un des nombreux contrastes de la ville.

Expo Commemoration Park 万博記念公園 (hors plan IV par D1)

Tt au nord de la ville. Pour y accéder, changer à Yamada ou Senri Chuo et prendre le monorail. Arrêt à Bampaku-kinen-koen 万博記念公園. L'entrée se trouve côté « Tour du Soleil ». Tlj 9h30-16h30 (dernière admission). Prix : 250 ¥ pour le parc et les jardins japonais.
Il s'agit du parc où s'est déroulée l'Exposition universelle en 1970, la première en Asie. Elle attira 64 millions de visiteurs ! De cet événement, il reste la célèbre sculpture. Magnifique début avril lorsque les cerisiers sont en fleur.

🐾 *La tour du Soleil (Tower of the Sun)* 太陽の塔 *:* ● taiyounotou-expo70.jp ● *Visite de l'intérieur possible moyennant une patience qui ne se justifie pas forcément : tlj sauf mer 10h-16h30, ttes les 30 mn, quota de 80 pers. Résa obligatoire min 4 mois à l'avance ! Prix : 700 ¥.* Les Japonais nostalgiques se pressent pour (re)visiter cette tour restée fermée pendant 42 ans. Elle fut spécialement créée pour l'Expo universelle par Taro Okamoto, un artiste nippon connu pour son excentricité. L'extérieur est délirant, l'intérieur surréaliste. Haute de 70 m, elle s'émancipe de tous les codes esthétiques. La face côté soleil symbolise le présent, le masque d'or au sommet le futur, tandis que le soleil noir à l'arrière

OSAKA

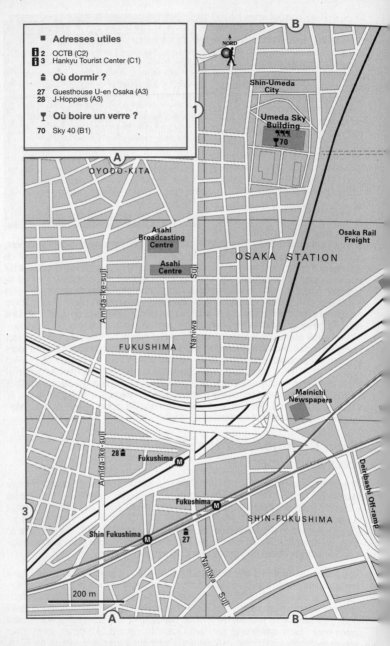

OSAKA

Adresses utiles

i 2 OCTB (C2)
i 3 Hankyu Tourist Center (C1)

Où dormir ?

27 Guesthouse U-en Osaka (A3)
28 J-Hoppers (A3)

Où boire un verre ?

70 Sky 40 (B1)

NORD

Shin-Umeda City

Umeda Sky Building
▼ 70

OYODO-KITA

Asahi Broadcasting Centre

Asahi Centre

OSAKA STATION

Osaka Rail Freight

Amida-ike-suji

Naniwa Suji

FUKUSHIMA

Mainichi Newspapers

Amida-ike-suji

28 ⌂ Fukushima Ⓜ

Deiribashi Off-ramp

Fukushima Ⓜ

Shin Fukushima Ⓜ

Naniwa Suji

SHIN-FUKUSHIMA

⌂ 27

200 m

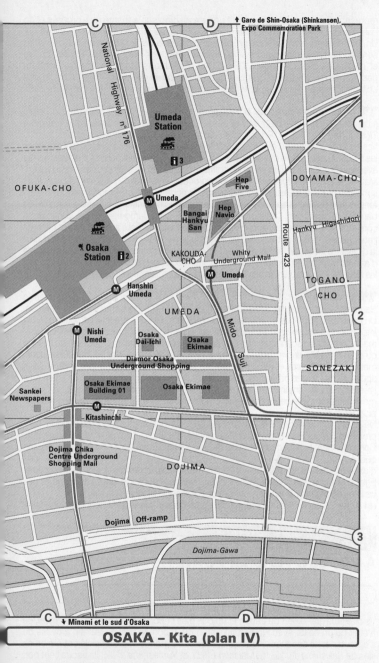

C D

National Highway n°176

Umeda Station

i 3

OFUKA-CHO

Ⓜ Umeda

Hep Five

DOYAMA-CHO

Bangai Hankyu San

Hep Navio

Hankyu Higashidori

🚂 Osaka Station

i 2

KAKOUDA-CHO

Whity Underground Mall

Ⓜ Umeda

TOGANO-CHO

Route 423

Ⓜ Hanshin Umeda

UMEDA

Ⓜ Nishi Umeda

Osaka Dai-Ichi

Osaka Ekimae

Mido Suji

Diamor Osaka Underground Shopping

Osaka Ekimae Building 01

Osaka Ekimae

SONEZAKI

Sankei Newspapers

Ⓜ Kitashinchi

Dojima Chika Centre Underground Shopping Mall

DOJIMA

Dojima Off-ramp

Dojima-Gawa

C ↓ Minami et le sud d'Osaka D

OSAKA

1

2

3

OSAKA – Kita (plan IV)

représente le passé. Elle accueillait une exposition sur le thème du « progrès et de l'harmonie de l'espèce humaine », aujourd'hui très kitsch malgré la restauration. Une petite expo ethnologique précède le clou de la visite : l'arbre de vie (des poissons à l'homme en passant par le dinosaure et le gorille), avec effets de lumière et musique épique. Pendant l'Expo, les modelages étaient animés. Attention, pas mal de marches pour grimper jusqu'au sommet de l'arbre ! Bref, vous l'aurez compris, on peut aussi se contenter d'admirer cette œuvre unique depuis le parc.

%% % *Le musée national d'Ethnologie* 国立民族学博物館 : *au fond du parc (compter 10-15 mn à pied de l'entrée).* ☎ 6876-2151. ● *minpaku.ac.jp/english* ● *Tlj sauf mer 10h-16h30. Prix : 420 ¥ ; réduc. Audioguide en anglais inclus.*
Vaste et riche collection d'artisanat et d'objets (certains monumentaux) collectés sur les 5 continents, parfois mis en scène. La section africaine est particulièrement fournie avec la reconstitution d'un salon de coiffure, des tissus, des bijoux, des masques... Mais c'est bien sûr le continent asiatique qui occupe une grande partie de l'espace. Il est subdivisé en régions : Asie de l'Ouest avec le Proche-Orient (calligraphie, bédouins sous tente) ; Asie du Sud et du Sud-Est, où est exposé un bel entrepôt à grains à la toiture en bambou et bois peint ; l'Asie orientale s'intéresse plus particulièrement à la péninsule coréenne et la Chine (reproduction d'une maison traditionnelle sur pilotis de la minorité zhuang) ainsi qu'à la culture ainu (ou aïnou), une minorité japonaise qui clame le droit à la différence tout en se faisant difficilement reconnaître par les autorités (elle ne se trouve d'ailleurs pas dans la section japonaise) ; enfin, le Japon est présenté à travers les arts, les fêtes, son architecture (maquettes de maisons traditionnelles selon les régions).

%% % *Nifrel* 生きているミュージアム ニフレル : *quasi en face de la station Bampaku-kinen-koen.* ☎ 6876-2216. ● *nifrel.jp* ● *Tlj 10h-20h. Entrée : 1 900 ¥ ; réduc.*
Un concept unique que ce lieu, à la fois aquarium, zoo et espace d'art contemporain interactif où presque tous les sens sont sollicités (vue, ouïe, toucher, odorat). Les animaux sont mis en scène dans un univers tellement stylisé qu'on en oublierait presque qu'ils sont captifs, du moins pour la section marine. On joue sur les couleurs et les sons, mais aussi les formes et les performances : musique accordée au thème de la salle, aquarium aux teintes différentes, méduses et autres spécimens aux formes artistiques irréelles, poissons cracheurs d'eau dans la reproduction moderne et design d'une mangrove, poissons mangeurs de peau (comme dans les *fish spa*) où les gamins adorent plonger leurs doigts...
Ne pas manquer la pièce (sans animaux) où, sur une large sphère suspendue, sont projetées des lignes et formes induites par les visiteurs sur fond de musique cosmique. Complètement hypnotique pour peu qu'on se pose. Enfin, la section qui rappelle que quel que soit l'habillage, il s'agit bien d'un zoo : un pauvre tigre blanc évolue le long d'une passerelle au-dessus de non moins misérables crocodiles et d'un hippopotame. Également des makis catta, pélicans (on avait failli oublier l'odorat), toucans et des variétés de pigeons. Enfin, un petit film de 5 mn sur la biodiversité.
|●| Juste à côté, un centre commercial abrite quantité de stands pour caler une faim.

À L'OUEST, VERS LE PORT

● Le port (plan V) *p. 411*

Voici le plus grand port du Japon et un des plus importants du monde. À l'origine, ce n'était qu'un delta. Avec l'industrialisation du Japon, le port d'Osaka n'a cessé de s'agrandir et de conquérir l'espace sur l'eau. De grands îlots artificiels ont été créés (îles de *Sakishima* 先島諸島, *Maishima* 舞島 et *Yumeshima* 夢島). Ils accueillent non seulement des kilomètres d'installations portuaires et maritimes (docks, entrepôts,

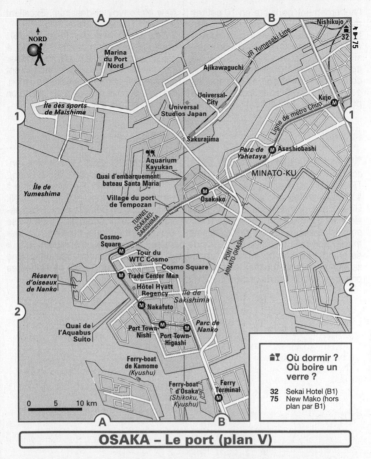

OSAKA – Le port (plan V)

OSAKA

usines, ateliers de réparation des bateaux), mais aussi un port de plaisance, des activités touristiques et des centres de loisirs *(Universal Studios)*. À la pointe de la presqu'île de Minato-ku 港区, le parc d'attractions de *Tempozan* 天保山 se remarque à sa grande roue qui voisine avec un aquarium géant *(Kaiyukan* 海遊館*)* et des lieux culturels. Osaka a ainsi reconquis son front de mer longtemps réservé au monde du travail. Cette nouvelle métamorphose en fait aujourd'hui une destination à visiter.

Où dormir ? Où boire un verre ?

Chic (de 15 000 à 25 000 ¥ / 125-208 €)

🏠 **Sekai Hotel** 世界ホテル *(plan V, B1, 32)* : 1-19-6 Nishikujo, Konohana-ku. ☎ 6462-7770. ● sekaihotel.jp ●

Ⓜ *Nishikujo* 西九条. *Réception ouv tlj 9h-23h. Compter env 16 000 ¥ une maison pour 4 (certaines accueillent jusqu'à 8 pers) ; petit déj inclus. Uniquement des lits individuels, parfois superposés.* Dans un quartier résidentiel, pas très loin des Studios Universal, l'hébergement consiste en 10 petites maisons retapées, au charme fou. Pas très éloignées les unes des autres, elles sont toutes bien équipées : cuisine, lave-linge et salle de bains. Le concept : vivre au cœur du quartier, comme dans un village, au contact des gens. On peut même se rendre au bain public du coin. Le petit déj se prend au *New Mako* (voir ci-dessous). Excellent accueil. On adore !

New Mako (*hors plan V par B1, 75*) : *dos au* Sekai Hotel, *prendre à gauche, à droite, puis à gauche. Café 7h-18h, bar 18h-minuit.* Un vieux café totalement rétro de style *chowa,* populaire au Japon. On n'y vient pas exprès, mais quand on est dans le coin, c'est une curiosité.

À voir

L'aquarium Kaiyukan 海遊館 (*plan V, A1*) : ☎ (06) 6576-5501. ● kaiyukan. com ● *À 10 mn de marche de la station de métro Osaka-ko* 大阪港 (*ligne Chuo*). Tlj 10h-20h (dernière admission 19h). Billet : 2 300 ¥ ; réduc. Reconnaissable à sa façade en forme d'ailes (les 3 couleurs représentent la mer, la terre et le ciel). Un des plus grands aquariums du monde, dans lequel on pénètre par un impressionnant tunnel comme pour mieux s'immerger dans le monde marin. Il est divisé en plusieurs zones géographiques (manchots de l'Antarctique, dauphins de Tasmanie, poissons bleu fluo de la grande barrière de corail) qui s'enroulent autour du grand aquarium où évoluent raies, requins-marteaux, requins-baleines... Une section permet de toucher les raies et les petits requins, une autre présente des poissons aux drôles de bobines...

OSAKA

HIROSHIMA ET LA MER INTÉRIEURE

- Carte *p. 414-415*

La mer Intérieure de Seto est coincée entre le sud-ouest de l'île de Honshu et l'île de Shikoku, la plus petite des 4 îles principales du Japon. On la compare souvent à la Méditerranée pour son climat. Mais le relief du littoral et du cha-pelet d'îles qui l'orne sur quasi toute sa longueur la rend unique. Pour l'admirer, la côte ne manque pas de points de vue, que ce soit sur les hauteurs des char-mantes villes portuaires de Tomono-Ura et d'Onomichi ou depuis le mont Misen, point culminant de Miyajima, île à quelques encablures d'Hiroshima, dont le sanctuaire est classé au Patrimoine mondial de l'Unesco (incontournable !). Hiroshima justement, ville d'eau et de terre, riche par son histoire et stratégi-quement située pour rayonner dans la région. On y passe volontiers quelques jours, de quoi découvrir les spécialités locales (huîtres, anguilles de mer, *okono-myaki* et *momiji*) à arroser d'un petit verre de saké puisque le secteur en produit d'excellents. Pour éliminer, randonneurs et cyclistes auront de quoi affûter leurs mollets sur les chemins balisés et pistes cyclables comme la célèbre Shima-nami Kaido, un des plus beaux parcours pour 2-roues qui soient. C'est parti !

HIROSHIMA 広島   1 195 300 hab.   IND. TÉL. : 082

- Plan *p. 420-421* • Plan du tramway *p. 424-425*
- Plan du parc de la Paix *p. 429*

Ville-martyre, ville-mémoire, mais aussi ville-delta. L'évocation d'Hiroshima renvoie inexorablement à la tragédie du 6 août 1945. En toute logique, le passé occupe une large place dans la cité : musées, mémorial, même les jardins en portent encore les stigmates. Aujourd'hui, preuve de sa renaissance, elle ne s'inscrit plus seulement dans ce que l'humanité peut commettre de pire, elle s'est forgée un présent et un avenir tournés vers la paix et la lutte contre l'arme nucléaire. Cette ville moderne est érigée en symbole pour le monde entier.
Mais si l'Histoire constitue la principale raison d'une visite d'Hiroshima, elle ne doit pas occulter ses multiples attraits : construite sur le delta du fleuve Ota-gawa – *hiro* signifie « large » et *shima* « île » –, elle est traversée par 7 bras d'eau qui se jettent dans la mer Intérieure. En suivre le cours le long de pro-menades arborées, s'asseoir à une terrasse pour savourer la quiétude des lieux, traverser ses innombrables ponts pour rejoindre des musées d'art de grande qualité ou des jardins au charme intact, sillonner les grandes artères en vieux tramway des années 1940 et, pourquoi pas, prendre de la hauteur pour une balade forestière à l'orée de la ville, voilà autant d'atouts qui font d'Hiroshima une ville au final si attachante.

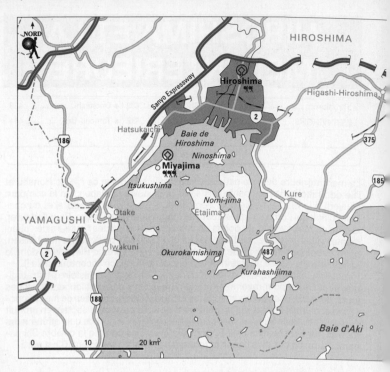

Et s'il fallait encore ajouter un avantage, son coût de la vie raisonnable ne serait pas le moindre.

UN PEU D'HISTOIRE

Le site occupe une position stratégique et donc convoitée. À la fin du XVIe s, le clan Mori, qui contrôle la région, y fait construire un château. Puis les occupants successifs étendent cette ville d'eau grâce à du remblai. Son développement s'intensifie avec l'arrivée du chemin de fer et la construction du port relativement protégé par la mer Intérieure. Lorsque éclatent les guerres contre la Chine à la fin du XIXe s et contre la Russie au début du XXe, elle est toute désignée pour devenir une base logistique indispensable à l'armée japonaise. Et l'empereur y établit un temps son QG. Pendant la Seconde Guerre mondiale, les chantiers de construction navale turbinent sans relâche, tandis que les usines produisent des gaz toxiques à la chaîne.

Printemps 1945, le Japon affaibli

Alors que l'Allemagne a déjà capitulé sans condition le 7 mai 1945, l'armée japonaise subit de lourdes pertes. La population est exsangue du fait des bombardements intensifs des Américains sur les principales villes (95 000 morts dans le seul raid incendiaire de Tokyo en mars 1945) et de la pénurie alimentaire

HONSHU

Site inscrit au Patrimoine mondial de l'Unesco

432

Fukuyama

Sanyo Expressway

Mihara

2

Onomichi ✗✗

Sensuijima ✗✗

Tomono-Ura ✗✗

Shimanami Kaido

Ikushi

Takehara

Osakikamijima

Omishima

Hakata

Oshima

Baie de Hiuchi

Imabari

EHIME

196

SHIKOKU

Hiroshima	Lieux traités
Imabari	Environs
Mihara	Repères
———	Voie ferrée *Shinkansen*

HIROSHIMA ET LA MER INTÉRIEURE

engendrée par « l'Opération famine ». Ce blocus prive en effet l'archipel de tout approvisionnement par voie maritime entre avril et août 1945. Entre juin et juillet, 23 000 enfants sont évacués dans les campagnes par peur d'attaques massives. Dans ce contexte, les Japonais veulent mettre fin à la guerre, comme le prouve une enquête menée par la police militaire, dont le rapport est transmis au plus haut niveau. En juillet, l'empereur annonce une reddition et envoie des émissaires négocier les termes de la capitulation via plusieurs canaux diplomatiques : l'ambassadeur en Suisse contacte les États-Unis et l'URSS, pays qui n'a pas (encore) déclaré la guerre au Japon et dont on espère qu'il jouera le rôle d'intermédiaire. En vain. Le 26 juillet, lors de la conférence de Potsdam, un ultimatum signé par les Américains et les Britanniques stipule que « si le Japon ne capitule pas, il s'expose à un anéantissement rapide et total ». Le maintien de l'empereur sur le trône n'étant pas garanti, le Japon refuse. Truman savait de quoi il parlait, puisque entre temps, le 16 juillet, dans le désert du Nouveau-Mexique, une bombe atomique au plutonium était testée pour la 1re fois. Nom de code : Trinity.

Projet *Manhattan*

Dès décembre 1941, le président Roosevelt lance le projet *Manhattan* avec pour objectif de se doter de la bombe atomique, sans demander l'avis du Congrès. Il sait qu'Hitler finance déjà un programme du même ordre ; la maîtrise du procédé n'est qu'une question de temps. Soviétiques et Américains rivalisent pour obtenir les plans nazis. Même les Japonais participent à cette course à l'armement.

Près de 200 000 scientifiques, dont plusieurs Prix Nobel, travaillent aux États-Unis dans le plus grand secret sous l'égide du général Groves. La mort du président Roosevelt en avril 1945 ne remet pas en cause les recherches. Le président Truman reprend le flambeau.

La bombe à uranium qui doit être larguée en premier n'a jamais été testée car techniquement plus stable, contrairement à celle au plutonium, plus chère aussi. 70 scientifiques qui travaillent sur le projet lancent une pétition pour demander une démonstration de

TOUT EST RELATIF

Plutôt connu pour ses positions pacifistes, Albert Einstein se laisse convaincre par des physiciens nucléaires d'envoyer une lettre au président Roosevelt pour le prévenir que l'Allemagne pourrait se doter d'une bombe atomique. On est en août 1939. Toute sa vie, il regrettera ce courrier, qui a encouragé les États-Unis à investir dans le projet Manhattan. En mars 1945, il renvoie un mémorandum à Roosevelt pour l'enjoindre à ne pas utiliser cette arme. Trop tard. Il ne cessera ensuite de militer pour la paix.

la bombe, pensant que cela suffirait pour effrayer l'ennemi sans avoir à l'utiliser sur la population. Retenu par le général Groves, le document ne sera jamais déposé sur le bureau de Truman. Le président aurait-il eu, à ce stade, le courage politique de renoncer à l'opération ?

L'objectif officiel de conclure la guerre au plus vite et d'achever l'ennemi juré est doublé par une volonté farouche de prouver la puissance militaire et la supériorité scientifique des États-Unis sur l'URSS et sur le monde. Le largage de la bombe justifie par la même occasion les moyens phénoménaux, financiers et humains, concentrés pour parvenir à leurs fins.

La bombe est baptisée « Little Boy » du fait de sa relative petite taille et de sa puissance de 15 kilotonnes de TNT (22 à Nagasaki). Ses 4 t sont composées d'uranium enrichi et reposent sur le principe de la fission (celui de la fusion pour la bombe à hydrogène).

Pourquoi Hiroshima ?

Une fois Kyoto extraite de la liste (lire la rubrique « Histoire » dans le chapitre « Hommes, culture, environnement »), Hiroshima arrive en tête des cibles potentielles, suivie de Niigata, Kokura et Nagasaki. La ville offre en effet plusieurs « *avantages* » : *topographique* d'abord. La zone d'impact circonscrite entre les montagnes d'un côté, la mer de l'autre permettra de mesurer les effets avec plus de précision. *Stratégique* aussi, car non seulement les services de renseignements occupent le château d'Hiroshima, mais elle abrite une base militaire de 1re importance, complétée par un port qui assure un soutien logistique à l'armée. *Architectural* enfin, puisque la plupart des habitations sont construites en bois et papier de riz, facilement inflammables. Reste la météo, incertaine.

Le 6 août au matin, 3 avions partent en repérage météo (vers Hiroshima et les cibles alternatives finalement retenues : Kokura et Nagasaki). Derrière eux, l'*Enola Gay,* qui transporte la bombe, est flanqué de 2 autres appareils, l'un chargé de photographier l'événement, l'autre de prendre des mesures. Un 7e avion vole en direction d'Iwo Jima pour assister en cas de problèmes mécaniques.

Au-dessus d'Hiroshima, le ciel dégagé autorise le largage. L'*Enola Gay* arrive donc sur le site et vise l'Aioi bashi. Le pont en forme de T, visible de loin, est une cible parfaite.

Et soudain...

La bombe explose à 600 m d'altitude, une hauteur calculée pour provoquer le plus de dégâts possibles. La population est d'abord aveuglée par une lumière éblouissante avant de subir l'onde de choc qui se propage à 1 600 km/h. Quelques secondes après, le grondement de la déflagration arrache tout. 1 mn plus tard, une colonne s'élève vers le ciel, s'ouvre et forme un nuage en forme de champignon couleur feu. Il est composé de gaz brûlants et de particules radioactives. Il prend de plus en plus d'ampleur pour atteindre 17 000 m d'altitude, 800 m de diamètre et recouvrir la ville tout entière. 10 km² sont atomisés.

Selon les Américains, 80 000 personnes meurent en 5 s.

Les incendies se propagent rapidement à cause de l'architecture en bois et papier de riz. Sur 1,5 km autour de l'épicentre, la température est 5 fois plus élevée qu'à la surface du soleil. Les survivants recherchent partout de l'eau pour apaiser leurs brûlures. Soudain, une pluie noire se met à tomber, éteignant le feu par endroits. Mais cet apparent bienfait se révèle issu du nuage atomique. Il contamine le fleuve, les rivières, les puits, les gens qui s'y soulagent et s'y abreuvent.

Seules résistent les structures en béton et en acier, telles que le palais d'exposition (aujourd'hui appelé « Dôme de la Bombe A ») et la *Bank of Japan,* nouvelles à l'époque.

L'effet d'une bombe

L'explosion n'est que le début. La puissance nucléaire est libérée, une nouvelle ère commence. S'ensuit alors des réactions internationales globalement positives. Albert Camus prend la mesure de l'événement. De nombreux scientifiques y voient l'énergie de demain et non la tragédie du présent. 1er objectif : recueillir le plus de données possibles sur les conséquences de la déflagration. Les scientifiques américains, talonnés par les Soviétiques (certains prétendent l'inverse), sont les premiers sur place pour évaluer les dommages.

Pour les habitants d'Hiroshima, l'horreur continue. Ceux qui n'ont pas succombé sur le coup tombent malades 10 à 15 jours après. Au bout de 1 mois, d'autres symptômes apparaissent, les décès se multiplient.

Fin 1945, le nombre de morts est évalué à 140 000.

LA SCIENCE AU SERVICE DU « MEURTRE ORGANISÉ »

Lorsque les Alliés apprennent l'explosion, l'heure est à l'enthousiasme sur cette arme si dévastatrice, « à vocation pacifique », qui porte un coup fatal au dernier État qui n'a pas capitulé. Albert Camus est un des 1ers intellectuels en Occident à condamner l'utilisation de la bombe atomique. Dans son édito de Combat *du 8 août 1945, il rappelle « l'indécence » à célébrer une telle « découverte » scientifique, et la « sauvagerie » des moyens employés. Camus plaide pour une « société internationale » qui doit œuvrer pour la paix, la seule bataille valable, sans qu'un État puisse se considérer supérieur à un autre du fait qu'il possède la puissance nucléaire. Certains dirigeants dans le monde pourraient, encore aujourd'hui, relire ces lignes, toujours d'actualité.*

Et si un typhon traverse la ville le 17 septembre 1945 et que les inondations évacuent vers la mer de la terre et des matériaux contaminés, contribuant à faire baisser le niveau global de radiation, les personnes souffrent de lésions graves et/ou de maladies qui ne se déclareront parfois que des années plus tard. Combien succomberont à des pathologies cardiaques, osseuses, digestives, pulmonaires, à des cancers ?

Parmi les enfants évacués 1 mois plus tôt, 6 000 deviennent orphelins et finissent par rentrer sur Hiroshima.

Les survivants, la loi du silence

Pendant quelques jours, personne dans le reste du Japon ne sait ce qui s'est passé. Le *Nippon Times* utilise tardivement le terme de « bombe atomique » et minimise les dégâts pour ménager la population. L'État s'enferme dans une sorte de « honte » et ne divulgue rien, ce qui le dispense de s'interroger sur son propre rôle dans la guerre, notamment en Chine.

HIROSHIMA ET LA MER INTÉRIEURE

Entre 1945 et 1951, l'occupant américain censure les médias japonais, qui n'ont pas le droit d'évoquer l'ampleur de la tragédie. En Occident, au contraire, les États-Unis nourrissent une propagande bien huilée sur les effets pacificateurs de cet arsenal et justifient l'emploi de la bombe par le fait qu'une invasion de l'Archipel aurait causé la mort d'un million de soldats américains. Bref, « un mal nécessaire » pour mettre fin à la guerre. Entre silence et désinformation, la population survit et souffre dans l'ignorance presque générale.

Dans la zone touchée, les rumeurs sur les effets des radiations enflent. Par méconnaissance des risques encourus, de nombreuses femmes avortent, les survivants se retrouvent discriminés, car on pense qu'ils risquent de tomber malades ou de mourir à tout moment, ou alors qu'ils sont contagieux et que l'irradiation se transmet de génération en génération. Ils trouvent difficilement du travail et ont du mal à se marier. Comment faire comprendre ce qu'ils vivent alors qu'eux-mêmes ne le savent pas ? Comment traduire l'indicible ? Se souvenir des images, de l'odeur, est trop pénible. Faut-il oublier ? Si bien que sur la journée du 6 août, beaucoup se taisent. Le besoin de témoigner arrivera quelques années plus tard, voire jamais pour certains (lire à ce propos *Il y a un an Hiroshima,* de Hisashi Tohara).

Le calvaire physique et psychologique n'échappe pourtant pas à tout le monde : des survivants sont utilisés comme cobayes par des scientifiques japonais qui étudient les effets des radiations. D'autres atterrissent en toute discrétion dans un centre de recherche américain qui s'intéresse aux irradiés vivants... et morts. Aucun traitement n'est mis en place.

Mais le secret fait d'autres victimes. La non-prise en charge des orphelins par l'État les a rendus vulnérables au trafic humain. Certains sont vendus, d'autres enrôlés par les yakuzas. Beaucoup sont morts de faim.

Il faudra attendre 1957 pour que le statut d'*hibakusha* (survivant) soit officiellement reconnu. Le gouvernement émet le « Livret de survivant », dans lequel est consigné le dossier médical de chaque personne contaminée, lui permettant de recevoir un traitement gratuit. En 1965, les *hibakusha* sont enfin recensés et, en 1994, symboliquement indemnisés : un long chemin de déni. L'empereur présente ses condoléances aux familles en juillet 1995, un demi-siècle plus (trop) tard. Barack Obama sera le 1er président américain en exercice à rendre hommage aux victimes

12 ANS PLUS TARD, LES *HIBAKUSHA* SORTENT DE L'OMBRE

Grâce au « Livret de survivant », chacun reçoit une carte dont le code correspond au niveau de radiation subi, à la fois selon la distance par rapport à l'épicentre (moins de 2 km étant considéré comme critique) et la période d'exposition (le danger étant plus grand si elle a eu lieu dans les 2 semaines qui ont suivi le bombardement). Même les fœtus de mères irradiées sont reconnus.

en 2016 et à rencontrer des survivants. Les excuses ne sont pas à l'ordre du jour. Aujourd'hui, les témoignages sont conservés et numérisés.

Hiroshima aujourd'hui

Si le temps fort de la ville se concentre autour du 6 août, journée de commémoration, Hiroshima vit également au rythme des succès de son économie (la ville est le 1er producteur d'huîtres et de citron du pays) et, surtout, de son équipe de base-ball, les Carp.

Fêtes annuelles et manifestations culturelles

– *Hiroshima Flower Festival :* début mai. Organisé au Parc du Mémorial de la paix afin de célébrer l'harmonie et la paix. Parades, concerts, et spectacles de *kagura* (danse rituelle d'origine shintoïste). Le soir, on illumine des lanternes en mémoire des victimes, sur lesquelles sont écrits des messages de paix.

– **Tôka-san :** début juin. C'est un des 3 festivals les plus importants d'Hiroshima, célébré en l'honneur de la divinité Tôka Daimyojin du Temple Enryûji. Il est aussi connu sous le nom de Yukata Matsuri.

– **Heiwa Kinen Shikiten :** le 6 août. Commémoration organisée au Parc du Mémorial de la paix en mémoire des victimes. À 8h15, au moment où la bombe fut lancée, on fait sonner les cloches de la paix.

– **Ebisukô :** 18-20 nov. Festival en l'honneur de la divinité Ebisu, protectrice des marchands. Elle présage l'arrivée de l'hiver. La manifestation a pour cœur le sanctuaire d'Ebisu et s'étend aux rues du centre de la ville. On y trouve des porte-bonheur tels que le *Komazarae,* râteau en bambou coloré, attirant la bonne fortune.

– **Hiroshima Kagura :** ts les mer, début avr-fin déc au Hiroshima Prefectural Citizen's Culture Center. Spectacles de *kagura,* danse shintoïste accompagnée du son des tambours japonais appelés *taiko.*

Quand y aller ?

Au printemps et à l'automne. En avril-mai, l'ensoleillement est le plus fort. L'automne est relativement ensoleillé, avec des températures douces et des pluies moins fréquentes, sans oublier les couleurs mordorées des arbres. La période de juin à octobre peut être affectée par des typhons, même si la zone est relativement protégée par la mer Intérieure (août est le mois d'été le plus sec mais connaît une forte affluence du fait de la commémoration qui s'y déroule chaque année le 6 août). L'hiver est souvent froid ; il peut neiger.

Arriver – Quitter

En train

– **Rappel :** gratuit avec le **Japan Rail Pass,** sauf pour les super express « Nozomi » et « Mizuho ».
Pour organiser ses déplacements en train (et en anglais) : ● *hyperdia.com/en* ●
➤ **De/pour Osaka :** liaison directe jusqu'à la gare de Shin-Osaka 新大阪駅 avec les trains *Shinkansen*. Fréquence : env ttes les 20 mn. Durée : 1h30. Billet : env 5 600 ¥.
➤ **De/pour Kyoto et Tokyo :** liaison directe avec les super express Nozomi. Durée : respectivement 1h45 et 4h. Billets : 6 500 et 11 700 ¥. Sinon, les détenteurs du *JR Pass* doivent changer à Shin-Osaka. Fréquence : env ttes les 20 mn.
➤ **De/pour Onomichi :** train local avec changement à Itozaki (env 1 500 ¥) ou *Shinkansen* avec changement à Mihara 三原 (même prix). Durée : 1h10 à 1h30.
➤ **De/pour Tomono-Ura :** jusqu'à Fukuyama 福山 en train local avec changement à Itozaki (env 2h et 2 000 ¥)

ou en *Shinkansen* (durée : 25 mn). Puis continuer en bus ou en taxi.
➤ **De/pour Miyajima :** voir plus loin le chapitre consacré, avec toutes les options pour rejoindre l'île.

En bus

➤ **De/pour Osaka et Kyoto :** du Bus Terminal North, env 7 bus/j. pour Osaka, dont 3 continuent vers Kyoto. Compter respectivement 4h50 et 6h.
➤ **De/pour Tokyo :** du Bus Terminal North, 1 bus de nuit. Prévoir 12h40. Être motivé !

En avion

L'aéroport, à environ 50 km à l'est d'Hiroshima, accueille principalement des vols domestiques, assurés par la *JAL* et *ANA,* ainsi que quelques lignes vers l'Asie du Sud (Taipei, Shangaï, Pékin, Singapour, Séoul...). ● *hij.airport.jp* ●
Pour relier l'aéroport et le centre-ville : bus de la gare JR. Durée : env 50 mn. Et *Airport Limousine Bus* (arrêts le long

HIROSHIMA ET LA MER INTÉRIEURE

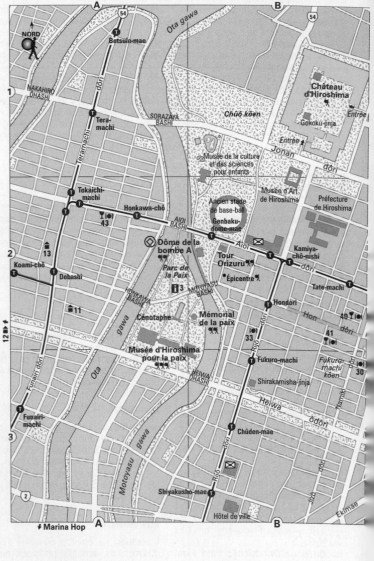

NORD

NAKAHIRO OHASHI

Ota gawa

54

Château d'Hiroshima

Entrée

Betsuin-mae

Chûō kōen

Gokoku-jinja

Teramachi

Entrée

SORAZAYA BASHI

Jonan

Musée de la culture et des sciences pour enfants

dōri

Tokaichi-machi

Musée d'Art de Hiroshima

Préfecture de Hiroshima

Honkawa-chō

AIOI BASHI

Ancien stade de base-ball

Genbaku-dome-mae

43

Aioi

Kamiya-chō-nishi

13

Dôme de la bombe A

Tour Orizuru

Koami-chō

Parc de la Paix

Épicentre

dōri

Tate-machi

Dobashi

3

MOTOYASU BASHI

Hondori

11

Cénotaphe

Mémorial de la paix

33

40

41

30

Fukuro-machi kōen

Funairi-machi

Musée d'Hiroshima pour la paix

Shirakamisha-jinja

12

HEIWA OHASHI

Chûden-mae

Heiwa ōdōri

2

Shiyakusho-mae

Marina Hop

Hôtel de ville

Ekimae

HIROSHIMA ET LA MER INTÉRIEURE

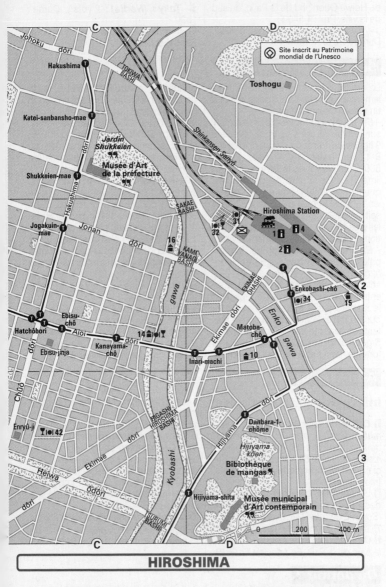

HIROSHIMA

HIROSHIMA ET LA MER INTÉRIEURE

16 Flex Hotel (C2)

34 Daruma (D2)

|◎| Où manger ?

14 Pulpul et Regalo Café (C2)
30 Okonomi-mura (B3)
31 Kishimuto (D2)
32 Sunny Day Beer (D2)
33 Wabaru Tobira (B2)

☖ Où boire un verre ?

32 Sunny Day Beer (D2)
40 Quarante-Quatre (B2)
41 Quarante-Cinq (B2)
42 Hallelujah (C3)
43 Organza (A2)

de Heiwa Odori ; bd de la Paix), au sud de la ville. Prix : 1 540 ¥.
➤ *Tokyo (Haneda) :* près de 20 vols/j. Durée : 1h25.

➤ *Tokyo (Narita) :* 2 vols/j. Durée : 1h30.
Également des vols pour Sapporo, Sendai et Okinawa.

Se déplacer en ville

Le centre d'Hiroshima se visite facilement à pied et en transports grâce à un réseau dense et efficace.
– *En tramway :* indiqué par le sigle T sur le plan et dans le texte. Il existe 9 lignes de tram. Ils circulent ttes les 8-12 mn. Trajet : 180 ¥. *Pass* 1 jour : 600 ¥, ou 840 ¥ avec le ferry pour Miyajima 宮島. De la gare JR, départs fréquents 6h-22h20 (jusqu'à 23h20 selon les lignes). On paie en sortant. Que ce soit les vieux trams des années 1940 ou les plus récents, ils sont faciles d'utilisation et quadrillent efficacement la ville.
– *En bus :* 2 compagnies principales, *Hiroden Buses* (verts) et *Hiroshima Buses* (rouges). Prix : 160-220 ¥ selon parcours. Prendre un ticket en entrant ; vérifier à quel tarif correspond le numéro sur le tableau à l'avant du bus. Et payer le montant exact en sortant (ou faire du change à la machine). *Sightseeing Loop Bus :* les 3 lignes (orange, jaune et verte) desservent les principaux centres d'intérêt à partir de la gare JR (côté *Shinkansen,* North Exit). Départs ttes les heures 9h ou 9h30-17h ou 17h45 selon les lignes. 1 trajet : 200 ¥ ; *pass* 1 jour : 400 ¥ ; réduc. Achat des tickets dans le bus ou au *Transportation Tourist Information Center.* Gratuit avec le *JR Pass.*
– *Passes tram, bus, ferry :* pour 3 jours, compter 1 000-3 000 ¥ selon la zone (toute la préfecture pour le plus cher). Également un *pass* de 5 jours pour Hiroshima et Miyajima ou pour la préfecture : 4 000-6 000 ¥. Ils s'achètent au *Tourist Information Office* de la gare JR (côtés nord et sud), à l'*Hiroshima Bus Center* de la tour Orizuru *(tlj 10h-18h)* et à l'aéroport.
– *En taxi :* prise en charge 620 ¥. Nombreux, pratiques.
– *En bateau : Aqua Net Service,* ☎ 246-1310. *Horaires selon marée. Aller simple : 1 200 ¥. Water taxi* qui permet de relier la gare JR au parc de la Paix via le jardin Shukkeien.

Adresses utiles

Informations touristiques

ℹ *Office de tourisme (Tourist Information Center ; plan D2, 1) :* à l'étage de la gare JR. ☎ 263-5120. ● fr.visithi roshima.net ● *Tlj 6h-minuit.* Bureau officiel. Bien fourni en cartes et brochures. Infos en anglais.
ℹ Un *kiosque,* géré par l'association des hôtels, se trouve devant la gare (South Exit ; *plan D2, 2).* ☎ 567-7885. *Tlj 9h-18h.* Donne aussi des infos.
ℹ *Office de tourisme (plan A2, 3) :* dans le parc de la Paix. En principe fin 2019, il devrait être transféré dans le bâtiment d'origine, de l'autre côté de la rue. ☎ 247-6738. *Tlj 10h-17h.* Anglais parlé.
ℹ *Transportation Tourist Information Center (plan D2, 4) :* Shinkansen Entrance/North Exit. *Tlj 9h-18h.* On y parle l'anglais. Tant mieux car les fiches horaires des trains ne sont imprimées qu'en japonais. *Autre bureau côté sud (tlj 9h-18h).*
■ *Change automatique (plan D2) :* à l'étage de la gare JR, près de l'office de tourisme. L'appareil change les devises.

Où dormir ?

Bon marché (de 6 000 à 10 000 ¥ / 50-83 €)

🏠 *K's House Hiroshima* ケイズハウス 広島 *(plan D2, 10) :* 1-8-9 Matoba-cho, Minami-Ku. ☎ 568-7244. ● kshouse. jp ● *T : Matoba-chô* 的場町 ou Inarimachi 稲荷町. À env 10 mn à pied de la gare JR. Si résa à l'avance, le faire sur leur site, non par tél. Dortoir 2 600 ¥/pers ; chambres privées 4 000-5 000 ¥

pour 2 ; pas de petit déj mais cuisine à dispo avec thé et café. Large choix d'hébergements, tous impeccables et climatisés : en dortoir (4-8 lits) mixtes ou pour filles, en chambres privées de style occidental (avec salle de bains) ou japonais (salle de bains commune). Et des petits plus : laverie, location de vélos, terrasse sur le toit. En prime, excellent accueil. Un très bon point de chute.

🛏 *J-Hoppers* ジェイホッパーズ *(plan A2, 11) :* 5-16 Dobaishi-cho, Naka-Ku. ☎ 233-1360. ● hiroshima.j-hoppers. com ● T : Dobashi 土橋. *Compter 2 500-3 000 ¥/pers en dortoir (6-8 lits) ou chambre privée ; sdb commune.* Bien située, à l'écart d'une grande artère et non loin du parc de la Paix, cette auberge propose des dortoirs mixtes ou pour filles, type alvéoles fermées par un rideau (ne pas être claustro). Les chambres de format japonais offrent, quant à elles, un excellent rapport qualité-prix.

🛏 *World Friendship Center* ワールドフレンドシップ センター *(hors plan par A2, 12) :* 8-10 Higashi Kan-on-machi, Nishi-Ku. ☎ 503-3191. ● wfchiros hima.net ● T : Koami-chô 小網町 ou Funairi-machi 舟入町. *Résa à l'avance conseillée. Prévoir env 8 000 ¥ pour 2, petit déj compris... à 8h.* Plus qu'un toit, le centre propose une démarche qui fait sens. Fondé par une Américaine, dont le mari avait travaillé après la guerre au centre de recherche sur les effets de la bombe, il a pour but de promouvoir la paix et d'inviter chaque visiteur à échanger. D'ailleurs, dans le prix du séjour, sont compris une visite guidée du parc de la Paix et le témoignage d'un survivant. Quant aux 6 chambres japonaises à l'excellent rapport qualité-prix, elles sont distribuées dans 2 bâtiments. Elles sont plus grandes et lumineuses dans celui de devant. Une bonne façon de mieux comprendre le passé de la ville.

🛏 *Mange Tak* マングタック *(plan A2, 13) :* 2-1-13 Sakaimachi, Naka-Ku. ☎ 533-7655. ● mange-tak.com ● T : Dobashi 土橋 ou Koami-chô 小網町. *Dortoirs mixtes ou seulement de filles (10-18 lits) 3 300-4 500 ¥/pers, plus une double avec sdb.* Dans un quartier résidentiel. *Mange tak* signifie « merci

bien » en danois. Le proprio étant marchand de meubles nord-européens, le style se reconnaît à chaque étage identifié par le nom d'une capitale scandinave. Tout est impeccable et pratique, avec cuisine à dispo, laverie, une terrasse sur le toit et même un café au rez-de-chaussée (avec des chaises en moumoute). Bon accueil.

🛏 *Regalo Hotel* レガロホテル *(plan C2, 14) :* 9-2 Hashimoto-cho, Naka-Ku. ☎ 224-6300. ● regalo-h. com ● T : Kanayama-chô 銀山町. *Doubles env 9 500-10 000 ¥. Préciser si fumeurs ou non.* Style un peu daté avec de la moquette pour certaines chambres et des meubles au design ancien. Le dessus-de-lit, ah, un vrai poème ! On se console avec ses autres atouts : du confort, une taille de chambre pour la plupart correcte et un très bon rapport qualité-prix-emplacement. Et puis le café devant la rivière est bien agréable.

🛏 *Hana Hostel* はなホステル *(plan D2, 15) :* 1-15 Kojin-machi, Minami-Ku. ☎ 263-2980. ● hiros hima.hanahostel.com ● T : Enko-bashi-chô 猿猴橋町. *Dortoirs (4 lits) 2 500-2 800 ¥/pers ; chambres privées 6 500-7 500 ¥ pour 2.* À proximité de la gare JR, un atout et un inconvénient car les trains s'entendent. Pour un peu moins de bruit, demander un lit côté rue (non côté train). C'est le cas par exemple des doubles de style japonais (avec salle de bains). Les *twins* japonaises avec w-c mais douche commune donnent sur les lignes. Dortoirs des 2 côtés. Également des *twins* de type occidental équipées de salle de bains. Cuisine avec thé et café à dispo.

De prix moyens à chic (de 10 000 à 25 000 ¥ / 83-208 €)

🛏 *Flex Hotel* ホテルフレックス *(plan C2, 16) :* 7-1 Kaminobori-cyo, Naka-Ku. ☎ 223-1000. ● hotel-flex. co.jp ● T : Hiroshima Station 広島駅 ou Jogakuin-mae 女学院前. *Situation pratique, à 10 mn à pied de la gare JR (South Exit). Doubles*

HIROSHIMA ET LA MER INTÉRIEURE

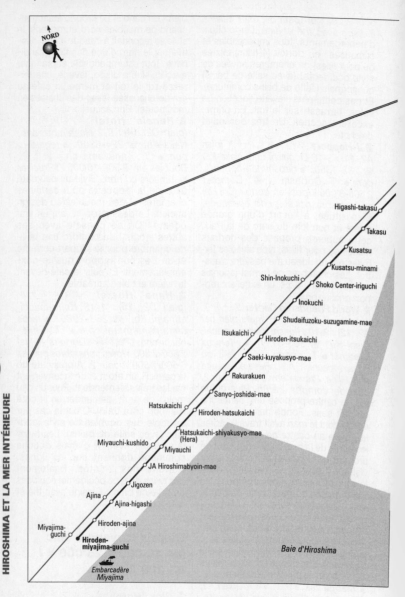

NORD

Higashi-takasu
Takasu
Kusatsu
Kusatsu-minami
Shin-Inokuchi
Shoko Center-iriguchi
Inokuchi
Shudaifuzoku-suzugamine-mae
Itsukaichi
Hiroden-itsukaichi
Saeki-kuyakusyo-mae
Rakurakuen
Sanyo-joshidai-mae
Hatsukaichi
Hiroden-hatsukaichi
Hatsukaichi-shiyakusyo-mae (Hera)
Miyauchi-kushido
Miyauchi
JA Hiroshimabyoin-mae
Jigozen
Ajina
Ajina-higashi
Miyajima-guchi
Hiroden-ajina
Hiroden-miyajima-guchi

Embarcadère Miyajima

Baie d'Hiroshima

10 000-20 000 ¥, petit déj léger inclus. Pas forcément très engageant de l'extérieur, la prédominance du béton est ensuite adoucie par le bois.

On retrouve cette déco contemporaine dans les chambres, très petites pour les doubles (pas évident en fonction de la taille des bagages)

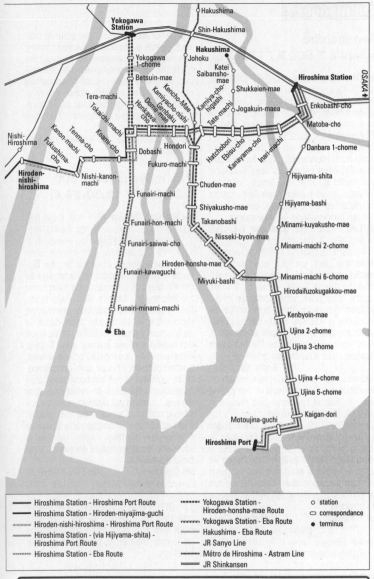

HIROSHIMA – Plan de tramway

Légende :
- Hiroshima Station - Hiroshima Port Route
- Hiroshima Station - Hiroden-miyajima-guchi
- Hiroden-nishi-hiroshima - Hiroshima Port Route
- Hiroshima Station - (via Hijiyama-shita) - Hiroshima Port Route
- Hiroshima Station - Eba Route
- Yokogawa Station - Hiroden-honsha-mae Route
- Yokogawa Station - Eba Route
- Hakushima - Eba Route
- JR Sanyo Line
- Métro de Hiroshima - Astram Line
- JR Shinkansen
- ○ station
- ⬭ correspondance
- ● terminus

HIROSHIMA ET LA MER INTÉRIEURE

mais charmantes. Les *twins* sont en général un peu plus spacieuses (plus chères) et certaines possèdent un balcon donnant sur la rivière. Dans tous les cas, salle de bains minuscule. Personnel attentionné et agréable café face à l'eau.

Où manger ?

Bon marché
(jusqu'à 1 500 ¥ / 12,50 €)

I●I **Okonomi-mura** お好み村 (plan B3, 30) : 5-13 Shintenchi, Naka-ku. T : Hatchôbori 八丁堀. Tlj 11h-22h. Une institution à Hiroshima. Un food court dans un immeuble occupé par des stands d'okonomiyaki du 2e au 4e étage. On aime bien Teppei au 3e, les femmes sont aux fourneaux. Sur la plaque chaude, elles préparent des versions aux fruits de mer, au bœuf, végétarienne..., mais suivez votre flair : parmi les dizaines de gargotes, ce ne sont pas les propositions qui manquent.

I●I **Les restos du quartier Ekinish** (plan D2) : à l'ouest de la gare JR. T : Hiroshima Station 広島駅. Complètement à part, ce tout petit quartier très fréquenté par les gens du coin est strié de 4 rues dans un sens, 3 dans l'autre, pas plus. Une sorte de mini-Golden Gai (voir dans le quartier de Shinjuku à Tokyo). Il abrite des izakayas de quelques places seulement, mais pour tous les goûts. Tentez votre chance chez **Kishimuto** (plan D2, 31 ; tlj sauf lun 18h-22h). Bons sushis et sashimis le soir à prix raisonnables (fourchette « Prix moyens »). Ne prend pas de résa et ne parle pas l'anglais. Le midi, c'est un resto de curry (tlj sauf lun 11h30-13h). On aime bien aussi le **Sunny Day Beer** (plan D2, 32 ; tlj 16h-minuit - 1h w-e) pour sa cuisine centrale où sont préparées tapas et salades servies au comptoir, et pour son accueil jeune et enthousiaste. Plus de places que dans les autres restos du quartier.

I●I **Pulpul** ブルブル **et Regalo Café** レガロカフェ (plan C2, 14) : devant l'hôtel Regalo (voir « Où dormir ? »). T : Kanayama-chô 銀山町. On y vient plus pour sa situation que pour la cuisine simple (sans être mauvaise : curry, omurice, entre autres ; le Pulpul, lui, n'affiche qu'un seul plat). Les terrasses face à la rivière sont charmantes et surtout pas si fréquentes en ville. Accueil gentil comme tout au Pulpul. On peut aussi se contenter d'y boire un verre.

I●I Voir aussi plus bas les bars qui font souvent resto.

Prix moyens (de 1 500 à 3 500 ¥ / 12,50-29 €)

I●I **Wabaru Tobira** 和バル扉 (plan B2, 33) : 2-7-1 Otemachi. ☎ 244-3883. T : Fukuro-machi 福路町 ou Hondori 本通り. Tlj 11h30-14h, 17h-minuit (dernière commande). Fourchette hte. Sur cette artère archimoderne, la façade se donne des airs de maison de marchand traditionnelle, tandis que l'architecture intérieure reconstitue une ferme japonaise. Mais aussi bien dans le cadre que dans la cuisine, l'influence occidentale n'est jamais loin. Tables « classiques », comptoir, boxes privés, permettent de choisir son ambiance. Côté cuisine, si les portions sont peu copieuses, les plats en revanche sont exquis : canard au barbecue et sauce citron, risotto d'anguille de mer, poulet à la vapeur aux champignons et sauce à la prune, huîtres... sans oublier la sélection de whiskies et de sakés. Une belle adresse.

I●I **Daruma** だるま (plan D2, 34) : 5-11 Enkobashicho, Minami-Ku. ☎ 263-0999. T : Enkobashi-chô 猿猴橋町. Tlj 11h-22h. Résa conseillée. Une enseigne très réputée parmi les habitants pour ses sushis à base de poissons de la mer Intérieure. Comptoir et salle à l'étage.

Où boire un verre ?

Y **Sunny Day Beer** サニーデイビール (plan D2, 32) : dans le quartier Ekinish (voir « Où manger »). Dans ce quartier un peu à part, il est tentant de prendre ses habitudes ici : grande variété de bières locales et étrangères, bon choix de sakés, que l'on éponge avec des tapas ou du poulet frit. Bonne ambiance.

Y I●I **Quarante-Quatre** キャラントカトル (plan B2, 40) : 5F, Apex Bldg,

HIROSHIMA ET LA MER INTÉRIEURE

6-3 Tatemachi, Naka-Ku. T : Tatemachi 立町 *ou Hondori* 本通り. *De la rue Hon-dori, prendre la rue en face d'*ABC Mart *et tourner dans la 1re à gauche. L'immeuble se situe juste avt une enseigne jaune verticale, une ardoise en principe placée à l'extérieur. Reste à trouver l'ascenseur... en demi-sous-sol, derrière un pilier. Tlj sauf lun 11h30-2h30.* Mieux vaut être motivé ! On l'est et plutôt 3 fois qu'une. Le *44* propose une déco tendance *hipster* parfaite pour s'affaler après une longue journée ou pour prendre l'air sur la terrasse en surplomb de la rue. Quel luxe ! On peut aussi y manger un morceau. Envie d'une autre ambiance ? Un côté plus *Blade Runner* (rien qu'avec le nom : *kiss of luminessence !*) pour le demi-étage supérieur qui s'ouvre sur un long comptoir en inox éclairé par une lumière jaunâtre. Un peu froid pour le coup. On s'y réchauffe autour d'un verre, rien de plus *(tlj sauf lun 20h-2h)*. Dernière option : en mezzanine, le *Yusochi (tlj sauf lun 18h-2h)*, un café japonais avec de larges baies vitrées, musique groove, jazzy, qu'on écoute d'une oreille distraite enfoncé dans un canapé. Bref, à chaque étage son style, son ambiance un brin décalée.

🍸 🍽 ***Quarante-Cinq*** キャラントサンク *(plan B2,* ***41****)* ***:*** *1-18 Fukuromachi, Naka-Ku. T : Fukuro-machi* 福路町. *Tlj 11h30-23h30.* Forcément après le *44*... mais sans rapport. Resto et bar plutôt chic avec ses lustres bas, sa terrasse ouverte aux beaux jours donnant sur la rue. Bien pour siroter un verre et manger si affinités.

🍸 🍽 ***Hallelujah*** ハレルヤ *(plan C3,* ***42****)* ***:*** *1F, Nakagawa Bldg 11, 8-11 Nagarekawa-cho, Naka-Ku.* ☎ *247-0199. T : Ebisu-chô* 恵比寿町. *Entrée discrète au rdc d'un immeuble, enseigne en noir et blanc. Tlj sauf lun 18h-5h (3h dim).* Petit bar avec un coin salon, un comptoir, quelques tables et un écran. Cosy et très cool à la fois. Sert aussi quelques plats végétariens (ou pas), japonais et occidentaux. Accueil avenant.

🍸 🍽 ***Organza*** ヲルガン座 *(plan A2,* ***43****)* ***:*** *1-4-32 Tokaichi.* ☎ *295-1553. T : Honkawa-chô* 本川町 *ou Tokaichi-machi* 十日市町. *Petite porte en bois très discrète, juste avt l'enseigne* Tadzio, *qui ouvre sur un escalier raide. Le bar est à l'étage. Mar-ven 17h30-2h, w-e 11h30-2h (minuit dim). Fermé lun.* Underground tendance rétro, ce bar accueille de temps en temps des groupes qui se produisent sur la toute petite scène devant un public forcément réduit (très peu de places, même avec la mezzanine). Quand il n'y a pas de musique, fait aussi resto (plats de riz, tapas...).

À voir

Le parc de la Paix *(plan A-B2-3)*

T : Genbaku Dome-mae 原爆ドーム前.

Au cœur de la ville, ce parc de mémoire, autrefois centre animé et commerçant, est aujourd'hui un lieu empreint de sérénité, un espace de verdure enserré entre 2 rivières, où l'on pensait que rien ne repousserait. On y trouve plusieurs monuments commémoratifs. Seul le musée est payant.

Ⓤ 👁👁 ***Le Dôme de la Bombe A*** 原爆ドーム *(ou* ***Dôme de Genbaku****)* ***:*** *à l'extérieur du parc.*

C'est souvent par là que l'on aborde le secteur. Situé à 160 m de l'épicentre, on s'étonne que le bâtiment ait en partie résisté à la déflagration. 2 raisons principales : si la coupole en cuivre a facilement fondu, le reste de la structure se composait de béton, d'acier et de brique, des matériaux assez solides. Et l'explosion verticale et non horizontale a maintenu l'édifice en place. En revanche, tous les visiteurs furent tués sur le coup.

Il s'agissait du palais d'exposition de la préfecture d'Hiroshima *(Industrial Promotion Hall)*, conçu en 1915 dans un style Art déco par un architecte tchèque.

Nouveau pour l'époque dans sa conception et son utilisation (événements culturels, foires...), il était très fréquenté. Pendant longtemps, la population s'est interrogée sur ce vestige : fallait-il le détruire, car il évoquait un souvenir trop pénible, le réhabiliter pour l'ériger en symbole ? Il a finalement été conservé en l'état avant d'être classé au Patrimoine mondial de l'Unesco en 1996.

La cloche de la Paix 平和の鐘 *(The Peace Bell)* **:** elle représente une utopie : un monde sans frontières où chacun vivrait en paix. Le battant frappe sur le symbole des armes nucléaires pour appeler à leur éradication. Les inscriptions en sanskrit doivent soulager les âmes des victimes.

Le monument des enfants pour la paix 原爆の子の像 **:** statue des 1 000 grues en papier érigée par les amis de Sadako, qui ont collecté des fonds après sa mort pour se souvenir des jeunes irradiés. Les enfants du monde entier continuent d'apporter des origamis. Un moyen de transmettre l'histoire.

– Remarquez, de l'autre côté de la rue, l'édifice qui a survécu à la déflagration. Il date de 1929 et abritait une fabrique de kimonos (aujourd'hui l'office de tourisme, temporairement transféré, en principe jusqu'à fin 2019, dans un petit bâtiment à l'angle opposé, sous les arbres, près du monument des enfants ; *tlj 10h-17h*).

L'HISTOIRE DE SADAKO SASAKI

Sadako a 2 ans lorsque la bombe explose. Elle se trouve chez elle, à 1,6 km de l'épicentre, et n'est pas blessée. Elle grandit, devient sportive, et sa santé est bonne... en apparence. Car à 12 ans, elle tombe malade des suites des radiations. Or, une ancienne tradition affirme que tout rêve se réalise à condition de fabriquer 1 000 grues en papier (la grue étant le symbole de la longévité). Elle en réalise 1 300. Mais 8 mois plus tard, elle décède d'une leucémie. Son histoire devient le symbole de tous les enfants victimes de la tragédie et de ses conséquences.

Le monument en mémoire des victimes coréennes de la bombe 韓国人原爆犠牲者慰霊碑 **:** les autorités coréennes estiment à 30 000 (travailleurs forcés pour la plupart) le nombre de compatriotes qui périrent des suites de l'explosion. Les Japonais évaluent, quant à eux, le nombre de victimes coréennes à environ 10 %. La Corée était colonisée par le Japon depuis 1910. Les survivants qui retournèrent chez eux après la guerre furent encore plus ostracisés que les Japonais. Le monument ne fut construit qu'en 1970.

Le Cénotaphe : aligné avec le musée, le Dôme et la flamme de la paix, qui brûlera tant qu'il existera des armes nucléaires. Il est couvert par une structure qui rappelle le toit d'une ancienne demeure japonaise et abrite les âmes des défunts. Un cercueil enterré renferme une centaine de registres d'environ 300 000 victimes, dont un vierge pour les personnes non identifiées. Chaque année, au moment de la commémoration du 6 août, sont inscrits les nouveaux décès de personnes présentes lors de l'explosion et mortes au cours des 12 derniers mois.

Le Mémorial de la paix : ☎ 543-6271. *Tlj 8h30-18h (19h août ; 17h déc-fév) ; dernière admission 30 mn avt. Fermé les 30-31 déc. GRATUIT.* À l'extérieur, l'horloge indique l'heure de l'explosion et la direction de l'épicentre, tandis que la fontaine rappelle l'importance de l'eau pour les irradiés qui cherchaient à apaiser leurs brûlures. Des débris sont éparpillés tout autour. Puis on accède au sous-sol par une pente douce pour rejoindre le hall du Souvenir. Il est composé d'une mosaïque de 140 000 carreaux, représentant le nombre de victimes suite à l'explosion. Les caractères correspondent aux noms des quartiers, chaque brique équivaut à une distance de 80 m par rapport à l'épicentre. La vision est apocalyptique. La salle du Souvenir affiche, quant à elle, les noms et photos des personnes inscrites dans les registres du Cénotaphe. À voir aussi, un film d'environ 10 mn consacré à la tragédie.

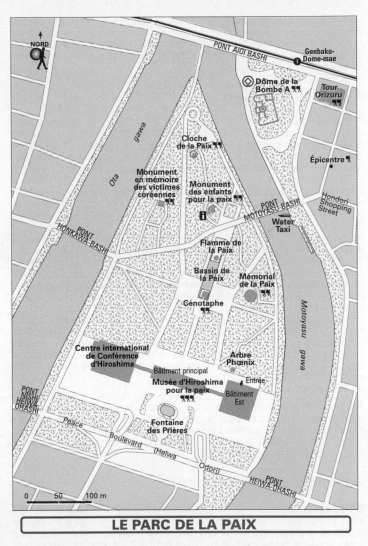

NORD

PONT AIOI BASHI

Genbaku-
Dome-mae

Dôme de la
Bombe A ✿✿

Tour
Orizuru
✿✿

Ota gawa

Cloche
de la Paix ✿✿

Monument
en mémoire
des victimes
coréennes
✿✿

Monument
des enfants
pour la paix ✿✿

Épicentre ✿

PONT
MOTOYASU-BASHI

Hondori
Shopping
Street

ℹ️

PONT
HONKAWA-BASHI

Water
Taxi

Flamme de
la Paix ✿

Bassin de
la Paix

Mémorial
de la Paix ✿✿

Génotaphe
✿✿

Motoyasu gawa

Centre international
de Conférence
d'Hiroshima

Arbre
Phœnix

Bâtiment principal

Musée d'Hiroshima
pour la paix
✿✿✿

↓ Entrée

Bâtiment
Est

PONT
NISHI
HEIWA-
OHASHI

Peace

Fontaine
des Prières

Boulevard

(Heiwa

Odori)

PONT
HEIWA-OHASHI

0   50   100 m

LE PARC DE LA PAIX

HIROSHIMA ET LA MER INTÉRIEURE

✿✿✿ *Le Musée d'Hiroshima pour la paix* 広島平和記念資料館**: ☎ 241-4004.**
● *hpmmuseum.jp* ● *Mêmes horaires que le Mémorial. Prix : 200 ¥ ; réduc. Audioguide en anglais : 200 ¥. Noter que le bâtiment principal du musée devrait rouvrir
après travaux au printemps 2019. Une partie des collections a été transférée dans
le bâtiment est.*
Le musée retrace la tragédie, du projet *Manhattan* jusqu'au largage et ses
effets. Vidéos, panneaux, maquettes, photos, mais aussi accessoires et objets
atomisés font revivre cette période et permettent de se rendre compte moins
de l'événement, car c'est impossible, mais un peu plus des conséquences. La

reconstruction de la ville laisse place à l'espoir. Une partie est consacrée à la prolifération nucléaire et à la lutte pour l'éradication de ce type d'arsenal. Où l'on voit
comment Hiroshima a changé de statut, de base militaire à ville de paix.

En face du resto du musée, « *l'arbre phœnix* », ainsi nommé, car il a repoussé
après la bombe. Il fleurit toujours.

À proximité du parc

🦯🏃 *La tour Orizuru* おりづるタワー *(plan B2)* : 1-2-1 Ote-machi, Naka-ku. ☎ 569-
6803. ● orizurutower.jp/fr ● T : Genbaku Dome-mae 原爆ドーム前. Tlj 10h-19h
(9h-20h juil-sept) ; dernière admission à la terrasse panoramique 1h avt. Fermé
15-16 janv et 31 déc. Prix : 900 ¥ pour les étrangers sur présentation du passeport, un tarif promotionnel dont on espère qu'il sera reconduit ; sinon tarif normal :
1 700 ¥ (trop cher) !

Au guichet, achat possible de 5 feuilles de papier pour fabriquer soi-même (à l'aide
d'une vidéo) 5 origamis qui seront jetés du haut de la tour dans une colonne de
verre *(500 ¥)*. Car Orizuru signifie « grue en papier », en référence à l'histoire de
Sadako (lire plus haut).

Inaugurée en 2016, la tour offre le meilleur point de vue sur le Dôme de la Bombe A
et au loin par temps clair sur l'île de Miyajima, soit 2 sites classés au Patrimoine
mondial de l'Unesco. La terrasse en bois pentue et couverte du dernier étage est
parfois aménagée aux beaux jours. On s'y pose volontiers pour une vision à 360°
sur la ville et ses alentours. Grimper à cet observatoire en début de séjour permet
de prendre en compte pleinement la dimension historique de la région, mais aussi
sa renaissance. Ne pas manquer non plus, à l'étage inférieur, les activités interactives (écran géant connecté pour réaliser un origami dans l'espace), la petite
expo sur l'*Industrial Promotion Hall* (le futur Dôme de la Bombe A), symbole de
l'atrocité de la bombe et de la guerre, ainsi que la colonne de verre dans laquelle
on jette ses origamis (attention au vertige !). Si la question vous taraude, sachez
que 1 270 000 origamis sont nécessaires pour remplir la colonne, un objectif probablement atteint en 2019 ou 2020 !

|●| 🍴 Café-resto sur place.

🦯 *L'épicentre (plan B2)* : derrière la tour Orizuru. C'était un hôpital, aujourd'hui
reconstruit. Une statue de Jizo, gardien des enfants, qui chasse les mauvais
esprits et les maladies, se tient toujours à cet emplacement, comme en ce jour
funeste. Elle a résisté à l'explosion. On la croise un peu partout en ville et au
Japon, habillée de rouge, symbole du feu et de la vie.

Au nord de la ville

🦯🏃 *Le jardin Shukkeien* 縮景園 *(plan C1)* : Kaminobori-cho, Naka-ku. ☎ 221-
3620. T : Shukkeien-mae 縮景園前. Ou à env 20 mn à pied de la gare JR. Repérer
la belle porte en bois noir. Tlj 9h-18h (17h oct-mars). Entrée : 260 ¥ ; réduc. Billet
combiné avec le musée d'Art de la préfecture : 610 ¥. Le jardin fut créé en 1620
par le maître du thé du seigneur de l'époque. Il s'inspire de la littérature et des
paysages chinois qu'il miniaturise : vallons, kiosques, pavillons de plaisance et de
cérémonie du thé, petite cascade, étang (artificiel alimenté par la rivière), parsemé
d'îlots en forme de grue ou de tortue (des animaux qui portent chance), façonnent
le jardin. Il faut dire qu'en 1945 il n'a pas été épargné. De nombreuses personnes
moururent ici et y sont d'ailleurs enterrées. Le pont en pierre datant du XVIIIᵉ a
résisté. C'est aujourd'hui une très agréable promenade. Un chemin permet de
rejoindre directement le musée d'Art.

🦯🏃 *Le musée d'Art de la préfecture* 広島県立美術館 *(plan C1)* : 2-22 Kaminobori-cho, Naka-ku. ☎ 221-6246. ● hpam.jp ● T : Shukkeien-mae 縮景園前. Ou

à env 20 mn à pied de la gare JR. Accessible depuis le jardin Shukkeien avec le billet combiné. *Tlj sauf lun 9h-16h30 (dernière admission). Entrée : 510 ¥ ; réduc. Billet combiné avec le jardin Shukkeien : 610 ¥.* Le hall s'ouvre grâce à de larges baies vitrées sur le jardin Shukkeien. Le reste est tout aussi aéré : 4 galeries essentiellement tournées vers des œuvres des années 1920 et 1930 aussi bien japonaises qu'occidentales. On admire *Le Rêve de Vénus* de Dalí, une sculpture d'Alexandre Calder, un peu plus loin, une de Max Ernst, des toiles représentatives du Bauhaus, Paul Klee et Kandinsky, une peinture de Picasso, des photos de Man Ray. Bref une 1ʳᵉ galerie au casting enivrant que viennent compléter des artistes japonais de la même période (et jusque dans les années 1940) dans la galerie 2. Dans la suivante, ne pas manquer les peintures sur soie d'où se dégagent de certaines un côté évanescent. La galerie 4 expose quant à elle le travail plus récent de Kunihiko Moriguchi. Cet artiste, nommé « Trésor national vivant » en 2007, peint sur les kimonos grâce à une technique de teinture ancestrale appelée *yuzen,* qu'il a modernisée en apportant sa touche graphique. Vraiment très beau. On regrette juste l'absence de panneaux en anglais.

🎥 *Le château d'Hiroshima* 広島城 *(plan B1) : dans le parc Chuo.* ● *rijo-castle. jp* ● *T. : Shukkeien-mae* 縮景園前 *ou Kamiya-chô nishi* 紙屋町西, *puis env 15 mn de marche. Tlj 9h-17h30 (dernière admission ; 16h30 déc-fév). Fermé 29-31 déc. Entrée : 370 ¥ ; réduc.*
L'édifice fut construit en 1591 par Mori Terumoto, alors seigneur de 9 provinces. Il servit de quartier général à l'empereur et son armée pendant la guerre sino-japonaise de 1894-1895. Le château fut entièrement détruit par la bombe en 1945. Seules les fondations subsistèrent, ainsi que la porte et 3 arbres du parc (signalés par un écriteau). En 1958, la tour, symbole de puissance, fut rebâtie. C'est elle qu'on visite aujourd'hui, entourée de douves, après avoir traversé un beau parc.
À l'intérieur, voir à l'entrée la maquette d'Hiroshima à la période Edo (XVIIᵉ-XIXᵉ s). La différence de couleur des toitures répondait à une hiérarchie précise : les maisons aux toits les plus foncés étaient occupées par les samouraïs, celles aux toits plus clairs par de riches marchands, tandis que les habitations en bois étaient réservées au peuple. Au 2ᵉ niveau, reconstitution de la demeure d'un samouraï, puis collection de sabres *(katana)* et d'armures exposée au 3ᵉ niveau. Très beau panorama sur la ville depuis la terrasse du dernier étage.

À l'est

🎥👤 *Le musée municipal d'Art contemporain (MOCA ; plan D3)* 広島市現代美術館 *: dans le parc Hiyajima.* ☎ 264-11-21. ● *hiroshima-moca.jp* ● *T : Hijiyama-shita* 比治山下, *puis env 10 mn de montée. Tlj sauf lun 10h-16h30 (dernière admission). Fermé pdt les fêtes du Nouvel An. Entrée : 300 ¥ ; réduc. Panneaux en anglais.*
Sur un promontoire du parc, ce musée de taille relativement modeste (quelques salles sur 2 niveaux) recense 1 600 pièces aussi bien japonaises qu'occidentales qui tournent selon le thème choisi (souvent en rapport avec l'actualité). On pourra peut-être découvrir Marcel Duchamp et d'autres artistes conceptuels, mais aussi des œuvres qui relient Hiroshima à l'art contemporain, ou encore de jeunes talents que le musée entend valoriser.

🎥 *La bibliothèque de mangas* マンガ図書館 *(plan D3) : dans le parc Hiyajima, à 5 mn de marche du MOCA. Tlj sauf lun 10h-17h. GRATUIT. Consultation sur place uniquement.* Les « mangasvores » ne sauraient manquer cette collection de quelque 100 000 bouquins, dont quelques-uns traduits en anglais. De même, les fans de comics américains pourront retrouver leurs héros préférés traduits cette fois en japonais !

Encore plus au nord

🦶 **Balade dans les collines d'Hiroshima** (plan D1) : départ de la balade depuis le sanctuaire Toshogu, à rejoindre en taxi, avec le Loop Bus (ligne verte) ou à pied. De la gare JR, compter env 10 mn de marche. Suivre « North Exit », puis en sortant à gauche, longer l'hôtel Gran Via. Prendre en ligne de mire Bussyaritou Pagoda 仏舎利塔, le stûpa argenté qui émerge au sommet de la colline ; la balade débute bien à gauche. Compter env 20-30 mn de grimpette par des marches sur les 2/3 du parcours. Prévoir de bonnes chaussures et de l'eau. Hormis au sommet, le chemin est toujours en forêt. Marre du trek urbain ? Voici une virée sur les hauteurs de la ville pour un petit bol nature. Derrière le **sanctuaire (shrine) Toshogu** 東照宮 (plan D1), des marches partent à l'assaut de la colline, recouvertes d'une succession de torii vermillon du plus bel effet. Au bout d'une quinzaine de minutes, on parvient à une plateforme sur la gauche, avec déjà une vue panoramique sur la ville. On poursuit par un sentier mal tracé sur la droite jusqu'au stûpa qui surplombe la cité et lorgne sur les montagnes au loin. Redescendre par les escaliers sous l'édifice, puis par la route qui lézarde à travers un charmant quartier résidentiel.

D'autres sanctuaires se trouvent plus à l'ouest.

LES ENVIRONS D'HIROSHIMA

MIYAJIMA 宮島   1 630 hab.   IND. TÉL. : 082

• Plan p. 434-435

Célèbre pour son torii vermillon qui semble flotter sur la mer à marée haute et son sanctuaire classé au Patrimoine mondial de l'Unesco, l'île d'Itsukushima (communément appelée Miyajima, du nom du village) est considérée comme l'un des 3 plus beaux sites du Japon. On doit à son relief le caractère sacré

SANG POUR SANG SACRÉ

Sur cette île sacrée, le sang est considéré comme impur. Il n'existe ni maternité ni cimetière. Et autrefois, même les femmes étaient mises à l'isolement à l'extérieur du village le temps de leurs règles.

de l'île : de loin, les anciens y ont vu le visage et le corps de Bouddha allongé sur le dos. Au VIᵉ s., l'île a été sanctuarisée et inhabitée jusqu'au XIIᵉ s.

9 siècles plus tard, le village qui s'étend à la sortie du débarcadère aligne une succession de boutiques et de restaurants dans les quelques rues qui le composent. Encore un point commun avec le Mont-Saint-Michel, avec qui elle est jumelée ! Mais on s'écarte du flux touristique dès que l'on prend de la hauteur (ça grimpe vite) pour arpenter les chemins de randonnées qui sillonnent la forêt primaire jusqu'au mont Misen, point culminant de l'île (535 m d'altitude). Car Miyajima demeure très préservée. L'idéal consiste à dormir sur place lorsque la plupart des visiteurs sont repartis (souvent avant 18h) et que l'île regagne en sérénité, rendue à ses habitants et à sa faune : près de 400 daims en liberté qui s'approchent très facilement des visiteurs, mais aussi des sangliers et des singes, plus discrets.

– *Période idéale* : l'automne, lorsque les érables, arbres emblématiques de l'île, se drapent d'une teinte mordorée. Et pendant les nombreux festivals, mais dans ce cas, on rencontre encore plus de monde que d'habitude.

Fêtes annuelles et manifestations culturelles

– *Kangensai :* le 29 juil. L'une des trois plus impressionnantes cérémonies shintoïstes en barque traditionnelle. La cérémonie a lieu aux alentours de Itsukushima et de son sanctuaire.
– *Miyajima Suichû Hanabi Taikai :* en août, la date change chaque année. Un grand festival où plus de 5 000 feux d'artifice sont lancés depuis les eaux, derrière le torii de Itsukushima.
– *Daishō-in Hiwatari shiki :* les 15 avr et 15 nov. Cérémonie où les moines bouddhistes marchent sur les braises utilisées lors du rituel du feu Goma afin de rester en bonne santé. La cérémonie a lieu au temple Daishō-in, sur l'île de Miyajima.

Arriver – Quitter

À 22 km au sud-ouest d'Hiroshima. Il est très facile de se rendre à Myajimaguchi, d'où l'on embarque pour l'île de Miyajima.

➢ *En train :* JR Sanyo Line, depuis Hiroshima, ttes les 7-20 mn env, 5h50-0h08. De Miyajimaguchi, env 5h10-23h37. Prix : 410 ¥ ; réduc. Durée : 30 mn.

➢ *En tram :* à destination de Miyajimaguchi (continent), ttes les 10 mn env, 6h20-23h20 (de la gare JR). Dans l'autre sens, 5h45-22h20. Prix : 180-280 ¥ selon le point de départ (gare JR ou Dôme de la Bombe A). Durée : 1h15 de la gare JR.

➢ *Puis ferry :* de Miyajimaguchi à Miyajima, env 6h25-22h40, ttes les 15 mn 8h10-18h25, ttes les 30 mn sinon. Prix : 180 ¥ ; réduc. Gratuit avec le *JR Pass.* Traversée ; 10 mn. Bon plan : à l'aller, se placer sur le côté droit du bateau pour apercevoir le torii.

➢ *En bateau Hiroshima – Miyajima : Aqua Net Service* (☎ 295-2666). Départ de Marina Hop *(hors plan Hiroshima par A3)* en bateau rapide, 9h30-16h30, ttes les 1h10 env. De Miyajima 10h-16h10. Durée : env 25 mn. Aller 1 500 ¥ ; A/R 2 500 ¥. *Aqua Net Hiroshima* (☎ 240-5955 ; ● aqua-net-h. co.jp ●). En principe, ttes les 30 mn env, 8h30-17h10 depuis le Peace Memorial Park, sous le pont Motoyasu *(plan Le parc de la Paix).* De Miyajima, départs 8h40-17h30. Se présenter à l'embarcadère 15 mn avt. Notez que les horaires peuvent varier en fonction des marées. Durée : 45 mn. Prix : 2 000 ¥ l'aller, 3 600 ¥ l'A/R ; réduc.

Adresses utiles

🛈 *Infos touristiques* (plan C1) : au débarcadère. ☎ 944-2011. ● visit-miyajima-japan.com ● *(site officiel, en français)* ou ● miyajima.or.jp ● *(association touristique de Miyajima, en* anglais). *Tlj 9h-18h.* Infos notamment sur les randonnées.

🛈 Également un *office de tourisme* privé côté continent, à Miyajimaguchi. 🖷 70-3780-3370. Tlj 10h-17h.

Où dormir ?

De prix moyens à chic (de 10 000 à 25 000 ¥ / 83-208 €)

🛌 *Mikuniya Guesthouse* 三國屋 *(plan C3, 10)* : 327 Miyajima-cho, dans la montée, côté gauche en allant vers le téléphérique. ☎ 944-1641. ● miya jimamikuniya.com ● Lit en dortoir 4 000 ¥ ; 10 000 ¥ pour 2 en chambre privée, avec lavabo et frigo ; petit déj simple inclus. Vaste maison sur les hauteurs du village, proche du beau parc Momijidani, une adresse nature. Des 5 chambres privées japonaises,

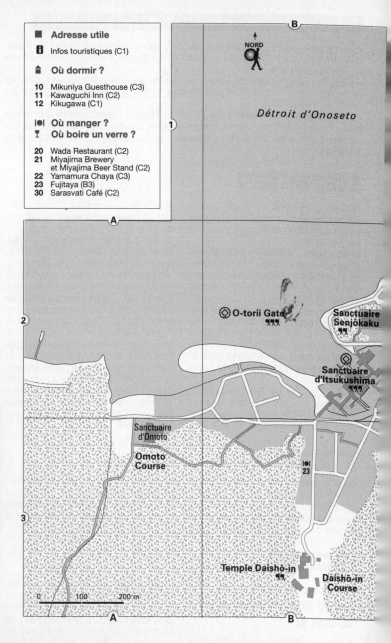

HIROSHIMA ET LA MER INTÉRIEURE

■ Adresse utile
ℹ Infos touristiques (C1)

🏠 Où dormir ?

10 Mikuniya Guesthouse (C3)
11 Kawaguchi Inn (C2)
12 Kikugawa (C1)

🍴 Où manger ?
🍸 Où boire un verre ?

20 Wada Restaurant (C2)
21 Miyajima Brewery
   et Miyajima Beer Stand (C2)
22 Yamamura Chaya (C3)
23 Fujitaya (B3)
30 Sarasvati Café (C2)

Détroit d'Onoseto

NORD

O-torii Gate

Sanctuaire Senjōkaku

Sanctuaire d'Itsukushima

Sanctuaire d'Omoto

Omoto Course

Fujitaya 23

Temple Daishō-in

Daishō-in Course

0   100   200 m

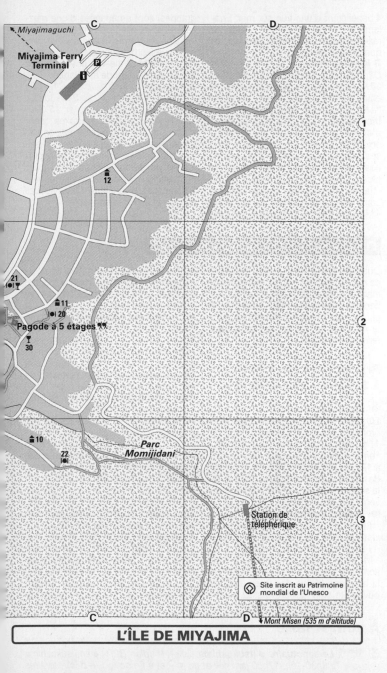

Miyajimaguchi

Miyajima Ferry Terminal

P

12

21
◉ ⍭

11
◉ 20

Pagode à 5 étages

⍭
30

10

22
◉

Parc Momijidani

Station de téléphérique

◎ Site inscrit au Patrimoine mondial de l'Unesco

Mont Misen (535 m d'altitude)

C — C
D — D

1

2

3

L'ÎLE DE MIYAJIMA

4 bénéficient d'une vue sur mer. Également un dortoir de 3 lits. Salon au rez-de-chaussée. Un très bon rapport qualité-prix-accueil.

🛏 *Kawaguchi Inn* 旅荘かわぐち (plan C2, 11) : 469 Miyajima-cho. ☎ 944-0018. ● ryoso-kawaguchi.jp ● Prévoir env 16 000 ¥ pour 2, avec petit déj (taxes en sus). On aime cette demeure tricentenaire pour plusieurs raisons : d'abord pour l'accueil du proprio, enjoué et vraiment sympa. Ensuite pour ses chambres japonaises (1-5 personnes), toutes différentes : la « Gunjo », la plus ancienne, possède beaucoup de charme et même des objets insolites comme ce porte-manteau samouraï ; la « Mokuran » et la « Yamabuki », les plus grandes, sont aménagées d'une mezzanine (idéal avec des enfants). Enfin, le salon du dernier étage s'élève plus haut que les maisons alentour, si bien qu'on profite d'une vue privilégiée sur le village et la pagode à 5 étages.

🛏 *Kikugawa* 菊がわ (plan C1, 12) : 796, Miyajima-cho. ☎ 944-00-39. ● kikugawa.ne.jp ● Compter 13 000-15 000 ¥ pour 2 avec les taxes ; petit déj en sus. Dans une belle maison traditionnelle, chambres à la déco un peu vieillotte, petites, uniquement twin, plus 2 de style japonais, dont l'une avec mezzanine qui peut accueillir jusqu'à 5 personnes (plus chère). Mais l'accueil est bon et le prix raisonnable.

Où manger ? Où boire un verre ?

Quelques spécialités locales : l'anguille de mer (anago), les huîtres et les momiji manju (petits gâteaux mous fourrés aux haricots rouges ou autres). Attention, la plupart des restos n'ouvrent que pour le déjeuner et toutes les boutiques ferment avant 18h.

Prix moyens (de 1 500 à 3 500 ¥ / 12,50-29 €)

🍴 *Wada Restaurant* 和田 (plan C2, 20) : dans une rue perpendiculaire à la promenade. ☎ 944-2115. Tlj à partir de 11h, mais les gens font la queue avt. Ferme quand il n'y a plus rien, parfois à 12h30 ! Spécialisé dans les anguilles de mer (anago) servies avec du riz et de la soupe miso. Accueil très aimable du vénérable propriétaire.

🍴 *Miyajima Brewery* 宮島ブルワリー (plan C2, 21) : sur la promenade, juste au nord du torii. ☎ 940-2607. À l'étage du Starbucks (ascenseur). Tlj 11h-20h (dernière commande). Comme son nom l'indique, il s'agit du resto de la brasserie et l'un des rares endroits ouverts le soir. La carte assez courte propose des plats japonais et occidentaux pour convenir à tout le monde. Agréable avec ses larges baies vitrées ouvertes sur la mer.

🍴 *Yamamura Chaya* 山村茶屋 (plan C3, 22) : sur le chemin du téléphérique. ☎ 944-0274. Tlj sauf mer 10h-16h. Agréablement situé, dans une clairière avec glycines et daims qui gambadent. On y mange correctement (anguilles de mer, udon ou riz frit avec soupe miso) dans la petite salle ou dehors. Prix raisonnables et bon accueil.

🍴 *Fujitaya* ふじたや (plan B3, 23) : en direction du temple Daishō-in. ☎ 944-0151. Tlj 11h-15h. Svt de l'attente. Là encore, un resto très réputé pour ses anguilles de mer. Un peu cher toutefois.

🍸 *Miyajima Beer Stand* 宮島ビール (plan C2, 21) : dans la cour intérieure commune avec Starbucks. Tlj 10h-18h. Pour siroter une bière locale, dont une brassée sur place, la Momiji Ale.

🍸 *Sarasvati Café* 焙煎所とカフェ (plan C2, 30) : au nord du sanctuaire. Tlj 8h30-19h. Salle un peu sombre avec meubles en bois et murs gris. On y vient surtout pour le café qu'ils moulent eux-mêmes. On peut aussi y grignoter.

À voir. À faire

◈ 🎋🎋🎋 *Le sanctuaire d'Itsukushima* 厳島神社 (plan B2) : ● en.itsukushima jinja.jp ● Tlj 6h30-18h (17h30 janv-fév et de mi-oct à fin nov ; 17h déc). Horaires de marées affichés. Seul le sanctuaire est payant, le torii est en libre accès. Prix : 300 ¥ ; réduc.

Le complexe shintoïste est précédé par un *torii,* posé au large, à 200 m du sanctuaire. C'est par ce portique que les bateaux accédaient autrefois à l'île, donc uniquement à marée haute. Ce passage marque toujours la séparation entre le monde profane et le monde spirituel, signifiant que toute l'île est sacrée. Il a été érigé pour la 1re fois en 593. Il était alors plus petit. Sa taille actuelle remonte à 1168. Maintes fois reconstruit, on admire depuis le XIXe s la 8e version.

Comme le torii, le sanctuaire rouge vermillon est immergé lui aussi à marée haute. On y vénère

L'ÉQUILIBRISTE DE MIYAJIMA, C'EST LUI !

Soumis aux forces de la marée, le torii se maintient grâce à une conception originale : il n'est pas enfoncé dans le sable mais il repose lourdement dessus. La poutre supérieure, lestée de galets (7 t tout de même !), est placée sur une large base de 6 piliers, tandis que la jonction entre les 2 structures, horizontale et verticale, a été étudiée pour absorber les mouvements de la mer. L'édifice est également renforcé à sa base par des piquets de bois. Enfin, le matériau, du camphrier, a été choisi pour sa résistance et ses propriétés fongicides. Résultat : le torii n'a pas cillé depuis 1875 !

3 déesses, gardiennes de la nation, protectrices de la famille impériale et des marins. La galerie longue de 262 m relie l'entrée au pavillon de purification du sanctuaire principal. Le seul bâtiment non coloré du complexe est une scène de théâtre nô, construit en 1605. D'autres scènes sont également utilisées lors des nombreux festivals. Tout au bout, voir le pont incroyablement voûté *(sori bashi)* du XIIIe s, reconstruit au XVIe s, inaccessible, car seul l'empereur peut y monter... on se demande bien comment ? Il a de la chance : des marches sont ajoutées pour faciliter sa progression.

🎥🎥 *Le sanctuaire Senjōkaku* 千畳閣 *(plan B2) : perché sur une petite colline, à gauche de l'entrée du sanctuaire d'Itsukushima. Tlj 8h30-16h30. Entrée : 100 ¥.* Ce pavillon des 1 000 tatamis (senjōkaku) dédié au shogun Hideyoshi (l'un des unificateurs du Japon) devait abriter une bibliothèque bouddhiste. Mais il est resté inachevé après 11 ans de travaux et la mort du shogun en 1598. L'entrée aurait dû se trouver de l'autre côté. Par la suite, il a servi aux shintoïstes.

🎥🎥 Juste en face, la *pagode* rouge *à 5 étages* 豊国神社　五重塔 date de 1407, puis fut restaurée en 1945. Elle est dédiée au Bouddha de la guérison. Haute de près de 28 m, elle résiste aux typhons et séismes. Il n'en existe que cinq de même architecture dans tout le pays.

🎥🎥 *Le temple Daishō-in* 大聖院 *(plan B3) : au sud du sanctuaire d'Itsukushima. Compter env 20 mn de marche.* L'ensemble bouddhiste fondé au XIIe s est composé de 6 pavillons et d'une grotte. 500 statues, toutes différentes, jalonnent l'escalier conduisant au temple. Beau panorama.

🎥🎥🎥 *Le mont Misen* 弥山 *: accès à pied (compter env 2h depuis le débarcadère, voir plus loin) ou par 2 téléphériques (ropeway ; prévoir env 30 mn à pied du débarcadère à la station de Momijidani* 紅葉谷*, départ du 1er téléphérique). Tlj 9h-17h pour monter ; 9h20-17h30 pour descendre. Attention, la dernière montée à 17h permet tt juste de faire l'A/R jusqu'à Shishi-iwa* 獅子岩*, sans pouvoir faire l'ascension du mont Misen. Aller 1 000 ¥ ; A/R 1 800 ¥. Trajet : 15 mn par le 1er (des œufs), 5 mn par le 2d.* Arrivé à la station de Shishi-iwa, à 430 m d'altitude, prendre le sentier de droite (celui de gauche mène à l'observatoire). Il reste 100 m de dénivelée et env 30 mn de marche pour atteindre le sommet du mont Misen.

Le très beau chemin, qui part de la station Shishi-iwa, est semé de rochers parfois impressionnants, ponctué de magnifiques points de vue sur la mer Intérieure et jalonné de temples. Car c'est là que Kobo Daishi, fondateur de la secte bouddhiste

Shingon (une branche ésotérique), fit retraite au début du IXe s, attirant à sa suite nombre de pèlerins. Le **Misen Hondo** 弥山本土, 1er et principal temple, se trouve quasi à mi-parcours. Le feu allumé par Kobo Daishi il y a 1 200 ans y brûle encore (*kiezu-no-hi*, la flamme éternelle) et continue de chauffer un chaudron dont l'eau sacrée guérirait toutes les maladies. Il a servi pour la flamme de la Paix à Hiroshima. Quelques marches plus haut, le **pavillon Sankido** 三鬼堂 est le seul temple au Japon à vénérer des ogres, en l'occurrence trois, ceux de la chance, de la sagesse et du bonheur. Ce sont les gardiens du mont Misen. Ne pas hésiter à pénétrer à l'intérieur, même si les panneaux sont fermés, et à ouvrir celui de côté pour une superbe vue sur la mer. Ensuite, d'autres plus petits pavillons donnent prétexte à de courtes haltes dans la montée, avant le spectacle final : au sommet, un chaos rocheux surmonté d'un observatoire moderne livre un panorama dantesque à 360° sur la mer Intérieure et les villes alentour.

Possibilité de redescendre jusqu'au débarcadère à pied. Compter alors 1h-1h30 de marche.

🎥🎥🎥 *Randonnée jusqu'au mont Misen :* les plus sportifs ont le choix entre 3 sentiers balisés, du plus facile au plus dur : le *Momijidani Course*, du nom du très beau parc du même nom. Durée : environ 2h. Le *Daishō-in Course*, une voie assez difficile avec beaucoup d'escaliers. Compter 2h30 avec de l'entraînement. Et l'*Omoto Course*, qui est à l'est du sanctuaire (compter déjà 25 mn depuis le débarcadère). Ici pas d'escaliers, mais la montée est raide. Là encore, 2h30 pour les plus sportifs.

ONOMICHI 尾道   138 400 hab.   IND. TÉL. : 084

À environ 90 km à l'est d'Hiroshima. Cette ville portuaire, adossée au mont Sen-koji, cultive les contrastes. Elle s'est développée dès le XIIe s grâce au commerce avec la Chine et l'acheminement du riz (impôt de l'époque) puis, plus tard, sous l'impulsion de l'ère industrielle. La 1re période, florissante, a permis l'édification de temples et de sanctuaires qui s'étagent encore aujourd'hui sur la colline le long de ruelles pentues et d'escaliers interminables. C'est la partie la plus traditionnelle de la ville. La 2e, séparée par la ligne de chemin de fer, a inauguré l'expansion de quartiers commerçants, plus proches du littoral. Mais pas de tours immenses ou de *malls* impersonnels, le centre est resté à taille humaine. De sa magnifique vue sur la mer Intérieure, d'en haut, à son agréable promenade au bord de l'eau, en bas, les artistes ont su capter l'essence, si bien que la ville a souvent servi de cadre pour des films japonais.

Enfin, la région ne manque pas de charme non plus. Le long d'Onomichi, un bras de mer, qu'on prendrait presque pour un canal, la sépare d'un chapelet d'îles, relié par une route doublée d'une piste cyclable : la *Shimanami Kaido,* photogénique tracé pour amateurs de petite reine.

Fêtes annuelles et manifestations culturelles

– *Onomichi Minato Matsuri :* 4e w-e d'avril. Les habitants se réunissent pour fêter la construction du port de la ville, qui a largement contribué à son développement. Cet événement est l'un des plus festifs d'Onomichi avec ses parades et son concert de danse appelé « E-jan sansa-gari ».

– *Betcha Matsuri :* 1er-3 nov. On raconte que ce festival fut mis en place en 1808 pour mettre un terme à l'épidémie qui frappait la ville. Depuis cette date, on voit défiler dans les rues monstres et chars appelés *mikoshi* lors d'une procession d'origine shintoïste. Ce rituel permettrait ainsi de faire fuire les mauvais esprits et d'attirer la chance et la protection.

– **Sanba Tondo :** mi-janv. Lors de cette cérémonie pratiquée depuis l'ère Edo, on brûle des ornements de pin et de bambou, symboles de nouvelle année, afin que les divinités retournent au ciel dans la fumée dégagée par le feu. On appelle Tondo cette structure de paille de riz destinée à être brûlée, et sur laquelle est érigée l'image de l'animal symbole de l'année en cours.

Arriver – Quitter

En train

Attention, la gare de Shin-Onomichi *(Shinkansen)* se trouve à 3 km du centre. La gare d'Onomichi, en ville, accueille, quant à elle, des trains réguliers.

➤ **D'Hiroshima :** prendre le *Shinkansen* jusqu'à Mihara, puis monter dans un train régulier jusqu'à Onomichi.

Adresses utiles

🛈 **Office de tourisme :** à la gare JR. ☎ 820-0005. ● ononavi.com ● Tlj 9h-18h. Fermé 29-31 déc. Brochures et cartes en anglais.

🛈 **Infos touristiques :** petit kiosque à la station de téléphérique. ☎ 837-7821. Tlj 8h30-17h30. Fermé 29-31 déc.

■ **Location de vélos :** sur le parking avt l'Hotel Cycle en venant de la gare. Env 1 000 ¥/j. le vélo standard. Loue aussi des vélos électriques. Mais attention, le retour s'effectue obligatoirement à Onomichi.

Où dormir ?

Bon marché (de 6 000 à 10 000 ¥ / 50-83 €)

🛏 🍴 **Anago no Nedoko** あなごのでとこ **:** Hondori Shopping Street (passage couvert à l'est de la gare). ☎ 838-1005. ● anago.onomichisaisei.com ● Café tlj sauf jeu 11h-18h. Compter 2 800-3 300 ¥/pers en dortoir (9-10 lits) ou en chambre privée, sdb commune ; petit déj en sus. Un couloir très étroit, telle une anguille *(anago)*, débouche sur un jardinet à l'arrière où l'on peut poser son vélo avant un repos bien mérité. Ceux qui ont du mal à trouver le sommeil piocheront dans la collection de mangas (en japonais) du dortoir mixte. Pas de bouquins dans celui des filles, juste un style plus japonisant avec son tatami au sol. Également 2 chambres privées avec futon. Café qui ressemble à une ancienne école, où est servi le petit déj. Bon accueil.

🛏 🍴 **Miharashi-Tei** みはらし亭 **:** Higashi Tsuchido 15-7, sur le chemin des temples. ☎ 823-3864. ● miharashi.onomichisaisei.com ● 2 options pour y accéder : la plus « facile », en taxi jusqu'au parking du temple Senkoji, puis env 10 mn de descente par l'escalier ; ou la plus sportive, 370 marches à gravir depuis la voie ferrée. Café tlj 13h (15h mar-jeu, 11h w-e)-21h30. Dortoirs mixtes (9 lits) ou pour filles (4 lits) 2 800 ¥/pers ; 2 chambres privées 7 000-10 000 ¥ pour 2-3 pers ; sdb commune. Loc de serviette possible. Mieux vaut être motivé ! Mais de là-haut, quelle vue ! On ne peut s'empêcher de l'admirer avant de se jeter, épuisé (ou pas), sur un futon de dortoir ou de chambre (la double est petite). Ensuite, rien ne vous empêche de vous asseoir au café de cette ancienne maison de marchand et de siroter un verre dans une ambiance jazzy.

Chic (de 15 000 à 25 000 ¥ / 125-208 €)

🛏 🍴 🍴 **Hotel Cycle** ホテルサイクル **:** 5-11 Nishigosho-cho, à l'ouest de la gare, au bord de l'eau. ☎ 821-0550. ● onomichi-u2.com/en ● Resto 11h30-15h, 17h30-21h30. Twin env 19 000-23 000 ¥ ; petit déj-buffet en sus, excellent. Plats 1 500-2 500 ¥. Un ancien entrepôt du port converti en hôtel, resto, boulangerie, café, bar, épicerie... avec toujours des produits de grande qualité. N'en jetez plus ! Il faut dire que ce n'est pas le volume qui manque pour créer ces différents espaces, sauf pour l'hôtel visiblement. On entre avec un chausse-pied dans des chambres sombres dans les tons anthracite et sans vue sur l'eau, même pour celles qui donnent dessus (fenêtre opaque et seulement côté salle de bains). D'accord, rien ne manque. Disons qu'on paie le très bon niveau d'équipement et l'originalité du cadre. Quant à la cuisine essentiellement occidentale – pâtes, pizzas (3 plats japonais) –, elle ne justifie pas le détour à elle seule. Loue aussi des vélos dans le même esprit : prohibitif.

Où manger ? Où manger une glace ? Où boire un café ?

De bon marché à prix moyens (jusqu'à 3 500 ¥ / 29 €)

|●| *Beccha no Ibukuro* ベッチャの胃ぶくろ店長 : 5-9 Toyoho Motomachi. ☎ 837-3730. À l'extrémité est du passage couvert, prendre à droite. Tlj sauf mar 17h-23h30 (22h dim). Plat env 600 ¥. Excellent accueil dans ce resto qui propose un bon choix de produits de la mer : anguille, crabe à la vapeur au saké, poissons tempura et sushis (plus chers). Salle assez grande et comptoir. Accueil jovial. Une très bonne option pour la ville.

|●| *Yasuhiro* 保広 : dans la rue qui longe la mer, à l'est de la gare. ☎ 822-5639. Tlj sauf lun 11h30-14h, 17h-21h. Compter env 1 700 ¥ le set menu du midi, beaucoup plus cher le soir ; plat env 2 000 ¥. Resto familial réputé pour ses sushis et poissons locaux grillés, bouillis ou en tempura. Peu de places, un comptoir et quelques tables seulement. Bon accueil.

🍴 *Karawasa* からわさ : dans la rue qui longe la mer, après Yasuhiro. Tlj sauf mar 10h-19h (18h en hiver). Certains restos se spécialisent dans un seul plat, ce glacier ne fabrique qu'un seul parfum : vanille ! Assez consensuel, cela dit ! D'ailleurs, c'est souvent plein. Pour l'ajout de sauce *azuki* (haricot rouge), à vous de voir !

🍷 *Onomichi Roman Cafe Kohi* 尾道浪漫珈琲 : dans le passage couvert Hondori, après Anago no Nedoko. Tlj 7h30-19h. Un coffee shop un peu rétro, qui moud son propre café.

Achats

♨ *Kobo Onomichihanpu* 工房おのみち帆布 : 2-1-16 Tsuchido, à côté de la poste, au début du passage couvert. ☎ 824-0807. Tlj 10h-18h. Magasin de toile à l'origine utilisée pour les bateaux. C'est dire si c'est résistant ! Ils fabriquent sacs, sacoches, trousses... aux jolies teintes. L'atelier se trouve derrière la boutique.

À voir. À faire

🎎🎎 *L'observatoire de Senkoji* 千光寺公園展望台 : accès en téléphérique, de l'autre côté de la voie ferrée. Tlj 9h-17h15, ttes les 15 mn. Prix : 320 ¥ ; 500 ¥ l'A/R. De là-haut, on aperçoit la Shimanami Road, les îles au loin et, plus près, la mer qui s'insinue entre le continent et les îles pour former un long chenal devant Onomichi : par temps clair, c'est un enchantement.
On redescend de l'observatoire par le *chemin de la littérature* 文学のこみち *(Path of Literature)*, ponctué de poèmes sur des panneaux ou gravés sur les

roches. On rejoint ensuite le *chemin des temples* avec celui de Senkoji 千光寺, symbolisé par une grosse pierre ronde peinte en jaune. Il y a eu jusqu'à 81 temples à Onomichi, il en reste désormais 24. En contrebas du temple Senkoji, sur la gauche, voir les 3 statues gravées dans la roche et cachées dans un renfoncement. Elles datent du IXᵉ s. Plus bas, quelques adresses permettent de faire une pause (le panoramique *Miharashi-Tei* – voir plus haut « Où dormir ? » – ou, encore en dessous, des salons de thé plus confidentiels tels que *Hanutei* ou *Shonfuku-Tei,* qui ferment en principe dès 17h, parfois plus tôt).

➤ Il est bien sûr possible de suivre l'itinéraire en sens inverse et de monter à pied depuis le centre. Rejoindre dans ce cas les escaliers de l'autre côté des rails, au niveau de la statue de Hayashi Fumiko. Et prendre une profonde respiration : ça grimpe !

🏃🏃 *Shimanami Kaido* しまなみ海道 *:* entre Onomichi et Imabari, sur l'île de Shikoku. Une des pistes cyclables les plus originales et les plus belles du pays. Sur 60 km, elle traverse pas moins de 9 ponts pour relier entre elles un chapelet d'îles de la mer Intérieure. Histoire d'évaluer le parcours, le début du moins, rien de tel que de grimper en haut du mont Senkoji (en téléphérique, pour économiser vos forces). Il est possible soit de la faire de bout en bout dans la journée (prévoir 7-8h), soit d'en profiter pour découvrir certaines îles et pourquoi pas y loger. D'Onomichi, on rejoint l'île de Mukashima et le début de la route en ferry. Mais on peut aussi shunter les 2 premières îles, plutôt industrielles, et débarquer directement en bateau à Setoda, sur l'île d'Ikuchijima, depuis Onomichi. L'île d'Oshima, quant à elle, est vallonnée. Notez qu'il existe différents systèmes de location de vélos avec remise au point de départ, à l'arrivée ou à l'un des terminaux de cycles le long de la piste. Bien se le faire préciser par le loueur. En laissant le vélo à Imabari ou avant, on peut rentrer en bus jusqu'à Onomichi (peu fréquents), Fukuyama ou Hiroshima. Compter autour de 1 000 ¥/j. Il existe aussi des vélos électriques, mais ils doivent être retournés au même endroit.
Si les péages pour voiture sur l'ensemble du trajet s'élèvent à 5 000 ¥, ils sont temporairement gratuits pour les cyclistes jusqu'à fin mars 2019 (sinon ils coûtent environ 500 ¥ en tout).

TOMONO-URA 鞆の浦   1 300 hab.   IND. TÉL. : 084

Cet ancien port marchand a prospéré jusqu'au développement du chemin de fer au début du XXᵉ s. C'est aujourd'hui une charmante cité au bord de la mer Intérieure, qui a conservé une grande partie de son charme traditionnel avec ses ruelles pavées, ses maisons basses et ses nombreux temples. Un cadre et une atmosphère qui ont inspiré le célèbre réalisateur japonais Hayao Miyazaki pour son long métrage animé *Ponyo sur la falaise,* et plus récemment (et dans un autre genre) James Mangold, qui y a tourné *Wolverine (X-Men), le Combat de l'immortel,* avec Hugh Jackman, sorti en 2013.

Fêtes annuelles

– *Tomonoura no Taiami :* 3-27 mai. La pêche à la carpe est une technique ancestrale pratiquée depuis le XVIIᵉ s à Tomono-Ura et sur l'île de Sensui. Seuls les plus costauds peuvent remonter les filets remplis de poissons !
– *Tomonoura Machinami Hina Matsuri :* de mi-fév à mi-mars. On dispose des poupées dans une centaine de lieux (temples, maisons, commerces) pour protéger les jeunes filles du mauvais sort.

Arriver – Quitter

En train, puis en bus ou en taxi

Changer à Fukuyama, 14 km au nord de Tomono-Ura.

➤ **D'Onomichi :** JR Sanyo Line jusqu'à Fukuyama. Durée : 20 mn.

➤ **D'Hiroshima :** *Shinkansen* jusqu'à Fukuyama (Express Nozomi inaccessible avec le *JR Pass,* compter env 35-50 mn avec les autres).

– De **Fukuyama,** bus (la gare routière se trouve juste devant la gare JR) ttes les 15 mn 6h40-22h. Arrêt : Ferry Terminal. Ticket : 520 ¥. Durée : 40 mn. Sinon taxi à prendre au même endroit. Prix : env 4 000 ¥. Durée : env 20 mn. Pour le retour, demander à l'office de tourisme de Tomono-Ura d'appeler la compagnie.

Adresse utile

🄸 **Office de tourisme :** *en bord de mer, au nord de la ville.* ☎ 982-3200. Tlj 9h-18h.

Où dormir ? Où manger ? Où boire un verre ?

🛏 |●| **Migiwatei Ochi Kochi** 汀邸遠音近音 : face à l'embarcadère de Sensuijima, l'entrée s'effectue par l'arrière. ☎ 982-1575. ● ochikochi.co.jp ● Prévoir 28 000 ¥ pour 2 en ½ pens. Resto accessible aux non-résidents sur résa 3 j. avt, catégorie « Plus chic » (moins cher le midi). Charme à revendre pour cet hôtel cossu en bord de mer ! Admirer la belle charpente à l'entrée ; le reste est à l'avenant : toutes les chambres, spacieuses, possèdent une terrasse avec vue exceptionnelle sur Sensuijima, l'île d'en face. Elles conjuguent raffinement japonais et confort occidental (lit-sommier, salle de bains avec de grosses bassines en guise de baignoire, kimono et pyjama de différentes tailles à dispo...).

🛏 |●| **Onfunayado Iroha** 御舟宿いろは : dans le centre, dans une rue perpendiculaire au port. ☎ 982-1920. Chambres de style japonais avec ou sans sdb 40 000 ¥ pour 2 en ½ pens. Cette ancienne maison restaurée reçut souvent la visite du réalisateur Miyazaki, ami du proprio. Il a même apporté sa touche : les *noren* à l'entrée, les carreaux colorés à l'étage. Un parrainage qui se paie un peu cher. Car malgré le charme indéniable du lieu, les prix sont vraiment musclés. 3 chambres seulement disposées autour d'une cour intérieure et un onsen. Fait aussi resto le midi pour les non-résidents.

|●| 🍷 **@Café** 鞆の浦@cafe : au bout du port, près du phare. ☎ 982-0131. Tlj sauf jeu 9h-18h. Plat env 1 200 ¥. Un ancien entrepôt au cadre sobre converti en resto d'inspiration italienne.

🍷 **Fukatsuya** 深津屋 : dans la rue principale qui part du port. Tlj sauf lun-mar 9h30-17h. Petit café au charme (très) désuet, où Miyazaki avait ses habitudes. Propose aussi glaces et gâteaux.

À voir. À faire

🏯🏯 **Fukuzen-ji** 福禅寺 : au-dessus de l'embarcadère. Tlj 8h-17h. Prix : 200 ¥. Le temple est flanqué de la *Taichoro Guesthouse,* où se posaient autrefois les missionnaires venus de Corée. C'est en fait pour elle qu'on grimpe jusque-là, du moins pour la vue qu'elle offre sur la mer Intérieure et le sanctuaire de Benten-jima, une des plus belles qui soient (par beau temps !). Un conseil pour l'immortaliser : asseyez-vous sur le tatami et utilisez la structure comme cadre.

HIROSHIMA ET LA MER INTÉRIEURE

🎥🎥 *Ota Residence* 太田家住宅 *: juste à l'arrière du port. Tlj sauf mar 10h-17h. Prix : 400 ¥.* Bel ensemble de 9 bâtiments construits entre le milieu du XVIIIe et le début du XIXe. Il appartenait à la famille Ota, qui fit fortune dans la fabrication d'*homeishu,* liqueur très réputée dans la région, pour augmenter la longévité. Elle se compose de saké et de 16 plantes médicinales gardées secrètes. On peut d'ailleurs voir la brasserie dans le fond. Plusieurs boutiques en vendent dans la rue principale. À consommer dilué dans de l'eau chaude ou ajouté dans un yaourt. Santé !

🎥🎥 *Sensuijima* 仙酔島 *: à quelques encablures de Tomono-Ura. Ferry ttes les 20 mn 7h10-19h30, puis ttes les 30 mn jusqu'à 21h30. Prix : 240 ¥ A/R ; réduc. Durée : 5 mn.* Cette île volcanique, réputée pour son bon air, est très prisée des familles qui viennent s'y baigner entre juin et août (mais attention aux méduses à partir de mi-août). Personne n'y habite. Seuls 2 hôtels accueillent les touristes. On peut aussi s'y balader : il y a plusieurs sentiers, dont un qui longe le littoral.

⚙ 🏠 *Kokumin Shukusha* 国民宿舎 *: dans la baie Tano-Ura, à l'arrière de l'embarcadère.* ☎ 970-5050. ● *sensui jima@tomonoura.co.jp* ● *Env 20 000 ¥ pour 2 en ½ pens. Également des suites jusqu'à 6 pers. Mai-sept, tentes 5 000-9 000 ¥ pour 6.* Bâtiment tout en longueur assez simple mais très bien positionné face à la baie, si bien que toutes les chambres, japonaises ou occidentales, possèdent une vue sur la mer, magnifique. Seules les suites sont équipées de salle de bains. Camping également possible en été, mais attention aux ragondins.

■ *Bains et sauna : à l'hôtel* Kokumin Shukusha, *accessible aux non-résidents 10h-20h30. Compter env 900 ¥/pers avec la loc de serviettes.* Un bain à l'eau douce, l'autre à l'eau de mer. *Également à l'hôtel Kokokara* ここ から*, le 1er en arrivant du débarcadère. Env 1 700 ¥/pers. À partir de 13 ans.* À chaque sauna son bain (extérieur) correspondant. Il y en a trois, avec accès à la mer.

HOMMES, CULTURE, ENVIRONNEMENT

ARTS DE LA SCÈNE

Les formes théâtrales du Japon actuel découlent de danses *(kagura)* très anciennes. La première, créée par une femme et pour une femme, la déesse solaire Amaterasu, ancêtre supposée de la famille impériale, n'a pas empêché par la suite leur... mise à l'écart.

Le *bugaku*

Introduites au Japon au VIIe s, ces danses traditionnelles avec musique d'accompagnement *(gagaku)* sont les premières du genre théâtral. Autrefois réservés à la cour, les spectacles de *bugaku* sont aujourd'hui donnés dans les grands sanctuaires lors des fêtes nationales.

Le nô et le *kyôgen*

Héritier du *kagura* et des danses populaires, le nô apparaît au XIVe s. Art dramatique symbolique, il mêle le chant et la danse et a pour cadre des récits historiques ou fantastiques tournant souvent au tragique. Les 250 pièces qui composent le répertoire, en majorité créées par Kanami et son fils Zeami, aux XIVe et XVe s, font du nô un théâtre classique. Costumés, les acteurs sont tous masculins et évoluent sur une scène vide de tout décor dans une gestuelle très lente. Des intermèdes comiques, les *kyôgen,* entrecoupent le déroulement de la pièce pour divertir les spectateurs durant les longues heures de représentation. Ces farces forment aujourd'hui un genre à part entière. Le nô a influencé le théâtre de l'absurde occidental (Ionesco, par exemple).

Le kabuki

L'étymologie du mot se décompose ainsi : *ka* (« chant »), *bu* (« danse ») et *ki* (« art dramatique »). Mis au point à la fin du XVIe s par des courtisanes, le kabuki connaît des débuts mouvementés. En raison de leurs mœurs atypiques, les actrices de ce nouveau théâtre se voient interdites de scène en 1629 mais sont remplacées par de jeunes adolescents dont les pratiques libertines font également scandale. Ce n'est qu'en 1652 que le kabuki trouve ses acteurs : travestis d'âge mûr, les *onnagata* incarnent depuis lors les rôles féminins.

Le kabuki acquiert sa forme définitive durant la période Edo (voir la rubrique « Histoire » plus loin). En effet, la scène pivotante desservie par une passerelle surélevée par laquelle les acteurs entrent et sortent, les maquillages criards, les costumes flamboyants et les héros légendaires sont restés tels quels. 4 à 5h de danses, d'acrobaties, de chants, de combats mimés, le tout ponctué d'un défilé de costumes chamarrés, le kabuki oscille sans cesse entre drame et bouffonnerie. Les personnages sont souvent liés à l'univers des samouraïs devant trancher entre sentiments personnels et obligations féodales.

Le bunraku

Ce théâtre de poupées voit le jour au XVIIe s. Longtemps rival du kabuki, le bunraku partage avec le kabuki un même répertoire de pièces, associant la manipulation des marionnettes *(ningyô)* à un récit chanté accompagné au shamisen (voir la rubrique « Musique » plus loin). Les marionnettes sont de grande taille, traditionnellement actionnées par des hommes vêtus de noir et portant des cagoules, à l'exception du « maître », qui joue généralement à visage découvert. Bien que le bunraku ne soit plus aussi populaire aujourd'hui, il reste une trentaine de troupes au Japon.

Les geishas

Un chignon haut, un visage blanc (signe de distinction), une bouche dessinée à moitié, vêtue d'un kimono de soie fait main dont le prix peut varier entre 12 000 et 23 000 €, qui sont ces femmes trop souvent associées à la prostitution en Occident ? À ne pas confondre avec la *makura geisha* (dame d'oreiller), la geisha (*gei*, « art », et *sha,* « personne ») est une femme raffinée d'excellente compagnie, et réservée à une clientèle très aisée.

Traditionnellement, les geishas étaient vendues jeunes par les familles pauvres à des *okiya* (maisons de geishas). Durant leur enfance, en échange de leur éducation, les petites filles travaillaient pour la patronne *(Mama San)* aux menus travaux de la maison. Très tôt, elles sont initiées aux arts traditionnels japonais, puis les *maiko* (apprenties geishas) accompagnent et assistent leurs aînées dans les maisons de thé, les réceptions et les banquets, apprenant le *kitsuke* (port du kimono), l'art de la conversation et du divertissement. La geisha sait, par sa culture, animer une réunion ou un dîner pour plusieurs invités.

Devenir geisha aujourd'hui est un acte volontaire, les jeunes filles entrent dans les *okiya* généralement vers l'âge de 15 ans.

Les *cosplays*

Dans certains quartiers de Tokyo (notamment la rue Takeshita-dori, à Harajuku), on rencontre des jeunes filles déguisées en Alice au pays des merveilles, Cendrillon, Marie-Antoinette ou soubrettes d'époque victorienne, mais elles peuvent aussi bien porter un uniforme d'héroïne de manga en tenue fluo, à la chevelure bleue. On les appelle *cosplays (costume players).* En effet, beaucoup de jeunes refusent la société de leurs parents, où le travail est central et mène à une obsession maladive. Voilà pourquoi nombre de jeunes se réfugient dans le monde merveilleux des mangas. Certains jurent même fidélité à un personnage de B.D.
– *Quelques adresses à Tokyo :* la boutique *Gee Store Akiba* et le rayon *cosplay* du magasin *Don Quijote,* dans le quartier d'Akihabara (se reporter à ce chapitre). Dans le quartier de Shinjuku (se reporter à ce chapitre), les amateurs de mode *cosplay* (styles Lolita gothique ou romantique) iront surtout au grand magasin *Marui One Shinjuku (0101).*

ARTS MARTIAUX

Les arts martiaux sont nombreux au Japon. Avec armes ou à mains nues, ils sont étroitement liés aux traditions et à l'histoire du pays. La 1re fédération d'arts martiaux – la *Nihon Butokukai* – est créée à Kyoto en 1895. Aujourd'hui, le Japon compte 95 styles officiels de karaté (700 recensés), sans oublier le sumo, le « sport des dieux ». On distingue les anciennes pratiques – des techniques de combats entre samouraïs régis par un code d'honneur appelé *bushidô* (de *bushi,* « guerrier », et *dô,* « voie ») – des nouvelles voies martiales *(shin-budô).* Après la restauration de Meiji (voir la rubrique « Histoire » plus loin), la caste de « ceux qui servent leur maître » (1er sens du mot « samouraï ») est abolie, et le port des 2 sabres, le long et le court – signes distinctifs de ces guerriers –, interdit. Les arts martiaux sont dénigrés au profit des techniques militaires occidentales, mais ils réapparaissent très rapidement au sein des écoles de police.

Malgré la diversité des *budô* dans les programmes scolaires ou extrascolaires, les arts martiaux sont souvent délaissés en faveur des autres sports. Dans la société japonaise, rares sont les adultes pratiquant les arts martiaux depuis l'enfance. Grâce aux films, aux compétitions de renommée mondiale, aux pratiques des policiers et à l'intérêt des femmes pour l'autodéfense, les arts martiaux conservent malgré tout de nombreux pratiquants.

– *Le karaté :* l'art martial vraisemblablement le plus populaire aujourd'hui... n'est pas d'origine japonaise. Il est connu à Okinawa dès le XVIIᵉ s où, suite à l'interdiction d'utiliser les armes, les autochtones inventent un mode de combat « à mains nues », auquel se mêlent les apports de la boxe chinoise. Diffusé ensuite dans l'ensemble du Japon et codifié au début du XXᵉ s, il se compose de techniques de frappe qui utilisent les armes naturelles du corps (doigts, mains, pieds, tibias...) en vue de bloquer les attaques des adversaires ou d'attaquer. Devenu depuis 1922 un sport de compétition, le karaté allie qualités mentales et physiques.

– *Le shintaidô :* la « nouvelle voie du corps ». Créé dans les années 1960, il fait partie des styles de karaté recensés et compte un nombre croissant de pratiquants en France.

– *Le judo :* très pratiqué par la police (dont 90 % pratiquent les arts martiaux), il est connu au Japon depuis le XVIIᵉ s. Descendant du jujitsu, il s'inspire d'une forme de lutte chinoise étudiée pour le combat au corps à corps et se pratique pieds nus dans un dojo. Le judo se compose de techniques de projections *(nage-waza),* de contrôles *(katame-waza)* et d'attaque des points vitaux *(atemi-waza).* Il fut introduit aux Jeux olympiques de Tokyo en 1964.

> ## TOUT EST DANS LA SOUPLESSE
>
> *À la fin du XIXᵉ s, Jigoro Kano inventa le judo en observant les arbres en hiver : les branches les plus robustes étaient brisées sous le poids de la neige tandis que les plus flexibles n'étaient que courbées. En effet, pour vaincre, il ne faut pas utiliser la force mais la souplesse. Voilà pourquoi « judo » signifie « voie de la souplesse ».*

– *Le sumo :* véritable profession, c'est un sport réservé aux hommes. Il n'y a pas de catégorie de poids, et il arrive que l'un des combattants fasse le double du poids de l'autre (il varie de 70 à 280 kg). Les combats se déroulent sur une arène circulaire (le *dohyo*). Pour marquer un point, les lutteurs doivent faire toucher le sol par une partie du corps de leur adversaire ou le repousser en dehors du cercle en utilisant une ou plusieurs des 48 prises auto-

> ## LA CEINTURE DE CHASTETÉ !
>
> *Les ceintures-pagnes des sumotoris, appelées* mawashi, *servent à cacher la virilité des combattants. En mai 2000, en retransmission directe à la télévision nationale, le sumotori Asanokiri a perdu la sienne, lui faisant ainsi perdre le match en vertu d'une règle instaurée il y a plus de 80 ans qui pénalise tout sumotori qui n'aurait pas serré convenablement sa ceinture !*

risées *(kimarite)*. Ces tournois, très populaires au Japon, sont retransmis à la télévision et font l'objet de paris. Cependant, plusieurs scandales ont terni l'image de ce sport. La pègre japonaise serait toujours investie dans le monde du sumo malgré l'existence de la loi antigang depuis 1992. Certains *rikishi* (« lutteurs ») seraient consommateurs de stupéfiants.

– *Le taihôjutsu :* synthèse d'arts martiaux créée spécialement pour les besoins de la police japonaise. Il a été développé pour elle, dans le milieu des années 1940, avec la collaboration de grands maîtres d'arts martiaux.

– *Le kendo :* art martial, mais aussi sport de compétition aujourd'hui largement répandu dans le monde, il se pratique en armure avec un sabre en bambou *(shinai)*. Suite à la création de la fédération japonaise de kendo en 1952, il est introduit

dans les programmes scolaires. Le *kenjutsu* (la technique du sabre), l'ancêtre du kendo, était enseigné aux samouraïs. L'art du sabre comprend aussi l'*iaidô,* l'art de dégainer et de frapper dans le même mouvement.
– Le *jujitsu* regroupe des techniques de combat sans arme développées autrefois sur les champs de bataille pour combattre lorsque l'on était désarmé.
– Le *kyudô* est un art martial japonais, issu du tir à l'arc guerrier *(kyûjutsu).* Le *yabusame,* l'archerie à cheval, date de la période Kamakura (1185-1333). Toujours pratiqué dans certains temples (notamment Tsurugaoka Hachimangu, à Kamakura).
– L'*aïkido* est un *budô,* méthode d'éducation issue d'un art martial japonais. Fondée par Marihei Ueshiba vers 1930, cette discipline n'a été reconnue par le gouvernement qu'en 1940. Composé de techniques avec armes et à mains nues, l'aïkido vise non pas à vaincre l'adversaire, mais à réduire sa tentative d'agression à néant. On utilise pour cela la force de l'adversaire, ou plutôt son agressivité et sa volonté de nuire. Il n'y a donc pas de combat, puisque celui-ci se termine au moment même où il commence. Conformément à cette logique, il n'existe pas de compétition d'aïkido.

BOISSONS

L'eau

Après la catastrophe nucléaire de 2011, l'eau a été contaminée, mais les niveaux de radioactivité sont redevenus assez faibles pour que les restrictions à la consommation soient levées. Les Japonais ont quelques marques d'eau bien à eux, comme *Finé,* dont la source primitive est située à 600 m au-dessous du mont Fuji.

Le thé

Les 1ers théiers, en provenance de Chine, furent introduits au Japon entre le VIIIe et le IXe s. Le thé a longtemps été réservé à l'élite ; ce n'est qu'au XIIe s que, apprécié pour ses vertus médicinales, il se répand dans l'ensemble des monastères zen. Il devait alors

> **TRADITION**
>
> *Les Japonais ne proposent jamais du thé préparé la veille. En effet, ce thé était autrefois servi aux condamnés.*

permettre aux moines de ne pas s'endormir pendant les cérémonies. La pratique de la cérémonie du thé s'est démocratisée au cours de l'ère Edo (voir la rubrique « Histoire » plus loin) en touchant d'abord les riches avant de gagner rapidement l'ensemble de la population. Chaque année, le 1er décembre, on peut assister au festival de la Cérémonie du thé dans les jardins du sanctuaire shinto Kumano-jinja (Kyoto). Qu'il soit chaud en hiver ou froid en été, les Japonais passent leur temps à boire du thé – un thé vert dont les feuilles ont été réduites en poudre (matcha) et qui donne, une fois mélangé à l'eau frissonnante, un thé mousseux et amer.
Le thé vert *(sen-cha)* est récolté de mai à juin et il représente les trois quarts de la production japonaise. Cette production risque de chuter : des producteurs de la région d'Okukuji, située à plus de 30 km de la centrale de Fukushima, ont constaté, en voyant la taille anormale des feuilles de thé, les effets du désastre. Des analyses commandées par le ministère de la Santé ont confirmé que le taux de contamination des feuilles était supérieur à celui toléré par les autorités. On peut toujours se rabattre sur le thé de sarrasin *(soba),* au goût fort mais rond. Parfait avec une soupe de nouilles !
Un Occidental peut s'y laisser prendre, mais le *soba-cha* et le *mugi-cha* ne sont pas du thé. Le premier est une infusion à base de graines de sarrasin grillées, et l'autre une boisson glacée très populaire au Japon, élaborée à base d'orge et qui peut être consommée sans restriction puisqu'elle ne contient pas de théine.

La bière

La bière *(biru)* est elle aussi une boisson très populaire au Japon. On peut appré-cier la saveur de 4 grandes bières industrielles japonaises : *Asahi, Kirin, Sapporo* et *Suntory.* Elles sont en général blondes avec un taux d'alcool avoisinant les 5 % ; leurs noms viennent de la région où elles sont produites. À table ou au comptoir, si le serveur propose un apéritif à votre voisin, ne soyez pas surpris si celui-ci répond : « *Toriaezu (nama) biru !* » (« Une bière (pression) d'abord ! »).

Le saké

Au Japon, la légende veut que les dieux aiment l'alcool, plus précisément l'alcool de riz, c'est-à-dire le saké. À leur tour, les hommes ont pris goût à ce divin breu-vage, devenu aujourd'hui la boisson nationale. On le brasse comme la bière, dans des cuves, d'où son appellation de bière de riz. La recette du saké est simple en théorie : du riz (20 %) et de l'eau (80 %). Le riz est d'abord poli. Seul le cœur du grain, riche en amidon, est conservé. Plus le grain est poli, plus le saké sera fin. Il est ensuite lavé, puis cuit à la vapeur, il prend alors l'aspect de colle. Celle-ci est étalée sur des draps de coton afin qu'elle refroidisse. Puis le maître brasseur *(boji)* ajoute son mélange secret et déclenche la fermentation à l'aide d'un champignon. Pour un saké ordinaire, il suffit de 20 jours, tandis que 40 à 60 jours seront néces-saires pour un saké de haute qualité. La qualité de l'eau est elle aussi très impor-tante. Grâce à sa source, qui est l'une des plus pures du Japon, la ville de Kyoto est devenue la plus active dans le brassage du saké. Le taux d'alcool avoisine en moyenne 17 %. Lors de la fabrication, le reste de pâte est transformé en gâteau.

Sauf exception, le saké ne se conserve pas plus de 1 an après sa mise en bou-teilles. Et l'exception, c'est le *koshu* (vieille réserve), un saké à la couleur jaunâtre et à la saveur mielleuse, qu'on peut garder de 10 à 20 ans. Chaque région du Japon a son cru. Pas la peine de dépenser trop d'argent, de modestes sakés de pays *(jizakés)* vous réserveront de bonnes surprises.

Attention, le saké n'a aucun lien avec les eaux-de-vie de patate (50 à 60°) servies dans les restaurants asiatiques d'Europe (et appelées « saké »). En japonais, le mot « saké » désigne, en réalité, toutes les boissons alcoolisées. Pour être exact, le saké se nomme *nihonshu* (« alcool japonais »).

Il se boit froid *(hiya),* en général à l'apéritif, ou chaud *(kan),* et dans ce cas ne trinquez pas avec, c'est une impolitesse. Vous entendrez peut-être demander « *atsukan* ». Le saké est alors chauffé à 50 °C. À réserver aux sakés de table !

– *Seishu* est l'appellation officielle pour distinguer le *nihonshu* des autres alcools.

Il existe 4 grandes catégories de saké :

– *Nigorizake* (brut) : saké non filtré, à l'ancienne ;

– *Namazake* (cru) : désigne tout saké non pasteurisé (chauffé une seule fois avant l'expédition) ;

– *Futsushu* (de table) : le plus consommé, souvent chaud ;

– *Tokutei-meishoshu* : équivalent de notre « appellation contrôlée de qualité supérieure ».

Vin, Japon et beaujolais nouveau

Eh oui, les Japonais aiment le vin ! Dès le XVIᵉ s, des vignes jouxtaient les rizières. L'intérêt des Japonais pour le vin est en constante augmentation depuis l'Expo universelle d'Osaka en 1970, aussi bien chez les jeunes que chez les plus âgés. Le Japon produit et importe de plus en plus de vin, du français au sud-américain en passant par l'australien. Les consommateurs croient au *French paradox* et aux vertus thérapeutiques du jus de la treille... Le cépage le plus cultivé est le *black queen,* mais on trouve aussi du cabernet-sauvignon, du chardonnay, du merlot... Si le prix du vin japonais a considérablement baissé, il reste tout de même élevé. Cela vous étonnera certainement, mais sachez que les Japonais tiennent chaque année à être les premiers à goûter le beaujolais nouveau. Des avions entiers le convoient, et les gens se rendent à l'aéroport en novembre pour être certains d'être les premiers au monde à le déguster, grâce au décalage horaire entre le Japon et la France ! Son arrivée est un véritable événement sur l'Archipel, à tel point qu'un hôtel de Hakone, la station thermale de la région de Tokyo, organise des bains de jouvence en son honneur.

ATTENTION AUX FAUX AMIS !

Un homme d'affaires étranger retrouve son représentant japonais, le soir, dans un bar à Tokyo. Pour l'honorer, il lève sa pinte de bière en disant « tchintchin ». L'interprète lui souffle à l'oreille : « Président ! on dit "kampaï"... "tchintchin" signifie "zizi" en japonais ! »

Distributeurs de boissons

L'une des particularités du Japon ? On trouve à chaque coin de rue, même en rase campagne, des distributeurs de boissons (non alcoolisées, bien sûr !) fraîches ou chaudes. Ils ne sont jamais vandalisés ni endommagés.

En canettes ou en bouteilles plastique, il existe une grande variété de boissons ; le *Calpis* (boisson à base de lait) et le *Pocari Sweat* font partie des plus populaires.

LA FRANCE QUI GAGNE !

Elixia est la plus ancienne limonade fabriquée artisanalement dans le Jura depuis 1856. Pour affronter les marques internationales, il suffit d'avoir une bonne idée ! La firme a donc imaginé une limonade avec des paillettes d'or qui se vend (comme des petits pains ?) au Japon. Et un chiffre d'affaires multiplié par... 200.

Elles côtoient dans les distributeurs du thé vert ou noir, du café noir ou au lait, des jus de fruits, des sodas, des boissons vitaminées (*energy drinks* comme *Redbull* ou *XL Energy Drink*...) et même de l'eau ! Pour les distinguer, les froides ont une étiquette bleue, et les chaudes une rouge, fastoche ! Cependant, pas sûr que certaines compositions chimiques et certains goûts plaisent à tout le monde !

Le whisky nippon

Pour de nombreux amateurs, l'idée même d'un whisky japonais a été longtemps, sinon une aberration, tout du moins une curiosité. Élaboré sur le modèle du whisky écossais, il n'est certainement pas une pâle copie du scotch, comme le constatent désormais de nombreux fans du whisky nippon. Il a su emprunter à son lointain cousin écossais

LE BIEN ET LE MALT

Fabriqués depuis 1923, certains whiskies japonais rivalisent avec les meilleurs blended malt écossais. Le Japon détient les 3 ingrédients indispensables : un climat doux, une eau pure et des tourbières. Aux tests à l'aveugle, il est souvent difficile de les différencier.

le meilleur du procédé d'élaboration, tout en poussant l'exigence de qualité au plus haut degré et jusqu'à désormais rafler de nombreuses récompenses dans les concours internationaux. Et ce au grand dam des Écossais. La plus grande marque de whisky nippone est *Nikka single malt*.

CINÉMA

Le cinéma japonais est riche et varié. À tel point que l'Archipel se classe aujourd'hui au 4e rang des recettes mondiales et au 5e rang des plus gros producteurs de films. Ce succès est également récompensé dans les festivals internationaux. La Palme d'or du festival de Cannes édition 2018 a récompensé Hirokazu Kore-eda pour *Une affaire de famille*. Surprenant ? Pas tant que ça...

Les 1ers chefs-d'œuvre et la guerre

L'industrialisation du cinéma et l'emprise des yakuzas n'empêchent pas l'éclosion des 1ers chefs-d'œuvre du 7e art japonais. Parmi les films muets, on retient *Une page folle,* de Kinugasa Teinosuke (1926). Après l'arrivée du cinéma parlant, *Gosses de Tokyo* (1932), d'Ozu Yasujirô, et *Les Sœurs de Gion* (1936), de Mizoguchi Kenji, restent inoubliables.

La guerre sino-japonaise n'épargne pas le cinéma nippon. En 1939, une loi place l'industrie du film sous contrôle gouvernemental. L'importation des films étrangers est interdite en quasi-totalité pendant toute la durée de la guerre. Puis la censure réduit le 7e art à un outil de propagande ; de 1945 à 1952, les films d'époque *(jidaigeki)* sont bannis.

Les belles années

Un cinéma de qualité et capable de s'exporter va renaître après la guerre. Akira Kurosawa, l'« empereur » du cinéma nippon, décroche pour son film *Rashômon* (1950) le Lion d'Or de Venise en 1951. *Les Sept Samouraïs* (1954), toujours de Kurosawa, inspireront *Les Sept Mercenaires,* de John Sturges, ainsi que *La Forteresse cachée* (1958), qui servira de modèle à George Lucas pour créer *La Guerre des étoiles.*

Les années 1950 voient également émerger d'autres grands noms du cinéma japonais ; ainsi Mizoguchi nous offre *Les Amants crucifiés* (1954), Ozu *Voyage à Tôkyô* (1953), Naruse Mikio *Nuages flottants* (1955).

En 1958, un record d'entrées est enregistré dans les cinémas nippons (plus d'un milliard de spectateurs) et 504 films sont produits.

L'éclosion de nouveaux genres

Le cinéma d'extérieur (filmé en plein air) voit le jour avec des films comme *Une ville d'amour et d'espoir* (1959) ou *Contes cruels de la jeunesse* (1960), d'Oshima Nagisa – pionnier de la nouvelle vague et des scandales, allant jusqu'à se retrouver devant les tribunaux. L'onirisme irrigue les autres genres du cinéma japonais, qui se développent ou se renouvellent à partir de cette époque. En 1954 déjà, *Godzilla,* premier d'une longue série, donne ses lettres de noblesse au genre *monsters*. Le film de gangsters, *yakuza eiga,* trouve en Fukasaku Kinji (*Du rififi chez les truands,* 1961) son nouveau maître. Et pendant ce temps, les « *chambara* » (« *chan-chan bara-bara* », le bruit de la lame tranchant la chair) continuent de ravir des spectateurs toujours aussi nombreux. Takeshi Kitano ravive cette pratique de la lame dans *Zatoichi* en 2003.

Suivront, parallèlement aux nouveaux films des maîtres reconnus : *Barberousse, Kagemusha* (Palme d'or à Cannes en 1980 et césar en 1981), *Ran,* de Kurosawa ; le sulfureux *Empire des sens, Furyô, Max,* d'Oshima ; *La Ballade de Narayama* (Palme d'or à Cannes en 1983), *Pluie noire, L'Anguille* (Palme d'or à Cannes en 1997), d'Imamura Shôhei.

Animation

L'animation donne naissance à des œuvres bouleversantes, adressées autant aux adultes qu'aux enfants. Dès 1963, *Astro, le petit robot,* de Tezuka Osamu, ouvre des perspectives jusque-là insoupçonnées. Suivent *Akira* (1988), *Ghost in the Shell* d'Oshii Mamoru (1995), *Perfect Blue* (1997)... Mais c'est le désormais célèbre studio Ghibli, fondé en 1985 par Hayao Miyazaki, Isao Takahata et Toshio Suzuki, qui donnera ses lettres de noblesse au genre. *Le Château dans le ciel* (1986), *Mon voisin Totoro* (1988), *Le Tombeau des lucioles* (1988), *Princesse Mononoké* (1997), *Le Voyage de Chihiro* (2001), *Ponyo sur la falaise* (2008) sont aujourd'hui considérés comme des chefs-d'œuvre du cinéma nippon.

Aujourd'hui, certains réalisateurs s'émancipent de ce fameux studio et réussissent à s'exporter à l'étranger. Mamoru Hosoda, star montante de l'animation japonaise, a connu un vif succès avec *Les Enfants loups* (2012) et *Le Garçon et la Bête* (2015). Tout aussi applaudi par la critique, *Your Name* (2016), de Makoto Shinkai, propose une réflexion sur la société urbaine face à la tranquillité rurale.

J-Horror

La *Japanese Horror, J-Horror* pour les adeptes, est un genre cinématographique très populaire au Japon. Son origine remonte aux *kaidan* (histoires d'horreur et de fantômes) des périodes Edo (1603-1868) et Meiji (1868-1912). Cependant, le style *J-Horror* n'apparaîtra pas avant les années 1990, où il connaîtra un franc succès au Japon. C'est Kiyoshi Kurosawa qui l'introduit en 1989 avec *Sweet Home.* Sa différence avec les films d'épouvante d'Occident se caractérise par son suspens et l'angoisse qu'elle suscite, ainsi que des éléments supernaturels tels que des fantômes ou démons. *Ring* (1998) d'Hideo Nakata est le film culte du genre avec son célèbre personnage : Sadako. Les plus populaires sont souvent inspirés d'animes, de mangas ou de livres comme *Battle Royale* (2000), de Kinji Fukasaku, tiré du roman de Koshûn Takami (voir la rubrique « Livres de route » dans le chapitre « Japon utile »). De nombreuses adaptations américaines ont vu le jour dans les années 2000 mais furent très critiquées.

Aujourd'hui

Le cinéma japonais contemporain se base sur un questionnement identitaire, allant parfois jusqu'à une remise en cause de la société nippone. Hirokazu Koreeda, lauréat de la Palme d'or 2018, est le maître dans cet art, ce qui lui a valu de nombreuses critiques. Il dévoile un Japon défectueux à travers les scandales encore étouffés de son pays, comme avec *Tel père, tel fils* (2013) ou *Nobody Knows* (2004). Yojiro Takita explore également des sujets tabous dans la société nippone. Son film *Departures,* récompensé aux Oscars en 2008, est une présentation poignante des pompes funèbres, lieu considéré comme impur aux yeux des Japonais. Toutes ces récompenses prouvent la qualité du cinéma japonais et son besoin d'ouvrir le dialogue au sein du pays.

Un cinéma largement masculin, mais qui s'ouvre de plus au plus aux femmes. Naomi Kawase en est l'exemple même. Figure phare du festival de Cannes, ses documentaires mettent en avant les traditions japonaises, toujours en harmonie avec la nature, et son sens précis de l'esthétisme.

Mais la figure centrale et rayonnante dans le monde cinématographique est bien Takeshi Kitano. Ses films sur les yakuzas, la police et plus généralement la violence sont toujours accompagnés de ce sens de la dérision si japonais, apprécié à l'étranger, qui peut, sans se départir du détail et de l'esthétique, lui faire tourner ou jouer une scène sérieuse, violente, amoureuse, qui finira par devenir drôle. *Violent Cop* (1989) inspirera pléthore de jeunes réalisateurs tels que Takashi Miike, mais aussi John Woo. Néanmoins, Kitano ne se cantonne pas à ses films violents. En 1999, *L'Été de Kikujiro* émeut le public nippon et mondial par sa mélancolie et sa poésie. Kitano prouve à tous qu'il est le maître du cinéma japonais d'aujourd'hui.

Le Japon et son cinéma inspirent l'étranger

George Lukas, Clint Eastwood ou encore Quentin Tarantino, tous ont été influencés par le cinéma japonais. Les films de yakuzas (gangsters) et de samouraïs sont à l'origine du cinéma proposé par Quentin Tarantino (*Kill Bill* en étant l'exemple même) : code du samouraï, maniement du sabre et violence visuelle sont la clé dans son art. Mais le pays en lui-même inspire les cinéastes. *Lost in Translation* (2003), de Sofia Coppola, se déroule au cœur de Tokyo, la ville devenant un personnage à part entière. Ses contes et légendes sont également une source d'inspiration. Hachikô, le célèbre chien, fidèle jusqu'à sa mort, fut célébré dans *Hatchi* (2010), de Lasse Hallström. *Black Rain,* de Ridley Scott, a été tourné à Osaka. James Mangold a, quant à lui, préféré le charme traditionnel de Tomono-Ura, sur les rivages de la mer Intérieure, pour filmer le X-Men *Wolverine* (alias Hugh Jackman) dans *Le Combat de l'immortel.*

CUISINE

La petite histoire

Au Japon, manger fait partie intégrante de la culture. Les modes de préparation, de cuisson et de consommation sont tout un art. L'histoire, la tradition, la religion et l'esthétique sont aussi importantes – peut-être même plus – que la nourriture. Le Japon a emprunté à la Chine, il y a bien longtemps, au moins 3 de ses éléments constitutifs : le riz, le thé et le soja. Le riz est l'élément de base mais aussi celui de la fête,

> ### LES JAPONAIS DÉCOUVREURS DE SAVEURS
>
> *Avec le sucré, le salé, l'amer et l'acide, il existe 4 saveurs. Les Japonais en ont découvert une 5ᵉ avec l'umami. Dû à la présence de glutamate, ce goût se retrouve dans la sauce soja, la soupe miso ou le parmesan. Il n'est agréable que s'il n'est pas trop puissant.*

et l'essence de la cuisine reste traditionnellement l'art de l'accommoder. Les nouilles ont, elles aussi, beaucoup de succès et représentent un des principaux éléments. On en distingue 3 sortes : les nouilles au sarrasin *(soba),* celles à la farine de blé *(udon),* épaisses et blanchâtres, et celles faites à partir de farine de froment *(somen),* à l'aspect de fils. Elles se dégustent chaudes ou froides, toujours accompagnées de sauces.

La viande ne fait son entrée dans la cuisine japonaise qu'au XIXᵉ s. Elle est consommée surtout sous la forme de brochettes, notamment de poulet *(yakitori).* Les légumes cultivés dans le pays du Soleil-Levant présentent une grande variété : les radis comme le *daikon* (radis blanc), les tubercules, les champignons *(shiitake,* par exemple), aussi bien que diverses herbes des montagnes *(sansai)* appréciées en salade ou mélangées à des nouilles.

Il existe des nuances régionales dans l'Archipel. À l'ouest du Japon, au Kansai (littéralement : la « porte de l'Ouest »), le voyageur trouvera une cuisine très différente de celle de l'Est (Kanto, la « porte de l'Est »). Autour de Kyoto, les coutumes culinaires changent et diffèrent de celles de Tokyo : on y élabore des spécialités en cuisant par ébullition, à la vapeur et à l'étuvée ; alors que les alentours tokyoïtes pratiquent une cuisine qui met l'accent sur la découpe.

L'alimentation au Japon a beaucoup évolué au fil des ans, et la taille des Japonais a en moyenne

> ### POURQUOI DES BAGUETTES ?
>
> *Selon leurs traditions, les Asiatiques considèrent comme impoli que les invités aient à découper leurs aliments eux-mêmes. Tout doit être prêt à la consommation. Ainsi, la viande et les légumes sont déjà découpés. Les baguettes sont bien adaptées pour attraper ces petits morceaux. De plus, les shoguns (généraux) étaient toujours inquiets de voir leurs hôtes avec des couteaux !*

Des produits professionnels de qualité au service de la cuisine japonaise.

Notre boutique spécialisée dans le négoce de couteaux de cuisine est située dans le quartier de Kappabashi. Fortement appréciée par les professionnels de la restauration des quatre coins de la planète, plus de 1000 modèles de très haute qualité y sont disponibles.

Des coutumes japonaises

Au Japon, il est de tradition de dire que couteaux de cuisine et autres lames apportent du bonheur aux personnes en "tranchant le mauvais sort". Ces instruments sont tout particulièrement considérés comme des amulettes sacrées par les personnes se trouvant dans une année de "mauvaise chance". Par ailleurs, il est de coutume au sein de la population japonaise d'offrir des lames lors d'événements spéciaux tels que les mariages ou créations d'entreprise.

augmenté de 15 cm depuis 1945. Au début des années 1960, ils ont « occidentalisé » leur goût et leur façon de manger, mais ne vous attendez tout de même pas à trouver couteaux et fourchettes sur les tables des restaurants.

Le bœuf de Kobe *(Kōbe bïfu 神戸ビーフ)*

Le bœuf de Kobe est une variété particulière de bœuf provenant de la race *tajima-gyu*. Il est élevé selon une stricte tradition dans la préfecture de Hyogo (centre-ouest de l'île de Honshu), dont la ville principale est Kobe. C'est une viande extrêmement délicate, très réputée pour sa tendreté et sa texture persillée. Elle peut être préparée de différentes façons : en steak, *sukiyaki* ou *shabu-shabu,* les deux étant un genre de fondue où l'on trempe

LES SECRETS DU BŒUF DE KOBE

Cette viande exceptionnelle (wagyu) est célèbre pour sa graisse intramusculaire (et non autour) qui lui donne un goût persillé unique. Les animaux sont massés au saké (pour la tendreté), nourris à la bière (pour la détente) et ils écoutent de la musique classique (pour la zénitude) ! Très cher, bien sûr.

la viande mais aussi des légumes dans une sauce, ou encore en sashimi (fines lamelles de viande crue) et en *teppanyaki* (grillé sur une plaque en fer). Bien que délicieux et à tester absolument au moins une fois, le bœuf de Kobe reste un aliment cher.

Les produits de la mer

Les Japonais consomment beaucoup de poisson, des crustacés, des coquillages et des algues, bien plus que les autres peuples du monde. Toutefois, la forte contamination de la mer par l'eau radioactive s'écoulant de la centrale de Fukushima a amené les Japonais à modifier leurs habitudes alimentaires. L'association Greenpeace a collecté, 2 mois après la catastrophe et à 20 km au large des côtes japonaises, des algues, des coquillages et des poissons, et relevé un taux de radioactivité 50 fois supérieur aux normes, montrant ainsi que la vigilance reste de mise.

Les sushis et sashimis

Vous aurez plaisir à savourer de nombreux plats de la mer préparés devant vos yeux en **sashimi** (tranches de poisson cru), mot qui signifie littéralement « corps taillé » en japonais. Souvent confondu avec le sushi, qui lui est une préparation à base de riz vinaigré. Il existe 2 sortes de **sushis** : les *nigiri,* petits canapés de riz vinaigré couverts le plus souvent de poisson cru, et les *norimaki,* paupiettes de riz fourrées de poisson cru ou de légumes et enrobées d'une feuille d'algue séchée.

L'anguille

L'anguille *(unagi)* est au Japon un mets pour fins gourmets, préparé sous différentes formes. Une des préparations populaires est l'*unajû* : du riz est disposé dans une boîte en bois laqué et l'on y place des brochettes de filet d'anguille cuites au feu de bois. L'anguille **sherayaki,** elle, est très légèrement cuite et accommodée de sauce soja et **wasabi.** La **limaki** est une omelette fourrée à l'anguille, et l'**usaku** est grillée puis mise en vinaigrette. Du fait de sa rareté, ce n'est pas un mets très bon marché non plus !

Les algues

Les Japonais sont de grands mangeurs d'algues. Elles sont ramassées au large ou cultivées délicatement dans des criques abritées. Très riches en protéines, vitamines et sels minéraux, elles sont particulièrement appréciées. Vous en découvrirez dans de nombreux plats. Parmi les plus courantes :

– *Nori :* algue rouge séchée utilisée notamment dans l'élaboration des makis. Anciennement, *nori* signifiait « algue ». L'algoculture existe dans la baie de Tokyo depuis l'époque Edo. Quand l'algue sèche, la couleur rouge s'estompe et l'on distingue

PRÉCIEUSES ALGUES

Peu de gens savent que les algues fournissent 60 % de l'oxygène de la planète. Autrefois, on les utilisait comme combustible et engrais, mais aussi pour blanchir le linge, car elles contiennent de la soude. Aujourd'hui, leurs utilisations sont innombrables : nourriture, cosmétiques, plastiques, médicaments, et même peinture.

alors 2 sortes d'algues : les noires et les vertes. Sous sa forme grillée *(yakinori),* elle est utilisée dans les *ramen,* les sauces, sur les *soba...*

– *Kombu :* algue utilisée pour la cuisson. Elle ramollit les fibres des légumes et augmente la saveur et la digestibilité des plats. Elle est réputée pour fortifier les intestins, baisser le taux de sucre dans le sang et améliorer l'hypertension. Elle est également recommandée pour les problèmes circulatoires.

– *Wakame :* algue brune très populaire en forme de lobes. Elle est principalement utilisée dans la confection de salades et de soupes (la soupe *miso,* par exemple). Le *wakame* est généralement vendu sous forme coupée et déshydratée. Il suffit ensuite de le tremper dans l'eau quelques minutes, ce qui triple son volume.

Les grands marchés de la mer

Allez faire un tour au **marché d'Ameya Yokocho** (près du parc d'Ueno, à Tokyo) ou au **marché de Toyosu** (à Tokyo), les étals sont impressionnants et regorgent d'une variété incroyable de produits de la mer. Dans ces quartiers sont négociées chaque jour environ 3 000 t de poisson de 500 espèces différentes. Ne soyez pas surpris d'y trouver de la baleine. La consommation de ce mammifère est liée à la culture. Après la Seconde Guerre

IKEJIME

Prononcer « ikéjimé ». Cette technique japonaise consiste à saigner le poisson vivant, juste avant de le consommer. Le goût en est bien plus subtil, délicat. Tous les grands chefs saignent eux-mêmes les poissons. Barbare ? Pas vraiment, surtout par rapport à notre technique occidentale qui consiste à les laisser agoniser lentement par asphyxie.

mondiale, ce fut une source de protéines pour toute une génération.

Le problème du thon rouge

Les Japonais sont particulièrement friands de ce poisson. Dégusté en sushi, servi dans les grands restaurants, il est consommé en grande quantité et par tout le monde, même à plus de 25 € le sushi ! Mais il s'est trop rapidement démocratisé, à tel point qu'il a été menacé d'extinction.

Des ONG comme Greenpeace et WWF se battent pour interdire sa pêche. Ces organisations souhaitaient que la conférence de la Convention sur le commerce international des espèces menacées d'extinction protège les thons rouges, au même titre que le gorille ou le tigre. Mais de nombreux pays s'y sont opposés, souhaitant soutenir les pêcheurs et leur commerce... Le Japon est le plus gros consommateur au monde de *Thunnus thynnus* : 80 à 90 % de la pêche en Atlantique et dans le Pacifique y est consommée. Pour protéger l'espèce, des quotas de prises ont été réduits jusqu'en 2014.

Mais après des années de restriction, face à la reconstitution des stocks, les pays pêcheurs ont décidé de remonter les quotas pour le thon rouge à l'est de l'Atlantique et en Méditerranée. Quant à l'espèce du Pacifique, elle est toujours menacée d'extinction.

La criée au thon du marché de Tokyo est ouverte au public mais de façon très réglementée. Le record de prix a été battu lors de la criée du 5 janvier 2013 (à Tsukiji) : un thon rouge de 222 kg a été vendu 155,4 millions de yens (soit 1,38 million d'euros) !

Épices, fines herbes et condiments

Même si les voyageurs habitués à l'Asie la trouveront nettement moins épicée qu'en Inde ou en Thaïlande, la cuisine japonaise le reste relativement. Une grande variété de condiments assaisonne les plats. Contrairement à la cuisine occidentale, une des particularités de la cuisine japonaise est de ne pas mélanger les saveurs. Les plats que l'on demande dans les restaurants sont toujours présentés avec les ingrédients séparés, de même pour les épices mises à part dans de petits bols, ce qui laisse toujours la possibilité de manger plus ou moins épicé.

– *Wasabi :* condiment très piquant sous forme de crème de couleur verte assez vive, principalement à base de raifort. On le retrouve notamment en couche épaisse dans les sushis. Pour obtenir des sushis sans wasabi, demandez : « *wasabi nuki* ».

– *Raifort :* traduisez littéralement « racine piquante ». La racine de raifort râpée a une saveur très forte, piquante et poivrée.

– *Gingembre (shoga) :* rhizome de couleur rose utilisé frais, sous forme de jus ou mariné. On le retrouve dans de nombreux plats, par exemple avec les sushis ou les sashimis. Il est souvent mélangé au *shoyu* et au wasabi et donne une sauce épicée consommée avec le poisson cru. Il existe plusieurs variétés de gingembre, comme le *beni shoga,* une variante rouge et marinée dans le vinaigre, ou le *hajikami shoga* (jeunes pousses marinées). Se consomme en fin de repas pour faciliter la digestion.

– *Soja :* ingrédient indispensable, le soja est utilisé sous diverses formes. La farine de soja, le lait de soja *(tonyu),* le tofu (sorte de fromage), le miso (fabriqué à partir d'une pâte de soja fermentée utilisée dans les soupes, les sauces et comme aromate), le *shoyu* (sauce au goût assez doux), le *tamari* (sauce au goût plus prononcé que le *shoyu*) ou encore les germes de soja.

– *Flocons de bonite (un cousin du thon) séchée (katsuobushi) :* eux aussi essentiels au goût japonais ainsi qu'à la préparation des courts-bouillons et fonds de sauce.

LE *NATTO,* C'EST PAS DU GÂTEAU !

Ces graines de soja fermentées sont l'ami du Japonais au petit déjeuner... et la terreur du gaijin (étranger), comme un camembert bien avancé fait reculer le non-initié. Bon, sa texture est visqueuse et son odeur puissante mais, mélangé dans un bol de riz chaud, son goût est unique. À essayer... au moins une fois.

– Vous apprécierez certainement la jolie couleur rose des *baies* et du *poivre.*

– Le Japon a aussi sa *moutarde (karashii).* Il n'en existe qu'une sorte, des graines de moutarde séchées et moulues. Si l'on y ajoute un peu d'eau, on obtient une pâte qu'on mélange aux sauces d'accompagnement, aux vinaigrettes et à certains plats cuisinés. Son goût est particulièrement violent.

– *Sésame (goma) :* utilisé blanc ou noir, entier ou moulu ; il apporte un léger goût de noisette.

– *Fougère (warabi) :* utilisée dans les marinades, les plats à la vapeur et les casseroles. Appréciées pour l'équilibre qu'elles apportent aux plats trop gras comme l'anguille, ces petites graines brun verdâtre *(sanshô)* proviennent de la gousse du frêne épineux.

– **Piment rouge (tôgarashi) :** méfiez-vous, ses graines sont dangereusement fortes et doivent être retirées.
– Laissez-vous tenter par un **mélange de 7 épices (shichimi)** vendues déjà mélangées et adaptées à tous les goûts. 3 sortes existent effectivement : doux, médium et très épicé.

Quelques plats et accompagnements

– **Sukiyaki :** c'est le plat national. Il ressemble au pot-au-feu. On plonge des morceaux de viande (bœuf, porc, poulet...) bouillis dans un fond de sauce assaisonné, puis on les trempe dans un jaune d'œuf battu.
– **Okonomyaki** (spécialité d'Osaka, d'Hiroshima et de Nara) **et monjayaki** (spécialité de Tokyo) **:** sortes de crêpes à base de chou blanc accompagnées de divers ingrédients (bœuf, fruits de mer, légumes...), le tout découpé en petits morceaux et cuit sur une plaque chauffante.
– **Ramen :** des pâtes (n'importe quelle variété) dans un bouillon, servies dans un grand bol et pouvant être accompagnées de légumes, de viande... Les Japonais avalent leurs *ramen* rapidement, en réalisant le fameux bruit *zuru zuru* (équivalent du « slurp » en japonais !).
– **Soba :** nouilles de sarrasin, faites à la main. Les pâtes sont ensuite coupées et servies chaudes ou froides.
– **Udon :** pâtes à la farine de blé tendre (froment), faites à la main également mais plus épaisses (2-4 mm), et leur couleur varie du blanc au blanc cassé. Molles et élastiques, elles se consomment chaudes ou froides.
– **Gyudon :** riz recouvert de viande de bœuf et d'oignons.
– **Katsudon :** riz recouvert d'une tranche de porc panée puis cuite avec un œuf battu. Une version au poulet **(oyakodon)** existe également.
– **Misoshiru :** soupe *miso* à base de soja fermenté.
– **Tempura :** beignets de poisson, crustacés ou légumes ; introduits au Japon au XVIᵉ s par les Portugais.

RIZ AMER

Le riz gluant est un délice, mais il a un léger inconvénient : il colle à l'œsophage, et de nombreuses personnes âgées meurent par étouffement. Pas étonnant que la farine de riz gluant fasse une excellente colle en lui rajoutant de l'huile d'amande !

– **Oden :** pour le goûter, il faudra vous trouver au Japon en saison froide. C'est un plat hivernal à base de gâteau de poisson et de légumes.
– **Tonkatsu :** côtelettes de porc panées, passées à la friteuse.
– **Yakitori :** petites brochettes, traditionnellement à base de poulet grillé.
– **Niku-jaga :** pommes de terre à la viande.
– **Mochi :** gâteau de riz gluant moulé sous différentes formes, traditionnellement servi pour la nouvelle année. Il est écrasé au mortier et généralement grillé. Colle facilement aux dents et au palais.
– **Unagi** (ou anago) **:** c'est l'anguille de mer du Japon. Dans les auberges **Unagi-ya,** la carte décline toutes les façons de cuisiner l'anguille.
– **Kaiseki Ryori :** littéralement « poitrine-pierre cuisine », c'est le nom d'un type de nourriture servie durant les cérémonies du thé. Le nom vient de la pratique des moines zen qui plaçaient des pierres chaudes dans le haut de leurs robes pour supporter la faim lors des périodes de jeûne. La cuisine *kaiseki* est en principe strictement végétarienne, mais de nos jours, le poisson et d'autres mets peuvent y être occasionnellement servis. Dans le *kaiseki* ne sont utilisés que des ingrédients frais de saison, préparés de manière à mettre en valeur leurs goûts et leurs odeurs.
– La fleur de **chrysanthème** (shungiku) vient du continent. On en consomme les feuilles qui, en cas de pénurie, sont remplacées par des épinards. Elle est servie traditionnellement pour son symbolisme, comme dans le menu du Nouvel An.

– *Takenoko :* pousse de bambou au goût subtil, qui se marie bien aux autres ingrédients en y apportant une texture croquante.

– *Takoyaki :* sorte de chou pâtissier, fourré au poulpe, spécialité d'Osaka, mais on peut en trouver ailleurs. Pas cher et bien roboratif. Idéal pour caler une faim.

– *Racine de lotus (renkon) :* les Japonais l'utilisent crue, en cuisson lente à la casserole, ou encore la font frire en tempura.

– *Umeboshi :* prunes salées. Le Japon est l'un des seuls pays à les sécher et les confire dans du sel. Aliment très populaire, leur goût est très acide et salé. Ils sont fabriqués avec des fruits frais, lavés et trempés dans l'eau froide, essorés et essuyés avec un linge. Ensuite aspergés à l'eau-de-vie, puis salés, ils se consomment généralement avec du riz et ont l'avantage esthétique de reproduire le drapeau du Japon.

– Sans oublier les incontournables *fondues* dont quantité ont été empruntées à l'Occident durant l'ère Meiji (1868-1912). Elles sont principalement composées de bœuf mijoté et de légumes, comme le *shabu-shabu* et le *sukiyaki*.

Le sucre et le Japon

Avis aux gourmands : choisissez bien votre plat, ce n'est pas sur le dessert que vous vous rattraperez ! Le Japon compte bien moins de variétés de pâtisseries que de sushis ! La pâtisserie est souvent faite à base de pâte de haricots rouges sucrée *(anko)* ou de pâte de riz *(mochi).* Le thé vert a en revanche sa propre pâtisserie, une sorte de gâteau sec peu sucré et pauvre en goût *(higashi).* En revanche, les *glaces au thé vert* devraient beaucoup plaire.

DES GOÛTS VENUS D'AILLEURS

Les barres Kit Kat de Nestlé sont disponibles au Japon en 19 goûts différents reflétant des spécialités régionales : les melons d'Hokkaïdo, les fraises de Tochigi, le thé vert de Kyoto, ou encore la sauce soja de Tokyo ou les patates douces d'Okinawa...

Sinon, laissez-vous tenter par quelques fruits dont seul le Japon a le secret.

– *Le kaki :* il trône souvent sur les tables au moment du dessert. Petit fruit orange, on le sert traditionnellement lors des fêtes.

– *La poire japonaise (nashi) :* a l'apparence et la texture d'une pomme, de couleur jaune à brun.

– *La prune (ume) :* elle est réputée pour faciliter la digestion et nettoyer les intestins.

– *La noix de ginkgo (ginnan) :* c'est un ingrédient de luxe que les Japonais ajoutent à des plats à la vapeur, grillés ou frits. Cette petite noix blanche provient de l'arbre appelé « ginkgo » et ressemble, en goût, aux pignons de pin.

– *Le citron japonais (yuzu) :* fruit unique ! Il a été adopté par de grands chefs cuisiniers français. Seule sa couleur jaune peut faire penser au citron occidental. Il est en effet beaucoup plus gros, entre l'orange et le pamplemousse. On ne le trouve que peu de temps dans l'année, sa saison est très courte.

PASTÈQUES CUBIQUES

Seuls les Japonais ont un grand sens pratique... pour gagner de la place dans leur réfrigérateur. Rien à voir avec une manipulation génétique. Il suffit aux paysans de placer les jeunes pastèques dans des boîtes cubiques afin qu'elles en prennent la forme. Certaines ont une forme de pyramide, d'autres de cœur !

– *Les châtaignes :* il en existe 2 variétés que les Japonais utilisent dans les desserts ou simplement grillées. La *tamba* est large et ferme, alors que la *shiba* est petite, ferme aussi mais plus sucrée.

– **Le tofu :** ce fromage de soja ne contient aucune graisse animale. Tout est végétal et diététique. Il existe des restaurants spécialisés dans le tofu uniquement, où celui-ci est préparé de diverses manières.

Se restaurer

Les Japonais adorent aller au restaurant et prennent un repas sur cinq à l'extérieur de leur foyer. On en compterait 150 000 rien qu'à Tokyo (10 fois plus qu'à Paris !), et c'est la ville au monde qui compte le plus d'étoilés Michelin. Des immeubles entiers proposent des restaurants à quasi tous les étages ! Vous n'aurez donc que l'embarras du choix pour déjeuner ou dîner. À l'entrée sont généralement présentés des plats factices moulés dans la cire et peints. Pratique pour savoir de quoi il s'agit et passer sa commande. On trouve aussi un grand nombre de restaurants où l'on peut manger *(tabehôdai)* ou boire *(nomihôdai)* à volonté.

– Au Japon, déjeuner à 5h de l'après-midi ou dîner à 3h du matin n'est pas chose exceptionnelle.

– Les Japonais délaissent peu à peu la table basse pour manger de plus en plus souvent seuls et rapidement sur une table haute. Ils consomment la plupart du temps un plat unique *(tanshoku),* peu onéreux.

– Attention, les amuse-bouches sont souvent payants. Eh ! Eh !

Les différents types de restaurants

La plupart des restos sont spécialisés dans une cuisine particulière et servent essentiellement le plat (avec parfois de nombreuses déclinaisons) dont il est question dans le nom, comme : *Soba-ya, Gudon-ya, Yakitori-ya,* etc. (voir plus haut « Quelques plats et accompagnements »). À Tokyo, engouffrez-vous dans les ruelles adjacentes aux larges avenues : c'est là que mijote la cuisine authentique du Japon.

– **Sushi-ya :** ces restaurants proposent une grande variété de sushis servis sur un petit plateau en bois et accompagnés de thé *(o-cha).* Les plus curieux sont les restaurants de sushis tournants. On y déguste les diverses variétés de poissons et crustacés transformés devant vos yeux en sushis et déposés sur un plateau tournant ou un tapis roulant.

– **Izakaya :** littéralement, l'*izakaya* est un lieu où l'on sert des boissons alcoolisées. Très fréquenté le soir, il est parfois appelé *akachôchin* (« lanterne rouge ») à cause des lanternes en papier rouge suspendues à l'entrée. Les collègues s'y retrouvent le soir, aussi bien pour boire que pour manger. Ils ont souvent conservé leur déco ancienne et des prix raisonnables. L'*izakaya* correspondrait au bon vieux bistrot de chez nous !

– **Tachinomi :** genre d'*izakaya* où l'on boit debout. À l'origine, les *tachinomi* avaient un menu similaire à celui de l'*izakaya,* mais avec des prix moins élevés ou des portions plus importantes. Ces dernières années, principalement à Tokyo, ces restaurants ont repris un coup de jeune et sont devenus un peu plus chic.

– Amateurs d'extérieur, laissez-vous tenter par la restauration très bon marché et en plein air. Vous pouvez acheter votre repas à très bas prix à l'arrière de petites camionnettes transformées en **restaurants roulants** installés au bord de la route.

UN LÉGER RIDEAU QUI FLOTTE AU VENT !

Suspendu à une barre horizontale au-dessus de la porte des restaurants, le noren est un demi-rideau en tissu blanc. Il signifie que l'établissement est ouvert. Les caractères calligraphiés indiquent le nom du restaurant, celui du propriétaire et le genre de cuisine que l'on y trouve. Selon une croyance ancienne, les noren ont une fonction surnaturelle. En « brossant » la tête des clients qui entrent, ils empêchent les mauvais esprits de pénétrer à l'intérieur.

– Découvrez aussi, dans les **restaurants coréens** de quartier, une grande variété de plats de viandes grillées *(yakiniku)* et de poisson.

Restauration rapide

Les gens qui travaillent sont toujours pressés et prennent rarement plus de 15 mn pour déjeuner. L'essor de la restauration rapide le prouve d'ailleurs. *McDonald's* se classe 1ᵉʳ restaurant de l'Archipel.

Les Japonais ont aussi leurs types de restauration rapide bien à eux.

– **Le bento :** prononcez en pratique « *obentô* ». Ce terme désigne le repas rapide que les Japonais achètent le matin pour 500-850 ¥ (4-7 €) dans des échoppes à proximité des gares ou dans les sous-sols des grands magasins. Des bentos sont vendus partout, mais la tradition veut que l'épouse ou la mère prépare celui du midi pour son mari ou ses enfants. Généralement consommé froid, le bento est composé d'un bol de riz, avec un *umeboshi* ou un sushi par-dessus, une portion de poisson ou de viande, des légumes macérés dans le sel ou dans le vinaigre et une tranche de fruit.

Quelques conseils

– **Si vous utilisez du piment rouge** *(tôgarashi),* lavez-vous bien les mains et évitez de vous frotter les yeux après avoir touché les graines.

– **Si vous avez du mal à manger le riz avec des baguettes,** pas d'affolement. Adoptez la technique locale et rapprochez le bol de riz de vous. Vous ferez ainsi glisser le riz du bol à la bouche. Ce n'est pas très esthétique, mais c'est plus pratique et totalement accepté !

– **Manger avec des baguettes vous pose un réel problème ?** Optez pour les sushis ! En effet, manger les sushis avec les mains n'est pas impoli. Ne trempez que le morceau de poisson pour éviter que la boule de riz ne parte en miettes !

– **Le fait que les Japonais fassent beaucoup de bruit en mangeant les nouilles** ne pourra vous échapper. Il s'agit du fameux « slurp », et c'est normal. Ne pas le faire serait même mal vu. Si l'on fait du bruit, c'est que l'on apprécie ! Il suffit d'aspirer bruyamment l'air avec les pâtes.

– **Attention au glutamate de sodium** *(ajinomoto),* un exhausteur de goût utilisé par beaucoup de restaurateurs qui déclenche des troubles digestifs à fortes doses.

– **Ne manquez pas les rayons alimentaires des grands magasins,** ils valent vraiment le détour. La plupart des *konbini* (les *convenience stores,* l'équivalent de nos supérettes) sont ouverts 24h/24. Parmi ceux-ci : les magasins des chaînes *7-Eleven, Lawson* et *Family Mart.*

– **Bon plan :** les magasins d'alimentation des galeries marchandes font des remises allant de 20 à 60 % sur les aliments périssables 1h avant la fermeture. Très apprécié des Japonais qui attendent pour acheter le frichti du soir ! Se pratique également dans certains *convenience stores* en fin de journée.

CURIEUX, NON ?

– Le prénom d'un Japonais n'est jamais utilisé par un étranger, il est réservé à la famille et aux amis. Entre eux, les gens s'appellent par leur nom de famille.

– On roule à gauche, alors que les Anglais n'ont pas colonisé le Japon.

– Le silence dans un dîner ou en compagnie de quelqu'un est pris pour une marque de respect.

– La compatibilité entre 2 personnes se mesure en fonction du groupe sanguin !

– Pour saluer un Japonais, on s'incline. Jamais de poignée de mains et encore moins de bise !

– Bizarrement, pour la Saint-Valentin, les femmes sont les seules à offrir un cadeau aux hommes. Et du chocolat. Le présent est d'ailleurs destiné à leur amoureux mais aussi à leurs collègues de bureau. En retour, un mois plus tard (14 mars), les garçons offrent un cadeau blanc (White day), généralement du chocolat blanc mais aussi de la lingerie. L'homme, même japonais, est coquin.

– Au Japon, la journée compte plus de 24h : ainsi, un bar ou un resto peuvent fermer à 25h ou 26h, c'est-à-dire 1h ou 2h du mat !

– On ne compte pas les étages de la même façon que chez nous.

RHÉSUS SOCIAUX

La compatibilité de caractère entre amis ou amoureux ne se mesure pas, au Japon, en fonction des signes du zodiaque. Ici, lors d'une nouvelle rencontre, on cherche à connaître le groupe sanguin de l'autre pour vérifier la compatibilité ! Ne pouvant se différencier par la couleur des yeux ou des cheveux, les Japonais se distinguent par leur groupe sanguin, qu'ils connaissent tous. Certaines entreprises le demandent lors d'un recrutement (parfois les membres d'un groupe de travail ont le même rhésus... pour éviter les frictions). Certaines boissons ou chewing-gums sont élaborés selon les différents groupes sanguins.

Le rez-de-chaussée est ici appelé 1F (c'est-à-dire 1er niveau), le 2e étage est notre 1er, etc. Pas simple quand on se donne rendez-vous !

– Tous les looks et tenues vestimentaires sont permis, du moment qu'ils sont propres.

– On se déchausse avant d'entrer dans une maison, un *ryokan* ou un temple.

– On tient sa tasse de thé à 2 mains (l'une en dessous, l'autre sur le côté).

– *Mimikaki :* on sait tous que se récurer les oreilles au coton-tige donne un certain plaisir. Pour les Japonais, c'est un art depuis des siècles. Des professionnelles exercent ce métier avec des tiges qui se terminent en minipelle, façon binette. En tout bien tout honneur. Un vrai bonheur.

– Les w-c japonais sont très particuliers, ils font office de bidet et sont souvent équipés d'une petite musique, pour masquer les bruits intempestifs.

– Les rues sont incroyablement propres, alors qu'on n'y trouve quasi pas de poubelles.

– Dans le métro, on ne se touche pas, et on ne se fixe pas, même si la rame est bondée.

– La cigarette est interdite dans les endroits publics : aéroports, gares... et même dans les rues. Il existe des espaces « *smoking corner* » en plein air ! En revanche, on peut fumer dans les restaurants et les bars, considérés comme des espaces privés.

DROITS DE L'HOMME

La politique de Trump n'affecte pas le Japon seulement sur le plan économique. En effet, le rapprochement des États-Unis avec la Corée du Nord pourrait isoler encore plus le Japon dans la guerre d'influence qu'il se livre avec les autres puissances asiatiques (Chine, Inde, Vietnam). Une bataille de position qui coûte cher et qui a redonné du grain à moudre aux partisans d'une remilitarisation de l'archipel nippon. Les tensions territoriales

LES DROITS DES FEMMES

C'est une toute jeune Américaine de 22 ans, Beate Sirota, qui eut la charge de rédiger les 2 articles concernant le droit des femmes dans la Constitution japonaise de 1947. Elle fut décorée de l'ordre du Trésor sacré, la plus prestigieuse distinction du pays.

récurrentes avec ses voisins chinois (îles Senkaku) ont en effet encouragé le gouvernement à mettre en place une nouvelle force de déploiement, qui devrait compter 3 000 hommes, pour pallier une éventuelle invasion d'un de ces bouts de territoires situés aux confins de la mer de Chine orientale. Une décision qui s'est doublée d'un suréquipement militaire à vocation offensive, qui rompt complètement avec la tradition japonaise depuis la fin de la Seconde Guerre mondiale. Cette politique de gros muscles sur le plan extérieur se double d'un discours très nationaliste et sécuritaire sur le plan intérieur.

Les ONG et les milieux universitaires s'inquiètent de l'adoption, en 2017, par la Diète d'une loi sur la collusion présumée en vue de commettre des « actes de terrorisme » et d'autres « crimes graves ». Une loi fourre-tout aux contours très flous, qui donne davantage de prérogatives aux forces de l'ordre pour écouter n'importe quel citoyen, ou qui peuvent être utilisées de façon abusive pour limiter les droits aux libertés d'expression et d'association. La définition même d'« organisation criminelle » peut aussi prêter à une interprétation très large.

Les ONG dénoncent toujours l'application de la peine de mort (4 exécutions en 2017). En janvier 2018, la cour suprême a rejeté le dernier recours dans l'affaire des 13 membres de la secte Aum à l'origine de l'attaque au gaz sarin dans le métro de Tokyo en 1995, ouvrant ainsi la voie à leur exécution. Le système de *daiyo kangoku*, une garde à vue pouvant durer jusqu'à 23 jours, favorisant l'obtention d'« aveux » par la force, est par ailleurs toujours en vigueur. Amnesty International s'inquiète, en outre, du sort réservé aux travailleurs migrants et critique la politique d'asile très restrictive du gouvernement (20 demandes acceptées en 2017 sur 19 628 !). Une 1re loi condamnant le « discours de haine » à l'encontre de résidents d'origine étrangère a tout de même été adoptée. En outre, le déclin démographique sans précédent au Japon pourrait faire évoluer cette politique de fermeture. 10 000 ressortissants vietnamiens sont en effet attendus sur l'archipel pour une durée de 3 ans, pour pallier la pénurie de main-d'œuvre.

Pour plus d'informations, vous pouvez contacter :

■ **Fédération internationale des Droits de l'homme (FIDH) :** *17, passage de la Main-d'Or, 75011 Paris.* ☎ *01-43-55-25-18.* ● *fidh.org* ● Ⓜ *Ledru-Rollin.*

■ **Amnesty International** (section française) **:** *76, bd de La Villette, 75940 Paris Cedex 19.* ☎ *01-53-38-65-65.* ● *amnesty.fr* ● Ⓜ *Belleville ou Colonel-Fabien.*

N'oublions pas qu'en France aussi les organisations de défense des Droits de l'homme continuent de se battre contre les discriminations, le racisme, et en faveur de l'intégration des plus démunis. Rappelons aussi que la Déclaration universelle des Droits de l'homme a fêté ses 70 ans en 2018.

ÉCONOMIE

Resté à la 2e place de 1968 à 2010, le pays du « yen » est désormais la 3e puissance économique mondiale, derrière les États-Unis et la Chine. En 2017, le PIB par habitant est quasi le même au Japon et en France, soit autour de 33 000 €.

Les produits nippons (*PlayStation, DS, Wii...*) et les entreprises de l'archipel (Sony, Honda, Toyota, Canon...) sont universellement connus et appréciés. À la suite du krach de 1990,

UNE DETTE CONSIDÉRABLE

À hauteur de 250 % de son PIB, le Japon est l'un des pays les plus endettés du monde, bien plus que la Grèce (177 % du PIB). Mais même si le problème est très sérieux, le risque est bien moins fort, car cette dette appartient à la banque centrale et aux Japonais (et non à des puissances étrangères).

l'économie japonaise a connu une longue période de crises et de mutations, dont elle commençait seulement à émerger avant que les événements du 11 mars 2011 ne viennent la fragiliser à nouveau, affectant tous les secteurs, y compris celui de l'automobile. Cet effondrement est également lié à celui des marchés américains, européens et asiatiques, principales destinations des exportations du Japon. Depuis 2011, la situation économique peine à se redresser, en dépit des « *abenomics* », politique de relance instaurée par le Premier ministre Shinzo Abe depuis 2013 pour sortir de la déflation et qui n'a pas vraiment porté ses fruits. Une croissance en hausse (1,6 % en 2017), que les J.O. de Tokyo en 2020 devraient contribuer à booster.

Une agriculture insuffisante

Seuls 15 % de la surface du pays sont cultivés. L'agriculture emploie à peine 4 % de la population active et produit 1,2 % de la richesse nationale. Elle assure 40 % des besoins alimentaires et énergétiques du pays. Elle est constituée majoritairement de petites parcelles (moins de 2 ha), qui sont souvent exploitées à mi-temps ou confiées à des femmes ou à des retraités. La riziculture (7 % du territoire) occupe la moitié des surfaces cultivées et assure l'autosuffisance pour cette céréale nationale. Très largement subventionnée, elle se situe souvent dans les plaines côtières au nord, le reste étant occupé par des cultures à haute valeur ajoutée (thé, fleurs, fruits et légumes). Le pays est l'un des 1ers producteurs de produits marins, ainsi que le 1er consommateur et le 1er importateur de poissons.

Une industrie forte

L'industrie représente 26,2 % de l'emploi et 27 % du PIB. Elle permet au pays d'être le 3e exportateur mondial des produits manufacturés à haute valeur ajoutée, principalement vers les États-Unis, la Chine et la Corée du Sud, nations dont il importe en retour des produits à plus faible coût. Le secteur secondaire occupe le 2e rang mondial dans plusieurs domaines : construction navale, automobile (20 % du marché mondial), robotique, électronique, semi-conducteurs, télématique, bio-industries et énergies renouvelables.

L'archipel est archi-dominant dans les nouvelles technologies. 4e exportateur mondial, son savoir-faire dans les hautes technologies lui a permis de dominer le marché mondial avec des firmes telles que Sony, Fujifilm, Olympus, Nikon et bien d'autres.

IPOD ET BOEING : LA PART SECRÈTE DU JAPON

Le célèbre iPod d'Apple a été imaginé en Californie, assemblé en Chine et fabriqué au Japon. La batterie, le disque dur, l'écran et une partie des circuits intégrés proviennent des usines japonaises. Par ailleurs, 3 compagnies nippones produisent 35 % (le fuselage et la voilure) du Boeing 787. Les exemples sont nombreux de produits fabriqués en grande partie au Japon et vendus sous une marque américaine ou européenne.

Des services en pleine expansion

Les services emploient 70 % de la population active et génèrent 70 % du PIB. Leur essor profite de la persistance du petit commerce, de la place grandissante des nouvelles technologies de l'information et de la communication (NTIC) dans la vie quotidienne et dans le travail, et de l'essor croissant du tourisme.

Une économie duale

L'économie japonaise est duale : quelques très grandes entreprises, souvent regroupées autour de la banque et de la « maison de commerce » (*shôsha* ou *sôgô-shôsha*) du « groupe » *(keiretsu)*, commandent à une myriade de sous-traitants, le plus souvent constitués de PME-PMI. Dans la 1re catégorie, on retrouve les noms familiers de *Mitsui* ou de *Mitsubishi*, les banques *Miyuho, Mitsubishi Tokyo UFJ* ou *Sumitomo*, les maisons de commerce *Marubeni, Itochû* ou *Sojitsu*. Dans celle-là, très orientée vers l'exportation, emploi à vie, « bonus » et salaire à l'ancienneté ont longtemps été la norme (cela est en train de changer). Dans la 2de catégorie – où sociétés individuelles de type « mari-femme » *(kanai-kôgyô)* ou « zéro » *(reisai)* sont légion, très dépendantes de la conjoncture –, les conditions de travail et de salaire sont précaires, les horaires de travail élastiques et les accidents fréquents. 2 mondes, 2 Japon, qui communiquent pourtant, mais où le second sert à amortir les soubresauts de l'économie mondiale ou les changements de cap transmis par le premier.

Les Japonais au travail

Les Japonais travaillent en moyenne 40h par semaine (mais souvent plus de 50h), soit 8h par jour, et partent à la retraite à 65 ans. Il est très mal vu de partir du bureau à l'heure, c'est pourquoi la plupart d'entre eux travaillent tard. De profondes disparités s'observent selon les secteurs et les périodes de l'année. Ils bénéficient de maximum 20 jours de congés payés annuels, mais n'en prennent généralement que la moitié. Le nombre de jours fériés, de « ponts » (le lundi est toujours chômé si le jour férié tombe un dimanche), s'élève à une quinzaine par an. Le droit de grève est reconnu dans le secteur privé, pas aux agents de la fonction publique. Les négociations salariales sont annuelles et se déroulent dans le cadre de l'« offensive de printemps » *(shuntô)* : chaque entreprise négocie avec son syndicat « maison ». D'une manière générale, les salaires stagnent depuis 2010. Ils sont en moyenne à 314 000 ¥ (environ 2 617 € par mois) à Tokyo pour les hommes, autour de 110 000 ¥ (environ 917 € par mois) pour les femmes, soit 3 fois moins... eh oui...

« Vol d'oies sauvages »

Après l'échec de l'exportation de sa main-d'œuvre (vers les États-Unis) et de son industrie (vers la Chine) avant la Seconde Guerre mondiale, l'Archipel a, après la guerre, développé une économie exportatrice de produits améliorés à bas coûts, puis de produits développés sur place, politique économique suivie par les voisins asiatiques. Les économistes ont baptisé ce modèle « vol d'oies sauvages », le Japon tenant le rôle de l'oiseau de tête. Après la sidérurgie, la construction navale et l'automobile (années 1950-1960), ce fut au tour, après le 1er choc pétrolier (1973), de l'électronique et de l'optique d'être choisies dans les années 1970 et 1980.

Nouveaux défis

Pendant 3 décennies, la croissance de l'économie japonaise a été spectaculaire : en moyenne et hors inflation 10 % par an dans les années 1960, 5 % dans les années 1970 et 4 % dans les années 1980, d'aucuns parlant de « miracle ». Dans les années 1990, la croissance a été nettement plus faible, la décennie étant cette fois-ci décrétée « perdue ». Le taux de chômage, qui avait alors grimpé, est aujourd'hui l'un des plus faibles au monde (3 %), et l'inflation, qui avait été galopante avant l'éclatement de la bulle « spéculative » à partir des années 1990, est presque maîtrisée (- 0,4 %, déflation).

L'endettement record du Japon (qui a atteint 250 % du PIB) est compensé par l'apurement des « créances douteuses » *(jûsen)* contractées auprès des banques par les entreprises, qui ont par ailleurs vu leurs gains de productivité s'accroître. Le puissant METI *(Ministry of Economy, Trade and Industry),* qui dicte la politique économique, scientifique et technologique du pays, continue de veiller au grain. L'archipel consacre 3,5 % de son PIB à la recherche et au développement (France : 2,2 %), et notamment à l'intelligence artificielle. D'après les estimations, d'ici à 2035, un tiers des emplois risquent d'être robotisés !

En 2008, la crise économique mondiale n'a pas épargné le Japon. Le PIB a reculé, plombé par une baisse des investissements des entreprises. Et en 2011, les cataclysmes (tsunami et explosion de la centrale nucléaire de Fukushima) ont eu un impact direct sur la production nippone. L'économie déjà en difficulté doit faire face à une charge supplémentaire. Notamment celle du coût de la reconstruction. En 2013, le gouvernement de Shinzo Abe relance la planche à billets. Du coup, le yen diminue,

MÊME LES ROBOTS ONT DROIT À LA RÉINCARNATION

La société A FUN, spécialisée dans la réparation des produits électroniques vintage, a proposé à tous les propriétaires de robots canin AIBO des funérailles bouddhiques. Plus de 800 chiens robotisés eurent ainsi le droit à un dernier salut avec leur propriétaire. Ils furent par la suite envoyés à l'entreprise pour utiliser leurs pièces détachées sur d'autres robots. La boucle est bouclée.

mais les produits japonais deviennent plus attractifs, avec une TVA qui passe de 5 à 8 % en 2014. Une nouvelle hausse est prévue à l'horizon 2019.

Par ailleurs, un partenariat transpacifique (TPP) a été signé en février 2016 entre 12 pays, dont le Japon, créant ainsi une zone de libre-échange pour réduire les tarifs douaniers. Cet accord de grande envergure, porté par Shinzo Abe comme par Obama, a encore plusieurs obstacles à franchir avant son entrée en vigueur. Le principal n'étant autre que le président Trump, qui, dès son investiture, a signé le retrait des États-Unis du TPP. Des négociations sont en cours, même s'il s'agit d'un véritable bras de fer entre Trump et Abe.

Un projet futuriste malgré la crise

JR Tokai, la compagnie japonaise privée qui exploite les trains à grande vitesse, a confirmé la création de son train ultrarapide à lévitation électromagnétique, baptisé *Maglev,* qui remplacera l'actuel train à grande vitesse *Tokaïdo Shinkansen.* Dans un 1er temps, la ligne parcourra les 290 km qui séparent Tokyo de Nagoya, et à terme, il ne faudra plus que 1h environ pour effectuer les 550 km entre Tokyo et Osaka. La compagnie espère mettre en service le train *Maglev* avant 2025. Pour cela, elle investit pas moins de 5 100 milliards de yens, soit 39 milliards d'euros au cours actuel. JR Tokai a prévu d'apporter seule les fonds herculéens nécessaires à la création de sa ligne électromagnétique.

ENVIRONNEMENT

Une faune et une flore riches

L'étendue de l'Archipel, la diversité des conditions géographiques et climatiques, sont à l'origine de cette nature abondante. Près de 25 % des forêts couvrant les 2/3 du Japon et abritant quelque 190 espèces d'arbres et 4 500 variétés de plantes sont encore intactes. L'Archipel compte 2 forêts classées au Patrimoine mondial de l'Unesco : la forêt de hêtres de Shirakami-Sanchi, au nord de Honshu, et la forêt de cèdres de Yakushima, au sud de Kyushu. Au nord, la plus grande partie de Hokkaïdo est couverte par la forêt boréale à résineux et bouleaux, qui s'accompagne souvent d'un sous-bois de *sasa* (bambou nain). C'est le territoire des ours bruns, visons, hermines, guillemots, otaries, lions de mer, baleines à bec, cormorans huppés, faisans, grues (du moins celles qui restent...), phoques et morses. Les plaines du Kanto à Kyushu, le Shikoku, connaissaient jadis la forêt à feuilles luisantes, toujours vertes, avec chênes verts, lauriers, bambous, camélias, et sont le refuge des sangliers, cerfs sika, biches (de Nara), renards, loups, chiens viverrins et blaireaux *(tanuki),* fouines, canards mandarins et sauvages, singes, macaques (de Nagano). Les îles du Sud abritent la forêt tropicale, avec palmiers, lianes, fougères arborescentes, mangroves le long de certaines côtes ; c'est le domaine des tortues de mer géantes et des poissons colorés des récifs coralliens. On dénombre une trentaine de parcs nationaux *(kokuritsu-kôen)* et une cinquantaine de parcs « quasi nationaux » *(kokutei-kôen).*

Dans un pays où les phénomènes de la nature sont habités par des divinités et des esprits, l'année est rythmée par le cycle de la floraison des différents arbres. Au printemps, la rose et éphémère éclosion des fleurs des cerisiers *(sakura)* est suivie comme un événement à travers tout le pays, donnant lieu à de grands piqueniques fleuris. Peu de temps après, pruniers *(ume),* pivoines et azalées colorent les parcs et les abords des avenues. En été, c'est au tour des iris et des lotus. À l'automne, le jaune éclatant dont se parent les feuilles en éventail des ginkgos – arbres aux 40 écus – contraste avec le rouge flamboyant des érables.

Mais au-delà de ce tableau idyllique, l'environnement au Japon a subi d'importants dégâts, dégâts que les politiques actuelles peinent à réparer dans un pays où l'on détruit et reconstruit les bâtiments sacrés, comme le célèbre sanctuaire d'Ise. Plusieurs espèces restent menacées, telles les grues *(tsuru)* japonaises, les ours noirs d'Asie, les loutres et les chats sauvages d'Iriomote. La réintroduction de l'ibis à crête *(toki),* disparu en 1997, jadis emblème de l'Archipel, a débuté en 2008 sur l'île de Sado.

Les catastrophes industrielles

En matière de ***problèmes environnementaux industriels,*** on ne peut occulter la mine de cuivre d'Ashio (préfecture de Tochigi), fermée au début des années 1970, mais dont l'affaire a débuté... au XIXe s. Pendant des décennies, cette mine a libéré dans la nature d'importantes quantités de métaux lourds (soufre, arsenic, cadmium, etc.), à l'origine d'émeutes sociales majeures et de l'une des plus grandes pollutions chimiques de l'histoire du Japon. Autre scandale environnemental et sanitaire qui a marqué le pays, celui de l'activité de la société pétrochimique Chisso. Là encore, pendant des décennies, l'usine rejeta du mercure (près de 400 t en tout !) dans la baie de Minamata, provoquant de graves troubles neurologiques et polluant toute la chaîne alimentaire pour... longtemps. Cet épisode tragique est à l'origine de la « maladie de Minamata ».

Et puis, il y a le 11 mars 2011, à 14h46. Un tremblement de terre d'une magnitude de 8,9 à quelques encablures de la côte nippone. La suite, on la connaît... Un tsunami endommage le système de refroidissement de la centrale de Fukushima. Le combustible de certains réacteurs entre en fusion. Plus rien ne peut arrêter la catastrophe nucléaire majeure. Près de 120 000 personnes sont évacuées dans un rayon de 20 km (voir aussi la rubrique « Histoire. La " pire crise depuis la Seconde Guerre mondiale " » plus loin).

Peu après le drame de Fukushima, Tepco, l'opérateur de la centrale, estimait à 3 mois le temps suffisant pour constater une baisse de la radioactivité sur le site, et à 6 ou 9 mois celui nécessaire pour l'arrêt des réacteurs. Comme souvent, les discours des autorités se sont voulus rassurants. Dans la réalité, il faudra compter en décennies. En 2016 et 2017, Tepco a pu faire pénétrer des petits robots au cœur de la centrale, mais ils furent endommagés par le taux de radioactivité ! Le chantier est énorme. Des millions de mètres cubes d'eau ont été contaminés et doivent être traités. La récupération du combustible fondu ne devrait pas débuter avant 2021 et durera des années. ***L'impact de cette catastrophe majeure sur l'environnement et les activités humaines planera encore longtemps,*** assurément. *Kenzaburô Ôé,* Prix Nobel de littérature en 1994, a qualifié cet événement comme la « pire des trahisons à la mémoire des victimes d'Hiroshima ».

La place du nucléaire au Japon

Avant l'accident de Fukushima, le parc nucléaire japonais était le 3e parc au monde, produisant près de 30 % de l'électricité du pays. Les autorités prévoyaient de porter cette part à 50 % d'ici à 2030. Mais après la catastrophe, tous les réacteurs nucléaires du pays ont été arrêtés (une douzaine ont même été définitivement fermés), les projets de construction de nouvelles centrales gelés, une sortie du nucléaire avant 2040 annoncée. Mais l'arrivée au pouvoir de Shinzo Abe en 2012 a changé la donne. En 2015, le Japon a relancé le nucléaire avec le redémarrage de la centrale de Sendai malgré la réticence de l'opinion publique. Les autorités ont récemment annoncé qu'elles souhaitaient porter la part du nucléaire à 20 % de la production d'énergie en 2030 – contre 22 % fournis par les énergies renouvelables.

Pour faire face à l'arrêt temporaire des centrales nucléaires, le pays a eu recours au gaz, au pétrole et, dans une moindre mesure, aux centrales au charbon. *Le Japon est aujourd'hui le 6e émetteur de gaz à effet de serre de la planète* (si on considère l'Union européenne comme un seul pays émetteur). Lors de la COP 21 de 2015, le Japon ne s'est pas fait beaucoup entendre. Il s'est engagé à réduire de 26 % ses émissions de gaz à effet de serre d'ici à 2030, par rapport aux émissions de 2013. Cette contribution est jugée insuffisante par plusieurs organismes internationaux et, dans ce domaine, le Japon fait office de mauvais élève.

GÉOGRAPHIE

S'étirant du Nord-Est au Sud sur quelque 4 000 km, sa largeur maximale atteint 270 km, et le point le plus proche sur le continent, en Corée, se trouve à 250 km. Placé au large des côtes de la Chine, de la Corée et de la Russie, et s'étendant, au nord, du 46e parallèle (hauteur de Lyon) au 30e (latitude de Marrakech), l'Archipel *(rettô),* qui compte officiellement 8 645 îles, doit beaucoup sa géographie au fait qu'il se trouve sur l'un des endroits où l'on enregistre le plus grand nombre de tremblements de terre au monde : la « ceinture de feu du Pacifique ».

D'une superficie de 378 000 km², en comptant les 5 000 km² des Kouriles du Sud, territoire russe depuis 1945 (voir la rubrique « Histoire » plus loin), le Japon est entouré au nord par la mer d'Okhotsk, à l'ouest par la mer « du Japon » *(Nihon-kai)* – appellation contestée par les Coréens pour lesquels elle est la mer... « de Corée » –, à l'est par l'océan Pacifique et au sud par la mer de Chine orientale.

95 % du territoire est constitué par les *4 îles principales,* du nord au sud : *Hokkaïdo* (79 000 km²), *Honshu* (227 000 km²), *Shikoku* (18 000 km²) et *Kyushu* (36 000 km²). Plus au sud s'étendent les arcs insulaires des Ryukyu (ou Okinawa) et des Izu-Ogasawara (ou Bonin). Montagneux aux 3/4, le pays abrite 270 volcans, dont 190 éteints...

Dans la partie centrale de Honshu, 3 chaînes transversales (les monts Hida, Kiso et Akashi) forment les « Alpes japonaises », séparant un « Japon de l'Endroit » *(Omote-Nihon),* où se trouve la capitale, et un « Japon de l'Envers » *(Ura-Nihon),* dont la façade maritime donne sur le continent (voir la rubrique « Climat » dans le chapitre « Japon utile »). Leurs sommets dépassent légèrement les 3 000 m. Ailleurs, les montagnes atteignent rarement 2 000 m. Le *mont Fuji* (Fuji-san), *point culminant de l'Archipel,* est un splendide volcan conoïde éteint depuis le XVIIe s, situé dans la préfecture de Yamanashi, et qui avoisine les 3 800 m.

Seul un cinquième du territoire est habitable. Il est constitué de piémonts (4 % de l'ensemble de la superficie du pays), de plaines hautes (12 %) et de plaines basses (13 %). La plus grande plaine, celle du Kanto (région de Tokyo), occupe moins de 15 000 km². Le sous-sol de l'archipel est pauvre en matières énergétiques : ni gaz ni pétrole, peu de charbon.

Longues de 30 000 km, les côtes nippones sont le plus souvent escarpées. Elles se jettent dans les fosses qui entourent l'archipel, dont certaines peuvent descendre au-delà de 10 000 m, telles les fosses des Kouriles ou les fosses d'Izu-Ogasawara.

Au 62e rang par la superficie de son territoire dans le monde, le Japon voit passer sa position à la 6e place (!) lorsque l'on y adjoint les 4 millions de kilomètres carrés de sa zone maritime, entre l'Australie et l'Inde.

Territoire hostile

La légende prétend que le Japon est juché sur le dos d'un énorme poisson-chat (le *namazu*), que la divinité Kashima s'efforce de tenir en respect, et dont les convulsions causent les séismes dont le pays est si souvent frappé. ***Situé au carrefour de 4 grandes plaques tectoniques,*** dont les chevauchements créent de formidables pressions sur l'écorce terrestre, le pays a surtout connu quelques tremblements de terre *(jishin)* dévastateurs et des éruptions volcaniques mémorables. Le tremblement de terre de Kanto, de 1923, a causé la mort de 140 000 personnes et entraîné la destruction de 600 000 constructions et habitations. Celui de Kobe – de 1995 et d'une magnitude de 6,9 – a fait 6 500 morts et 43 700 blessés, dévoilant les carences d'un urbanisme sauvage et les limites d'un système de sauvetage uniquement national. Le Japon a réagi, notamment à Tokyo. La résistance aux secousses fortes des immeubles élevés fait l'objet de contrôles obligatoires et réguliers, et les voies surélevées pour les voitures ont vu leur sécurité renforcée. L'Archipel continue de faire figure de modèle en matière de détection et surtout de prévention des tsunamis, lesquels sont plus dévastateurs parfois que les séismes qui les ont précédés. Sur les 5 000 tremblements de terre enregistrés au Japon par an, seuls quelques-uns sont, en définitive, ressentis par le corps humain, et sur les 80 volcans en activité dans l'Archipel, seulement une vingtaine se sont manifestés de manière sérieuse depuis le début du XXe s. Néanmoins, les autorités restent prudentes et déconseillent fortement de s'approcher des 3 volcans : Shinmoedake (entré en éruption le 1er mars 2018), situé sur l'île de Kyushu, le mont Kusatsu-Shirane, situé dans la préfecture de Gunma, et le mont Zao, dans la préfecture de Yagamata, sur l'île d'Honshu.

En mars 2011, le séisme de magnitude 8,9 suivi d'un tsunami dévastateur a causé la mort et la disparition de 23 000 personnes. Les conséquences des catastrophes en chaîne qu'a connues le Japon ce jour-là ne se limiteront malheureusement pas à cela. Les autorités japonaises, après avoir tenté de minimiser les faits, ont réévalué la catastrophe nucléaire au niveau 7, niveau le plus élevé, celui appliqué à Tchernobyl en 1986. Plus généralement, le spectre d'un énorme tremblement de terre plane toujours au-dessus du Japon, qui subit 20 % des séismes les plus violents enregistrés dans le monde. De plus, les sismologues attendent encore, entre autres, le « Big One », le séisme du Tokai qui se produit tous les 150 ans…

En juillet 2018, l'archipel fut touché par une nouvelle catastrophe naturelle. Des pluies torrentielles durant 4 jours ont entraîné des inondations et glissements de terrain mortels dans l'ouest et le sud du pays. 200 victimes et tout autant de blessés sont à dénombrer. Le temps qu'ont mis les autorités à réagir amène aujourd'hui la population à critiquer le gouvernement de Shinzo Abe.

HISTOIRE

Les quelque 40 000 années qui nous séparent de l'arrivée des 1ers habitants au Japon ont fait de ce « Finistère » de l'Asie orientale la 3e puissance économique du monde. Quel est le chemin parcouru par cette nation pour en arriver là ?

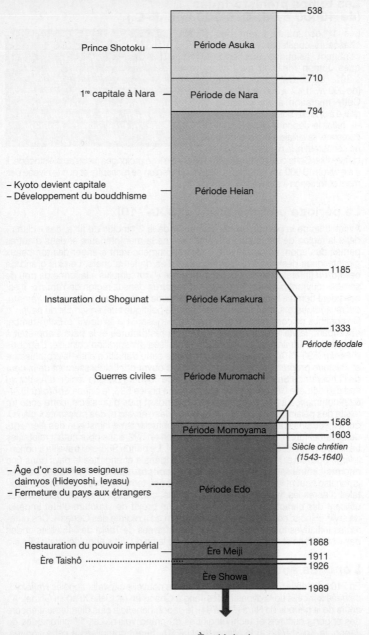

538

Prince Shotoku — Période Asuka

710

1re capitale à Nara — Période de Nara

794

– Kyoto devient capitale
– Développement du bouddhisme — Période Heian

1185

Instauration du Shogunat — Période Kamakura

1333

Période féodale

Guerres civiles — Période Muromachi

1568

Période Momoyama

1603

*Siècle chrétien
(1543-1640)*

– Âge d'or sous les seigneurs
 daimyos (Hideyoshi, Ieyasu)
– Fermeture du pays aux étrangers — Période Edo

1868

Restauration du pouvoir impérial — Ère Meiji

1911

Ère Taishô

1926

Ère Showa

1989

Ère Heisei

Les temps préhistoriques (de 40000 av. J.-C. à 300 apr. J.-C.)

Les 1ers occupants furent des chasseurs-cueilleurs venus du continent asiatique aux époques Jômon (de 8000 av. J.-C. à 300 av. J.-C.), puis Yayoi (de 300 av. J.-C. à 300 apr. J.-C.). Cette migration a été possible grâce à une glaciation qui a permis de relier le Japon à la péninsule coréenne. Ils taillaient la pierre mais ne connurent ni la poterie ni d'agri-

LES MAKUYAS

Cette communauté japonaise a la conviction de descendre de l'une des 10 tribus perdues d'Israël, arrivée au Japon voici 2 700 ans. Ils associent rites juifs et japonais. Certains vont en pèlerinage au mur des Lamentations et apprennent l'hébreu dans les kibboutz.

culture fixe. Cette culture de la « pierre ancienne » se prolongea jusqu'au pléistocène, il y a environ 13 000 ans, lorsque le climat de la région se réchauffa et que le niveau des mers commença à s'élever.

La période protohistorique (300-710)

Avant la fin de la période du Yayoi, à partir de la 2de moitié du IIIe s, des « clans » dans la région de Yamato à l'extrémité est de la mer Intérieure et dans d'autres parties du Japon, au centre et à l'ouest, commencèrent à ériger des tombeaux gigantesques destinés à abriter les dépouilles de leurs chefs. Le plus grand de ces *kofun* (littéralement « sépulture ancienne »), un tumulus à la forme de trou de serrure couvrant plusieurs hectares, fut construit dans la région de *Yamato.* Il est considéré comme le mausolée de la 1re dynastie puissante du Japon, les Yamato, qui revendiquèrent ultérieurement le contrôle politique sur l'ensemble du pays.

On continua de construire de grandes tombes jusqu'à la fin du VIIe s. Entre-temps, cependant, la vieille société clanique s'était restructurée et le pays s'apprêtait à adopter une administration impériale centralisée d'inspiration chinoise. L'époque d'*Asuka* (593-710) marque la phase finale de cette transition entre la protohistoire et l'histoire proprement dite. Cette période s'ouvrit par l'établissement de la cour de l'impératrice *Suiko* (593-628) au palais de Toyoura dans la région d'Asuka au sud de l'actuelle ville de Nara. En cette même année 593, le prince *Shōtoku* (574-622) commença à servir comme régent. Pendant plus d'un siècle, cette zone fut le site des palais des dirigeants de la lignée des Yamato et des puissants « clans » qui les soutenaient. Le bouddhisme et le confucianisme (ainsi que des éléments du taoïsme) furent introduits dans cette région en 592, sans pour autant rejeter les traditions animistes (appelées ensuite shinto). Le prince Shōtoku travailla à consolider le pouvoir et le prestige de la famille impériale et engagea le pays dans une réforme centralisatrice, exprimée dans sa *constitution en 17 articles.* La cour japonaise soutint le bouddhisme, construisit des temples, des palais et des capitales d'après les modèles coréens et chinois, commença à rédiger des histoires utilisant des caractères chinois et élabora un projet de structure d'État impérial de style chinois, connu plus tard sous le nom de « régime des Codes ». Ces différentes initiatives furent traduites dans les réformes de *Taika* de 645 et les codes des « sanctions et des peines » *(ritsuryô)* de la fin du VIIe s et du début du VIIIe s.

L'époque antique (710-1185)

En 710 fut établie à *Nara* une resplendissante nouvelle capitale, appelée *Heijôkyô,* calquée sur celle de la dynastie des Tang à Chang'an (actuelle Xi'an en Chine). Au cours de la période de Nara (710-794), le Japon bénéficia plus directement encore des apports culturels et technologiques du grand voisin. Les 1res chroniques du Japon, le *Kojiki* (712) et le *Nihon Shoki* (720), furent compilées à cette époque. Bouddhisme et confucianisme furent appelés à soutenir l'autorité politique, des

temples furent construits à Nara et dans chacune des « provinces » *(kuni).* Le bouddhisme s'imposa peu à peu dans la population, essentiellement pour sa conception de l'au-delà offrant un espoir de survie. Mais la religion n'est pas uniforme, et
le pays jouit d'un véritable syncrétisme de différentes sectes. Des centres d'impôts
furent institués, ainsi que le recensement de la population et l'allocation des terres.
Dans les dernières années du VIIIe s, cependant, l'administration impériale centralisée montra des signes d'essoufflement. La politique à Nara était dominée par les
rivalités entre les nobles et les clergés bouddhiques. En 784, l'empereur **Kammu**
(781-806) décida un nouveau départ et tenta de revivifier le régime des Codes en
déplaçant la capitale sur un nouveau site. En 794, **Heiankyô** (littéralement « capitale de la Paix et de la Tranquillité ») fut établie à proximité : c'est la ville moderne
de **Kyoto** aujourd'hui. Elle fut le lieu de résidence de la cour impériale et la **capitale
du Japon jusqu'au XIXe s,** lorsque celle-ci fut déplacée à Edo, renommée Tokyo.
Le nom « Japon » vient du chinois *riben,* qui signifie « origine du soleil ». Le pays
montre ainsi sa capacité à s'inspirer d'un voisin plus puissant pour éviter de tomber sous sa domination directe. Ce sera un trait récurrent dans l'histoire du pays.
La période de 794 à 1185 marque l'apogée du pouvoir du gouvernement impérial
sur le Japon de Heiankyô. Elle est connue comme l'époque de **Heian** : assimilation
intensive de la culture chinoise et épanouissement d'une culture aristocratique raffinée. Politiquement, toutefois, la cour impériale et le trône lui-même étaient dominés
par les nobles de la famille des **Fujiwara,** et la cour avait des difficultés à contrôler la
prolifération des « domaines privés » *(shôen)* et à maintenir son ascendant sur l'administration des provinces. En l'absence d'un système militaire centralisé efficace, des
groupes de guerriers accrurent leur pouvoir, d'abord dans les provinces puis à la
cour elle-même, lorsque la famille des **Taira** s'empara du pouvoir au milieu du XIIe s.

Le Moyen Âge (1185-1568)

Cette période connaît de nombreuses similitudes avec le Moyen Âge européen, en
particulier un système féodal. Les Taira furent renversés en 1185 par des guerriers
menés par **Minamoto no Yoritomo,** gratifié du titre de **shogun** et qui établit un
gouvernement militaire, le **shogunat de Kamakura,** du nom de la petite cité de
Kamakura dans l'Est. Les 4 premiers siècles de domination guerrière, couvrant
la période de Kamakura (1185-1333) et la période de **Muromachi** (1333-1568),
sont généralement décrits comme la période féodale du Japon. La cour ne fut
pas remplacée par la création du shogunat, mais son influence déclina progressivement. Le shogunat se chargea de l'administration de la justice, de la succession
impériale et de la défense du pays contre les tentatives d'invasion mongoles à la
fin du XIIIe s. Dirigé d'abord par Yoritomo et ses fils, puis par des shoguns enfants
contrôlés par des régents de la famille guerrière des **Hôjô,** le shogunat de Kamakura fut le premier d'une série de régimes guerriers qui domineront jusqu'au milieu
du XIXe s. En 1333, ce régime féodal fut renversé par une coalition menée par
l'empereur **Go-Daigo,** pressé de restaurer un pouvoir impérial direct.
Go-Daigo fut écarté en 1336 par **Ashikaga Takauji,** qui l'avait aidé à s'emparer du
pouvoir. Takauji, usant d'un empereur rival comme d'un fantoche, établit un nouveau shogunat dans le quartier de **Muromachi** à Kyoto. Après plusieurs décennies
de guerres civiles entre les cours rivales du Nord et du Sud, le shogunat fut installé
sur des bases fermes par **Ashikaga Yoshimitsu,** le 3e shogun. Yoshimitsu contrôlait alors les puissants guerriers provinciaux *(shugo)* qui lui apportèrent leur soutien. Les derniers shoguns Ashikaga furent moins heureux. Débutant par la guerre
d'**Ônin** (1467-1477), le pays s'engagea dans le siècle des guerres civiles à répétition, connu comme la période des **Provinces combattantes** (1467-1568), durant
laquelle les seigneurs féodaux locaux ignorèrent le shogunat et la cour impériale
et luttèrent entre eux pour des hégémonies locales. Les solidarités horizontales
(paysannes et religieuses) comptaient souvent davantage que les allégeances
verticales. Le monde à l'envers !

1543 : le Portugal débarque au Japon

Les Portugais ont été les 1ers Européens à découvrir le Japon au XVIe s et à essayer de l'évangéliser. L'apothicaire et diplomate **Tome Pires** mentionne pour la 1re fois, en 1513, le nom « Jampon » dans un récit de voyage *(Suma oriental)* mais il n'y a pas mis les pieds. Les 1ers Portugais qui débarquent sur l'île de Tanegashima (sud de Kuyshu) en 1543 (ou 1542) sont des marins et des pères jésuites venus de Macao : Antonio da Mota, Antonio Peixoto et Francisco Zeimoto... Ils sont sidérés par ce qu'ils découvrent : la culture japonaise est si différente de la Chine, encore plus du

L'ART DE L'ADOPTION SPIRITUELLE

Quand le jésuite François Xavier arriva au Japon en 1549, il pensait être le 1er chrétien à débarquer en terre nippone. Bizarrement, le Christ était déjà connu depuis 3 siècles sous le nom d'Inro Bosatsu. Ce « sage » d'Occident a été admis au panthéon japonais par les bouddhistes qui en avaient entendu parler. Ils l'avaient d'ailleurs introduit dans la grande confrérie polythéiste nippone. Aussi diverses soient-elles, les religions sont toutes compatibles au Japon.

Portugal et du reste du monde ! C'est la planète Mars ! Ils utilisent le mot « Jampon », qui est d'origine malaise et signifie « pays du soleil levant ». Depuis Marco Polo, les Européens ne connaissaient que le mot « Cipangu » pour désigner le pays, déformation du mot chinois Ji-Pen-Kouo (qui signifie aussi « pays du soleil levant »). En 1547, **Jorge Alvarez** voyage dans l'archipel nippon et rédige – à la demande du jésuite **François Xavier** (1506-1552, le fameux futur saint y a prêché) – un rapport sur ce pays méconnu des Européens. Alvarez est le premier à décrire une cérémonie shinto. Son récit fiable est unique. La 1re carte géographique du Japon vers 1550 est aussi l'œuvre d'un Portugais. Elle est conservée en Italie à la bibliothèque Vallicelliana.

Le « siècle chrétien » du Japon

En 1563, le jésuite portugais **Luis Fróis** s'établit au Japon, où il restera jusqu'à sa mort, en 1598. Il apprend le japonais et le parle couramment pour mieux diffuser le christianisme. Fin observateur, il prend des notes sur les mœurs nippones. Son récit *Traité de Luis Fróis sur les contradictions de mœurs entre Européens et Japonais* est publié en 1585. Le père de l'ethnologie moderne, Claude Levi-Strauss, admirait ce chef-d'œuvre, consacrant Luis Fróis comme le 1er « japonologue » de l'histoire ! Luis Fróis raconte notamment que les Japonais ont l'habitude, au XVIe s, de broyer les perles pour en faire des médicaments, d'arracher les dents des patients en leur attachant une flèche tirée par un arc, de manger des singes, des chats, des chiens, et du goémon cru... que les Japonaises sont alphabétisées et sont plus libres que « chez nous », que les enfants portent un sabre dès l'âge de 12 ans et que l'on tue pour un oui et pour un non.

Le père Luis Fróis meurt à Nagasaki en 1598 au moment où commencent les persécutions contre les chrétiens. Le « siècle chrétien » du Japon correspond donc à la période 1543-1640, au cours de laquelle les jésuites portugais ont eu le monopole de l'évangélisation. En 1640, le shogun ferme le Japon aux étrangers

TOUT POUR PLAIRE AUX JAPONAIS

Le mot « Dieu » a été mal compris par les Nippons car, traduit en japonais par « Dai Uso », il signifie « grand menteur ». Les maisons des missionnaires étaient si sales au XVIe s qu'on exigea que les pères jésuites vivent à la japonaise. Le rituel du thé leur fut même imposé par Rome pour plaire au peuple nippon réticent à se convertir...

et met tout le monde dehors sauf quelques marchands hollandais autorisés à faire du commerce à De-shima (Nagasaki), seul et unique port ouvert aux Européens *(gaijin),* à condition qu'ils ne fassent que du commerce et aucun prosélytisme religieux. Les Hollandais acceptent la nouvelle règle. Le Japon se referme ensuite sur lui-même comme une huître et restera inaccessible au reste du monde pendant 268 ans... jusqu'en 1868. La persécution des chrétiens et la question de l'apostasie sont le sujet de *Silence,* très beau film réalisé par Scorsese en 2016.

La présence portugaise dans le Japon des XVIe et XVIIe s a laissé des traces dans la langue japonaise. Encore aujourd'hui, le mot nippon « *mushika* » vient du mot portugais *musica.* Un jeu de cartes se dit « *karuta* ». Viennent aussi du portugais les mots « *kappa* » (imperméable), « *syabon* » (savon), « *tabaco* » (tabac), « *kastera* » (du portugais *castilla*) et « *pan* » (pain).

La période prémoderne (1568-1600)

À partir du milieu du XVIe s, un mouvement vers la réunification du pays émergea progressivement des conflits guerriers et fut porté par 3 puissants généraux, *Oda Nobunaga, Toyotomi Hideyoshi* et *Tokugawa Ieyasu.* La brève mais spectaculaire période au cours de laquelle ils établirent leur contrôle militaire sur le pays et commencèrent à modifier ses institutions féodales est connue comme l'époque d'*Azuchi-Momoyama* (1568-1600), d'après le nom de résidence de leurs magnifiques palais respectifs. Ce fut un âge d'or, de luxe et d'ouverture au monde extérieur. Hideyoshi chercha à pacifier les campagnes en confisquant les sabres et en séparant les samouraïs des paysans. Il entreprit de conquérir la Corée et d'y établir une dynastie durable, mais ces expéditions s'achevèrent par des échecs cuisants. Sa mort en 1598 laissa sa veuve vulnérable face aux daimyo ou « grands noms » rivaux (les vassaux du shogun). Parmi eux, Tokugawa Ieyasu. Après une victoire éclatante contre les guerriers de Toyotomi à *Sekigahara* en 1600, ce guerrier endossa le titre de shogun et établit un puissant shogunat durable dans la cité d'Edo, inaugurant la période *Edo* dans l'histoire du Japon.

Le 1er Japon unifié

La victoire de Ieyasu lui conféra un pouvoir prépondérant et lui permit de redessiner la carte du pouvoir. Il établit une structure savamment équilibrée dans laquelle le shogunat contrôlait directement Edo et les terres centrales du pays, tandis que les daimyo (répartis sur la base de leur degré de loyauté aux Tokugawa) administraient les quelque 250 domaines restants. Ieyasu et les shoguns qui lui succédèrent parvinrent à maintenir cette structure forte en équilibrant les domaines entre les daimyo et en renforçant les différences de statut entre samouraïs, paysans, artisans et marchands. Il obligea les seigneurs à laisser femmes et enfants à Edo, où ils devaient résider en alternance. Il décida d'interdire le christianisme, chassant les Portugais de Kyushu, tolérant quelques commerçants hollandais protestants. Ieyasu institua un contrôle strict des contacts avec le monde extérieur, notamment avec l'Occident. Cette structure nouvelle et autoritaire était dominée par les samouraïs et reposait sur les lourdes taxes prélevées aux paysans. Elle offrit aussi l'occasion aux marchands d'Edo, d'Osaka et de Kyoto, ainsi qu'aux cités rassemblées autour des châteaux, de développer une prospérité commerciale ainsi qu'une culture urbaine diversifiée.

La période moderne dite « période Edo » (1600-1868)

Le régime des Tokugawa, oppressif sous plusieurs aspects, procura la plus longue période de paix et de prospérité de l'histoire du pays, mais aussi sa *fermeture relative au monde extérieur.* Cependant, ce fut une *période faste pour le développement des arts et de l'artisanat* qui, du fait de l'isolement du pays, acquirent une identité très marquée. Le rétablissement de l'unité du pays entraîna une véritable chasse contre les missionnaires, et les catholiques japonais (plusieurs centaines de milliers) furent persécutés.

Cet isolationnisme du Japon fut compromis au XIXe s lorsque les bateaux russes, britanniques et américains commencèrent à s'aventurer dans les eaux asiatiques. Motif : les Occidentaux voulaient obliger la Chine et le Japon à établir des relations commerciales avec leurs nations. L'échec du shogunat à « chasser les Barbares », la concession des traités inégaux et l'ouverture de

MERCENAIRE FRANÇAIS

Officier, il s'appelait Jules Brunet. Napoléon III l'envoya au Japon soutenir le shogun (général) contre l'Empereur. Vaincu par une armée modernisée (grâce aux Anglais), il se battit jusqu'au bout. À son retour, le gouvernement français, penaud, fit semblant de le destituer.

ports après la venue de l'Américain **Perry** en 1853 entraînèrent une série d'événements qui conduisirent les puissants domaines de **Satsuma, Chôshû** et **Tosa** à utiliser la cour impériale pour s'attaquer au shogunat. Le système fut renversé lors de la **restauration de Meiji** de 1868. Le shogun perdit son pouvoir, l'empereur reprit la nation en main. **La capitale quitta Kyoto pour s'installer à Edo (Tokyo).** Le Japon finit par s'ouvrir au monde.

L'ère Meiji (1868-1912)

Cette période peut être résumée par la formule « **Esprit japonais, méthodes occidentales** ». Les jeunes samouraïs soutinrent la restauration de Meiji. Ils voulaient préserver, revitaliser et renforcer le pays. Ce processus s'accomplit rapidement durant la période Meiji (1868-1912). Le slogan du nouveau pouvoir fut : « Un pays riche, une armée forte. » Cela signifiait de réformer la plupart des institutions sociales, politiques et économiques dans le sens de l'Occident (changement de calendrier, adoption du système métrique, castes sociales abolies, éducation centralisée et obligatoire). Le Japon

ATTAQUE SURPRISE

Le 8 février 1904, suite à l'échec des négociations pour le retrait des troupes russes de Mandchourie, la flotte nippone attaqua la base russe de Port-Arthur, sans déclaration de guerre. 7 navires russes furent coulés. La guerre russo-japonaise commença. Elle s'acheva en septembre 1905 avec la défaite du tsar. Le pays du Soleil-Levant reçut de l'ours russe le sud de l'île de Sakhaline, le Liaodong et le chemin de fer sud-mandchourien. Le Japon fit alors une entrée fracassante dans la cour des grands.

adopta une constitution en 1889, ouvrant la voie à un gouvernement de type parlementaire. Il réalisa d'importants efforts industriels et bâtit une force militaire suffisante pour défaire la Chine en 1895 et la Russie en 1905, puis il annexa la Corée en 1910, se positionnant comme **la principale puissance impérialiste en Extrême-Orient.**
La période de **Taishô** (1912-1926) fut marquée par la reconnaissance du Japon comme puissance majeure. La succession de gouvernements issus des partis politiques, désignée parfois comme la « démocratie de Taishô », permit la croissance économique intérieure et la coopération diplomatique.

Les militaires au pouvoir

Le militarisme japonais se renforce entre les 2 guerres mondiales. Les budgets consacrés à l'armée ne cessent d'augmenter. Des officiers belliqueux se préparent à la guerre. De plus en plus surveillée et persécutée, la gauche libérale japonaise doit laisser la place à l'extrême droite et à l'armée, tirant les ficelles en coulisse.

Le Japon occupe la Mandchourie et quitte la SDN

En 1923, un terrible séisme détruit en grande partie Tokyo. La crise mondiale de 1929 éclate aux États-Unis et atteint le Japon. C'est un contexte favorable à la montée du fanatisme et du militarisme. Crise de la soie, crise du riz, misère paysanne, dépression économique et financière. Les yeux se portent sur la **Mandchourie** (environ 30 millions de Chinois), **territoire sous-peuplé et riche, convoité par un Japon proche et surpeuplé.** Un rêve de colonisation et d'annexion, en somme, calqué sur les ambitions coloniales européennes du XIXe s. En Mandchourie vivent en 1931 quelque 4 000 paysans et une garnison de 25 000 à 30 000 soldats japonais. Un groupe minime, concentré dans une zone géographique concédée aux Japonais depuis le traité de 1905. Cette présence nippone en Mandchourie est réelle mais contestée. Le Japon contrôle les secteurs essentiels de l'économie mandchoue : voies ferrées, mines, ports. De plus, la Mandchourie produit du riz, du blé, du soja et des matières premières alimentaires dont le Japon a besoin. La ville de Moukden est le fer de lance de cette hostilité antijaponaise. Les Japonais ne la comprennent pas, fiers d'avoir contribué au développement économique depuis 1905. Pour le général Tanaka, la Mandchourie doit servir de glacis stratégique, indispensable à la sécurité, voire, pour ses ressources minières et agricoles, à l'existence du Japon.

Il est vrai que, depuis l'ouverture du Japon en 1868, des « traités douaniers inégaux » en faveur des Occidentaux et les rivalités pour le contrôle des richesses naturelles dans la zone Pacifique ont contribué à installer un climat de revanche doublé d'une confrontation de fait avec les États-Unis, dont les intérêts étaient menacés par les visées expansionnistes de l'Empire nippon. Ces mêmes États-Unis tentèrent en 1922 de limiter le tonnage de la flotte de guerre japonaise.

Le 18 septembre 1931 se produit l'**incident de Moukden.** Une bombe explose sur une voie ferrée. L'attentat est attribué aux forces chinoises, mais, en fait, il a été organisé par le capitaine Imada pour satisfaire l'armée japonaise à la recherche d'un **prétexte capable de provoquer** l'embrasement, c'est-à-dire **l'invasion de la Mandchourie.** La réaction japonaise est immédiate : prise des casernes de Moukden et occupation des principales villes. Le 25 août 1932, le Japon nomme sa nouvelle conquête : **Mandchoukouo.** On place à la tête de cet État fantoche le fameux Puyi, un empereur-potiche, dernier descendant de la dynastie impériale chinoise. Il devient chef de l'État du Mandchoukouo contrôlé par le Japon. Ce n'est pas une colonie, mais une **sorte de protectorat,** qui restera occupé par une force étrangère de 1934 à 1945. Le Mandchoukouo illégitime est quand même reconnu par les puissances de l'Axe, l'Espagne, la Thaïlande, la Finlande et le Vatican.

Après un bras de fer diplomatique, long et laborieux, la Société des Nations (SDN, ancêtre de l'ONU) adopte une résolution visant à contraindre le Japon à abandonner ses prétentions sur la Mandchourie. Le Japon vote contre. Le représentant Matsuoka quitte la salle, et le Japon quitte la SDN. C'est un coup dur pour celle-ci, d'autant que, peu de temps après, l'Allemagne de Hitler et l'Italie fasciste feront de même... Cet épisode est évoqué dans l'album *Le Lotus bleu* des aventures de Tintin.

L'armée japonaise provoque incident sur incident et, au début de 1937, elle **envahit la Chine.**

LE MASSACRE DE NANKIN

En 1937, l'armée japonaise décida de prendre Nankin, la capitale chinoise de l'époque. Pas de prisonniers, on exécute, torture et viole. La violence fut telle que John Rabe, un homme d'affaires nazi, contacta Hitler (!) pour le supplier d'intervenir auprès de ses alliés japonais afin d'arrêter les atrocités. En vain.

L'alliance du Japon avec l'Allemagne d'Hitler

L'armée influence la diplomatie japonaise. Elle pousse le gouvernement Hirota à signer, en novembre 1936, le *pacte anti-Kominteren.* Le général Oshima Hitoshi, attaché militaire à Berlin, et admirateur de Hitler et du national-socialisme, engage la négociation avec Ribbentrop, à l'automne 1935. À mesure que l'armée japonaise progresse en Mandchourie septentrionale, *les relations entre le Japon et l'URSS se dégradent.* Été 1934 : environ 300 000 soldats japonais sont massés dans les régions proches de l'empire des Soviets. Les Russes de leur côté se préparent à une guerre sur cette nouvelle ligne de front. Japon et Allemagne ont donc *un ennemi commun : l'URSS.* Il est donc logique que Berlin et Tokyo passent une alliance militaire. Un 1er accord est signé en novembre 1936 entre l'ambassadeur du Japon à Berlin et Ribbentrop. Ce pacte comporte des clauses secrètes qui prévoient un front commun de Berlin et Tokyo en cas de conflit contre Moscou.

Et voilà donc le Japon qui se range en 1937 aux côtés d'une puissance européenne totalitaire. Les dés sont jetés ! Le Japon sera avec l'Allemagne nazie (et l'Italie fasciste) contre la Russie communiste et l'Europe libérale. Un choix lourd de conséquences.

Bref, la période de *Shôwa* (1926-1989), qui débute par une note d'optimisme et de libéralisme, dégénère rapidement en visées expansionnistes en Asie. Ultranationalisme, militarisme et répression politique à l'intérieur mènent inexorablement à la guerre contre les États-Unis et les Alliés en Asie et dans le Pacifique.

ET CE FUT LE DÉBUT DE LA GUERRE SINO-JAPONAISE

Le 7 juillet 1937, sur le pont Marco-Polo, à 16 km à l'ouest de Pékin, les Japonais accusèrent la Chine d'avoir enlevé un de leurs soldats. Tension extrême. Les Japonais exigèrent de fouiller les maisons. Refus des Chinois. Ce fut le début d'une guerre terrible. On se rendit compte plus tard que le soldat introuvable était parti au bordel.

Pearl Harbor (7 décembre 1941)

Le 27 septembre 1940, après la victoire nazie en Europe, *le Japon rejoint l'Axe.* Entre-temps, les États-Unis avaient soutenu les troupes nationalistes chinoises de Chiang Kaï-chek, en lui donnant des moyens militaires et financiers pour lutter contre le Japon. En octobre 1941, le *général japonais Tojo* pousse à la guerre et remplace Konoe à la tête du gouvernement. États-Unis, Grande-Bretagne et Pays-Bas déclarent l'embargo sur le pétrole

KAMIKAZE

Au XIIIe s, un typhon anéantit par 2 fois la flotte mongole qui voulait envahir le Japon. Kami Kaze, qui peut se traduire par « vent de Dieu », fut désormais glorifié par le peuple japonais. Pendant la dernière guerre, on appela ainsi les pilotes qui se sacrifièrent en précipitant leurs avions, chargés d'explosifs, contre les navires américains. Tous n'étaient pas absolument volontaires.

et l'acier et gèlent les avoirs japonais aux États-Unis. Le 7 décembre 1941, sans déclaration de guerre et selon un plan audacieux élaboré par l'amiral Yamamoto Isoroku, l'aviation japonaise embarquée, à 6 500 km de Tokyo, bombarde la flotte américaine basée à Pearl Harbor, aux îles Hawaii, et l'anéantit. 3 cuirassés sont coulés, plusieurs navires sérieusement endommagés, 188 avions sont détruits au sol, 3 700 soldats et marins américains sont tués ou blessés. Mais les porte-avions américains, eux, étaient à ce moment-là en pleine mer, ce qui jouera un rôle important pour la suite de la guerre. Côté japonais : seulement 29 avions et 5 sous-marins perdus. Le drame de Pearl Harbor précipite l'entrée des États-Unis dans la guerre.

D'autres **victoires japonaises** aussi lourdes de conséquences sont remportées dans les jours qui suivent. Guam tombe le 10 décembre 1940. L'armée japonaise vise Hong Kong, qui tombe le 25 décembre, Singapour (prise le 15 février), l'Indochine (française) forcée par Vichy à laisser le libre passage aux troupes japonaises, la Birmanie, la Malaisie : **la Seconde Guerre mondiale s'étend en Asie et dans l'océan Pacifique**.

SOLDATS CAMÉS

Pendant la Seconde Guerre mondiale, l'armée japonaise distribua des millions de doses de méthamphétamine à ses kamikazes. Cette drogue de synthèse, particulièrement dangereuse, donne un sentiment de puissance, d'euphorie... et d'inconscience. La phase descendante provoque paranoïa et, parfois, tentative de suicide. Hitler en était un utilisateur régulier.

Guadalcanal (7 août 1942)

En 1942, le Japon a la mainmise sur les Philippines, la Birmanie, le Vietnam et l'Indonésie, et menace l'Australie. En mai-juin 1942, la bataille navale des îles Midway stoppe l'avancée japonaise. L'armée américaine débarque à Guadalcanal le 7 août. C'est le début de la **contre-offensive américaine,** avec l'appui de l'Australie et de la Nouvelle-Zélande. En 1943, les Américains regagnent du terrain dans le Pacifique, sous la direction du **général MacArthur.** En 1943 et 1944, reconquête progressive par les Américains du Sud-Pacifique, reprise de la Birmanie par les Anglo-Américains et les Chinois, et conquête du Japon à partir des îles du Sud.

Débarquement américain sur Okinawa (avril 1945)

Tandis que l'état-major japonais lance sur la flotte américaine des avions-suicides (les kamikazes), les Américains débarquent sur l'île d'Okinawa, située à l'extrême sud de l'archipel japonais. **La propagande gouvernementale japonaise invite les habitants à se suicider** en masse plutôt que d'être humiliés, c'est le vieux code d'honneur des samouraïs (le *bushido*) qui ressurgit. On assiste à des scènes d'horreur indescriptibles qui aujourd'hui encore marquent la mémoire collective d'Okinawa. Les avions américains bombardent les grandes villes du Japon : Tokyo, Osaka, Nagoya. Le Japon est affaibli. C'est alors que Truman, le président des États-Unis, choisit de recourir à la bombe atomique qui vient d'être mise au point dans le désert du Nouveau-Mexique.

La bombe atomique sur Hiroshima et Nagasaki (6 et 9 août 1945)

Le 6 août 1945, à 8h15 du matin, le bombardier B-29 *Enola Gay* lâche au-dessus de la ville d'Hiroshima (un centre militaire et d'armement important) une bombe A appelée « Little Boy ». Sa charge est équivalente à 12 500 t de TNT. Elle explose à une altitude de 600 m, générant un énorme champignon dans le ciel du Japon, tuant sur le coup plus de 80 000 personnes, détruisant 90 % de la ville. La température de la boule de feu atteint 3 000 à 4 000 °C au sol. Un

UN TERRIBLE REMORDS

Claude Eatherly fut pilote de l'un des avions météo qui participèrent au largage de la bombe atomique sur Hiroshima. Il passa le reste de sa vie à le regretter et à se repentir. Il fut même interné. On sait aujourd'hui que le Japon, exsangue, était prêt à capituler. Cette terrible bombe était en fait un avertissement à l'URSS. Ce sont des milliers de civils japonais qui sont morts pour transmettre ce message envoyé par les États-Unis.

souffle de 1 600 km/h anéantit les immeubles dans un rayon de 3 km autour de l'épicentre. Le choc thermique est si puissant que l'ombre des silhouettes humaines désintégrées reste imprimée sur les murs de certains édifices. Dans les mois qui suivent, les survivants meurent d'irradiation, ce qui porte le nombre des victimes de la bombe à 140 000 fin 1945.

3 jours après Hiroshima, le 9 août, à 11h02, le bombardier américain *Bock's Car* lâche sur la ville de Nagasaki (grand port de l'île de Kyushu) une bombe nommée « Fat Man » d'une puissance équivalente à 22 000 t de TNT. Elle explose à 515 m d'altitude, tue instantanément 26 000 personnes et en blesse environ 40 000 autres. Comme Hiroshima, Nagasaki est anéantie.

SURVIVRE À 2 BOMBES ATOMIQUES

Tsutomu Yamaguchi était un ingénieur en poste à Hiroshima le 6 août 1945. Le souffle le projeta face contre terre, et son visage fut protégé malgré de graves brûlures. On le rapatria alors chez lui à... Nagasaki et, 3 jours plus tard, il vécut la même horreur. Il est mort d'un cancer de l'estomac en 2010.

Encore aujourd'hui, les *hibakusha* (survivants) témoignent de l'horreur de la guerre nucléaire et se battent pour la paix, contre la bombe. Mais ces victimes handicapées à vie seront-elles entendues ?

À genoux, *le Japon finit par capituler le 15 août 1945.* Sa reddition est signée sur le cuirassé *Missouri* en rade de Tokyo le 2 septembre en présence du général MacArthur. C'est la fin de la Seconde Guerre mondiale.

L'Apure (ou l'après-guerre) et la reconstruction

La défaite du Japon en 1945 est suivie d'une période d'occupation du Japon par les Américains soutenus par les puissances alliées. Un tribunal international est institué pour juger les criminels de guerre (le général Tojo est exécuté). Le Japon collabore avec l'occupant-libérateur, et le peuple japonais change radicalement d'attitude : la pugnacité agressive d'hier se transforme en esprit de reconstruction, sous la houlette des Américains. Le militarisme d'hier se mue en pacifisme. *Le Japon devient une démocratie.* L'article 9 de la Constitution de 1946 proclame que « le peuple japonais renonce à jamais à la guerre ».

COMMUNICATION IMPÉRIALE

Le 15 août 1945, pour la 1re fois, les Japonais entendirent la voix de leur empereur, le « dieu vivant », à la radio. Hirohito demandait au peuple de « tolérer l'intolérable et d'accepter l'inacceptable ». Pourtant ils ne saisirent pas immédiatement le sens du discours. Le souverain s'exprimait dans un japonais archaïque, utilisé dans l'ancienne cour impériale et incompréhensible pour la population. De plus, l'enregistrement était de mauvaise qualité, et il fallut qu'un commentateur explique ensuite aux Japonais que leur pays avait perdu la guerre.

La paix entre Washington et Tokyo n'est vraiment signée que le 8 septembre 1951, à San Francisco : le Japon redevient alors une nation libre et un solide allié des États-Unis, la guerre de Corée a éclaté et Mao est au pouvoir en Chine. Le vaincu d'hier devient un nouvel associé économique de la 1re puissance mondiale, même si une partie de l'opinion désapprouve la présence américaine dans le pays (manifestations anti-américaines à Tokyo en 1952). Les étapes de ce processus s'enchaînent : démilitarisation du Japon, démantèlement des anciens trusts industriels (zaibatsu), adoption d'une nouvelle constitution, démocratisation du système politique et mise en place d'un nouveau système éducatif. Les communistes et l'extrême gauche sont écartés sous l'influence de MacArthur. L'occupation américaine du Japon dure officiellement jusqu'en avril 1952. Pourtant, dans la mémoire collective japonaise, ce qui a été fait durant cette période reste le produit d'une occupation. C'est un sujet très délicat, qui marque les consciences et les opinions et donne de l'eau au moulin des partis politiques les plus nationalistes. Ces derniers considèrent en effet que le Japon d'après-guerre n'a pas choisi son destin, mais qu'il lui a été imposé par l'étranger victorieux (et arrogant). Le débat reste ouvert et n'est pas près de faire l'unanimité.

Durant cette difficile reconstruction d'après-guerre, Osaka, Tokyo, Nagoya, Hiroshima et Nagasaki se relèvent de leurs ruines, tout comme l'économie japonaise. Mais le Japon ne se redresse pas de la même façon que l'Allemagne. Une des clauses du traité de San Francisco prévoit l'abandon de toute demande de réparation de la part des pays d'Asie victimes de l'agression japonaise. C'est énorme. Cet argent qui ne part pas à l'étranger sert donc au redressement du pays.

La croissance revient rapidement durant les années 1960 et 1970. Le Japon – quasi mort en 1945 – renaît lentement mais sûrement. La présence d'un puissant et riche allié, et beaucoup de travail et de sacrifices de la part du peuple japonais sont les raisons de ce renouveau économique. L'armée japonaise ne joue plus aucun rôle, elle ne dispose que de forces d'autodéfense. Les Américains assurent le statut de parapluie stratégique du pays en cas de nouveau conflit. En 1972, la base d'Okinawa, encore occupée par les Américains (les bombardiers américains partent de là pour aller pilonner le Vietnam), est rendue au Japon, mais les États-Unis maintiennent encore des bases militaires.

Le « miracle économique japonais »

Les Jeux olympiques de Tokyo en 1964 apportent au Japon une reconnaissance internationale restaurée. La prospérité s'appuie sur une politique systématique de croissance économique orientée vers les exportations, l'insistance sur l'éducation et la frugalité, l'énergie et les efforts soutenus des Japonais eux-mêmes. Elle repose sur les principes du « toyotisme », offrant aux salariés très qualifiés une meilleure implication et une production en fonction de la demande qui incite aux gains de productivité. Une crainte à l'horizon tout de même : le déclin de la démographie.

Le Japon est en effet devenu un pays vieillissant qui connaît une baisse de la natalité inquiétante et un allongement de l'espérance de vie (la plus élevée au monde).

MARIAGE « SOLO »

De nombreuses Japonaises rêvent de mariage mais ne trouvent pas de conjoint. Les célibataires peuvent désormais vivre un mariage avec leurs amis. Tout est prévu (robe, banquet, photographe et nuit dans une suite de luxe).

La « pire crise depuis la Seconde Guerre mondiale »

Le 11 mars 2011, le séisme le plus violent jamais recensé au Japon frappe le Nord-Est du pays, à 130 km des côtes. D'une violence inégalée (8,9 sur l'échelle de Richter), il provoque un *tsunami* qui déferle 20 mn plus tard sur 600 km de côtes à 700 km/h, atteignant jusqu'à 30 m de hauteur par endroits, emportant avec lui sur parfois 10 km bateaux, maisons, trains, voitures dans une énorme coulée de boue. 450 000 personnes sont évacuées, 100 000 militaires mobilisés, des répliques atteignant 6,6... Le bilan humain est de 23 000 morts et disparus.

À cela s'ajoute la catastrophe nucléaire à Fukushima-Daïchi, l'une des 4 centrales nucléaires de la côte est de Honchu, placée au niveau 7 sur l'échelle des accidents nucléaires (comme Tchernobyl). Le tsunami a mis à mal le système de refroidissement de la centrale. Malgré les efforts entrepris, les cœurs des réacteurs fondent après une série d'explosions entraînant la dispersion de matériaux radioactifs. Près de 120 000 personnes sont évacuées. De l'eau contaminée se déverse dans la mer. Des traces de radiations sont décelées dans des légumes cultivés autour de la centrale et jusque dans l'eau du robinet à Tokyo. Des bateaux commerciaux refusent de s'approcher de la baie de Tokyo. La gestion de la crise par l'opérateur TEPCO se révèle déficiente. Avec le reflux du tsunami, 25 millions de tonnes de débris se répandent en mer, une zone de 110 km au large des côtes est rendue impropre à la navigation le mois suivant, et les déchets se mettent à dériver dans le Pacifique.

Fukushima vient des termes : *shima*, qui signifie « île », et *fuku,* qui signifie « bonne fortune » !

La reconstruction des régions touchées va prendre plusieurs années. Le coût estimé en fait déjà le séisme le plus onéreux de l'histoire, après celui de Kobe en 1995. Les pertes économiques estimées sont de l'ordre de 210 milliards de dollars (de 3,5 à 5 % du PIB), ce qui est énorme pour un pays considéré comme le plus endetté du monde. *Le Japon plonge dans la récession...*

Homme fort et incertitudes...

En matière de politique intérieure, les dernières années ont été marquées par les succès électoraux du Parti libéral démocrate (PLD). Ce dernier remporte les élections législatives en décembre 2012, face à une majorité sortante de centre gauche. Shinzo Abe devient Premier ministre. C'est le *retour au pouvoir du conservatisme* et d'un certain discours aux accents nationalistes. Abe est connu pour être un « faucon provocateur et gaffeur », mais les Japonais approuvent son programme économique. Il relance en effet l'économie nippone grâce à la politique de la planche à billets. Le yen baisse par rapport à l'euro et au dollar. En 2014, il provoque des élections législatives anticipées, et gagne son pari en remportant haut la main, avec son allié centriste, le scrutin qui avait valeur de référendum à l'égard de son programme économique. La coalition obtient 327 sièges, soit plus des 2/3 des 475 sièges de la Chambre basse. En 2015, le chômage atteint 3,1 % de la population active, un niveau qui n'a jamais été aussi bas depuis 20 ans... alors que le pays ne connaît aucune croissance.

En 2016, nouveau succès électoral du PLD lors du renouvellement de la moitié des sénateurs à la Chambre haute. Homme fort du pays, Shinzo Abe rêve désormais de modifier la constitution dictée par les Américains à la fin de la Seconde Guerre mondiale, inchangée depuis et considérée par les partis nationalistes nippons comme le symbole de l'humiliation japonaise. Une réforme de la constitution permettrait notamment de lever les restrictions imposées à l'époque par les Américains à l'armée japonaise. Un parfum de revanche sur l'histoire...

Sur la scène internationale, les choses se compliquent pour le Japon. À l'automne 2012, bras de fer avec la Chine au sujet des îles Senkaku, situées entre le Japon et Taïwan. Pékin considère que ce petit archipel appartient « historiquement » à la Chine, tandis que le Japon rappelle qu'il est sous souveraineté nippone après avoir été sous mainmise de l'armée américaine après la Seconde Guerre mondiale. Quelques mois plus tard, au printemps 2013, le dictateur nord-coréen Kim Jong-un fait des siennes. Il menace la Corée du Sud et les Américains d'une guerre du type « feu nucléaire » avec des tirs balistiques et nucléaires. Le Japon craint que Pyongyang ne le prenne pour cible. Inquiétude fondée puisqu'en mars 2017 la Corée du Nord tire des missiles balistiques qui s'échouent dans les eaux territoriales du Japon. L'essai est réitéré par 2 fois en août et septembre 2017, malgré des sanctions prise par l'ONU. En avril 2018, Shinzo Abe se rend en Floride pour négocier sur cette question. Trump lui confirme un soutien sans faille. Il promet également son aide dans la libération des otages japonais enlevés par la Corée du Nord dans les années 1970 et 1980. Seuls 13 ont été reconnus par Pyongyang, mais le Japon en dénombre au moins 17 et 800 cas d'enlèvements sont encore à expliquer.

Seulement 3 jours plus tard, Kim Jong-un annonce à la télévision coréenne qu'il met fin à ses essais nucléaires. Relayé dans le monde entier, chaque leader se réjouit de cette décision, Trump le premier. Le Japon reste néanmoins sceptique face à ce revirement, et met en garde le reste du monde. C'était dans ce contexte de tensions, et pour affirmer sa proximité avec les États-Unis, que le Premier ministre Shinzo Abe s'était rendu à Pearl Harbor, en décembre 2016, aux côtés de Barack Obama. L'hommage nippon rendu aux victimes américaines est une première ! Démonstration hautement symbolique face à la montée en puissance du voisin chinois. Quelques mois avant, Obama s'était rendu à Hiroshima.

Par ailleurs, l'empereur Akihito a annoncé qu'en raison des obligations qu'il assumait avec de plus en plus de difficultés à plus de 80 ans il souhaitait abdiquer au profit de son fils Naruhito. Le gouvernement s'est prononcé en faveur de cette requête et a publié une loi l'y autorisant. Shinzo Abe a annoncé que le règne de l'empereur Akihito, baptisé Heisei, signifiant « Paix achevée », prendrait fin le 30 avril 2019. Une première dans l'histoire du Japon ! De nombreuses incertitudes se profilent donc à l'horizon, et pas des moindres...

LITTÉRATURE JAPONAISE

Littérature ancienne

La 1re grande anthologie poétique de l'Archipel, le *Manyôshû (Recueil des dix mille feuilles,* vers 760), rassemble pas moins de 4 500 poèmes, principalement des *waka* ou « chants japonais » de 31 syllabes. Inventés au IXe s, les kana (voir la rubrique « Langue » dans le chapitre « Japon utile »), qui permettent de transcrire phonétiquement le japonais, donnent forme à une littérature autochtone, à travers les anthologies impériales de poésie, dont le *Kokin waka-shû* publié en 905. Une littérature en prose voit aussi le jour dans des récits tels que l'*Ise monogatari (Contes d'Ise)* ou des journaux intimes comme le *Tosa nikki (Journal du voyage de Tosa,* 935).

Des romans sont écrits comme autant de produits des salons littéraires des femmes de la cour de Heian, au début du XIe s. À noter : 2 œuvres magistrales, *Makura-no-sôshi (Notes de chevet)* de dame Sei Shonagon et surtout le *Genji monogatari (Le Dit de Genji)* de dame Murasaki Shikibu. Ce dernier est un immense roman relatant les amours du prince Genji sur fond d'intrigues et de jeux galants. Il s'impose vite comme le chef-d'œuvre inégalable de la littérature japonaise. C'est le 1er livre japonais écrit par une femme, et sans doute dans le monde.

Littérature médiévale

Du XIIe au XVIe s, les lettres s'orientent vers des registres nouveaux : poèmes *renga* (séries de *waka* enchaînées), recueils de contes et de légendes, récits historiques et surtout romans guerriers retraçant la lutte entre les clans féodaux Taira et Minamo. L'*Izayoi nikki* perpétue la mode impériale des anthologies poétiques et journaux de voyage. Le *Tsurezuregusa (Les Heures oisives),* écrit par Urabe Kenko vers 1330, illustre un nouveau genre, celui des notes « au fil du pinceau » *(zuihitsu),* où transparaît la vision bouddhiste sur la vanité des choses.

Littérature d'Edo

Les *Contes de pluie et de lune* (1715), d'Ueda Akinari, sont un récit historique mêlé de fantastique. *L'homme qui ne vécut que pour aimer* (1682), de Saikaku, est une fiction humoristique. Chikamatsu Monzaemon compose des pièces pour le théâtre de kabuki *(joruri)* puis pour le kabuki. *La Sente étroite du bout du monde* (1682), de Bashô Matsuo, offre un modèle du genre des poèmes courts de 17 syllabes baptisés haïku.

Littérature moderne

Nuages flottants (1889), de Futabatei Shimei, est un roman qui innove par son langage familier. *La Danseuse* (1890), de Mori Ôgai, raconte les déboires amoureux d'un étudiant japonais à Berlin. *La Porte* (1910), de Natsume Sôseki, traduit les incertitudes du Japon face à l'introduction de la culture occidentale. Le courant naturaliste, avec des auteurs tels que Nagai Kafu, domine aussi le début du XXe siècle. Un groupe d'écrivains dits « prolétariens », dont Kobayashi Takiji est le meilleur représentant, émerge dans les années 1920. Le mouvement « sensations nouvelles », créé en 1925, attire des auteurs d'avant-garde au style expressionniste comme Kawabata Yasunari (Prix Nobel de littérature en 1968). *L'Éloge de l'ombre* (1930) est l'un des chefs-d'œuvre de Tanizaki Junichiro. *La Déchéance d'un homme* (1948), de Dazai Osamu, traduit le sentiment de perte et de chaos laissé derrière l'expérience douloureuse de la Seconde Guerre mondiale. *Le Lac* (1954), de Kawabata Yasunari, est une élégie à la mémoire du Japon perdu où perce une nostalgie teintée de tristesse. *Confession d'un masque,* puis *Pavillon d'or,* de Yukio Mishima, qui se donne publiquement la mort par seppuku à Tokyo en 1970, glorifient les valeurs ancestrales du Japon.

Littérature contemporaine

De grandes fresques historiques sont livrées par Inoue Yasushi. Les romans très kafkaïens d'Abe Kobo, telle *La Femme des sables* (1962), plongent le lecteur dans un monde à la lisière du réel et du cauchemar. Le nouveau style brut et incisif, depuis les années 1960 et 1970, est particulièrement bien représenté par Kenzaburô Ôé, Prix Nobel de littérature en 1994. Les romans contemporains de Yoshimoto Banana, tel *Miso Soup* (2003), ou de Murakami Ryu mettent en scène un monde urbain dominé par le sexe et la violence.

Le romancier Haruki Murakami (né en 1949) est un des auteurs japonais contemporains les plus traduits à l'étranger. Ses livres *(La Fin des temps, La Ballade de l'impossible, Après le tremblement de terre, 1Q84...)* révèlent un univers romanesque entre réalisme et onirisme. Son 1er grand succès est celui d'*Écoute le chant du vent,* publié au Japon en 1979.

Un nouveau genre littéraire est de plus en plus populaire auprès de la jeune génération : *light novel*. Ne dépassant pas 50 000 mots, ces œuvres sont écrites de manière simplifiée. Celles ayant du succès auprès des jeunes lecteurs sont vites déclinées sous différents formats pour profiter au maximum de leur popularité. *Sword Art Online* (2009), de Reki Kawahara, en est le parfait exemple, puisqu'en moins de 6 ans la *light novel* fut adaptée en 2 séries de 26 épisodes chacune, un film, un manga, des jeux vidéo et une série Netflix.

MANGAS

Le manga fait partie intégrante de la culture japonaise. L'art du manga est très ancien, on trouve des dessins comiques et caricaturaux dans le trésor Shoso-in (VIIIe s). Le style apparaît également dans les *emakimono,* rouleaux qu'on déroule vers la gauche, qui narrent diverses histoires (bataille, romances, légendes). Le terme est introduit pour la 1re fois par Hokusai, et signifie littéralement « image dérisoire ». Ces estampes caricaturent des personnages populaires. C'est lors de l'ouverture vers l'Occident, durant la restauration Meiji, que les mangas apparaîtront avec du texte, des bulles.

Développé après la Seconde Guerre mondiale par Tezuka Osamu (considéré comme le père du manga contemporain), le « style manga » est à la confluence de plusieurs genres et influences. Le cinéma, tout d'abord, qui lui donne notamment son découpage systématique en story-board. L'influence de Walt Disney, quant à elle, est évidente avec notamment les grands yeux à l'expressivité riche et modulable. Les comics américains des années 1950 sont source d'inspiration grâce à leurs techniques utilisées pour les mouvements des protagonistes. Enfin, il faut tenir compte de l'inventivité et du style personnel des dessinateurs *(mangaka),* japonais eux-mêmes, qui multiplient ruptures de styles (changements d'expressions des visages, absence de décor pour les scènes humoristiques...) et hétérogénéité graphique (cases brisées, dessins traversant plusieurs cases, personnages témoins...) pour mieux impliquer le lecteur. Autant de caractéristiques d'un genre à part entière, qui propose des œuvres pour chaque âge, chaque sexe et chaque sujet, loin des stéréotypes, notamment de violence, auxquels il est encore trop souvent réduit à l'étranger. Représentant quelque 30 % du chiffre d'affaires total de l'édition et 40 % des livres achetés, les mangas paraissent tout d'abord sous forme de feuilletons en noir et blanc, chacun d'une quinzaine de pages, dans d'épais magazines hebdomadaires au papier recyclable, et dont les tirages peuvent atteindre les 6 millions d'exemplaires, tel *Shônen Jump.* Pouvant se prolonger 5, voire 10 ans ou plus, les meilleurs récits sont ensuite regroupés en volumes au format poche de 200 pages sur un papier de qualité moyenne mais à l'impression correcte, et proposés à des prix modiques. Les bonnes histoires peuvent comporter entre 10 et 50 volumes et rassembler jusqu'à plusieurs dizaines de millions de lecteurs, tel *Dragon Ball,* d'Akira Toriyama, avec ses 42 volumes réalisés de 1984 à 1995. Les meilleurs succès sont déclinés en séries animées et par la suite en *Original Animation Vidéo* (OAV ; voir plus loin « Sports et loisirs. La télévision. Anime »). Enfin, les mangas remportant le plus de suffrages sont adaptés au cinéma dans un graphisme de haute tenue, l'animation passant en 25 images par seconde, tels *Akira* d'Ôtomo ou *Ghost in the Shell* d'Oshii (voir la rubrique « Cinéma. Animation » plus haut). Dans de très rares cas, des films avec des acteurs réels sont réalisés, comme le phénomène mondial *Death Note* de Shûsuke Kaneko (2008).

Les mangas n'ont pas de genre exact mais on les distingue par l'audience qu'ils ciblent. Les *shôjo* sont destinés aux jeunes filles, les *shônen* aux jeunes garçons et les *seinen* aux jeunes adultes. Ces derniers ont mis du temps à être traduits en français, ayant longtemps souffert de l'image puérile associé au manga. Avec la traduction d'auteurs comme Jirô Taniguchi, Yoshiharu Tsuge ou Naoki Urasawa, nominés ou récompensés au Festival d'Angoulême, le manga est désormais connu et

UN CHAT NOMMÉ AMBASSADEUR

Le succès d'un manga sert aussi la diplomatie nippone. En mars 2008, le ministre des Affaires étrangères japonais a remis à Doraemon, le « chat du futur », héros d'un célèbre manga pour enfants, le titre d'ambassadeur du dessin animé japonais. Objectif : promouvoir la culture nippone à travers ce chat astucieux et savant.

reconnu chez nous. Les problématiques abordées par ces œuvres expriment les tourments du moi moderne japonais et le monde qui l'entoure, mais les techniques et recherches stylistiques y sont aussi plus travaillées. Les fans de mangas ne manqueront pas de visiter le musée qui leur est consacré à Kyoto.

Quelques titres

– De Eiichiro Oda : *One Piece* (éd. Glénat), le phénomène nippon à l'univers merveilleux et au scénario élaboré depuis 1997 avec plus de 80 volumes.
– De Sui Ishida : *Tokyo Ghoul* (éd. Glénat).
– De Hiro Mashima : *Fairy Tail* (éd. Pika) et *Groove Adventure Rave* (éd. Glénat).
– De Masashi Kishimoto : *Naruto* (éd. Kana).
– De Ai Yazawa : *Nana* (éd. Akata/Delcourt).
– De Naoki Urasawa : *Monster* (éd. Kana).
– De Fumiyo Kouno : *Dans un recoin de ce monde* (éd. Kana), l'histoire d'une jeune femme qui vit à Kure, près d'Hiroshima, pendant la guerre, racontée en 2 volumes.

Quelques adresses à Tokyo pour les fans

■ **K-Books :** *1F et 2F, Akiba Bldg, 1-7-6 Akihabara, Akihabara-ku.* ☎ *3526-3576.* ● *k-books.co.jp* ● *Au même endroit, voir aussi **Animate** アニメイト dans la rubrique « Les quartiers d'Akihabara et de Kanda ».*

■ **Mandarake Shop Shibuya :** *B2F, Shibuya Beam Bldg, 31-2 Udaga-wacho, Shibuya-ku.* ☎ *3477-0777.* ● *mandarake.co.jp* ●

MÉDIAS

Votre TV en français : TV5MONDE, la 1re chaîne culturelle francophone mondiale

Avec ses 11 chaînes et ses 14 langues de sous-titrage, TV5MONDE s'adresse à 360 millions de foyers dans plus de 190 pays du monde par câble, satellite et sur IPTV. Vous y retrouverez de l'information, du cinéma, du divertissement, du sport, des documentaires...

Grâce aux services pratiques de son site de voyage (● *voyage.tv5monde.com* ●), vous pouvez préparer votre séjour et, une fois sur place, rester connecté avec les applications et le site ● *tv5monde.com* ● Demandez à votre hôtel le canal de diffusion de TV5MONDE et contactez ● *tv5monde.com/contact* ● pour toutes remarques.

Radio

RFI peut seulement être écoutée sur le site internet. Inutile d'apporter votre transistor pour écouter la radio japonaise, les fréquences ne sont pas les mêmes qu'en France et vos transistors ne seront pas adaptés.

Presse

Héritiers des journaux populaires nés à la fin du XIXe s, les quotidiens japonais sont nombreux (les Japonais lisent beaucoup). 5 journaux dominent pourtant, se partageant 50 % du tirage total de la presse journalière : le *Yomiuri Shimbun* et l'*Asahi Shimbun* en tête, avec respectivement 15 millions et plus de 8 millions d'exemplaires, suivis par le *Mainichi Shimbun*, le *Nihon Kenzai Shimbun* et le *Sankei Shimbun*,

LES JOURNAUX, C'EST ÉCOLO

Avec 5,6 millions d'exemplaires par jour, le Mainichi Shimbun est l'un des plus importants journaux au monde. Imprimé sur papier recyclable, il contient aussi des graines ! Il suffit d'humidifier quelques pages de journaux et de les mettre en terre pour voir apparaître des fleurs. Essayez avec votre tablette !

sans compter leurs éditions anglaises également consultables sur Internet. Ces grands quotidiens ont en commun le fait d'avoir développé d'autres activités que la presse. Le *Yomiuri Shimbun,* par exemple, possède également ses équipes de football et de base-ball, un orchestre symphonique réputé, un parc d'attractions, un club de golf, une société de production cinématographique, des agences de voyages, une agence immobilière...

Avec 2 éditions par jour, les quotidiens sont principalement distribués sur abonnement (près de 95 %) et réalisent la majeure partie de leurs recettes sur la publicité (près de 40 %), cette dernière représentant également l'essentiel du chiffre d'affaires de la télévision.

Au Japon, le système de carte de presse n'existe pas, un rédacteur est d'abord un salarié avant d'être un journaliste.

Il n'y a pas de quotidien en français, mais vous pouvez trouver vos journaux favoris dans certains kiosques des grandes villes ou à la bibliothèque de l'Institut français du Japon à Tokyo *(15 Funagawara-cho, Ichigaya, Shinjuku-ku ; ☎ 03-5206-2500 ; ● institutfrancais.jp ●)*. Il existe des magazines franco-japonais que vous trouverez dans les cafés, restaurants et librairies liés à la France. On peut citer *Franc-parler, France-Japon Eco, Minimix,* le *Bulletin de l'Association des Français du Japon (AFJ)* ou *Wasabi* (consacré à la gastronomie). Sinon, de nombreux sites et blogs fournissent des informations en français sur le Japon. Visitez notamment ● *france-japon.net* ●

Le Japon compte aussi plusieurs quotidiens en anglais : la version commune de l'*Asahi Shimbun* et de l'*International Herald Tribune* est excellente. On peut également citer *The Japan Times,* plus irrégulier.

Télévision

Les chaînes de télévision – privées ou publiques – sont nombreuses au Japon, bien qu'ayant des programmes assez similaires. Aujourd'hui, le paysage médiatique japonais est dominé par les chaînes de télévision privées, NTV en tête.

Liberté de la presse

Le Japon est classé au 69e rang sur 180 dans le classement mondial de la liberté de la presse établi par Reporters sans frontières (RSF). La presse japonaise est l'une des plus puissantes au monde, mais elle ne résiste pas toujours aux tentations de la proximité avec le pouvoir politique et économique. Le système des *kisha clubs* – des clubs de journalistes installés au sein des administrations et des entreprises – représente la principale entrave à la libre circulation de l'information. Les *kisha clubs* sont presque tous interdits aux journalistes indépendants et aux correspondants étrangers.

La catastrophe de Fukushima, en mars 2011, n'a fait qu'exacerber cette entrave. Lors des visites organisées sur le site, des journalistes indépendants japonais se sont vu interdire l'usage d'équipements audio et vidéo, tandis que leurs confrères, journalistes des *kisha clubs,* avaient toute liberté d'utiliser ces équipements. Pour avoir pénétré dans la « zone rouge » sans autorisation et publié des clichés révélant l'ampleur des dégâts et les drames humains qui ont résulté de l'accident, plusieurs photographes japonais ont été harcelés par les autorités.

Depuis 2012 et l'accession au pouvoir du Premier ministre **Shinzo Abe,** les pressions sur la presse ont augmenté, provoquant une vague de départs dont celui du journaliste du *Mainichi News* et chroniqueur du programme « News 23 » de la chaîne TBS, **Shigetada Kishii,** qui s'était exprimé contre les projets de loi sur la sécurité, ou celui d'**Ichiro Furutachi,** présentateur de « Hodo Station » sur TV Asahi et critique notoire du gouvernement.

Le gouvernement ne cache plus son hostilité au traitement critique de son action. Lors d'une séance parlementaire en 2015, la ministre des Communications, **Sanae Takaichi,** a menacé de fermeture les médias qui continueraient à diffuser des « informations politiques biaisées ». L'article 76 de la loi sur la Radio lui permet en effet de délivrer des ordres de suspension sans passer par un juge.

Le 15 juin 2017, la Chambre basse a adopté, sans débat, un projet de loi « anti-conspiration » qui instaure la notion de menace de l'intérêt public et de l'ordre public comme limitation à l'exercice de la liberté d'expression et des médias. Et qui criminalise la notion vague de « préparation d'actes terroristes » et crée une liste fourre-tout de 227 crimes, dont certains sans lien évident avec le terrorisme. Ce projet de loi, que le gouvernement nationaliste de **Shinzo Abe** justifie par la préparation des Jeux olympiques de 2020 et la ratification de la Convention des Nations unies sur le crime organisé, permet au gouvernement de qualifier arbitrairement des informations et des prises de position journalistiques de menaces à la sécurité de la Nation.

Cette annonce intervient 2 ans après l'entrée en vigueur de la « loi sur la protection des secrets spécialement désignés » *(Act on the Protection of Specially Designated Secrets, SDS)*. Ce texte prévoit jusqu'à 10 ans d'emprisonnement à l'encontre des lanceurs d'alerte ayant transmis des informations classées « secrets d'État », et pour les journalistes ou les blogueurs qui diffuseraient une information obtenue « illégalement ». Dans ce contexte, nombreux sont les journalistes recourant à l'autocensure. Il reste aussi difficile pour les médias d'aborder sereinement certains sujets délicats, comme la situation de la famille impériale, les crimes commis dans les années 1930 et 1940, ou les « femmes de réconfort », euphémisme employé au Japon à propos des victimes du système d'esclavage sexuel de masse, organisé à travers l'Asie par l'armée japonaise durant la Seconde Guerre mondiale. Plus de 15 ans après un article sur le sujet, le journaliste **Uemura Takashi** continue d'être harcelé par des groupes nationalistes.

■ **Reporters sans frontières :** *CS 90247, 75083 Paris Cedex 02.* ☎ *01-44-83-84-84.* ● *rsf.org* ●

MUSÉES ET SITES

Au Japon, la culture tient une place prépondérante, mais parmi les milliers de musées, très peu sont des musées nationaux. La longue histoire du Japon et ses importantes créations artistiques sont présentées au public à travers le pays. À Tokyo, un grand nombre de musées, privés ou publics, conservent des pièces inestimables des arts traditionnels du Japon. L'actualité tokyoïte est même à l'honneur dans un magazine gratuit qui propose des liens vers les musées et galeries : ● *japantoday.com* ●
Le 1er musée national du Japon est celui de Tokyo (situé dans le parc d'Ueno), qui a ouvert ses portes en 1871. Les 2 plus anciens musées du pays sont ceux de Kyoto et de Nara.
Il existe aussi des villages-musées (comme Hattoji ou Enjo), qui reconstituent le Japon d'antan.
La plupart des temples et sanctuaires se visitent, l'entrée des plus importants est payante.
Le billet d'entrée des musées coûte en moyenne de 500 à 1 000 ¥ (4-8 €). Les musées sont fermés le lundi et pendant les fêtes de fin d'année. ***Attention aux horaires !*** Depuis Fukushima, pour des raisons d'économies d'énergie, musées et sites ont réduit leurs horaires d'ouverture. N'hésitez pas à vous renseigner auprès d'eux.

MUSIQUE

Instruments de la musique traditionnelle

La flûte *(fue)* et le tambour *(taiko)* sont les 2 instruments les plus anciens du Japon. Le koto (sorte de harpe horizontale), le *shakuhachi* (flûte de bambou), le biwa (sorte de luth à 4 ou 5 cordes), entre autres instruments, sont introduits de Chine et de Corée, entre les VIIe et IXe s, en même temps que le bouddhisme, avec des musiques telles que le gagaku, qui s'établit à la cour impériale, ou l'accompagnement du théâtre nô. Le shamisen (guitare à 3 cordes) arrive au Japon du continent asiatique par le sud, via Taiwan et Okinawa.

Héritage de l'époque Edo

Traits purement japonais des multiples formes musicales qui se développent pendant l'époque Edo, du XVIIe au XIXe s, inséparables de la danse et de la littérature (chant, théâtre) :

– *shômyô :* chants des moines bouddhistes ;
– *koto :* accompagnant des chants ;
– *shakuhachi :* d'abord utilisé pour soutenir la méditation des moines zen, puis utilisé dans le spectacle ;
– *shamisen :* instrument à cordes pincées accompagnant des chants inspirés du répertoire populaire dans le *nagauta,* etc.

L'enseignement de la musique traditionnelle ainsi que les représentations sur scène reposent depuis l'époque Edo sur le système des *iemoto,* ces écoles hiérarchiques regroupant autour d'un directeur, aussi bien de musique que de conscience, des élèves qui étudient un instrument déterminé, dans un style et selon un répertoire propres à l'école.

De nombreuses compositions contemporaines utilisent des instruments traditionnels ou les associent à des instruments européens et asiatiques ; l'adaptation à la scène de formes musicales issues du registre folklorique, dont les performances d'ensembles composés uniquement de tambours sont un exemple particulièrement réussi, favorise un certain décloisonnement entre les genres.

J-pop

La J-pop, après la *new music,* par opposition à l'*enka* (forme traditionnelle de ballade très vivace encore aujourd'hui), désigne plusieurs genres musicaux incluant de la pop, du rock, de la dance et de la soul. Mais la réalité est loin d'être rose : jusqu'en 2016, les jeunes chanteuses de *girls bands* étaient contractuellement obligées de rester célibataires pour encourager les fantasmes de virginité et de pudibonderie du public...
– AKB48, véritable usine à tubes regroupant une vingtaine de jeunes filles remplacées au fil des années. Très populaire, plutôt techno-pop.
– Ganglion (!), groupe composé de 4 jeunes filles, se revendique « producteur de nouvelles sonorités qui ne se confinent pas à un genre établi ».
– Hatsune Miku, la 1re chanteuse virtuelle, icône de la pop-culture japonaise. Sa particularité est d'être l'une des voix proposées par un logiciel de synthèse vocale appelé « Vocaloid ». Sa nature fictive ne l'a pas empêchée d'organiser des concerts bien réels !
– X-Japan, qui vend des dizaines de millions d'albums au Japon et remplit des stades en Europe, est le précurseur du style Visual Key. Essentiellement des groupes masculins, un style assez théâtral, provocateur et androgyne, et qui mêle les codes du Japon ancien et du glam rock américain.
La musique J-pop est utilisée partout : anime, films, publicité, émissions radio ou télévisées, jeux vidéo...

Le « kimochi » ou charme à la française

La chanson française n'a pas fini de faire parler d'elle au Japon. La légende de Piaf est toujours vive, et des artistes comme Kumiko Takahashi ou Akihiro Miwa n'ont pas hésité à reprendre certaines de ses chansons dans leur répertoire. Les Japonais se passionnent aussi pour le musette. Et les patrons de certains cabarets de quartier à Tokyo reprennent des figures du genre, comme Montand, Aznavour ou Trenet, et poussent la chansonnette. Des chansons françaises qu'ils ont apprises par cœur, car ils ne parlent pas le français !

PERSONNAGES

Personnages historiques et légendaires

– *L'empereur du Japon :* Akihito est le nom de l'empereur actuel. Né le 23 décembre 1933, il étudie la science politique à l'université Gakushuin de Tokyo avant d'être intronisé prince héritier en 1951. Il épouse Shoda Michiko (née en 1934), la fille du président de la compagnie Nisshin. Dans les annales impériales, c'est le 1er mariage d'un empereur avec une roturière. À la mort de l'empereur Showa (Hirohito) en 1989, Akihito lui succède sur le trône. Passionné d'ichtyologie (étude scientifique des poissons), cet homme cultivé et discret n'intervient pas dans les décisions du gouvernement japonais. Il représente néanmoins le Japon dans sa permanence historique, se situant au-dessus des partis et de la vie politique. C'est un symbole national. Bien que la constitution japonaise ne lui laisse pas beaucoup de liberté, Akihito a formulé des excuses (en 1989) à la Chine et à la Corée, au nom de son pays, pour les souffrances endurées par ces nations durant la Seconde Guerre mondiale. La fin de son règne est prévue pour le 30 avril 2019 suite à son abdication (voir plus haut la rubrique « Histoire. Homme fort et incertitudes... »).

– *Jimmu Tennô :* les plus anciens textes du Japon prêtent à ce 1er empereur une existence de quelque 1 200 ans ! L'arrière-arrière-petit-fils de la déesse solaire lance ses forces sur le pourtour de la mer Intérieure à la conquête du Yamato. D'abord défait, il soumet la région grâce à l'intervention de l'oiseau d'or et devient le 1er empereur du Japon. Les spécialistes considèrent que cette histoire atteste de la diffusion de la culture Yayoi de la région Kyushu à celle du Kinai ; ou des origines de la famille impériale, des cavaliers venus d'Asie pour conquérir le Kinai. Quoi qu'il en soit, la famille impériale de Yamato serait venue de Kyushu.

– *47 rônins :* les énumérer tous serait long et... inutile. Ce qui compte, c'est l'image de sacrifice et de loyauté extrême que les 47 samouraïs les plus célèbres de l'Archipel ont léguée à la postérité et en laquelle les Japonais sont invités régulièrement à se ressourcer. Nous sommes dans les années 1700. Le prologue : 47 guerriers se retrouvent « sans maître » (sens premier de *rônin*) suite au suicide forcé du leur, injustement traité. L'histoire : ils se séparent, se font oublier, mûrissent leur vengeance et assassinent le responsable de leur infortune. Ils acceptent ensuite de se suicider ; ils reposent ensemble dans le cimetière du temple de Sengaku-ji à Tokyo. Moralité : la fidélité peut aller jusqu'à renoncer à sa propre vie. Depuis, d'innombrables adaptations (kabuki, séries, films, livres...) ont été inspirées par ce fait divers.

– *Sugawara no Michizane (845-903) :* le « patron » des gens de lettres du Japon a été aussi un courtisan que la politique a écarté des cercles du pouvoir de Heian. Versé dans les classiques de la Chine, il enseigne la littérature à la cour et, gouverneur de la préfecture de Sanuki, il occupe à son retour dans la capitale le poste envié de ministre de la Droite (sorte de Premier ministre). Accusé de vouloir renverser le trône par la puissante famille des Fujiwara, il est exilé à Dazaifu, où il meurt 2 ans plus tard, en 903. Il est à l'origine de l'interruption des ambassades entre la cour et la Chine (894), et dirige la rédaction de la dernière des 6 histoires officielles impériales. Il est considéré comme le plus grand maître de poésie en chinois du Japon antique, et ses poèmes sont compilés dans 2 anthologies, qui sont aujourd'hui des classiques. Après sa mort, ses détracteurs ont cherché à apaiser son courroux en le réhabilitant : promotion au poste le plus élevé de la cour à titre posthume, dédicace de temples à son nom et élévation au rang du divin Tennan Tenjin.

– *Amaterasu (Ômikami) :* née du frère Izanagi et de la sœur Izanami, la déesse solaire est le personnage central de la mythologie japonaise et l'ancêtre supposée de la famille impériale. Le(s) sanctuaire(s) d'Ise abrite(nt) le miroir sacré *(yata no kagami)*, un des 3 joyaux impériaux, la représentant. La légende raconte que, à la suite d'une offense de son frère – Susanoo no Mikoto –, elle se réfugie dans une grotte, plongeant le monde dans l'obscurité. Intriguée par les danses et fêtes *(kagura)* organisées par les autres divinités en son honneur, elle se hasarde dehors et, satisfaite de son image renvoyée par le miroir qu'on lui tend, elle accepte de raviver la lumière. Elle envoie son petit-fils pacifier les îles du Japon, son arrière-arrière-petit-fils (Jimmu) deviendra le 1er empereur (mythique) de l'Archipel.

– *Zeami (1363-1443) :* de son vrai nom Kanze Motokiyo, fils de Kanami (1333-1384), avec qui il crée la majeure partie des pièces du théâtre nô. En 1374, le shogun Ashikaga Yoshimitsu fait du jeune Motokiyo son protégé, lequel succède à son père, gérant d'une troupe de *saguraku* (spectacles combinant danses, acrobaties, musique et pantomime), à la mort de ce dernier. Ce n'est qu'en 1422 qu'il adopte son nom d'artiste « Zeami », contraction de *Zenami*. En 1429, le nouveau shogun lui préfère son neveu et l'exile sur l'île désolée de Sado. Zeami aurait refusé de léguer son savoir à Onami. Il était entré dans les ordres entre-temps comme moine zen de la secte Sôtô. Komparu Zenchiku, son gendre, est son seul successeur reconnu. Lui sont attribués 21 à 90 pièces, ainsi que plusieurs traités d'art dramatique. *Takasago, Izutsu* et *Kinuta* figurent parmi ses chefs-d'œuvre. Zeami définissait la perfection du grand acteur par la notion de « fleur » *(hana)*, et celle de la représentation ultime par le *yûgen*, la « subtile beauté ». À l'instar des autres créateurs du Moyen Âge, il recherchait l'émotion avec le public et l'expression libre.

– *Fukuzawa Yukichi (1835-1900) :* le visage du billet le plus élevé au Japon, 10 000 ¥, c'est lui... Provincial doué et avide de connaissances, il monte à la capitale shogounale et participe aux 2 premières missions officielles du régime, l'une aux États-Unis (1860), l'autre en Europe (1862). À son retour et jusqu'à sa mort, il œuvre pour rallier ses compatriotes à la science et à la volonté d'indépendance, 2 atouts occidentaux qui garantiront à son pays, qu'il juge arriéré, pouvoir, prospérité et autonomie. Il fonde l'une des futures grandes universités du Japon *(Keiô)*, un journal, et ses idées novatrices (équité au sein de la famille, cause des femmes...), très populaires, lui garantissent une audience quasi nationale. Bien qu'il ait décliné sa vie durant toute offre d'emploi public, il figure parmi les fondateurs du Japon moderne.

– *John Manjirô (1827-1898) :* né pêcheur, celui qui est encore Nakahama Manjirô devient par la faveur des vents le traducteur des 2 régimes successifs du shogunat des Tokugawa et de Meiji. À 14 ans, échoué sur une île déserte, il est recueilli par un baleinier américain qui le mène jusqu'aux États-Unis, où il étudie et voyage. De retour au Japon 10 ans après, non sans avoir au préalable été sérieusement questionné, il est appelé à servir d'interprète lors des différentes étapes qui mèneront à l'ouverture du pays. Il enseignera successivement au centre d'essai naval de Nagasaki (1855) ainsi qu'à la future université de Tokyo. Il est l'auteur du 1er guide de conversation japonais-anglais.

Inventeurs, ingénieurs, industriels, entrepreneurs

– *Masaru Ibuka et Akio Morita, « messieurs Sony » :* Masaru Ibuka (1908-1997) est ingénieur, et Akio Morita (1921-1999) physicien. Ils fondent en 1946 une entreprise de 20 employés qui répare des équipements électriques. *Sony* vient du mélange du mot latin *sonus,* qui signifie « son », et du mot anglais *sonny* (*sonny boy* : un jeune homme à l'esprit libre et entrepreneur). Transistors d'abord, puis radios, téléviseurs, caméras, appareils photo numériques, caméscopes, jeux vidéo, semi-conducteurs... et walkmans. Le volume des produits fabriqués par Sony est impressionnant (sans compter les studios de cinéma). Sony est un empire industriel qui représente aujourd'hui 14 % du marché électronique mondial.

– *Kiichiro Toyoda, « monsieur Toyota »* *(1894-1952) :* tout commence en 1926 avec Sakichi Toyoda, qui construit des métiers à tisser automatiques. Il passe la main à son fils, Kiichiro Toyoda, qui se lance dans la production automobile en 1937 et dans celle des véhicules industriels en 1955. En 1959, la ville de Koromo, berceau de la famille Toyoda, est rebaptisée *Toyota* (dans la région de Nagoya). Kiichiro Toyoda assure l'essor de la société grâce

MAUVAIS SORT

Akio Toyoda dirige la plus grosse entreprise automobile, créée par son grand-père : Toyota. Mais pourquoi avoir modifié une lettre à cette enseigne si célèbre ? Tout simplement parce que pour écrire Toyoda en japonais, il faut 10 coups de pinceau. Or, ce chiffre porte malheur. Grâce à cette modification du d en t, seuls 8 traits suffisent... Sans compter l'économie de peinture.

au système « Toyota » et à des méthodes de production basées sur le zéro faute, le « juste à temps », les cercles de qualité. De 2008 à 2015, l'empire Toyota était le 1er constructeur mondial. Il est cependant descendu à la 3e place aujourd'hui, derrière Volkswagen et l'alliance Renault-Nissan-Mitsubishi Motors.

– *Konosuke Matsushita (1894-1989) :* né dans le village de Wasa (préfecture de Wakayama), ce capitaine d'industrie est considéré encore aujourd'hui comme le « Dieu des patrons japonais ». Il quitte l'école très jeune, devient apprenti puis ouvrier électricien, et en 1917 il invente sa 1re douille électrique. Le 13 mars 1918, il fonde Matsushita Electric, ancêtre de *Panasonic.* Grâce à un réseau commercial étendu, sa société se développe pour devenir la 1re entreprise de produits électriques et électroniques du Japon et du monde dans les années 1960-1970. En 1965, ce patron « social » introduit la semaine de 5 jours dans son groupe. À la retraite en 1973, l'industriel multimilliardaire écrit des livres sur la gestion de l'entreprise et l'éthique industrielle (44 livres au total), qui font de Matsushita le modèle du grand patron-philosophe japonais.

– *Soichiro Honda, « monsieur Honda » (1906-1991) :* fils de forgeron, il a le coup de foudre, enfant, pour les voitures en voyant passer une Ford T dans son village. Devenu garagiste à 15 ans, il consacre son temps libre aux voitures de course et fonde la société Honda Motor Company en 1948, en pleine période de reconstruction du Japon. Après son entrée en bourse en 1954, la société *Honda* devient le 1er constructeur de motos japonaises, puis elle se lance dès 1962 dans les voitures et les camions. C'est un empire industriel, dont il quitte la présidence en 1973.

– *Fusajiro Yamauchi, « monsieur Nintendo, Pokémon et Super Mario » (1860-1940) :* en 1889, Fusajiro a 29 ans quand il crée à Kyoto la société *Nintendo,* spécialisée dans les jeux de cartes *(Hanafudas).* Il passe ensuite la main à son gendre Sekiryo Kaneda, qui développe la société. De 1980 à 2006, Nintendo est le n° 1 au Japon pour la production des consoles et jeux vidéo. Son génie a été d'inventer la 1re console de jeux vidéo portable. Cependant depuis 2009, Nintendo connaît un déclin sans précédent : en 7 ans, ses ventes ont baissé de 75 %... La compagnie était même considérée comme morte par ses investisseurs. Néanmoins, 2018 semble être l'année de la résurrection grâce à sa nouvelle console : un véritable miracle économique.

– *Tokuji Hayakawa (1894-1981) :* autodidacte, il commence par inventer en 1912 la Tokubijo, 1er ceinturon à pince (pas de trou dans la ceinture), et un stylo révolutionnaire en 1915. En 1924, il crée sa propre compagnie à Osaka, *Hayakawa Metal Works,* qui deviendra le groupe *Sharp.* La compagnie fabrique des radios, des téléviseurs (1re TV noir et blanc en 1953), des fours micro-ondes (1966), des calculatrices électroniques (1969), des réfrigérateurs, des machines à laver, des fax, des téléphones portables, des caméscopes, des amplificateurs de son, des écrans LCD. Aujourd'hui, Sharp est le 1er producteur mondial d'écrans à cristaux liquides et le 2e fabricant de panneaux solaires. Unique au monde, sans concurrente, l'usine futuriste Sharp de Kameyama (qui fabrique de grandes dalles-mères fines comme une carte de crédit...) est synonyme d'excellence et d'avant-garde, la fierté du « made in Japan ». Le secret de Sharp ? L'entreprise est dirigée par des ingénieurs et non par des financiers.

– *Tadashi Yanai :* n° 1 du groupe Fast Retailing, maison mère des magasins de vêtements *Uniqlo,* il possède 26 % des parts de la chaîne. Né en 1949, Tadashi Yanai fait aujourd'hui partie des Japonais les plus fortunés de l'archipel et envisage même, d'ici à 2020, un chiffre d'affaires de 5 000 milliards de yens (environ 38,5 milliards d'euros ; à ce prix-là, on est moins regardant sur les 3 derniers chiffres !) dans ses magasins. Principal concurrent des colosses GAP, Zara et H & M, le PDG du groupe s'est entouré de moins d'une centaine de fournisseurs, leur garantissant des commandes nombreuses et des reventes en magasins à prix abordables.

– *Shojiro Ishibashi (1899-1976) :* fondateur de la marque de pneus *Bridgestone* et grand collectionneur d'art. Prototype de l'industriel-mécène japonais.

– Et aussi : *Yamato Takkyubin* (Takuhaibin), fondateur de la 1re entreprise de livraison à domicile devenue aujourd'hui un empire commercial. *Masatoshi Ito,* qui a importé le concept américain de grande distribution au Japon dans les années 1960.

Il est le dirigeant du groupe Ito Yokado et le fondateur génial de *7-Eleven (Seven Eleven)*, la 1re chaîne de supérettes *(konbini)* ouvertes jour et nuit (12 000 *konbini* au Japon). Il a été copié ensuite par *Family Mart, Lawson* et *AM/PM*. Citons également **Kazuma Tateishi,** fondateur (méconnu) de la société **Omron** (basée à Kyoto) spécialisée dans les thermomètres digitaux, les composants électroniques, le matériel médical de haute technologie et l'automation industrielle. Omron a inventé les 1res cartes biométriques du métro japonais,

UN EMPIRE EN CAOUTCHOUC

Shojiro Ishibashi créa, en 1925, une usine de semelles en caoutchouc. Il fabriqua son 1er pneu en 1930, fonda Bridgestone et, en 1950, la société dominait le marché japonais. Avec sa fortune, Ishibashi acheta des peintures de maître dans le monde entier, surtout des Français. En 1983, la firme nippone racheta Firestone, le 2e fabricant américain de pneus. Cette innovante société inventa le 1er pneu neige sans clous et le pneu révolutionnaire Runflat, qui permet de rouler même avec une crevaison...

ainsi que les portillons automatiques les plus performants du monde, qui fonctionnent par simple frôlement d'une carte magnétique et permettent le passage de 80 usagers à la minute grâce à un système d'une immense ingéniosité. Il n'y a pas mieux dans le monde !

Artistes, créateurs, écrivains, musiciens

– Kenzo Tange (1913-2005) : le père de l'architecture moderne japonaise. Il forma nombre de grands d'aujourd'hui comme *Arata Isozaki* (musée d'Art contemporain de Los Angeles), *Kisho Kurokawa, Yoshio Taniguchi* et tant d'autres. Kenzo Tange, plutôt que le verre ou l'acier, privilégie le béton, qu'il adapte à des formes épurées, le laissant le plus souvent brut de forme. Créateur des monuments commémoratifs du Parc de la Paix et du musée, à Hiroshima et, à Tokyo, de la *cathédrale Sainte-Marie,* du

VERS UN JAPON MULTIETHNIQUE ?

Mars 2015 : elle s'appelle Ariana Miyamoto. Elle est née d'une mère japonaise et d'un père afro-américain. C'est la 1re métisse à être élue miss Japon. Sur les réseaux sociaux japonais, on lui reproche de n'être qu'à moitié japonaise, pourtant elle parle un japonais pur sucre et a obtenu un diplôme en calligraphie, ce qui n'est pas à la portée du 1er Nippon venu !

magnifique siège de la Télé Fuji dans le quartier d'Odaiba, ainsi que de l'impressionnante mairie *(Tokyo Metropolitan Government Bldg)* dans le quartier de Shinjuku. À Paris, il légua le curieux Grand Écran, à la place d'Italie. Prix Pritzker (le « Nobel » de l'architecture) en 1987.

– Kukai (774-835) : l'inventeur présumé des kana (voir la rubrique « Langue » dans le chapitre « Japon utile »), et de ce fait considéré comme le père de la culture autochtone, est aussi le fondateur de la célèbre secte ésotérique bouddhiste Shingon, dont le 1er temple est installé sur les hauteurs du mont Koya, destination depuis d'importants pèlerinages. Après des études en Chine, il développe son monastère et approfondit sa doctrine tout au long de sa vie. Il est à l'origine du circuit en 88 étapes du célèbre pèlerinage des temples de Shikoku. Le quartier général de la secte Shingon reste le temple Tôji, à Kyoto. Il est aussi l'auteur du 1er dictionnaire en japonais.

– Miyamoto Musashi (1584-1645) : peintre calligraphe connu sous le nom de Niten, Musashi demeure le maître inégalé et théoricien de l'art « des 2 sabres » *(nitô).* Le sort de la bataille de Sekigahara (1600) le conduit à se mettre au service du nouveau régime des Tokugawa, pour le compte duquel il dirige la répression

de la célèbre révolte chrétienne de Shimabara (1637). Il est crédité de plus d'une soixantaine de combats remportés aux sabres, prouesses dont il fait la synthèse dans son livre *Traité des cinq roues (Gorin no Sho)*, futur classique de la stratégie de l'épée, et de la stratégie en général. Également réputé pour ses travaux de peinture *suiboku* (encre de Chine), il transmet sur son lit de mort à son disciple son unique ouvrage conçu dans la solitude d'une grotte logée en montagne.

– **Murasaki Shikibu** *(vers 1000)* : l'inventeur du 1er roman au monde est une femme... et une Japonaise ! Tô de son vrai prénom, Murasaki descend de l'illustre famille des Fujiwara. Fujiwara no Michinaga, l'homme d'État le plus puissant de son temps, la présente à sa fille, l'impératrice Akiko, auprès de laquelle elle devient dame de compagnie jusqu'à la mort de cette dernière. D'après son célèbre *Journal,* elle débute la rédaction de sa chronique des amours du prince Genji lorsqu'elle entre au service de l'impératrice. Contemporaine de celui-ci, elle meurt vraisemblablement à l'âge de 50 ans, après le décès du plus célèbre amoureux de la littérature japonaise. Son surnom, Murasaki, lui vient de la couleur de la glycine (la signification du caractère de son prénom lu à la japonaise) et du nom de l'objet du désir du prince : « Violette ». La couleur violette continue d'être associée à la passion au Japon. Son texte, *Le Dit de Genji (Genji monogatari),* toujours lu avec ferveur, est considéré comme le chef-d'œuvre de la littérature japonaise, aux côtés de *Notes de chevet,* de Sei Shônagon (fin X^e s), autre célèbre dame de compagnie et de lettres.

– **Natsume Sôseki** *(1867-1916)* : le plus grand auteur japonais moderne, avec Mori Ôgai, est aussi celui qui sut le mieux rendre compte du traumatisme de la rencontre culturelle entre le Japon ancien et l'Occident. Ses haïkus (poèmes) donnés à la revue *Hototogisu* l'amènent à quitter son poste de professeur de littérature anglaise à la prestigieuse université de Tokyo pour rejoindre durablement les colonnes du journal *Asahi.* Il laisse une œuvre considérable, et son « salon » littéraire, qui accueillera la nouvelle génération, a été admirablement croqué dans les B.D. *Au temps de Botchan* de Natsuo Sekikawa et Jiro Taniguchi (Seuil, 2002-2006).

– **Katsushika Hokusai** *(1760-1849)* : l'artiste aux 120 pseudonymes est renommé pour son amour de la nature. Son œuvre phare, *Trente-six vues du mont Fuji,* rend hommage à la montagne sacrée à travers de magnifiques estampes. Durant ses 70 ans de carrière, il ne cesse de produire peintures, dessins, gravures, livres illustrés, manuels didactiques... À l'origine du terme « *manga* », Hokusai réinvente le monde artistique, mêlant tradition japonaise et influences occidentales, qui se traduit par son utilisation du bleu de Prusse dans nombre de ses œuvres.

– **Issey Miyake** : né en 1938 à Hiroshima, ce survivant de la bombe atomique fait partie des pionniers de la mode japonaise internationale. Après des études de graphisme et de design à l'université Tama Art de Tokyo, il quitte le Japon pour la France et s'installe à Paris en 1964, où il étudie à la chambre syndicale de la couture parisienne, puis travaille comme assistant de Guy Laroche et de Givenchy. Il séjourne à New York et, de retour au Japon en 1970, il développe sa propre maison de haute couture. Issey Miyake a un style épuré et minimaliste, inspiré du zen. En 1973, il est le 1er styliste japonais à organiser un défilé de mode en Europe. Issey Miyake s'est retiré de la haute couture en 1999, passant le flambeau à son assistant Naoki Takizawa. Pour en savoir plus : ● *isseymiyake.com* ●

– **Kenzo** : né le 27 février 1939 à Himeji, Kenzo Takada se passionne très tôt pour la mode. Il suit les cours de l'école de mode *Tokyo's Bunka Fashion College,* réservée exclusivement aux filles. Il y entre comme le 1er élève masculin, mène à bien sa scolarité et quitte le Japon pour la France, à bord d'un cargo, en plein hiver 1964, à l'âge de 25 ans, sans un sous. À force de travail, il parvient à se faire connaître à Paris, organisant en 1970 son 1er défilé dans la galerie Vivienne, près du Palais-Royal. La même année, il ouvre son 1er magasin parisien : *Jungle Jap.* En 1983, 1re collection masculine. C'est un succès immédiat. Originalité des formes, sobriété des lignes et non-conformisme font de Kenzo l'un des flambeaux de l'avant-garde japonaise en France, son pays d'adoption. En 1993, cet éternel adolescent aux yeux rieurs revend sa marque de prêt-à-porter au groupe LVMH, avant de se retirer en 1999. Pendant 6 ans, il voyage puis il crée une nouvelle ligne, *Gokan Kôbô* (« Les Cinq Sens » en japonais). En 2007, sa société est en liquidation judiciaire. En 2009, il vend aux enchères ses collections ainsi que sa maison à Bastille. Il est décoré de la Légion d'honneur en 2015.

– *Rei Kawakubo, « madame Comme des Garçons » :* née à Tokyo en 1942, elle est la « reine avant-gardiste de l'antimode », selon la presse spécialisée. Cette Japonaise fonde une entreprise de couture en 1973, ouvre une boutique à Paris en 1982 et se lance dans les parfums (au Japon, on ne se parfumait pas, par discrétion). Le nom vient de la chanson *Tous les garçons et les filles*, de Françoise Hardy, qui prône l'égalité entre les sexes. Grâce à un style libertaire et marginal, austère et audacieux, Comme des Garçons est sans doute la marque la plus originale et la plus « socialement incorrecte » du Japon.

– *Sazae-san :* la Japonaise la plus célèbre est... un dessin. Trentenaire enjouée, l'héroïne créée par Machiko Hasegawa en 1946 mène la vie, au fil des saisons, d'une bonne mère, bonne épouse, bonne belle-fille... Machiko inventa aussi « Ijiwaru bâsan », « méchante grand-mère », clin d'œil à l'encontre de ceux qui ont réduit trop vite Sazae-san à ses apparences...

– *Tadao Ando :* né le 13 septembre 1941 à Osaka, enfant abandonné par ses parents, il est confié à sa grand-mère. À 14 ans, il réalise sa 1re construction dans un quartier populaire d'Osaka. Il devient boxeur mais arrête pour apprendre l'architecture, en autodidacte. Dans les années 1960, il voyage en solitaire, prend le *Transsibérien*, arrive en France, mais Le Corbusier – qu'il admire – vient de décéder. Tadao Ando revient en 1969 à Osaka et fonde sa propre agence. Il est considéré comme l'un des plus grands architectes contemporains : l'église sur l'eau de Hokkaïdo, le musée de la Littérature de Himeji à Hyogo, le musée Suntory à Osaka. Il arrive à fusionner spiritualité japonaise, techniques de construction les plus pointues et matériaux innovants. Il s'intègre habilement au paysage plutôt que de chercher à le transformer. En 1995, il est le 3e Japonais à recevoir le prix Pritzker, le « Nobel » des architectes, après Kenzo Tange (1987) et Fumihiko Maki (1993). Après le tremblement de terre de Kobe (janvier 1995), il offre le montant de son prix aux sinistrés et orphelins de la ville.

– *Tora-san, camelot :* le plus populaire des Japonais d'après-guerre est un personnage de film... et un camelot dénommé Tora-san (« Monsieur Tigre »). Vendeur ambulant, ami fidèle, amoureux transi et un tantinet hâbleur, le rondouillard le plus célèbre du cinéma nippon est apparu plus d'une soixantaine de fois depuis 1969, incarné par l'acteur Atsumi Kiyoshi (décédé en 1996), à qui l'on prêtait des sympathies communisantes.

DE LA BOXE AU BÉTON...

Tadao Ando, autodictate, commença à l'âge de 14 ans par agrandir la maison de sa grand-mère puis, pour se faire un peu d'argent, débuta sa vie professionnelle comme... boxeur. Que de chemin parcouru pour cet architecte de renom (qui a le nez cassé des boxeurs !), réputé pour avoir travaillé le béton, une matière reconnue, comme une œuvre d'art...

YOKO ONO, ARTISTE CÉLÈBRE MAIS AUX ŒUVRES INCONNUES

Née en 1933 à Tokyo, dans une riche famille de banquiers, elle fit ses études dans un collège réservé à l'aristocratie japonaise. Artiste avant-gardiste, rien ne la prédestinait à vivre avec John Lennon, star mondiale. Mariée 2 fois et vivant dans des conditions extrêmement modestes, elle rencontra le fondateur des Beatles dans une galerie d'art. Son style et ses choix artistiques attirèrent John. Il entra dans un monde qu'il ne connaissait pas. La présence perpétuelle de Yoko lors des enregistrements et des tournées agaçait les 3 autres Beatles. Déjà fragile, le groupe éclata.

– *Yohji Yamamoto :* né en 1943. Après des études à la prestigieuse école de mode Bunko Fukuso de Tokyo, il crée sa marque de prêt-à-porter : Y's. En 1977, sa 1re collection est présentée au grand public. Des vêtements féminins, il passe aux vêtements pour hommes. Séduit par le spectacle, il invente des costumes pour des opéras et imagine des ensembles pour les personnages des films de son ami Takeshi Kitano. Son succès artistique s'accompagne d'une belle réussite commerciale : près de 560 points de vente, 570 employés (en atelier), et un chiffre d'affaires annuel de près de 100 millions d'euros.

Animaux nippons célèbres

– *Hello Kitty :* née dans les années 1970 de l'imagination d'une styliste inspirée, cette petite chatte sans bouche, « car elle parle avec son cœur », dit sa créatrice, est partout ! Déclinée sur tous les supports, elle est devenue l'idole des petites filles, pas uniquement au Japon, mais dans le monde entier ! La société *Sanryo,* propriétaire de Hello Kitty, a fait sa fortune en vendant à des fabricants d'objets du quotidien (du vêtement aux appareils de petit ménager en passant par les fournitures scolaires, etc.) le droit d'utiliser l'image de dizaines de personnages *kawaii,* dont Hello Kitty est le plus connu en France.

CULTURE *KAWAII*

Kawaii *signifie « mignon ». Face à la dureté de la société, des dessinateurs ont imaginé des personnages adorables. Ils ont de grands yeux, un nez minuscule et aiment le rose. C'est le retour à l'enfance et à l'innocence. Le plus célèbre d'entre eux s'appelle Hello Kitty et génère plusieurs milliards de chiffre d'affaires.*

– *Manekineko, ou le chat « racoleur » :* réputé apporter chance et prospérité, il apparaît assis, une patte avant levée en signe de bienvenue, le plus souvent sous forme de céramique et d'effigie (éventails, pièces, amulettes...). Tout commerçant qui se respecte et veut bien vivre a son *manekineko* dans son officine. 2 de ses devises favorites : *Senkayaku-banrai* et *Shôbai-hanjô* (« Que mille clients viennent » et « Que les affaires prospèrent »).

– *Godzilla :* le reptile légendaire fut créé par Tomoyuki Tanaka, employé de la société de production Tôhô, en 1954. La réalisation du film fut confiée à Ishirô Honda, qui saisit l'occasion pour véhiculer un message de paix. Godzilla est une allégorie des attaques atomiques perpétrées par les États-Unis à Hiroshima et Nagasaki. Big Brother n'apprécia guère la référence et censura violemment le film. Mais sa popularité auprès des Japonais mènera Tôhô à franchiser *Godzilla.* Le message originel sera oublié pour se consacrer au divertissement pur, pour faciliter son exportation en Europe. On compte pas moins de 36 adaptations cinématographiques. *Godzilla* est le film pionnier du style *kaijû eiga* (films de monstres géants), qui encore aujourd'hui est très populaire dans de nombreux pays.

Inconnu de l'histoire

– *François Caron :* aventurier protestant au service de la Hollande, il est le 1er Français à mettre les pieds au Japon. En 1640, à Nikko, il rend visite au shogun Tokugawa Iemitsu, auquel il offre un superbe candélabre en bronze, celui que l'on voit toujours aujourd'hui au sanctuaire Toshogu. Riche et honoré, Caron quitte le Japon pour Taiwan (1647) et Batavia (l'actuelle Indonésie). Il finit par abandonner la Hollande pour la Compagnie française des Indes. Amsterdam crie à la trahison, mais Paris se réjouit de cette recrue de haut standing. Alors qu'il rentre en France, arrivé en rade de Lisbonne aux commandes d'un bateau chargé d'un inestimable trésor, celui-ci s'échoue et coule. Caron disparaît dans ce drame, emportant par le fond une histoire fabuleuse. Heureusement, il a laissé une chronique de ses années japonaises : *Le Puissant Royaume du Japon,* publié par les éditions Chandeigne. On vous conseille ce livre remarquable !

POPULATION

Décroissance démographique et vieillissement

Le peuple japonais est hybride (comme tous les autres !), né d'un mélange de peuples venus de Chine, de Corée, du continent et des îles Pacifique. Aujourd'hui, la société japonaise est ethniquement et linguistiquement très uniforme. Près de 99 % de la population a comme langue maternelle le japonais. Le reste de la population est constitué d'exilés du Vietnam, du Brésil, d'Amérique, d'Europe,

SENIORS DÉLINQUANTS

L'espérance de vie record (87 ans pour les femmes et 81 ans pour les hommes) pose d'énormes problèmes sociaux. Pour un grand nombre, les retraites sont totalement insuffisantes pour vivre décemment. Voilà pourquoi des milliers de papis n'hésitent plus à pratiquer le vol à l'étalage, afin d'avoir le gîte et le couvert en prison.

et également de la minorité indigène des Aïnous, installée sur l'île de Hokkaïdo. Au début des années 1980, 10 000 réfugiés de l'ex-Indochine ainsi que des Birmans ont été accueillis de manière exceptionnelle. Le statut de réfugié est extrêmement difficile à obtenir (beaucoup vivent dans l'illégalité et risquent la prison en cas d'arrestation). Très densément peuplé (3 fois plus que la France) mais de façon hétérogène, le Japon concentre sa population sur seulement 22 % de son territoire (près de 1 600 hab./km²). La grande majorité de la population est urbaine. Tokyo, la capitale, est, d'après l'ONU, la plus grande métropole du monde, avec plus de 38 millions d'habitants. La 3e puissance économique mondiale connaît une grave crise démographique, ayant des conséquences sur le dynamisme du pays, sa compétitivité et sa richesse. À l'inverse de ses voisins d'Asie, le Japon est un pays vieillissant. Il s'agit du pays où l'on vit le plus longtemps au monde. En 2013, le Japon comptait 65 000 centenaires. D'ici à 2060, l'espérance de vie des hommes devrait passer à 84 ans et celle des femmes à 91 ans !

Selon les prévisions les plus pessimistes, en 2065, 38,4 % des habitants auront plus de 65 ans, et la population aura diminué de près de 40 millions d'individus.

En parallèle, le taux de fécondité est de seulement 1,44 enfant par femme. Ce taux est loin de permettre le renouvellement des générations, même s'il s'est légèrement redressé depuis 2005. Une sorte de « paresse » à la procréation s'est installée dans le pays du Soleil-Levant... Malgré la nomination d'un ministre d'État en charge des services publics et de la dénatalité, les différentes tentatives de relance de la natalité (allocations familiales, création de places en garderie, congé paternité...) n'ont pas entraîné les résultats escomptés. Par ailleurs, la société ne change pas : il est très difficile de concilier travail et maternité au Japon.

Le vieillissement de la population s'accompagne d'une hausse des dépenses pour la santé et le financement des retraites (réalisé par des emprunts que les actifs de demain devront rembourser !). Beaucoup de personnes âgées occupent des petits emplois (parkings, supermarchés). Dans ces conditions, l'équilibre entre prélèvements et prestations sociales est très difficile à atteindre... La dette publique est alourdie.

UNE MONNAIE SOLIDAIRE

Créé en 1995, le fureai kippu est un système d'argent virtuel qui favorise l'aide aux personnes âgées. L'acquéreur est rétribué en bons qu'il peut offrir à ses parents éloignés ou à lui-même s'il tombe malade. Plus réconfortant que l'argent, car la solidarité humaine est au cœur du système... Et plus efficace que l'aide gouvernementale, souvent déficiente.

Les questions d'immigration ont toujours été sensibles au Japon. Cependant, une politique d'immigration plus souple pourrait constituer une solution face à cette crise démographique. En 2008, 80 députés ont proposé d'intégrer 10 millions d'étrangers au Japon en 50 ans (soit 200 000 immigrés chaque année). En 2015, le Japon a accordé la nationalité japonaise à environ 9 400 personnes (sur 12 000 demandes). Si rien n'est fait, le pays devrait perdre 2,5 millions d'habitants d'ici à 2020, et la moitié de sa population d'ici à 2100...

ON NE CHOISIT PAS SA FAMILLE... OU SI !

Un nouveau marché florissant a vu le jour au Japon ces dernières années : la location de famille, dès 50 € de l'heure. Le client, souvent endeuillé, peut spécifier les caractéristiques physiques, le comportement et la gestuelle souhaités pour être au plus près du défunt. Une famille sur mesure pour parer à la solitude, le mal du XXIe s au Japon.

Certains pensent aujourd'hui : « Mieux vaut des robots intelligents que des immigrés incompréhensibles. » Le mouvement Zaitokukai, ligue d'extrême droite rejetant les privilèges des Coréens au Japon, descend régulièrement dans les rues afin de « nettoyer le quartier ».

Les Aïnous : la minorité indigène

Les Aïnous ne ressemblent pas aux Japonais. Ils sont plus grands, leur carrure et leur pilosité sont plus affirmées, leur peau est plus claire, leur visage moins lisse, et leurs yeux ne sont pas bridés. *Ainu* en japonais signifie « camarade ». Cette population aborigène vit au nord du Japon et à l'extrême est de la Russie. Vers 1300 av. J.-C., ils migrent vers Hokkaido, les îles Kouriles, l'île de Sakhaline et le sud de la péninsule du Kamtchatka. Soit 1 000 ans avant le peuple Wa, ancêtre des Japonais actuels, arrivés par l'île de Honshu (vraisemblablement depuis la Corée). L'aïnou *(ainu-go)* est la langue parlée par les Aïnous implantés sur l'île japonaise de Hokkaido. C'est une langue presque éteinte, à laquelle les spécialistes n'ont trouvé aucun lien de parenté linguistique avec d'autres langues. De nos jours, environ 50 000 membres de ce groupe ethnique sont dénombrés, sans certitude, puisque aucun recensement exact n'a été effectué. Beaucoup d'Aïnous cachent leur origine pour se protéger de la discrimination et du racisme dont ils sont victimes.

Ce peuple de chasseurs et de pêcheurs a une structure sociale patriarcale et polygamique. Sa religion est de type animiste (l'ours est l'entité la plus vénérée). Jusqu'à la fin de la Seconde Guerre mondiale, le peuple aïnou a été contraint de « devenir japonais ». Il lui fallut renier ses rites, ses arts, son mode de vie, sa religion. Les Aïnous réclamèrent le droit à la différence. En 1994, grâce à la pression exercée par

POURQUOI LES YEUX BRIDES ?

La plupart des peuples asiatiques sont originaires de Sibérie ou de Mongolie. Là, les vents des steppes sont terriblement froids, et la réverbération de la lumière sur la neige est intense. Les yeux bridés résultent donc d'une adaptation génétique afin de le protéger. Il s'agit simplement d'un léger bourrelet de graisse dans les paupières.

l'ONU en faveur des peuples autochtones, un des leurs entra au Parlement japonais *(kokkai)*.

Bien qu'ils se battent pour la reconnaissance de leur culture, aucun manuel scolaire japonais ne les mentionne. En 1997, une loi a été votée permettant à ce peuple de promouvoir sa culture et sa différence. En 2008, le parlement japonais a unanimement reconnu le caractère indigène de cette population « qui possède sa propre langue, religion et culture ». Par la suite, le porte-parole du gouvernement, Nobutaka Machimura, a dénoncé les discriminations et la pauvreté subies au cours de la période de modernisation du pays. Mais malgré ces efforts politiques, la discrimination existe toujours, et les Aïnous espèrent aujourd'hui obtenir davantage que le « droit à montrer leur culture », à savoir le « droit à vivre selon leur culture ».

RELIGIONS ET CROYANCES

Des croyances non exclusives

Les habitants de l'Archipel ne sont pas de fervents adeptes attachés à un dogme, à un livre saint ou à un dieu unique. Au cours de sa vie, un Japonais peut avoir son baptême dans un sanctuaire shinto, la bénédiction de son mariage dans une église chrétienne et ses funérailles dans un temple bouddhique. Laïque, le pays compte quelque 225 000 organisations religieuses, dont 89 000 shintoïstes, 87 000 bouddhistes, 9 000 chrétiennes et 40 000 « autres ».

L'INTOLÉRANCE DES JÉSUITES

Quand les jésuites portugais débarquèrent au Japon, ils furent bien accueillis. Mais très vite, les Nippons furent surpris puis agacés par le fanatisme de ces évangélisateurs qui proclamaient le christianisme comme seule religion valable, à l'exclusion de toute autre. Les jésuites furent alors massacrés. L'empereur décida ensuite de fermer son pays à toute intrusion, sauf pour quelques marchands hollandais.

Être à la fois bouddhiste et shintoïste au Japon – 95 % de la population religieuse –, c'est aussi une bonne manière d'« augmenter ses chances » de succès pour atteindre le paradis ! À la veille d'un voyage, on peut faire un pèlerinage dans tel temple qui délivre des amulettes censées protéger des accidents de la route ; dans l'autre qui favorise l'entrée à l'université, dans tel autre qui favorise la réussite aux examens, etc. Dans les maisons, on voit souvent dans une pièce un autel bouddhique, et dans une autre un sanctuaire shinto... La tradition religieuse nippone a donné le jour à un « bricolage » très souple entre les pratiques shinto et bouddhique, auxquelles se mêlent des croyances populaires teintées de taoïsme et de confucianisme.

Shinto ou la « voie des dieux »

Le shinto ou « voie des *kami* » est la plus ancienne religion du Japon. Il émerge peu à peu, entre les IIIe et XIe s, d'un ensemble de pratiques et de croyances indigènes liées au chamanisme, au culte des morts et aux rites agraires.

Religion animiste et panthéiste, le shinto vénère les *kami,* « esprits supérieurs » ou « forces vitales ». Ces derniers sont une myriade de divinités présentes dans tous les aspects de la vie, qui se manifestent sous différentes formes : *kami* de la nature, des clans guerriers, des rizières... terrestres, et dont peuvent faire partie certains humains d'exception après leur mort. Ils sont souvent représentés par des symboles *(shintai),* tels que miroir, sabre ou effigie, qui sont gardés au secret dans le bâtiment central *(honden)* des sanctuaires.

Le sanctuaire, souvent bâti sur un site naturel exceptionnel, comporte un torii, portique sacré qui en marque l'entrée, et des *shimenawa,* cordes de chanvre tressées, ainsi que des *gohei,* guirlandes de papier plié en zigzag destinées aussi à indiquer le caractère sacré des lieux.

Les fidèles, après s'être purifié les mains et la bouche à l'aide d'une louche *(hishaku),* tentent d'attirer l'attention des *kami* en faisant sonner une cloche ou en frappant 2 fois dans leurs mains avant de prier. Au pilier du sanctuaire, les plus superstitieux accrochent des ex-voto *(ema)*. On implore les *kami* en particulier pour tout ce qui touche à la fécondité et à la transmission de la vie lors des naissances (puis à 3, 5 et 7 ans) et mariages.

Bouddhisme mahayana, ou « Grand Véhicule »

Le sage, selon la doctrine bouddhique pour laquelle la douleur, universellement répandue, tire son origine du désir et de l'ignorance, peut, par l'ascèse et la méditation, parvenir à l'éveil et se libérer du cycle des réincarnations pour devenir bouddha. Le bouddhisme mahayana insiste sur l'importance des *bosatsu* (*bodhisattvas* en japonais), ces êtres sur la voie de l'éveil qui renoncent au nirvana pour se consacrer au salut de l'humanité tout entière. La vénération

LES MOINES À LA RESCOUSSE

Les moines bouddhistes se lancent dans le speed dating ! Voilà 7 ans que le collectif nommé Kichienkai, association de « bonnes rencontres », s'efforce de réunir des couples au sein de leur temple. Avec 10 000 inscrits et 10 % de mariages réussis, la formule marche auprès des trentenaires. Le but de cette initiative est de parer au déficit démographique tout en redorant leur image, souvent associée aux funérailles.

de Kannon, divinité de la miséricorde, est aussi très répandue au Japon. Autre caractéristique du bouddhisme japonais : la multiplicité des sectes et des écoles apparues au fil de l'histoire, elles-mêmes subdivisées en une pléiade de branches et de sous-branches, qui ont toutes en commun d'avoir opéré une synthèse avec les anciennes croyances shinto, au point que les *kami* ont été réinterprétés comme des incarnations des bouddhas et des bodhisattvas.

Introduit de Chine par le moine Kukai au début du IXe s, le courant ésotérique de la secte Shingon, qui a ses quartiers sur le mont Koya et rassemble le plus grand nombre d'adhérents, voit dans l'univers la manifestation du Grand Bouddha solaire Dainichi Nyorai, auquel le fidèle tente de s'identifier par la méditation et la récitation de mantras (paroles sacrées). La secte Tendai, fondée à la même époque par le moine Saichô, développe aussi une approche ésotérique centrée sur le sutra du Lotus.

Au Moyen Âge, les sectes Jôdô Shû et Jôdô Shinshû propagent la foi dans le Bouddha Amida (Amitabha, en japonais), dont l'invocation suffit à chacun pour assurer son salut et renaître au paradis de la terre pure. Les bonzes, au-delà de cette surabondance doctrinaire, se sont fait une spécialité de s'occuper des enterrements, de tenir les registres familiaux et d'aller de maison en maison pour

MOMIES... VIVANTES

Naguère, certains moines bouddhistes entamaient un jeûne de 7 ans (dit Niûjo) jusqu'à se momifier progressivement vivants. Ces ascètes étaient ensuite mis en position du lotus dans des châsses. Les fidèles venaient les vénérer dans les temples. On les appelle Nikushin Butsu, les bouddhas en chair.

réciter des prières à la mémoire des morts, une activité souvent lucrative.

Le zen, ou l'« ici et maintenant »

Le zen, venu de Chine, propagé au début du XIIIe s par le prêtre Eisai et son disciple Dogen, affirme au contraire la possibilité d'atteindre l'éveil par soi-même, « ici et maintenant ». Dans la secte Rinzai d'Eisai procédant par l'absurde, l'élève doit répondre à une énigme qui n'a pas de solution logique et oblige ainsi à se libérer des entraves. Durant les séances de méditation dans la position du lotus de la secte Soto de Dogen, les maîtres donnent à leurs élèves de légers coups de bâton pour aider leur esprit à faire le vide.

La Nichiren-shû fondée par le dernier grand réformateur du zen, le moine Nichiren (1222-1282), entend régénérer le bouddhisme et l'imposer comme religion nationale, rejetant les autres doctrines accusées de décadence. La forme épurée du bouddhisme zen, qui prône le détachement et la sobriété, a eu une forte influence sur la culture et l'art de vivre japonais.

Taoïsme et confucianisme

On retrouve l'influence notable du taoïsme chinois sur la culture japonaise à travers l'astronomie, la divination et la prédiction de l'avenir, dont les Japonais sont friands. La théorie du yin et du yang *(onmyôdô)*, de même, est à l'origine de nombreuses croyances concernant les tabous, l'observance des jours fastes et néfastes pour les cérémonies, etc. Le confucianisme, qui a joué, avec le zen, un rôle majeur dans l'élaboration du code des samouraïs (bushido), a également contribué à mettre en place une morale politique fondée sur l'harmonie sociale, les vertus d'obéissance et de loyauté, et est venu renforcer le culte des ancêtres et celui de l'empereur.

Shûgendô, ou « voie de l'ascèse »

Les adeptes de ce syncrétisme qui emprunte à la fois au shinto, au bouddhisme ésotérique et au taoïsme, s'imposent des ascensions ardues et des prières sous des cascades d'eau glacée afin de fortifier leur foi. Ils portent des costumes d'ermite qui rappellent ceux des chamans sibériens.

Les nouvelles religions

Les nouvelles religions sont issues du bouddhisme et du shinto. Souvent dirigées par des leaders charismatiques, elles promettent des bienfaits rapides, voire l'avènement du paradis sur terre. L'une des plus florissantes des « religions nouvellement surgies » *(shinkô-shûkyô)* qui ont connu leur essor après la Seconde Guerre mondiale est la Sôka Gakkai, la « Société pour la création des valeurs », qui présente ses idéaux comme ceux de l'intérêt général et se veut une organisation laïque de fidèles affiliée à une branche mineure du courant bouddhiste influencé par la doctrine du moine Nichiren. N'oublions pas la tristement célèbre Aum Shinrikyo à l'origine de l'attentat du 20 mars 1995. Ses membres ont attaqué 5 rames bondées du métro de Tokyo au gaz sarin : 13 victimes et un millier de personnes blessées. Il s'agit du plus grave attentat au Japon depuis 1945. À cause du laxisme des lois japonaises face aux sectes et à leur création, les autorités déplorent une nette augmentation de ces mouvements religieux. On peut aujourd'hui les retrouver même en France avec la révolution numérique.

SAVOIR-VIVRE ET COUTUMES

La politesse

– Ne soyez pas surpris : au Japon, le nom de famille précède le prénom. Il n'est pas toujours aisé de les différencier. Généralement, on s'adresse aux Japonais par leur nom de famille. C'est d'ailleurs comme cela qu'ils se présentent. L'usage du prénom est réservé aux enfants ou aux amis. Un mot supplémentaire comme *sensei* ou *san* peut être ajouté à la fin d'un nom pour indiquer le rang ou l'emploi de la personne.
– Ne jamais faire perdre la face à un Japonais, surtout en public.
– Ne jamais embrasser un Japonais ou une Japonaise en public, même si l'occidentalisation du pays progresse aussi dans ce domaine. On ne se fait pas plus la

bise. Pour se saluer, on ne serre pas la main non plus (sauf si votre interlocuteur le propose), on s'incline (les mains croisées pour les femmes, les bras le long du corps pour les hommes), au moment de la rencontre et avant de partir. Le degré d'inclinaison du dos indique la position, élevée ou basse, de l'interlocuteur. Entre amis, un simple hochement de la tête suffit. Entre un PDG et le nouvel entrant dans la société, un salut très incliné s'imposera...

– On est respectueux vis-à-vis des autres. Pour commencer, on ne dévisage pas les gens. Les regards, y compris à la dérobée, sont monnaie courante, mais regarder dans le blanc des yeux quelqu'un au Japon, c'est le provoquer. Et les Japonais n'aiment pas ça !

Les gestes

– Le sourire peut signifier la joie, la colère, le trouble, la gêne ou la contrariété. Dans la conversation, les Japonais hochent la tête en signe d'acquiescement ou de concentration.

– Au Japon, savoir lire entre les lignes peut vous mettre à l'abri des faux pas !

– Pour nous désigner, nous avons l'habitude d'indiquer notre poitrine d'un signe de la main. Les Japonais préfèrent montrer le bout de leur nez avec leur index.

– Un dos droit est synonyme de bonne éducation, de bon maintien.

POURQUOI LES JAPONAISES SE COUVRENT-ELLES LA BOUCHE AVEC LA MAIN QUAND ELLES RIENT ?

Pour cacher leurs dents. Autrefois, la tradition voulait qu'elles se noircissent les dents quand elles se mariaient. Cette coutume a heureusement disparu depuis fort longtemps, mais la gêne occasionnée s'est perpétuée de génération en génération.

Les échanges avec autrui

– 3 « bonjour » existent au Japon : *ohayô* (matin), *konnichiwa* (après-midi) et *konbanwa* (soirée). Un seul « au revoir » : *sayonara*.

– Il est de coutume de se présenter... et, avant cela, de s'annoncer. Les Japonais savent parfaitement improviser, mais « entre copains et copines ». Ailleurs, ils prévoient longtemps à l'avance, règlent les moindres détails.

– La ponctualité est une règle au Japon. Généralement, à un rendez-vous, les Japonais arrivent avec quelques minutes d'avance... Le temps de préparer la carte de visite.

– On acquiesce beaucoup lors d'une conversation. C'est parfois un signe d'adhésion, mais beaucoup plus souvent une marque d'intérêt et d'attention pour son interlocuteur.

LE SILENCE DES CONVERSATIONS

Chez nous, on parle souvent pour ne rien dire. Juste pour remplir la conversation. Le Japonais préfère prendre son temps, réfléchir avant de parler. Les instants de silence, surprenants pour nous, sont des marques de respect.

LA CARTE DE VISITE OU *MEISHI*

Offrir sa carte de visite est fondamental pour entamer un dialogue avec un client ou une relation. On la donne (et on la reçoit) à 2 mains, on ne la plie pas, on n'écrit rien dessus et on ne la laisse pas négligemment sur une table. Elle fait partie intégrante de la personnalité de celui qui l'offre.

Intimité

– Vie de couple : au Japon, sauf pour les enterrements, les mariages et les fêtes, un couple ne sort jamais ensemble. Il est donc admis que les femmes se détendent entre elles, retrouvant une liberté de parole qu'elles n'ont pas toujours dans leur foyer ou leur travail.

MIEUX VAUT LE SAVOIR !

Quand le Japonais atteint l'orgasme, il a souvent l'habitude de s'écrier « Iku ! Iku ! », ce qui signifie quelque chose comme : « J'arrive ! J'arrive ! » Vous voilà averti(e).

Hygiène

– On ne se parfume pas. C'est considéré comme une volonté, un peu vulgaire, de s'individualiser par rapport au groupe. Et pourtant, Shiseido est l'un des plus grands parfumeurs au monde !

– On est propre vis-à-vis de soi, tout d'abord. Les Japonais se lavent soigneusement, et il est peu probable que dans le métro ou le train, même aux heures de grande affluence, vous soyez incommodé par l'odeur de votre voisin.

– Au Japon, tous les looks sont permis, du moment qu'ils sont propres. Tous les styles se côtoient dans l'Archipel, du plus classe au plus « gnangnan » en

LE FLAIR DES AFFAIRES

L'odeur corporelle est une marque essentielle de la politesse. L'appli « Kun-kun » (« Snif snif » en français) avertit des effluves malodorantes qui peuvent s'échapper du corps. La propreté est d'ailleurs un élément sacré du savoir-vivre japonais. Une bonne nouvelle : l'odeur corporelle s'améliore avec l'âge !

passant par l'outrance des *Shibuya girls* (les fameuses *cosplays*) ou par le style provocant... sous d'autres latitudes seulement et accepté ici parce que « nickel ».

Les punks – vous en croiserez – ont le tee-shirt à l'effigie des Sex Pistols... repassé.

– La voie est propre également. Excepté au petit matin dans les « quartiers chauds », avant que les poubelles, qui attirent des nuées de corbeaux gros comme des ballons de rugby, ne soient ramassées... Depuis quelques années, certains quartiers ont carrément interdit la cigarette « en marchant ».

LA FOLIE DU RECYCLAGE

À Tokyo, il existe 11 catégories de déchets différents. Chaque jour, on sort 1 ou 2 poubelles, selon un calendrier bien précis. Et attention de ne pas se tromper, sinon les éboueurs n'embarquent rien ! Il y a mieux : certaines villes disposent de... 34 poubelles. En plus, il faut laver les détritus avant de les jeter !

Transports

– Les véhicules roulent à gauche au Japon. Sans doute un héritage du port du sabre sur le flanc gauche, afin d'éviter que l'adversaire ne vous désarme. Évitez, lorsque vous traversez, de regarder dans la mauvaise direction...

– Le Japon : pays de l'« étiquette »... à distance ! Dans la rue et les transports en commun, tout d'abord, calme, propreté et « respect » sont de mise en général. Le calme : vous serez surpris, le pays du Soleil-Levant n'est pas l'enfer de décibels qu'on imagine. Les voitures sont silencieuses autant qu'un moteur le permet, et à l'exception des très grandes artères, des lieux hyper touristiques et des hauts lieux de la hi-fi, tel Akihabara à Tokyo, ou encore des assourdissants *pachinko,* la voie est calme au Japon.

– Ne pas traverser les rues à tort et à travers : les Japonais respectent les feux et les signalisations.

Au restaurant, à l'hôtel

– Pas de malentendu, si vous vous sentez de trop dans un minicafé-restaurant (type *Golden Gai*), nulle xénophobie ! Dans la majorité des cas, c'est tellement petit (maximum 7-8 places en se serrant) que le resto compte avant tout sur sa clientèle traditionnelle pour vivre et préserver ses habitudes sociales. Si le resto accueille trop de touristes, ça perturbe grandement les habitudes des clients réguliers qui, eux, finissent par se sentir exclus. Or les touristes ne remplissent pas à l'année, leur venue est fort aléatoire et très irrégulière !
– Les Japonais peuvent être bruyants, mais chez eux ou entre amis. Dans les restaurants, bars ou autres lieux de sortie, il vous arrivera peut-être de croiser des Japonais rudement éméchés. Ne vous inquiétez pas s'ils se montrent trop pressants, l'alcool aidant, c'est qu'ils veulent vous connaître, et les Japonais adorent causer... même dans un anglais aussi rudimentaire que le nôtre.
– On se déchausse avant d'entrer chez son hôte ou dans un *ryokan*. Vous laisserez vos chaussures à l'entrée. Attention aux chaussettes trouées. Le plus souvent, des chaussons attendront vos chaussettes... non trouées. On n'entre pas dans une pièce à tatamis avec ses chaussons : on les laisse à l'entrée, devant la cloison coulissante et rangés avec la pointe vers l'extérieur. De

> ## OCCUPÉ !
>
> *Généralement, si vous toquez légèrement à la porte des toilettes pour vérifier si quelqu'un est à l'intérieur, personne ne vous répondra. Mais parfois vous entendrez un timide toc-toc en retour, qui signifie que la place est prise.*

même, dans les w-c, des chaussons en plastique vous éviteront de mouiller ou tout simplement de salir les « mules » réservées au reste de la maison.
– On ne plante jamais ses baguettes dans le riz, sauf lorsque quelqu'un est mort... Évitez aussi de transmettre de la nourriture de baguettes à baguettes : cela fait également référence aux rites funéraires bouddhiques.

Visiter un temple

– La mort est l'« affaire » du bouddhisme au Japon. Aussi, dans les temples bouddhiques, soyez digne et au courant des quelques gestes qui peuvent éviter... le ridicule. Si vous achetez un bâtonnet d'encens, ne vous promenez pas avec ! Plantez-le dans la grande urne qui est prévue à cet effet. Vous pouvez aussi adresser une prière au dieu du temple : faites d'abord votre offrande, généralement de la menue monnaie, puis frappez 2 fois légèrement dans vos mains...
– Dans les sanctuaires shinto, idem, ou presque. Le shinto s'occupe, lui, de la naissance, de la génération, de la fertilité plutôt. Aussi la propreté, grâce à l'eau, doit être redoublée. C'est pourquoi on se purifie, théoriquement, avant d'entrer et d'adresser ses vœux au(x) *kami* dans l'enceinte d'un *jinja*. Vous repérerez rapidement le bassin d'eau purificatrice. Une louche vous y attend. Prenez-la, versez de l'eau sur vos mains et... vous êtes prêt pour la prière.
– Les photos, en général, sont autorisées dans les temples comme dans les sanctuaires, sauf à l'intérieur lors des cérémonies.

Traditions

– Dictature du *giri* : le *giri*, qui peut se traduire par « obligation » ou encore « devoir social », est un des principes majeurs dans la société japonaise. Il se base sur l'équilibre entre ce que l'on reçoit des autres et ce que l'on apporte, permettant ainsi de garder les meilleures relations possibles. Lorsque quelqu'un offre un cadeau, le receveur se doit de lui en offrir un en retour ; mais pas n'importe comment. Selon le *giri*, un cadeau doit se faire en fonction de plusieurs critères, tels que le rang social, l'âge ainsi que la relation que vous entretenez avec le destinataire. Dans le cas contraire, si le présent n'est pas adapté, le receveur pourra s'en offenser.

– Ne jamais arriver les mains vides chez quelqu'un. Entre eux, les Japonais se font beaucoup de cadeaux, en toute occasion, si bien que l'industrie des souvenirs est florissante. Il existe même des boutiques spécialisées dans le rachat et la revente des cadeaux du Nouvel an ! Les cadeaux peuvent être très modestes : un fruit ou une bouteille de *shoyu* (sauce

> ## LE CADEAU *(PUREZENTO)*
>
> *Un élément fondamental de la culture japonaise. On « cadeaute » beaucoup dans l'Archipel. Et l'emballage est presque aussi important que le contenu. Attention à la valeur du cadeau : ni trop cher (le bénéficiaire aurait une dette) ni trop cheap (il se sentirait dévalorisé).*

soja) n'a rien de ridicule. Il est vrai que certains fruits, comme les fameuses pastèques cubiques (on en a vu !) ou telle variété rare de pommes, peuvent atteindre des prix élevés, mais de manière générale le geste compte plus que la nature du cadeau. Les Japonais attachent aussi une certaine importance à l'origine géographique du cadeau. De retour de voyage, ils rapporteront pour leurs amis ou leur famille une spécialité locale *(meibutsu),* qui fait la réputation de sa région. Vous ferez donc plus plaisir à vos amis japonais en leur offrant des calissons ou des bêtises, plutôt qu'un cadeau acheté sur place. Ne jamais donner 4 cadeaux, le chiffre 4 porte malheur.

– D'innombrables superstitions prévalent au Japon. Deux en particulier sont à retenir. « Quatre » se dit en japonais *shi*, qui se prononce comme « mort ». Dans les hôtels, ne cherchez pas la chambre n° 4 : elle n'existe pas, ou elle sera inoccupée... Par conséquent, évitez les « 4 » : 4 cadeaux, 4 convives... Évitez aussi le « 9 » – *kyû* –, dont la prononciation se rapproche de « douleur » ou « peine »...

SITES INSCRITS AU PATRIMOINE MONDIAL DE L'UNESCO

En coopération avec le

Organisation des Nations Unies pour l'éducation, la science et la culture · Centre du patrimoine mondial

Pour figurer sur la liste du Patrimoine mondial, les sites doivent avoir une valeur universelle exceptionnelle et satisfaire à au moins un des 10 critères de sélection. La protection, la gestion, l'authenticité et l'intégrité des biens sont également des considérations importantes.

Le patrimoine est l'héritage du passé dont nous profitons aujourd'hui et que nous transmettons aux générations à venir. Nos patrimoines culturel et naturel sont 2 sources irremplaçables de vie et d'inspiration. Ces sites appartiennent à tous les peuples du monde, sans tenir compte du territoire sur lequel ils sont situés. Pour plus d'informations : ● *whc.unesco.org* ●

Au Japon, les sites inscrits sont les suivants :
– le château Himeji-jo (1993) ;
– les monuments bouddhiques de la région d'Horyu-ji (1993) ;
– Shirakami-Sanchi (1993) ;
– Yakushima (1993) ;
– les monuments historiques de l'ancienne Kyoto (villes de Kyoto, Uji et Otsu ; 1994) ;
– les villages historiques de Shirakawa-go et Gokayama (1995) ;
– le Mémorial de la paix d'Hiroshima (Dôme de Genbaku ; 1996) ;
– le sanctuaire shinto d'Itsukushima (1996) ;
– les monuments historiques de l'ancienne Nara (1998) ;
– les sanctuaires et temples de Nikko (1999) ;

– les sites Gusuku et biens associés du royaume des Ryukyu (2000) ;
– les sites sacrés et chemins de pèlerinage dans les monts Kii (2004) ;
– Shiretoko (2005) ;
– les mines d'argent d'Iwami Ginzan (2007) ;
– Hiraizumi (temples, jardins et sites archéologiques représentant la Terre Pure bouddhiste ; 2011) ;
– les îles d'Ogasawara (2011) ;
– le mont Fuji (2013) ;
– la filature de soie de Tomioka (2014) ;
– les sites de la révolution industrielle Meiji (2015) dans la région de Kyushu-Yamaguchi ;
– le musée national de l'Art occidental à Tokyo dans le cadre de l'œuvre architecturale de Le Corbusier (2016) ;
– l'île sacrée d'Okinoshima (2017).

SPORTS ET LOISIRS

Quels sont les loisirs de ce peuple qui semble voué au travail et aux semaines de 40 à 50h ? Depuis les années 1990, les Japonais ont davantage de temps libre et placent aujourd'hui travail et loisirs sur un pied d'égalité. Les Japonais profitent avec enthousiasme de leurs grands magasins et expositions. Ils jouent également des fortunes à la loterie, aux courses de chevaux ou de hors-bord. Ils sont de fervents amateurs de musique classique, les salles de concerts géantes de l'Archipel ne désemplissent pas, les virtuoses étrangers y reçoivent de véritables ovations.

Le *karaoké,* qui se pratique partout (bars, restaurants...), a lui aussi ses nombreux adeptes. Activité ludique et peu coûteuse, elle vise une population jeune, et 2 chaînes satellites lui sont même dédiées.

CHANTEZ-LE !

Le mot « karaoke » signifie « orchestre vide » en japonais. Le principe fut inventé en 1958 par un... Américain.

La nature est primordiale pour les Japonais, et chaque saison est prétexte à la fête. Un festival, en février, ponctue la floraison des 700 pruniers de Hanegi Park (Tokyo). Il faudra attendre le printemps pour se réunir sous les cerisiers en fleur *(sakura)* et se livrer au *hanami* : assis sur des couvertures, nombreux sont ceux qui passent des heures à contempler leur fleur préférée et à boire du saké. Un art est même consacré à l'arrangement floral, très répandu : il s'agit de l'*ikebana.* Le jeu de cartes traditionnel *(hanafuda)* est d'ailleurs illustré par des fleurs.

Les Japonais sont aussi friands de longues promenades dans les montagnes et de détente près des milliers de sources *(onsen)* qui jaillissent dans le pays ; l'extase étant de s'immerger dans les bains creusés en plein air *(rotenburo)* et d'admirer les pétales de fleurs flottant à la surface de l'eau. Les Japonais apprécient la baignade, leur pays regorge de rivières, de plages... ainsi que de surfeurs !

Pour en savoir plus sur les *onsen,* voir à « Hakone ». Voir aussi les sites ● *onsenjapan.net* ● *secret-japan.com* ●

DISSECTION DE MONSTRES

Pokémons, Godzillas et autres personnages plus ou moins maléfiques sont tellement importants au Japon qu'ils font l'objet d'études approfondies appelées yôkaigaku. *Ces êtres mi-hommes, mi-démons sont étudiés à l'université.*

Depuis toujours, ce sont des joueurs invétérés ; ils peuvent passer leurs nuits sur des jeux de stratégie comme le *shôgi* et le *go* aussi bien que sur des jeux vidéo (des salles y sont consacrées, et 80 % d'entre eux possèdent une console de jeux). Les Japonais créent sans cesse de nouveaux gadgets à la pointe de la technologie, comme cela a été le cas avec les *tamagotchi* ou les *Pokémon.* Un phénomène marginal mais remarqué au Japon : les *otakus,* ces adolescents qui vivent en totale autarcie dans un monde virtuel. Le manga est très « consommé » au Japon, chaque type de lecteur a le sien.

Bains publics

Bien qu'en voie de disparition, les bains publics japonais (*sento,* 銭湯) font encore partie du paysage urbain et conservent une grande importance pour beaucoup de Japonais, qui adorent s'y rendre le soir, s'y laver et s'y relaxer après une longue journée de labeur. Ce sont aussi des lieux de sociabilité, où se retrouvent des amis du même quartier pour discuter. Comme les *onsen,* leurs équivalents ther-

TATOO FAUX

Les personnes tatouées risquent de se voir refuser l'entrée dans les onsen (bains thermaux) et sento (bains publics). Au Japon, le tatouage est associé à l'univers interlope des yakusas, la pègre nippone. Il a même été interdit durant l'ère Meiji (XIXᵉ s) jusqu'en 1948 ! Heureusement, certains bains sont tolérants !

maux, les *sento* étaient mixtes jusqu'à l'arrivée (fin XIXᵉ s) des Occidentaux et de leur conception pudibonde de la nudité, mais ils sont aujourd'hui séparés en 2 parties.

Si votre hôtel ou votre AJ ne possède pas de bains, prenez serviette et savon et, pour quelque 500 ¥ (4 €), allez donc faire un tour au *sento* du quartier. Au départ, on vous regardera un peu étrangement, car ce n'est pas un lieu habituellement fréquenté par les étrangers, mais passé les 1ᵉʳˢ regards, on peut y faire tranquillement sa toilette ou discuter avec les habitués. À l'intérieur, outre les bains très chauds où il fait bon mariner, se trouvent des rangées de robinets ou douches et de miroirs devant lesquels, assis sur un petit tabouret, on fait méticuleusement sa toilette avant d'entrer dans le bain.

On ne se savonne pas quand on prend son bain, toujours très chaud, on s'y délasse. Avant de pénétrer dans le bassin, il faut impérativement se laver à l'extérieur du bac, se rincer complètement, puis entrer dans le *furô* (bassin rempli d'eau chaude). Sauf corps endurcis, vous n'y resterez pas si longtemps que cela. Alors laissons une eau propre pour le suivant...

SOAPLAND

C'est le nom des salons de massage, souvent lieux de prostitution. Naguère, on les appelait toruko buro (bains turcs). Il fallut les plaintes véhémentes des autorités turques pour que l'on choisisse un nouveau nom : « lieu où l'on se savonne ».

Du côté des enfants

Les enfants privilégient les passe-temps en famille, ils sont passionnés d'*origami* (art ancien du papier plié). Les adolescentes ont, pour certaines, un loisir quelque peu inhabituel ; on les appelle les *Shibuya girls.* Ces jeunes filles excentriques, ultra-sexy et sophistiquées, prennent l'apparence de leur chanteuse de J-pop préférée (voir la rubrique « Musique » plus haut) ou d'une héroïne de manga. Leur emblème : les chaussures à semelles compensées.

Le terme *cosplayers* vous dit quelque chose ? Ces jeunes gens qui prennent l'apparence des personnages de jeux vidéo ou de dessins animés en s'habillant et en reproduisant la gestuelle de leurs héros... Certains se rencontrent en ligne, se produisent lors de *Game Show* ou sur les salons d'anime et de manga. Les arcades sont le rendez-vous privilégié des ados, une fois les cours terminés. Sur un immeuble entier, différents types de jeux sont proposés, selon les étages, le paradis des *gamers*. La dernière lubie des ados est un simulateur géant *Gundam Kizuna*, où le joueur est pilote d'un robot.

Le Disneyland tokyoïte est l'un des lieux les plus fréquentés du Japon. Il n'est pas rare d'entendre rires et cris lorsque l'on se promène en ville : pas de panique, vous passez à côté d'un parc d'attractions. Ils sont nombreux et ravissent des millions de fans.

Les sports

Même si les arts martiaux restent très populaires au Japon, le sport national depuis plus d'un siècle est le *baseball.* Une lycéenne de 16 ans a même été recrutée par une équipe professionnelle, en 2008, et devint la 1re femme à intégrer une équipe pro dans ce sport exclusivement masculin... quelle avancée ! Dans la rue ou les parcs, entre amis ou en famille, les Japonais jouent au baseball. En août, tout le pays vit dans la fièvre à l'occasion du grand tournoi des clubs de lycée. Les jeunes s'adonnent aussi au football, au basket-ball, au volley-ball, au rugby, au handball... Mais au lieu de faire du sport après l'école, les élèves vont souvent à des cours spéciaux obligatoires. Que ce soit les hommes d'affaires qui emmènent leurs clients pour négocier des contrats ou les habitants qui s'entraînent sur les toits de leurs immeubles réaménagés en « practices » incroyables entourés de moustiquaires, le *golf* est un sport populaire au Japon, et ce depuis les années 1980.

Le sport hors tradition

N'en déplaise aux amateurs d'arts martiaux, le sport au Japon, c'est aussi un intérêt certain pour l'ovalie. La preuve, l'Archipel a remporté face à l'Afrique du Sud et l'Italie, entre autres, le droit d'organiser à échelle régionale la Coupe du monde de rugby en 2019 ! Certains matchs seront disputés à Hong Kong et à Singapour. L'île devient ainsi le 1er pays asiatique à accueillir cette grande

> ### DES JEUX POUR MÂLES
>
> *À Tokyo, Sega a installé des jeux vidéo interactifs dans les urinoirs de 4 stations de métro. Une plaque sensible à la pression est intégrée dans la cuvette. L'écran est fixé au-dessus de l'urinoir. Le jeu* Northern Wind *évalue la force de votre jet et permet de soulever une jupe. Ces jeux s'appellent* « Toylet » ! « The place to pee », *en somme...*

manifestation et confirme son attrait pour un sport qui allie collectivité et discipline. Les joueurs de l'équipe nationale ont déjà été surnommés *Brave Blossoms* (« fleurs de cerisiers courageux ») par les médias anglo-saxons : tout un programme !

Conscients de la crise économique, les dirigeants japonais se sont engagés pour l'occasion à ne pas endetter la capitale grâce aux 4,4 milliards de dollars mis de côté dans un fonds de prévoyance. L'archipel compte déjà 9 stades adaptés à la grandeur de l'événement sportif.

Le *pachinko* : 1er passe-temps national

Entrez dans l'une des 15 000 salles de *pachinko* (sorte de flippers verticaux) du pays, vous n'oublierez pas l'ambiance si particulière qui y règne. Les salles de *pachinko* partagent avec les casinos couleurs criardes, odeurs de tabac, bruit assourdissant et constant des machines, ainsi que joueurs absorbés des heures entières. Le chiffre d'affaires de ce jeu propre au Japon se situe au 3e rang de l'économie des loisirs japonais.

La télévision

Anime

Le terme « anime » est l'abréviation pour « séries animées ». Elles se caractérisent par une faible quantité de 6 ou 7 images par seconde, de qualité de dessin variable et aux découpages formatés pour des épisodes de 20 mn. Les séries font généralement 13 ou 26 épisodes. Selon leur popularité, elles peuvent être renouvelées.

Traditionnellement, la télévision s'empare des meilleurs succès mangas pour produire des animes pour la télé. Certaines séries pouvant dépasser les 500 épisodes, tel *Naruto* (720 épisodes). Ou encore de l'*Original Animation Video* (OAV) pour les succès encore plus grands. Les personnages conservent leurs caractéristiques du dessin, mais ils vivent des scénarios différents du manga d'origine. *Pokémon* est originaire d'un jeu vidéo de 1996, et sera par la suite décliné en jeu de cartes et en séries animées. Mais il arrive que l'anime dépasse le manga en termes de popularité. Ce fut le cas pour *Trigun* (1998) de Yasuhiro Nightow, avec son héros, *Vash The Stampede,* qui nous fait découvrir un univers entre western et science-fiction.

Il existe aussi des séries originales qui ont marqué les Japonais, comme *Neon Genesis Evangelion* (1995) d'Hideaki Anno, un anime postapocalyptique ; en 1979, la saga *Gundam* (robot géant contrôlé de l'intérieur par des humains) débute à travers *Mobile Suit Gundam*. S'en suivront plus de 80 épisodes de séries animées. Aujourd'hui, une guerre entre les studios d'animation se joue pour tenter de détrôner *Ghibli*. Le studio *Sunrise* a créé non seulement *Cowboy Bebop* (1998), mais également *Code Geass* (2006), 2 bijoux de l'animation japonaise. *Production I.G* a riposté avec *Guilty Crown* (2011) et *Psycho-Pass* (2012), succès autant populaire que technique.

Les séries animées furent les 1res ambassadrices de la culture nippone en Europe. En France, c'est par le biais de la célèbre programmation du *Club Dorothée* que les Français découvrent les mangas. *Saint Seiya (Les Chevaliers du Zodiaque), Dragon Ball Z, Ranma ½*... ont fait le bonheur de plusieurs générations.

Séries

Les séries japonaises sont désignées par le terme *drama*. De nouveau, la plupart sont tirées de mangas à succès, comme *Hanazakari no Kimitachi e* (2007) de Hisaya Nakajo ou encore *Midnight Diner* (2011), autre manga à succès de Yarô Abe, mettant en scène différentes situations autour de plats japonais. Ces *dramas* étonnent souvent les Occidentaux à cause des onomatopées répétées et de la manière de jouer des acteurs, souvent exagérée. Les Japonais sont très expressifs dans leur manière de parler et d'interagir.

Aujourd'hui, Netflix produit ses propres *dramas* pour s'introduire sur le marché japonais. *Atelier* (2015), coproduit avec FujiTV, met en scène une jeune femme déterminée à percer dans l'univers impitoyable de la mode. *Hibana : Spark* (2016), adapté du roman de Naoki Matayoshi, et *Erased* (2017), du manga de Kei Sanbe, sont les 2 derniers *dramas* du géant du divertissement.

Téléréalité

Le phénomène *Terrace House* fascine autant les Japonais que le reste du monde. La téléréalité à la japonaise se veut calme, respectueuse et banale. Un choc culturel comparé aux *Marseillais* ou à *La Villa des cœurs brisés*... *Terrace House* réunit 6 candidats (3 filles et 3 garçons) dans une luxueuse villa où ils doivent vivre ensemble tout en gardant leurs activités professionnelles. La série est entrecoupée par des réflexions de 6 commentateurs. Un système ingénieux où le spectateur analyse avec tout le panel la vie des jeunes gens qu'il regarde. Un certain voyeurisme, mais respectueux !

YAKUZAS

Le pays le plus sûr au monde est aussi celui où le crime organisé a pignon sur rue ! 8 *(ya)*, 9 *(ku)*, 3 *(za)* est la combinaison perdante aux dés, jeu interdit que les yakuzas, les hommes de ce milieu, contrôlent. Ils se présentent comme des « perdants » œuvrant aux côtés de la veuve et de l'orphelin. Membres de groupes exclusivement masculins du crime organisé au Japon, les yakuzas seraient plus de 87 000, répartis en 4 principaux syndicats présents dans tout l'Archipel, possédant également des ramifications dans la zone Pacifique, en Allemagne et aux États-Unis.

– Le *Yamaguchi-gumi,* créé en 1915, est la plus grande famille yakuza, réunissant plus de 39 000 membres répartis dans 750 clans. Malgré son quartier général à Kobe, il est actif à travers tout le Japon.

– Le *Sumiyoshi-kai* est la 2e organisation la plus importante avec 10 000 membres subdivisés en 177 clans.

– L'*Inagawa-kai,* avec environ 7 400 membres et 313 clans, est le 3e plus grand groupe yakuza au Japon. Basé dans la région de Tokyo-Yokohama, c'est l'un des 1ers organismes de yakuzas à s'être lancés sur le marché international.

– Le *Tôa-kai,* fondé en 1948, est rapidement devenu l'une des organisations les plus importantes de la capitale. Il est composé d'une majorité de « frères » d'origine coréenne.

À l'origine des yakuzas, les *tekiya* (marchands ambulants) et les *bakuto* (joueurs professionnels), qui travaillaient en ville et contrôlaient le monde des jeux de hasard. L'activité des *bakuto* est, encore aujourd'hui, l'une des plus lucratives des yakuzas. Le recrutement des membres de ces groupes se fait dans les mêmes milieux (paysans sans terres, voyous). Chaque groupe, une fois constitué, est organisé en famille selon une hiérarchie très stricte. Cette hiérarchie est accentuée par le système *oyabun-kobun* (littéralement père-enfant), l'*oyabun* fournissant conseils et protection contre la loyauté et les services du *kobun*.

Avant 1945

Le statut et les activités des yakuzas évoluent parallèlement aux bouleversements politiques, leur pouvoir s'étend à toute la société. Ils tissent des liens avec le gouvernement, l'« influence » des *tekiya* s'intensifie grâce à des couvertures légales. Marché noir et commerce du sexe se développent.

À la fin du XIXe s, le Japon s'ouvre en direction de l'Occident. Les yakuzas, très traditionalistes, refusent tout contact avec les Occidentaux. Ils organisent des attentats visant des hommes politiques favorables à cette ouverture ; 4 ministres, parmi d'autres, sont ainsi assassinés.

Après la Seconde Guerre mondiale

Après la défaite de 1945, les forces de police affaiblies peinent à lutter contre les mafias étrangères qui tentent de s'installer au Japon, en particulier les pègres coréenne et taïwanaise. Les organisations yakuzas deviennent les auxiliaires des forces de l'ordre. Avec l'assentiment du pouvoir, elles sont utilisées pour contrer ces mafias étrangères et comme briseuses de grève. Soutenus par les hommes politiques et la police, les yakuzas deviennent indispensables à la bonne marche de la société d'après-guerre, le marché noir étant un moyen de survie pour la majorité des Japonais. L'une de leurs pratiques est l'infiltration des conseils d'administration pour faire passer des résolutions qui leur sont favorables.

Entre 1958 et 1963, les organisations de yakuzas sont à leur apogée ; le nombre des membres atteint 184 000. Ils sont alors plus nombreux que l'armée japonaise. Des clans se forment, et des guerres de rivalité territoriale éclatent, faisant de nombreux morts. Les yakuzas exercent leurs activités librement jusqu'en 1992, date à laquelle le gouvernement japonais fait voter une loi antigang. Depuis, les organisations criminelles doivent déclarer leurs activités... Ce qui, sans les faire disparaître, les a simplement rendues plus discrètes. Il est bien plus difficile aujourd'hui de les recenser et de cerner toutes leurs ressources.

– Même s'il arrive rarement d'en croiser, sachez que les yakuzas ne s'intéressent généralement pas aux étrangers. Ouf ! Un peu voyants et tapageurs, on les reconnaît souvent à leur costume d'alpaga noir impeccablement coupé et à leurs lunettes de soleil. Leur corps est généralement très tatoué, raison pour laquelle ils ne fréquentent pas les bains publics, où ils seraient facilement identifiables.

les ROUTARDS sur la FRANCE 2019-2020

(dates de parution sur • *routard.com* •)

Découpage de la FRANCE par le ROUTARD

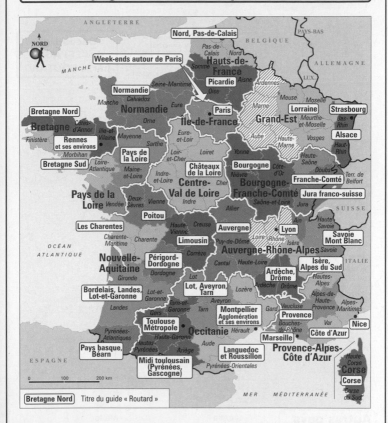

Bretagne Nord	Titre du guide « Routard »

Autres guides sur la France

- Hébergements insolites en France
- Canal des 2 mers à vélo
- La Loire à Vélo
- Paris Île-de-France à vélo
- La Vélodyssée (Roscoff-Hendaye)
- Nos meilleurs campings en France
- Nos meilleures chambres d'hôtes en France
- Nos meilleurs restos en France
- Les visites d'entreprises en France

Autres guides sur Paris

- Paris
- Paris balades
- Paris exotique
- Restos et bistrots de Paris
- Le Routard des amoureux à Paris
- Week-ends autour de Paris

les ROUTARDS sur l'ÉTRANGER 2019-2020
(dates de parution sur • *routard.com* •)

Découpage de l'ESPAGNE par le ROUTARD

Espagne du Nord-Ouest · Pays basque, Béarn · Barcelone · Castille, Madrid (Aragon, Rioja et Estrémadure) · Madrid · Catalogne (+ Valence et Andorre) · Baléares · Séville · Andalousie · Canaries

Découpage de l'ITALIE par le ROUTARD

Lacs italiens et Milan · Milan · Venise · Italie du Nord · Florence · Toscane, Ombrie · Rome · Naples · Italie du Sud · Sardaigne · Sicile

Autres pays européens

- Allemagne
- Angleterre, Pays de Galles
- Autriche
- Belgique
- Bulgarie
- Crète

- Croatie
- Danemark, Suède
- Écosse
- Finlande
- Grèce continentale
- Hongrie
- Îles grecques et Athènes
- Irlande
- Islande
- Madère

- Malte
- Norvège
- Pays baltes : Tallinn, Riga, Vilnius
- Pologne
- Portugal
- République tchèque, Slovaquie
- Roumanie
- Suisse

Villes européennes

- Amsterdam et ses environs
- Berlin

- Bruxelles
- Budapest
- Copenhague
- Dublin
- Lisbonne
- Londres
- Moscou

- Naples
- Porto
- Prague
- Saint-Pétersbourg
- Stockholm
- Vienne

les ROUTARDS sur l'ÉTRANGER 2019-2020

(dates de parution sur • *routard.com* •)

Découpage des ÉTATS-UNIS par le ROUTARD

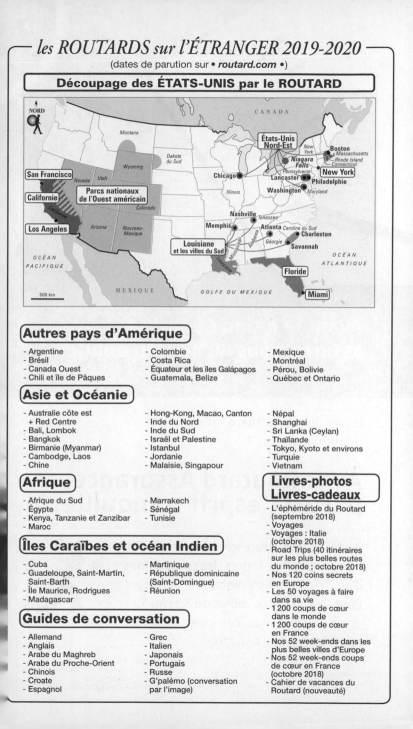

Autres pays d'Amérique

- Argentine
- Brésil
- Canada Ouest
- Chili et île de Pâques

- Colombie
- Costa Rica
- Équateur et les îles Galápagos
- Guatemala, Belize

- Mexique
- Montréal
- Pérou, Bolivie
- Québec et Ontario

Asie et Océanie

- Australie côte est + Red Centre
- Bali, Lombok
- Bangkok
- Birmanie (Myanmar)
- Cambodge, Laos
- Chine

- Hong-Kong, Macao, Canton
- Inde du Nord
- Inde du Sud
- Israël et Palestine
- Istanbul
- Jordanie
- Malaisie, Singapour

- Népal
- Shanghai
- Sri Lanka (Ceylan)
- Thaïlande
- Tokyo, Kyoto et environs
- Turquie
- Vietnam

Afrique

- Afrique du Sud
- Égypte
- Kenya, Tanzanie et Zanzibar
- Maroc

- Marrakech
- Sénégal
- Tunisie

Livres-photos Livres-cadeaux

- L'éphéméride du Routard (septembre 2018)
- Voyages
- Voyages : Italie (octobre 2018)
- Road Trips (40 itinéraires sur les plus belles routes du monde ; octobre 2018)
- Nos 120 coins secrets en Europe
- Les 50 voyages à faire dans sa vie
- 1 200 coups de cœur dans le monde
- 1 200 coups de cœur en France
- Nos 52 week-ends dans les plus belles villes d'Europe
- Nos 52 week-ends coups de cœur en France (octobre 2018)
- Cahier de vacances du Routard (nouveauté)

Îles Caraïbes et océan Indien

- Cuba
- Guadeloupe, Saint-Martin, Saint-Barth
- Île Maurice, Rodrigues
- Madagascar

- Martinique
- République dominicaine (Saint-Domingue)
- Réunion

Guides de conversation

- Allemand
- Anglais
- Arabe du Maghreb
- Arabe du Proche-Orient
- Chinois
- Croate
- Espagnol

- Grec
- Italien
- Japonais
- Portugais
- Russe
- G'palémo (conversation par l'image)

Avant le grand départ, **assurez-vous** de ne rien oublier.

Un problème sur place ?
Un retour express ?

Avec Routard Assurance, partez l'esprit tranquille.

Profitez d'une assurance voyage complète qui vous offre toutes les prestations d'assistance indispensables à l'étranger. Pour un voyage de moins de 8 semaines ou de plus de 2 mois, découvrez toutes les garanties Routard Assurance.

www.avi-international.com

Routard Assurance

**adaptée à tout vos voyages,
seul, à deux ou en famille,
de quelques jours à une année entière!**

* Une application mobile.
* Pas d'avance de frais.
* Un vaste réseau médical.
* À vos côtés 24h/24.
* Dès 29 €/mois.
* Reconnues pour tous les visas.

RÉSUMÉ DES GARANTIES*	MONTANT
FRAIS MÉDICAUX (pharmacie, médecin, hôpital)	*100 000 € U.E.* *300 000 € Monde*
RAPATRIEMENT MÉDICAL	*Frais illimités*
VISITE D'UN PARENT en cas d'hospitalisation de l'assuré de plus de 5 jours	*2 000 €*
RETOUR ANTICIPÉ en cas de décès accidentel ou risque de décès d'un parent proche	*Billet de retour*
ASSURANCE RESPONSABILITÉ CIVILE VIE PRIVÉE	*750 000 € U.E.* *450 000 € Monde*
ASSURANCE BAGAGES en cas de vol ou de perte par le transporteur	*2 000 €*
AVANCE D'ARGENT en cas de vol de vos moyens de paiement	*1 000 €*
CAUTION PÉNALE	*7 500 €*

* Les garanties indiquées sont valables à la date d'édition du Routard. Par conséquent, nous vous invitons à prendre connaissance préalablement de l'intégralité des Conditions générales à jour sur www.avi-international.com.

Nous tenons à remercier tout particulièrement Loup-Maëlle Besançon, Thierry Bessou, Gérard Bouchu, François Chauvin, Grégory Dalex, Fabrice Doumergue, Cédric Fischer, Carole Fouque, Guillaume Gamier, Nicolas George, Michelle Georget, David Giason, Claude Hervé-Bazin, Emmanuel Juste, Dimitri Lefèvre, Fabrice de Lestang, Romain Meynier, Éric Milet, Pierre Mitrano, Jean-Sébastien Petitdemange et Thomas Rivallain pour leur collaboration régulière.

Jean-Jacques Bordier-Chêne
Laura Charlier
Agnès Deblage
Coralie Delvigne
Jérôme Denoix
Tovi et Ahmet Diler
Clélie Dudon
Sophie Duval
Alain Fisch
Bérénice Glanger
Adrien et Clément Gloaguen
Bernard Hilaire et Pepy Frenchy Kupang

Sébastien Jauffret
Alexia Kaffès
Jacques Lemoine
Caroline Ollion
Martine Partrat
Odile Paugam et Didier Jehanno
Céline Ruaux
Prakit Saiporn
Jean-Luc et Antigone Schilling
Jean Tiffon
Caroline Vallano

Direction: Nathalie Bloch-Pujo
Contrôle de gestion: Jérôme Boulingre et Adeline Cazabat Barrere
Secrétariat: Catherine Maîtrepierre
Direction éditoriale: Hélène Firquet
Édition: Matthieu Devaux, Olga Krokhina, Gia-Quy Tran, Julie Dupré, Emmanuelle Michon, Pauline Janssens, Amélie Ramond, Margaux Lefebvre, Laura Belli-Riz, Amélie Gattepaille, Aurore Grandière, Lisa Pujol, Camille Lenglet, Esther Batilde et Elvire Tandjaoui
Ont également collaboré: Cécile Chavent, Magali Vidal, Christine de Geyer et Anne Le Bigot
Cartographie: Frédéric Clémençon et Aurélie Huot
Fabrication: Nathalie Lautout et Audrey Detournay
Relations presse France: COM'PROD, Fred Papet. ☎ 01-70-69-04-69.
● info@comprod.fr ●
Direction marketing: Adrien de Bizemont, Clémence de Boisfleury et Charlotte Brou
Informatique éditoriale: Lionel Barth
Couverture: Clément Gloaguen et Seenk
Maquette intérieure: le-bureau-des-affaires-graphiques.com, Thibault Reumaux et npeg.fr
Relations presse: Martine Levens (Belgique) et Maureen Browne (Suisse)
Contact Partenariats et régie publicitaire: Florence Brunel-Jars
● fbrunel@hachette-livre.fr ●

INDEX GÉNÉRAL

LISTE DES CARTES ET PLANS

IMPORTANT : DERNIÈRE MINUTE

Sauf rare exception, le *Routard* bénéficie d'une parution annuelle à date fixe. Entre deux dates, des événements fortuits (formalités, taux de change, catastrophes naturelles, conditions d'accès aux sites, fermetures inopinées, etc.) peuvent intervenir et modifier vos projets de voyage. Pour éviter les déconvenues, nous vous recommandons de consulter la rubrique « Guide » par pays de notre site ● *routard.com* ● et plus particulièrement les dernières *Actus voyageurs*.

Remarque importante aux hôteliers et restaurateurs

Les enquêteurs du Routard travaillent dans le plus strict anonymat. Aucune réduction, aucun avantage quelconque, aucune rétribution n'est jamais demandé en contre-partie. Face aux aigrefins, la loi autorise les hôteliers et restaurateurs à porter plainte.

Avis aux lecteurs

Le Routard, ce n'est pas comme le bon vin, il vieillit mal. On ne veut pas pousser à la consommation, mais évitez de partir avec une édition ancienne. Les modifications sont souvent importantes.

Les réductions accordées à nos lecteurs ne sont jamais demandées par nos rédac-teurs afin de préserver leur indépendance. Les hôteliers et restaurateurs sont sollicités par une société de mailing, totalement indépendante de la rédaction, qui reste donc libre de ses choix. De même pour les autocollants et plaques émaillées.

Avec routard.com, choisissez, organisez, réservez et partagez vos voyages !

✓ Rejoignez la plus grande communauté francophone de voyageurs : **plusieurs millions d'internautes.**

✓ Échangez avec les routarnautes : forums, photos, avis d'hôtels.

✓ Retrouvez aussi toutes les informations actualisées pour choisir et préparer vos voyages : plus de 300 guides destinations, une centaine de dossiers pratiques et un magazine en ligne pour découvrir tous les secrets de votre destination.

✓ Enfin, comparez les offres pour organiser et réserver votre voyage au meilleur prix.

Les **Routards** parlent aux **Routards**

Faites-nous part de vos expériences, de vos découvertes, de vos tuyaux et de vos coups de cœur. Aidez-nous à remettre l'ouvrage à jour. Indiquez-nous les rensei-gnements périmés. Faites profiter les autres de vos adresses nouvelles, combines géniales... On adresse un exemplaire gratuit de la prochaine édition à ceux qui nous envoient les meilleurs courriers, pour la qualité et la pertinence des informations. Quelques conseils cependant :
– Envoyez-nous votre courrier le plus tôt possible afin que l'on puisse insérer vos tuyaux sur la prochaine édition.
– N'oubliez pas de préciser l'ouvrage que vous désirez recevoir, ainsi que votre adresse postale.
– Vérifiez que vos remarques concernent l'édition en cours et notez les pages du guide concernées par vos observations.
– Quand vous indiquez des hôtels ou des restaurants, pensez à signaler leur adresse précise et, pour les grandes villes, les moyens de transport pour y aller. Si vous le pouvez, joignez la carte de visite de l'hôtel ou du resto décrit.
En tout état de cause, merci pour vos nombreux mails.

122, rue du Moulin-des-Prés, 75013 Paris

● guide@routard.com ● routard.com ●

Routard Assurance *2019*

Enrichie année après année par les retours des lecteurs, *Routard Assurance* est devenue une assurance voyage incontournable. Tout est compris : frais médicaux, assistance rapatriement, bagages, responsabilité civile... Vous avez besoin d'un médecin, d'un conseil médical ou d'une prise en charge dans un hôpital ? Ap-pelez simplement le plateau *AVI Assistance* disponible 24h/24, leur réseau est l'un des plus complets actuellement. Vous avez eu des frais de santé en voya-ge ? Envoyez les factures à votre retour, *AVI* vous rembourse sous une semaine. Avant votre départ, n'hésitez pas à les appeler pour des conseils personnalisés. Et téléchargez l'appli mobile pour garder le contact avec l'assistance 24h/24 et disposer de l'un des meilleurs réseaux médicaux à travers le monde. *40, rue Washington, 75008 Paris.* ☎ 01-44-63-51-00. ● avi-international.com ● Ⓜ George-V.

Édité par Hachette Livre (58, rue Jean-Bleuzen, CS 70007, 92178 Vanves Cedex, France)
Photocomposé par Jouve (rue de Monbary, 45140 Ormes, France)
Imprimé par Jouve 2 (Quai n° 2, 733, rue Saint-Léonard, BP3, 53101 Mayenne Cedex, France)
Achevé d'imprimer le 26 octobre 2018
Collection n° 13 - Édition n° 01
/9394/3
N. 978-2-01-626738-7
légal : octobre 2018

PAPIER À BASE DE
FIBRES CERTIFIÉES